Albin Eser / Ulrich Sieber / Helmut Kreicker (Hrsg.)

Nationale Strafverfolgung völkerrechtlicher Verbrechen
National Prosecution of International Crimes

Schriftenreihe des Max-Planck-Instituts für ausländisches und internationales Strafrecht

Strafrechtliche Forschungsberichte

Herausgegeben von Ulrich Sieber

in Fortführung der Reihe
„Beiträge und Materialien aus dem Max-Planck-Institut für ausländisches und internationales Strafrecht Freiburg“
begründet von Albin Eser

Band S 95.7

Max-Planck-Institut für ausländisches und internationales Strafrecht

Nationale Strafverfolgung völkerrechtlicher Verbrechen

National Prosecution of International Crimes

herausgegeben von

Albin Eser • Ulrich Sieber • Helmut Kreicker

Band 7

Völkerstrafrecht im Ländervergleich

von

Helmut Kreicker

Duncker & Humblot • Berlin

Bibliografische Information der Deutschen Bibliothek

Die Deutsche Bibliothek verzeichnet diese Publikation in der Deutschen Nationalbibliografie; detaillierte bibliografische Daten sind im Internet über <http://dnb.ddb.de> abrufbar.

Redaktion: Petra Lehser

c/o Max-Planck-Institut für ausländisches und internationales Strafrecht
Günterstalstraße 73, 79100 Freiburg i.Br.
http://www.mpicc.de
Vertrieb in Gemeinschaft mit Duncker & Humblot GmbH, Berlin
http://www.duncker-humblot.de

Umschlagbild: Gary Knight, © VII Photo Agency, http://viiphoto.com
Druck: Stückle Druck und Verlag, Stückle-Straße 1, 77955 Ettenheim
Printed in Germany

ISSN 1860-0093
ISBN 978-3-86113-871-6 (Max-Planck-Institut)
ISBN 978-3-428-12309-4 (Duncker & Humblot)

Gedruckt auf alterungsbeständigem (säurefreiem) Papier
entsprechend ISO 9706 ♾

Geleitwort

I.

Der vorliegende Band dokumentiert den Abschluss eines größeren völkerstrafrechtlichen Forschungsprojekts des Max-Planck-Instituts für ausländisches und internationales Strafrecht. Dieses Projekt wurde im Jahr 2001 von meinem Amtsvorgänger Prof. Dr. *Albin Eser* begonnen und dann nach dem Amtswechsel unter meiner Leitung der strafrechtlichen Forschungsabteilung seit 2003 weitergeführt und fertiggestellt. Zum Abschluss der Untersuchung möchte ich im Namen des Instituts allen Projektbeteiligten herzlich danken. Die Beendigung dieses Projekts bietet darüber hinaus auch die Gelegenheit für einen kurzen Ausblick auf die künftigen Forschungen des Instituts zum Völkerstrafrecht in den einschlägigen Schwerpunktbereichen des neuen strafrechtlichen Forschungsprogramms.

II.

Mein Dank für die Fertigstellung des Projekts „Nationale Strafverfolgung völkerrechtlicher Verbrechen" gilt vor allem dem Projektkoordinator, Dr. *Helmut Kreicker*, der im Jahr 2003 meiner Bitte gefolgt ist, die Leitung des Referats Völkerstrafrecht am Freiburger Max-Planck-Institut zu übernehmen und sich in der Folgezeit neben der Arbeit an seiner Dissertation schwerpunktmäßig dem vorliegenden Projekt zu widmen. Besonders herzlich danke ich auch allen Projektmitarbeiterinnen und -mitarbeitern innerhalb und außerhalb des Instituts. Ihre Landesberichte waren die Grundlage für den vorliegenden Querschnittsband. Mein Dank gilt dabei besonders denjenigen Autorinnen und Autoren, die ihre zu einem frühen Zeitpunkt der Projektbearbeitung erstellten Beiträge nochmals aktualisiert und so eine Veröffentlichung ganz aktueller Landesberichte in den Bänden der Projektreihe ermöglicht haben. Ein besonderer Dank für die Durchsicht des abschließenden Querschnittsberichts gebührt auch dem Projektinitiator Prof. Dr. *Albin Eser*. Das Gleiche gilt für den Nachfolger von Dr. *Kreicker* in der Leitung des Referats Völkerstrafrecht, Herrn *Paul Rabbat*. Vielen Dank sage ich auch allen meinen Mitarbeiterinnen und Mitarbeitern, die in den letzten Jahren die Landesberichte des Projekts inhaltlich geprüft und sprachlich überarbeitet haben, vor allem Herrn *Benjamin von Engelhardt*, Herrn *Marc Engelhart*, Frau *Bettina Enz*, Herrn *Ronjit Ghosh*, Herrn *René Grafunder*, Herrn Dr. *Helmut Gropengießer*, Frau *Teresa Manso Porto*, Herrn *Tilmann Mohr*, Frau *Leveke Neumann*, Frau *Johanna Rinceanu* und Herrn *Peter Rolofs*. Herzlichen Dank sage ich auch Frau *Christa Karcher*, Frau

Irene Kortel, Frau *Petra Lehser*, Frau *Lieselotte Lüdicke* und Frau *Christa Wimmer*, die alle Projektberichte in den sieben Buchbänden sorgfältig redigiert und gesetzt haben.

III.

Die bereits von meinen Amtsvorgängern gepflegten völkerstrafrechtlichen Arbeiten der Forschungsgruppe Strafrecht sollen auch in Zukunft intensiv fortgesetzt werden. Ein Schwerpunkt wird dabei auf der rechtsvergleichenden Forschung liegen. Die Strafrechtsvergleichung ist seit der Gründung des Freiburger Max-Planck-Instituts für ausländisches und internationales Strafrecht durch Prof. Dr. *Hans-Heinrich Jescheck* die wichtigste Grundlage der strafrechtlichen Forschungsarbeiten des Instituts. Sie erlangt in einer globalisierten Welt immer größere Bedeutung für die Entwicklung des Strafrechts im Allgemeinen und des Völkerstrafrechts im Besonderen. Dies gilt im Völkerstrafrecht vor allem für die Ableitung allgemeiner Rechtsgrundsätze *(general principles of law)* aus den unterschiedlichen Rechtssystemen der Welt. Einschlägige Forschungsarbeiten zu dieser Fragestellung haben besonders für die Statuten der internationalen und internationalisierten Strafgerichtshöfe Bedeutung. Die Arbeiten sind dabei durch eine hohe Komplexität gekennzeichnet. Während Implementationsstudien zur Umsetzung internationaler Vorgaben in das nationale Recht eben diese Vorgaben zum Prüfungsmaßstab nehmen können, ist bei der Ableitung allgemeiner Rechtsgrundsätze zunächst die Ermittlung einer Prüfungsebene selbst die Forschungsfrage. Erste Bedingung für die Ableitung allgemeiner Rechtsgrundsätze ist dabei die Bestimmung einer Metastruktur des Strafrechts, in der die zahlreichen unterschiedlichen nationalen Lösungen verglichen und Gemeinsamkeiten festgestellt werden können. Diese – für jede Rechtsvergleichung grundlegende – Problematik ist Gegenstand eines langfristigen Grundlagenprojekts zum Schwerpunkt „Strafrechtsvergleichung" des neuen Forschungsprogramms der strafrechtlichen Forschungsgruppe. Erste Ergebnisse dieser Arbeiten wurden bereits in dem Kolloquiumsband zur Feier des 90. Geburtstags von Prof. Dr. *Hans-Heinrich Jescheck* vorgestellt.

Die konkrete Bestimmung allgemeiner Rechtsgrundsätze für das Völkerstrafrecht war bereits kurz nach meinem Wechsel an das Institut Ende 2003 Gegenstand einer Untersuchung in einem Gemeinschaftsprojekt beider Forschungsabteilungen des Instituts zur Strafzumessung bei schwerer Kriminalität. Diese Untersuchung wurde von dem Internationalen Strafgerichtshof für das ehemalige Jugoslawien (ICTY) in Auftrag gegeben und bezog rechtsvergleichend weltweit 20 Rechtsordnungen ein. Im Jahr 2006 folgte im Auftrag der Anklagebehörde des ICTY eine noch umfangreichere rechtsvergleichende Studie über die Strafbarkeit von Führungspersonen in Straftätergruppen und Netzwerken. Die hierfür erstellten Landesberichte über die strafrechtlichen Beteiligungsregeln in 40 repräsentativ ausgewählten Rechtsordnungen aus allen Weltregionen sowie die rechtsvergleichende Querschnittsuntersuchung sollen 2007 veröffentlicht werden. Zur Unterstützung solch umfangreicher rechtsvergleichender Studien entwickelt die strafrechtliche Forschungsabteilung gegenwärtig ein „Max-Planck-Informationssystem für Strafrechtsvergleichung". Dabei soll der Allgemeine Teil des Strafrechts der europäischen Rechtsordnungen und der wichtigsten Rechtsordnungen aller anderen Weltregionen systematisch erfasst werden. Das Forschungsprojekt wird für die Theorie und Praxis der Gewinnung allgemeiner Rechtsgrundsätze im Völkerstrafrecht hohe Bedeutung haben.

Neben diesen rechtsvergleichenden Projekten wird an weiteren Untersuchungen zum Völkerstrafrecht gearbeitet. Bereits seit Ende 2005 läuft eine Untersuchung zur Aufarbeitung des Völkermordes in Ruanda, die das Verhältnis von (neo-) traditionellen Konfliktlösungsmechanismen, nationalem Strafrecht und Völkerstrafrecht analysiert. Im Jahr 2006 wurde eine weitere Arbeit zum Gesetzlichkeitsprinzip im Völkerstrafrecht begonnen. In diesem Jahr erstellte das Institut auch kurzfristig eine Stellungnahme zur neuen Prozessrechtsordnung des Khmer-Rouge-Tribunals in Kambodscha. Die völkerstrafrechtliche Forschungstätigkeit des Instituts umfasst ebenfalls eine Untersuchung des Irakischen Sondertribunals. Darüber hinaus wird in der 2007 beginnenden Max Planck Research School for Comparative Criminal Law die Entwicklung des Völkerstrafrechts ebenfalls eine wichtige Rolle spielen.

Der vorliegende Band zu einem Projekt aus der Übergangszeit des Amtswechsels und die neuen Arbeiten des Instituts im Völkerstrafrecht zeigen damit vor allem die Kontinuität der Forschungsaktivitäten zum Völkerstrafrecht, die das Institut auch in Zukunft fortsetzen wird.

Freiburg, im November 2006 *Ulrich Sieber*

Vorwort der Herausgeber

Mit diesem siebten Band der Reihe „Nationale Strafverfolgung völkerrechtlicher Verbrechen" wird das im Herbst 2001 begonnene gleichnamige international-rechtsvergleichende Forschungsprojekt des Freiburger Max-Planck-Instituts für ausländisches und internationales Strafrecht zum Abschluss gebracht. Das im Zusammenhang mit der Schaffung des deutschen Völkerstrafgesetzbuches initiierte Projekt geht vor dem Hintergrund des Komplementaritätsprinzips des Römischen Statuts des Internationalen Strafgerichtshofs der Frage nach, in welchem Umfang und in welcher Weise verschiedene Staaten eine Ahndung von Völkerstraftaten durch ihre eigenen Gerichte ermöglichen.

In den ersten sechs Bänden der Reihe sowie einem weiteren spanischsprachigen Band wurden insgesamt 33 Landesberichte veröffentlicht, die von Mitarbeiterinnen und Mitarbeitern des Max-Planck-Instituts für ausländisches und internationales Strafrecht sowie von externen Wissenschaftlerinnen und Wissenschaftlern erstellt wurden. Während die Landesberichte die Rechtslage in den untersuchten Ländern analysieren, die Verfolgungsrealität in den einzelnen Staaten erörtern und die jeweilige rechtspolitische Diskussion nachzeichnen, enthält der vorliegende Abschlussband den vom Projektkoordinator Dr. *Helmut Kreicker* verfassten rechtsvergleichenden Querschnitt „Völkerstrafrecht im Ländervergleich". Dieser stellt in Form einer horizontalen Rechtsvergleichung die nationalen gesetzlichen Regelungen einander gegenüber und zeigt Gemeinsamkeiten und Unterschiede der nationalen Bestimmungen auf, vergleicht in Form einer vertikalen Rechtsvergleichung die Rechtslage in den untersuchten Ländern mit dem völkerrechtlichen Strafrecht und zieht schließlich aus den nationalen Regelungen Rückschlüsse auf den Stand des völkergewohnheitsrechtlich geltenden – Völkerstrafrechts.

Ein Projekt dieser Größenordnung kann nur in Teamarbeit gemeinsam mit einer Vielzahl von Wissenschaftlerinnen und Wissenschaftlern realisiert werden. Daher möchten wir uns auch an dieser Stelle bei den Autorinnen und Autoren der einzelnen Landesberichte ganz herzlich dafür bedanken, dass sie mit beeindruckendem Engagement und großer Sachkunde die Rechtslage und Verfolgungsrealität in ihren Ländern untersucht und informative Landesberichte vorgelegt haben. Die einzelnen Landesberichte geben nicht nur detailliert Auskunft über die Situation in den untersuchten Ländern, sondern bilden auch die Basis für den mit diesem Abschlussband publizierten rechtsvergleichenden Beitrag. Ohne die einzelnen Landesberichte wäre es nicht möglich gewesen, die vorliegende Studie „Völkerstrafrecht im Ländervergleich" zu verfassen.

Unser Dank gilt aber auch den vielen Helferinnen und Helfern im Hintergrund, die bei der Projektkoordination mitgewirkt und die redaktionelle Bearbeitung der Landesberichte maßgeblich unterstützt haben.

Freiburg, im November 2006 *Albin Eser, Ulrich Sieber, Helmut Kreicker*

Vorwort des Verfassers

Mit dem vorliegenden Beitrag wird das von mir gemeinsam mit Prof. Dr. Dr. h.c. mult. *Albin Eser*, M.C.J., und Prof. Dr. Dr. h.c. *Ulrich Sieber* am Freiburger Max-Planck-Institut für ausländisches und internationales Strafrecht durchgeführte international-rechtsvergleichende Forschungsprojekt „Nationale Strafverfolgung völkerrechtlicher Verbrechen“ abgeschlossen. Während in den ersten sechs Bänden der gleichnamigen Reihe sowie einem spanischsprachigen Band insgesamt 33 Landesberichte zur Rechtslage in einzelnen Staaten veröffentlicht wurden, wird mit diesem letzten Band der Versuch gemacht, die Aussagen der einzelnen Landesberichte zusammenzufassen sowie die Rechtslage in den einzelnen Staaten zum einen mit dem gegenwärtigen Stand des völkerrechtlichen Strafrechts, zum anderen aber auch untereinander zu vergleichen.

Das Manuskript dieses Beitrags entstand teilweise noch während meiner Tätigkeit als Leiter des Referats „Internationales Strafrecht und Völkerstrafrecht“ am Max-Planck-Institut; große Teile aber wurden nach meinem Wechsel in den Justizdienst des Landes Niedersachsen verfasst. Daher ist mir diese Publikation ein willkommener Anlass, Dank zu sagen. Mein Dank gilt zuvörderst Herrn Prof. Dr. Dr. h.c. mult. *Albin Eser*, M.C.J., der mir bereits als Student Forschungsmöglichkeiten am Max-Planck-Institut eröffnet, mein Interesse am (internationalen) Strafrecht gefördert und nicht zuletzt auch meine umfangreiche völkerrechtlich-strafrechtliche Dissertation betreut hat. Er hat das Projekt als Direktor des Max-Planck-Instituts initiiert, seine Durchführung am Institut möglich gemacht und es bis zu seinem jetzigen Abschluss durch eine Vielzahl wertvoller Ratschläge und Hinweise maßgeblich unterstützt. Herrn Prof. Dr. Dr. h.c. *Ulrich Sieber* danke ich ganz herzlich dafür, dass er nach seiner Übernahme der Institutsleitung die gemeinsame Weiterführung des schon zuvor begonnenen Projekts nicht nur bereitwillig ermöglicht, sondern auch zu seiner eigenen Sache gemacht hat. Er hat durch seine engagierte Förderung des Projekts in wissenschaftlicher und organisatorischer Hinsicht sowie die Bereitstellung beachtlicher Ressourcen des Instituts ganz erheblichen Anteil daran, dass die Forschungen zur nationalen Strafverfolgung völkerrechtlicher Verbrechen nunmehr erfolgreich vollendet werden konnten. Dankbar bin ich Herrn Prof. Dr. *Sieber* aber auch dafür, dass er mir in meiner Funktion als Referatsleiter am Institut überdies Freiraum für eigene wissenschaftliche Tätigkeiten gewährt hat. Stellvertretend für die vielen Kolleginnen und Kollegen am Max-Planck-Institut, die mir stets hilfreiche Ansprechpartner waren und die großen Anteil daran haben, dass ich immer gerne am Institut gearbeitet habe, möchte ich Herrn Prof. Dr. *Jörg Arnold* Dank sagen, konnte ich doch als langjähriger Mitarbeiter in dem von ihm geleiteten Projekt „Strafrecht in Reaktion auf Systemunrecht“ das notwendige „Handwerkszeug“ lernen, das es mir ermöglicht hat, die Verantwortung für das Projekt „Nationale Strafverfolgung völkerrechtlicher Verbrechen“ zu übernehmen und dieses zu einem erfolgreichen Abschluss zu führen.

Herrn *Paul Rabbat*, LL.B, LL.M., ist zu danken für eine kritische Durchsicht des Manuskripts der vorliegenden Studie. Mein Dank gilt nicht zuletzt auch allen Mitarbeiterinnen und Mitarbeitern im Projekt „Nationale Strafverfolgung völkerrechtlicher Verbrechen“ sowie den Mitarbeiterinnen der Veröffentlichungsabteilung des Max-Planck-Instituts für ihr beeindruckendes Engagement, ist doch ein derart umfangreiches Projekt nur unter Mitwirkung einer Vielzahl von Personen realisierbar.

Für den vorliegenden Beitrag wurden die völkerstrafrechtliche Rechtsprechung und Literatur bis Anfang 2006 berücksichtigt, wenngleich angesichts der – erfreulichen – Fülle einschlägiger Veröffentlichungen Vollständigkeit von vornherein nicht erstrebt werden konnte. Soweit in Auswertung der Landesberichte auf die Rechtslage in einzelnen Staaten eingegangen wird, ist zu beachten, dass der Stand der Landesberichte unterschiedlich ist und die Landesberichte – und damit auch dieser Beitrag – angesichts der hohen Geschwindigkeit der Rechtsentwicklung im Völkerstrafrecht jeweils nur eine Momentaufnahme darstellen können.

Freiburg, im November 2006 *Helmut Kreicker*

Inhaltsverzeichnis

Abkürzungsverzeichnis

a.a.O.	am angegebenen Ort
abgedr.	abgedruckt
Abs.	Absatz
All ER	All England Law Reports
a.F.	alte Fassung
AJIL	American Journal of International Law
Alt.	Alternative
Anm.	Anmerkung
Art.	Artikel
AVR	Archiv des Völkerrechts
BayObLG	Bayerisches Oberstes Landesgericht
BayObLGSt	Entscheidungen des Bayerischen Obersten Landesgerichts in Strafsachen (zitiert nach Jahr und Seite)
Bd., Bde.	Band, Bände
BGB	Bürgerliches Gesetzbuch
BGBl.	Bundesgesetzblatt der Bundesrepublik Deutschland
BGH	Bundesgerichtshof
BGHSt	Entscheidungen des Bundesgerichtshofs in Strafsachen (zitiert nach Band und Seite)
BrB	Brottsbalken (schwedisches Kriminalgesetzbuch)
BRD	Bundesrepublik Deutschland
BT-Drucks.	Drucksache des Deutschen Bundestages (zitiert nach Wahlperiode und Nummer)
BVerfG	Bundesverfassungsgericht
BVerfGE	Entscheidungen des Bundesverfassungsgerichts (zitiert nach Band und Seite)
BVerwG	Bundesverwaltungsgericht
bzgl.	bezüglich
bzw.	beziehungsweise

CAHWCA	Crimes Against Humanity and War Crimes Act (Kanada)
CC	Criminal Code
CIA	Central Intelligence Agency
CLF	Criminal Law Forum
CornILJ	Cornell International Law Journal
CP	Code Pénal (franz.)/Código Penal (span.)
DDR	Deutsche Demokratische Republik
DDR-GBl.	Gesetzblatt der Deutschen Demokratischen Republik
ders.	derselbe
dies.	dieselbe(n)
dt.	deutsch
ed(s).	editor(s)
EG	Europäische Gemeinschaften
EGMR	Europäischer Gerichtshof für Menschenrechte
ehem.	ehemalig
Einl.	Einleitung
EJIL	European Journal of International Law
EMRK	Europäische Konvention zum Schutze der Menschenrechte und Grundfreiheiten vom 4.11.1950 (BGBl. 1952 II, S. 685, 953) i.d.F. des 11. Protokolls vom 11.5.1994 (BGBl. 1995 II, S. 579)
Entsch.	Entscheidung
EPIL	Encyclopedia of Public International Law
et al.	et alii
ETS	European Treaty Series
EuGH	Europäischer Gerichtshof
EuGRZ	Europäische Grundrechte-Zeitschrift
Eur.J.CrimeCr.L.Cr.J.	European Journal of Crime, Criminal Law and Criminal Justice
f./ff.	folgende/fortfolgende
FAZ	Frankfurter Allgemeine Zeitung
Fn.	Fußnote
FR	Frankfurter Rundschau
franz.	französisch

FS	Festschrift
GA	Goltdammers's Archiv für Strafrecht
GA I	I. Genfer Abkommen zur Verbesserung des Loses der Verwundeten und Kranken der Streitkräfte im Felde vom 12.8.1949 (BGBl. 1954 II, S. 783)
GA II	II. Genfer Abkommen zur Verbesserung des Loses der Verwundeten, Kranken und Schiffbrüchigen der Streitkräfte zur See vom 12.8.1949 (BGBl. 1954 II, S. 813)
GA III	III. Genfer Abkommen über die Behandlung der Kriegsgefangenen vom 12.8.1949 (BGBl. 1954 II, S. 838)
GA IV	IV. Genfer Abkommen zum Schutze von Zivilpersonen in Kriegszeiten vom 12.8.1949 (BGBl. 1954 II, S. 917)
GedS	Gedächtnisschrift
GG	Grundgesetz für die Bundesrepublik Deutschland
GLJ	German Law Journal
GVG	Gerichtsverfassungsgesetz
GV-Res.	Resolution der UN-Generalversammlung
GYIL	German Yearbook of International Law
HLKO	Haager Landkriegsordnung (Anlage zum Abkommen, betreffend die Gesetze und Gebräuche des Landkriegs, vom 18.10.1907; RGBl. 1910, S. 107, 132)
h.M.	herrschende Meinung
HRLJ	Human Rights Law Journal
HRQ	Human Rights Quarterly
Hrsg., hrsg.	Herausgeber, herausgegeben
HuV-I	Humanitäres Völkerrecht – Informationsschriften
i.Br.	im Breisgau
IBCCRIM	Instituto Brasileiro de Ciências Criminais
ICC	International Criminal Court
ICJ-Reports	Reports of Judgements, Advisory Opinions and Orders of the International Court of Justice
ICLQ	International and Comparative Law Quarterly
ICLR	International Criminal Law Review
ICTR	International Criminal Tribunal for Rwanda
ICTY	International Criminal Tribunal for the Former Yugoslavia

IGH	Internationaler Gerichtshof
IKRK	Internationales Komitee vom Roten Kreuz
ILC	International Law Commission
ILM	International Legal Materials
ILR	International Law Reports
IMTFE-Statut	Statut des International Military Tribunal for the Far East
IMT-Statut	Statut des International Military Tribunal (Nürnberg)
insb.	insbesondere
IPBPR	Internationaler Pakt über bürgerliche und politische Rechte vom 19.12.1966 (BGBl. 1973 II, S. 1534)
i.S.d.	im Sinne des/der
IStGH	Internationaler Strafgerichtshof
i.V.m.	in Verbindung mit
IYHR	Israel Yearbook on Human Rights
JA	Juristische Arbeitsblätter
JICJ	Journal of International Criminal Justice
JR	Juristische Rundschau
JuS	Juristische Schulung
Jura	Juristische Ausbildung
JZ	Juristenzeitung
Kap.	Kapitel
KK-StPO	Karlsruher Kommentar zur Strafprozessordnung
KRG	Kontrollratsgesetz
KritJ	Kritische Justiz
KritV	Kritische Vierteljahresschrift für Gesetzgebung und Rechtsprechung
KZ	Konzentrationslager
lit.	litera
LJIL	Leiden Journal of International Law
LK-StGB	Leipziger Kommentar zum Strafgesetzbuch
LR-StPO	Löwe/Rosenberg, Die Strafprozeßordnung und das Gerichtsverfassungsgesetz. Großkommentar
MK-StGB	Münchener Kommentar zum Strafgesetzbuch

MPI	Max-Planck-Institut für ausländisches und internationales Strafrecht, Freiburg i.Br.
MStGB	Militärstrafgesetzbuch
m.w.N.	mit weiteren Nachweisen
Nachw.	Nachweise
NATO	North Atlantic Treaty Organisation
NATO-TS	Abkommen zwischen den Parteien des Nordatlantikvertrags über die Rechtsstellung ihrer Truppen (NATO-Truppenstatut) vom 19.6.1951 (BGBl. 1961 II, S. 1190)
NILR	Netherlands International Law Review
NJ	Neue Justiz
NJW	Neue Juristische Wochenschrift
No.	Number
Nr.	Nummer
NS	Nationalsozialismus
NStZ	Neue Zeitschrift für Strafrecht
NZWehrr	Neue Zeitschrift für Wehrrecht
NZZ	Neue Zürcher Zeitung
OAU	Organization of African Unity
öBGBl.	Bundesgesetzblatt der Republik Österreich
OLG	Oberlandesgericht
para.	paragraph
PC	Penal Code
RdC	Recueil des Cours
Res.	Resolution
RGBl.	Reichsgesetzblatt des Deutschen Reiches
Rn.	Randnummer
S.	Seite
SDÜ	Übereinkommen zur Durchführung des Übereinkommens von Schengen vom 14. Juni 1985 zwischen den Regierungen der Staaten der Benelux-Wirtschaftsunion, der Bundesrepublik Deutschland und der französischen Republik betreffend den schrittweisen Abbau der Kontrollen an den

	gemeinsamen Grenzen vom 19.6.1990 – Schengener Durchführungsübereinkommen – (BGBl. 1993 II, S. 1013)
SJZ	Süddeutsche Juristenzeitung
SOFA	Status of Forces Agreement
sog.	so genannt
Sp.	Spalte
SR-Res.	Resolution des UN-Sicherheitsrats
SS	Schutzstaffel
StG, StrG	Strafgesetz
StGB	Strafgesetzbuch
StPO	Strafprozessordnung
StV	Strafverteidiger
Suppl.	Supplement
SZ	Süddeutsche Zeitung
u.a.	und andere/unter anderem
Übers.	Übersetzung
UN	United Nations
UN-Charta	Charta der Vereinten Nationen vom 26.6.1945 (BGBl. 1973 II, S. 431)
UCMJ	Uniform Code of Military Justice (USA)
UNTS	United Nations Treaty Series
US	United States
USA	United States of America
vgl.	vergleiche
Vol.	Volume
VN	Vereinte Nationen
vs.	versus
VStGB	Völkerstrafgesetzbuch
WÜD	Wiener Übereinkommen über diplomatische Beziehungen vom 18.4.1961 (BGBl. 1964 II, S. 959)
WÜK	Wiener Übereinkommen über konsularische Beziehungen vom 24.4.1963 (BGBl. 1969 II, S. 1585)
WVRK	Wiener Übereinkommen über das Recht der Verträge vom 23.5.1969 (BGBl. 1985 II, S. 926)

YBILC	Yearbook of the International Law Commission
ZaöRV	Zeitschrift für ausländisches öffentliches Recht und Völkerrecht
ZBJV	Zeitschrift des Bernischen Juristenvereins
Ziff.	Ziffer
ZNR	Zeitschrift für Neuere Rechtsgeschichte
ZÖR	Zeitschrift für öffentliches Recht
ZP I	Zusatzprotokoll zu den Genfer Abkommen vom 12. August 1949 über den Schutz der Opfer internationaler bewaffneter Konflikte (Protokoll I) vom 8.6.1977 (BGBl. 1990 II, S. 1551)
ZP II	Zusatzprotokoll zu den Genfer Abkommen vom 12. August 1949 über den Schutz der Opfer nicht-internationaler bewaffneter Konflikte (Protokoll II) vom 8.6.1977 (BGBl. 1990 II, S. 1637)
ZRP	Zeitschrift für Rechtspolitik
ZStrR	Schweizerische Zeitschrift für Strafrecht
ZStW	Zeitschrift für die gesamte Strafrechtswissenschaft
zust.	zustimmend

Vorbemerkungen

Das Völkerstrafrecht[1] hat seit der fundamentalen Neuordnung des internationalen Systems Ende der achtziger Jahre des vorigen Jahrhunderts wichtige Bedeutung für die Strafrechtspraxis und große Aufmerksamkeit in der Wissenschaft erlangt. In den Jahren 1993 und 1994 wurden mit den UN-Strafgerichtshöfen für das ehemalige Jugoslawien (ICTY) und für Ruanda (ICTR) erstmals seit den Militärtribunalen von Nürnberg und Tokio internationale Strafgerichte zur Ahndung völkerrechtlicher Verbrechen geschaffen, deren Zuständigkeit sich allerdings wie die der nach dem Ende des Zweiten Weltkrieges von den Alliierten errichteten Tribunale auf einzelne Kriminalitätskomplexe im Sinne bestimmter historischer Situationen beschränkt. Insofern stellt die Verabschiedung des Römischen Statuts des Internationalen Strafgerichtshofs (IStGH) am 17. Juli 1998[2] einen besonderen Meilenstein und – vorläufigen – Höhepunkt in der Entwicklung des völkerrechtlichen Strafrechts dar, wurde doch damit erstmals die Schaffung eines ständigen und auf Universalität ausgerichteten supranationalen Strafgerichts vereinbart.[3] Bereits vier Jahre später, am 1. Juli 2002, trat das Römische Statut in Kraft; mittlerweile ist der IStGH funktionsfähig und hat erste Ermittlungen aufgenommen.[4] Auch wenn die Obstruktionspolitik der USA sowie die Tatsache, dass mit China und Russland ne-

---

1 Hinsichtlich der in der deutschen Sprache verwendeten Begriffe sei Folgendes angemerkt: Der Terminus „Völkerstrafrecht" und dessen Synonym „völkerrechtliches Strafrecht" bezeichnen einen dem Völkerrecht zugehörigen Bestand von Normen, die eine unmittelbare strafrechtliche Verantwortlichkeit von Einzelpersonen festlegen. Einzelpersonen können sich unmittelbar nach diesen Normen strafbar machen und in Anwendung dieser Rechtsvorschriften bestraft werden. Die völkergewohnheitsrechtlich anerkannten Straftatbestände dieses Völkerstrafrechts werden als „völkerrechtliche Verbrechen" bezeichnet. Der Begriff „Völkerstrafrecht" umfasst demnach *nicht* diejenigen völkerrechtlichen Regeln, die an einzelne Staaten adressiert sind und diese verpflichten, bestimmte von der Staatengemeinschaft als schutzwürdig angesehene Rechtsgüter durch Schaffung und Anwendung eigener nationaler Strafrechtsnormen zu schützen. Vgl. *Triffterer*, ZStW 116 (2004), 959 (965 f.) sowie unten S. 170.

2 Abgedruckt in englischer Fassung in ILM 37 (1998), 999; in englischer und französischer Fassung sowie in amtlicher dt. Übers. in BGBl. 2000 II, S. 1393 und BT-Drucks. 14/2682, S. 9. Deutsche Fassung auch in der Sammlung „Sartorius II" unter Nr. 35. Internetquelle: <www.icc-cpi.int/about/Official_Journal.html> (1.1.2006). Einen Überblick über den Internationalen Strafgerichtshof und das Römische Statut geben *Ambos*, NJW 1998, 3743 ff.; *ders.*, ZStW 111 (1999), 175 ff.; *Blanke/Molitor*, AVR 39 (2001), 142 ff.; *Dahm/Delbrück/Wolfrum*, Völkerrecht, Bd. I/3, S. 1143 ff.; *Eser*, in: Courakis (Hrsg.), FS Spinellis, S. 339 ff.; *Jescheck*, in: Bemmann/Spinellis (Hrsg.), FS Mangakis, S. 483 ff.

3 Vgl. *Eser*, ZBJV 139 (2003), 2 (8 f.).

4 Siehe *Kaul*, VN 2004, 141 (141 ff.).

ben den USA zwei weitere ständige Mitglieder des UN-Sicherheitsrats und globalpolitische Hauptakteure – bislang – eine Ratifizierung des Römischen Statuts ablehnen, eine nicht zu unterschätzende Hypothek für den Gerichtshof darstellen, so kann man dennoch angesichts der mittlerweile erreichten Zahl von 100 Vertragsstaaten[5] des Statuts von einer Erfolgsbilanz sprechen.

Diese Entwicklungen des Völkerstrafrechts haben alle auf der internationalen Ebene und damit unmittelbar im Bereich des Völkerrechts stattgefunden. Es ist deshalb nicht verwunderlich, dass die völkerstrafrechtliche Diskussion in der Öffentlichkeit und in der (Strafrechts-)Wissenschaft auf die *internationale* Strafverfolgung völkerrechtlicher Verbrechen fokussiert ist.

Doch hatten und haben diese Entwicklungen auf der internationalen Ebene auch bedeutende Auswirkungen auf die nationalen Strafrechtsordnungen der einzelnen Staaten und damit für die *nationale* Strafverfolgung völkerrechtlicher Verbrechen. Denn ein wesentliches Strukturelement des IStGH ist dessen lediglich komplementäre Zuständigkeit. Der IStGH darf nur dann tätig werden, wenn – aus rechtlichen oder politischen Gründen – eine Ahndung völkerrechtlicher Verbrechen durch nationale Gerichte einzelner Staaten unterbleibt. Nur wenn die einzelnen Staaten – namentlich der Tatortstaat und der Heimatstaat eines Beschuldigten – „nicht willens oder nicht in der Lage" sind, eine Strafverfolgung ernsthaft durchzuführen, ist nach Art. 17 IStGH-Statut eine Zuständigkeit des IStGH gegeben.[6] Um sich einen „weltpolitisch peinlichen ‚Unfähigkeitsnachweis'"[7] zu ersparen, liegt es im Eigeninteresse der Staaten sicherzustellen, zu einer Strafverfolgung völkerrechtlicher Verbrechen in zumindest gleichem Ausmaß in der Lage zu sein wie der IStGH. Die Verabschiedung des Römischen Statuts hat deshalb dazu geführt, dass weltweit die Staaten ihre nationalen Strafrechtsordnungen an das Römische Statut anpassen oder bereits angepasst haben. Man kann insofern von einem Prozess der Implementation des Römischen Statuts sprechen. So hat beispielsweise Deutschland im Jahr 2002 ein eigenständiges Völkerstrafgesetzbuch geschaffen, das Völkermord, Verbrechen gegen die Menschlichkeit und Kriegsverbrechen durch Spezialtatbestände unter Strafe stellt. Kanada hat bereits 2000 einen *Crimes Against Humanity and War Crimes Act* (CAHWCA) erlassen, der pauschal alle nach Völkerrecht strafbaren Verbrechen für auch nach kanadischem Recht strafbar erklärt. England und Wales haben 2001 durch den *International Criminal Court Act (2001)* die „Straftatbestän-

---

5 Zum aktuellen Ratifizierungsstand siehe im Internet <www.icc-cpi.int/asp/statesparties.html> (1.1.2006).

6 Vgl. *Eser*, ZBJV 139 (2003), 2 (24 ff.); *ders.*, in: Grafl/Medigovic (Hrsg.), FS Burgstaller, S. 355 (360 ff.); *Holmes*, in: Cassese u.a. (Hrsg.), Rome Statute of the International Criminal Court, Bd. I, S. 667 (671 ff.); *Werle/Jeßberger*, JZ 2002, 725 (726 f.); *Williams*, in: Triffterer (Hrsg.), Commentary on the Rome Statute, Art. 17 Rn. 1 ff.

7 *Eser*, Vorwort des Projektinitiators, in: Eser/Kreicker (Hrsg.), Nationale Strafverfolgung völkerrechtlicher Verbrechen, Bd. 1, S. X; *ders.*, in: Grafl/Medigovic (Hrsg.), FS Burgstaller, S. 355 (366).

de" der Art. 6 bis 8 IStGH-Statut zum Bestandteil ihrer nationalen Rechtsordnung gemacht. Australien hat sein Bundesstrafgesetzbuch im Jahr 2002 um völkerstrafrechtliche Normen ergänzt, wobei zur Verbrechensdefinition die Formulierungen der *Elements of Crimes* zu Art. 6 bis 8 IStGH-Statut übernommen wurden. Und in Schweden ist – um ein weiteres Beispiel für nationale Reformprozesse zu nennen – ein Entwurf für ein Gesetz über Völkerrechtsstraftaten präsentiert worden. In vielen anderen Ländern wird derzeit über Anpassungen des nationalen Strafrechts an das Römische Statut diskutiert. Nur in wenigen Ländern, etwa in China, Israel, Russland und den USA, sind momentan keinerlei Reformansätze zu verzeichnen.[8]

Vor diesem Hintergrund begann das Freiburger Max-Planck-Institut für ausländisches und internationales Strafrecht im Dezember 2001 unter der Leitung des damaligen Institutsdirektors Prof. Dr. Dr. h.c. mult. *Albin Eser*, M.C.J. und des Verfassers des vorliegenden Beitrags das Forschungsprojekt „Nationale Strafverfolgung völkerrechtlicher Verbrechen", das seit der Übernahme der Leitung der strafrechtlichen Forschungsgruppe durch Prof. Dr. Dr. h.c. *Ulrich Sieber* im Jahr 2003 gemeinsam mit ihm weitergeführt wurde und in diesem Ländervergleich seinen Abschluss findet.[9]

In Form von Landesberichten zu insgesamt 33 Staaten aus allen Kontinenten und aus unterschiedlichen Rechtskreisen wurde untersucht, wie und in welchem Umfang verschiedene Staaten zu einer Ahndung von Völkerstraftaten durch eigene nationale Gerichte in der Lage sind, welche Defizite gegenüber dem geltenden Völkerrecht (und dort normierten Verfolgungspflichten) in den nationalen Strafrechtsordnungen bestehen und welche Reformen zur Ermöglichung einer nationalen Strafverfolgung völkerrechtlicher Verbrechen durchgeführt wurden oder geplant sind. Die Beantwortung dieser Fragen durch die zahlreichen Landesberichte bedeutet nicht nur einen wissenschaftlich-theoretischen Erkenntnisgewinn für die strafrechtliche Grundlagenforschung, sondern ist auch von unmittelbarem praktischem Nutzen. Das Max-Planck-Institut hofft, dass die Projektveröffentlichungen Reformprozesse in einzelnen Staaten unterstützen, indem verschiedene Wege für eine nationale Strafverfolgung völkerrechtlicher Verbrechen aufgezeigt und bewertet werden. Im Hinblick auf das Komplementaritätsprinzip dürften die Beiträge auch für den IStGH von Relevanz sein. Nicht zuletzt könnten aus den Feststellungen zu den Rechtsgrundlagen und ihrer Interpretation in verschiedenen Staaten Rückschlüsse auf die Rechtsüberzeugung von Staaten als ein konstitutives Element

---

[8] Vgl. näher zu den bereits durchgeführten und noch geplanten Reformen unten S. 348 ff.

[9] Der Verfasser, der als Referatsleiter für internationales Strafrecht und Völkerstrafrecht am Max-Planck-Institut wesentliche Teile der Projektkonzeption entwickelt hat und in dessen Händen das wissenschaftliche und organisatorische Projektmanagement lag, dankt den Mitherausgebern dafür, dass sie als Direktoren des MPI das Forschungsprojekt ermöglicht und unter Bereitstellung erheblicher personeller und sachlicher Ressourcen des Instituts gemeinsam mit ihm durchgeführt haben.

von Völkergewohnheitsrecht (vgl. Art. 38(1)(b) IGH-Statut) und damit Rückschlüsse auf den Stand völkergewohnheitsrechtlicher Normen gezogen werden bzw. ermöglichen die Landesberichte durch das Aufzeigen gleichartiger Regeln in verschiedenen Staaten die Bestimmung von allgemeinen (völkerstrafrechtlichen) Rechtsgrundsätzen im Sinne des Art. 38(1)(c) IGH-Statut.

Zu den nachfolgend genannten Staaten wurden auf der Basis eines einheitlichen Fragenkatalogs, der zugleich als verbindliche Gliederungsvorgabe diente, Landesberichte verfasst:[10]

Europa:	Deutschland, England/Wales, Estland, Finnland, Frankreich, Griechenland, Italien, Kroatien, Österreich, Polen, Russland, Schweden, Serbien und Montenegro, Slowenien, Spanien sowie Weißrussland.
Nordamerika:	Kanada und USA.
Mittel- und Südamerika:	Argentinien, Bolivien, Brasilien, Chile, Costa Rica, El Salvador, Kolumbien, Mexiko, Peru, Uruguay, Venezuela.
Asien:	China, Israel und Türkei.
Afrika:	Côte d'Ivoire (Elfenbeinküste).
Ozeanien:	Australien.

Die Landesberichte zu den in das Projekt einbezogenen mittel- und südamerikanischen Ländern wurden in einem gesonderten Teilprojekt bearbeitet, das von Prof. Dr. *Kai Ambos*, ehemals Referent für Hispanoamerika und internationales Strafrecht am Max-Planck-Institut, betreut wurde und in veränderter Form an seinem Göttinger Lehrstuhl weitergeführt wird.[11] Diese Landesberichte sind in spanischer bzw. portugiesischer Sprache in Lateinamerika erschienen.[12] Die Landesberichte zu den Staaten aus Europa, Nordamerika, Asien, Afrika und Ozeanien wurden in deut-

---

10 Gegenüber der ursprünglichen Projektkonzeption und den Angaben in der in den vorherigen Bänden der Reihe „Nationale Strafverfolgung völkerrechtlicher Verbrechen" (siehe unten Anm. 14 f.) veröffentlichten „Einführung in das Projekt" haben sich, was die untersuchten Länder anbelangt, nur geringfügige Änderungen ergeben. Aus verschiedenen Gründen konnten die Pläne, auch Landesberichte zu Belgien, den Niederlanden und der Schweiz zu veröffentlichen, nicht realisiert werden. Dies ist in wissenschaftlicher Hinsicht bedauerlich, doch lässt sich bei einem Projekt dieser Größenordnung, zumal wenn es in relativ kurzer Zeit abgeschlossen werden soll, trotz sorgfältigen Managements nicht immer vermeiden, dass unvorhergesehene Entwicklungen Veränderungen der ursprünglichen Planung erforderlich machen. Umso erfreulicher ist es, dass zusätzlich noch Griechenland in das Projekt einbezogen werden konnte.

11 Siehe *Aldoney Ramírez*, ZStW 116 (2004), 819 (819 Fn. 1, 826).

12 *Ambos, Kai/Malarino, Ezequiel* (Hrsg.), Persecución penal nacional de crímenes internationales en América Latina y España. Montevideo (Uruguay) 2003; *dies.* (Hrsg.), Persecução Penal Internacional na América Latina e Espanha. São Paulo (Brasilien) 2003.

scher bzw. englischer oder spanischer Sprache[13] in Deutschland publiziert, wobei die ersten beiden Bände der Reihe „Nationale Strafverfolgung völkerrechtlicher Verbrechen“ im MPI-Hausverlag *edition iuscrim* erschienen sind[14] und die Bände drei bis sechs ebenso wie der vorliegende in Kooperation mit dem Berliner Verlag *Duncker & Humblot* veröffentlicht wurden.[15] Die Autorinnen und Autoren der 33 Landesberichte sind entweder mit dem untersuchten Staat besonders vertraute Mitarbeiterinnen und Mitarbeiter des Max-Planck-Instituts oder aber Strafrechtsexperten aus dem jeweiligen Land.[16]

---

[13] In englischer Sprache wurden die Landesberichte zu Estland, Griechenland, Israel, Kanada und den USA veröffentlicht (Bd. 5 der Reihe „Nationale Strafverfolgung völkerrechtlicher Verbrechen“), in spanischer Sprache der Bericht zu Spanien (Bd. 4 der Reihe „Nationale Strafverfolgung völkerrechtlicher Verbrechen“).

[14] *Eser, Albin/Kreicker, Helmut* (Hrsg.), Nationale Strafverfolgung völkerrechtlicher Verbrechen – National Prosecution of International Crimes, Bde. 1 und 2, Freiburg 2003.

[15] *Eser, Albin/Sieber, Ulrich/Kreicker, Helmut* (Hrsg.), Nationale Strafverfolgung völkerrechtlicher Verbrechen. National Prosecution of International Crimes, Bde. 3 bis 6, Berlin 2004/2005.

[16] Die Autorinnen und Autoren sind: Argentinien: *Ezequiel Malarino*, ehemaliger Mitarbeiter am MPI; Australien: *Anke Biehler*, Delegierte des IKRK, ehemalige Mitarbeiterin am MPI, *Christina Kerll*, ehemalige Mitarbeiterin am MPI; Bolivien: Prof. *Elizabeth Santalla Vargas*, Associate Legal Officer am ICTY; Brasilien: *Sylvia Helena de Figueiredo Steiner*, Richterin am IStGH, u.a. Mitarbeiter(innen) des IBCCRIM; Chile: Prof. Dr. *José Luis Guzmán*; China: Dr. *Thomas Richter*, ehemaliger Referatsleiter am MPI; Costa Rica: *Paul Hernández*; Côte d’Ivoire: Dr. *Adome Blaise Kouassi*, Referatsleiter am MPI, *Simon Paulenz*, ehemaliger Mitarbeiter am MPI; Deutschland: Dr. *Helmut Gropengießer*, ehemaliger Referatsleiter am MPI, Dr. *Helmut Kreicker*, Richter, ehemaliger Referatsleiter am MPI; El Salvador: *Nelson Armando Vaquerano Gutiérrez*, *Jaime Edwin Martínez*, Rechtsanwalt; England/Wales: *Christiane Rabenstein*, LL.M., Legal Adviser bei der West Yorkshire Police, Großbritannien, ehemalige Referatsleiterin am MPI, *Ralf Bahrenberg*, Rechtsanwalt, ehemaliger Mitarbeiter am MPI; Estland: *Andres Parmas*, Mitarbeiter am Obersten Gerichtshof von Estland, *Tristan Ploom*, Dozent; Finnland: Prof. Dr. *Dan Frände*; Frankreich: *Juliette Lelieur-Fischer*, LL.M., Referatsleiterin am MPI; Griechenland: *Michalis G. Rotalis*, LL.B., LL.M. Rechtsanwalt; Israel: Prof. *Mordechai Kremnitzer*, *Moshe Cohen*, LL.B., M.A.; Italien: *Konstanze Jarvers*, Referatsleiterin am MPI, Dr. *Christoph Grammer*, Associate Analyst am IStGH, ehemaliger Mitarbeiter am MPI; Kanada: *Till Gut*, ehemaliger Mitarbeiter am MPI, *Max Wolpert*, LL.B., Referent im kanadischen Justizministerium; Kolumbien: Prof. Dr. *Alejandro Aponte Cardona*; Kroatien: Prof. Dr. *Petar Novoselec*; Mexiko: *Elia Patricia Neri Guajardo*; Österreich: Ass.-Prof. Dr. *Ingeborg Zerbes*, Referentin am MPI; Peru: Prof. Dr. *Dino Carlos Caro*; Polen: Dr. *Ewa Weigend*, Referatsleiterin am MPI; Russland und Weißrussland: Dr. *Siegfried Lammich*, ehemaliger Referatsleiter am MPI; Schweden: Dr. Dr. h.c. mult. *Karin Cornils*, Referatsleiterin am MPI; Serbien und Montenegro: Prof. Dr. *Milan Škulić*; Slowenien: Prof. Dr. *Damjan Korošec*; Spanien: Prof. Dr. *Alicia Gil Gil*; Türkei: Dr. *Silvia Tellenbach*, Referatsleiterin am MPI; Uruguay: Prof. Dr. *José Luis González*; USA: *Emily Silverman*, J.D., LL.M., Referatsleiterin am MPI; Venezuela: Prof. Dr. *Juan Luis Modolell González*. Allen Autorinnen und Autoren dankt der Verfasser des vorliegenden Abschlussbeitrags für ihre Landesberichte und die angenehme Zusammenarbeit. Darüber hinaus dankt der Verfasser seinen früheren Kolleginnen und Kollegen Frau *Johanna Rinceanu*, LL.M, Frau *Teresa Manso Porto*, mag. iur. comp., Herrn *René Grafunder* und Herrn Dr. *Helmut Gropengießer* für ihre Unterstützung bei der editorischen Bearbeitung einzelner Landesberichte sowie Herrn

Der vorliegende Abschlussbeitrag „Völkerstrafrecht im Ländervergleich“ fasst die Ergebnisse der Länderstudien zusammen und nimmt eine komparative Analyse der einzelnen Berichte vor,[17] und zwar in Form einer zweifachen Rechtsvergleichung, die mit den Schlagwörtern „vertikale Rechtsvergleichung“ und „horizontale Rechtsvergleichung“ gekennzeichnet werden kann.

Bei der „vertikalen Rechtsvergleichung“ werden die in den Landesberichten erläuterten Rechtsgrundlagen der einzelnen Staaten mit dem Stand des völkerrechtlichen Strafrechts verglichen. Insofern geht es um einen Vergleich staatlicher Regelungen mit völkerrechtlichen Normen. Nun ist allerdings der Stand des völkerrechtlichen Strafrechts nicht immer leicht zu erfassen; vor allem im Bereich der allgemeinen Regeln der strafrechtlichen Verantwortlichkeit – des „Allgemeinen Teils“ des Völkerstrafrechts – spielt das Völkergewohnheitsrecht als Rechtsquelle eine wichtige Rolle. Es kann nicht Aufgabe dieser Querschnittsanalyse sein, Streitfragen in diesem Bereich im Einzelnen nachzugehen. Daher ist Ausgangspunkt der vertikalen Rechtsvergleichung im Wesentlichen das Römische Statut des Internationalen Strafgerichtshofs, zumal wegen des Komplementaritätsprinzips des Römischen Statuts ein Vergleich des nationalen Rechts mit dem Statut von besonderer praktischer Relevanz ist und ferner zu erwarten ist, dass sich die Regelungen des Römischen Statuts im Bereich des „Allgemeinen Teils“ des Völkerstrafrechts gegen abweichendes völkergewohnheitsrechtliches Strafrecht durchsetzen werden, also auch insofern, als dies momentan noch nicht der Fall ist, selbst völkergewohnheitsrechtliche Geltung erlangen werden. Während der vertikale Rechtsvergleich bezüglich der allgemeinen Strafbarkeitsvoraussetzungen bzw. Straffreistellungen (Gliederungspunkt D.) mithin in erster Linie als Vergleich der nationalen Regelungen mit denen des Römischen Statuts durchgeführt wird, ist hinsichtlich der einzelnen völkerrechtlichen Verbrechenstatbestände (des „Besonderen Teils“ des Völkerstrafrechts) zu beachten, dass das Römische Statut in diesem Bereich zum Teil deutlich hinter dem völkergewohnheitsrechtlichen Strafrecht zurückbleibt, namentlich in Bezug auf Kriegsverbrechen in nichtinternationalen bewaffneten Konflikten.[18] Beim Gliederungspunkt B., der Analyse der Verbrechenstatbestände, werden daher die in den Landesberichten erläuterten nationalen Straftatbestände mit denen des gesamten völkerrechtlichen Strafrechts verglichen.

Bei der „horizontalen Rechtsvergleichung“ geht es darum, die normativen Grundlagen der einzelnen untersuchten Staaten, also die nationalen Bestimmungen,

---

Prof. Dr. *Kai Ambos* und Herrn *Ezequiel Malarino* für die Betreuung des Teilprojekts Lateinamerika und die Veröffentlichung der in dessen Rahmen verfassten Landesberichte.

[17] Dabei werden die einzelnen Landesberichte im Folgenden zitiert mit dem Namen des Autors des Berichts bzw. bei mehreren Autoren des Autors der einschlägigen Textpassage, dem Namen des Landes sowie der Nummer des Bandes der Reihe „Nationale Strafverfolgung völkerrechtlicher Verbrechen“, in dem der Bericht erschienen ist.

[18] Vgl. hierzu unten S. 120 ff. sowie *Kreicker*, LB Deutschland, Bd. 1, S. 21 (66 f. m.w.N.) und die Nachweise unten in Anm. 113.

einander gegenüber zu stellen und miteinander zu vergleichen. Dies ist vor allem deshalb interessant, weil große Übereinstimmungen der nationalen Regelungen – wie bereits angedeutet – Rückwirkungen auf das völkerrechtliche Strafrecht haben können: sei es, weil übereinstimmende nationale Normen als Ausdruck einer für Völkergewohnheitsrecht maßgeblichen gemeinsamen Rechtsüberzeugung der Staaten gewertet werden können, sei es, weil übereinstimmende nationale Normen als allgemeine völkerrechtliche Rechtsgrundsätze qualifiziert werden können.

Dieser Ländervergleich kann und soll die einzelnen Landesberichte nicht ersetzen. Die umfangreichen und detaillierten Länderstudien sind nicht etwa nur Vorarbeiten zu diesem Abschlussband, sondern wesentlicher Bestandteil der Forschungen, die durch den vorliegenden Beitrag lediglich abgerundet werden. Derjenige, der sich im Einzelnen über die Möglichkeiten und Grenzen einer nationalen Strafverfolgung völkerrechtlicher Verbrechen in bestimmten Staaten informieren will, sei daher auf die jeweiligen Landesberichte verwiesen.

Da die in dem gesonderten Teilprojekt „Lateinamerika" erstellten Landesberichte bereits einer Evaluation in einem eigenständigen Beitrag unterzogen wurden,[19] konzentriert sich die vorliegende Querschnittsanalyse zudem auf die 22 Landesberichte zu den in das Projekt einbezogenen Ländern aus Europa, Nordamerika, Asien, Afrika und Ozeanien.[20]

In einigen dieser Länder sind derzeit Reformen des nationalen Strafrechts mit dem Ziel einer besseren Verfolgbarkeit völkerrechtlicher Verbrechen im Gange bzw. wird über derartige Reformen nachgedacht. Die Landesberichte und auch dieser Ländervergleich stellen deshalb eine Momentaufnahme dar. Der Bearbeitungsstand der Berichte ist jeweils in der Veröffentlichung aufgeführt. Da sich der vorliegende Beitrag auf die Landesberichte stützt, entspricht sein Stand jeweils dem des in Bezug genommenen Landesberichts.

A. Grundfragen der nationalen Strafverfolgung völkerrechtlicher Verbrechen

I. Der völkerrechtliche Rahmen

Zwar sind völkerrechtliche Verbrechen unmittelbar durch das Völkerrecht strafbewehrt, doch ist eine Ahndung dieser Verbrechen durch internationale Instanzen, also auf völkerrechtlicher Ebene (sog. *direct enforcement model*) nicht der Normal-

---

19 *Ambos/Malarino*, in: dies. (Hrsg.), Persecución penal nacional de crímenes internationales en América Latina y España, S. 577 ff.; *dies.*, Zusammenfassung Lateinamerika, Bd. 4, S. 469 ff.

20 Vereinzelt wird allerdings auch auf die Rechtslage in anderen Staaten hingewiesen, sofern diese für die rechtsvergleichende Analyse von besonderem Belang ist.

fall. Die Zuständigkeit des ICTY und ICTR ist territorial und temporal eng begrenzt, die des IStGH – wie schon erwähnt – nur nachrangig gegenüber der nationaler Strafverfolgungsbehörden. In erster Linie ist die Strafverfolgung völkerrechtlicher Verbrechen daher Aufgabe der einzelnen Staaten (sog. *indirect enforcement model*). Für eine solche nationale Strafverfolgung völkerrechtlicher Verbrechen stellt das Völkerrecht Vorgaben auf; die wichtigsten sind die im Folgenden zunächst zu betrachtenden völkerrechtlichen Strafverfolgungspflichten.

1. Völkerrechtliche Strafverfolgungspflichten

a) Keine Strafverfolgungspflichten durch das Römische Statut

Das Römische Statut des Internationalen Strafgerichtshofs verpflichtet die einzelnen Vertragsstaaten zwar nicht zu einer nationalen Strafverfolgung der vom Statut erfassten Völkerstraftaten.[21] Gleichwohl liegt der Gesamtkonzeption des Statuts die Vorstellung zugrunde, dass eine Strafverfolgung durch den IStGH gegenüber einer Strafverfolgung durch einzelne Staaten nur nachrangig sein soll. Gemäß Abs. 10 der Präambel und Art. 1 des Statuts soll der Gerichtshof die innerstaatliche Strafverfolgung nur ergänzen. Diese Subsidiarität kommt auch in Art. 17 IStGH-Statut zum Ausdruck, der das bereits angesprochene Prinzip der Komplementarität normiert.[22] Der IStGH wird nur hilfsweise tätig, wenn eine Strafverfolgung auf staatlicher Ebene wegen fehlenden Willens oder fehlender Möglichkeit zu einer ernsthaften Strafverfolgung unterbleibt.[23] Konsequenz des Untätigbleibens der Staaten ist also allein die Verfolgungszuständigkeit des IStGH.[24]

Eine solche vorrangige Strafverfolgung durch einzelne Staaten, namentlich durch den Tatortstaat bzw. den Heimatstaat eines Beschuldigten, liegt aber im Interesse der Staaten. Staatliche Souveränitätsinteressen werden in besonderem Maße gewahrt, wenn der Staat, in dessen Gebiet ein völkerrechtliches Verbrechen begangen wurde, oder der Staat, dessen Angehöriger ein Beschuldigter ist, selbst die gebotenen Strafverfolgungsmaßnahmen durchführt, die Ahndung eines Verbrechens also

---

21 Vgl. *Kreicker*, NJ 2002, 281 (284); *ders.*, Art. 7 EMRK und die Gewalttaten an der deutsch-deutschen Grenze, S. 78 Fn. 286; *ders.*, LB Deutschland, Bd. 1, S. 21 (64 f., 339 f.); *Kreß*, Vom Nutzen eines deutschen Völkerstrafgesetzbuchs, S. 6 f.; *Werle*, JZ 2001, 885 (886 f.); *ders.*, Principles of International Criminal Law, Rn. 307; *Werle/Jeßberger*, CLF 13 (2002), 191 (194). Anderer Ansicht aber *Kleffner*, JICJ 1 (2003) 86 (92 ff.); *Triffterer*, in: Kreß/Lattanzi (Hrsg.), Rome Statute and Domestic Legal Orders, Vol. I, S. 1 (4 f., 18 f.). Die Pönalisierungspflicht des Art. 70(4) IStGH-Statut bezieht sich nicht auf völkerrechtliche Verbrechen; sie kann daher hier unberücksichtigt bleiben.

22 Siehe oben S. 2.

23 *Holmes*, in: Cassese u.a. (Hrsg.), Rome Statute of the International Criminal Court, Bd. I, S. 667 (671 ff.); *Kleffner*, JICJ 1 (2003), 86 (86 ff.); *Kreicker*, LB Deutschland, Bd. 1, S. 21 (64); *Werle*, JZ 2001, 885 (886 f.); *Werle/Jeßberger*, JZ 2002, 725 (726 f.); *Williams*, in: Triffterer (Hrsg.), Commentary on the Rome Statute, Art. 17 Rn. 1 ff.

24 *Kreicker*, LB Deutschland, Bd. 1, S. 21 (65).

nicht dem IStGH überlassen wird. Insofern kann man davon sprechen, dass das Römische Statut zwar die Staaten nicht zu einer nationalen Strafverfolgung völkerrechtlicher Verbrechen verpflichtet, wohl aber einen „rechtspolitischen Zwang“ zu einer solchen staatlichen Verfolgung begründet.[25]

Diese Feststellungen bedeuten aber nicht, dass es den Staaten von Völkerrechts wegen vollkommen freigestellt ist, ob sie völkerrechtliche Verbrechen verfolgen wollen oder nicht. Völkerrechtliche Bestrafungspflichten resultieren nämlich aus anderen völkerrechtlichen Verträgen.[26]

b) *Strafverfolgungspflichten nach den Genfer Abkommen und dem I. Zusatzprotokoll zu den Genfer Abkommen*

Die Genfer Abkommen vom 12. August 1949[27] und das I. Zusatzprotokoll zu diesen Abkommen vom 8. Juni 1977[28] normieren Strafverfolgungspflichten in Bezug auf Kriegsverbrechen. Art. 49 GA I, Art. 50 GA II, Art. 129 GA III sowie Art. 146 GA IV verpflichten die Signatarstaaten dazu, die in Art. 50, 51, 130 sowie 147 der Genfer Abkommen bezeichneten und im Rahmen bewaffneter Konflikte begangenen schweren Verletzungen des humanitären Völkerrechts unter Strafe zu stellen und zu ahnden.[29] Art. 85 ZP I erweitert den Kreis der von den Staaten zu verfolgenden Kriegsverbrechen.

Diese Verfolgungspflichten sind allerdings begrenzt, und zwar gleich in mehrfacher Hinsicht. *Erstens* verpflichten diese Verträge nicht zur Verfolgung sämtlicher völkerrechtswidriger Kriegshandlungen, sondern nur zur Ahndung der in den Verträgen als *schwere* Verletzungen *(grave breaches)* des humanitären Völkerrechts enumerativ aufgeführten Kriegsverbrechen.[30] *Zweitens* können diese Abkommen

---

[25] So *Satzger*, NStZ 2002, 125 (127). Ähnlich *Zimmermann*, ZRP 2002, 97 (98); *ders.*, NJW 2002, 3068 (3068): „Pönalisierungsobliegenheit“. *Werle/Jeßberger*, JZ 2002, 725 (727) sprechen von einem „Auftrag“.

[26] Siehe ausführlich zur Frage völkerrechtlicher Verfolgungspflichten bei Völkerstraftaten *Kreicker*, LB Deutschland, Bd. 1, S. 21 (436 ff.).

[27] *I. Genfer Abkommen zur Verbesserung des Loses der Verwundeten und Kranken der Streitkräfte im Felde* vom 12.8.1949 (BGBl. 1954 II, S. 783; UNTS 75, 31); *II. Genfer Abkommen zur Verbesserung des Loses der Verwundeten, Kranken und Schiffbrüchigen der Streitkräfte zur See* vom 12.8.1949 (BGBl. 1954 II, S. 813; UNTS 75, 85); *III. Genfer Abkommen über die Behandlung der Kriegsgefangenen* vom 12.8.1949 (BGBl. 1954 II, S. 838; UNTS 75, 135); *IV. Genfer Abkommen zum Schutze von Zivilpersonen in Kriegszeiten* vom 12.8.1949 (BGBl. 1954 II, S. 917; UNTS 75, 287).

[28] *Zusatzprotokoll zu den Genfer Abkommen vom 12. August 1949 über den Schutz der Opfer internationaler bewaffneter Konflikte (Protokoll I)* vom 8.6.1977 (BGBl. 1990 II, S. 1551; UNTS 1125, 3).

[29] *Werle*, Völkerstrafrecht, Rn. 791.

[30] Vgl. BGHSt 46, 292 (297 f.) = NJW 2001, 2728 (2729); BayObLGSt 1997, 83 (88 ff.) = NJW 1998, 392 (393 ff.); *Ambos*, NStZ 1999, S. 226 (226 f.); *Doehring*, Völkerrecht, Rn. 1148; LK-StGB-*Gribbohm*, vor § 3 Rn. 29 ff., § 6 Rn. 9; *Kreicker*, LB Deutsch-

einzig die Vertragsstaaten verpflichten, denn auch im Völkerrecht gilt, dass Verträge nur Rechte und Pflichten für die Vertragsparteien begründen können.[31] Allerdings sind die Genfer Abkommen von mittlerweile 192 Staaten, das I. Zusatzprotokoll von 161 Staaten ratifiziert worden.[32] *Drittens* beziehen sich die Bestrafungspflichten dieser Abkommen nur auf solche Kriegsverbrechen, die in *internationalen* bewaffneten Konflikten, also in *zwischenstaatlichen* kriegerischen Auseinandersetzungen, begangen werden. Kriegsverbrechen in nichtinternationalen bewaffneten Konflikten (Bürgerkriegen) erfassen sie nicht.[33] Und *viertens* schließlich sind durch die Genfer Abkommen und das I. Zusatzprotokoll nicht alle Vertragsstaaten verpflichtet, in einem konkreten Fall tätig zu werden. Vielmehr trifft die Verfolgungspflicht jeweils allein den gegenwärtigen Aufenthaltsstaat eines Beschuldigten. Nur dieser ist verpflichtet, eine eigene nationale Strafverfolgung – gegebenenfalls nach dem Weltrechtsprinzip[34] – in die Wege zu leiten. Er hat allerdings alternativ – insofern besteht ein echtes Wahlrecht – auch die Möglichkeit, den Beschuldigten an einen anderen strafverfolgungswilligen Staat – etwa an seinen Heimatstaat – auszuliefern (Prinzip *aut dedere aut judicare*).[35]

c) Strafverfolgungspflichten nach der UN-Völkermordkonvention

Durch Art. III i.V.m. Art. V f. der UN-Völkermordkonvention vom 9. Dezember 1948[36] sind die Staaten zu einer Bestrafung von Personen verpflichtet, die Völker-

---

land, Bd. 1, S. 21 (437 f.); *Werle*, Völkerstrafrecht, Rn. 185; *Werle/Nerlich*, HuV-I 2002, 124 (124); *Wilkitzki*, ZStW 99 (1987), 455 (466 f.); *Zimmermann*, ZRP 2002, 97 (98).

31 Vgl. Art. 34 WVRK und *Heintschel von Heinegg*, in: Ipsen, Völkerrecht, § 12 Rn. 23 ff.

32 Der Ratifizierungsstand ist abrufbar unter <www.icrc.org> (1.1.2006).

33 *Kreicker*, LB Deutschland, Bd. 1, S. 21 (438 f.); *Kreß*, Vom Nutzen eines deutschen Völkerstrafgesetzbuchs, S. 26 Fn. 78; *ders.*, NStZ 2000, 617 (624 Fn. 90); *Zimmermann*, ZRP 2002, 97 (99). Anderer Ansicht *Ambos*, NStZ 1999, 226 (229 ff.); *ders.*, NStZ 2001, 628 (629 f.); *Ambos/Wirth*, in: Fischer/Kreß/Lüder (Hrsg.), International and National Prosecution of Crimes Under International Law, S. 769 (775 f.); *Dietmeyer*, in: Graul/Wolf (Hrsg.), GedS Meurer, S. 333 (337 f.); *Werle*, JZ 2000, 755 (759); *ders.*, Völkerstrafrecht, Rn. 182, 185. Siehe näher zur Differenzierung zwischen internationalen und nichtinternationalen bewaffneten Konflikten unten S. 115 ff.

34 Zur Geltung des Weltrechtsprinzips bei den von den Genfer Abkommen und dem ZP I erfassten Kriegsverbrechen vgl. BGHSt 46, 292 (297 f.) = NJW 2001, 2728 (2729); BayObLGSt 1997, 83 (93) = NJW 1998, 392 (394 f.); *Eser*, in: ders. u.a. (Hrsg.) FS Meyer-Goßner, S. 3 (24); LK-StGB-*Gribbohm*, vor § 3 Rn. 38; *Kreicker*, NJ 2002, 281 (284); *Werle*, Völkerstrafrecht, Rn. 791.

35 *Bremer*, Nationale Strafverfolgung internationaler Verbrechen, S. 89 ff.; *Cassese*, International Law, S. 451; *ders.*, International Criminal Law, S. 9; *Kreicker*, LB Deutschland, Bd. 1, S. 21 (442); *Weiß*, JZ 2002, 696 (699). Anderer Ansicht (weltweite Verfolgungspflicht) *Tomuschat*, in: Cremer u.a. (Hrsg.), FS Steinberger, S. 315 (333).

36 *Konvention zur Verhütung und Bestrafung des Völkermords* vom 9.12.1948, BGBl. 1954 II, S. 730; UNTS 78, 277.

mordtaten begangen haben.[37] Doch auch diese Pflicht ist begrenzt. Zum einen sind Adressaten dieser Pflicht wiederum nur die Vertragsstaaten – mittlerweile haben aber 137 Staaten die Konvention ratifiziert.[38] Zum anderen legt die Völkermordkonvention in Art. VI allein den Tatortstaaten eine Pflicht zur nationalen Strafverfolgung auf.[39]

d) Strafverfolgungspflichten nach der UN-Folterkonvention

Ferner ist die UN-Folterkonvention vom 10. Dezember 1984[40] zu nennen, wenngleich sich diese nicht speziell auf völkerrechtliche Verbrechen bezieht.[41] Die UN-Folterkonvention verpflichtet die Staaten, Folterhandlungen durch staatliche Funktionsträger unter Strafe zu stellen und zu ahnden – und zwar auch dann, wenn diese die Schwelle zum völkerrechtlichen Verbrechen nicht überschreiten (etwa weil die Folterungen nicht im Rahmen eines ausgedehnten oder systematischen Angriffs gegen die Zivilbevölkerung verübt wurden oder der Täter nicht mit der für Völkermord erforderlichen Zerstörungsabsicht gehandelt hat). Doch gilt auch für die Folterkonvention, dass diese ausschließlich die Vertragsstaaten verpflichtet.[42] Die Reichweite der Verfolgungspflichten nach der Folterkonvention ist deutlich weiter als die der Pflichten nach der Völkermordkonvention. Denn nicht nur dem Tatortstaat ist auferlegt, eine Strafverfolgung durchzuführen, sondern Adressat der Verfolgungspflicht ist auch der Heimatstaat des Beschuldigten sowie der Staat, in dem

---

37 Vgl. BGHSt 45, 64 (66 ff.) = NStZ 1999, 396 (397); *Bremer*, Nationale Strafverfolgung internationaler Verbrechen, S. 114 ff.; *Doehring*, Völkerrecht, Rn. 1148; LK-StGB-*Gribbohm*, § 6 Rn. 9; *Hailbronner*, in: Graf Vitzthum (Hrsg.), Völkerrecht, 3. Abschn. Rn. 33; *Kreicker*, NJ 2002, 281 (284); *ders.*, ICLR 5 (2005), 313 (315); *Zimmermann*, ZRP 2002, 97 (98).

38 Vgl. die Aufstellung im Internet unter <http://untreaty.un.org> (1.1.2006).

39 BGHSt 45, 64 (66 ff.) = NStZ 1999, 396 (397); BVerfG, NJW 2001, 1848 (1852 f.); MK-StGB-*Ambos*, vor § 3 Rn. 50, § 6 Rn. 7; *Bremer*, Nationale Strafverfolgung internationaler Verbrechen, S. 114 ff.; LK-StGB-*Gribbohm*, § 6 Rn. 26 f.; *Griesbaum*, in: Geiß u.a. (Hrsg.), 50 Jahre BGH, S. 663 (666); *Kreicker*, LB Deutschland, Bd. 1, S. 21 (441 f.); *ders.*, ICLR 5 (2005), 313 (315 f.); *Roggemann*, Die Internationalen Strafgerichtshöfe, S. 54; *Schabas*, JICJ 1 (2003), 39 (60); *Tomuschat*, in: Cremer u.a. (Hrsg.), FS Steinberger, S. 315 (330 f.); *Werle*, JZ 1999, 1181 (1182 f.); *Werle*, Völkerstrafrecht, Rn. 176 mit Fn. 338; *Zimmermann*, ZRP 2002, S. 97 (98).

40 *Übereinkommen gegen Folter und andere grausame, unmenschliche oder erniedrigende Behandlung oder Strafe* vom 10.12.1984; BGBl. 1990 II, S. 246; UNTS 1465, 85 = ILM 23 (1984), 1027.

41 Insofern unterscheidet sich die UN-Folterkonvention nicht von der Vielzahl anderer völkerrechtlicher Verträge, die Verfolgungspflichten begründen und nicht speziell auf völkerrechtliche Verbrechen bezogen sind, aber gegebenenfalls auch bei solchen Taten einschlägig sein können (vgl. die Aufstellung bei LK-StGB-*Gribbohm*, vor § 3 Rn. 9 ff.). Wenn die UN-Folterkonvention an dieser Stelle genannt wird, dann nur deshalb, weil sie häufig bei völkerrechtlichen Verbrechen einschlägig ist.

42 Mittlerweile ist die UN-Folterkonvention von 140 Staaten ratifiziert worden. Vgl. die Aufstellung im Internet unter <http://untreaty.un.org> (1.1.2006).

sich der Beschuldigte aufhält. Der Aufenthaltsstaat kann allerdings seiner Pflicht auch durch eine Überstellung des Beschuldigten an einen anderen strafverfolgungswilligen Staat genügen – insofern gilt wiederum das Prinzip *aut dedere aut judicare*.[43]

e) Strafverfolgungspflichten nach Völkergewohnheitsrecht

Ob es neben den genannten *völkervertraglichen* Verfolgungspflichten auch noch *völkergewohnheitsrechtliche* Pönalisierungs- und Bestrafungsgebote in Bezug auf völkerrechtliche Verbrechen gibt, ist umstritten, wenngleich Abs. 6 der Präambel zum Römischen Statut von einer solchen Pflicht auszugehen scheint.[44] Die Frage einer völkergewohnheitsrechtlichen Verfolgungspflicht ist vor allem insofern von Relevanz, als es um Verbrechen gegen die Menschlichkeit und Bürgerkriegsverbrechen geht, denn diese Taten werden von den genannten Verträgen nicht erfasst. Zudem wären durch völkergewohnheitsrechtliche Bestrafungspflichten auch diejenigen Staaten in die Pflicht genommen, die die aufgeführten Verträge nicht ratifiziert haben.

Zwar wird in der Literatur teilweise von einer Verpflichtung auch im Hinblick auf Verbrechen gegen die Menschlichkeit und Kriegsverbrechen bei nichtinternationalen bewaffneten Konflikten sowie für Nicht-Signatarstaaten der genannten Abkommen ausgegangen, doch gleichzeitig eingestanden, dass die für die Entstehung entsprechenden Völkergewohnheitsrechts nach überkommener Auffassung neben der Rechtsüberzeugung erforderliche Staatenpraxis nicht nachweisbar sei.[45] Deshalb wird eine außervertragliche völkerrechtliche Verfolgungspflicht zum Teil auch ausdrücklich verneint.[46]

Damit wird aber nicht hinreichend bedacht, dass die Ratifikation des Römischen Statuts und damit auch von Abs. 6 der Präambel durch einzelne Staaten jeweils als

---

43 MK-StGB-*Ambos*, vor § 3 Rn. 51, 54, § 6 Rn. 24; *Boulesbaa*, U.N. Convention on Torture, S. 206 ff.; *Dahm/Delbrück/Wolfrum*, Völkerrecht, Bd. I/3, S. 1099 f.

44 Abs. 6 der Präambel zum Römischen Statut lautet: „Daran erinnernd, dass es die Pflicht eines jeden Staates ist, seine Strafgerichtsbarkeit über die für internationale Verbrechen Verantwortlichen auszuüben (…)". Siehe diesbezüglich auch *Kreicker*, NJ 2002, 281 (284); *Kreß*, Vom Nutzen eines deutschen Völkerstrafgesetzbuchs, S. 8 f.; *Satzger*, NStZ 2002, 125 (125); *Werle/Jeßberger*, JZ 2002, 725 (727).

45 *Ambos*, AVR 37 (1999), 318 (328 ff. m.w.N.); *Schilling*, ZÖR 54 (1999), 357 (381 ff. m.w.N.). Die Bestrafungspflichten werden daher auch aus überpositiven Rechtsgrundsätzen (*Schilling*, a.a.O.) bzw. auf völkerrechtlicher Ebene angesiedelten allgemeinen Rechtsgrundsätzen (*Ambos*, a.a.O.) abgeleitet. Beide Thesen stellen damit jedoch auf völkerrechtlich kaum akzeptierte Rechtsquellen ab. Für eine völkergewohnheitsrechtliche Bestrafungspflicht ferner *Gropengießer/Meißner*, ICLR 5 (2005), 267 (273 ff.); *Gross*, HuV-I, 2001, 162 (165 f.); *Lüke*, Immunität staatlicher Funktionsträger, S. 257 ff.

46 Vgl. *Cassese*, International Criminal Law, S. 301 f.; *Hailbronner*, in: Graf Vitzthum (Hrsg.), Völkerrecht, 3. Abschn. Rn. 33; *Scharf*, Law and Contemporary Problems 59 (1996), 41 (56 ff.).

Ausdruck der Akzeptanz einer völkergewohnheitsrechtlichen Bestrafungspflicht zu werten ist. Die Ratifikationen stellen also jeweils eine Staatenpraxis (in Form einer „Verbalpraxis") dar, in der sich die Rechtsüberzeugung von der Existenz einer völkergewohnheitsrechtlichen Bestrafungspflicht manifestiert. Mithin sind die beiden für Völkergewohnheitsrecht konstitutiven Merkmale – Rechtsüberzeugung und entsprechende Staatenpraxis[47] – gegeben. Bedenkt man, dass mittlerweile 100 Staaten das Römische Statut ratifiziert haben und dieses bereits kurze Zeit nach seiner Verabschiedung in Kraft getreten ist, so muss die Existenz einer völkergewohnheitsrechtlichen Bestrafungspflicht bei völkerrechtlichen Verbrechen bejaht werden.[48]

Im Übrigen ist daran zu erinnern, dass die Genfer Abkommen von 1949, deren Zusatzprotokolle von 1977 sowie die UN-Völkermordkonvention von 1948 – wie bereits erwähnt – jeweils von einer großen Mehrzahl der Staaten ratifiziert wurden.[49] Ferner hat – soweit ersichtlich – keiner der Nichtvertragsstaaten ausdrücklich Einwendungen gegen die Übereinkommen (im Sinne eines völkerrechtlichen *persistent objector*) erhoben. Im Hinblick auf diese nahezu universelle Anerkennung der in den Abkommen enthaltenen Normen dürfte es statthaft sein, von deren Geltung auch als Völkergewohnheitsrecht auszugehen. So hat der IGH in seiner Nicaragua-Entscheidung aus dem Jahr 1986 sowie in seinem Gutachten zur Legalität des Einsatzes von Atomwaffen aus dem Jahr 1996 die Verbindlichkeit der Gebote der Genfer Abkommen als Völkergewohnheitsrecht (und damit auch für die Nicht-Vertragsstaaten) klar herausgestellt.[50] Im Hinblick auf die UN-Völkermordkonvention hat der IGH in einer Entscheidung aus dem Jahr 1996 gleichfalls von allgemeinen, alle Staaten treffenden Verpflichtungen gesprochen.[51] Dies bedeutet,

---

47 Vgl. BVerfGE 96, 68 (87) = NJW 1998, 50 (53); *Doehring*, Völkerrecht, Rn. 285 ff.; *Graf Vitzthum*, in: ders. (Hrsg.), Völkerrecht, 1. Abschn. Rn. 131 ff.; *Herdegen*, Völkerrecht, § 16 Rn. 1 ff.; *Schweitzer*, Staatsrecht III, Rn. 237 ff.

48 *Jarasch/Kreß*, in: Kreß/Lattanzi (Hrsg.), Rome Statute and Domestic Legal Orders, Vol. I, S. 91 (108 f.); *Kreicker*, LB Deutschland, Bd. 1, S. 21 (440 f.); *Kreß*, NStZ 2000, 617 (621); *Wirth/Harder*, ZRP 2000, 144 (146). Für eine völkergewohnheitsrechtliche Bestrafungspflicht unter Bezugnahme auf die Präambel des Römischen Statuts auch *Werle/Jeßberger*, JZ 2002, 725 (727). Siehe in diesem Zusammenhang auch die ergänzend auf andere Rechtsquellen abstellende Argumentation von *Gropengießer/Meißner*, ICLR 5 (2005), 267 (273 ff.) sowie unten Anm. 963.

49 Vgl. oben S. 10 und S. 11.

50 Nicaragua-Urteil des IGH vom 27.6.1986 (*Military and Paramilitary Activities in and against Nicaragua* [*Nicaragua vs. USA*], ICJ-Reports 1986, 12, para. 220; *Advisory Opinion on the Legality of the Threat or Use of Nuclear Weapons* des IGH vom 8.7.1996, para. 79). Die Entscheidungen sind abrufbar unter <www.icj-cij.org> (1.1.2006).

51 Urteil des IGH Fall *Bosnia and Herzegovina vs. Yugoslavia* vom 11.7.1996 (<www.icj-cij.org> [1.1.2006]), para. 31). Siehe ferner die *Advisory Opinion on Reservations to the Convention on Genocide* des IGH vom 28.5.1951, ICJ-Reports 1951, 15, para. 23 f. Auch der ICTY und der ICTR haben auf den Charakter der Normen der Völkermordkonvention als Völkergewohnheitsrecht abgehoben; vgl. ICTY, *Krstić*, ICTY-98-33, 2.8.2001, para. 541; ICTR, *Akayesu*, ICTR-96-4, 2.9.1998, para. 495.

dass zwar die in den Abkommen normierten Verfolgungspflichten als vertragliche Pflichten lediglich die jeweiligen Vertragsstaaten binden, die Verfolgungspflichten aber aufgrund ihrer Geltung (auch) als Völkergewohnheitsrecht als Normen des Völkergewohnheitsrechts auch für die jeweiligen Nichtvertragsstaaten verbindlich sind.[52]

Hiermit ist aber noch keine Feststellung hinsichtlich der personalen und räumlichen Reichweite der völkergewohnheitsrechtlichen Bestrafungspflicht getroffen. Zumindest den Tatortstaat wird man für verpflichtet halten müssen, Strafverfolgungen durchzuführen.[53] Damit allein kann aber das in der Präambel des Römischen Statuts zum Ausdruck gebrachte Ziel, „der Straflosigkeit der Täter ein Ende zu setzen“,[54] nicht erreicht werden. Daher wird man eine (extraterritoriale) Verfolgungspflicht auch hinsichtlich Taten eigener Staatsbürger und in den Fällen annehmen müssen, in denen sich ein Beschuldigter im eigenen Staatsgebiet aufhält und nicht an einen anderen Staat ausgeliefert bzw. dem IStGH überstellt wird.[55] Für eine solche Reichweite der völkergewohnheitsrechtlichen Verfolgungspflicht bei völkerrechtlichen Verbrechen spricht auch, dass die UN-Folterkonvention als ein völkerrechtlicher Vertrag jüngeren Datums, der eine Bestrafungspflicht bei schweren Menschenrechtsverletzungen festlegt, ebenfalls eine solche räumliche und personale Reichweite der Verfolgungspflicht postuliert.[56] Diese Anknüpfungspunkte haben damit schon für Taten, die nicht bzw. nicht immer als völkerrechtliche Verbrechen einzustufen sind, internationale Anerkennung erfahren. Dann muss eine solche Reichweite der Verfolgungspflicht bei völkerrechtlichen Verbrechen erst recht gelten.

---

[52] So auch *Cassese*, International Criminal Law, S. 302 f.

[53] *Jarasch/Kreß*, in: Kreß/Lattanzi (Hrsg.), Rome Statute and Domestic Legal Orders, Vol. I, S. 91 (108); *Kreicker*, LB Deutschland, Bd. 1, S. 21 (442); *Tomuschat*, in: Cremer u.a. (Hrsg.), FS Steinberger, S. 315 (332, 337 ff.); *Werle*, Völkerstrafrecht, Rn. 181; *Werle/Jeßberger*, JZ 2002, 725 (727 Fn. 27, 733).

[54] Abs. 5 der Präambel zum Römischen Statut.

[55] So auch *Bungenberg*, AVR 39 (2001), 170 (197 ff.); *Kreicker*, LB Deutschland, Bd. 1, S. 21 (442 f.); *Lüke*, Immunität staatlicher Funktionsträger, S. 235; *Triffterer*, in: Kreß/Lattanzi (Hrsg.), Rome Statute and Domestic Legal Orders, Vol. I, S. 1 (6, 18 f.). Auch der IGH kann dahingehend verstanden werden, dass eine derart weitreichende völkergewohnheitsrechtliche Verfolgungspflicht existiert. In seiner Völkermordentscheidung im Fall *Bosnia and Herzegovina vs. Yugoslavia* vom 11.7.1996 (<www.icj-cij.org> [1.1.2006]) hat der IGH in para. 31 ausgeführt: “The Court notes that the obligation each State thus has to prevent and to punish the crime of genocide is not territorially limited by the [Genocide] Convention.” Anderer Ansicht bzgl. der räumlichen Reichweite einer völkergewohnheitsrechtlichen Verfolgungspflicht aber *Tomuschat*, in: Cremer u.a. (Hrsg.), FS Steinberger, S. 315 (338 f., 348 f.); *Werle*, Völkerstrafrecht, Rn. 186 ff.; *Werle/Jeßberger*, JZ 2002, 725 (733).

[56] Vgl. oben S. 11.

f) Völkerrechtliche Vorgaben hinsichtlich der Art und Weise einer nationalen Strafverfolgung völkerrechtlicher Verbrechen

Alle hier erörterten Verfolgungspflichten verlangen keine Ahndung der betreffenden Taten als völkerrechtliche Verbrechen, also keine Bestrafung der Taten als Völkermord, Verbrechen gegen die Menschlichkeit, Kriegsverbrechen oder Angriffskrieg. Auch gebieten sie keine Bestrafung unter unmittelbarer Anwendung der völkerrechtlichen Strafnormen. Sie verlangen vielmehr allein, dass es überhaupt zu einer tat- und schuldangemessenen Bestrafung kommt, gleich ob auf der Basis nationaler oder völkerrechtlicher Straftatbestände. Es gibt auch keine völkerrechtliche Pflicht zur Schaffung und gegebenenfalls Anwendung von völkerstrafrechtlichen Spezialtatbeständen im nationalen Recht. Vielmehr wird den völkerrechtlichen Pönalisierungsgeboten auch durch eine Anwendung der „normalen", für Fälle der Alltagskriminalität konzipierten Strafnormen des nationalen Rechts Genüge getan, sofern die Bestrafung eines Täters überhaupt möglich ist und die verhängten Sanktionen unrechtsadäquat sind.[57]

Das Fehlen völkerstrafrechtlicher Spezialtatbestände in einer nationalen Strafrechtsordnung bedeutet daher als solches noch kein Zurückbleiben hinter völkerrechtlichen Verpflichtungen. Deshalb war beispielsweise die Tatsache, dass es in Deutschland bis zur Schaffung des deutschen VStGB keine Spezialtatbestände zur Erfassung von Kriegsverbrechen und Verbrechen gegen die Menschlichkeit gab[58] und eine unmittelbare Anwendung der völkerrechtlichen Strafnormen wegen des strengen verfassungsrechtlichen Schriftlichkeits- und Bestimmtheitsgebots (Art. 103 Abs. 2 GG) ausschied,[59] im Hinblick auf die Erfüllung völkerrechtlicher Pflichten durch die Bundesrepublik unerheblich. Gleichwohl ist ein Rückgriff auf „normale" Strafnormen bei einer nationalen Strafverfolgung völkerrechtlicher Verbrechen rechtspolitisch bedenklich, weil damit die besondere Dimension der Taten nicht hinreichend erfasst wird. So lässt etwa eine Verurteilung wegen Mordes im Falle der Tötung eines Menschen in der Absicht, dessen Volksgruppe zu vernichten, die besonders verabscheuungswürdige Motivation des Täters außer Betracht.[60]

---

57 Vgl. *Kleffner*, JICJ 1 (2003) 86 (95 ff.); *Kreicker*, LB Deutschland, Bd. 1, S. 21 (81, 441 Fn. 1933); *Werle/Jeßberger*, JZ 2002, S. 725 (727 mit Fn. 25).

58 Siehe *Kreicker*, LB Deutschland, Bd. 1, S. 21 (62).

59 Hierzu *Kreicker*, LB Deutschland, Bd. 1, S. 21 (54 ff.).

60 Siehe zu diesem „Nachteil" eines Rückgriffs auf das „normale" Strafrecht BT-Drucks. 14/8524, S. 12; *Kreicker*, LB Deutschland, Bd. 1, S. 21 (62); *Kreß*, Vom Nutzen eines deutschen Völkerstrafgesetzbuchs, S. 14 ff.; *Werle*, JZ 2000, 755 (756 ff.).

g) *Ausnahmen von den völkerrechtlichen Strafverfolgungspflichten*

aa) Ausnahmen im Zusammenhang mit Immunitäten

Die skizzierten völkerrechtlichen Strafverfolgungspflichten gelten nicht ausnahmslos. So sind die *völkerrechtlichen Immunitäten*, die auch bei völkerrechtlichen Verbrechen ein Strafverfolgungshindernis begründen, gegenüber den Strafverfolgungspflichten vorrangig. Insofern darf sich kein Staat unter Hinweis auf völkerrechtliche Strafverfolgungspflichten über die für ihn bindenden völkerrechtlichen Immunitäten hinwegsetzen.[61] Dies hat der IGH im Jahr 2002 klargestellt:

> "(...) although various international conventions on the prevention and punishment of certain serious crimes impose on States obligations of prosecution or extradition, thereby requiring them to extend their criminal jurisdiction, such extension of jurisdiction in no way affects immunities under customary law (...). These remain opposable before the courts of a foreign State, even where those courts exercise such a jurisdiction under these conventions."[62]

Im Einzelnen sollen die einer nationalen Strafverfolgung völkerrechtlicher Verbrechen entgegenstehenden völkerrechtlichen Immunitäten an späterer Stelle betrachtet werden.[63] Hier soll es bei der Feststellung bleiben, dass die (sowohl dienstliche als auch in privater Eigenschaft begangene Taten umfassende) Immunität *ratione personae* amtierender Staatsoberhäupter und Regierungsmitglieder, die – allerdings allein den jeweiligen Empfangsstaat verpflichtenden – Immunitäten *ratione personae* und *ratione materiae* der Mitglieder diplomatischer und konsularischer Vertretungen, die Immunitäten von Mitgliedern internationaler Organisationen, die Exemtionen von Mitgliedern von Spezialmissionen und die Immunitäten von Soldaten nach „Status of Forces Agreements" wie dem NATO-Truppenstatut[64] auch dann gelten, wenn sich der Tatvorwurf auf die Begehung eines völkerrechtlichen Verbrechens bezieht. Die völkerrechtlichen Verfolgungspflichten treten insofern zurück.[65] Dagegen erfährt die allgemeine Staatenimmuni-

---

[61] *Kreicker*, LB Deutschland, Bd. 1, S. 21 (441 Fn. 1933).

[62] IGH, Urteil im Verfahren *Demokratische Republik Kongo vs. Belgien*, para. 59; ILM 41 (2002), 536 (551). Bereits an dieser Stelle ist allerdings darauf hinzuweisen, dass die Entscheidung des IGH nicht einstimmig erging und einige Richter fundamental von der Mehrheitsmeinung abweichende Sondervoten abgaben.

[63] Siehe unten S. 269 ff.

[64] *Abkommen zwischen den Parteien des Nordatlantikvertrags über die Rechtsstellung ihrer Truppen (NATO-Truppenstatut)* vom 19.6.1951; BGBl. 1961 II, S. 1190; UNTS 199, 67.

[65] *Kreicker*, LB Deutschland, Bd. 1, S. 21 (441 Fn. 1933); *Tangermann*, Immunität von Staatsoberhäuptern, S. 157 Fn. 495 sowie Lord *Phillips of Worth Matravers* in seinem Votum zum dritten *Pinochet*-Urteil vom 24.3.1999, HRLJ 1999, 102 (107). Anderer Ansicht aber *Wirth*, CLF 12 (2001), 429 (448). Allerdings gibt es von dieser Regel eine Ausnahme: Die Verfolgungspflicht, die die UN-Völkermordkonvention den Tatortstaaten auferlegt, ist wegen der klaren Immunitätsausnahme in Art. IV der Konvention gegenüber den Exemtionen vorrangig. So auch Lord *Slynn of Hadley* in seinem Votum zum ersten *Pino-*

tät bei völkerrechtlichen Verbrechen eine Ausnahme, so dass sie einer Verfolgungspflicht nicht entgegengehalten werden kann.[66]

bb) Ausnahmen im Zusammenhang mit Amnestien

Noch weitgehend ungeklärt ist, ob besondere politische Verhältnisse in einem Land ausnahmsweise zu einem Zurücktreten völkerrechtlicher Verfolgungspflichten führen können. Diskutiert wird diese Frage vornehmlich im Zusammenhang mit der Zulässigkeit von nationalen *Amnestien* bei völkerrechtlichen Verbrechen. Darf ein Staat ausnahmsweise – etwa durch Erlass einer Amnestie – von einer völkerrechtlich prinzipiell gebotenen nationalen Strafverfolgung Abstand nehmen, wenn zu befürchten steht, dass die Durchführung eines Strafverfahrens einen Bürgerkrieg oder Umsturz auslösen wird, der die Begehung zahlreicher bzw. massiver Menschenrechtsverletzungen oder gar neuer völkerrechtlicher Verbrechen zur Folge haben wird? Diese Frage dürfte vor allem im Kontext einer strafrechtlichen Reaktion auf Systemunrecht nach einem politischen Systemwechsel aktuell werden.[67] Ist es einem Staat, der soeben eine durch die Begehung völkerrechtlicher Verbrechen gekennzeichnete Militärdiktatur überwunden hat und dessen rechtsstaatlich-demokratische Strukturen noch sehr fragil sind, gestattet, durch Verabschiedung einer Amnestie von einer Strafverfolgung der früheren Militärmachthaber abzusehen, wenn anzunehmen ist, dass das nach wie vor starke Militär im Falle einer Strafverfolgung putschen und eine erneute Militärdiktatur wiederum schwerste Menschenrechtsverletzungen begehen würde? Ganz zu Recht wird in der Literatur ein solches exzeptionelles Absehen von einer Strafverfolgung für völkerrechtskon-

---

chet-Urteil vom 25.11.1998, HRLJ 1998, 419 (424); *Jescheck*, ZStrR 72 (1957), 217 (241); *Kreicker*, a.a.O., S. 359 Fn. 1558 und die belgische Cour de Cassation im Urteil vom 12.2.2003 zum „Fall *Sharon*“; vgl. *Cassese*, JICJ 1 (2003), 437 (439); *Rau*, HuV-I 2003, 92 (96). Der Cour de cassation zustimmend *Cassese*, a.a.O., S. 441; ihre Entscheidung ablehnend *Rau*, HuV-I 2003, 92 (98 f.). Zu ungenau *Wirth*, NStZ 2001, 665 (667).

66 Vgl. ausführlich zur Irrelevanz der Staatenimmunität bei völkerrechtlichen Verbrechen unten S. 272 ff. mit Nachweisen in Anm. 1467.

67 Den strafjuristischen, völkerrechtlichen und politischen Fragen, die sich im Zusammenhang mit einer strafrechtlichen Reaktion auf Systemunrecht nach einer Transition von Staaten hin zu demokratisch-rechtsstaatlichen Gemeinwesen stellen, geht ein weiteres Großprojekt des Freiburger Max-Planck-Instituts für ausländisches und internationales Strafrecht nach. Zu dem unter der Leitung von Prof. Dr. Dr. h.c. mult. *Albin Eser* und Prof. Dr. *Jörg Arnold* durchgeführten Projekt „Strafrecht in Reaktion auf Systemunrecht – Vergleichende Einblicke in Transitionsprozesse“ sind gegenwärtig zehn Bände mit Landesberichten erschienen: *Eser, Albin/Arnold, Jörg* (Hrsg.), Strafrecht in Reaktion auf Systemunrecht, Bde. 1–7, Freiburg 2000–2003; *Eser, Albin/Sieber, Ulrich/Arnold, Jörg* (Hrsg.), Strafrecht in Reaktion auf Systemunrecht, Bd. 8, Berlin 2005 und Bde. 9 und 10, Berlin 2006.

form erachtet und betont, die völkerrechtlichen Strafverfolgungspflichten begründeten kein „absolutes“, sondern lediglich ein „relatives Amnestieverbot“.[68]

2. Völkerrechtliche Grenzen der nationalen Strafverfolgungsbefugnisse

Die Tatsache, dass das Völkerrecht den Staaten nur eng begrenzte Verfolgungs*pflichten* bei völkerrechtlichen Verbrechen auferlegt, namentlich allein die jeweiligen Tatortstaaten sowie Heimat- und Aufenthaltsstaaten eines Beschuldigten in die Pflicht nimmt, bedeutet aber nicht, dass die Staaten von Völkerrechts wegen daran gehindert sind, in größerem Umfang nationale Strafverfolgungen völkerrechtlicher Verbrechen durchzuführen. Vielmehr sind die *Befugnisse* der Staaten, durch nationale Strafverfolgungsaktivitäten eine Straflosigkeit der für Völkerstraftaten Verantwortlichen zu verhindern, deutlich weitreichender als die Verfolgungspflichten, gleichwohl aber nicht unbegrenzt. Die völkerrechtlichen Grenzen der nationalen Strafverfolgungsbefugnisse sind aber noch nicht endgültig abgesteckt. Vor allem ist nach wie vor umstritten, inwieweit Drittstaaten – also Staaten, die weder Tatortstaat noch Heimatstaat eines Beschuldigten sind – von Völkerrechts wegen gestattet ist, nach dem Weltrechtsprinzip nationale Strafverfolgungen wegen völkerrechtlicher Verbrechen zu betreiben.

a) Grenzen in Bezug auf die extraterritoriale Erstreckung nationaler Strafgewalt

An der Befugnis der Staaten, neben Inlandstaten (nach dem *Territorialitätsprinzip*) auch im Ausland von eigenen Staatsbürgern begangene völkerrechtliche Verbrechen (nach dem *aktiven Personalitätsprinzip*) zu ahnden, besteht kein Zweifel, zumal – wie gesagt – insofern nach richtiger Auffassung sogar eine völkerrechtliche Verfolgungspflicht existiert.[69] Trotz prinzipieller Bedenken, die einer extraterritorialen Strafgewalterstreckung nach dem *passiven Personalitätsprinzip* entgegengebracht werden können,[70] ist jedenfalls bei völkerrechtlichen Verbrechen eine Anwendung dieses Prinzips, also eine Begründung von Strafgewalt über im

---

[68] *Ambos*, KritV 1996, 355 (365); *ders.*, HRLJ 18 (1997), 1 (12 ff.); *ders.*, AVR 37 (1999), 318 (356); *Gropengießer*, LB Deutschland, Bd. 1, S. 21 (382 ff., insb. S. 386 f.); *Gropengießer/Meißner*, ICLR 5 (2005), 267 (278 ff.); *Gross*, HuV-I, 2001, 162 (166 ff.); *Kokott*, HRLJ 14 (1993), 153 (154, 158); *Kreicker*, Art. 7 EMRK und die Gewalttaten an der deutsch-deutschen Grenze, S. 40 ff.; *ders.*, LB Deutschland, Bd. 1, S. 21 (441 Fn. 1933); *Schilling*, ZÖR 54 (1999), 357 (393 ff.); *Tomuschat*, in: Cremer u.a. (Hrsg.), FS Steinberger, S. 315 (343 ff.); *Werle*, Völkerstrafrecht, Rn. 190 ff.

[69] Siehe nur MK-StGB-*Ambos*, vor § 3 Rn. 25 ff., 35 ff.; *Doehring*, Völkerrecht, Rn. 808 ff., 1154 ff.; LK-StGB-*Gribbohm*, vor § 3 Rn. 126, 131 ff.; *Herdegen*, Völkerrecht, § 26 Rn. 2 ff.; *Jescheck/Weigend*, Lehrbuch, § 18 II. Zu den Verfolgungspflichten vgl. oben S. 11 und S. 14.

[70] Vgl. diesbezüglich MK-StGB-*Ambos*, vor § 3 Rn. 42 ff.

Ausland begangene Völkerstraftaten, bei denen eigene Staatsbürger zu Schaden kommen, für statthaft zu erachten.[71]

Grundsätzlich ist auch eine nationale Strafverfolgung völkerrechtlicher Verbrechen nach dem *Weltrechtsprinzip (Universalitätsprinzip)*, also eine Ahndung im Ausland verübter Völkerstraftaten, die von Ausländern begangen wurden und bei denen keine eigenen Staatsangehörigen zu Schaden gekommen sind, völkerrechtlich erlaubt.[72] Dies gilt zumindest dann, wenn sich die beschuldigte Person im Staatsgebiet des strafverfolgenden Staates aufhält. Eine solche Strafverfolgung nach dem „eingeschränkten Universalitätsprinzip" *(territorial universal jurisdiction)* wird nicht nur auch von denen für zulässig gehalten, die ansonsten eine Drittstaatenverfolgung für nicht völkerrechtskonform erachten,[73] sondern in Bezug auf schwere Kriegsverbrechen in internationalen bewaffneten Konflikten sowie Folterungen von den Genfer Abkommen[74] bzw. der UN-Folterkonvention[75] sogar verlangt.

Fraglich ist dagegen, ob auch eine nationale Strafverfolgung völkerrechtlicher Verbrechen nach dem „uneingeschränkten Universalitätsprinzip" *(absolute universal jurisdiction)*, also eine Strafverfolgung selbst in dem Fall, dass sich der Beschuldigte (noch) nicht im Hoheitsgebiet des strafverfolgenden Staates aufhält und kein anderweitiger „Inlandsbezug" vorliegt, völkerrechtskonform ist.[76] Zum Teil

---

71 Und zwar wegen der bereits nach Völkerrecht gegebenen Strafbarkeit unabhängig davon, ob das betreffende völkerrechtliche Verbrechen auch nach dem nationalen Strafrecht des Tatortstaates strafbar ist.

72 Für eine Zulässigkeit der extraterritorialen Erstreckung nationaler Strafgewalt über völkerrechtliche Verbrechen nach dem Weltrechtsprinzip u.a. *Ambos*, NStZ 1999, 226 (227); *ders.*, NStZ 1999, 404 (405 f.); MK-StGB-*Ambos*, vor § 3 Rn. 54, § 6 Rn. 4 ff.; *Bungenberg*, AVR 39 (2001), 170 (185 ff.); *Cassese*, International Criminal Law, S. 293 f.; *Eser*, in: Eser u.a. (Hrsg.) FS Meyer-Goßner, S. 3 (14, in Bezug auf Völkermord); *ders.*, in: Donatsch u.a. (Hrsg.), FS Trechsel, S. 219 (228 ff.); *ders.*, Tulsa Law Review 39 (2004), 955 (956 ff.); *Lüke*, Immunität staatlicher Funktionsträger, S. 49 ff.; *Kreicker*, Art. 7 EMRK und die Gewalttaten an der deutsch-deutschen Grenze, S. 77; *ders.*, LB Deutschland, Bd. 1, S. 21 (252 f.), *Kreß*, Vom Nutzen eines deutschen Völkerstrafgesetzbuchs, S. 26 f.; *ders.*, NStZ 2000, 617 (624 f.); *ders.*, ZStW 114 (2002), 818 (833 ff.); *ders.*, in: Grützner/Pötz, Internationaler Rechtshilfeverkehr, vor III 26, Rn. 375; MK-StGB-*Kreß*, § 220a/§ 6 VStGB Rn. 112; *Satzger*, NStZ 2002, 125 (131); *ders.*, ICLR 2002, 261 (279 f.); *Werle*, ZStW 109 (1997), 808 (824); *ders.*, JZ 1999, 1181 (1183); *ders.*, JZ 2000, 755 (759); *ders.*, Völkerstrafrecht, Rn. 173 ff.; *Werle/Jeßberger*, JZ 2002, 725 (733); *Wirth/Harder*, ZRP 2000, 144 (146).

73 Siehe die Nachweise unten in Anm. 77.

74 Siehe oben S. 10.

75 Siehe oben S. 11.

76 Zu beachten ist, dass es bei einer derartigen Strafverfolgung *in absentia* nach den meisten nationalen Rechtsordnungen allein um Ermittlungsmaßnahmen gehen kann, da vielfach eine Hauptverhandlung nur in Anwesenheit des Angeklagten durchgeführt werden darf (vgl. für die BRD § 230 Abs. 1 StPO). Solche „Vorbereitungsmaßnahmen" in Abwesenheit des Beschuldigten durchzuführen, bedeutet noch keinen Verstoß gegen den Grundsatz des „fair trial", so dass es zu kurz greift, die Zulässigkeit einer Strafgewalterstreckung

wird dies verneint und angenommen, eine solche Strafgewalterstreckung missachte die Souveränitätsrechte der unmittelbar betroffenen Staaten.[77] Bekanntlich hatte auch der deutsche BGH vor Inkrafttreten des VStGB eine Strafverfolgung von Völkermordtaten nach dem Weltrechtsprinzip nur bei Vorliegen eines besonderen inländischen Anknüpfungspunkts für völkerrechtskonform erachtet; ansonsten – so der BGH – verstoße eine Strafverfolgung gegen das Nichteinmischungsprinzip.[78] In einigen Sondervoten zur Entscheidung des IGH im Verfahren *Kongo vs. Belgien* vom 14. Februar 2002[79] ist diese Ansicht gleichfalls vertreten worden.[80] Gegen sie ist jedoch einzuwenden, dass das auf völkerrechtlicher Ebene strafbewehrte Verbot, Völkermord, Verbrechen gegen die Menschlichkeit, Kriegsverbrechen und völkerrechtswidrige Angriffsakte zu begehen, zugunsten der gesamten Völkerrechtsgemeinschaft besteht. Daher ist jeder Staat durch völkerrechtliche Verbrechen betroffen; die Rechtsverletzung wirkt *erga omnes*, verletzt also die Rechte aller Staaten, die ein legitimes Interesse daran haben, dass der Frieden, die Sicherheit und das Wohl der Menschheit nicht durch die Begehung völkerrechtlicher Verbrechen gefährdet werden.[81] Die Begehung völkerrechtlicher Verbrechen gehört daher ebenso wie die sonstiger schwerer Menschenrechtsverletzungen nicht zu den inneren An-

---

nach dem uneingeschränkten Universalitätsprinzip pauschal damit zu verneinen, es würden dem Beschuldigten grundlegende justizielle Rechte vorenthalten. So aber *Cassese*, International Criminal Law, S. 290.

[77] *Bremer*, Nationale Strafverfolgung internationaler Verbrechen, S. 235 ff.; *Cassese*, JICJ 1 (2003), 437 (452); *Griesbaum*, in: Geiß u.a. (Hrsg.), 50 Jahre BGH, S. 663 (668); *Oehler*, NStZ 1994, 485 (485); *Rau*, HuV-I 2003, 92 (97); *Staudinger*, NJW 1999, 3099 (3099 f.); *Weiß*, JZ 2002, 696 (698 ff.). Widersprüchlich *Dahm/Delbrück/Wolfrum*, Völkerrecht, Bd. I/3, S. 1000 einerseits und S. 1013 f. andererseits. Siehe auch *Cassese*, International Criminal Law, S. 289 ff., dessen Argumentation für eine Beschränkung der Strafgewalt nach dem Weltrechtsprinzip aber nicht hinreichend berücksichtigt, dass ein uneingeschränktes Weltrechtsprinzip nicht bedeutet, dass jeder Staat auch stets Verfolgungen einleiten muss, vielmehr ein Absehen von einer Ausübung von Gerichtsbarkeit möglich bleibt. Zudem verkennt *Cassese*, dass die für die internationalen Beziehungen wichtigen hochrangigen Staatenvertreter durch Immunitäten ausreichend geschützt sind.

[78] Vgl. BGH NStZ 1994, 232 (233); BGH NStZ 1999, 236 (236); BGH StV 1999, 240 (240); BGHSt 45, 64 (65 ff.) = NStZ 1999, 396 (397 f.). Offengelassen von BVerfG NJW 2001, 1848 (1853). Siehe auch BayObLGSt 1997, 83 (94 f.) = NJW 1998, 392 (395) und BGHSt 46, 292 (306 f.) = NJW 2001, 2728 (2731 f.) sowie *Kreicker*, LB Deutschland, Bd. 1, S. 21 (253 f.).

[79] IGH, Urteil im Verfahren *Democratic Republic of the Congo vs. Belgium*, ILM 41 (2002), 536. Im Internet abrufbar unter <www.icj-cij.org> (1.1.2006).

[80] Vgl. das Sondervotum des Präsidenten *Guillaume*, para. 9 ff., ILM 41 (2002), 558 (560 ff.); die Erklärung von Richter *Ranjeva*, para. 12, ILM 41 (2002), 569 (572 f.) sowie das Sondervotum von Richter *Rezek*, para. 11, ILM 41 (2002), 592 (594). Siehe auch *Dahm/Delbrück/Wolfrum*, Völkerrecht, Bd. I/3, S. 1012 f.; *Kreß*, ZStW 114 (2002), 818 (821 ff.).

[81] Vgl. *Bungenberg*, AVR 39 (2001), 170 (191 f.); *Doehring*, Völkerrecht, Rn. 248; *Eser*, in: Eser u.a. (Hrsg.) FS Meyer-Goßner, S. 3 (14, 16, in Bezug auf Völkermord); *Kreß*, NStZ 2000, 617 (624); *Lüder*, NJW 2000, 269 (270); *Lüke*, Immunität staatlicher Funktionsträger, S. 324 f.; *Schröder*, in: Graf Vitzthum (Hrsg.), Völkerrecht, 7. Abschn. Rn. 47; *Wirth/Harder*, ZRP 2000, 144 (147 Fn. 35).

gelegenheiten eines Staates, die einem Interventionsverbot unterliegen. Staatliche Souveränitätsinteressen können weder die Begehung völkerrechtlicher Verbrechen noch ein Verbot deren Ahndung, die im Interesse der gesamten Völkerrechtsgemeinschaft liegt, rechtfertigen. Dies zeigt sich auch schon daran, dass die Staatenimmunität, die ja dem Schutz der Souveränität der Staaten dient, bei völkerrechtlichen Verbrechen eine gewohnheitsrechtlich anerkannte Ausnahme erfährt.[82] Deshalb muss auch jeder Staat – gewissermaßen als „Vertreter der Völkerrechtsgemeinschaft" – als befugt angesehen werden, völkerrechtliche Verbrechen nach dem uneingeschränkten Weltrechtsprinzip zu ahnden. Diese Auffassung findet nicht nur breite Unterstützung in der Literatur,[83] sondern wurde auch von einigen IGH-Richtern im erwähnten Verfahren *Kongo vs. Belgien* vertreten[84] und liegt dem deutschen Völkerstrafgesetzbuch zugrunde[85].

Der extraterritorialen Reichweite der nationalen Strafgewalt der Staaten sind mithin keine völkerrechtlichen Schranken gesetzt. Jeder Staat ist befugt, auch als Drittstaat Völkerstraftaten zu ahnden. Gleichwohl dürfte es vielfach (völker-)rechtspolitisch nicht sinnvoll sein, eine nationale Strafverfolgungsbefugnis nach

---

[82] Vgl. die Nachweise oben in Anm. 66.

[83] Wie hier MK-StGB-*Ambos*, § 6 Rn. 4 ff.; *ders.*, NStZ 1999, 226 (227); *ders.*, NStZ 1999, 404 (405 f.); *Ambos/Wirth*, in: Fischer/Kreß/Lüder (Hrsg.), International and National Prosecution of Crimes Under International Law, S. 769 (779 ff.); LR-StPO-*Beulke*, § 153f (Nachtr.), Rn. 2; *Bungenberg*, AVR 39 (2001), 170 (185 ff.); Schönke/Schröder-*Eser*, vor § 3 Rn. 8, § 6 Rn. 1; *Eser*, in: Roxin/Widmaier (Hrsg.), FS BGH IV, S. 3 (26 ff.); *ders.*, in: Eser u.a. (Hrsg.) FS Meyer-Goßner, S. 3 (8 ff.); *ders.*, in: Donatsch u.a. (Hrsg.), FS Trechsel, S. 219 (228 ff.); *Hoß/Miller*, GYIL 44 (2001), 576 (599); *Kreicker*, LB Deutschland, Bd. 1, S. 21 (254 f.); *Kreß*, NStZ 2000, 617 (624 f.); *ders.*, ZStW 114 (2002), 818 (833 ff.); *ders.*, in: Grützner/Pötz, Internationaler Rechtshilfeverkehr, vor III 26, Rn. 375; MK-StGB-*Kreß*, § 220a/§ 6 VStGB Rn. 112; *Lagodny/Nill-Theobald*, JR 2000, 205 (205 f.); *Lüder*, NJW 2000, 269 (270); *Satzger*, NStZ 2002, 125 (131); *ders.*, ICLR 2002, 261 (280); KK-StPO-*Schoreit*, § 153f Rn. 9; *Schultz*, ZaöRV 62 (2002), 703 (727 ff.); *Weigend*, in: Triffterer (Hrsg.), GedS Vogler, S. 197 (208); *ders.*, in: Arnold u.a. (Hrsg.), FS Eser, S. 955 (956 ff.); *Werle*, JZ 1999, 1181 (1183); *ders.*, JZ 2000, 755 (759); *ders.*, Völkerstrafrecht, Rn. 173 mit Fn. 330; *Werle/Jeßberger*, CLF 13 (2002), 191 (201, 212 f.).

[84] Richter *Koroma*, *Higgins*, *Kooijmans*, *Buergenthal* und *van den Wyngaert* in ihren Sondervoten zum Urteil des IGH im Verfahren *Democratic Republic of the Congo vs. Belgium* (vgl. oben Anm. 79). Siehe ILM 41 (2002), 574 f. *(Koroma)*, 579 ff. *(Higgins, Kooijmans, Buergenthal)* sowie 633 ff. *(van den Wyngaert)*. Vgl. zu diesen Voten auch *Kreß*, ZStW 114 (2002), 818 (823 ff.).

[85] Vgl. § 1 VStGB (BGBl. 2002 I, S. 2254); BT-Drucks. 14/8524, S. 14 und *Kreicker*, LB Deutschland, Bd. 1, S. 21 (251, 255 mit Fn. 1075). Allerdings können aus menschenrechtlicher Perspektive durchaus Bedenken gegen eine Strafgewalterstreckung nach dem uneingeschränkten Weltrechtsprinzip erhoben werden, da ein Täter befürchten muss, von irgendeinem Drittstaat verfolgt zu werden, der elementare Beschuldigtenrechte nicht zu wahren gewillt ist; vgl. diesbezüglich *Walther*, in: Arnold u.a. (Hrsg.), FS Eser, S. 925 (950 ff.). Doch können diese Bedenken im Ergebnis nicht das Weltrechtsprinzip als solches delegitimieren, sondern sind im Kontext von Kooperationsersuchen (namentlich Auslieferungsersuchen) des strafverfolgungswilligen Staates zur Geltung zu bringen.

dem „uneingeschränkten Universalitätsprinzip“ auszuüben. Wie im Einzelnen zu zeigen sein wird, sehen die nationalen Strafrechtsordnungen der meisten untersuchten Staaten daher eine Strafverfolgung nach dem „uneingeschränkten Universalitätsprinzip“ gar nicht vor, machen von der völkerrechtlichen Befugnis zu einer nationalen Strafverfolgung völkerrechtlicher Verbrechen also gar nicht vollumfänglich Gebrauch.[86]

b) Sonstige Grenzen nationaler Strafverfolgungsbefugnisse

Während das Völkerrecht nach dem Gesagten der extraterritorialen Reichweite nationaler Strafgewalt über völkerrechtliche Verbrechen keine Schranken setzt, sind anderweitige völkerrechtliche Beschränkungen der nationalen Strafverfolgungsbefugnisse durchaus zu verzeichnen. Zunächst sind wiederum die *völkerrechtlichen Immunitäten* zu nennen.[87] Diese völkerrechtlichen Verfolgungsverbote schränken selbstverständlich insofern, als sie auch bei völkerrechtlichen Verbrechen einschlägig sind, nicht nur die nationalen Verfolgungs*pflichten* ein, sondern ebenso die (weitergehenden) nationalen Verfolgungs*befugnisse*. In Bezug auf *Amnestien* ist dagegen festzustellen, dass diese zwar unter Umständen auch bei Völkerstraftaten völkerrechtlich statthaft sein können, also völkerrechtliche Verfolgungs*pflichten* begrenzen können,[88] jedoch völkerrechtliche Amnestiegebote, die nationale Strafverfolgungs*befugnisse* einschränken könnten, nicht erkennbar sind.[89] Hinzuweisen ist ferner auf völkerrechtliche Regelungen eines transnationalen *ne bis in idem*, also eines Doppelverfolgungsverbots. Speziell auf völkerrechtliche Verbrechen bezogen ist Art. 20(2) IStGH-Statut, der den Vertragsstaaten des Römischen Statuts untersagt, eine Person wegen eines völkerrechtlichen Verbrechens strafrechtlich in Anspruch zu nehmen, dessentwegen sie bereits vom IStGH verurteilt oder freigesprochen wurde.[90] Entsprechende Bestimmungen enthalten

---

[86] Vgl. im Einzelnen unten S. 191 ff.

[87] Vgl. hierzu schon oben S. 16 sowie ausführlich unten S. 269 ff.

[88] Hierzu näher oben S. 17.

[89] So völlig fernliegend, wie dies auf den ersten Blick den Anschein haben mag, ist der Gedanke eines völkerrechtlichen Amnestiegebots (bzw. eines allgemeinen Gebots, von einer Strafverfolgung unabhängig von Immunitäten aus politischen Gründen abzusehen) selbst bei völkerrechtlichen Verbrechen nicht. Wenn man – wie hier – eine Drittstaatenverfolgung nach dem uneingeschränkten Universalitätsprinzip für statthaft hält, könnte es sinnvoll sein, Drittstaaten dann, wenn eine Strafverfolgung bestimmter Personen mutmaßlich zu einem Umsturz oder gar Bürgerkrieg in deren Heimatstaat führen wird, der die Begehung schwerer Menschenrechtsverletzungen zur Folge haben dürfte, ausnahmsweise ein Verfolgungsverbot jenseits der völkerrechtlichen Exemtionen aufzuerlegen. In diese Richtung argumentieren auch *Tomuschat*, in: Cremer u.a. (Hrsg.), FS Steinberger, S. 315 (347), und *Werle*, Völkerstrafrecht, Rn. 191 f.

[90] Vgl. *Tallgren*, in: Triffterer (Hrsg.), Commentary on the Rome Statute, Art. 20 Rn. 15 ff.; *van den Wyngaeert/Ongena*, in: Cassese u.a. (Hrsg.), Rome Statute of the International Criminal Court, Bd. I, S. 705 (723 f.).

Art. 10(1) ICTY-Statut[91] und Art. 9(1) ICTR-Statut[92]. Nach diesen Normen darf niemand wegen Handlungen, die schwere Verstöße gegen das humanitäre Völkerrecht darstellen, vor ein nationales Gericht gestellt werden, wenn gegen ihn wegen derselben Handlungen bereits vor dem ICTY bzw. ICTR verhandelt wurde. Da die Statuten dieser Strafgerichtshöfe auf Resolutionen des UN-Sicherheitsrats beruhen, sind die Staaten gemäß Art. 25 UN-Charta völkerrechtlich verpflichtet, sich an diese Regelungen zu halten.[93] Dagegen sind die weiteren völkerrechtlichen *ne bis in idem*-Regelungen – etwa Art. 54 SDÜ – nicht ausschließlich auf völkerrechtliche Verbrechen bezogen,[94] weshalb diese hier nicht näher betrachtet werden sollen. Das gilt auch für die hier gleichfalls nur als Merkposten zu erwähnenden völkerrechtlichen Schranken, die *internationale Menschenrechtskonventionen* nationalen Strafverfolgungsaktivitäten auferlegen.[95]

II. Formen der nationalen Strafverfolgung völkerrechtlicher Verbrechen

Es wurde bereits darauf hingewiesen, dass das Völkerrecht den Staaten zwar unter bestimmten Umständen eine Pflicht zur nationalen Strafverfolgung völkerrechtlicher Verbrechen und gegebenenfalls Verhängung angemessener Strafen auferlegt, jedoch keine Vorgaben hinsichtlich der anzuwendenden Straftatbestände macht. Das Völkerrecht legt – vereinfacht gesagt – fest, *dass* die Staaten Strafverfolgungen

---

91 Das Statut ist abgedruckt in ILM 32 (1993), 1192 und in BT-Drucks. 13/57 (dort auch dt. Übers.). Internetquelle: <www.un.org/icty/legaldoc-e/index.htm> (1.1.2006).

92 Das Statut ist abgedruckt in ILM 33 (1994), 1602 und in BT-Drucks. 13/7953 (dort auch dt. Übers.). Internetquelle: <www.ictr.org/ENGLISH/basicdocs/statute.html> (1.1.2006).

93 Vgl. *Kreicker*, LB Deutschland, Bd. 1, S. 21 (398).

94 Siehe hierzu *Kreicker*, LB Deutschland, Bd. 1, S. 21 (395 ff. m.w.N.).

95 Beispielsweise ergeben sich aus dem in Art. 6 EMRK (BGBl. 1952 II, S. 685) normierten Gebot des „fair trial" Restriktionen für die Durchführung eines Strafverfahrens (vgl. *Grabenwarter*, Europäische Menschenrechtskonvention, § 24) und aus dem vom EGMR in Art. 7 EMRK verorteten Schuldprinzip von den nationalen Gerichten zu beachtende Grenzen der materiellen strafrechtlichen Verantwortlichkeit (siehe hierzu *Kreicker*, Art. 7 EMRK und die Gewalttaten an der deutsch-deutschen Grenze, S. 49 ff.). Das als Menschenrecht anerkannte und beispielsweise in Art. 7 EMRK und Art. 15 IPBPR (BGBl. 1973 II, S. 1534) normierte *internationale Rückwirkungsverbot* begrenzt dagegen die Befugnisse der Staaten zu einer nationalen Strafverfolgung völkerrechtlicher Verbrechen nicht. Denn nach dem internationalen Rückwirkungsverbot ist eine nationale Strafverfolgung unabhängig von der Festlegung einer Strafbarkeit der betreffenden Tat zur Tatzeit nach dem Recht des strafverfolgenden Staates dann statthaft, wenn die Tat zur Tatzeit nach Völkergewohnheitsrecht (vgl. Art. 7(1)(1)(2) EMRK) oder nach anerkannten allgemeinen Rechtsgrundsätzen (vgl. Art. 7(2) EMRK) strafbar war. Eine solche unmittelbar aus Rechtsquellen des Völkerrechts folgende Strafbarkeit ist bei völkerrechtlichen Verbrechen gegeben. Näher zum Gehalt des internationalen Rückwirkungsverbots unten S. 308 ff. sowie *Kreicker*, a.a.O., S. 81 ff., 94 ff.; *ders.*, LB Deutschland, Bd. 1, S. 21 (55).

durchführen müssen, nicht aber, *wie* sie dies zu tun haben.[96] Wie die Landesberichte zeigen, hat diese „Freiheit" dazu geführt, dass die normativen Grundlagen für eine nationale Strafverfolgung völkerrechtlicher Verbrechen in den untersuchten Staaten zum Teil erhebliche Unterschiede aufweisen. Versucht man, die verschiedenen Möglichkeiten hinsichtlich des „wie" einer Ahndung von Völkerstraftaten zu systematisieren, so ergeben sich insgesamt sechs Formen oder Modelle.[97]

1. Direkte Anwendung von Völkergewohnheitsrecht

Die erste Option ist die einer unmittelbaren Anwendung von Völkergewohnheitsrecht durch die nationalen Gerichte einzelner Staaten. Da die Straftatbestände des Völkerstrafrechts (auch) völkergewohnheitsrechtlich verankert sind, ist eine Bestrafung unmittelbar auf der Grundlage des Völkergewohnheitsrechts prinzipiell möglich.[98] Zwei Voraussetzungen müssen allerdings auf nationaler Ebene für eine solche Form der Bestrafung gegeben sein: Zum einen muss das Völkergewohnheitsrecht im betreffenden Staat als unmittelbar geltendes und maßgebliches Recht anerkannt sein (etwa gemäß der im common law geltenden Maxime „international law is part of the law of the land"[99] oder gemäß einer ausdrücklichen innerstaatlichen Geltungsanordnung von Völkergewohnheitsrecht wie im deutschen Recht nach Art. 25 GG[100]). Zum anderen darf in der betreffenden nationalen Rechtsordnung kein strenges Gesetzlichkeitsprinzip gelten, aufgrund dessen eine Bestrafung nur nach Maßgabe von schriftlich fixierten und auch hinsichtlich der Rechtsfolgen präzise bestimmten Strafnormen statthaft ist. Dabei ist zu differenzieren zwischen den Anforderungen des Gesetzlichkeitsprinzips, wie es im internationalen Recht normiert ist, und dem Gesetzlichkeitsprinzip der nationalen Rechtsordnungen. Das internationale Gesetzlichkeitsprinzip, das beispielsweise in Art. 7(1) EMRK und Art. 15(1) IPBPR seinen Niederschlag gefunden hat, erlaubt eine nationale Strafverfolgung, wenn eine Tat zur Tatzeit entweder nach dem nationalen Recht des

---

96 Siehe oben S. 15.

97 Siehe auch die graphische Darstellung der verschiedenen Modelle unten auf S. 34. Vgl. ferner die Modellbildung in Bezug auf das Verbrechen des Völkermords bei *Kreicker*, ICLR 5 (2005), 313 (319 ff.) sowie die Kategorisierung bei *Werle*, Principles of International Criminal Law, Rn. 221 ff.

98 Vgl. den Bericht des UN-Generalsekretärs vom 3.5.1993 zur Einrichtung des ICTY (UN-Dokument S/25704; abgedruckt in ILM 32 [1993], 1163 [1169 f.]), wo in Ziff. 29, 34 f. betont wird, die im Statut des Gerichtshofs enthaltenen Straftatbestände gälten alle bereits völkergewohnheitsrechtlich. Siehe ferner Schönke/Schröder-*Eser*, vor § 1 Rn. 22; *Jescheck*, in: Bemmann/Spinellis (Hrsg.), FS Mangakis, S. 483 (487); *Kreicker*, LB Deutschland, Bd. 1, S. 21 (54 m.w.N. in Fn. 31); *Werle*, Völkerstrafrecht, Rn. 15, 28.

99 Hierzu *Brownlie*, Public International Law, S. 42 f.; *Herdegen*, Völkerrecht, § 22 Rn. 6 f.

100 Hierzu *Herdegen*, Völkerrecht, § 22 Rn. 6, 12 ff.; *Koenig*, in: v. Mangoldt/Klein/Starck, Bonner Grundgesetz, Bd. 2, Art. 25 Rn. 3, 44 ff.; *Schweitzer*, Staatsrecht III, Rn. 470 ff.; *Streinz*, in: Sachs (Hrsg.), Grundgesetz-Kommentar, Art. 25 Rn. 8 ff.

strafverfolgungswilligen Staates oder aber nach Völker(gewohnheits-)recht strafbar war, und zwar unabhängig davon, ob die einschlägigen Straftatbestände schriftlich fixiert sind oder allein gewohnheitsrechtlich gelten. Eine nationale Strafverfolgung völkerrechtlicher Verbrechen unmittelbar auf der Basis von Völkergewohnheitsrecht wäre mithin vom internationalen Gesetzlichkeitsprinzip, wie es in Art. 7(1) EMRK und Art. 15(1) IPBPR fixiert ist, gedeckt.[101] In vielen der untersuchten Staaten gilt allerdings als Bestandteil der nationalen Rechtsordnung ein strengeres Gesetzlichkeitsprinzip, das als Bestrafungsgrundlage allein schriftliche Straftatbestände genügen lässt. Von Völkerrechts wegen ist ein solches über das internationale Gesetzlichkeitsprinzip hinausreichendes nationales Gesetzlichkeitsprinzip nicht zu beanstanden. Aus Art. 53 EMRK und Art. 5(2) IPBPR ergibt sich, dass die völkerrechtlichen Menschenrechtsgarantien weiterreichenden nationalen Grundrechten nicht entgegenstehen.[102] So ist beispielsweise in Deutschland gemäß der in Art. 103 Abs. 2 GG verankerten Gebote der *lex scripta* und *lex certa* eine unmittelbare Bestrafung nach Völkergewohnheitsrecht unzulässig.[103]

Aber selbst in den Staaten, die als Bestrafungsgrundlage keine schriftlichen Straftatbestände verlangen und in denen völkergewohnheitsrechtliche Normen als Bestandteil des nationalen Rechts angesehen werden – zu diesen Staaten zählen typischerweise common law-Länder –, wird das Modell einer direkten Bestrafung

---

[101] Vgl. *Kreicker*, Art. 7 EMRK und die Gewalttaten an der deutsch-deutschen Grenze, S. 8 ff., 81 ff.; *ders.*, LB Deutschland, Bd. 1, S. 21 (55). In der deutschen Literatur wird allerdings vielfach die Auffassung vertreten, die Zulässigkeit einer Bestrafung nach Völkerstrafrecht folge aus Art. 7(2) EMRK (Art. 15(2) IPBPR); vgl. *Ambos*, StV 1997, 39 (41); *ders.*, Der Allgemeine Teil des Völkerstrafrechts, S. 41 f.; *Degenhart*, in: Sachs (Hrsg.), Grundgesetz, Art. 103 Rn. 77; *Jescheck/Weigend*, Lehrbuch, § 15 II. 4. Fn. 25; *Nolte*, in: v. Mangoldt/Klein/Starck, Grundgesetz, Bd. 3, Art. 103 Rn. 133 f.; *Werle*, ZStW 109 (1997), 808 (811 f.); *ders.*, JZ 2000, 755 (756). Doch kann dem nicht gefolgt werden; diese Interpretation widerspricht der Rechtsprechung des EGMR. Vgl. *Kreicker*, Art. 7 EMRK und die Gewalttaten an der deutsch-deutschen Grenze, S. 94 f. Art. 7(2) EMRK normiert vielmehr eine Ausnahme vom Rückwirkungsverbot für den Fall, dass sich eine Strafbarkeit zur Tatzeit weder aus dem Recht des strafverfolgenden Staates noch aus dem Völkerstrafrecht ergibt, die Tat aber unter Verstoß gegen grundlegende Menschenrechte begangen wurde und nach übereinstimmendem nationalem Strafrecht der meisten anderen Staaten, zumindest aller Rechtskreise, zur Tatzeit strafbar war; vgl. *Kreicker*, a.a.O., S. 96 ff. Die Zulässigkeit einer Bestrafung auf der Grundlage von Völkerstrafrecht folgt heute bereits aus Art. 7(1)(1)(2) EMRK. Siehe allgemein zum Gesetzlichkeitsprinzip im Völkerstrafrecht *Cassese*, International Criminal Law, S. 139 ff.

[102] Vgl. *Grabenwarter*, Europäische Menschenrechtskonvention, § 2 Rn. 14 f.; *Nowak*, CCPR Commentary, Art. 5 Rn. 2, 12 ff.

[103] Schönke/Schröder-*Eser*, vor § 1 Rn. 22; *Jescheck/Weigend*, Lehrbuch, § 14 I. 2.; *Kreicker*, Art. 7 EMRK und die Gewalttaten an der deutsch-deutschen Grenze, S. 84; *ders.*, LB Deutschland, Bd. 1, S. 21 (54 ff.); *Werle*, JZ 2001, 885 (889); *Werle/Jeßberger*, JZ, 725 (730).

nach Völkergewohnheitsrecht nicht als Option begriffen.[104] In den untersuchten Ländern – mit Ausnahme vielleicht der USA, aber wenn überhaupt, dann auch dort nur sehr begrenzt[105] – wird dieser Weg nicht beschritten. Alle betrachteten Strafrechtsordnungen verlangen in der einen oder anderen Weise nationale Rechtsnormen als Bestrafungsgrundlage.[106]

Diese „Zurückhaltung" ist begrüßenswert. In rechtsstaatlicher Hinsicht ist es wichtig, dass die Strafbarkeit eines Verhaltens und die möglichen Rechtsfolgen normwidrigen Verhaltens für den Bürger klar erkennbar sind. Zwar lassen die internationalen Menschenrechtspakte eine Bestrafung wegen völkerrechtlicher Verbrechen unmittelbar nach Völkergewohnheitsrecht zu. Doch sind klare nationale Strafnormen vorzugswürdig, da diese für den rechtsunterworfenen Bürger schon allein deshalb leichter zugänglich und verständlich sind, weil sie in der Landessprache formuliert sind.

Es ist also stets nationales Recht, das in den untersuchten Staaten als Bestrafungsgrundlage in Betracht kommt. Aber auch bei einer Anwendung nationaler Rechtsnormen kann die Strafbarkeit auf sehr unterschiedliche Art und Weise begründet werden.

---

104 Vgl. für England und Wales *Rabenstein/Bahrenberg*, LB England/Wales, Bd. 6, S. 261 (271 f.); für die USA *Silverman*, LB USA, Bd. 5, S. 411 (426). Siehe auch *Cassese*, International Criminal Law, S. 303 f.

105 Möglicherweise ist die in den USA bestehende Befugnis der Militärgerichte, ihrer Gerichtsbarkeit unterworfene Personen wegen Kriegsverbrechen unter Rückgriff auf die völkergewohnheitsrechtlichen Kriegsverbrechenstatbestände zu bestrafen, als ein Anwendungsfall des Modells der direkten Anwendung von Völkergewohnheitsrecht zu begreifen, da die Regelung des US-Militärrechts, die eine Bestrafung auf der Grundlage der Kriegsverbrechensstraftatbestände des Völkergewohnheitsrechts zulässt, als rein deklaratorische Vorschrift bezeichnet wird (mit der Intention, sie rückwirkend auch auf vor ihrem Inkrafttreten begangene Kriegsverbrechen zur Anwendung bringen zu können). Vgl. hierzu unten S. 312 f. mit Wiedergabe des Wortlauts der Regelung in Anm. 1657. Siehe aber auch *Silverman*, LB USA, Bd. 5, S. 411 (426), wo ausgeführt wird, dass "a person cannot be tried in the federal courts for an offence that violates international law unless Congress has adopted a statute to define and punish the offence".

106 Hingewiesen sei aber darauf, dass in *Frankreich* Nazi-Kollaborateure wegen während des Zweiten Weltkrieges begangener Verbrechen unmittelbar auf der Basis von Völkergewohnheitsrecht bestraft wurden. Vgl. unten S. 340 f. sowie *Lelieur-Fischer*, LB Frankreich, Bd. 4, S. 225 (299 f., 236 f.). Zudem ist anzumerken, dass es in *Israel* für statthaft erachtet wird, nationale Gesetze, die nach Völkergewohnheitsrecht strafbare Verhaltensweisen pönalisieren, wegen der bereits vor ihrem Erlass gegebenen völkerrechtlichen Strafbarkeit des inkriminierten Verhaltens rückwirkend anzuwenden, also auch auf Taten zu erstrecken, die vor ihrem Erlass begangen wurden. Vgl. *Kremnitzer/Cohen*, LB Israel, Bd. 5, S. 317 (325 f.).

2. Bestrafung auf der Basis nationaler Strafnormen

a) Dynamischer Verweis auf Völkergewohnheitsrecht durch nationale Strafnormen

Eine weitere Möglichkeit ist die eines dynamischen Verweises im nationalen Recht auf Völkergewohnheitsrecht. Diesem Modell folgt beispielsweise Kanada mit dem *Crimes Against Humanity and War Crimes Act* aus dem Jahr 2000.[107] So heißt es beispielsweise bezogen auf Völkermord in section 4(3) CAHWCA:

> "4.(3) (...) 'genocide' means an act or omission committed with intent to destroy, in whole or in part, an identifiable group of persons, as such, that, at the time and in the place of its commission, constitutes genocide according to customary international law or conventional international law or by virtue of its being criminal according to the general principles of law recognized by the community of nations, whether or not it constitutes a contravention of the law in force at the time and in the place of its commission. (...)."

In eingeschränkter Form und begrenzt auf Kriegsverbrechen wird dieser Weg auch von einigen anderen Staaten – zu nennen sind Finnland, Polen, Russland, Schweden, die USA und Weißrussland – beschritten.[108]

Bei diesem Modell wird durch eine Blankettnorm des nationalen Rechts festgelegt, dass alle diejenigen Verhaltensweisen nach nationalem Recht strafbar und mit einer bestimmten Strafe zu ahnden sind, die nach momentan geltendem Völker(gewohnheits-)recht strafbar sind bzw. gegen derzeit geltendes internationales Recht verstoßen. Dieses Modell, das sich aus der Warte des Rechtsunterworfenen nur insofern von dem vorgenannten Modell der unmittelbaren Anwendbarkeit von Völkerrecht unterscheidet, als die Rechtsfolgen im nationalen Recht mehr oder weniger bestimmt festgelegt sind, hat sowohl Vor- als auch Nachteile. Vorteilhaft ist insbesondere, dass durch den dynamischen Verweis auf Völkerrecht Defizite des nationalen Rechts vermieden werden. Das nationale Recht gestattet eine Strafverfolgung von den Völkerstraftaten, auf die sich der dynamische Verweis bezieht, im selben Ausmaß wie das Völkerrecht. Sollte sich Letzteres weiterentwickeln (beispielsweise durch eine völkergewohnheitsrechtliche Erweiterung des Kreises der durch den Völkermordtatbestand geschützten Gruppen um politische Gruppen), würde sich die Strafbarkeit nach nationalem Recht in gleicher Weise fortbilden. Auf der anderen Seite sind dieselben Einwände zu erheben wie gegen das Modell der unmittelbaren Anwendbarkeit von Völkerrecht: Auch hier ist die Strafbarkeit

---

107 Abrufbar im Internet unter <http://laws.justice.gc.ca/en/c-45.9/> (1.1.2006). Siehe im Einzelnen *Gut/Wolpert*, LB Kanada, Bd. 5, S. 19 (25 ff.).

108 Vgl. *Frände*, LB Finnland, Bd. 2, S. 21 (26); *Weigend*, LB Polen, Bd. 2, S. 77 (92 ff.); *Cornils*, LB Schweden, Bd. 2, S. 183 (200 ff.); *Lammich*, LB Russland/Weißrussland, Bd. 6, S. 351 (363 ff.); *Silverman*, LB USA, Bd. 5, S. 411 (426 f., 432 f.). Siehe zu den USA auch oben Anm. 105 sowie unten S. 312 f. mit Anm. 1657. Wie dort ausgeführt wird, kann die US-amerikanische Regelung zur Verfolgung von Kriegsverbrechen durch die Militärgerichte möglicherweise auch als ein Fall des Modells der direkten Anwendung von Völkergewohnheitsrecht begriffen werden.

für den Bürger nicht so klar und deutlich zu erkennen, wie das bei ausformulierten abschließenden nationalen Straftatbeständen der Fall ist. Da die Reichweite des völkergewohnheitsrechtlichen Strafrechts ebenso wie sonstiges Völkergewohnheitsrecht wandelbar und in den Randbereichen nicht klar abgegrenzt ist, dürfte eine vollständige Klarheit über die Grenzen zwischen strafbarem und straffreiem Verhalten nicht zu erlangen sein.[109]

b) Statischer Verweis auf das Römische Statut durch nationale Strafnormen

Einige der Staaten, die ihr nationales Strafrecht im Anschluss an die Schaffung des Römischen Statuts mit dem Ziel einer besseren Erfassung völkerrechtlicher Verbrechen reformiert haben, schufen Strafnormen, die (als Blankettnormen) pauschal die Verhaltensweisen für nach nationalem Recht strafbar erklären, die vom Römischen Statut erfasst werden. Diese nationalen Strafnormen verweisen statisch auf die Art. 6 bis 8 IStGH-Statut. Die „Straftatbestände" des Römischen Statuts (die Art. 6–8 IStGH-Statut) werden durch den Verweis im nationalen Recht gewissermaßen in das nationale Recht inkorporiert und zu einem von dessen Bestandteilen gemacht.

Beispiele für Rechtsordnungen, die diesem Modell folgen, sind *England und Wales* mit dem *International Criminal Court Act 2001*[110] sowie die nicht in das Projekt „Nationale Strafverfolgung völkerrechtlicher Verbrechen" einbezogenen Rechtsordnungen von *Schottland* mit dem *International Criminal Court Act 2001*[111] und *Neuseeland* mit dem *International Crimes and International Criminal Court Act 2000*.[112]

So heißt es in section 51(1) des englischen *International Criminal Court Act 2001*:

> "It is an offence against the law of England and Wales for a person to commit genocide, a crime against humanity or a war crime."

Section 50(1) ICC Act 2001 legt folgende Tatbestandsdefinitionen fest:

> 'genocide' means an act of genocide as defined in article 6 [ICC Statute],

---

[109] Da aber – wie oben auf S. 24 f. ausgeführt wurde – das internationale Gesetzlichkeitsprinzip eine Bestrafung auf der Basis von Völkergewohnheitsrecht zulässt und kein strenges Bestimmtheitsgebot normiert, können aus völkerrechtlicher Warte gegen das Modell des dynamischen Verweises auf Völkergewohnheitsrecht durch nationale Strafnormen ebenso wenig Einwände erhoben werden wie gegen eine direkte Anwendung von Völkergewohnheitsrecht.

[110] Abrufbar im Internet unter <www.hmso.gov.uk/acts/acts2001/20010017.htm> (1.1.2006). Ausführlich zum „englischen Modell" *Rabenstein/Bahrenberg*, LB England/ Wales, Bd. 6, S. 261 (268 ff.).

[111] Abrufbar im Internet unter <http://www.opsi.gov.uk/legislation/scotland/acts2001/20010013.htm> (1.1.2006).

[112] Abrufbar im Internet unter <http://rangi.knowledge-basket.co.nz/gpacts/public/text/2000/an/026.html> (1.1.2006).

'crimes against humanity' means a crimes against humanity as defined in article 7 [ICC Statute], and
'war crime' means a war crime as defined in article 8.2 [ICC Statute]."

Der Vorteil dieses Modells – gerade im Vergleich zu dem vorgenannten – liegt vor allem darin, dass die Strafbarkeit für den Bürger relativ leicht erkennbar ist, gerade dann, wenn das betreffende Land das Römische Statut ratifiziert hat und von diesem eine amtliche Übersetzung in der Landessprache vorliegt. Auch wird so vermieden, dass das betreffende Land im Vergleich zum IStGH nur in eingeschränkter Weise zu einem strafrechtlichen Einschreiten fähig ist; es besteht also nicht die „Gefahr", dass der IStGH wegen fehlender einschlägiger nationaler Strafnormen eine eigene Zuständigkeit nach Art. 17 IStGH-Statut begründen kann.

Der Nachteil dieses Modells liegt vornehmlich darin, dass das Römische Statut als Resultat eines politischen Kompromisses nicht sämtliche nach völker(gewohnheits-)rechtlichem Strafrecht strafbaren Verhaltensweisen erfasst und – wie bereits angedeutet – vor allem im Bereich der Kriegsverbrechen in nichtinternationalen bewaffneten Konflikten (Bürgerkriegsverbrechen) Defizite aufweist.[113] Mit einem statischen Verweis des nationalen Rechts auf das Römische Statut werden gewissermaßen auch diese Defizite in das nationale Recht überführt, demzufolge dieses hinter dem völkergewohnheitsrechtlichen Strafrecht zurückbleibt.

c) Autonome nationale Strafnormen

Die meisten der vom Freiburger Max-Planck-Institut untersuchten Länder folgen dem Modell der autonomen nationalen Strafnormen. Bei diesem Weg der Pönalisierung von Völkerstraftaten enthalten die betreffenden nationalen Strafrechtsordnungen vollständige Straftatbestände, die das strafbare Verhalten abschließend beschreiben und sich – von kleineren Ausnahmen abgesehen – eines Verweises auf das Völkerrecht, sei es auf Völkergewohnheitsrecht, sei es auf das Römische Statut, enthalten. Insofern muss bei einer nationalen Strafverfolgung völkerrechtlicher Verbrechen in diesen Staaten – jedenfalls im Grundsatz – nicht auf völkerrechtliche Rechtsnormen zurückgegriffen werden.

Der große Vorteil dieses allgemein präferierten Modells liegt in der klaren Erkennbarkeit der Strafbarkeit für den Bürger und der relativ einfachen Handhabbarkeit des Rechts für die Strafverfolgungsbehörden. Auch einem strengen Gesetzlichkeitsprinzip wie dem des deutschen Rechts, das die Gebote der *lex scripta* und

---

113 Vgl. zu den Defiziten des Römischen Statuts gegenüber dem Völkergewohnheitsrecht unten S. 120 ff. sowie BT-Drucks. 14/2682, S. 104; BT-Drucks. 14/8524, S. 12, 23; *Kreicker*, LB Deutschland, Bd. 1, S. 21 (65 ff.); *Werle*, JZ 2001, 885 (894 f.); *Werle/Jeßberger*, JZ 2002, 725 (731 f.); *Werle/Nerlich*, HuV-I 2002, 124 (127). Vgl. auch Art. 10 und Art. 22(3) IStGH-Statut, wo die Möglichkeit weitergehenden völker(gewohnheits-)rechtlichen Strafrechts ausdrücklich anerkannt wird.

lex certa enthält,[114] wird mit dieser Art der Erfassung völkerrechtlicher Verbrechen Genüge getan. Maßgeblich für die Bürger und die Strafverfolgungsbehörden ist ausschließlich das in der Landessprache verfasste und schriftlich fixierte nationale Strafrecht.

Der Nachteil dieses Modells liegt darin, dass das nationale Recht vom Völkerrecht und damit auch von der Entwicklung des völkerrechtlichen Strafrechts abgekoppelt ist. Bei einer Weiterentwicklung des Völkerstrafrechts muss also das nationale Recht stets durch einen Gesetzgebungsakt angepasst werden, wenn man „auf der Höhe der Zeit“ bleiben und Strafbarkeitsdefizite vermeiden will. Abweichende Formulierungen der Straftatbestände gegenüber den internationalen Normen, vor allem gegenüber dem Römischen Statut, bedeuten das Risiko eines (punktuellen) Zurückbleibens des nationalen Rechts hinter dem Völkerrecht und damit die „Gefahr“, dass der IStGH wegen fehlender nationaler Bestrafungsmöglichkeit eine eigene Verfolgungszuständigkeit begründen kann.[115]

Doch auch die Strafrechtsordnungen, die diesem Modell folgen, weisen deutliche Unterschiede auf, so dass man von zwei „Untermodellen“ sprechen kann.

aa) Anwendung der „normalen“ Straftatbestände

Einige der untersuchten Länder können alle oder zumindest einige Völkerstraftaten lediglich unter Anwendung der „normalen“, auch für die Alltagskriminalität geltenden Straftatbestände ahnden. Allerdings finden sich kaum Staaten, die gar keine Spezialtatbestände zur Erfassung völkerrechtlicher Verbrechen haben. Seit der 2005 in Kraft getretenen grundlegenden Reform des Strafrechts in der Türkei[116] ist aus dem Kreis der im Projekt untersuchten Staaten nur noch Griechenland zu diesen Staaten zu zählen.[117] Dagegen gibt es relativ viele Staaten, in denen nur einzelne Völkerstraftaten, wie etwa Völkermordtaten, von Spezialtatbeständen unter Strafe gestellt werden, andere Taten – zumeist Verbrechen gegen die Menschlichkeit – dagegen nur insoweit strafbar sind, als sie von den „normalen“ Straftatbeständen erfasst werden. So können beispielsweise in Côte d'Ivoire, Finnland, Italien, Polen, Russland, Serbien und Montenegro, Slowenien, den USA sowie derzeit noch Schweden Verbrechen gegen die Menschlichkeit nur unter Rückgriff auf die „normalen“ Strafnormen geahndet werden, während Völkermordtaten und Kriegsverbrechen durch Spezialtatbestände erfasst werden.[118] In Frankreich und in der

---

114 Vgl. Schönke/Schröder-*Eser*, § 1 Rn. 8 ff., 17 ff.; *Kreicker*, LB Deutschland, Bd. 1, S. 21 (55 ff.).

115 Siehe zur komplementären Zuständigkeit des IStGH oben S. 2.

116 Hierzu *Tellenbach*, LB Türkei, Bd. 6, S. 393 (399 f.).

117 Vgl. *Retalis*, LB Griechenland, Bd. 5, S. 189 (195).

118 *Cornils*, LB Schweden, Bd. 2, S. 183 (195 ff.); *Frände*, LB Finnland, Bd. 2, S. 21 (29 ff.); *Grammer*, LB Italien, Bd. 4, S. 337 (352 ff.); *Korošec*, LB Slowenien, Bd. 3,

Türkei gibt es dagegen Spezialtatbestände zur Bestrafung von Völkermord und Verbrechen gegen die Menschlichkeit, nicht aber zur Ahndung von Kriegsverbrechen.[119] In China werden einige wenige Kriegsverbrechen durch Spezialtatbestände erfasst, im Übrigen findet das „normale" Strafrecht Anwendung.[120] Und in Israel sowie in Österreich gibt es lediglich Spezialtatbestände für Völkermordtaten.[121] Bis zum Inkrafttreten des VStGB zählte auch Deutschland zu den Staaten, die Völkerstraftaten weitgehend nur unter Anwendung der auch für die Alltagskriminalität geltenden Normen ahnden können, gab es doch mit § 220a a.F. StGB lediglich einen Tatbestand zur Erfassung von Völkermord, während bei Verbrechen gegen die Menschlichkeit und Kriegsverbrechen lediglich ein Rückgriff auf das „normale" Strafrecht in Betracht kam.[122]

Ein solcher Rückgriff auf das „normale" Strafrecht zur nationalen Ahndung völkerrechtlicher Verbrechen ist mit erheblichen Nachteilen behaftet, wenngleich – wie schon ausgeführt wurde – den völkerrechtlichen Verfolgungspflichten vielfach auch auf diesem Wege Genüge getan werden kann.[123] Erstens weist das nationale Strafrecht der Staaten, die weder eine Bestrafung unmittelbar auf der Basis von Völkerrecht zulassen noch nationale Spezialtatbestände zur Erfassung von Völkerstraftaten haben, in aller Regel Defizite gegenüber dem völkerrechtlichen Strafrecht auf. Während beispielsweise solche Völkerstraftaten, deren Kennzeichen die Tötung oder Verletzung einer geschützten Person sind, zumeist über die „normalen" Tötungs- und Körperverletzungstatbestände erfasst werden können,[124] ist ein solcher Weg bei anderen Taten verbaut. So lassen sich z.B. das in Völkermordabsicht vorgenommene Auferlegen von Maßnahmen, die auf eine Geburtenverhinderung gerichtet sind (Art. 6(d) IStGH-Statut), die Abgabe einer Erklärung dahingehend, dass im bewaffneten Konflikt kein Pardon gegeben werde (Art. 8(2)(b)(xii) und Art. 8(2)(e)(x) IStGH-Statut), und die völkerrechtswidrige Überführung eines Teils der Zivilbevölkerung einer Besatzungsmacht in ein von ihr okkupiertes Territorium (Art. 8(2)(b)(viii) IStGH-Statut) in aller Regel ohne völkerstrafrechtliche Spezial-

S. 329 (343 ff.); *Kouassi/Paulenz*, LB Côte d'Ivoire, Bd. 4, S. 19 (31 ff.); *Lammich*, LB Russland/Weißrussland, Bd. 6, S. 351 (361 f.); *Silverman*, LB USA, Bd. 5, S. 411 (429 ff.); *Škulić*, LB Serbien und Montenegro, Bd. 3, S. 211 (221 ff.); *Weigend*, LB Polen, Bd. 2, S. 77 (85 ff.).

119 *Lelieur-Fischer*, LB Frankreich, Bd. 4, S. 222 (255 ff.); *Tellenbach*, LB Türkei, Bd. 6, S. 393 (401 ff.).

120 *Richter*, LB China, Bd. 6, S. 141 (151 ff.).

121 *Kremnitzer/Cohen*, LB Israel, Bd. 5, S. 317 (328 ff.); *Zerbes*, LB Österreich, Bd. 3, S. 85 (96 ff.).

122 *Kreicker*, LB Deutschland, Bd. 1, S. 21 (61 ff.).

123 Vgl. oben S. 15.

124 Mit dem Hinweis auf die Möglichkeit eines Rückgriffs auf das „normale" Strafrecht war in der BRD im Zusammenhang mit der Ratifikation der Genfer Abkommen und der Zusatzabkommen jeweils die Notwendigkeit der Schaffung völkerstrafrechtlicher Spezialtatbestände verneint worden. Siehe *Gropengießer*, LB Deutschland, Bd. 1, S. 21 (144 f.).

tatbestände gar nicht ahnden.[125] Und zweitens kann – worauf gleichfalls schon hingewiesen wurde – eine Verurteilung wegen „normaler" Straftaten der besonderen Dimension der betreffenden Völkerstraftat nicht hinreichend gerecht werden.[126]

bb) Spezialtatbestände zur Erfassung völkerrechtlicher Verbrechen

Die Strafrechtsordnungen von fast allen Staaten, in denen eine Ahndung von Völkerstraftaten (ausschließlich) unter Anwendung autonomer und abschließender nationaler Strafnormen erfolgen kann, enthalten Spezialtatbestände zur Erfassung völkerrechtlicher Verbrechen. Doch auch insofern gibt es wiederum Unterschiede.

In der Mehrzahl der vom Max-Planck-Institut untersuchten Länder sind die Spezialtatbestände in das allgemeine Strafgesetzbuch bzw. in ein Militärstrafgesetzbuch integriert. Dies gilt für Australien,[127] Côte d'Ivoire,[128] Estland,[129] Finnland,[130] Frankreich,[131] Italien,[132] Kroatien,[133] Polen,[134] Russland,[135] Serbien und Montenegro,[136] Slowenien,[137] die Türkei,[138] Weißrussland[139] und Spanien[140]; im Übrigen – seit der Abschaffung des belgischen Völkerstrafgesetzes im Jahr 2003 – auch für Belgien.[141]

Einige wenige Länder haben die Spezialtatbestände zur Erfassung völkerrechtlicher Verbrechen in einer vom „normalen" Strafgesetzbuch gesonderten Kodifikation normiert. Zu diesen Ländern mit einem völkerstrafrechtlichen Spezialgesetz zählt etwa Deutschland mit dem Völkerstrafgesetzbuch aus dem Jahr 2002.[142] Auch

---

125 Siehe mit Bezug auf die frühere deutsche Rechtslage *Kreicker*, LB Deutschland, Bd. 1, S. 21 (63).

126 Siehe oben S. 15.

127 *Biehler/Kerll*, LB Australien, Bd. 6, S. 19 (27 ff.).

128 *Kouassi/Paulenz*, LB Côte d'Ivoire, Bd. 4, S. 19 (26 ff.).

129 *Parmas*, LB Estland, Bd. 5, S. 89 (96 ff.).

130 *Frände*, LB Finnland, Bd. 2, S. 21 (26 ff.).

131 *Lelieur-Fischer*, LB Frankreich, Bd. 4, S. 225 (235 ff.).

132 *Grammer/Jarvers*, LB Italien, Bd. 4, S. 337 (348 ff.).

133 *Novoselec*, LB Kroatien, Bd. 3, S. 19 (28 ff.).

134 *Weigend*, LB Polen, Bd. 2, S. 77 (85 ff.).

135 *Lammich*, LB Russland/Weißrussland, Bd. 6, S. 351 (358 ff.).

136 *Škulić*, LB Serbien und Montenegro, Bd. 3, S. 211 (219 ff.).

137 *Korošec*, LB Slowenien, Bd. 3, S. 329 (338 ff.).

138 *Tellenbach*, LB Türkei, Bd. 6, S. 393 (401 ff.).

139 *Lammich*, LB Russland/Weißrussland, Bd. 6, S. 351 (358 ff.).

140 *Gil Gil*, LB Spanien, Bd. 4, S. 99 (106 ff.).

141 Zur (mehrfach geänderten) Rechtslage in Belgien vgl. *Ratner*, AJIL 97 (2003), 888 (891); *Rau*, HuV-I 2003, 212 (212 ff.); *Reydams*, JICJ 1 (2003), 679 (679 ff.).

142 Siehe *Gropengießer/Kreicker*, LB Deutschland, Bd. 1, S. 21 (53 ff.).

die Niederlande und Schweden, die ein eigenständiges Völkerstrafgesetz verabschiedet bzw. als Gesetzentwurf vorgelegt haben,[143] sind an dieser Stelle zu nennen. In den USA werden Völkermordtaten und Kriegsverbrechen durch besondere Gesetze erfasst.[144] Ferner ist auf Israel hinzuweisen, das in einem Spezialgesetz Völkermordtaten pönalisiert, während – wie erwähnt – die übrigen völkerrechtlichen Verbrechen in Israel lediglich unter Rückgriff auf das „normale" Strafrecht geahndet werden können.[145]

Welchem dieser beiden Wege (Spezialgesetz oder spezielle Straftatbestände im allgemeinen Strafgesetzbuch) gefolgt wird, ist in rechtspolitischer Hinsicht nachrangig. Der Vorteil eines Spezialgesetzes liegt darin, dass die Materie geschlossen geregelt ist (was vor allem von Vorteil ist für die Vermittlung der einschlägigen Verhaltensgebote in der soldatischen Ausbildung) und dass das allgemeine Strafgesetzbuch von Normen entlastet wird, die im Justizalltag keine bedeutende Rolle spielen. Aber eine solche Lösung hat auch Nachteile: Die Normen sind weniger leicht zugänglich, was sich nachteilig auf ihre verhaltensdeterminierende Kraft auswirkt. Zudem besteht die Gefahr, dass der Eindruck entsteht, es handele sich bei den völkerrechtlichen Verbrechen um nicht sonderlich gravierende Taten.[146]

---

143 Der niederländische *International Crimes Act* ist in englischer Übers. abrufbar unter <www.iuscrim.mpg.de/forsch/straf/docs/natstraf_nl.pdf> (1.1.2006). Zum schwedischen Gesetzentwurf siehe *Cornils*, LB Schweden, Bd. 2, S. 183 (190 ff.).

144 *Silverman*, LB USA, Bd. 5, S. 411 (429 ff.).

145 *Kremnitzer/Cohen*, LB Israel, Bd. 5, S. 317 (328 ff.).

146 Siehe auch die Diskussion über die Vor- und Nachteile einer eigenständigen Spezialkodifikation gegenüber einer Aufnahme von Spezialtatbeständen in das allgemeine Strafgesetzbuch bei *Kreicker*, LB Deutschland, Bd. 1, S. 21 (445 f.).

III. Graphischer Überblick über die Formen der nationalen Strafverfolgung völkerrechtlicher Verbrechen

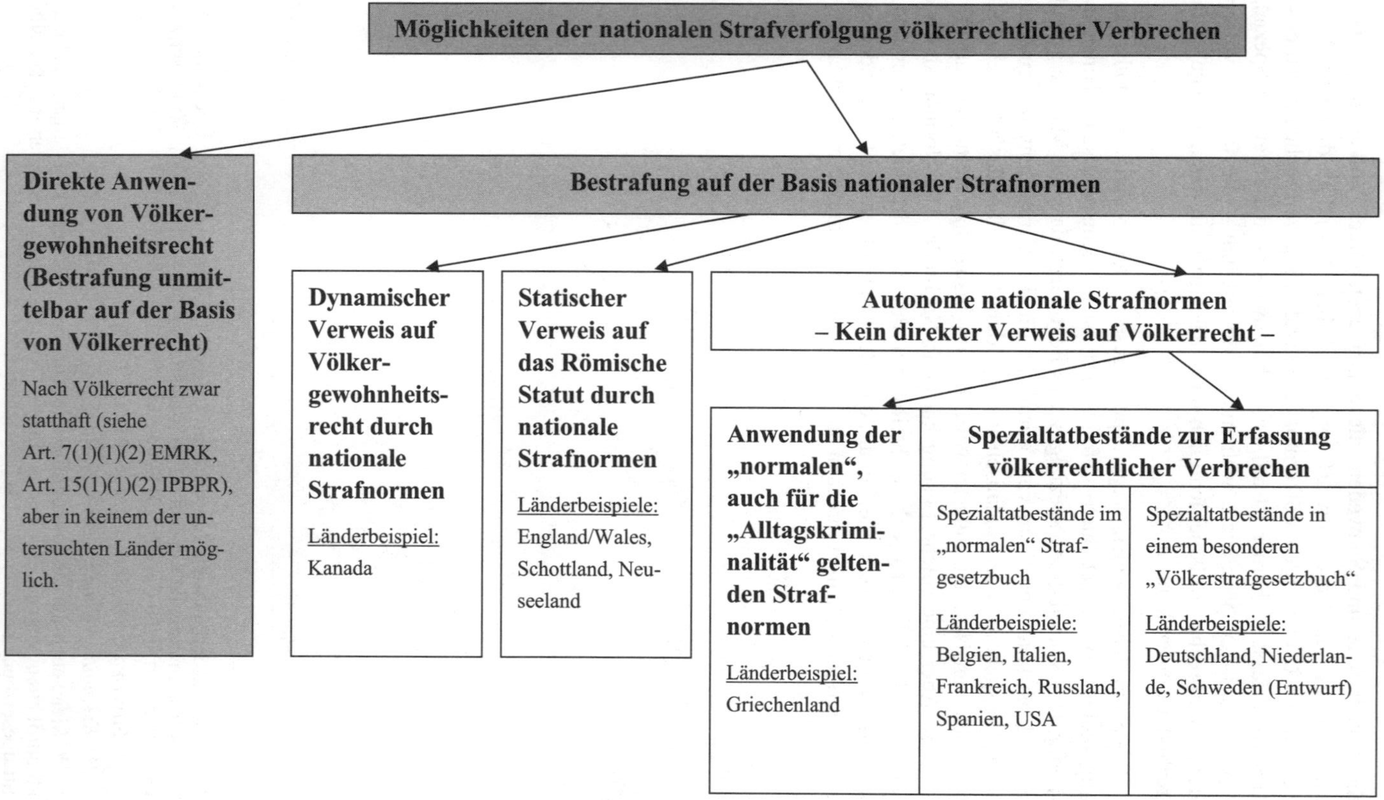

B. Die völkerstrafrechtlichen Verbrechen und ihre Erfassung von der nationalen Strafgewalt

Im Anschluss an den Versuch, die verschiedenen Arten der Erfassung völkerrechtlicher Verbrechen durch nationale Rechtsordnungen in Form von Modellen zu systematisieren, soll nunmehr dargelegt werden, inwieweit die verschiedenen völkerrechtlichen Verbrechen – Völkermord, Verbrechen gegen die Menschlichkeit, Kriegsverbrechen und Aggression – von den untersuchten Rechtsordnungen tatsächlich unter Strafe gestellt sind.

I. Völkermord

1. Der völkerrechtliche Verbrechenstatbestand

a) Historische Entwicklung

Die völkerrechtliche Strafbarkeit des Völkermords bzw. Genozids[147], des schwersten völkerrechtlichen Verbrechens *(the crime of crimes*[148]*)*, geht zurück auf den Nürnberger Hauptkriegsverbrecherprozess der Alliierten des Zweiten Weltkrieges gegen führende Vertreter des Dritten Reiches.[149] Zwar war der Holocaust, die Vernichtung der europäischen Juden durch die Nationalsozialisten, nicht der erste Völkermord;[150] doch angesichts seines unvorstellbaren und unvergleichbaren Ausmaßes – über sechs Millionen Juden fielen der systematischen Ausrottungspolitik des Dritten Reiches zum Opfer – führte der Holocaust zur Anerkennung der unmittelbaren Strafbarkeit von Genozidtaten nach Völkerrecht. Allerdings enthielt das Statut des Internationalen Militärgerichtshofs von Nürnberg[151] noch keinen

147 Das Synonym „Genozid" folgt aus dem englischen Akronym „genocide", das vom polnischen Völkerrechtler *Lemkin* aus dem griechischen *genos* (Volk, Rasse) und dem lateinischen Wort *caedere* (töten) gebildet wurde. Vgl. *Lemkin*, Axis Rule in Occupied Europe, S. 79 sowie *Weigend*, LB Polen, Bd. 2, S. 77 (85 Fn. 7); *Werle*, Völkerstrafrecht, Rn. 536.

148 So ICTR, *Kambanda*, ICTR-97-23, 4.9.1998, para. 16; zustimmend *Schabas*, Genocide in International Law, S. 9.

149 Zu diesem Prozess *Ahlbrecht*, Geschichte der völkerrechtlichen Strafgerichtsbarkeit, S. 59 ff.; *Kastner*, JA 1995, 802 (802 ff.); *Werle*, Völkerstrafrecht, Rn. 14 ff.

150 Hinzuweisen ist etwa auf den Völkermord an den Armeniern in der Türkei zu Beginn des Ersten Weltkrieges, dem über 500.000 Menschen zum Opfer fielen (siehe *Selbmann*, Der Tatbestand des Genozids im Völkerstrafrecht, S. 21 ff.; SZ vom 26.2.2005, S. 17), sowie der Vernichtungsfeldzug der deutschen Armee im Jahr 1904 gegen die indigenen Hereros im heutigen Namibia (der damaligen deutschen Kolonie Deutsch-Südwestafrika).

151 Abgedruckt in: Internationaler Militärgerichtshof, Der Prozess gegen die Hauptkriegsverbrecher, Bd. 1, Nürnberg 1947, S. 10 = AJIL 39 (1945), Suppl. 258; UNTS 82 (1951), 284. Internetquelle: <www.oup.com/uk/orc/bin/0199259119/> (1.1.2006).

eigenständigen Straftatbestand des Völkermords. Vielmehr wurden Völkermordtaten in Nürnberg als Unterfall des Verbrechens gegen die Menschlichkeit geahndet.[152] Doch schon während des Hauptkriegsverbrecherprozesses erklärte 1946 die UN-Generalversammlung Völkermord zum internationalen Verbrechen.[153] Im Jahr 1948 wurde dann die UN-Völkermordkonvention[154] verabschiedet. Dieses Übereinkommen erklärt Genozid zu einem „Verbrechen gemäß internationalem Recht", enthält in Art. II eine detaillierte Definition des Völkermords und legt – wie bereits erwähnt – den Vertragsstaaten eine Pflicht zur nationalen Strafverfolgung auf.[155] Die Verbrechensdefinition der Völkermordkonvention wurde in die Statuten der UN-Strafgerichtshöfe für das ehemalige Jugoslawien[156] und für Ruanda[157] übernommen und findet sich unverändert auch in Art. 6 IStGH-Statut. Damit ist – wie der IGH schon 1951 festgestellt hatte[158] – der Schluss statthaft, dass diese Tatbestandsdefinition auch völkergewohnheitsrechtlich gilt und für die völkergewohnheitsrechtliche Strafbarkeit des Völkermords maßgeblich ist.[159]

b) Die Völkermorddefinition

Die Definition des Völkermords in Art. II UN-Völkermordkonvention, Art. 4(2) ICTY-Statut, Art. 2(2) ICTR-Statut und Art. 6 IStGH-Statut lautet:

> „Völkermord [bedeutet] eine der folgenden Handlungen, die in der Absicht begangen wird, eine nationale, ethnische, rassische oder religiöse Gruppe als solche ganz oder teilweise zu zerstören:
>
> a) Tötung von Mitgliedern der Gruppe;
>
> b) Verursachung von schwerem körperlichem oder seelischem Schaden an Mitgliedern der Gruppe;

---

152 Vgl. Art. 6(c) IMT-Statut (siehe unten Anm. 282) sowie *Cassese*, in: ders. u.a. (Hrsg.), Rome Statute of the International Criminal Court, Bd. I, S. 335 (335 f.); *Dahm/Delbrück/Wolfrum*, Völkerrecht, Bd. I/3, S. 1073 f.; *Gropengießer*, LB Deutschland, Bd. 1, S. 21 (92); *ders.*, ICLR 5 (2005), 329 (329); MK-StGB-*Kreß*, § 220a StGB/§ 6 VStGB, Rn. 22; *Selbmann*, Der Tatbestand des Genozids im Völkerstrafrecht, S. 36 ff.; *Werle*, Völkerstrafrecht, Rn. 537.

153 Res. der UN-Generalversammlung 96 (I) vom 11.12.1946.

154 Siehe oben Anm. 36. Zur Entstehungsgeschichte der Völkermordkonvention vgl. *Robinson*, Genocide Convention, S. 14 ff.; *Selbmann*, Der Tatbestand des Genozids im Völkerstrafrecht, S. 48 ff.

155 Vgl. oben S. 10.

156 Siehe oben Anm. 91.

157 Siehe oben Anm. 92.

158 IGH, ICJ-Reports 1951, 15 (23).

159 So auch *Cassese*, International Criminal Law, S. 96; *Gropengießer*, LB Deutschland, Bd. 1, S. 21 (93); *Lüders*, Strafbarkeit von Völkermord, S. 14, 28; *Schabas*, Genocide in International Law, S. 548; *Selbmann*, Der Tatbestand des Genozids im Völkerstrafrecht, S. 142 ff. m.w.N.; *Werle*, Völkerstrafrecht, Rn. 538; ebenso allgemein für die Völkermord-Konvention ICTR, *Musema*, ICTR-96-13, 27.1.2000, para. 151.

c) vorsätzliche Auferlegung von Lebensbedingungen für die Gruppe, die geeignet sind, ihre körperliche Zerstörung ganz oder teilweise herbeizuführen;
d) Verhängung von Maßnahmen, die auf die Geburtenverhinderung in der Gruppe gerichtet sind;
e) gewaltsame Überführung von Kindern der Gruppe in eine andere Gruppe."[160]

c) Das geschützte Rechtsgut

Als Genozid sind demnach Handlungen gegen Mitglieder einer nationalen, ethnischen, rassischen oder religiösen Gruppe strafbar, die zum Ziel haben, die Gruppe als solche ganz oder teilweise zu vernichten. Das geschützte Rechtsgut ist die Gruppe als Kollektiv, und zwar nicht nur in ihrer physischen Existenz, sondern auch in ihrem sozialen Bestand.[161] Denn die Zerstörung einer Gruppe kann auch dadurch bewirkt werden, dass sie ihrer Identität bzw. Fähigkeit zur Organisation beraubt wird – etwa durch Vernichtung ihrer Führungselite.[162]

Soweit neben diesem kollektiven Rechtsgut auch noch Individualinteressen der einzelnen Gruppenmitglieder[163] oder gar der „Frieden" schlechthin[164] als geschützt angesehen werden, kann dem nicht gefolgt werden.[165] Zum einen kann Völkermord nicht nur im Rahmen eines bewaffneten Konflikts, sondern auch in Friedenszeiten begangen werden, zum anderen rechtfertigt sich die *völkerrechtliche* Strafbarkeit

---

160 Diese amtliche dt. Übers. (BGBl. 2000 II, S. 1393) ist allerdings – anders als etwa die englische Sprachfassung – völkerrechtlich nicht verbindlich. Die verbindliche englische Fassung lautet: "genocide means any of the following acts committed with intent to destroy, in whole or in part, a national, ethnical, racial or religious group, as such: a) Killing of members of the group; b) Causing seriously bodily or mental harm to members of the group; c) Deliberately inflicting on the group conditions of life calculated to bring about its physical destruction in whole or in part; d) Imposing measures intended to prevent births within the group; e) Forcibly transferring children of the group to another group".

161 ICTR, *Akayesu*, ICTR-96-4, 2.9.1998, para. 469; *Gil Gil*, ZStW 112 (2000), 381 (393 f.); *Lüders*, Strafbarkeit von Völkermord, S. 37 ff.; *Satzger*, Internationales und Europäisches Strafrecht, § 15 Rn. 7; *Werle*, Völkerstrafrecht, Rn. 539, 542 ff. m.w.N. Anderer Ansicht aber *Dahm/Delbrück/Wolfrum*, Völkerrecht, Bd. I/3, S. 1077 f.

162 Vgl. *Werle*, Völkerstrafrecht, Rn. 543 f. Strafbar sind allerdings nicht alle Tathandlungen, die einen Untergang der Gruppe in ihrem sozialen Bestand bewirken sollen, sondern nur die im Tatbestand abschließend beschriebenen Angriffsakte. Hierzu näher *Lüders*, Strafbarkeit von Völkermord, S. 49 ff.

163 So etwa *Satzger*, Internationales und Europäisches Strafrecht, § 15 Rn. 7; *Triffterer*, in: Schünemann u.a. (Hrsg.), FS Roxin, S. 1415 (1433); *Werle*, Völkerstrafrecht, Rn. 539, 546.

164 MK-StGB-*Kreß*, § 220a/§ 6 VStGB Rn. 1 ff., insb. Rn. 5 (in Bezug auf den deutschen Völkermordtatbestand).

165 Wie hier *Gropengießer*, LB Deutschland, Bd. 1, S. 21 (98); *ders.*, ICLR 5 (2005), 329 (334 f.); *Lüders*, Strafbarkeit von Völkermord, S. 42 ff. Gegen eine Individualschutzkomponente in Bezug auf den deutschen Völkermordtatbestand auch BGHSt 45, 64 (81) = NStZ 1999, 396 (401).

des Völkermords allein daraus, dass der Einzelne zwar Angriffsobjekt ist, aber nicht als Individuum, sondern gerade aufgrund seiner Gruppenzugehörigkeit angegriffen wird, und die Zerstörung der Gruppe als solche beabsichtigt ist.[166] Allein die Intention, eine schützenswerte Gruppe zu vernichten, führt dazu, dass die Taten die internationale Gemeinschaft als Ganzes berühren und die für völkerrechtliche Verbrechen konstitutive internationale Relevanz erlangen.

d) Die geschützten Gruppen

Die einzelnen Tathandlungen müssen gegen Mitglieder einer nationalen, ethnischen, rassischen oder religiösen Gruppe gerichtet sein. Diese Aufzählung ist – was die völkerrechtliche Verbrechensdefinition anbelangt – abschließend.[167] Auf der Römischen Konferenz wurde zwar erneut über die Einbeziehung politischer Gruppen debattiert, der Vorstoß aber letztlich zurückgewiesen.[168] Man hielt – aus guten Gründen – daran fest, vom Tatbestand nur stabile Gruppen zu erfassen, die dadurch gekennzeichnet sind, dass die Zugehörigkeit einzelner Personen zur Gruppe regelmäßig bereits mit der Geburt bestimmt wird, also vom Willen des Betroffenen unabhängig ist, und die Zugehörigkeit normalerweise nur schwer oder sogar überhaupt nicht aufgehoben werden kann.[169]

Eine trennscharfe Abgrenzung der geschützten Gruppen voneinander ist weder möglich noch geboten. Vor allem werden vielfach Merkmale mehrerer der aufgelisteten Gruppen kumulativ konstitutiv für eine bestimmte angegriffene Gruppe sein.[170] Gleichwohl lassen sich Gruppencharakteristika benennen.

---

166 So auch BGHSt 45, 64 (80) = NStZ 1999, 396 (401); *Cassese,* International Criminal Law, S. 103. In diese Richtung auch ICTR, *Rutaganda*, ICTR-96-3, 6.12.1999, para. 60; *Musema*, ICTR-96-13, 27.1.2000, para. 165.

167 ICTY, *Krstić*, ICTY-98-33, 2.8.2001, para. 554; *Dahm/Delbrück/Wolfrum*, Völkerrecht, Bd. I/3, S. 1077 f.; *Lüders*, Strafbarkeit von Völkermord, S. 65; *Satzger*, Internationales und Europäisches Strafrecht, § 15 Rn. 11; *Werle*, Völkerstrafrecht, Rn. 547, 562. Ist die angegriffene Person tatsächlich gar nicht Mitglied einer geschützten Gruppe, sondern nimmt der Täter dies nur irrig an, scheidet eine Strafbarkeit wegen vollendeten Völkermords aus und kommt nur eine Strafbarkeit wegen (untauglichen) Versuchs in Betracht; vgl. *Lüders*, a.a.O., S. 64 f., 166 f.

168 Vgl. *Schabas*, in: Triffterer (Hrsg.), Commentary on the Rome Statute, Art. 6 Rn. 6. Auch in der Literatur ist die Einbeziehung politischer Gruppen in den Tatbestand umstritten. Dagegen etwa *Cassese,* International Criminal Law, S. 96 f.; *Gil Gil*, El Genocidio y Otros Crímenes Internacionales, S. 160 ff.; *Werle*, Völkerstrafrecht, Rn. 562 f. Dafür unter anderem *Vest*, ZStW 113 (2001), 457 (477 ff.); *ders*., Genozid durch organisatorische Machtapparate, S. 129 ff.

169 Vgl. diesbezüglich ICTR, *Akayesu*, ICTR-96-4, 2.9.1998, para. 511; *Satzger*, Internationales und Europäisches Strafrecht, § 15 Rn. 11; *Werle*, Völkerstrafrecht, Rn. 547, 562 f.

170 Vgl. *Dahm/Delbrück/Wolfrum*, Völkerrecht, Bd. I/3, S. 1078; *Schabas*, Genocide in International Law, S. 111 f.; *Werle*, Völkerstrafrecht, Rn. 548. Hinzuweisen ist darauf, dass nach der Rechtsprechung des ICTY Gruppen i.S.d. Völkermordtatbestands auch an-

Eine *nationale* Gruppe ist eine durch gemeinsame Sprache, Sitte, historische, kulturelle und politische Entwicklung zusammengehörige Personenmehrheit, deren Mitglieder dieselbe Staatsangehörigkeit haben oder zumindest mehrheitlich in einer politischen Gemeinschaft leben wollen.[171]

Mit nationalen Gruppen weisen *ethnische* Gruppen viele Gemeinsamkeiten auf. Auch hier sind Kennzeichen eine gemeinsame Sprache, gemeinsame Sitten und Gebräuche und ein gemeinsames kulturelles Erbe.[172] Doch anders als bei der nationalen Gruppe ist die – über die Staatsangehörigkeit vermittelte – Zugehörigkeit zu einer gemeinsamen politischen Organisationsform bzw. der Wille zu einer einheitlichen staatlich-politischen Gemeinschaft nicht erforderlich; der Begriff der „nationalen“ Gruppe ist mithin ein Unterfall der ethnischen Gruppe.[173]

Einer gemeinsamen *rassischen* Gruppe gehören Personen an, die übereinstimmende vererbliche und äußerlich sichtbare körperliche Merkmale aufweisen.[174]

Eine *religiöse* Gruppe schließlich wird bestimmt durch ein gemeinsames transzendentes Bekenntnis, einen Glauben an ein gemeinsames geistiges Vorbild oder eine gemeinsame spirituelle Idee bzw. dieselben religiösen Bräuche und Sitten.[175]

Während eine rassische Gruppe allein anhand objektiver Kriterien bestimmt werden kann, ist die Zugehörigkeit zu einer nationalen, ethnischen oder religiösen Gruppe in erster Linie Folge eines sozialen Zuschreibungsprozesses anhand der genannten und eventuell weiterer Kriterien. Vor allem ethnische Gruppen können vielfach nicht anders als anhand des Selbstverständnisses der Gruppe *(self identification)* oder ihrer Außenwahrnehmung durch Dritte *(identification by others)* als solche definiert werden. Ganz zu Recht wird daher in der internationalen Rechtsprechung und in der Literatur auch auf soziale Zuschreibungsprozesse und mithin subjektive Konstituierungskriterien abgestellt.[176]

---

hand negativer Kriterien (etwa: alle Menschen nicht-christlichen Glaubens in einer bestimmten Region) bestimmt werden können; vgl. ICTY, *Jelisić*, ICTY-95-10, 14.12.1999, para. 71.

171 Ähnlich ICTR, *Akayesu*, ICTR-96-4, 2.9.1998, para. 512; *Lüders*, Strafbarkeit von Völkermord, S. 72 ff.; *Satzger*, Internationales und Europäisches Strafrecht, § 15 Rn. 11; *Werle*, Völkerstrafrecht, Rn. 557.

172 ICTR, *Akayesu*, ICTR-96-4, 2.9.1998, para. 513; *Werle*, Völkerstrafrecht, Rn. 558.

173 Die Charakteristika ethnischer Gruppen sind im Detail überaus umstritten; vgl. *Werle*, Völkerstrafrecht, Rn. 558.

174 ICTR, *Akayesu*, ICTR-96-4, 2.9.1998, para. 514; *Lüders*, Strafbarkeit von Völkermord, S. 78 f.; *Werle*, Völkerstrafrecht, Rn. 559.

175 ICTR, *Akayesu*, ICTR-96-4, 2.9.1998, para. 515; *Lüders*, Strafbarkeit von Völkermord, S. 80 ff.; *Werle*, Völkerstrafrecht, Rn. 561.

176 ICTR, *Akayesu*, ICTR-96-4, 2.9.1998, para. 702; *Kayishema*, ICTR-95-1, 21.5.1999, para. 98; *Rutaganda*, ICTR-96-3, 6.12.1999, para. 56; ICTY, *Krstić*, ICTY-98-33, 2.8.2001, para. 557; *Dahm/Delbrück/Wolfrum*, Völkerrecht, Bd. I/3, S. 1078 f.; *Lüders*, Strafbarkeit von Völkermord, S. 51 ff.; *Satzger*, Internationales und Europäisches Straf-

e) Die erfassten Tathandlungen

Auch die Tathandlungen sind – was die völkerrechtliche Strafbarkeit anbelangt – in der genannten völkerrechtlichen Verbrechensdefinition abschließend beschrieben.[177] Tathandlung kann zunächst die vorsätzliche Tötung eines Gruppenmitglieds sein, wobei – wie die Verbrechenselemente zum Römischen Statut *(Elements of Crimes)*[178] klarstellen – bereits die Tötung eines einzelnen Menschen ausreicht.[179] Völkermord kann zudem durch die Verursachung von schwerem körperlichem oder seelischem Schaden begangen werden, wobei wiederum – und das Gleiche gilt auch für die sonstigen Tatmodalitäten – eine Tat gegen eine einzelne Person ausreicht.[180] Während die Verursachung eines körperlichen Schadens als eine ernsthafte, nicht aber zwingend dauerhafte Beeinträchtigung der physischen Unversehrtheit zu verstehen ist, liegt die Verursachung eines seelischen Schadens vor, wenn das Opfer eine psychische Beeinträchtigung erleidet, die seine Fähigkeit, ein normales Leben zu führen, erheblich und langfristig beeinträchtigt.[181] Unklarheiten bestehen in Bezug auf die dritte Tatmodalität. Während die amtliche deutsche Sprachfassung von einer vorsätzlichen Auferlegung von Lebensbedingungen spricht, die *geeignet* sind, eine körperliche Zerstörung ganz oder teilweise herbeizuführen, stellt die völkerrechtlich verbindliche englische Fassung nicht auf die objektive Zerstörungsgeeignetheit der Tathandlungen ob, sondern spricht von "deliberately inflicting on the group conditions of life calculated to bring about its physical destruction in whole or in part". Dies kann nur dahin verstanden werden, dass allein entscheidend ist, dass es dem Täter subjektiv auf die vollständige oder teilweise körperliche Zerstörung der Gruppe ankommt – auch wenn damit in der Sache redundant allein erneut das Erfordernis der Zerstörungsabsicht betont wird.[182] Als Tathandlungen kommen

---

recht, § 15 Rn. 12; *Selbmann*, Der Tatbestand des Genozids im Völkerstrafrecht, S. 187 f.; *Werle*, Völkerstrafrecht, Rn. 549 ff. Anderer Ansicht aber *Schabas*, Genocide in International Law, S. 109 ff.

177 *Boot*, Genocide, Crimes Against Humanity, War Crimes, S. 440 f.; *Dahm/Delbrück/Wolfrum*, Völkerrecht, Bd. I/3, S. 1080; *Satzger*, Internationales und Europäisches Strafrecht, § 15 Rn. 18; *Vest*, Genozid durch organisatorische Machtapparate, S. 123.

178 *Elements of Crime*s gemäß Art. 9 IStGH-Statut. Im Internet abrufbar unter <www.icc-cpi.int/about/Official_Journal.html> (1.1.2006).

179 So auch ICTR, *Akayesu*, ICTR-96-4, 2.9.1998, para. 521; *Dahm/Delbrück/Wolfrum*, Völkerrecht, Bd. I/3, S. 1080; *Satzger*, Internationales und Europäisches Strafrecht, § 15 Rn. 19; *Werle*, Völkerstrafrecht, Rn. 565; anderer Ansicht dagegen *Cassese*, International Criminal Law, S. 98, 102; *Vest*, ZStW 113 (2001), 457 (477); *ders.*, Genozid durch organisatorische Machtapparate, S. 115.

180 Vgl. die Nachweise oben in Anm. 179.

181 ICTR, *Akayesu*, ICTR-96-4, 2.9.1998, para. 706 ff.; *Lüders*, Strafbarkeit von Völkermord, S. 173 ff.; *Satzger*, Internationales und Europäisches Strafrecht, § 15 Rn. 20; *Werle*, Völkerstrafrecht, Rn. 567 ff.

182 So auch *Ambos/Wirth*, in: Fischer/Kreß/Lüder (Hrsg.), International and National Prosecution of Crimes Under International Law, S. 769 (784); *Gropengießer*, LB Deutschland, Bd. 1, S. 21 (102 f.); *Jescheck*, ZStW 66 (1954), 193 (212), *Schabas*, in: Triffterer

insofern unter anderem das Vorenthalten von Nahrungsmitteln und medizinischer Versorgung, eine Zerstörung von Behausungen, landwirtschaftlichen Anbauflächen und Gerätschaften, Verpflichtungen zu harter Zwangsarbeit oder die Internierung in Konzentrationslagern in Betracht.[183] Im Anschluss an die drei genannten Tatmodalitäten des so genannten physischen Genozids pönalisiert die vierte Alternative des Verbrechenstatbestands einen Fall des biologischen Genozids, nämlich die Verhängung von Maßnahmen, die auf eine Geburtenverhinderung gerichtet sind. Darunter fallen etwa Zwangssterilisationen und Zwangskastrationen, erzwungene Geburtenkontrollen sowie eine Trennung der Geschlechter.[184] Die letzte Tatalternative, die gewaltsame Überführung von Kindern der Gruppe in eine andere Gruppe, lässt sich, weil damit typischerweise die Reproduktionsfähigkeit der Gruppe durch Fortpflanzung untereinander beeinträchtigt wird, zum einen als ein Fall des biologischen Genozids begreifen, zum anderen aber auch als ein Fall des kulturellen Genozids, weil die Kinder ihrem sozialen Umfeld entrissen werden und damit die Vermittlung der die Gruppe prägenden Sprache, Gebräuche und Sitten, kulturellen und religiösen Werte unterbunden wird.[185] Der Begriff „gewaltsame Überführung" wird weit verstanden unter Einschluss der Androhung physischen Zwangs.[186] Als Kind gelten nach den *Elements of Crimes* des Römischen Statuts Personen, die jünger als 18 Jahre alt sind[187] – eine im Hinblick auf den Schutzzweck des Völkermordtatbestands wohl zu weitgehende Interpretation.[188]

Ebenso wie sonstige Formen des kulturellen Genozids, etwa die Zerstörung von identitätsstiftenden Kulturgütern einer Gruppe, sind auch „ethnische Säuberungen" als solche vom internationalen Völkermordtatbestand nicht erfasst. Das heißt, die

---

(Hrsg.), Commentary on the Rome Statute, Art. 6 Rn. 11 sowie der österreichische Gesetzgeber, der in der amtlichen Übers. des Römischen Statuts die Formulierung „mit dem Ziel, ihre (…) Zerstörung (…) herbeizuführen", gewählt hat; vgl. öBGBl. 2002 III, S. 1017 (1068). Für das Erfordernis einer objektiven Zerstörungsgeeignetheit dagegen *Lüders*, Strafbarkeit von Völkermord, S. 190 f.; *Satzger*, Internationales und Europäisches Strafrecht, § 15 Rn. 21; *Triffterer*, in: Schünemann u.a. (Hrsg.), FS Roxin, S. 1415 (1422 f.); *Vest*, Genozid durch organisatorische Machtapparate, S. 124; *Werle*, Völkerstrafrecht, Rn. 570, 572.

183 ICTR, *Akayesu*, ICTR-96-4, 2.9.1998, para. 506; *Schabas*, in: Triffterer (Hrsg.), Commentary on the Rome Statute, Art. 6 Rn. 1; *Vest*, Genozid durch organisatorische Machtapparate, S. 124 f.; *Werle*, Völkerstrafrecht, Rn. 571 f.

184 *Schabas*, in: Triffterer (Hrsg.), Commentary on the Rome Statute, Art. 6 Rn. 12 f.; *Werle*, Völkerstrafrecht, Rn. 574.

185 Vgl. *Vest*, Genozid durch organisatorische Machtapparate, S. 126; *Werle*, Völkerstrafrecht, Rn. 576 f.

186 ICTR, *Akayesu*, ICTR-96-4, 2.9.1998, para. 509; *Lüders*, Strafbarkeit von Völkermord, S. 202 ff.; *Werle*, Völkerstrafrecht, Rn. 579 sowie die *Elements of Crimes* zu Art. 6(e) IStGH-Statut.

187 *Selbmann*, Der Tatbestand des Genozids im Völkerstrafrecht, S. 164; *Werle*, Völkerstrafrecht, Rn. 578.

188 Insofern kritisch auch *Schabas*, Genocide in International Law, S. 176; *Werle*, Völkerstrafrecht, Rn. 578 Fn. 107.

Vertreibung oder zwangsweise Aussiedelung von nationalen, ethnischen, rassischen oder religiösen Gruppen aus ihrem angestammten Siedlungsgebiet[189] ist als solche völkerrechtlich nicht als Völkermord strafbar, und zwar selbst dann nicht, wenn sie mit der Absicht der Zerstörung der Gruppe erfolgt. Auf der anderen Seite können aber im Rahmen einer „ethnischen Säuberung" begangene Einzelhandlungen gegebenenfalls als Völkermord strafbar sein.[190]

Anders als beim Tatbestand des Verbrechens gegen die Menschlichkeit wird beim Völkermord nicht das objektive Vorliegen einer Gesamttat, etwa eines ausgedehnten oder systematischen Angriffs gegen eine bestimmte Gruppe gefordert, wenngleich ein solcher Tatkontext in aller Regel gegeben sein wird. Mithin kann sich theoretisch auch ein (privater) Einzeltäter wegen Völkermords strafbar machen.[191] Wenn die *Elements of Crimes* zu Art. 6 IStGH-Statut demgegenüber eine Gesamttat im Sinne mehrerer gegen eine Gruppe gerichteter gleichartiger Verhaltensweisen fordern, so vermag dadurch keine Einschränkung der völkerrechtlichen Strafbarkeit, sondern allein eine der Verfolgungszuständigkeit des IStGH bewirkt zu werden.[192]

f) Die subjektiven Strafbarkeitsvoraussetzungen

In subjektiver Hinsicht ist zunächst Vorsatz hinsichtlich der Einzelhandlungen erforderlich, wobei es ausreicht, wenn der Täter den vorausgesetzten Handlungserfolg für möglich hält, also mit bedingtem Vorsatz (dolus eventualis) handelt.[193] Prägendes Kennzeichen des Völkermords ist die darüber hinaus erforderliche Zerstörungsabsicht des Täters. Sie erst macht eine Einzelhandlung zum völkerrechtlichen Verbrechen und begründet die internationale Dimension des Verbrechens.[194] Der Täter muss in der Absicht handeln, die Gruppe, gegen deren Mitglied er seine Tathandlung richtet, ganz oder teilweise zu zerstören. Diese Absicht ist im Sinne

---

[189] Zum Begriff der „ethnischen Säuberung", vgl. *Werle*, Völkerstrafrecht, Rn. 580, der zu Recht betont, dieser Begriff sei kein Rechtsbegriff, sondern stehe für ein „komplexes tatsächliches Verbrechensphänomen".

[190] *Cassese*, International Criminal Law, S. 98 f.; *Dahm/Delbrück/Wolfrum*, Völkerrecht, Bd. I/3, S. 1081 ff.; *Lüders*, Strafbarkeit von Völkermord, S. 221 ff.; *Werle*, Völkerstrafrecht, Rn. 581.

[191] ICTY, *Jelisić*, ICTY-95-10, 14.12.1999, para. 100 f.; *Cassese*, International Criminal Law, S. 100; *Jescheck*, ZStW 66 (1954), 193 (213); *Lüders*, Strafbarkeit von Völkermord, S. 163 f.; *Satzger*, Internationales und Europäisches Strafrecht, § 15 Rn. 14; *Triffterer*, in: Schünemann u.a. (Hrsg.), FS Roxin, S. 1415 (1434); *ders.*, ZStW 116 (2004), 959 (989 ff.); *Werle*, Völkerstrafrecht, Rn. 540, 582 ff.

[192] So auch *Werle*, Völkerstrafrecht, Rn. 585.

[193] *Dahm/Delbrück/Wolfrum*, Völkerrecht, Bd. I/3, S. 1083. Zur umstrittenen Frage, ob bzw. inwieweit Art. 30 IStGH-Statut auch Fälle des bedingten Vorsatzes erfasst, vgl. *Gropengießer*, LB Deutschland, Bd. 1, S. 21 (272 f.) sowie unten S. 206.

[194] *Ambos*, Der Allgemeine Teil des Völkerstrafrechts, S. 789; *Satzger*, Internationales und Europäisches Strafrecht, § 15 Rn. 15; *Werle*, Völkerstrafrecht, Rn. 541, 592.

zielgerichteten Wollens zu verstehen. Die Zerstörung der Gruppe muss das (Zwischen-)Ziel des Täters sein.[195] Erforderlich ist, dass der Täter selbst in eigener Person die Zerstörungsabsicht hat. Ein Handeln in bloßer Kenntnis bzw. zur Unterstützung der Zerstörungsabsicht einer anderen Person reicht für eine täterschaftliche Begehung im Sinne des Art. 25(3)(a) IStGH-Statut nicht aus, wohl aber für eine strafrechtliche Verantwortlichkeit als Teilnehmer im Sinne des Art. 25(3)(b) IStGH-Statut.[196] Ausreichend ist dagegen, wenn der Täter allein die Absicht hat, einen substantiellen Teil der Gruppe zu zerstören. Der Begriff „substantieller Teil" kann dabei sowohl quantitativ als auch qualitativ verstanden werden. Ein Handeln mit dem Ziel, eine große Zahl von Gruppenmitgliedern zu liquidieren, ist ebenso ausreichend wie die Absicht, einige wenige für die Gruppe wichtige Führungspersönlichkeiten zu vernichten.[197] Zudem muss die Zerstörungsabsicht nicht auf die ganze oder teilweise körperliche Vernichtung einer Gruppe durch Auslöschung der physischen Existenz aller oder jedenfalls vieler Mitglieder gerichtet sein; vielmehr reicht es aus, wenn der Täter allein darauf abzielt, die Gruppe als soziale Einheit zu zerstören.[198]

2. Tatbestandsmäßigkeit im nationalen Recht

a) Allgemeine Feststellungen zur nationalen Gesetzgebung

Bis auf einen haben alle untersuchten Staaten die Völkermordkonvention ratifiziert,[199] wobei auffällig ist, dass die meisten Staaten die Konvention bereits in den ersten Jahren nach ihrer Verabschiedung als für sich verbindlich anerkannt ha-

---

195 ICTR, *Akayesu*, ICTR-96-4, 2.9.1998, para. 498, 520; *Dahm/Delbrück/Wolfrum*, Völkerrecht, Bd. I/3, S. 1083; *Lüders*, Strafbarkeit von Völkermord, S. 90 ff.; *Schabas*, Genocide in International Law, S. 227; *Selbmann*, Der Tatbestand des Genozids im Völkerstrafrecht, S. 165 ff; *Werle*, Völkerstrafrecht, Rn. 592. Anders aber *Vest*, ZStW 113 (2001), 457 (480 ff., 484 f.); *ders.*, Genozid durch organisatorische Machtapparate, S. 101 ff., 107. Zu den Nachweisschwierigkeiten der Vernichtungsabsicht und ihrer – von der Rechtsprechung der UN-Tribunale für zulässig erachteten – Ableitung aus äußeren Tatsachen vgl. ICTR, *Akayesu*, ICTR-96-4, 2.9.1998, para. 523 f.; ICTY, *Krstić*, ICTY-98-33, 2.8.2001, para. 580; *Jelisić*, ICTY-95-10, 14.12.1999, para. 47; *Lüders*, a.a.O., S. 148 ff.

196 Vgl. ICTR, *Musema*, ICTR-96-13, 27.1.2000, para. 181 ff.; ICTY, *Blaškić*, IT-95-14, 3.3.2000, para. 244 ff.; *Krstić*, ICTY-98-33, 2.8.2001, para. 549; *Vasiljevic*, IT-98-32, 29.11.2002, para. 71; *Werle*, Völkerstrafrecht, Rn. 416, 592 f.

197 ICTY, *Jelisić*, ICTY-95-10, 14.12.1999, para. 82; *Satzger*, Internationales und Europäisches Strafrecht, § 15 Rn. 16; *Schabas*, Introduction to the International Criminal Court, S. 39 f.; *Werle*, Völkerstrafrecht, Rn. 597. Siehe auch *Lüders*, Strafbarkeit von Völkermord, S. 128 ff.

198 Vgl. *Lüders*, Strafbarkeit von Völkermord, S. 37 ff.; *Schabas*, Introduction to the International Criminal Court, S. 38; *Werle*, Völkerstrafrecht, Rn. 543 f.

199 Lediglich Bolivien hat die Konvention bislang nicht ratifiziert. Vgl. die Aufstellung im Internet unter <http://untreaty.un.org> (1.1.2006).

ben,[200] einige wenige – und zwar nicht nur Neustaaten – jedoch ihre Ratifikationsurkunde erst Jahrzehnte nach Inkrafttreten der Konvention hinterlegt haben.[201]

Da die Völkermordkonvention die Staaten nicht nur unter bestimmten Voraussetzungen zu einer nationalen Strafverfolgung von Genozidtaten verpflichtet, sondern in Art. II auch eine detaillierte und zur Übernahme in nationale Straftatbestände geeignete Definition des Völkermords enthält, die zudem völkergewohnheitsrechtlich gilt und unverändert in weitere völkerstrafrechtliche Instrumente aufgenommen wurde,[202] liegt die Vermutung nahe, dass die untersuchten Staaten einen nationalen Völkermordtatbestand geschaffen haben, dessen Tatdefinition der internationalen Völkermorddefinition exakt entspricht. Doch ist dies nicht der Fall. Die nationalen Völkermordtatbestände unterscheiden sich ganz überwiegend nicht nur in sprachlicher, sondern auch in inhaltlicher Hinsicht von ihrem internationalen „Vorbild" und divergieren auch untereinander zum Teil erheblich. Während die nationale Strafbarkeit in einigen Staaten hinter der nach Völkerrecht zurückbleibt, geht sie in vielen Ländern sogar über die nach völkerrechtlichem Strafrecht hinaus.

Doch darf diese Feststellung nicht zu dem Schluss führen, dass eine detaillierte Tatdefinition auf völkerrechtlicher Ebene keine Steuerungswirkung für die nationalen Implementationsgesetzgebungen hätte und das in Art. V der Völkermordkonvention festgelegte Ziel, eine Strafbarkeit von Völkermord im völkerrechtlichen Sinne nach nationalem Strafrecht zu bewirken, durch ein nur in vagen Umrissen beschriebenes Pönalisierungsgebot mit dem gleichen Erfolg hätte erreicht werden können. Richtig ist vielmehr die gegenteilige Feststellung.

Denn zum einen haben die meisten der untersuchten Staaten einen speziellen nationalen Völkermordtatbestand geschaffen;[203] überwiegend wurde dieser sogar un-

---

200 Argentinien 1956, Australien 1949; Brasilien 1952, die Bundesrepublik Deutschland 1954; Chile 1953, Costa Rica 1950, El Salvador 1950, Finnland 1959; Frankreich 1950; Griechenland 1954, Israel 1950, Italien 1952; Kanada 1952, Kolumbien 1959, Mexiko 1952, Österreich 1958, Peru 1960, Polen 1950, Russland 1954, Schweden 1952; Türkei 1950, Venezuela 1960 sowie Weißrussland 1954.

201 China 1983; Côte d'Ivoire 1995; England/Wales 1970; Estland 1991, Spanien 1968, Uruguay 1967, die USA 1988 sowie Kroatien 1992, Serbien und Montenegro 2001 und Slowenien 1992, deren gemeinsamer Rechtsvorgängerstaat Bundesrepublik Jugoslawien die Konvention allerdings bereits 1950 ratifiziert hatte.

202 Vgl. oben S. 36.

203 Einen speziellen nationalen Völkermordtatbestand haben Australien (sections 268.3–268.7 Federal CC; vgl. *Biehler/Kerll*, LB Australien, Bd. 6, S. 19 [27]), Côte d'Ivoire (Art. 137 CP; vgl. *Kouassi/Paulenz*, LB Côte d'Ivoire, Bd. 4, S. 19 [28 f.]); Deutschland (§ 220a StGB a.F./§ 6 VStGB; vgl. *Gropengießer*, LB Deutschland, Bd. 1, S. 21 [94 f.]; *ders.*, ICLR 5 [2005], 329 [330 ff.]); England/Wales (section 50(1) ICC Act; vgl. *Rabenstein/Bahrenberg*, LB England/Wales, Bd. 6, S. 261 [268 f.]); Estland (Art. 90 Criminal Code; vgl. *Parmas*, LB Estland, Bd. 5, S. 89 [96]); Finnland (Kap. 11 § 6 StG; vgl. *Frände*, LB Finnland, Bd. 2, S. 21 [26]); Frankreich (Art. 211-1 Code Penal; vgl. *Lelieur-Fischer*, LB Frankreich, Bd. 4, S. 225 [250 f.]); Israel (Art. 1 Crime of Genocide [Prevention and Punishment] Law; vgl. *Kremnitzer/Cohen*, LB Israel, Bd. 5, S. 317 [328]); Italien

mittelbar im Zusammenhang mit der jeweiligen Ratifikation der Völkermordkonvention und damit in aller Regel lange vor der Verabschiedung des Römischen Statuts des Internationalen Strafgerichtshofs eingeführt,[204] während nur bei einigen wenigen Staaten eine signifikant lange Zeitspanne zwischen Ratifikation und Implementation der Völkermordkonvention zu verzeichnen ist.[205] Nur sehr wenige der untersuchten nationalen Rechtsordnungen haben keine spezielle Strafnorm zur Erfassung von Völkermord und können – was völkerrechtlich jedenfalls prinzipiell nicht zu beanstanden ist, da die Pönalisierungspflicht der Völkermordkonvention sich – wie schon festgestellt – nur auf das „ob", nicht aber auf das „wie" einer nationalen Strafbarkeit bezieht[206] – Genozidtaten nur unter Anwendung des „allgemeinen Strafrechts" und als „normale" Straftaten ahnden.[207]

(Gesetz zur Verhütung und Bestrafung des Völkermords; vgl. *Jarvers*, LB Italien, Bd. 4, S. 337 [348]); Kanada (section 4(1)(a) und 6(1)(a) CAHWCA; vgl. *Gut/Wolpert*, LB Kanada, Bd. 5, S. 19 [26 f.]); Kroatien (Art. 156 StG; vgl. *Novoselec*, LB Kroatien, Bd. 3, S. 19 [28 f.]); Österreich (§ 321 StGB; vgl. *Zerbes*, LB Österreich, Bd. 3, S. 85 [96]); Polen (Art. 118 StGB [bezeichnet als „Verbrechen gegen die Menschlichkeit"]; vgl. *Weigend*, LB Polen, Bd. 2, S. 77 [85 f.]); Russland (Art. 357 StGB; vgl. *Lammich*, LB Russland/Weißrussland, Bd. 6, S. 351 [358]); Schweden (§ 1 Gesetz über die Bestrafung von Völkermord; vgl. *Cornils*, LB Schweden, Bd. 2, S. 183 [192]); Serbien und Montenegro (Art. 141 Grund-StGB Serbien, Art. 426 StGB Montenegro; vgl. *Škulić*, LB Serbien und Montenegro, Bd. 3, S. 211 [219 f.]); Slowenien (Art. 373 StGB; vgl. *Korošec*, LB Slowenien, Bd. 3, S. 329 [338]); Spanien (Art. 607 Code Penal; vgl. *Gil Gil*, LB Spanien, Bd. 4, S. 99 [196 f.]); Türkei (Art. 76 StGB; vgl. *Tellenbach*, LB Türkei, Bd. 6, S. 393 [401 f.]); USA (Genocide Convention Implementation Act [„Proxmire Act"]; vgl. *Silverman*, LB USA, Bd. 5, S. 411 [429]); Weißrussland (Art. 127 StGB; vgl. *Lammich*, LB Russland/Weißrussland, Bd. 6, 351 [359]) sowie die lateinamerikanischen Länder Bolivien, Brasilien, Kolumbien, Costa Rica, El Salvador, Mexiko und Peru (vgl. *Ambos/Malarino*, Zusammenfassung Lateinamerika, Bd. 4, S. 469 [475]).

204 Die Bundesrepublik Deutschland 1954 (die DDR allerdings erst 1968; vgl. zur BRD und DDR *Gropengießer*, LB Deutschland, Bd. 1, S. 21 [94 f.]); England/Wales 1969 (vgl. *Rabenstein/Bahrenberg*, LB England/Wales, Bd. 6, S. 261 [268 f.]); Estland 1994 (vgl. *Parmas*, LB Estland, Bd. 5, S. 89 [96]); Israel 1950 (vgl. *Kremnitzer/Cohen*, LB Israel, Bd. 5, S. 317 [328]); Spanien 1971; die USA 1988 (vgl. *Silverman*, LB USA, Bd. 5, S. 411 [429]).

205 Australien hat erst 2002 einen nationalen Straftatbestand geschaffen (vgl. *Biehler/Kerll*, LB Australien, Bd. 6, S. 19 [27 f.]); Finnland 1974 (vgl. *Fründe*, LB Finnland, Bd. 2, S. 21 [26]); Frankreich 1994 (vgl. *Lelieur-Fischer*, LB Frankreich, Bd. 4, S. 225 [250]); Polen 1997; die Türkei 2005; vgl. *Tellenbach*, LB Türkei, Bd. 6, S. 393 [401 f.]. Im „Mittelfeld" liegen beispielsweise Italien und Schweden, die 1967 bzw. 1964 ein Völkermordgesetz erließen; vgl. *Cornils*, LB Schweden, Bd. 2, S. 183 (192); *Jarvers*, LB Italien, Bd. 4, S. 337 (348).

206 Vgl. oben S. 15.

207 Zu den Staaten ohne einen nationalen Völkermordtatbestand zählen China (vgl. *Richter*, LB China, Bd. 6, S. 141 [151 ff.]) und Griechenland (vgl. *Retalis*, LB Griechenland, Bd. 5, S. 189 [197 ff.]) sowie die lateinamerikanischen Länder Argentinien, Chile, Uruguay und Venezuela (vgl. *Ambos/Malarino*, Zusammenfassung Lateinamerika, Bd. 4, S. 469 [475]). Bis zur 2005 in Kraft getretenen Strafrechtsreform gehörte auch die Türkei zu diesen Staaten, vgl. *Tellenbach*, LB Türkei, Bd. 6, S. 393 [400 ff.].

Zum anderen entspricht die Struktur der in Umsetzung der Völkermordkonvention geschaffenen nationalen Straftatbestände in fast allen Staaten derjenigen der internationalen Völkermorddefinition. Allerdings ist – wie schon angedeutet wurde – nur in ganz wenigen Staaten – zu nennen sind England/Wales, Israel und Kanada[208] – der nationale Völkermordtatbestand vollkommen identisch mit der Formulierung in Art. II Völkermordkonvention bzw. Art. 6 IStGH-Statut.

In den allermeisten Staaten ist die nationale Strafnorm entsprechend dem internationalen Vorbild[209] dahingehend strukturiert, dass bestimmte Einzelhandlungen gegen Mitglieder bestimmter Bevölkerungsgruppen strafbar sind, wenn der Täter mit der Absicht handelt, die Bevölkerungsgruppe als solche ganz oder teilweise zu zerstören.[210] Damit sind auch die nationalen Völkermordtatbestände ganz überwiegend als Tatbestände zum Schutz bestimmter Bevölkerungsgruppen vor ihrer Auslöschung ausgestaltet[211] und zeichnen sich ganz überwiegend wie die völkerrechtliche Definition dadurch aus, dass der Täter vorsätzlich bestimmte Taten gegen einzelne Gruppenmitglieder begehen und darüber hinausgehend die besondere Absicht im Sinne zielgerichteten Wollens haben muss, die Gruppe, der das Opfer angehört, ganz oder teilweise zu vernichten (sog. Tatbestände mit „überschießender Innentendenz“). Die Divergenzen betreffen demgegenüber zumeist Details des Völkermords, sei es, dass die geschützten Gruppen abweichend vom internationalen Vorbild bestimmt werden oder dass die Einzelhandlungen anders definiert sind. Bei diesen Abweichungen handelt es sich im Übrigen vielfach um Erweiterungen des Völkermordtatbestands, über deren Aufnahme in die völkerrechtliche Verbre-

---

208 Vgl. *Gut/Wolpert*, LB Kanada, Bd. 5, S. 19 (26 f.) (sections 4(3) und 6(3) CAHWCA verweisen für die Tatbestandsdefinition pauschal auf das gesamte Völkerrecht unter Einschluss des Völkergewohnheitsrechts und damit auf die völkerrechtliche Völkermorddefinition); *Kremnitzer/Cohen*, LB Israel, Bd. 5, S. 317 (328); *Rabenstein/Bahrenberg*, LB England/Wales, Bd. 6, S. 261 (268 f.) (der englische Tatbestand, section 50(1) ICC Act, verweist als Blankettstrafnorm für die Tatbestandsdefinition pauschal auf Art. 6 IStGH-Statut und damit auf die völkerrechtliche Definition von Völkermord).

209 Siehe hierzu oben S. 36.

210 Siehe *Biehler/Kerll*, LB Australien, Bd. 6, S. 19 (27 f.); *Cornils*, LB Schweden, Bd. 2, S. 183 (192); *Frände*, LB Finnland, Bd. 2, S. 21 (26); *Gil Gil*, LB Spanien, Bd. 4, S. 99 [196 f.]); *Gropengießer*, LB Deutschland, Bd. 1, S. 21 (95 ff.); *Gut/Wolpert*, LB Kanada, Bd. 5, S. 19 (26 f.); *Jarvers*, LB Italien, Bd. 4, S. 337 (448 f.); *Korošec*, LB Slowenien, Bd. 3, S. 329 (338); *Kouassi/Paulenz*, LB Côte d'Ivoire, Bd. 4, S. 19 (29 ff.); *Kremnitzer/Cohen*, LB Israel, Bd. 5, S. 317 (328); *Lammich*, LB Russland/Weißrussland, Bd. 6, S. 351 (358 ff.); *Novoselec*, LB Kroatien, Bd. 3, S. 19 (28 f.); *Parmas*, LB Estland, Bd. 5, S. 89 (96); *Rabenstein/Bahrenberg*, LB England/Wales, Bd. 6, S. 261 (268 f.); *Silverman*, LB USA, Bd. 5, S. 411 (429); *Škulić*, LB Serbien und Montenegro, Bd. 3, S. 211 (219 ff.); *Weigend*, LB Polen, Bd. 2, S. 77 (85 f.); *Zerbes*, LB Österreich, Bd. 3, S. 85 (96). Eine bereits hinsichtlich ihrer Grundstruktur von der internationalen Völkermorddefinition abweichende nationale Strafnorm findet sich dagegen in Frankreich (vgl. *Lelieur-Fischer*, LB Frankreich, Bd. 4, S. 225 [250 ff.]) und in der Türkei (vgl. *Tellenbach*, LB Türkei, Bd. 6, S. 393 (400 ff.); siehe hierzu unten S. 53.

211 Zu dem vom völkerrechtlichen Verbrechenstatbestand geschützten Rechtsgut vgl. oben S. 37.

chensdefinition auf völkerrechtlicher Ebene – (bislang) ohne Erfolg – diskutiert wurde bzw. wird. Im Folgenden sollen die Besonderheiten der nationalen Regelungen noch etwas detaillierter beleuchtet werden.

b) Die geschützten Gruppen

Während beispielsweise in Australien, Deutschland, England/Wales, Israel, Italien, Kanada, Kroatien, Russland, Schweden, Serbien und Montenegro, Spanien und den USA ebenso wie nach der internationalen Völkermorddefinition ausschließlich nationale, ethnische, rassische und religiöse Gruppen geschützt sind, eine Strafbarkeit also nur gegeben ist, wenn das Tatopfer einer solchen Gruppe angehört und der Täter mit der Absicht handelt, eine solche Gruppe zu zerstören,[212] ziehen viele nationale Rechtsordnungen den Kreis der geschützten Gruppen deutlich weiter.

In Côte d'Ivoire, Polen und Slowenien sind explizit auch *politische Gruppen* in den Völkermordtatbestand einbezogen.[213] Wie bereits erwähnt wurde, wird auf völkerrechtlicher Ebene seit Schaffung der Völkermordkonvention darüber diskutiert, politische Gruppen in den Schutzbereich einzubeziehen, doch konnten sich die Protagonisten nie durchsetzen.[214] Auf nationaler Ebene dagegen sind einige Staaten diesen Weg gegangen. Auch wenn man deshalb davon ausgehen kann, dass die Frage einer Schutzerweiterung auf politische Gruppen weiterhin in der völkerrechtlichen Diskussion bleiben wird, so wird man doch andererseits (noch) nicht annehmen dürfen, dass die nationalen Normen, die auch politische Gruppen erfassen, Auswirkungen auf die Entwicklung des völkergewohnheitsrechtlichen Völkermordtatbestands haben, also auch dieser – wegen der in den nationalen Vorschriften zum Ausdruck kommenden Rechtsauffassung der Staaten über die Reichweite des Verbrechens des Völkermords – über Art. II Völkermordkonvention und Art. 6 IStGH-Statut hinausreichend mittlerweile politische Gruppen schützt. Vielmehr gehen die nationalen Straftatbestände, die neben nationalen, eth-

212 Siehe *Biehler/Kerll*, LB Australien, Bd. 6, S. 19 (27 f.); *Cornils*, LB Schweden, Bd. 2, S. 183 (192); *Gil Gil*, LB Spanien, Bd. 4, S. 99 (196 f.); *Gropengießer*, LB Deutschland, Bd. 1, S. 21 (99); *ders.*, ICLR 5 (2005), 329 (336); *Gut/Wolpert*, LB Kanada, Bd. 5, S. 19 (26 f.); *Jarvers*, LB Italien, Bd. 4, S. 337 (448 f.); *Kremnitzer/Cohen*, LB Israel, Bd. 5, S. 317 (328); *Lammich*, LB Russland/Weißrussland, Bd. 6, S. 351 (358 f.); *Novoselec*, LB Kroatien, Bd. 3, S. 19 (28 f.); *Rabenstein/Bahrenberg*, LB England/Wales, Bd. 6, S. 261 (268 f.); *Silverman*, LB USA, Bd. 5, S. 411 (429); *Škulić*, LB Serbien und Montenegro, Bd. 3, S. 211 (219 ff.). Auch nach dem türkischen Spezialtatbestand (Art. 76 StGB) sind allein nationale, ethnische, rassische und religiöse Gruppen geschützt, doch verlangt der türkische Tatbestand in subjektiver Hinsicht keine Zerstörungsabsicht des Täters (vgl. hierzu *Tellenbach*, LB Türkei, Bd. 6, S. 395 [401 f.] sowie unten S. 53). Zu den geschützten Gruppen nach der internationalen Völkermorddefinition siehe oben S. 38.

213 Vgl. *Korošec*, LB Slowenien, Bd. 3, S. 329 (338 f.); *Kouassi/Paulenz*, LB Côte d'Ivoire, Bd. 4, S. 19 (29 f.); *Weigend*, LB Polen, Bd. 2, S. 77 (87).

214 Vgl. oben S. 38.

nischen, rassischen und religiösen Gruppen noch weitere Gruppen erfassen, über das völkerrechtliche Strafrecht hinaus.[215]

In einigen Staaten wird der Kreis der geschützten Gruppen (darüber hinaus) in anderer Form erweitert bzw. definiert. In Polen und Slowenien sind neben den international geschützten Gruppen sowie politischen Gemeinschaften auch noch „weltanschauliche Gruppen“ (Polen) bzw. „soziale Gruppen“ (Slowenien) in den Schutz des Völkermordtatbestands einbezogen.[216] Der estnische Völkermordtatbestand erfasst neben den international geschützten Gruppen noch „Gruppen, die Widerstand gegen eine Besatzung leisten“ sowie „jede andere soziale Gruppe“.[217] Der österreichische Tatbestand spricht abweichend von der internationalen Definition von einer „durch ihre Zugehörigkeit zu einer Kirche oder Religionsgesellschaft, zu einer Rasse, einem Volk, einem Volksstamm oder einem Staat“ bestimmten Gruppe.[218] Damit dürfte jedoch in der Sache keine abweichende Schutzbereichsbestimmung getroffen sein.

Schließlich gibt es auch Staaten, die neben den völkerrechtlich geschützten Gruppen mittels einer wertungsoffenen Generalklausel (nahezu) alle abgrenzbaren Bevölkerungsgruppen dem Schutz des nationalen Völkermordtatbestands unterstellen. Der finnische Tatbestand spricht von „nationalen, rassischen, ethnischen oder religiösen Gruppen oder eine diesen gleichzustellende Volksgruppe“, womit neben politischen Gruppen auch solche einbezogen werden sollen, die sich über ihre Sprache oder Gesellschaftszugehörigkeit definieren.[219] Noch umfassender ist die Bestimmung des Kreises der geschützten Gruppen durch den französischen Völkermordtatbestand. Dieser nennt neben den völkerrechtlich geschützten nationalen, ethnischen, rassischen und religiösen Gruppen auch noch „durch jedes andere willkürliche Merkmal“ bestimmte Gruppen.[220] Ähnlich ist die Rechtslage in Weißrussland. Dort sind nicht nur Taten gegen die international geschützten Gruppen pönalisiert, sondern darüber hinaus auch solche gegen eine Gruppe, „die unter Anlegung eines anderen Kriteriums ausgesondert wird“.[221]

---

215 Dies ist völkerrechtlich unproblematisch, da der nationale Gesetzgeber grundsätzlich frei ist in seiner Entscheidung, welche Verhaltensweisen er pönalisiert, und er daher weitergehende Strafbarkeiten begründen darf als nach völkerrechtlichem Strafrecht bestehen bzw. durch völkerrechtliche Pönalisierungsgebote verlangt werden. Allerdings kann eine extraterritoriale nationale Strafgewalt in diesen Fällen nicht nach dem Weltrechtsprinzip mit dem Argument begründet werden, das Völkerrecht lasse bei völkerrechtlichen Verbrechen eine Erstreckung nationaler Strafgewalt nach diesem Prinzip zu (siehe hierzu näher *Kreicker*, LB Deutschland, Bd. 1, S. 68 Fn. 101).

216 *Korošec*, LB Slowenien, Bd. 3, S. 329 (338 f.); *Weigend*, LB Polen, Bd. 2, S. 77 (87).

217 *Parmas*, LB Estland, Bd. 5, S. 89 (96 f.).

218 *Zerbes*, LB Österreich, Bd. 3, S. 85 (96).

219 Vgl. *Frände*, LB Finnland, Bd. 2, S. 21 (26 f.).

220 Vgl. *Lelieur-Fischer*, LB Frankreich, Bd. 4, S. 225 (251 ff.).

221 *Lammich*, LB Russland/Weißrussland, Bd. 6, S. 351 (359).

Hinzuweisen ist aber andererseits auch darauf, dass in einigen Staaten nicht alle von der internationalen Völkermorddefinition geschützten Gruppen erfasst werden. So sind vom Völkermordtatbestand von Côte d'Ivoire rassische Gruppen nicht geschützt.[222] Côte d'Ivoire läuft mithin Gefahr, dass ihre nationale Strafgewalt hinter der des IStGH zurückbleibt und der IStGH daher nach dem Grundsatz der Komplementarität seine eigene Verfolgungszuständigkeit bezüglich im Gebiet dieses Staates bzw. von Angehörigen dieses Staates begangener Taten begründen kann.

c) Die erfassten Tathandlungen

Die Beschreibung der Einzelhandlungen, die eine Strafbarkeit wegen Völkermords begründen können, ist in den meisten untersuchten Rechtsordnungen vollständig oder annähernd deckungsgleich mit derjenigen der internationalen Völkermorddefinition.[223] Vollständige Deckungsgleichheit weisen in Bezug auf die strafbaren Einzelhandlungen die nationalen Völkermordtatbestände von England/Wales, Israel, Kanada, Polen und der Türkei auf.[224]

Die nationalen Tatbestände von Australien, Deutschland und Spanien unterscheiden sich im Wortlaut von der internationalen Definition insofern, als in Übereinstimmung mit den *Elements of Crimes* zum Römischen Statut explizit festgestellt wird, dass bereits eine Tötung bzw. Verletzung eines *einzelnen* Gruppenmitglieds und die Überführung eines *einzelnen* Kindes in eine andere Gruppe bei Vorliegen der Zerstörungsabsicht ausreicht zur Tatbestandsverwirklichung.[225] Diese nationalen Regelungen bestätigen damit die entsprechende Aussage in den *Elements of Crimes* zum Römischen Statut und können als Unterstützung für die oben getroffene Aussage ins Feld geführt werden, dass auch auf völkerrechtlicher Ebene Einzeltaten Völkermord darstellen können.[226] Auf der anderen Seite aber wird der nationale Tatbestand von Finnland dahingehend verstanden, dass eine Person sich

---

222 Vgl. *Kouassi/Paulenz*, LB Côte d'Ivoire, Bd. 4, S. 19 (29 f.).

223 Ganz anders dagegen sind die Tathandlungen nach dem derzeit geltenden schwedischen Recht definiert: Alle Taten, die mit einer Gefängnisstrafe von vier Jahren oder mehr bedroht sind, kommen als Völkermordtaten in Betracht; vgl. *Cornils*, LB Schweden, Bd. 2, S. 183 (192). Fundamental abweichend im Hinblick auf die Einzelhandlungen ist auch der italienische Völkermordtatbestand ausgestaltet; vgl. unten S. 52 f.

224 Vgl. *Gut/Wolpert*, LB Kanada, Bd. 5, S. 19 (26 f.); *Kremnitzer/Cohen*, LB Israel, Bd. 5, S. 317 (328); *Rabenstein/Bahrenberg*, LB England/Wales, Bd. 6, S. 261 (268 f.); *Tellenbach*, LB Türkei, Bd. 6, S. 393 (401 f.); *Weigend*, LB Polen, Bd. 2, S. 77 (87).

225 Vgl. *Biehler/Kerll*, LB Australien, Bd. 6, S. 19 (89 ff.) (der nationale australische Völkermordtatbestand – sections 268.3–268.7 Federal CC – besteht im Wesentlichen aus einer Übernahme des Wortlauts der *Elements of Crimes* zu Art. 6 IStGH-Statut); *Gil Gil*, LB Spanien, Bd. 4, S. 99 (196 f.); *Gropengießer*, LB Deutschland, Bd. 1, S. 21 (99); *ders.*, ICLR 5 (2005), 329 (337). Kroatische Gerichte haben, obwohl auch der kroatische Völkermordtatbestand im Plural formuliert ist, die Auslegung bestätigt, dass bereits ein Tatopfer ausreicht; vgl. *Novoselec*, LB Kroatien, Bd. 3, S. 19 (28).

226 Siehe oben S. 40 mit Anm. 178 ff.

nur dann wegen Genozids strafbar machen kann, wenn sie mehrere Personen tötet oder verletzt bzw. mehrere Kinder in eine andere Gruppe überführt.[227]

Der Völkermordtatbestand von Estland verlangt in Bezug auf die zweite Tatvariante (Art. II(b) Völkermordkonvention) anders als die internationale Verbrechensdefinition nicht, dass die verursachten körperlichen oder seelischen Schäden schwerer Art sind.[228] Demgegenüber ist nach dem Recht von Weißrussland die Verursachung allein von seelischen Schäden für die Tatbestandsverwirklichung nicht ausreichend.[229] Und vom US-amerikanischen Völkermordtatbestand wird nur die Zufügung dauerhafter seelischer Schäden, nicht die bloß vorübergehender, erfasst.[230] Der spanische Völkermordtatbestand nennt über die internationale Norm hinausreichend auch „sexuelle Angriffe" als mögliche Tathandlungen.[231]

Der bezüglich der dritten Tatvariante (Art. II(c) Völkermordkonvention) geführte und bereits skizzierte Streit, ob die Auferlegung von bestimmten Lebensbedingungen objektiv geeignet sein muss, die körperliche Zerstörung ganz oder teilweise herbeizuführen, oder ob es insofern wegen der englischen Tatbezeichnung "inflicting on the group conditions of life calculated to bring about its physical destruction in whole or in part" allein auf die subjektive Zerstörungsabsicht des Täters ankommt,[232] spiegelt sich auch in den nationalen Tatbeständen wider. Während der deutsche Genozidtatbestand (§ 6 VStGB) sowie die nationalen Strafnormen von Côte d'Ivoire, Frankreich, Italien, Kroatien, Österreich, Serbien und Montenegro, Slowenien und wohl auch Estland auf die objektive Zerstörungsgeeignetheit abstellen und damit gegenüber dem völkerrechtlichen Verbrechenstatbestand defizitär sind,[233] kommt im Tatbestand von Russland, den USA und von Weißrussland klar zum Ausdruck, dass die tatsächliche Zerstörungsgeeignetheit irrelevant und allein

---

227 Vgl. *Frände*, LB Finnland, Bd. 2, S. 21 (27).

228 *Parmas*, LB Estland, Bd. 5, S. 89 (96 f.).

229 *Lammich*, LB Russland/Weißrussland, Bd. 6, S. 351 (359).

230 *Silverman*, LB USA, Bd. 5, S. 411 (429 f.).

231 *Gil Gil*, LB Spanien, Bd. 4, S. 99 (197).

232 Siehe hierzu oben S. 40 mit Anm. 182.

233 Vgl. *Gropengießer*, LB Deutschland, Bd. 1, S. 21 (102 f.); *Jarvers*, LB Italien, Bd. 4, S. 337 (349); *Korošec*, LB Slowenien, Bd. 3, S. 329 (338); *Kouassi/Paulenz*, LB Côte d'Ivoire, Bd. 4, S. 19 (28); *Lelieur-Fischer*, LB Frankreich, Bd. 4, S. 225 (251, 254); *Novoselec*, LB Kroatien, Bd. 3, S. 19 (28 f.); *Parmas*, LB Estland, Bd. 5, S. 89 (96 f.); *Škulić*, LB Serbien und Montenegro, Bd. 3, S. 211 (219 ff.); *Zerbes*, LB Österreich, Bd. 3, S. 85 (96). Ebenso auf die objektive Zerstörungsgeeignetheit abstellend auch Kap. 2 § 1 des schwedischen Entwurfs für ein Völkerstrafgesetz (hierzu näher unten S. 354); vgl. *Cornils*, LB Schweden, Bd. 2, S. 183 (193 f.). In der amtlichen deutschsprachigen Übers. des Art. 6 IStGH-Statut im österreichischen Ratifikationsgesetz ist dagegen eine Formulierung gewählt worden, die allein auf die subjektive Zerstörungsabsicht des Täters abstellt; vgl. oben Anm. 182.

die subjektive Zerstörungsabsicht des Täters maßgeblich ist.[234] Deutlich weitgehender als der internationale Tatbestand ist die finnische Norm. Danach begeht bereits derjenige Völkermord, der mit der allgemeinen Absicht der Vernichtung einer geschützten Gruppe deren Lebensbedingungen erheblich verschlechtert.[235] Auch der spanische Tatbestand geht über den internationalen hinaus: Bei Vorliegen der erforderlichen Absicht macht sich bereits derjenige wegen Völkermords strafbar, der einem individuellen Gruppenmitglied solche Lebensdingungen auferlegt, die dessen Leben gefährden oder dessen Gesundheit beeinträchtigen.[236]

Unterschiede bei den erfassten Tathandlungen gibt es ferner hinsichtlich des Höchstalters von Kindern, die als Opfer einer gewaltsamen Überführung in eine andere Gruppe im Sinne der fünften Tatvariante (Art. II(e) Völkermordkonvention) in Betracht kommen. Anders als auf völkerrechtlicher Ebene[237] sind in Italien taugliche Tatopfer allein Kinder bis zu einem Alter von 14 Jahren.[238] Der weißrussische Völkermordtatbestand erfasst abweichend vom völkerrechtlichen Tatbestand nur die Überführung von Kindern aus *ethnischen* Gruppen in eine andere Gruppe, nicht aber von Kindern, die zu sonstigen Gruppen gehören.[239]

Die Rechtsordnungen von Australien[240] und Österreich[241] legen zudem explizit fest, dass eine „gewaltsame" Überführung von Kindern in eine andere Gruppe (fünfte Tatvariante; Art. II(e) Völkermordkonvention) nicht nur durch körperlichen, sondern auch durch psychischen Zwang bewirkt werden kann. Damit wird die entsprechende Interpretation des völkerrechtlichen Verbrechenstatbestands[242] bestätigt. Demgegenüber bleibt das deutsche Recht insofern hinter dem völkerrechtlichen Strafrecht zurück. Denn wenn § 6 Abs. 1 Nr. 5 VStGB von der „gewaltsamen" Überführung von Kindern spricht, so kann damit wegen der vergleichsweise strengen Anforderungen des grundgesetzlichen Bestimmtheitsgebots nur körperlicher Zwang gemeint sein.[243] Ganz anders als das internationale „Vorbild" pönalisiert der spanische Völkermordtatbestand nicht nur die gewaltsame Überführung

234 *Lammich*, LB Russland/Weißrussland, Bd. 6, S. 351 (358 f.); *Silverman*, LB USA, Bd. 5, S. 411 (429). Siehe auch *Kremnitzer/Cohen*, LB Israel, Bd. 5, S. 317 (328 Fn. 16).

235 *Frände*, LB Finnland, Bd. 2, S. 21 (27).

236 *Gil Gil*, LB Spanien, Bd. 4, S. 99 (197).

237 Siehe hierzu oben S. 41.

238 *Jarvers*, LB Italien, Bd. 4, S. 337 (350).

239 *Lammich*, LB Russland/Weißrussland, Bd. 6, S. 351 (359 f.).

240 Vgl. *Biehler/Kerll*, LB Australien, Bd. 6, S. 19 (91).

241 *Zerbes*, LB Österreich, Bd. 3, S. 85 (96 f.).

242 Siehe hierzu oben S. 41 mit Anm. 186.

243 So auch *Satzger*, Internationales und Europäisches Strafrecht, § 15 Rn. 23; *Werle*, Völkerstrafrecht, Rn. 613.

von Kindern in eine andere Gruppe, sondern allgemein von Personen. Demnach spielt nach dem spanischen Recht das Alter des Tatopfers keine Rolle.[244]

Vor allem im Hinblick auf die auf völkerrechtlicher Ebene geführte Diskussion über die Strafbarkeit von so genannten *ethnic cleansing* als Völkermord bemerkenswert ist die Tatsache, dass in Australien, Côte d'Ivoire, Italien, Kroatien, Russland, Serbien und Montenegro, Slowenien sowie Spanien die mit Zerstörungsabsicht durchgeführte Vertreibung von Mitgliedern geschützter Gruppen aus ihrem angestammten Siedlungsgebiet explizit vom nationalen Völkermordtatbestand pönalisiert wird.[245] Angesichts der verhältnismäßig wenigen Staaten, deren nationales Völkerstrafrecht insoweit über das völkerrechtliche Strafrecht hinausreicht, kann aber (noch) nicht von einer für die Entstehung von neuem Völkergewohnheitsrecht – dahingehend, dass auch auf völkerrechtlicher Ebene *ethnic cleansing* als solches Völkermord darstellen kann – hinreichenden Rechtsüberzeugung und Rechtspraxis der Staaten gesprochen werden.

Das von den *Elements of Crimes* zu Art. 6 IStGH-Statut aufgestellte Erfordernis, dass die Tat im Rahmen eines offensichtlichen Musters ähnlicher Verhaltensweisen gegen die betreffende Gruppe begangen wird oder schon für sich genommen zur Zerstörung der geschützten Gruppe geeignet ist, also die Einzeltat des Täters entweder im Rahmen einer Gesamttat begangen wird oder aber selbst unmittelbar die Auslöschung der Gruppe bewirken kann, findet sich so in keinem nationalen Straftatbestand. Besonders hervorzuheben ist dabei der australische Völkermordtatbestand. Obwohl das australische Recht Völkermord grundsätzlich dadurch definiert, dass es die Beschreibung des strafbaren Verhaltens in den *Elements of Crimes* übernimmt, wurde auf eine Übernahme dieses Erfordernisses verzichtet.[246] Damit wird die bereits getroffene Feststellung bestätigt, dass diese Beschränkung von Art. 6 IStGH-Statut nur als Einschränkung der Zuständigkeit des IStGH, nicht aber der völkerrechtlichen Strafnorm selbst interpretiert werden darf.[247]

Fundamental anders als die internationale Völkermorddefinition und die meisten nationalen Völkermordtatbestände ist, was die ersten beiden Tatalternativen (Tötung, Verursachung schweren körperlichen oder seelischen Schadens) anbelangt,

---

244 *Gil Gil*, LB Spanien, Bd. 4, S. 99 (197).

245 Vgl. *Biehler/Kerll*, LB Australien, Bd. 6, S. 19 (90); *Jarvers*, LB Italien, Bd. 4, S. 337 (350); *Gil Gil*, LB Spanien, Bd. 4, S. 99 (197); *Korošec*, LB Slowenien, Bd. 3, S. 329 (338 f.); *Kouassi/Paulenz*, LB Côte d'Ivoire, Bd. 4, S. 19 (28, 30); *Lammich*, LB Russland/Weißrussland, Bd. 6, S. 351 (359 f.) (der russische Tatbestand spricht allerdings von „zwangsweiser Umsiedelung"); *Novoselec*, LB Kroatien, Bd. 3, S. 19 (28 f.); *Škulić*, LB Serbien und Montenegro, Bd. 3, S. 211 (219 ff.).

246 Vgl. *Biehler/Kerll*, LB Australien, Bd. 6, S. 19 (28).

247 Siehe oben S. 42 mit Anm. 192. Allerdings sieht der von einer Expertenkommission ausgearbeitete, jedoch noch nicht vom Parlament verabschiedete schwedische Entwurf für ein Völkerstrafgesetz (näher hierzu unten S. 354) die Übernahme der hier diskutierten Einschränkung der *Elements of Crimes* vor; vgl. *Cornils*, LB Schweden, Bd. 2, S. 183 (193 f.).

die italienische Genozidnorm formuliert. Diese ist insoweit als so genanntes Anschlagsdelikt *(delitto di attentato)* ausgestaltet. Es wird für die Tatvollendung nicht verlangt, dass der Täter ein Mitglied einer geschützten Gruppe tatsächlich tötet oder schädigt, sondern nur, dass die Tathandlung gegen das Leben bzw. die Gesundheit eines Gruppenmitglieds gerichtet ist. Allerdings ist eine entsprechende subjektive Intention des Täters allein nicht ausreichend; vielmehr verlangt das italienische Recht, dass das Tatziel objektiv erkennbar und die Tathandlung objektiv zur Erfolgsverursachung geeignet ist.[248]

d) Die subjektiven Strafbarkeitsvoraussetzungen

Wie bereits angedeutet wurde, entsprechen die subjektiven Tatbestandvoraussetzungen der meisten nationalen Genozidstraftatbestände dem völkerrechtlichen Verbrechenstatbestand. So wird auch in Australien, Côte d'Ivoire, Deutschland, England/Wales, Estland, Finnland, Israel, Italien, Kanada, Kroatien, Österreich, Polen, Russland, Schweden, Serbien und Montenegro, Slowenien, Spanien, USA und Weißrussland verlangt, dass der Täter mit der Absicht handelt, eine geschützte Gruppe ganz oder teilweise zu zerstören.[249] In Weißrussland muss diese Absicht allerdings auf eine „planmäßige" Zerstörung einer geschützten Gruppe gerichtet sein.[250]

Signifikante Besonderheiten gibt es insofern in Frankreich und in der Türkei, deren Völkermordtatbestand keine derartige über das objektive Tatgeschehen hinausreichende Zerstörungsabsicht des Täters verlangt. Der französische und der türkische Tatbestand weisen – worauf schon hingewiesen wurde – deshalb eine andere Struktur auf als die sonstigen betrachteten nationalen Genozidnormen. Nach dem französischen Völkermordtatbestand qualifiziert eine Tathandlung[251] nicht dann als Völkermord, wenn der Täter in eigener Person Zerstörungsabsicht hat, sondern dann, wenn die Tat „in Ausführung eines gemeinsamen Plans, der auf die vollstän-

---

248 *Jarvers*, LB Italien, Bd. 4, S. 337 (348 f.).

249 Vgl. *Biehler/Kerll*, LB Australien, Bd. 6, S. 19 (28); *Cornils*, LB Schweden, Bd. 2, S. 183 (192); *Frände*, LB Finnland, Bd. 2, S. 21 (26); *Gil Gil*, LB Spanien, Bd. 4, S. 99 (196); *Gropengießer*, LB Deutschland, Bd. 1, S. 21 (105 ff.); *ders.*, ICLR 5 (2005), 329 (338 f.); *Gut/Wolpert*, LB Kanada, Bd. 5, S. 19 (26 f.); *Jarvers*, LB Italien, Bd. 4, S. 337 (448 f.); *Kremnitzer/Cohen*, LB Israel, Bd. 5, S. 317 (328); *Korošec*, LB Slowenien, Bd. 3, S. 329 (338 f.); *Kouassi/Paulenz*, LB Côte d'Ivoire, Bd. 4, S. 19 (28, 31); *Lammich*, LB Russland/Weißrussland, Bd. 6, S. 351 (358 f.); *Novoselec*, LB Kroatien, Bd. 3, S. 19 (28 f.); *Parmas*, LB Estland, Bd. 5, S. 89 (96); *Rabenstein/Bahrenberg*, LB England/Wales, Bd. 6, S. 261 (268 f.); *Silverman*, LB USA, Bd. 5, S. 411 (429); *Škulić*, LB Serbien und Montenegro, Bd. 3, S. 211 (219 ff.); *Weigend*, LB Polen, Bd. 2, S. 77 (86); *Zerbes*, LB Österreich, Bd. 3, S. 85 (96 f.).

250 *Lammich*, LB Russland/Weißrussland, Bd. 6, S. 351 (359).

251 Die Einzeltaten des französischen Völkermordtatbestands entsprechen denen von Art. 6 IStGH-Statut; vgl. *Lelieur-Fischer*, LB Frankreich, Bd. 4, S. 225 (253 f.).

dige oder teilweise Vernichtung einer (...) Gruppe abzielt, (...) begangen oder (...) veranlasst wird".[252] Ähnlich formuliert der türkische Tatbestand, die Begehung einer der explizit aufgeführten Einzeltaten[253] verwirkliche den Tatbestand des Völkermords, wenn die Tat „in Durchführung eines Plans begangen wird, der zum Ziel hat, eine nationale, ethnische, rassische oder religiöse Gruppe ganz oder teilweise zu vernichten".[254] Damit ist für Frankreich und die Türkei eine „Objektivierung des Tatbestands"[255] zu verzeichnen, die ein Defizit des französischen bzw. türkischen Rechts gegenüber dem Völkerrecht bedeutet, das vor dem Hintergrund des Komplementaritätsprinzips des Römischen Statuts auch praktische Relevanz erlangen kann.[256]

e) Besondere Regelungen zur Strafbarkeit von Verschwörungs-, Aufstachelungs- und Organisationshandlungen bei Völkermord

Manche nationale Rechtsordnungen – zu nennen sind Côte d'Ivoire, Kroatien, Polen, Serbien und Montenegro sowie Slowenien – bestimmen in ihrem Völkermordtatbestand, dass als Täter nicht nur verantwortlich ist, wer eine der genannten Tathandlungen ausführt, sondern in gleicher Weise auch derjenige, der eine Tatbegehung anordnet oder organisiert (so Côte d'Ivoire), befiehlt (so Kroatien, Serbien und Montenegro, Slowenien) bzw. vorbereitet (so Polen), sofern er selbst mit der Absicht agiert, dass die betroffene Gruppe ganz oder teilweise zerstört wird.[257] Die Erstreckung des Tatbestands auch auf Personen, die – etwa als militärische oder politische Funktionsträger – einen Völkermord anordnen oder organisieren, bedeutet, dass diese nicht als Anstifter oder Gehilfen, sondern als Täter bestraft werden und ihre Strafbarkeit unabhängig davon eintritt, ob mit der Tatausführung begonnen wird oder nicht.[258]

Weiter gibt es Staaten, die im unmittelbaren Anschluss an den nationalen Völkermordtatbestand Vorbereitungs- bzw. Aufstachelungshandlungen eigenständig unter Strafe gestellt haben. Dies gilt etwa für Finnland, wo die Vereinbarung der

---

[252] *Lelieur-Fischer*, LB Frankreich, Bd. 4, S. 225 (253 f.).

[253] Die Einzeltaten des türkischen Völkermordtatbestands (Art. 76 StGB) entsprechen denen von Art. 6 IStGH-Statut; vgl. *Tellenbach*, LB Türkei, Bd. 6, S. 393 (401 f.).

[254] *Tellenbach*, LB Türkei, Bd. 6, S. 393 (401 f.).

[255] So *Lelieur-Fischer*, LB Frankreich, Bd. 4, S. 225 (253) für den französischen Tatbestand. Ähnlich *Tellenbach*, LB Türkei, Bd. 6, S. 393 (400) für den türkischen Tatbestand.

[256] So auch *Lelieur-Fischer*, LB Frankreich, Bd. 4, S. 225 (253) für den französischen Spezialtatbestand.

[257] Vgl. *Korošec*, LB Slowenien, Bd. 3, S. 329 (338 f.); *Kouassi/Paulenz*, LB Côte d'Ivoire, Bd. 4, S. 19 (30 f.); *Novoselec*, LB Kroatien, Bd. 3, S. 19 (28); *Škulić*, LB Serbien und Montenegro, Bd. 3, S. 211 (219 ff.); *Weigend*, LB Polen, Bd. 2, S. 77 (88).

[258] Vgl. *Korošec*, LB Slowenien, Bd. 3, S. 329 (339); *Novoselec*, LB Kroatien, Bd. 3, S. 19 (28).

Begehung von Völkermord und das Entwerfen eines Plans zur Begehung von Völkermord als Vorbereitung von Völkermord unter Strafe gestellt sind,[259] für Italien, wo die Verabredung zum Völkermord und die Aufstachelung zur Begehung von Völkermord pönalisiert sind,[260] für Österreich, wo die Verabredung zur gemeinsamen Ausführung von Völkermord unter Strafe gestellt ist,[261] für Schweden, wo die Vorbereitung und Verabredung von Völkermord pönalisiert sind,[262] und für Slowenien, wo die „Vereinigung und Aufstachelung zu Genozid" strafbar ist.[263] Damit wollen diese Staaten ihrer durch Art. III i.V.m. Art. V Völkermordkonvention auferlegten völkerrechtlichen Pflicht nachkommen, bestimmte Verschwörungs-, Aufstachelungs- und Organisationshandlungen zu pönalisieren.[264]

Andere Staaten – etwa Deutschland – beschränken sich demgegenüber darauf, vom Völkermordtatbestand die unmittelbare Tatausführung zu erfassen, und greifen zur Sicherstellung ihrer Bestrafungspflicht in Bezug auf Verschwörungs-, Aufstachelungs- und Organisationshandlungen auf die für das gesamte nationale Strafrecht geltenden Regeln des Allgemeinen Teils des Strafgesetzbuches (namentlich die Regelungen über Täterschaft und Teilnahme) bzw. auf allgemeine Normen zurück, die eine öffentliche Aufforderung zur Begehung von Straftaten pönalisieren.[265]

3. Im nationalen Recht vorgesehene Rechtsfolgen

Das völkergewohnheitsrechtliche Strafrecht kennt keine Regelungen zur Höhe bzw. Schwere der Sanktionen, die für völkerrechtliche Verbrechen verhängt werden dürfen; derartiges Völkergewohnheitsrecht hat sich (noch) nicht herausgebildet; der Grundsatz *nulla poena sine lege* findet im Völkerstrafrecht keine Anwendung.[266] Dementsprechend schwierig ist es für internationale Strafgerichtshöfe,

---

259 Vgl. *Frände*, LB Finnland, Bd. 2, S. 21 (28). Ferner ist – deutlich über das völkerrechtlich Gebotene hinausreichend – in Finnland jede Bedrohung, Verhöhnung und Beleidigung einer der durch den Völkermordtatbestand geschutzten Gruppen in der Öffentlichkeit strafbar; vgl. *Frände*, a.a.O., S. 28.

260 *Jarvers*, LB Italien, Bd. 4, S. 337 (351).

261 *Zerbes*, LB Österreich, Bd. 3, S. 85 (96 f.).

262 Vgl. *Cornils*, LB Schweden, Bd. 2, S. 183 (192 f.). Ferner ist in Schweden das Unterlassen des Aufdeckens eines Völkermords strafbar; vgl. *Cornils*, a.a.O.

263 *Korošec*, LB Slowenien, Bd. 3, S. 329 (339).

264 Siehe zu dieser Pflicht *Werle*, Völkerstrafrecht, Rn. 599 ff. Vgl. in diesem Zusammenhang ferner Art. 25(3)(e) IStGH-Statut, wonach die öffentliche Aufstachelung zur Begehung von Völkermord eine eigenständige strafrechtliche Verantwortlichkeit begründet. Siehe hierzu *Gropengießer*, LB Deutschland, Bd. 1, S. 21 (287 f.); *Lüders*, Strafbarkeit von Völkermord, S. 233 ff. sowie die Darstellung unten auf S. 224.

265 Vgl. für Deutschland §§ 30, 111, 126, 130a StGB sowie *Gropengießer*, LB Deutschland, Bd. 1, S. 21 (287 f.).

266 *Cassese*, International Criminal Law, S. 157 f.

namentlich für den ICTY und ICTR, unrechtsadäquate Sanktionen auszusprechen.[267] Die Statuten des ICTY und ICTR behelfen sich damit, dass sie in Art. 24(1) bzw. Art. 23(1) eine Berücksichtigung der Gerichtspraxis im ehemaligen Jugoslawien bzw. in Ruanda verlangen. Auch das Römische Statut trifft keine differenziert auf die einzelnen völkerrechtlichen Verbrechen bezogenen Feststellungen bezüglich der zu verhängenden Strafen. Art. 77(1) IStGH-Statut[268] legt lediglich allgemein fest, dass der Gerichtshof grundsätzlich zeitlich begrenzte Freiheitsstrafen bis zu einer Höchstdauer von 30 Jahren verhängen darf. Alternativ wird dem IStGH die Verhängung einer lebenslangen Freiheitsstrafe gestattet, aber nur dann, wenn dies durch die außergewöhnliche Schwere des Verbrechens und die persönlichen Verhältnisse des Verurteilten gerechtfertigt ist.[269] Umso wichtiger ist eine Betrachtung der nach nationalem Recht für völkerrechtliche Verbrechen, hier für Völkermord, vorgesehenen Sanktionen.

Allgemein lässt sich feststellen, dass die untersuchten nationalen Rechtsordnungen für Völkermordtaten die Verhängung der schwersten Strafen vorsehen bzw. gestatten, die die jeweilige Rechtsordnung kennt. Das russische und das weißrussische Recht sehen als Strafen Todesstrafe, lebenslange Freiheitsstrafe oder Freiheitsstrafe bis zu 20 Jahren vor.[270] In den USA kann im Fall der vorsätzlichen Tötung einer Person in Völkermordabsicht die Todesstrafe oder lebenslange Freiheitsstrafe, ansonsten eine Freiheitsstrafe von bis zu 20 Jahren verhängt werden.[271] Nach dem Recht von Deutschland, Frankreich und Österreich und der Türkei ist Völkermord grundsätzlich zwingend mit lebenslanger Freiheitsstrafe zu ahnden.[272] England/Wales sowie Kanada sehen zwingend eine lebenslange Freiheitsstrafe vor, wenn Völkermordhandlung die vorsätzliche Tötung eines Gruppenmitglieds ist; ansonsten ist eine zeitige Freiheitsstrafe (England/Wales)[273] bzw. lebenslange Freiheitsstrafe (Kanada) die Höchststrafe.[274] Nach dem Recht von Australien, Estland, Finnland, Italien, Polen und Schweden ist lebenslange Freiheitsstrafe die zulässige

---

267 Das Freiburger Max-Planck-Institut für ausländisches und internationales Strafrecht hat, um eine gerechte Strafzumessung im Völkerstrafrecht zu erleichtern, im Jahr 2003 im Auftrag des ICTY ein rechtsvergleichendes Gutachten zur Strafzumessung bei völkerrechtlichen Verbrechen erstellt: *Sieber*, The Punishment of Serious Crimes, Bd. 1; *ders.* (Hrsg.), The Punishment of Serious Crimes, Bd. 2.

268 Der Wortlaut von Art. 77 IStGH-Statut ist wiedergegeben unten auf S. 261.

269 Siehe zu den vom IStGH zu verhängenden Sanktionen *Kreß*, HuV-I 1998, 151 (158 ff.); *Peglau*, HuV-I 2001, 247 (248).

270 *Lammich*, LB Russland/Weißrussland, Bd. 6, S. 351 (360 f.).

271 *Silverman*, LB USA, Bd. 5, S. 411 (430).

272 Vgl. *Gropengießer*, LB Deutschland, Bd. 1, S. 21 (108 ff.); *ders.*, ICLR 5 (2005), 329 (340); *Lelieur-Fischer*, LB Frankreich, Bd. 4, S. 225 (255); *Tellenbach*, LB Türkei, Bd. 6, S. 393 (402); *Zerbes*, LB Österreich, Bd. 3, S. 85 (96 f.).

273 *Rabenstein/Bahrenberg*, LB England/Wales, Bd. 6, S. 261 (269 ff.) (die Dauer der ansonsten zu verhängenden Freiheitsstrafe kann bis zu 30 Jahre betragen).

274 *Gut/Wolpert*, LB Kanada, Bd. 5, S. 19 (28).

Höchststrafe bei Völkermordtaten.[275] In Kroatien, Serbien und Montenegro sowie Slowenien, allesamt Nachfolgestaaten der früheren Bundesrepublik Jugoslawien, sind jeweils zwingend langjährige Freiheitsstrafen zu verhängen.[276] Das gleiche gilt für Spanien.[277]

Diese Feststellungen haben Rückwirkungen auf eine Ahndung von Völkermord durch internationale Gerichte wie den ICTY, den ICTR und den IStGH, geben sie diesen doch Anhaltspunkte für eine gerechte Strafzumessungsentscheidung. Eine Ahndung von Völkermordtaten durch diese Gerichte durch Verhängung einer lebenslangen Freiheitsstrafe – nach den Statuten der genannten Gerichte die Maximalstrafe – ist jedenfalls dann, wenn die Tat den Tod oder eine schwere Verletzung des Opfers zur Folge hat, als grundsätzlich unrechtsadäquat und legitim anzusehen. In weniger schwerwiegenden Fällen ist zumindest eine langjährige Freiheitsstrafe angemessen.

---

275 Vgl. *Biehler/Kerll*, LB Australien, Bd. 6, S. 19 (29) (eine Mindeststrafe ist im australischen Recht nicht festgelegt); *Cornils*, LB Schweden, Bd. 2, S. 183 (193) (alternativ zur lebenslangen Freiheitsstrafe kann in Schweden eine zeitige Freiheitsstrafe von vier bis zehn Jahren ausgesprochen werden); *Frände*, LB Finnland, Bd. 2, S. 21 (29) (alternativ zur lebenslangen Freiheitsstrafe kann in Finnland eine zeitige Freiheitsstrafe von vier bis zwölf Jahren verhängt werden); *Jarvers*, LB Italien, Bd. 4, S. 337 (351) (die lebenslange Freiheitsstrafe darf aber nur bei Vorliegen erschwerender Umstände verhängt werden, ansonsten ist eine Freiheitsstrafe von zwölf bis 30 Jahren vorgesehen); *Parmas*, LB Estland, Bd. 5, S. 89 (98) (alternativ zur lebenslangen Freiheitsstrafe kann in Estland eine zeitige Freiheitsstrafe von zehn bis 20 Jahren ausgesprochen werden); *Weigend*, LB Polen, Bd. 2, S. 77 (88 f.) (die lebenslange Freiheitsstrafe ist allerdings nur für den Fall der Tötung oder schweren Körperverletzung vorgesehen; alternativ kann in solchen Fällen eine Freiheitsstrafe von zwölf bis 15 Jahren oder von 25 Jahren verhängt werden. In sonstigen Fällen des Völkermords kann in Polen eine Freiheitsstrafe von fünf bis 15 oder von 25 Jahren verhängt werden).

276 Vgl. *Korošec*, LB Slowenien, Bd. 3, S. 329 (340 ff.) (die Strafandrohung in Slowenien beträgt zehn bis 15 Jahre Freiheitsentzug bzw. alternativ 30 Jahre Freiheitsentzug); *Novoselec*, LB Kroatien, Bd. 3, S. 19 (29) (vorgesehen ist in Kroatien eine Freiheitsstrafe zwischen zehn und 15 Jahren bzw. zwischen 20 und 40 Jahren); *Škulić*, LB Serbien und Montenegro, Bd. 3, S. 211 (221) (die Strafandrohung beträgt nach serbischem Recht Freiheitsstrafe von fünf bis 15 Jahren oder alternativ 40 Jahre, in Montenegro fünf bis 20 Jahre oder alternativ 30 Jahre Freiheitsentzug). Die hohen absoluten Alternativstrafen sind Substitute für die in den Nachfolgestaaten der Bundesrepublik Jugoslawien abgeschaffte Todesstrafe.

277 Vgl. *Gil Gil*, LB Spanien, Bd. 4, S. 99 (196 f.). Die Strafandrohung in Spanien beträgt im Falle einer Tötung oder Verletzung einer Person 15 bis 20 Jahre Freiheitsentzug; ansonsten acht bis 15 Jahre Freiheitsstrafe.

II. Verbrechen gegen die Menschlichkeit

1. Der völkerrechtliche Verbrechenstatbestand

a) Historische Entwicklung

Zwar wurde der im Deutschen mit „Verbrechen gegen die Menschlichkeit" nicht vollends zufriedenstellend übersetzte[278] Begriff *crimes against humanity* bereits 1915 von Frankreich, Großbritannien und Russland benutzt, um die Verbrechen der Türken an den Armeniern zu klassifizieren,[279] doch geht die Anerkennung des völkerrechtlichen Verbrechenstatbestands „Verbrechen gegen die Menschlichkeit" auf das Statut des Nürnberger Militärgerichtshofs[280] zurück.[281] Dieses erklärte den Gerichtshof in Art. 6(c) IMT-Statut unter anderem für zuständig, Verbrechen gegen die Menschlichkeit zu ahnden.[282] Da die unvorstellbaren Gräueltaten des NS-Regimes an der (eigenen) Zivilbevölkerung nicht als Kriegsverbrechen erfasst werden konnten, wurde – mit rückwirkender Kraft[283] – zur Ahndung von Massenverbrechen an der Zivilbevölkerung ein besonderer Tatbestand geschaffen. Lange Zeit blieben die genauen Konturen dieser Völkerstraftat aber unklar.[284] Während Art. 6(c) IMT-Statut festlegte, dass Verbrechen gegen die Menschlichkeit nur dann

---

278 Siehe *Gropengießer*, LB Deutschland, Bd. 1, S. 21 (111 f.).

279 *Dahm/Delbrück/Wolfrum*, Völkerrecht, Bd. I/3, S. 1087 Fn. 6; *Dixon*, in: Triffterer (Hrsg.), Commentary on the Rome Statute, Art. 7 Rn. 1; *Satzger*, Internationales und Europäisches Strafrecht, § 15 Rn. 26. Siehe zu diesen Verbrechen bereits oben Anm. 150.

280 Siehe oben Anm. 151.

281 *Dahm/Delbrück/Wolfrum*, Völkerrecht, Bd. I/3, S. 1087; *Werle*, Völkerstrafrecht, Rn. 617.

282 Art. 6(c) IMT-Statut lautete: „Verbrechen gegen die Menschlichkeit: Nämlich: Mord, Ausrottung, Versklavung, Deportation und andere unmenschliche Handlungen, begangen an irgendeiner Zivilbevölkerung vor oder während des Krieges, Verfolgung aus politischen, rassischen oder religiösen Gründen, begangen in Ausführung eines Verbrechens oder in Verbindung mit einem Verbrechen, für das der Gerichtshof zuständig ist, und zwar unabhängig davon, ob die Handlung gegen das Recht des Landes verstieß, in dem sie begangen wurde, oder nicht."

283 *Cassese*, International Criminal Law, S. 70 ff.; *Dahm*, Problematik des Völkerstrafrechts, S. 57 ff.; *Doehring*, Völkerrecht, Rn. 1164; *Ipsen*, in: ders., Völkerrecht, § 42 Rn. 22 ff.; *Jescheck*, Verantwortlichkeit der Staatsorgane nach Völkerstrafrecht, S. 241 f., 296 ff., 368 ff.; *ders.*, in: Bemmann/Spinellis (Hrsg.), FS Mangakis, S. 483 (487); *Jescheck/Weigend*, Lehrbuch, § 14 II. 2; *Kreicker*, LB Deutschland, Bd. 1, S. 21 (85); *Meseke*, Verbrechen gegen die Menschlichkeit, S. 32 ff. Siehe auch *Dahm/Delbrück/Wolfrum*, Völkerrecht, Bd. I/3, S. 1031 ff. und *Jung*, Rechtsprobleme der Nürnberger Prozesse, S. 150 ff.; *Werle*, Völkerstrafrecht, Rn. 24 ff.

284 Zur Entstehungsgeschichte der *crimes against humanity* siehe *Becker*, Der Tatbestand des Verbrechens gegen die Menschlichkeit, S. 39 ff.; *Boot*, Genocide, Crimes Against Humanity, War Crimes, S. 457 ff.; *Cassese*, International Criminal Law, S. 67 ff.; *Dahm/Delbrück/Wolfrum*, Völkerrecht, Bd. I/3, S. 1087 ff.; *Manske*, Verbrechen gegen die Menschlichkeit, S. 35 ff.; *Meseke*, Verbrechen gegen die Menschlichkeit, S. 11 ff.; *Werle*, Völkerstrafrecht, Rn. 617 ff.

strafbar seien, wenn sie im Zusammenhang mit einem anderen Verbrechen des Statuts – also im Kontext von Kriegsverbrechen oder eines Angriffskrieges und damit im Kontext eines bewaffneten Konflikts – begangen worden waren,[285] enthielt das KRG Nr. 10[286], das auf dem IMT-Statut aufbauend die normative Grundlage für weitere Prozesse gegen Funktionäre des NS-Regimes vor Gerichten der Alliierten und später auch vor deutschen Gerichten bildete,[287] dieses Akzessorietätserfordernis nicht mehr.[288] Damit emanzipierte sich der neue Tatbestand zwar frühzeitig von den Kriegsverbrechen,[289] doch fand er – anders als der Teilaspekte des Verbrechens gegen die Menschlichkeit abdeckende Tatbestand des Völkermords – lange Zeit keinen Niederschlag in einem völkerrechtlichen Vertrag. Gleichwohl wurde bei der Schaffung der UN-Tribunale für das frühere Jugoslawien und für Ruanda betont, Verbrechen gegen die Menschlichkeit seien nach Völkergewohnheitsrecht strafbar.[290] Dementsprechend enthalten sowohl das ICTY-Statut als auch das ICTR-Statut einen Tatbestand „Verbrechen gegen die Menschlichkeit", wobei die Tatbestandsdefinitionen allerdings augenfällige Unterschiede aufweisen.[291] Art. 5 ICTY-

---

285 Dieses Nexuserfordernis betraf, obwohl der Wortlaut des IMT-Statuts insofern nicht eindeutig ist, nach dem Verständnis der Alliierten alle Tatbestandsvarianten des Verbrechens gegen die Menschlichkeit. Vgl. *Dahm/Delbrück/Wolfrum*, Völkerrecht, Bd. I/3, S. 1089; *Meseke*, Verbrechen gegen die Menschlichkeit, S. 15.

286 Kontrollratsgesetz Nr. 10; Amtsblatt des Kontrollrats in Deutschland Nr. 3 vom 31.1.1946, S. 50.

287 Vgl. *Ahlbrecht*, Geschichte der völkerrechtlichen Strafgerichtsbarkeit, S. 96 ff.; *Rückerl*, NS-Verbrechen vor Gericht, S. 95 ff.; *Werle*, Völkerstrafrecht, Rn. 34 ff.

288 *Dahm/Delbrück/Wolfrum*, Völkerrecht, Bd. I/3, S. 1089; *Satzger*, Internationales und Europäisches Strafrecht, § 15 Rn. 28 f.; *Werle*, Völkerstrafrecht, Rn. 619. Art. II(1)(c) KRG Nr. 10 lautete: „Verbrechen gegen die Menschlichkeit. Gewalttaten und Vergehen, einschließlich der folgenden, den obigen Tatbestand jedoch nicht erschöpfenden Beispiele: Mord, Ausrottung, Versklavung, Zwangsverschleppung, Freiheitsberaubung, Folterung, Vergewaltigung oder andere an der Zivilbevölkerung begangene unmenschliche Handlungen, Verfolgung aus politischen, rassischen oder religiösen Gründen ohne Rücksicht darauf, ob sie das nationale Recht des Landes, in welchem die Handlung begangen worden ist, verletzen."

289 Zur Frage der Akzessorietät der Verbrechen gegen die Menschlichkeit siehe ICTY, *Tadić*, IT-94-1-AR72, 2.10.1995, para. 140 f.; *Becker*, Der Tatbestand des Verbrechens gegen die Menschlichkeit, S. 40 ff.; *Blanke/Molitor*, AVR 39 (2001), 142 (154); *Cassese*, International Criminal Law, S. 64, 73; *Jescheck*, GA 1981, 49 (58); *Kreß*, in: Grützner/Pötz, Internationaler Rechtshilfeverkehr, vor III 26, Rn. 35; *Triffterer*, in: Vogler u.a. (Hrsg.), FS Jescheck, Bd. II, S. 1477 (1487).

290 Vgl. auch den Bericht des UN-Generalsekretärs vom 3.5.1993 bezüglich der Einrichtung des UN-Tribunals für Jugoslawien, wo in Ziff. 29, 34 f. betont wird, die in dem Statut enthaltenen Straftatbestände gälten alle bereits völkergewohnheitsrechtlich, ILM 32 (1993), 1163 (1169 f.). Heutzutage besteht Einigkeit über die völkergewohnheitsrechtliche Geltung auch dieses völkerstrafrechtlichen Tatbestands. Vgl. nur *Dahm/Delbrück/Wolfrum*, Völkerrecht, Bd. I/3, S. 1087, 1094; Schönke/Schröder-*Eser*, vor § 1 Rn. 22.

291 Art. 5 ICTY-Statut lautet in der amtlichen dt. Übers.: „Der Internationale Strafgerichtshof ist befugt, Personen zu verfolgen, die für folgende gegen die Zivilbevölkerung gerichtete, in internationalen oder inneren bewaffneten Konflikten verübte Verbrechen verantwortlich sind: a) Mord, b) Ausrottung, c) Versklavung, d) Vertreibung, e) Freiheits-

Statut verlangt – wie das IMT-Statut – eine Tatbegehung im Zusammenhang mit einem bewaffneten Konflikt; doch wird diese Einschränkung ganz zu Recht nicht als Wiedereinführung des überwundenen Akzessorietätserfordernisses des IMT-Statuts gedeutet, sondern allein dahingehend verstanden, dass damit die Begrenzung der Zuständigkeit des ICTY auf Taten im Zusammenhang mit dem Jugoslawien-Konflikt zum Ausdruck gebracht werden soll.[292] Hierfür spricht auch, dass Art. 3 ICTR-Statut Verbrechen gegen die Menschlichkeit ohne diese Einschränkung definiert. Damit wird klargestellt, dass Verbrechen gegen die Menschlichkeit unabhängig vom Vorliegen eines bewaffneten Konflikts begangen werden können. Allerdings verlangt Art. 3 ICTR-Statut, dass die in die Zuständigkeit des Gerichtshofs fallenden Verbrechen gegen die Menschlichkeit „aus nationalen, politischen, ethnischen, rassischen oder religiösen Gründen verübt wurden". Damit wird jedoch ebenfalls keine Einschränkung des völkergewohnheitsrechtlichen Tatbestands propagiert, sondern allein eine Beschränkung der Verfolgungszuständigkeit des ICTR auf die für den Ruanda-Konflikt typischen Tatgestaltungen festgelegt.[293]

Auch wenn die völkergewohnheitsrechtliche Strafbarkeit eines „Kerntatbestands" des Verbrechens gegen die Menschlichkeit aufgrund dieser Entwicklung spätestens ab Anfang der neunziger Jahre des vergangenen Jahrhunderts nicht mehr ernsthaft in Frage gestellt werden konnte, blieben doch die genauen Konturen dieses völkerrechtlichen Verbrechens unscharf. Dementsprechend gestaltete sich die Ausgestaltung des Verbrechenstatbestands im Römischen Statut als schwierig.[294] Letztlich gelang es aber auf der Römischen Konferenz, sich auf eine verhältnismäßig präzise formulierte Tatbestandsdefinition zu einigen. Einigkeit besteht auch darüber, dass die Tatbestandsdefinition in Art. 7 IStGH-Statut jedenfalls im Großen und Ganzen den völkergewohnheitsrechtlich geltenden Verbrechenstatbestand widerspiegelt.[295] Für die nachfolgende Skizze des völkerrechtlichen Verbrechenstat-

---

entzug, f) Folter, g) Vergewaltigung, h) Verfolgung aus politischen, rassischen und religiösen Gründen, i) andere unmenschliche Handlungen." (BT-Drucks. 13/57, S. 24). Art. 3 ICTR-Statut lautet in der amtlichen dt. Übers.: „Der Internationale Strafgerichtshof für Ruanda ist befugt, Personen zu verfolgen, die für folgende Verbrechen verantwortlich sind, welche als Teil eines breit angelegten oder systematischen Angriffs gegen die Zivilbevölkerung aus nationalen, politischen, ethnischen, rassischen oder religiösen Gründen verübt wurden: a) Mord, b) Ausrottung, c) Versklavung, d) Vertreibung, e) Freiheitsentzug, f) Folter, g) Vergewaltigung, h) Verfolgung aus politischen, rassischen und religiösen Gründen, i) andere unmenschliche Handlungen." (BT-Drucks. 13/7953, S. 19).

292 ICTY, *Tadić*, IT-94-1, 15.7.1999, para. 249 ff.; *Dahm/Delbrück/Wolfrum*, Völkerrecht, Bd. I/3, S. 1091; *Werle*, Völkerstrafrecht, Rn. 623. Anderer Ansicht aber China, siehe unten Anm. 383.

293 ICTR, *Akayesu*, ICTR-96-4, 1.6.2001, para. 464 f.; *Dahm/Delbrück/Wolfrum*, Völkerrecht, Bd. I/3, S. 1091; *Satzger*, Internationales und Europäisches Strafrecht, § 15 Rn. 40; *Werle*, Völkerstrafrecht, Rn. 623.

294 Zur Verhandlungsgeschichte vgl. *Meseke*, Verbrechen gegen die Menschlichkeit, S. 87 ff.

295 *Cassese*, International Criminal Law, S. 91 ff.; *Dixon*, in: Triffterer (Hrsg.), Commentary on the Rome Statute, Art. 7 Rn. 4; *Roggemann*, NJ 1998, 505 (507); *Safferling*, JA

bestands kann deshalb von der Tatbestandsdefinition des Art. 7 IStGH-Statut ausgegangen werden.[296]

b) Die Definition und Struktur des Verbrechens gegen die Menschlichkeit

Als Verbrechen gegen die Menschlichkeit sind nach Art. 7 IStGH-Statut bestimmte vorsätzlich begangene Handlungen („Einzeltaten") strafbar, sofern sie im Rahmen eines ausgedehnten oder systematischen Angriffs gegen eine Zivilbevölkerung („Gesamttat"; „Chapeau"[297]) begangen werden und der Täter von diesem Gesamttatzusammenhang Kenntnis hat.[298] Erst die Tatsache, dass bestimmte Einzeltaten Teil eines solchen funktionalen Gesamttatgeschehens sind, führt dazu, dass sie „den Frieden, die Sicherheit und das Wohl der Welt bedrohen" und „die internationale Gemeinschaft als Ganzes berühren"[299] und damit den Charakter eines völkerrechtlichen Verbrechens erlangen.[300]

Art. 7 IStGH-Statut benennt in Abs. 1 die Gesamttat und die in Betracht kommenden Einzelhandlungen. In Abs. 2 werden einzelne Elemente der Gesamttat und der Einzeltat dann näher definiert. Art. 7(1) IStGH-Statut lautet:

> „Im Sinne dieses Statuts bedeutet ‚Verbrechen gegen die Menschlichkeit' jede der folgenden Handlungen, die im Rahmen eines ausgedehnten oder systematischen Angriffs gegen die Zivilbevölkerung und in Kenntnis des Angriffs begangen wird:
>
> a) vorsätzliche Tötung;
>
> b) Ausrottung;
>
> c) Versklavung;
>
> d) Vertreibung oder zwangsweise Überführung der Bevölkerung;
>
> e) Freiheitsentzug oder sonstige schwerwiegende Beraubung der körperlichen Freiheit unter Verstoß gegen die Grundregeln des Völkerrechts;

2000, 164 (165 f.); *Seidel/Stahn*, Jura 1999, 14 (17); *Stahn*, EuGRZ 1998, 577 (579 f., 585 f.); *Triffterer*, in: Gössel/Triffterer (Hrsg.), GedS Zipf, S. 493 (532 ff.). Widersprüchlich *Werle*, der in JZ 2001, 885 (892 Fn. 75) betont, die Legaldefinition des „Angriffs gegen die Zivilbevölkerung" schränke den Tatbestand gegenüber dem Völkergewohnheitsrecht ein, während er in NJW 2001, 3001 (3005) meint, Art. 7 IStGH-Statut enthalte eine „aktuelle Formulierung des maßgeblichen Standes des Völkergewohnheitsrechts". Siehe auch unten Anm. 311.

296 So verfahren mittlerweile die meisten völkerstrafrechtlichen Darstellungen, siehe nur *Satzger*, Internationales und Europäisches Strafrecht, § 15; *Werle*, Völkerstrafrecht, Rn. 626 ff.

297 So die in Deutschland bzw. international übliche Bezeichnung. Vgl. *McAuliffe de Guzman*, HRQ 22 (2000), 335 (354); *Satzger*, NStZ 2002, 125 (127); *Werle*, JZ 2001, 885 (892); *Werle/Jeßberger*, CLF 13 (2002), 191 (205); *Zimmermann*, NJW 2002, 3068 (3069).

298 *Satzger*, Internationales und Europäisches Strafrecht, § 15 Rn. 33; *Werle*, Völkerstrafrecht, Rn. 626.

299 Formulierungen der Präambel des Römischen Statuts.

300 *Cassese*, International Criminal Law, S. 66; *Gropengießer*, LB Deutschland, Bd. 1, S. 21 (119); *Werle*, JZ 2000, 755 (757); *ders.*, Völkerstrafrecht, Rn. 81.

f) Folter;
g) Vergewaltigung, sexuelle Sklaverei, Nötigung zur Prostitution, erzwungene Schwangerschaft, Zwangssterilisation oder jede andere Form sexueller Gewalt von vergleichbarer Schwere;
h) Verfolgung einer identifizierbaren Gruppe oder Gemeinschaft aus politischen, rassischen, nationalen, ethnischen, kulturellen oder religiösen Gründen, Gründen des Geschlechts im Sinne des Absatzes 3 oder aus anderen nach dem Völkerrecht universell als unzulässig anerkannten Gründen im Zusammenhang mit einer in diesem Absatz genannten Handlung oder einem der Gerichtsbarkeit des Gerichtshofs unterliegenden Verbrechen;
i) zwangsweises Verschwindenlassen von Personen;
j) das Verbrechen der Apartheid;
k) andere unmenschliche Handlungen ähnlicher Art, mit denen vorsätzlich große Leiden oder eine schwere Beeinträchtigung der körperlichen Unversehrtheit oder der geistigen oder körperlichen Gesundheit verursacht werden."

c) Das geschützte Rechtsgut

Gewisse Unsicherheit besteht hinsichtlich der durch den Straftatbestand Verbrechen gegen die Menschlichkeit geschützten rechtlichen Interessen. Unumstritten ist, soweit ersichtlich, dass durch den Tatbestand Individualrechtsgüter der einzelnen Tatopfer, namentlich deren Leben, Gesundheit, Freiheit und Menschenwürde geschützt werden.[301] Der Schutz von Individualrechtsgütern und eine Strafbarkeit unmittelbar nach Völkerrecht stellt keinen Wertungswiderspruch dar, denn seit langem ist das Völkerrecht keine Rechtsordnung mehr, die allein zwischenstaatliche Beziehungen regelt, sondern – wie die internationalen Menschenrechtspakte zeigen – eine Ordnung, der der Schutz der Menschenrechte der einzelnen Individuen als eine primäre Regelungsaufgabe obliegt. Während in der Literatur zum Teil angenommen wird, dass durch den Tatbestand des Verbrechens gegen die Menschlichkeit allein Individualrechtsgüter der einzelnen Tatopfer geschützt werden,[302] wird überwiegend angenommen, dass darüber hinaus auch das überindividuelle Rechtsgut der „Humanität" bzw. „Menschheit" im Sinne der für das friedliche Zusammenleben der Menschen auf unserem Planeten unabdingbaren Regeln der mitmenschlichen Existenz geschützt ist.[303] Diese Annahme erscheint sachgerecht.

---

301 *Gropengießer*, LB Deutschland, Bd. 1, S. 21 (116); *Satzger*, Internationales und Europäisches Strafrecht, § 15 Rn. 32; *Werle*, Völkerstrafrecht, Rn. 627.

302 *Gil Gil*, ZStW 112 (2000), 381 (382 ff.); *Gropengießer*, LB Deutschland, Bd. 1, S. 21 (116).

303 So ICTY, *Erdemović*, IT-96-22, 29.11.1996, para. 22; *Cassese*, International Criminal Law, S. 65; *Jescheck*, in: Schroeder/Zipf (Hrsg.), FS Maurach, S. 579 (590); *Meseke*, Verbrechen gegen die Menschlichkeit, S. 118 ff.; *Radbruch*, SJZ 1947, Sp. 343; *Satzger*, Internationales und Europäisches Strafrecht, § 15 Rn. 32; *Vest*, ZStW 113 (2001), 457 (464); *Werle*, Völkerstrafrecht, Rn. 627. Rechtsgutsträger ist dagegen nicht die (Zivil-)Bevölkerung als solche; vgl. *Gil Gil*, ZStW 112 (2000), 381 (384 f.); *Gropengießer*, LB Deutschland, Bd. 1, S. 21 (116 f.); *Vest*, ZStW 113 (2001), 457 (464). Denn diese ist im

Denn wie bereits erwähnt, ist Kennzeichen des Verbrechens gegen die Menschlichkeit, dass die gegen einzelne Personen gerichteten Tathandlungen Teil eines funktionalen Gesamtzusammenhangs sind. Damit wird deutlich, dass es nicht nur – wie bei den vielen völkerrechtlichen Bestimmungen, die den Staaten die Pflicht auferlegen, bestimmte Menschenrechtsverletzungen im nationalen Recht unter Strafe zu stellen – darum geht, einzelne Personen zu schützen, sondern auch darum, die Menschheit insgesamt vor Angriffen zu schützen, die elementaren Geboten der menschlichen Koexistenz zuwiderlaufen.

d) Das Gesamttaterfordernis

Art. 7(1) IStGH-Statut beschreibt die Gesamttat als „ausgedehnten oder systematischen Angriff gegen die Zivilbevölkerung" („widespread or systematic attack directed against any civilian population"). Der Terminus „Angriff gegen die Zivilbevölkerung" wird dann in Art. 7(2)(a) IStGH-Statut näher definiert, und zwar dahingehend, dass zum einen mehrere der im Tatbestand genannten Einzelhandlungen begangen werden müssen und zum anderen der Angriff gegen die Zivilbevölkerung in Ausführung oder zur Unterstützung einer staatlichen Politik oder Politik einer nichtstaatlichen Organisation erfolgen muss, die gerade solche Verhaltensweisen zum Ziel hat.[304] Im Folgenden sollen die einzelnen Elemente dieser äußerst komplexen und komplizierten Gesamttatdefinition etwas näher betrachtet werden.[305]

Tatobjekt der Gesamttat muss die *Zivilbevölkerung* als solche sein. Dies bedeutet zweierlei. Zum einen darf die Gesamttat nicht nur gegen einzelne Individuen gerichtet sein, sondern muss die Zivil*bevölkerung* als Kollektiv betreffen. Geschützt wird dabei sowohl die eigene Zivilbevölkerung eines angreifenden Staates als auch die eines fremden Staates.[306] Zum anderen muss die Gesamttat gegen *Zivil*personen gerichtet sein, wobei zu den Zivilpersonen alle Menschen zu zählen sind, die ge-

---

Tatbestand des Verbrechens gegen die Menschlichkeit nicht in besonderer und abgrenzbarer Weise definiert. Das Erfordernis eines Angriffs gegen die Zivil*bevölkerung* soll nur deutlich machen, dass isolierte Taten gegen einzelne Individuen nicht erfasst werden (vgl. den Haupttext auf S. 63).

304 Art. 7(2)(a) IStGH-Statut lautet: „Im Sinne des Absatzes 1 bedeutet ‚Angriff gegen die Zivilbevölkerung' eine Verhaltensweise, die mit der mehrfachen Begehung der in Absatz 1 genannten Handlungen gegen eine Zivilbevölkerung verbunden ist, in Ausführung oder zur Unterstützung der Politik eines Staates oder einer Organisation, die einen solchen Angriff zum Ziel hat".

305 Ausführlich zum Merkmal des "widespread or systematic attack directed against any civilian population" *Ambos/Wirth*, CLF 13 (2002), 1 (15 ff.); *Werle*, Völkerstrafrecht, Rn. 628 ff.

306 ICTY, *Tadić*, IT-94-1, 7.5.1997, para. 635, 644; *Dahm/Delbrück/Wolfrum*, Völkerrecht, Bd. I/3, S. 1096 f.; *Dixon*, in: Triffterer (Hrsg.), Commentary on the Rome Statute, Art. 7 Rn. 13 f.; *Meseke*, Verbrechen gegen die Menschlichkeit, S. 148 f.; *Werle*, Völkerstrafrecht, Rn. 629.

genwärtig nicht als Kombattanten einer staatlichen oder sonst wie organisierten Macht unmittelbar an einer bewaffneten Auseinandersetzung teilnehmen.[307] Mit diesem Erfordernis grenzt sich das Verbrechen gegen die Menschlichkeit von den Kriegsverbrechen ab.

Die Gesamttat muss sich als *Angriff* darstellen. Die strafbaren Einzelheiten müssen Teil eines Angriffsvorgangs sein. Zwei Elemente kennzeichnen einen Angriff im Sinne des Verbrechens gegen die Menschlichkeit. Zum einen müssen mehrere Einzelakte begangen werden, wobei aber nicht erforderlich ist, dass der jeweilige Täter selbst mehrfach handelt.[308] Isolierte Einzelakte können mithin kein Verbrechen gegen die Menschlichkeit sein.[309] Ein Angriff mit militärischen Mitteln ist ebenso wenig notwendig wie eine unmittelbare Gewaltanwendung.[310] Zum anderen muss ein so genanntes „Politikelement“ *(policy element)* gegeben sein.[311] Der Angriff muss in Ausführung oder zur Unterstützung der Politik eines Staates oder einer Organisation erfolgen. Das heißt, die Einzelakte müssen Teil einer Politik sein (es darf sich also nicht um spontane und isolierte Einzelakte handeln), wobei sowohl die Politik eines Staates in Betracht kommt als auch die einer „privaten“ Organisation, die de facto über die Macht verfügt, Massenverbrechen gegen die Zivilbevölkerung zu organisieren.[312] Diese Politik muss den Angriff zum Ziel haben. Es muss also dem Staat oder der Organisation im Sinne zielgerichteter Intention gerade darauf ankommen, dass Einzeltaten der Art, wie sie vom Tatbestand der Verbrechen gegen die Menschlichkeit pönalisiert sind, gegen eine Zivilbevölkerung be-

---

[307] ICTY, *Blaškić*, IT-95-14, 3.3.2000, para. 214; *Dixon*, in: Triffterer (Hrsg.), Commentary on the Rome Statute, Art. 7 Rn. 13; *Gropengießer*, LB Deutschland, Bd. 1, S. 21 (120); *Meseke*, Verbrechen gegen die Menschlichkeit, S. 149 ff.; *Satzger*, Internationales und Europäisches Strafrecht, § 15 Rn. 36; *Vest*, ZStW 113 (2001), 457 (465 ff.); *Werle*, Völkerstrafrecht, Rn. 630 ff. Auch Kombattanten, die die Waffen gestreckt haben oder aus einem anderen Grund, etwa wegen Verwundung, „hors de combat“ sind, sind insofern zur „Zivilbevölkerung“ zu zählen. Anderer Ansicht als die h.M. aber *Cassese*, International Criminal Law, S. 64.

[308] ICTY, *Tadić*, IT-94-1, 7.5.1997, para. 649; *Werle*, Völkerstrafrecht, Rn. 634.

[309] *Cassese*, International Criminal Law, S. 66; *Meseke*, Verbrechen gegen die Menschlichkeit, S. 133.

[310] ICTY, *Kunarac* et al., IT-96-23, 22.2.2001, para. 416; *Dixon*, in: Triffterer (Hrsg.), Commentary on the Rome Statute, Art. 7 Rn. 8 f.; *Meseke*, Verbrechen gegen die Menschlichkeit, S. 131; *Werle*, Völkerstrafrecht, Rn. 635.

[311] Siehe hierzu *Werle*, Völkerstrafrecht, Rn. 640 ff. Zum Teil wird angenommen, dass dieses den Tatbestand einschränkende Erfordernis des Römischen Statuts nicht auch Bestandteil des völkergewohnheitsrechtlichen Tatbestands sei. Siehe etwa ICTY, *Kunarac* et al., IT-96-23, 12.6.2002, para. 98; *Cassese*, International Criminal Law, S. 93; *Meseke*, Verbrechen gegen die Menschlichkeit, S. 139 ff.; *Werle*, a.a.O., Rn. 648; *Zimmermann*, NJW 2002, 3068 (3070).

[312] ICTY, *Tadić*, IT-94-1, 7.5.1997, para. 654 ff. m.w.N.; *Gil Gil*, ZStW 112 (2000), 381 (390 ff.); *Meseke*, Verbrechen gegen die Menschlichkeit, S. 145 ff.; *Vest*, ZStW 113 (2001), 457 (470); *Werle*, Völkerstrafrecht, Rn. 640 ff. Daher können auch Anschläge größerer terroristischer Organisationen wie die Anschläge vom 11.9.2001 auf die Tower des World Trade Centers in New York als Verbrechen gegen die Menschlichkeit strafbar sein.

gangen werden.[313] Diese Politik braucht aber nicht förmlich und programmatisch festgeschrieben zu sein. Es reicht, wenn die Gesamttat auf der Basis einer gewissen Planung und Leitung stattfindet, die ihrerseits das Ziel verfolgt, dass es zur Begehung der Taten kommt. Die internationale Rechtsprechung hält es dabei für statthaft, auf das Vorliegen einer solchen Politik bereits aus der Art und Weise der Tatbegehung zu schließen.[314]

Ein solcher Angriff muss, um als Gesamttat eines Verbrechens gegen die Menschlichkeit eingestuft werden zu können, entweder *ausgedehnt* oder aber *systematisch* sein. Diese den Angriff charakterisierenden Merkmale sind als echte Alternativen zu verstehen,[315] wenngleich in der Realität häufig beide Merkmale kumulativ vorliegen werden.[316] Das quantitative Element „ausgedehnt" ist gegeben, wenn der Angriff eine Vielzahl von Tatopfern zur Folge hat.[317] „Systematisch" ist ein Angriff, wenn er aufgrund einer Planung und vorherigen Organisation erfolgt. Das Merkmal „systematisch" ist mithin qualitativer Art.[318]

Weitere Anforderungen an die Gesamttat werden vom Völkerrecht nicht gestellt. Dies bedeutet insbesondere, dass Verbrechen gegen die Menschlichkeit sowohl in Friedenszeiten als auch im Rahmen internationaler oder nichtinternationaler be-

---

313 Aus diesem Grund waren die Gewalttaten an der deutsch-deutschen Grenze keine Verbrechen gegen die Menschlichkeit. Denn es kam der DDR-Führung nicht (im Sinne einer Absicht, eines Ziels) darauf an, Personen zu erschießen, die die DDR verlassen wollten, sondern Ziel war es allein, Grenzüberschreitungen auf jeden Fall zu verhindern. Vgl. *Kreicker*, Art. 7 EMRK und die Gewalttaten an der deutsch-deutschen Grenze, S. 87 ff. Die Voraussetzung einer solchen zielgerichteten Intention des Staates bzw. der Organisation ist allerdings umstritten. So heißt es bei *Hall*, in: Triffterer (Hrsg.), Commentary on the Rome Statute, Art. 7 Rn. 92: "In essence, the policy element only requires that the acts of individuals alone, which are isolated, uncoordinated, and haphazard, be excluded." *Werle*, Völkerstrafrecht, Rn. 649, formuliert: „Das Politikelement ist (…) im Wesentlichen nichts anderes als eine Illustration des Gesamttaterfordernisses."

314 ICTY, *Tadić*, IT-94-1, 7.5.1997, para. 653; *Blaškić*, IT-95-14, 3.3.2000, para. 204. Siehe auch *Werle*, Völkerstrafrecht, Rn. 642 f.

315 Vgl. *Dixon*, in: Triffterer (Hrsg.), Commentary on the Rome Statute, Art. 7 Rn. 4; *Meseke*, Verbrechen gegen die Menschlichkeit, S. 130 f., 136 f.; *Vest*, ZStW 113 (2001), 457 (468); *Werle*, Völkerstrafrecht, Rn. 636; *Zimmermann*, NJW 2002, 3068 (3069).

316 So die Einschätzung in der Begründung zum dt. VStGB; vgl. BT-Drucks. 14/8524, S. 20.

317 *Dixon*, in: Triffterer (Hrsg.), Commentary on the Rome Statute, Art. 7 Rn. 11; *Meseke*, Verbrechen gegen die Menschlichkeit, S. 133 f.; *Satzger*, Internationales und Europäisches Strafrecht, § 15 Rn. 35; *Werle*, Völkerstrafrecht, Rn. 637. Damit ist es auch möglich, eine einzelne Tat mit außerordentlich weitreichender Wirkung wie den Terrorangriff auf das Word Trade Center in New York am 11.9.2001 als Verbrechen gegen die Menschlichkeit zu klassifizieren. So auch *Gropengießer*, LB Deutschland, Bd. 1, S. 21 (120).

318 *Dixon*, in: Triffterer (Hrsg.), Commentary on the Rome Statute, Art. 7 Rn. 11; *Meseke*, Verbrechen gegen die Menschlichkeit, S. 134 ff.; *Satzger*, Internationales und Europäisches Strafrecht, § 15 Rn. 35; *Werle*, Völkerstrafrecht, Rn. 638.

waffneter Konflikte begangen werden können und gegenüber den Kriegsverbrechen eine eigenständige Deliktskategorie bilden.[319]

e) Die Einzeltaten

Art. 7(1) IStGH-Statut enthält eine mit einer offenen Generalklausel abschließende Liste von sich zum Teil überschneidenden und nicht immer trennscharf voneinander abzugrenzenden Handlungen, die taugliche Einzeltaten eines Verbrechens gegen die Menschlichkeit darstellen. Jeder, der eine solche Einzeltat im Rahmen und in Kenntnis einer Gesamttat vorsätzlich vornimmt, verwirklicht den Tatbestand des Verbrechens gegen die Menschlichkeit. Die jeweilige Einzeltat selbst braucht dabei nicht die Merkmale „ausgedehnt" oder „systematisch" aufzuweisen.[320] Der Kreis tauglicher Täter ist nicht beschränkt, etwa auf staatliche Funktionsträger.[321]

aa) Tötung

Tathandlung kann zunächst die *vorsätzliche Tötung* einer Person oder mehrerer Personen sein.[322] Ausreichend ist hierbei die vorsätzliche Verursachung des Todes einer Person, auf eine irgendwie geartete besondere Motivation des Täters kommt es anders als beim Völkermordtatbestand nicht an.[323]

---

319 *Boot*, Genocide, Crimes Against Humanity, War Crimes, S. 477 f.; *Cassese*, International Criminal Law, S. 64, 73 f.; *Dahm/Delbrück/Wolfrum*, Völkerrecht, Bd. I/3, S. 1093, 1097; *Dixon*, in: Triffterer (Hrsg.), Commentary on the Rome Statute, Art. 7 Rn. 9; *McAuliffe de Guzman*, HRQ 22 (2000), 335 (355 ff.); *Vest*, ZStW 113 (2001), 457 (461); *Werle*, Völkerstrafrecht, Rn. 629. Siehe eingehend zur Geschichte der Ablösung der Verbrechen gegen die Menschlichkeit vom Kriegszusammenhang auch *Ambos/Wirth*, CLF 13 (2002), 1 (3 ff.).

320 ICTY, *Tadić*, IT-94-1, 7.5.1997, para. 649; *Cassese*, International Criminal Law, S. 66; *Dixon*, in: Triffterer (Hrsg.), Commentary on the Rome Statute, Art. 7 Rn. 9; *Gil Gil*, ZStW 112 (2000), 381 (387); *Gropengießer*, LB Deutschland, Bd. 1, S. 21 (120 f.); *Satzger*, Internationales und Europäisches Strafrecht, § 15 Rn. 34; *Vest*, ZStW 113 (2001), 457 (470); *Werle*, Völkerstrafrecht, Rn. 634.

321 *Werle*, Völkerstrafrecht, Rn. 650. Eine typische Form der Tatbegehung durch Privatpersonen ist die Denunziation von Opfern bei staatlichen Stellen, die einen der in Art. 7 IStGH-Statut genannten Taterfolge bewirkt.

322 Die *Elements of Crimes* (vgl. oben Anm. 178) zu Art. 7(2)(a) IStGH-Statut stellen klar, dass bereits die Tötung eines einzelnen Menschen zur Tatbestandserfüllung ausreicht. Siehe auch *Hall*, in: Triffterer (Hrsg.), Commentary on the Rome Statute, Art. 7 Rn. 19 ff.

323 *Ambos/Wirth*, CLF 13 (2002), 1 (46 ff.); *Meseke*, Verbrechen gegen die Menschlichkeit, S. 176 ff.; *Werle*, Völkerstrafrecht, Rn. 659 mit detaillierten Nachweisen zur Rechtsprechung von ICTY und ICTR.

bb) Ausrottung

Die zweite mögliche Tathandlung ist die der *Ausrottung*. Darunter ist nach Art. 7(2)(b) IStGH-Statut die vorsätzliche Auferlegung von Lebensbedingungen zu verstehen, die – so die deutsche Sprachfassung – geeignet sind, die Vernichtung eines Teils der Bevölkerung herbeizuführen.[324] Beispielhaft wird als Tatmodalität das Vorenthalten des Zugangs zu Nahrungsmitteln und Medikamenten genannt. Anders als die Ausrottungsalternative des Völkermordtatbestands (Art. 6(c) IStGH-Statut) muss die Tat nicht gegen eine bestimmte Gruppe gerichtet sein, so dass etwa die Auferlegung zerstörerischer Lebensbedingungen für Mitglieder politischer, sozialer oder kultureller Gruppen zwar nicht als Völkermord, wohl aber gegebenenfalls als Verbrechen gegen die Menschlichkeit geahndet werden kann.[325] Ähnlich wie bei Art. 6(c) IStGH-Statut stellt sich die Frage, ob die deutsche Sprachfassung, die auf die objektive Zerstörungsgeeignetheit der Tathandlung abstellt, den völkerrechtlichen Tatbestand korrekt wiedergibt.[326] Denn in der verbindlichen englischen Sprachfassung ist auch hier von "calculated to bring about the destruction" die Rede.[327] Richtigerweise wird man diese Formulierung wie bei der Ausrottungsvariante des Völkermordtatbestands dahingehend zu verstehen haben, dass allein die subjektive Zerstörungsabsicht des Täters maßgeblich ist.[328]

cc) Versklavung

Taugliche Tathandlung kann zudem die Versklavung sein, worunter gemäß Art. 7(2)(c) IStGH-Statut „die Ausübung aller oder einzelner mit dem Eigentums-

---

324 Die *Elements of Crimes* (vgl. oben Anm. 178) zu Art. 7(2)(b) IStGH-Statut verlangen darüber hinaus, dass der Täter den Tod eines oder mehrerer Menschen verursacht und die Tat Teil einer Massentötung ist. Damit wird der Rechtsprechung des ICTY und ICTR Rechnung getragen, die gleichfalls die Verursachung des Todes eines oder mehrerer Menschen im Rahmen einer Massentötung als Bestandteil des objektiven Tatbestands fordert (vgl. die Nachweise bei *Meseke*, Verbrechen gegen die Menschlichkeit, S. 182 ff.; *Werle*, Völkerstrafrecht, Rn. 661 ff.). Vieles spricht deshalb dafür, dass der völker(gewohnheits-)rechtliche Tatbestand der Ausrottung entgegen Art. 7(2)(b) IStGH-Statut das Vorliegen dieser zusätzlichen Tatbestandselemente fordert.

325 Vgl. *Meseke*, Verbrechen gegen die Menschlichkeit, S. 180; *Werle*, Völkerstrafrecht, Rn. 660. Gegebenenfalls kommt aus diesem Grund auch eine Verurteilung wegen Verbrechen gegen die Menschlichkeit in Betracht, wenn dem Täter einer Ausrottungshandlung die für Völkermord erforderliche spezifische Zerstörungsabsicht (siehe hierzu oben S. 42) nicht nachgewiesen werden kann.

326 Zur entsprechenden Problematik beim Völkermordtatbestand vgl. oben S. 40.

327 Ebenso die Formulierung des ICTY, *Krstic*, IT-98-33, 2.8.2001, para. 503.

328 So auch ICTR, *Akayesu*, ICTR-96-4-T, 2.9.1998, para. 505; ICTR, *Musema*, ICTR-96-13-A, 27.1.2000, para. 157; *Ambos*, Der Allgemeine Teil des Völkerstrafrechts, S. 798 sowie der österreichische Gesetzgeber, der in der amtlichen Übers. des Römischen Statuts die Formulierung „mit dem Ziel, die Vernichtung herbeizuführen", gewählt hat; vgl. öBGBl. 2002 III, S. 1017 (1068). Anderer Ansicht (auf die objektive Zerstörungsgeeignetheit abstellend) aber *Werle*, Völkerstrafrecht, Rn. 664.

recht an einer Person verbundenen Befugnisse“ zu verstehen ist. Eine Versklavung ist aber nicht nur dann gegeben, wenn die traditionellen Erscheinungsformen von Sklaverei vorliegen, etwa Menschen verkauft und wie bewegliches Eigentum als Handelsgegenstand missbraucht werden. Vielmehr ist Versklavung im modernen und tatbestandlichen Sinne bereits dann gegeben, wenn einer Person gegen ihren Willen ihre persönliche Bewegungsfreiheit entzogen wird, sie gleich einer im Eigentum des Täters stehenden Sache dessen Kontrolle und Verfügungsgewalt vollständig unterworfen ist und dem Täter – etwa in sexueller Beziehung – allein nach dessen Maßgabe zu dienen hat.[329] Fälle von Zwangsarbeit fallen ebenso wie Menschenhandel unter diese Tatbestandsvariante.[330]

dd) Vertreibung oder zwangsweise Überführung der Bevölkerung

Unter Vertreibung *(deportation)* und zwangsweiser Überführung *(forcible transfer)* der Bevölkerung versteht das Römische Statut gemäß Art. 7(2)d) die erzwungene, völkerrechtlich unzulässige Verbringung von Personen durch Ausweisung oder andere Zwangsmaßnahmen aus dem Gebiet, in dem sie sich rechtmäßig aufhalten *(forced displacement)*.[331] Vertreibung unterscheidet sich von der zwangsweisen Überführung allein dadurch, dass im erstgenannten Fall die betroffenen Personen aus einem Staatsgebiet in das Hoheitsgebiet eines anderen Staates verbracht werden oder fliehen, im zweiten Fall dagegen sich das Geschehen auf das Hoheitsgebiet eines Staates beschränkt.[332] Eingeschränkt wird der Tatbestand dadurch, dass nur die *völkerrechtswidrige* Verbringung erfasst wird. Tatbestandsmäßig ist damit im Wesentlichen allein eine willkürliche Vertreibung oder Überführung, nicht aber eine Verbringung von Personen aus ihrem angestammten Siedlungsgebiet etwa zu ihrem eigenen Schutz vor Umweltgefahren oder wegen der Errichtung großer Infrastruktureinrichtungen.[333]

ee) Freiheitsentzug

Verbrechen gegen die Menschlichkeit können ferner durch Freiheitsentzug oder sonstige schwerwiegende Beraubung der körperlichen Freiheit unter Verstoß gegen Grundregeln des Völkerrechts begangen werden (Art. 7(1)(e) IStGH-Statut).

---

329 Vgl. ICTY, *Kunarac* et al., IT-96-23, 22.2.2001, para. 542 f.; ICTY, *Kunarac* et al., IT-96-23, 12.6.2002, para. 106 ff.; *Meseke*, Verbrechen gegen die Menschlichkeit, S. 191 ff.; *Werle*, Völkerstrafrecht, Rn. 668 f.

330 *Meseke*, Verbrechen gegen die Menschlichkeit, S. 194 ff.; *Werle*, Völkerstrafrecht, Rn. 672 ff.

331 *Meseke*, Verbrechen gegen die Menschlichkeit, S. 201 ff.; *Werle*, Völkerstrafrecht, Rn. 679.

332 ICTY, *Krstic*, IT-98-33, 2.8.2001, para. 521; *Hall*, in: Triffterer (Hrsg.), Commentary on the Rome Statute, Art. 7 Rn. 31; *Werle*, Völkerstrafrecht, Rn. 680. Eingehend zu dieser Tatvariante auch *Ambos/Wirth*, CLF 13 (2002), 1 (59 ff.).

333 *Werle*, Völkerstrafrecht, Rn. 682.

Gemäß den *Elements of Crimes*[334] muss der Täter eine oder mehrere Personen einsperren oder auf sonstige Art und Weise ihrer persönlichen Fortbewegungsfreiheit berauben. Entscheidend ist die Unvereinbarkeit des Handelns mit „grundlegenden Regeln" *(fundamental rules)* des Völkerrechts. Dies bedeutet, dass die Freiheitsentziehungen gegen elementare Menschenrechte verstoßen müssen, wie sie unter anderem im IPBPR normiert sind. Freiheitsentziehungen, die im Rahmen eines ordnungsgemäßen rechtsstaatlichen Verfahrens als strafrechtliche Sanktionen oder zum Schutz der Bevölkerung oder auch des Opfers vor sich selbst angeordnet werden, sind mithin schon nicht tatbestandsmäßig.[335]

ff) Folter

Auch die Einzeltat „Folter" ist in Art. 7(2) IStGH-Statut näher definiert. Folter bedeutet danach, dass einer im Gewahrsam oder unter der Kontrolle des Täters befindlichen Person große körperliche oder seelische Schmerzen oder Leiden zugefügt werden.[336] Ausdrücklich nicht als Folter gelten Schmerzen oder Leiden, die sich lediglich aus gesetzlich zulässigen Sanktionen ergeben, dazu gehören oder damit verbunden sind.[337] Bedeutsam ist, dass diese Folterdefinition in zweierlei Hinsicht abweicht von der Definition der UN-Folterkonvention[338]. Zum einen braucht der Täter kein staatlicher Funktionsträger zu sein bzw. nicht auf Veranlassung oder mit Billigung staatlicher Funktionsträger zu handeln; vielmehr kommt auch bezüglich dieser Tatvariante jedermann als Täter in Betracht, und zwar selbst dann, wenn keine staatliche Involvierung in die Einzeltat gegeben ist.[339] Zum anderen braucht die Folterung nicht zu erfolgen, um eine Aussage zu gewinnen, eine Person zu bestrafen, einzuschüchtern, zu nötigen oder zu diskriminieren.[340] Vielmehr ist die Motivation des Folternden irrelevant.[341]

---

334 Siehe oben Anm. 178.

335 Der ICTY stellt entscheidend darauf ab, ob die Freiheitsentziehung willkürlich erfolgte. Vgl. ICTY, *Kordić* und *Čerkez*, IT-95-14, 26.2.2001, para. 302; ICTY, *Krnojelac*, IT-97-25, 15.3.2002, para. 110.

336 Eine exemplarische Aufzählung typischerweise tatbestandlicher Folterpraktiken findet sich bei *Werle*, Völkerstrafrecht, Rn. 696.

337 Ganz zu Recht interpretiert *Hall*, in: Triffterer (Hrsg.), Commentary on the Rome Statute, Art. 7 Rn. 106, die Klausel „lawful sanctions" dahingehend, dass nur solche nationalen Gesetze eine Strafbarkeit wegen Folter ausschließen, die sich im Einklang mit dem Völkerrecht befinden. Ebenso *Werle*, Völkerstrafrecht, Rn. 699.

338 Vgl. zur UN-Folterkonvention oben Anm. 40.

339 *Ambos/Wirth*, CLF 13 (2002), 1 (65 ff.); *Hall*, in: Triffterer (Hrsg.), Commentary on the Rome Statute, Art. 7 Rn. 107; *Meseke*, Verbrechen gegen die Menschlichkeit, S. 215; *Werle*, Völkerstrafrecht, Rn. 693, 698.

340 Teilweise anderer Ansicht aber die Rechtsprechung des ICTY; siehe die Nachweise bei *Werle*, Völkerstrafrecht, Rn. 701 mit Fn. 184. Vgl. ferner *Meseke*, Verbrechen gegen die Menschlichkeit, S. 217.

341 *Werle*, Völkerstrafrecht, Rn. 693, 700. Siehe auch ICTY, *Kunarac* et al., IT-96-23, 22.2.2001, para. 482; ICTY, *Kunarac* et al., IT-96-23, 12.6.2002, para. 147. In diesen

gg) Sexuelle Gewalttaten

Art. 7(1)(g) IStGH-Statut erfasst als Einzelhandlungen eine Vielzahl von sexuellen Gewalttaten. Namentlich benannt werden Vergewaltigung, worunter die vaginale, orale oder anale Penetration verstanden wird, grundsätzlich unabhängig vom Geschlecht des Tatopfers und bei der vaginalen und analen Penetration auch unabhängig vom Tatmittel,[342] sexuelle Sklaverei, Nötigung zur Prostitution, erzwungene Schwangerschaft, die in Art. 7(2)(f) IStGH-Statut legaldefiniert wird als die rechtswidrige Gefangenhaltung einer zwangsweise geschwängerten Frau in der Absicht, die ethnische Zusammensetzung der Bevölkerung zu beeinflussen oder andere Verstöße gegen das Völkerrecht zu begehen,[343] sowie die Zwangssterilisation, worunter die dauerhafte Beraubung der Fortpflanzungsfähigkeit gefasst wird.[344] Abschließend wird noch pauschal „jede andere Form sexueller Gewalt von vergleichbarer Schwere" als mögliche Tathandlung aufgeführt.

hh) Verfolgung

Eine weitere mögliche Einzeltat ist die der Verfolgung einer identifizierbaren Gruppe oder Gemeinschaft aus politischen, rassischen, nationalen, ethnischen, kulturellen oder religiösen Gründen, Gründen des Geschlechts oder aus anderen, nach dem Völkerrecht weltweit als unzulässig anerkannten Gründen. Einschränkend wird aber verlangt, dass diese Tat im Zusammenhang mit einer anderen als Verbrechen gegen die Menschlichkeit in Betracht kommenden Einzeltat oder einem anderen der Gerichtsbarkeit des IStGH unterfallenden Verbrechen, also im Zusammenhang mit einem Völkermord oder Kriegsverbrechen, begangen wird.[345] Art. 7(2)(g) IStGH-Statut definiert den Begriff „Verfolgung" als „völkerrechtswidrigen, vorsätzlichen und schwerwiegenden Entzug von Grundrechten *(fundamental rights)* wegen der Identität einer Gruppe oder Gemeinschaft". Tathandlung ist mithin der Entzug von elementaren Menschenrechten, wie sie unter anderem im IPBPR normiert sind (zu nennen sind das Recht auf Leben, das Recht auf körperliche Unver-

---

Judikaten wird jeweils betont, dass sich die völkerstrafrechtliche Folterdefinition von der der UN-Folterkonvention unterscheide, da die Konvention lediglich eine sehr begrenzte Zielrichtung habe, nämlich bestimmte (staatliche) Folterungen erfassen wolle.

342 Vgl. die *Elements of Crimes* (vgl. oben Anm. 178) zu Art. 7(2(g) IStGH-Statut sowie *Werle*, Völkerstrafrecht, Rn. 706.

343 Siehe hierzu auch *Werle*, Völkerstrafrecht, Rn. 713.

344 Siehe zu den einzelnen Tathandlungen die detaillierte Darstellung bei *Meseke*, Verbrechen gegen die Menschlichkeit, S. 218 ff.; *Werle*, Völkerstrafrecht, Rn. 705 ff.

345 *Meseke*, Verbrechen gegen die Menschlichkeit, S. 247 ff.; *Satzger*, Internationales und Europäisches Strafrecht, § 15 Rn. 48. *Werle*, Völkerstrafrecht, Rn. 726, geht davon aus, dass diese Einschränkung nicht auch Bestandteil des völkergewohnheitsrechtlichen Tatbestands ist.

sehrtheit, das Recht auf persönliche Freiheit).[346] Irrelevant ist, ob der Entzug solcher Menschenrechte durch einen Rechtsakt oder rein faktische Maßnahmen geschieht.[347] Als Tatopfer kommt jede Gruppe oder Gemeinschaft in Betracht (nicht nur wie beim Völkermordtatbestand eine nationale, ethnische, rassische oder religiöse Gruppe).[348] Verlangt wird aber ähnlich wie beim Völkermord, dass der Täter aus einer bestimmten diskriminierenden Motivation heraus handelt, und zwar aus nach dem Völkerrecht weltweit als unzulässig angesehenen Gründen.[349]

ii) Zwangsweises Verschwindenlassen

Die Einzeltat des Verschwindenlassens geht auf die Praxis südamerikanischer Diktaturen zurück, unliebsame politische Gegner zu entführen, sie festzuhalten bzw. zu töten und die Angehörigen bzw. die Öffentlichkeit über deren Verbleib und die staatliche Involvierung in die Entführung im Unklaren zu belassen.[350] Entsprechend ist die Tathandlung des zwangsweisen Verschwindenlassens von Personen in Art. 7(2)(i) IStGH-Statut definiert: „Zwangsweises Verschwindenlassen" bedeutet danach die Festnahme, den Entzug der Freiheit oder die Entführung von Personen durch einen Staat oder eine politische Organisation oder mit Ermächtigung, Unterstützung oder Duldung der Organisation, gefolgt von der Weigerung, diese Freiheitsberaubung anzuerkennen oder Auskunft über das Schicksal oder den Verbleib dieser Personen zu erteilen, wobei der Täter in der besonderen Absicht handeln muss, das oder die Tatopfer für längere Zeit dem Schutz des Gesetzes zu entziehen. Der einzelne Täter erfüllt den Tatbestand schon dann, wenn er eine der beiden Handlungsalternativen „Freiheitsentziehung" und „Auskunftsverweigerung" begeht, die andere Alternative aber zudem objektiv gegeben und vom Vorsatz des Täters erfasst ist.[351]

---

346 *Meseke*, Verbrechen gegen die Menschlichkeit, S. 240 ff.; *Werle*, Völkerstrafrecht, Rn. 721.

347 Vgl. ICTY, *Tadić*, IT-94-1, 7.5.1997, para. 710.

348 *Meseke*, Verbrechen gegen die Menschlichkeit, S. 239 f.; *Werle*, Völkerstrafrecht, Rn. 720.

349 *Meseke*, Verbrechen gegen die Menschlichkeit, S. 250; *Satzger*, Internationales und Europäisches Strafrecht, § 15 Rn. 48; *Werle*, Völkerstrafrecht, Rn. 653, 727 ff. Siehe bezüglich der Tatbestandsdefinition auch ICTY, *Kupreškić* et al., IT-95-16, 14.1.2000, para. 616 ff.

350 Zu den tatsächlichen Erscheinungsformen dieses Verbrechens vgl. *Grammer*, Der Tatbestand des Verschwindenlassens, S. 7 ff.

351 Näher zu diesem Tatbestand die *Elements of Crimes* (vgl. oben Anm. 178) zu Art. 7(2)(i) IStGH-Statut sowie *Meseke*, Verbrechen gegen die Menschlichkeit, S. 230 ff.; *Werle*, Völkerstrafrecht, Rn. 736 ff.

jj) Verbrechen der Apartheid

Die Einzeltat der Apartheid geht – schon begrifflich[352] – auf die jahrzehntelange menschenverachtende Politik der Rassentrennung in Südafrika zurück, die bereits 1973 durch die von vielen westlichen Staaten einschließlich der Bundesrepublik Deutschland bis heute abgelehnte Apartheidkonvention[353] als menschenrechtswidrig gebrandmarkt wurde.[354] Die Einzeltat der Apartheid als mögliche Begehungsform eines Verbrechens gegen die Menschlichkeit wird von Art. 7(2)(h) IStGH-Statut definiert als „unmenschliche Handlungen ähnlicher Art wie die in Abs. 1 genannten, die von einer rassischen Gruppe im Zusammenhang mit einem institutionalisierten Regime der systematischen Unterdrückung und Beherrschung einer oder mehrerer anderer rassischer Gruppen in der Absicht begangen werden, dieses Regime aufrechtzuerhalten".[355] Die Anführung allein von „ähnlichen" Handlungen wie die in Art. 7(1) IStGH-Statut genannten ist dabei als Redaktionsfehler zu klassifizieren.[356] Handlungen genau der Art, wie sie in Art. 7(1) IStGH-Statut genannt werden, können ebenfalls Tathandlungen des Apartheidsverbrechens sein, sofern sie von einer rassischen Gruppe im Rahmen eines institutionalisierten Systems der Unterjochung einer anderen Rasse mit der Absicht der Systemerhaltung begangen werden.[357]

kk) Andere unmenschliche Handlungen ähnlicher Art

Die den Katalog der Einzeltaten abschließende Klausel, nach der auch „andere unmenschliche Handlungen ähnlicher Art, mit denen vorsätzlich große Leiden oder eine schwere Beeinträchtigung der körperlichen Unversehrtheit oder der geistigen oder körperlichen Gesundheit verursacht werden", als taugliche Einzeltaten eines Verbrechens gegen die Menschlichkeit in Betracht kommen können (Art. 7(1)(k) IStGH-Statut), soll Strafbarkeitslücken vermeiden.[358] Mit dieser Auffangklausel

---

352 Das Wort „Apartheid" stammt aus dem Afrikaans und bedeutet „Getrenntheit"; vgl. *Meseke*, Verbrechen gegen die Menschlichkeit, S. 261.

353 *International Convention on the Suppression and Punishment of the Crime of Apartheid* vom 30.11.1973; UNTS 1015, 243 = ILM 13 (1974), 51. Nichtamtliche dt. Übers. in VN 1975, 57. Vgl. allgemein zur Apartheidkonvention *Dahm/Delbrück/Wolfrum*, Völkerrecht, Bd. I/3, S. 1097 f.; *Ipsen*, in: ders., Völkerrecht, § 48 Rn. 23; *Karl*, Völkerrechtliche Immunität, S. 81 ff.

354 Zur Apartheid in Südafrika und dem Umgang mit ihr nach dem Systemwechsel siehe *von Dewitz*, in: Eser/Sieber/Arnold (Hrsg.), Strafrecht in Reaktion auf Systemunrecht, Bd. 8, S. 28 ff.; *Nerlich*, Apartheidkriminalität vor Gericht, passim.

355 Siehe zu diesen Tatbestandsmerkmalen *Meseke*, Verbrechen gegen die Menschlichkeit, S. 262 ff.; *Werle*, Völkerstrafrecht, Rn. 743 ff.

356 Vgl. *Gropengießer*, LB Deutschland, Bd. 1, S. 21 (135 f.); *Meseke*, Verbrechen gegen die Menschlichkeit, S. 262.

357 So auch die *Elements of Crimes* (siehe oben Anm. 178) zu Art. 7(2)(h) IStGH-Statut.

358 Siehe zur Problematik der Unbestimmtheit dieses Tatbestandsmerkmals ICTY, *Kupreskic* et al., IT-95-16, 14.1.2000, para. 563 ff.

setzt das Römische Statut die „Tradition" der schriftlichen Fixierung des Verbrechens gegen die Menschlichkeit fort. Sämtliche völkerrechtliche Instrumente, die Verbrechen gegen die Menschlichkeit benennen, angefangen vom IMT-Statut über das KRG Nr. 10 bis hin zum ICTY-Statut und ICTR-Statut, enthalten einen solchen relativ unbestimmten Auffangtatbestand.[359] Anwendungsfälle dieser Auffangklausel können beispielsweise medizinische Versuche an Menschen sein, wie sie von der NS-Diktatur unter anderem an Häftlingen von Konzentrationslagern vorgenommen wurden.[360]

f) Die subjektiven Strafbarkeitsvoraussetzungen

In subjektiver Hinsicht ist zunächst *Vorsatz hinsichtlich der Einzelhandlungen* erforderlich, wobei es ausreicht, wenn der Täter mit bedingtem Vorsatz (dolus eventualis) handelt.[361]

Zudem muss der Täter – wie Art. 7(1) IStGH-Statut betont – *positive Kenntnis* (im Sinne sicheren Wissens) *vom Vorliegen der erforderlichen Gesamttat* und der Einordnung seiner Tathandlung in die Gesamttat haben.[362] Allerdings braucht diese Kenntnis des Täters keine Einzelheiten der Planung oder Politik des für die Gesamttat verantwortlichen Staates bzw. der für die Gesamttat verantwortlichen Organisation zu umfassen.[363]

Darüber hinaus verlangen – wie schon angedeutet wurde – einige Tatvarianten eine *besondere Absicht oder Motivation* des Täters, wenngleich Verbrechen gegen die Menschlichkeit – anders als Völkermordtaten – nicht generell eine besondere (Zerstörungs-)Absicht oder diskriminierende Motivation des Täters erfordern.[364] So muss der Täter bei der Tatvariante der „erzwungenen Schwangerschaft" mit der

---

359 Vgl. *Werle*, Völkerstrafrecht, Rn. 748.

360 *Meseke*, Verbrechen gegen die Menschlichkeit, S. 236; *Werle*, Völkerstrafrecht, Rn. 749.

361 *Meseke*, Verbrechen gegen die Menschlichkeit, S. 164 f. Zumindest nach Völkergewohnheitsrecht genügt auf der subjektiven Tatseite bedingter Vorsatz („dolus eventualis"); vgl. *Werle*, Völkerstrafrecht, Rn. 307, 764. Zur umstrittenen Frage, ob bzw. inwieweit Art. 30 IStGH-Statut auch Fälle des bedingten Vorsatzes erfasst, vgl. *Gropengießer*, LB Deutschland, Bd. 1, S. 21 (272 f.) sowie unten S. 206.

362 *Cassese*, International Criminal Law, S. 81 f.; *Dixon*, in: Triffterer (Hrsg.), Commentary on the Rome Statute, Art. 7 Rn. 15; *Meseke*, Verbrechen gegen die Menschlichkeit, S. 165 ff.; *Satzger*, Internationales und Europäisches Strafrecht, § 15 Rn. 39; *Werle*, Völkerstrafrecht, Rn. 652.

363 Siehe die Einleitung der *Elements of Crimes* (vgl. oben Anm. 178) zu Art. 7 IStGH-Statut sowie *Meseke*, Verbrechen gegen die Menschlichkeit, S. 165 ff.; *Werle*, Völkerstrafrecht, Rn. 652.

364 *Cassese*, International Criminal Law, S. 81 f.; *Dahm/Delbrück/Wolfrum*, Völkerrecht, Bd. I/3, S. 1096; *Dixon*, in: Triffterer (Hrsg.), Commentary on the Rome Statute, Art. 7 Rn. 16; *Meseke*, Verbrechen gegen die Menschlichkeit, S. 169 ff.; *Satzger*, Internationales und Europäisches Strafrecht, § 15 Rn. 40; *Werle*, Völkerstrafrecht, Rn. 615, 653.

Absicht handeln, die ethnische Zusammensetzung der Bevölkerung zu beeinflussen oder andere schwere Verstöße gegen das Völkerrecht zu begehen.[365] Bei der „Verfolgung" muss der Täter aufgrund einer besonderen diskriminierenden Motivation handeln, nämlich aus politischen, rassischen, nationalen, ethnischen, kulturellen oder religiösen Gründen, Gründen des Geschlechts oder aus anderen nach dem Völkerrecht weltweit als unzulässig anerkannten Gründen.[366] Zudem muss der die Verfolgung kennzeichnende Entzug von Grundrechten gerade wegen der Identität der verfolgten Gruppe oder Gemeinschaft erfolgen. Verschwindenlassen kann nur dann ein Verbrechen gegen die Menschlichkeit sein, wenn das Handeln in der Absicht erfolgt, das Tatopfer für längere Zeit dem Schutz des Gesetzes zu entziehen.[367] Und schließlich wird hinsichtlich der Einzeltat der Apartheid verlangt, dass in der Absicht gehandelt wird, das Apartheidsystem aufrechtzuerhalten.[368]

2. Tatbestandsmäßigkeit im nationalen Recht

a) Allgemeine Feststellungen zur nationalen Gesetzgebung

Während nahezu alle untersuchten nationalen Rechtsordnungen – wie gezeigt – einen speziellen Straftatbestand zur Erfassung von Völkermord aufweisen,[369] ergibt sich hinsichtlich der Verbrechen gegen die Menschlichkeit ein deutlich anderes Bild: Lässt man zunächst die im „Teilprojekt Lateinamerika"[370] bearbeiteten mittel- und südamerikanischen Länder außer Betracht, so haben von 23 untersuchten Staaten[371] lediglich elf – also etwas weniger als die Hälfte der analysierten Rechtsordnungen – einen Spezialtatbestand zur Ahndung von Verbrechen gegen die Menschlichkeit. Namentlich sind dies folgende Staaten: Australien,[372] Deutschland,[373] England,[374] Estland,[375] Frankreich,[376] Kanada,[377] Kroatien,[378] Weißrussland,[379] Ser-

---

365 *Werle*, Völkerstrafrecht, Rn. 714.

366 ICTY, *Kupreškić* et al., IT-95-16, 14.1.2000, para. 607; *Werle*, Völkerstrafrecht, Rn. 727 ff.

367 *Werle*, Völkerstrafrecht, Rn. 739.

368 *Werle*, Völkerstrafrecht, Rn. 747.

369 Siehe oben S. 44 mit Anm. 203.

370 Zur gesonderten Bearbeitung der in das Projekt „Nationale Strafverfolgung völkerrechtlicher Verbrechen" einbezogenen lateinamerikanischen Staaten siehe oben S. 4.

371 Zu den in das Projekt einbezogenen Staaten und ihrer geographischen Verteilung siehe oben S. 4.

372 Sections 268.8–268.23 Federal CC; vgl. *Biehler/Kerll*, LB Australien, Bd. 6, S. 19 (29 ff.).

373 § 7 VStGB; vgl. *Gropengießer*, LB Deutschland, Bd. 1, S. 21 (112); *Kreicker*, LB Deutschland, Bd. 1, S. 21 (53, 71).

374 Section 50 und Schedule 8 ICC Act; vgl. *Rabenstein/Bahrenberg*, LB England/ Wales, Bd. 6, S. 261 (271, 333 ff., 340 f.).

375 Art. 89 StGB; vgl. *Parmas*, LB Estland, Bd. 5, S. 89 (98).

bien und Montenegro,[380] Spanien[381] und die Türkei[382]. Dagegen können zwölf Staaten diese Völkerstraftat allein unter Rückgriff auf die „normalen“, auch für die Alltagskriminalität geltenden Strafnormen ahnden, und zwar China,[383] Côte d'Ivoire,[384] Finnland,[385] Griechenland,[386] Israel,[387] Italien,[388] Österreich,[389] Polen,[390] Russland,[391] Schweden,[392] Slowenien[393] und die USA[394]. Nimmt man noch die elf im „Teilprojekt Lateinamerika“ betrachteten Staaten hinzu, von denen kein einziger einen Tatbestand aufweist, der speziell auf Verbrechen gegen die Mensch-

---

376 Art. 212-1 CP; vgl. *Lelieur-Fischer*, LB Frankreich, Bd. 4, S. 225 (238).

377 Sections 4 und 6 CAHWCA; vgl. *Gut/Wolpert*, LB Kanada, Bd. 5, S. 19 (25, 28 ff.).

378 Art. 157a StG; vgl. *Novoselec*, LB Kroatien, Bd. 3, S. 19 (31).

379 Art. 128 StGB; vgl. *Lammich*, LB Russland/Weißrussland, Bd. 6, S. 351 (361 f.).

380 Gegenwärtig gilt der Spezialtatbestand zur Erfassung von Verbrechen gegen die Menschlichkeit allerdings nur in der Teilrepublik Montenegro (Art. 427 StGB Montenegro), während die wortlautidentische Norm für die Teilrepublik Serbien (Art. 141a StGB Serbien) sich noch im Entwurfsstadium befindet; vgl. *Škulić*, LB Serbien und Montenegro, Bd. 3, S. 211 (219, 222).

381 Art. 670bis Código Penal; vgl. *Gil Gil*, LB Spanien, Bd. 4, S. 99 (191, 198 ff.).

382 *Tellenbach*, LB Türkei, Bd. 6, S. 393 (403).

383 *Richter*, LB China, Bd. 6, S. 141 (155). Bemerkenswert ist, dass China unter Berufung auf das Statut des ICTY davon ausgeht, dass Verbrechen gegen die Menschlichkeit auch noch heutzutage lediglich im Rahmen eines bewaffneten Konflikts begangen werden können; vgl. *Richter*, a.a.O., S. 11. Siehe zur Überwindung dieses früheren Nexuserfordernisses aber schon oben S. 58 f.

384 *Kouassi/Paulenz*, LB Côte d'Ivoire, Bd. 4, S. 19 (31 f.).

385 *Frände*, LB Finnland, Bd. 2, S. 21 (29).

386 *Retalis*, LB Griechenland, Bd. 5, S. 189 (195).

387 *Kremnitzer/Cohen*, LB Israel, Bd. 5, S. 317 (325, 329).

388 *Grammer*, LB Italien, Bd. 4, S. 337 (352).

389 *Zerbes*, LB Österreich, Bd. 3, S. 85 (95, 97).

390 *Weigend*, LB Polen, Bd. 2, S. 77 (89 ff.). Zwar enthält das polnische StGB zwei als „Verbrechen gegen die Menschlichkeit“ bezeichnete Strafnormen (Art. 118 und 119 StGB), doch handelt es sich dabei in der Sache nicht um Spezialtatbestände zur Erfassung von Verbrechen gegen die Menschlichkeit im engen völkerstrafrechtlichen Sinne. Art. 118 StGB stellt in der Sache Völkermordtaten unter Strafe (Völkermord wird in Polen als besonderer Fall des Verbrechens gegen die Menschlichkeit angesehen), Art. 119 StGB pönalisiert in Ergänzung dieses Völkermordtatbestands die Gewaltanwendung gegen und die Bedrohung von Personen wegen ihrer nationalen, ethnischen, rassischen oder politischen Zugehörigkeit oder wegen ihrer Konfession oder Konfessionslosigkeit. Siehe *Weigend*, a.a.O., S. 86, 89 ff., 163 f.

391 *Lammich*, LB Russland/Weißrussland, Bd. 6, S. 351 (361).

392 *Cornils*, LB Schweden, Bd. 2, S. 183 (195 ff.). Allerdings hat in Schweden eine Expertenarbeitsgruppe einen Entwurf für ein Gesetz über Völkerrechtsstraftaten vorgelegt, der unter anderem die Schaffung eines Spezialtatbestands zur Erfassung von Verbrechen gegen die Menschlichkeit vorsieht; vgl. *Cornils*, a.a.O., S. 190, 198 ff.

393 *Korošec*, LB Slowenien, Bd. 3, S. 329 (343 ff.).

394 *Silverman*, LB USA, Bd. 5, S. 411 (425 f., 430 f.).

lichkeit bezogen ist,[395] so ist nur knapp ein Drittel der untersuchten Staaten in der Lage, Verbrechen gegen die Menschlichkeit als solche zu bestrafen.

Wirft man einen näheren Blick auf die Staaten, die einen Spezialtatbestand zur Erfassung von Verbrechen gegen die Menschlichkeit haben, so zeigt sich, dass diese Spezialtatbestände erst in der letzten Zeit, bis auf einen Fall sogar erst nach Verabschiedung des Römischen Statuts des Internationalen Strafgerichtshofs geschaffen wurden.[396]

Dieser Befund dürfte darauf zurückzuführen sein, dass Verbrechen gegen die Menschlichkeit – anders als Völkermord und Kriegsverbrechen – bis zur Verabschiedung des Römischen Statuts nicht völkervertraglich definiert waren[397] und vor allem bis heute keine völkervertragliche Pönalisierungs- und Verfolgungspflicht für diese Völkerstraftat besteht.[398] Während die UN-Völkermordkonvention von 1948 und die Genfer Abkommen von 1949 mit dem ZP I von 1977 den Vertragsstaaten eine Pflicht nur nationalen Strafverfolgung von Völkermord und bestimmten Kriegsverbrechen auferlegen und diese Völkerstraftaten relativ klar definieren, hat das Verbrechen gegen die Menschlichkeit erst durch die Rechtsprechung des ICTY und ICTR sowie die Verbrechensdefinition im Römischen Statut klare Konturen gewonnen. Man wird sogar so weit gehen dürfen festzustellen, dass überhaupt erst seit Anfang der neunziger Jahre des vorigen Jahrhunderts die Strafbarkeit von Verbrechen gegen die Menschlichkeit unmittelbar nach Völkerrecht ohne

---

395 Zwar haben einige dieser Staaten Einzelaspekte des Verbrechens gegen die Menschlichkeit in besonderen Tatbeständen pönalisiert, etwa Kolumbien, El Salvador, Venezuela und Peru das „Verschwindenlassen“, doch jeweils ohne das für Verbrechen gegen die Menschlichkeit charakteristische Erfordernis eines Gesamttatgeschehens. Insofern kann hinsichtlich dieser Normen nicht von Spezialtatbeständen zur Erfassung von Verbrechen gegen die Menschlichkeit gesprochen werden. Siehe *Ambos/Malarino*, Zusammenfassung Lateinamerika, Bd. 4, S. 465 (471 f.).

396 Australien 2002, vgl. *Biehler/Kerll*, LB Australien, Bd. 6, S. 19 (25); Deutschland 2002, vgl. *Kreicker*, LB Deutschland, Bd. 1, S. 21 (53, 60); England und Wales 2001, vgl. *Rabenstein/Bahrenberg*, LB England/Wales, Bd. 6, S. 261 (267); Estland 2001, vgl. *Parmas*, LB Estland, Bd. 5, S. 89 (95, 98); Frankreich 1994, vgl. *Lelieur-Fischer*, LB Frankreich, Bd. 4, S. 225 (235 f.); Kanada 2000, vgl. *Gut/Wolpert*, LB Kanada, Bd. 5, S. 19 (24); Kroatien 2004, vgl. *Novoselec*, LB Kroatien, Bd. 3, S. 19 (27, 31); Serbien und Montenegro (Teilrepublik Montenegro, siehe oben Anm. 380) 2003, vgl. *Škulić*, LB Serbien und Montenegro, Bd. 3, S. 211 (219); Spanien 2004, vgl. *Gil Gil*, LB Spanien, Bd. 4, S. 99 (191); die Türkei 2005, vgl. *Tellenbach*, LB Türkei, Bd. 6, S. 393 (403); Weißrussland 1999, vgl. *Lammich*, LB Russland/Weißrussland, Bd. 6, S. 351 (357).

397 Sieht man einmal vom IMT-Statut (hierzu oben Anm. 151) und vom Statut für den parallelen Strafgerichtshof für den Fernen Osten ab, deren Regelungsgegenstand allein die Aburteilung von während des Zweiten Weltkrieges begangenen Taten durch die Alliierten war.

398 Zu den völkervertraglichen Pönalisierungs- und Verfolgungspflichten siehe oben S. 9 ff. Hinzuweisen ist aber darauf, dass – jedenfalls heutzutage – das Völkergewohnheitsrecht den Tatortstaaten sowie dem Heimat- und dem Aufenthaltsstaat eines Täters eine Pflicht zur nationalen Strafverfolgung von Verbrechen gegen die Menschlichkeit auferlegt. Siehe hierzu oben S. 12 ff.

Zweifel bejaht werden kann.[399] Insofern sahen die Staaten lange Zeit keinen Anlass, (auch) einen Spezialtatbestand zur Ahndung von Verbrechen gegen die Menschlichkeit zu schaffen, bzw. wäre ein solches Vorhaben wegen der Unsicherheit über die Merkmale dieser Völkerstraftat ein überaus heikles Unterfangen gewesen. Wegen des Fehlens einer völkervertraglichen Pönalisierungs- und Bestrafungspflicht besteht auch heute noch eine im Vergleich zu Völkermord und Kriegsverbrechen sehr viel geringere Motivation der Staaten, dieses Verbrechen durch einen Spezialtatbestand zu erfassen.

Die Tatsache, dass dennoch etliche Staaten nach Verabschiedung des Römischen Statuts einen nationalen Spezialtatbestand zur Ahndung von Verbrechen gegen die Menschlichkeit geschaffen haben, dürfte damit zusammenhängen, dass die Staaten vor dem Hintergrund des Komplementaritätsprinzips des Römischen Statuts[400] sicherstellen wollen, ebenso wie der IStGH zu einer Strafverfolgung völkerrechtlicher Verbrechen in der Lage zu sein. Dieser Befund bestätigt mithin, dass vom Römischen Statut ein „rechtspolitischer Zwang" zu einer Implementation der im Statut normierten Völkerstraftatbestände ausgeht[401] und zeigt, dass nicht nur „harte" völkervertragliche Bestrafungspflichten, sondern auch „weiche" völkerrechtliche Regelungen wie das Komplementaritätsprinzip, das zwar keine Pflicht zu einer nationalen Strafverfolgung begründet, aber das Unterbleiben einer solchen an die für die Staaten zumindest politisch unangenehme Konsequenz der Verfolgungskompetenz des IStGH knüpft, geeignet sind, die Staaten zu der gewünschten Schaffung und Anwendung nationalen Völkerstrafrechts zu motivieren. Bedeutsam ist sicherlich auch, dass es den Staaten angesichts der klaren völkerrechtlichen Definition des Verbrechens gegen die Menschlichkeit im Römischen Statut nunmehr relativ einfach fällt, einen nationalen Straftatbestand zur Erfassung dieser Völkerstraftat zu formulieren, und das Römische Statut letzte Zweifel an der völkergewohnheitsrechtlichen Geltung dieses Tatbestands zerstreut hat.

Allgemein lässt sich aus diesem rechtsvergleichenden Befund ableiten, dass offenbar zwei Voraussetzungen vorliegen müssen, damit die Staaten weithin bereit sind, nationale Strafnormen in Umsetzung völkerstrafrechtlicher Normen (bzw. allgemein als Reaktion auf völkerrechtliche Strafverfolgungsgebote oder Strafverfolgungsinteressen) zu schaffen: Zum einen muss das zu bestrafende bzw. als strafwürdig angesehene Verhalten auf völkerrechtlicher Ebene klar bestimmt sein. Diese Voraussetzung der klaren völkerrechtlichen Tatbestandskonturierung ist vor allem dann gegeben, wenn das betreffende Verhalten in einem völkerrechtlichen Vertrag genau beschrieben und (damit) schriftlich fixiert ist. Zum anderen muss offenbar ein gewisser „Zwang" bestehen, spezielle nationale Strafnormen zu schaf-

---

399 Vgl. *Kreicker*, Art. 7 EMRK und die Gewalttaten an der deutsch-deutschen Grenze, S. 90 ff.

400 Siehe zum Komplementaritätsprinzip oben S. 2.

401 Siehe hierzu schon oben S. 9.

fen, wobei dieser Zwang nicht unbedingt aus einer völkervertraglichen Bestrafungspflicht resultieren muss, sondern auch „weiche", eher indirekt wirkende Mechanismen wie das als „rechtspolitischer Zwang" wirkende Komplementaritätsprinzip des Römischen Statuts ausreichen, um die Staaten zu einer Schaffung nationalen (Völker-)Strafrechts zu motivieren.

b) Die Struktur des Verbrechens gegen die Menschlichkeit in den nationalen Rechtsordnungen

Die Staaten, die eine nationale Strafverfolgung von Verbrechen gegen die Menschlichkeit nicht nur unter Anwendung ihrer „normalen", auch für die Alltagskriminalität geltenden Straftatbestände betreiben können, sondern über einen spezifisch auf Verbrechen gegen die Menschlichkeit bezogenen Straftatbestand verfügen, haben diesen Spezialtatbestand in aller Regel in sehr enger Anlehnung an den völkerrechtlichen Tatbestand formuliert. Die Struktur des nationalen Tatbestands der Verbrechen gegen die Menschlichkeit entspricht in allen diesen Staaten jedenfalls im Großen und Ganzen der Struktur des völkerrechtlichen Tatbestands, wie er im Römischen Statut seinen Niederschlag gefunden hat. Das heißt, es sind zum einen stets bestimmte Einzeltaten als strafbare Verhaltensweisen festgelegt – zumeist die Handlungen, die auch in Art. 7 IStGH-Statut als strafbare Einzelhandlungen aufgeführt sind –, zum anderen ist über die Begehung einer der Einzeltaten hinaus für die Tatbestandsverwirklichung jeweils erforderlich, dass die Einzeltaten im Rahmen eines besonderen Gesamttatgeschehens begangen werden. Wie beim völkerrechtlichen Tatbestand ist also auch bei den nationalen Spezialtatbeständen das besondere Charakteristikum, dass die Handlungen im Rahmen eines Gesamttatgeschehens begangen werden.[402]

Im Folgenden soll näher betrachtet werden, wie das Gesamttaterfordernis und die strafbaren Einzelhandlungen bei den Spezialtatbeständen der nationalen Rechtsordnungen ausgestaltet sind. Zudem soll – soweit die Landesberichte hierüber Auskunft geben – skizziert werden, inwieweit die Staaten, die keinen Spezialtatbestand zur Erfassung von Verbrechen gegen die Menschlichkeit haben, in der Lage sind, dieses völkerrechtliche Verbrechen zu ahnden.

---

402 Vgl. *Biehler/Kerll*, LB Australien, Bd. 6, S. 19 (30, 91 ff.); *Gil Gil*, LB Spanien, Bd. 4, S. 99 (116 ff., 298 ff.); *Gropengießer*, LB Deutschland, Bd. 1, S. 21 (119 ff.); *Gut/Wolpert*, LB Kanada, Bd. 5, S. 19 (28 ff.); *Lammich*, LB Russland/Weißrussland, Bd. 6, S. 351 (361 f.); *Lelieur-Fischer*, LB Frankreich, Bd. 4, S. 225 (238); *Novoselec*, LB Kroatien, Bd. 3, S. 19 (31); *Parmas*, LB Estland, Bd. 5, S. 89 (98 f.); *Rabenstein/Bahrenberg*, LB England/Wales, Bd. 6, S. 261 (271, 333 f.); *Škulić*, LB Serbien und Montenegro, Bd. 3, S. 211 (222); *Tellenbach*, LB Türkei, Bd. 6, S. 393 (403).

c) *Das Gesamttaterfordernis*

In den meisten der untersuchten nationalen Rechtsordnungen, die einen Spezialtatbestand „Verbrechen gegen die Menschlichkeit" haben, ist das Gesamttaterfordernis wie in Art. 7(1) IStGH-Statut definiert als „ausgedehnter oder systematischer Angriff gegen eine Zivilbevölkerung". Dies gilt für Australien,[403] Deutschland,[404] England und Wales,[405] Kanada,[406] Kroatien,[407] Serbien und Montenegro[408] sowie Spanien[409]. Insofern entsprechen die nationalen Tatbestände der genannten Staaten – was dieses Gesamttaterfordernis anbelangt – dem völkerrechtlichen Tatbestand. Denn nicht nur das Römische Statut definiert die Gesamttat mit diesen Worten,[410] sondern auch die Rechtsprechung der UN-Strafgerichtshöfe bezeichnet die Gesamttat als „widespread or systematic attack against a civilian population".[411] Umgekehrt bestätigen die nationalen Straftatbestände der genannten Länder die völkergewohnheitsrechtliche Geltung dieser Gesamttatdefinition, vor allem die Tatsache, dass es für die Tatbestandsverwirklichung ausreichend ist, wenn der Angriff gegen eine Zivilbevölkerung entweder „ausgedehnt" oder „systematisch" erfolgt.

Fraglich ist allerdings, ob auch das so genannte *policy element* völkergewohnheitsrechtlich gilt. Dabei handelt es sich um das in Art. 7(2)(a) IStGH-Statut festgelegte Erfordernis, dass die betreffende Verhaltensweise „in Ausführung oder zur Unterstützung der Politik eines Staates oder einer Organisation, die einen solchen Angriff zum Ziel hat", begangen wird.[412] Allein die Spezialtatbestände von England und Wales sowie von Estland normieren explizit das Erfordernis eines *policy element*. Der ICC Act (2001) von England und Wales legt dieses *policy element* fest, indem section 50 i.V.m. schedule 8 wortwörtlich die Tatbestandsdefinition des Art. 7 IStGH-Statut übernimmt.[413] Der Tatbestand von Estland – Art. 89 StGB – verlangt, dass die Tatbegehung „angestiftet oder angeleitet wird von einem Staat,

---

403 *Biehler/Kerll*, LB Australien, Bd. 6, S. 19 (30).

404 *Gropengießer*, LB Deutschland, Bd. 1, S. 21 (119).

405 *Rabenstein/Bahrenberg*, LB England/Wales, Bd. 6, S. 261 (271, 333 f.).

406 *Gut/Wolpert*, LB Kanada, Bd. 5, S. 19 (28 ff.). Das kanadische Recht verweist zur Tatbestandsdefinition pauschal auf das Völkerrecht, und zwar auf sämtliche Rechtsquellen des Völkerrechts (vgl. oben S. 27). Damit wird auch das Gesamttaterfordernis des völkerrechtlichen Tatbestands in das kanadische Recht inkorporiert.

407 *Novoselec*, LB Kroatien, Bd. 3, S. 19 (31).

408 *Škulić*, LB Serbien und Montenegro, Bd. 3, S. 211 (222). Allerdings gilt der Spezialtatbestand zur Erfassung von Verbrechen gegen die Menschlichkeit derzeit allein in der Teilrepublik Montenegro; siehe hierzu schon oben Anm. 380.

409 *Gil Gil*, LB Spanien, Bd. 4, S. 99 (116 ff., 198 ff.).

410 Vgl. oben S. 61.

411 Siehe nur ICTY, *Tadić*, IT-94-1, 7.5.1997, para. 630 ff.

412 Siehe zu diesem „policy element" des Art. 7 IStGH-Statut oben S. 64.

413 Siehe *Rabenstein/Bahrenberg*, LB England/Wales, Bd. 6, S. 261 (271, 333).

einer Organisation oder Gruppe".[414] Die übrigen Tatbestände, die die Gesamttat als „ausgedehnten oder systematischen Angriff gegen eine Zivilbevölkerung" definieren, beschränken sich zur Bezeichnung der Gesamttat auf diesen Begriff. Doch zeigen die Landesberichte, dass in den einschlägigen Gesetzesbegründungen einiger dieser Staaten explizit betont wird, der Terminus „Angriff gegen eine Zivilbevölkerung" sei in dem Sinne zu verstehen, wie ihn Art. 7(2)(a) IStGH-Statut definiert.[415] Das *policy element* hat also, wenngleich es in den meisten nationalen Tatbeständen nicht ausdrücklich erwähnt wird, auch auf nationaler Ebene Anerkennung gefunden. Mithin spricht vieles dafür, dass auch der völkergewohnheitsrechtliche Verbrechenstatbestand das in Art. 7(2)(a) IStGH-Statut bezeichnete *policy element* enthält.[416] Allerdings ist darauf hinzuweisen, dass der schwedische Entwurf für ein Völkerstrafgesetz, in dem die Gesamttat als „ausgedehnter oder systematischer Angriff gegen eine Gruppe von Zivilpersonen" bezeichnet wird, bewusst auf die Festlegung eines *policy element* verzichtet und dies damit begründet, mit einem solchen Erfordernis bliebe man hinter dem Stand des Völkerrechts zurück.[417]

Signifikant abweichend von der Gesamttatdefinition des Römischen Statuts und der internationalen Rechtsprechung sind nur die Spezialtatbestände von Frankreich, der Türkei und Weißrussland.

In Frankreich wird der funktionale Gesamttatzusammenhang in dem 1994 – also vor Ausarbeitung des Römischen Statuts – geschaffenen Art. 212-1 Code Pénal dahingehend charakterisiert, dass die Einzeltat zum einen gestützt auf „politische, philosophische, rassische oder religiöse Gründe" und zum anderen „in Ausführung eines gemeinsamen Plans einer Gruppe der Zivilbevölkerung" *(en exécution d'un plan concerté à l'encontre d'un groupe de population civile)* begangen werden muss.[418] Dieser vom völkerrechtlichen Strafrecht abweichende „eigene Weg"

---

414 Siehe *Parmas*, LB Estland, Bd. 5, S. 89 (98 f.). Diese Formulierung geht zurück auf den *Draft Code of Crimes against the Peace and Security of Mankind* von 1996 (YBILC 1996 II/2, 17 = HRLJ 1997, 96).

415 So heißt es in der amtlichen Begründung zum deutschen VStGB, zur Auslegung des Merkmals „Angriff gegen die Zivilbevölkerung" sei auf die Legaldefinition in Art. 7(2)(a) IStGH-Statut zurückzugreifen; vgl. BT-Drucks. 14/8534, S. 20; *Gropengießer*, LB Deutschland, Bd. 1, S. 21 (119). In der Begründung zum australischen *International Criminal Court Act* wird betont, eine Strafbarkeit sei nur bei Vorliegen des *policy element* des Römischen Statuts gegeben; vgl. *Biehler/Kerll*, LB Australien, Bd. 6, S. 19 (30).

416 Zum Streitstand auf völkerrechtlicher Ebene siehe *Werle*, Völkerstrafrecht, Rn. 640 f. m.w.N.

417 Siehe *Cornils*, LB Schweden, Bd. 2, S. 183 (198 f.).

418 Vgl. *Lelieur-Fischer*, LB Frankreich, Bd. 4, S. 225 (235 ff., 315 ff.). Darüber hinaus ist folgende Besonderheit des französischen Rechts beachtenswert: Nach Art. 212-2 CP sind die von Art. 212-1 CP erfassten Einzeltaten des Verbrechens gegen die Menschlichkeit bei einer Tatbegehung in Kriegszeiten ohne Rücksicht darauf, ob sie gestützt auf „politische, philosophische, rassische oder religiöse Gründe" begangen werden, strafbar, wenn sie gegen Personen verübt werden, die das ideologische System bekämpfen, in dessen Na-

Frankreichs,[419] der die Strafbarkeit durch das Erfordernis besonderer Beweggründe für die Tatbegehung und das Planerfordernis einengt und dazu führt, dass das französische Recht hinter dem Völkerrecht zurückbleibt,[420] geht zurück auf die französische Rechtsprechung. Denn Frankreich gehört zu den ganz wenigen Staaten, in denen es bereits – lange vor der Verabschiedung des Römischen Statuts – nationale Strafverfahren wegen Verbrechen gegen die Menschlichkeit gab.[421] Da der völkerrechtliche Tatbestand zum Zeitpunkt dieser Verfahren noch nicht klar konturiert war, sahen sich die französischen Gerichte gezwungen, eine eigenständige, sich nunmehr im französischen Spezialtatbestand widerspiegelnde Definition des Gesamttaterfordernisses zu entwickeln.[422]

Der erst im Jahr 2005 in Kraft getretene türkische Spezialtatbestand (Art. 77 StGB) hat die französische Norm zum Vorbild. Ebenso wie in Bezug auf den nationalen Spezialtatbestand zur Erfassung von Völkermord hat sich der türkische Gesetzgeber bei der 2004 verabschiedeten Reform des türkischen Strafrechts auch im Hinblick auf den Spezialtatbestand für Erfassung von Verbrechen gegen die Menschlichkeit an der französischen Regelung orientiert und diese weitgehend übernommen.[423] So verlangt Art. 77 türkisches StGB, dass die Taten aus politischen, philosophischen, rassischen oder religiösen Motiven und in Verfolgung eines Plans systematisch begangen werden.[424]

Gewisse Ähnlichkeiten mit der französischen und türkischen Gesamttatdefinition weist auch diejenige des weißrussischen Spezialtatbestands auf. Art. 128 weißrussisches StGB verlangt eine Tatbegehung im Rahmen der Verfolgung einer identifizierbaren Gruppe oder Gemeinschaft aus politischen, rassischen, nationalen, ethnischen oder religiösen Gründen.[425] Der weißrussische Tatbestand, der mit dieser Gesamttatdefinition gleichfalls hinter dem Völkerrecht zurückbleibt, steht damit in deutlicher Nähe zum Verbrechen des Völkermords. Völkermord und Verbrechen gegen die Menschlichkeit entscheiden sich nach weißrussischem Recht also vor allem insofern, als bei Verbrechen gegen die Menschlichkeit keine Zerstörungsabsicht verlangt wird.

Bei einer Strafverfolgung durch die Staaten, die in Ermangelung eines nationalen Spezialtatbestands Verbrechen gegen die Menschlichkeit nur unter Anwendung

---

men Verbrechen gegen die Menschlichkeit geschehen. Vgl. *Lelieur-Fischer*, a.a.O., S. 248 f.

419 So die Charakterisierung von *Lelieur-Fischer*, LB Frankreich, Bd. 4, S. 225 (233).

420 So auch die Einschätzung von *Lelieur-Fischer*, LB Frankreich, Bd. 4, S. 225 (247).

421 Siehe zur französischen Strafverfolgungspraxis unten S. 340 f.

422 Näher hierzu *Lelieur-Fischer*, LB Frankreich, Bd. 4, S. 223 (236 ff.).

423 Siehe in Bezug auf das Verbrechen des Völkermords die Ausführungen oben auf S. 53.

424 Siehe *Tellenbach*, LB Türkei, Bd. 6, S. 393 (403).

425 Vgl. *Lammich*, LB Russland/Weißrussland, Bd. 6, S. 351 (361 f.).

ihrer „normalen" Straftatbestände ahnden können,[426] bleibt naturgemäß die Tatsache unberücksichtigt, dass die Tatbegehung im Rahmen eines ausgedehnten oder systematischen Angriffs gegen eine Zivilbevölkerung stattfand. Auch wenn es häufig möglich ist, diesen Gesamttatzusammenhang bei der Rechtsfolgenentscheidung zu berücksichtigten, so kann doch im Urteilstenor dem spezifischen völkerrechtlichen Unrechtsgehalt der Tat nicht Ausdruck verliehen werden. Zwar kann der völker(gewohnheits-)rechtlichen Verfolgungspflicht[427] – in aller Regel – auch durch einen Rückgriff auf die für die Alltagskriminalität geltenden Straftatbestände Genüge getan werden,[428] doch vermag eine solche, dem besonderen Gesamttatzusammenhang im Urteilstenor nicht Rechnung tragende Lösung weder dogmatisch noch rechtspolitisch zu überzeugen.[429]

d) Die Einzeltaten

Die nationalen Spezialtatbestände zur Erfassung von Verbrechen gegen die Menschlichkeit enthalten ebenso wie Art. 7(1) IStGH-Statut eine Liste als Einzeltaten in Betracht kommender Verhaltensweisen, wobei keiner der nationalen Tatbestände der untersuchten Staaten über den Katalog des Art. 7(1) IStGH-Statut hinausreicht, also kein nationaler Tatbestand andere als die vom Römischen Statut bezeichneten Einzeltaten aufführt, allerdings einige nationale Normen nicht alle in Art. 7(1) IStGH-Statut genannten Verhaltensweisen als taugliche Einzeltaten anerkennen. Bemerkenswert ist in diesem Zusammenhang der im Jahr 2004 in Kraft getretene spanische Spezialtatbestand (Art. 607bis Código Penal). Die Einzeltaten der Verfolgung (Art. 7(1)(h) IStGH-Statut) und der Apartheid (Art. 7(1)(j) IStGH-Statut, die nach dem Römischen Statut eine Tatbegehung im Kontext einer anderen in Art. 7(1) IStGH-Statut aufgelisteten Einzeltat, einer zumindest ähnlichen Einzeltat bzw. eines anderen in die Zuständigkeit des IStGH fallenden Verbrechens verlangen, sind im spanischen Recht nicht als selbständige Einzeltaten ausgestaltet. Vielmehr legt das spanische Recht fest, dass bei Vorliegen der Merkmale einer Verfolgung (Art. 7(1)(h) IStGH-Statut) oder eines Apartheidsverbrechens (Art. 7(1)(j) IStGH-Statut) im Kontext der Verwirklichung einer der explizit genannten Einzeltaten auf jeden Fall von einem Verbrechen gegen die Menschlichkeit auszugehen ist, also das Gesamttaterfordernis ohne weiteres als erfüllt anzusehen ist.[430]

---

426 Siehe die Aufstellung dieser Staaten oben auf S. 75.

427 Siehe hierzu oben S. 12 ff.

428 Siehe hierzu schon oben S. 15 ff.

429 So auch *Gropengießer*, LB Deutschland, Bd. 1, S. 21 (113 f.); *Werle*, JZ 2000, 755 (757).

430 Art. 607bis Abs. 1 CP lautet in dt. Übers.: „Täter von Verbrechen gegen die Menschlichkeit sind diejenigen, welche die im folgenden Absatz bezeichneten Taten im Rahmen eines ausgedehnten oder systematischen Angriffs gegen die Zivilbevölkerung oder einen

aa) Tötung

In den meisten der Staaten, die über einen Spezialtatbestand zur Ahndung von Verbrechen gegen die Menschlichkeit verfügen, ist – wie nach Art. 7(1)(a) IStGH-Statut – die vorsätzliche Tötung eines oder mehrerer Menschen als Einzeltat pönalisiert.[431] Dies gilt für Australien,[432] Deutschland,[433] England und Wales,[434] Estland,[435] Kanada,[436] Kroatien,[437] Serbien und Montenegro (Teilrepublik Montenegro),[438] Spanien[439] und die Türkei[440]. Lediglich die Spezialtatbestände von Frankreich und Weißrussland weichen insofern vom „internationalen Vorbild" ab. In Frankreich werden vom Spezialtatbestand Art. 212-1 CP nur „massiv und systematisch betriebene Hinrichtungen ohne Gerichtsverfahren" erfasst; der französische Tatbestand bleibt also auch hinsichtlich der Einzeltaten hinter dem völkerrechtlichen Tatbestand zurück.[441] Der weißrussische Tatbestand (Art. 128 StGB) erfasst Tötungshandlungen überhaupt nicht.[442]

Die untersuchten Staaten, die keinen Spezialtatbestand zur Erfassung von Verbrechen gegen die Menschlichkeit haben, können lediglich ihre „normalen" Tötungstatbestände zur Anwendung bringen.[443] Damit besteht in diesen Staaten

---

Teil derselben begehen. In jedem Fall ist es als Verbrechen gegen die Menschlichkeit anzusehen, wenn solche Taten begangen werden: 1. Aufgrund der Zugehörigkeit des Opfers zu einer Gruppe oder Gemeinschaft, die aus politischen, rassischen, nationalen, ethnischen, kulturellen oder religiösen Gründen, Gründen des Geschlechts oder aus anderen nach dem Völkerrecht universell als unzulässig anerkannten Gründen verfolgt wird. 2. Im Zusammenhang mit einem institutionalisierten Regime der systematischen Unterdrückung und Beherrschung einer oder mehrerer rassischer Gruppen durch eine rassische Gruppe mit der Absicht, dieses Regime aufrechtzuerhalten." Vgl. zur spanischen Regelung *Gil Gil*, LB Spanien, Bd. 4, S. 99 (116 ff., 198 ff.).

431 Damit wird die völkergewohnheitsrechtliche Anerkennung dieser Tatvariante des Verbrechens gegen die Menschlichkeit bestätigt.

432 Section 268.8 Federal CC; vgl. *Biehler/Kerll*, LB Australien, Bd. 6, S. 19 (91).

433 § 7 Abs. 1 Nr. 1 VStGB; vgl. *Gropengießer*, LB Deutschland, Bd. 1, S. 21 (124).

434 Section 50(1) ICC Act; vgl. *Rabenstein/Bahrenberg*, LB England/Wales, Bd. 6, S. 261 (271).

435 Art. 89 CC; vgl. *Parmas*, LB Estland, Bd. 5, S. 89 (100).

436 Sections 4(3) und 6(3) CAHWCA; vgl. *Gut/Wolpert*, LB Kanada, Bd. 5, S. 19 (25, 28 ff.).

437 Art. 157a StG; vgl. *Novoselec*, LB Kroatien, Bd. 3, S. 19 (31 f.).

438 Art. 427 StGB Montenegro. Ebenso der Entwurf für einen parallelen Tatbestand des StGB der Teilrepublik Serbien. Vgl. *Škulić*, LB Serbien und Montenegro, Bd. 3, S. 211 (222 f.) sowie oben Anm. 380.

439 Art. 607bis Abs. 2 Nr. 1 CP; vgl. *Gil Gil*, LB Spanien, Bd. 4, S. 99 (198).

440 Art. 77 Abs. 1 lit. a) StGB; vgl. *Tellenbach*, LB Türkei, Bd. 6, S. 393 (403).

441 *Lelieur-Fischer*, LB Frankreich, Bd. 4, S. 225 (238, 240).

442 *Lammich*, LB Russland/Weißrussland, Bd. 6, S. 351 (361 f.).

443 Vgl. *Cornils*, LB Schweden, Bd. 2, S. 183 (196) (der schwedische Gesetzentwurf für ein Gesetz über Völkerrechtsstraftaten sieht allerdings die Erfassung von Tötungshandlun-

zwar keine echte Strafbarkeitslücke, wohl aber können sie – wie schon angesprochen – bei einer nationalen Strafverfolgung den völkerrechtlichen Unrechtsgehalt der Tat nicht hinreichend zum Ausdruck bringen.

bb) Ausrottung

Die Einzeltat der Ausrottung wird nur von den Spezialtatbeständen von England und Wales,[444] von Kanada[445] sowie Serbien und Montenegro (Teilrepublik Montenegro)[446] in gleicher Weise definiert und erfasst wie von Art. 7(1)(b) IStGH-Statut i.V.m. Art. 7(2)(b) IStGH-Statut. Die übrigen nationalen Spezialtatbestände weichen – zum Teil sogar signifikant – von der Tatdefinition des Römischen Statuts ab.

So definiert der australische Tatbestand die Variante der Ausrottung (section 268.8 CC) dahingehend, dass der Täter den Tod einer oder mehrerer Personen verursachen muss und diese Tat Bestandteil einer Massentötung sein muss. Lediglich ergänzend wird betont, das Tatbestandsmerkmal der Todesverursachung erfasse auch Fälle, in denen der Tod verursacht werde durch die Auferlegung von Lebensbedingungen, deren Ziel es sei, eine Bevölkerung teilweise zu zerstören.[447] Diese Tatdefinition orientiert sich mithin an den *Elements of Crimes* zum Römischen Statut und an der Rechtsprechung des ICTY; sie kann der Stützung der These dienen, dass der völkergewohnheitsrechtliche Tatbestand der Verbrechen gegen die Menschlichkeit hinsichtlich der Tatvariante der Ausrottung – abweichend von der Formulierung in Art. 7 IStGH-Statut – eine vorsätzliche Todesverursachung und eine Tatbegehung im Rahmen einer Massentötung verlangt.[448] Interessant ist darüber hinaus, dass der australische Tatbestand von der Auferlegung von Lebensbedingungen „intended to bring about the destruction of part of a population" spricht. Damit bestätigt der australische Tatbestand, dass es nicht auf die objektive Zerstörungsgeeignetheit der auferlegten Lebensbedingungen, sondern auf die Intention

---

gen vom neu zu schaffenden Spezialtatbestand vor; vgl. *Cornils*, a.a.O., S. 198); *Frände*, LB Finnland, Bd. 2, S. 21 (30); *Grammer*, LB Italien, Bd. 4, S. 337 (352 f.); *Korošec*, LB Slowenien, Bd. 3, S. 329 (353); *Kouassi/Paulenz*, LB Côte d'Ivoire, Bd. 4, S. 19 (31 ff., 83); *Kremnitzer/Cohen*, LB Israel, Bd. 5, S. 317 (330); *Retalis*, LB Griechenland, Bd. 5, S. 189 (215 f.); *Richter*, LB China, Bd. 6, S. 141 (155); *Silverman*, LB USA, Bd. 5, S. 411 (425 f., 430 f.); *Weigend*, LB Polen, Bd. 2, S. 77 (89 f.); *Zerbes*, LB Österreich, Bd. 3, S. 85 (98, 174).

444 Section 50(1) ICC Act; vgl. *Rabenstein/Bahrenberg*, LB England/Wales, Bd. 6, S. 261 (271).

445 Sections 4(3) und 6(3) CAHWCA; vgl. *Gut/Wolpert*, LB Kanada, Bd. 5, S. 19 (25, 28 ff.).

446 Art. 427 StGB Montenegro. Ebenso der Entwurf für einen parallelen Tatbestand des StGB der Teilrepublik Serbien. Vgl. *Škulić*, LB Serbien und Montenegro, Bd. 3, S. 211 (222 f.) sowie oben Anm. 380.

447 Vgl. *Biehler/Kerll*, LB Australien, Bd. 6, S. 19 (91).

448 Vgl. hierzu oben Anm. 324.

des Täters ankommt, also die amtliche deutsche Übersetzung von Art. 7(2)(b) IStGH-Statut zumindest problematisch ist.[449]

Ebenso wie die amtliche deutsche Übersetzung des Römischen Statuts verlangen auch § 7 Abs. 1 Nr. 2 deutsches VStGB und Art. 157a kroatisches StG, dass der Täter eine Bevölkerung (zumindest teilweise) unter Lebensbedingungen stellt, die (objektiv) geeignet sind, die Zerstörung der Bevölkerung ganz oder teilweise herbeizuführen. Allerdings muss der Täter nach dem deutschen und dem kroatischen Spezialtatbestand darüber hinaus mit der (subjektiven) Absicht handeln, eine Bevölkerung ganz oder teilweise zu zerstören. Insofern wird also sowohl eine subjektive Zerstörungsabsicht als auch eine objektive Zerstörungsgeeignetheit gefordert, womit Art. 7 Abs. 1 Nr. 2 VStGB und Art. 157a kroatisches StG hinter der Ausrottungsvariante des Verbrechens gegen die Menschlichkeit nach dem Römischen Statut zurückbleiben.[450]

Der estnische und der spanische Tatbestand führen zwar Ausrottung nicht explizit als Einzelhandlung auf. Doch werden Ausrottungshandlungen im Sinne des Art. 7(1)(b) IStGH-Statut in Estland durch die sehr allgemein gehaltenen Formulierungen ("deprivation or restriction of human rights and freedoms" bzw. "other abuse of civilians") des Art. 89 CC erfasst.[451] Und der spanische Tatbestand (Art. 607bis CP) stellt als Einzeltat das Auferlegen von Lebensbedingungen unter Strafe, die das Leben von Personen gefährden oder deren Gesundheit schwer beeinträchtigen.[452]

Auch der französische und der weißrussische Tatbestand der Verbrechen gegen die Menschlichkeit führen Ausrottung nicht als Einzeltat auf.[453] Ausrottungshandlungen im völkerstrafrechtlichen Sinne werden vom französischen Spezialtatbestand Art. 212-1 CP allerdings dann erfasst, wenn sie sich in „massiv und systematisch betriebenen Hinrichtungen ohne Gerichtsverfahren“ manifestieren.

Die Länder, die über keinen Spezialtatbestand verfügen bzw. deren Spezialtatbestand die Ausrottungsvariante nicht abdeckt, haben Schwierigkeiten, Verbrechen gegen die Menschlichkeit in der Tatvariante der Ausrottung zu erfassen. Sofern man annimmt, dass die Einzeltat der Ausrottung – wie dies die *Elements of Crimes* bestimmen – nur gegeben ist, wenn der Täter einen oder mehrere Menschen tötet, ist immerhin eine Ahndung unter Anwendung der „normalen“ Tötungstatbestände möglich. Wenn man es dagegen – wie Art. 7(1)(b) IStGH-Statut nahe legt – für

---

449 Siehe hierzu bereits oben S. 67 mit Anm. 326 ff.

450 Vgl. *Gropengießer*, LB Deutschland, Bd. 1, S. 21 (124 f.); *Novoselec*, LB Kroatien, Bd. 3, S. 19 (31 f.).

451 Vgl. *Parmas*, LB Estland, Bd. 5, S. 89 (105).

452 Vgl. *Gil Gil*, LB Spanien, Bd. 4, S. 99 (199).

453 Vgl. *Lammich*, LB Russland/Weißrussland, Bd. 6, S. 351 (361 f.); *Lelieur-Fischer*, LB Frankreich, Bd. 4, S. 225 (238).

ausreichend erachtet, dass der Täter eine Bevölkerungsgruppe unter bestimmte Lebensbedingungen stellt, die ihre Zerstörung herbeiführen können bzw. sollen, es also auf einen Zerstörungserfolg im Sinne einer Todesverursachung für die Tatbestandsverwirklichung nicht ankommt, dann sind echte Strafbarkeitsdefizite zu konstatieren.[454]

cc) Versklavung

Die Spezialtatbestände von Australien,[455] Deutschland,[456] England und Wales,[457] Frankreich,[458] Kanada,[459] Kroatien,[460] Weißrussland,[461] Spanien[462] und der Türkei[463] erfassen explizit die Einzelhandlung der Versklavung, wobei davon ausgegangen werden kann, dass eine Strafbarkeit in gleichem Umfang wie nach Art. 7(1)(c) IStGH-Statut i.V.m. Art. 7(2)(c) IStGH-Statut besteht.[464] Besonders hervorzuheben ist die australische Norm (section 268.10 Federal CC), da deren Tatbestandsdefinition die Formulierungen der *Elements of Crimes* sowie des Art. 7(2)(c) IStGH-Statut zusammenführt und dabei – wie im Übrigen auch das deutsche VStGB – Menschenhandel ausdrücklich als Versklavung klassifiziert.[465]

---

454 Vgl. *Cornils*, LB Schweden, Bd. 2, S. 183 (196) (der schwedische Gesetzentwurf für ein Gesetz über Völkerrechtsstraftaten sieht allerdings die Erfassung von Ausrottungshandlungen vom neu zu schaffenden Spezialtatbestand vor; vgl. *Cornils*, a.a.O., S. 198); *Frände*, LB Finnland, Bd. 2, S. 21 (30); *Grammer*, LB Italien, Bd. 4, S. 337 (355 f.); *Korošec*, LB Slowenien, Bd. 3, S. 329 (353); *Kouassi/Paulenz*, LB Côte d'Ivoire, Bd. 4, S. 19 (33); *Kremnitzer/Cohen*, LB Israel, Bd. 5, S. 317 (330 f.); *Retalis*, LB Griechenland, Bd. 5, S. 189 (215 f.); *Richter*, LB China, Bd. 6, S. 141 (155); *Silverman*, LB USA, Bd. 5, S. 411 (425 f., 430 f.); *Tellenbach*, LB Türkei, Bd. 6, S. 393 (403); *Weigend*, LB Polen, Bd. 2, S. 77 (89 f.); *Zerbes*, LB Österreich, Bd. 3, S. 85 (98, 174). Bei Vorliegen der besonderen, für Völkermord erforderlichen Absicht (siehe oben S. 42 und S. 53) ist in diesen Ländern allerdings – worauf mehrere Landesberichterstatter hinweisen – unter Umständen eine Bestrafung wegen Völkermords möglich.

455 Section 268.10 Federal CC; vgl. *Biehler/Kerll*, LB Australien, Bd. 6, S. 19 (91 f.).

456 § 7 Abs. 1 Nr. 3 VStGB; vgl. *Gropengießer*, LB Deutschland, Bd. 1, S. 21 (125).

457 Section 50(1) ICC Act; vgl. *Rabenstein/Bahrenberg*, LB England/Wales, Bd. 6, S. 261 (271).

458 Art. 212-1 CP; vgl. *Lelieur-Fischer*, LB Frankreich, Bd. 4, S. 225 (239).

459 Sections 4(3) und 6(3) CAHWCA; vgl. *Gut/Wolpert*, LB Kanada, Bd. 5, S. 19 (25, 28 ff.).

460 Art. 157a StG; vgl. *Novoselec*, LB Kroatien, Bd. 3, S. 19 (31 f.).

461 Art. 128 StGB; vgl. *Lammich*, LB Russland/Weißrussland, Bd. 6, S. 351 (362).

462 Art. 607bis Abs. 2 Nr. 10 CP; vgl. *Gil Gil*, LB Spanien, Bd. 4, S. 99 (200 f.).

463 Art. 77 Abs. 1 lit. b) StGB; vgl. *Tellenbach*, LB Türkei, Bd. 6, S. 393 (403).

464 Diese eindrucksvolle nationale Pönalisierung der Einzeltat der Versklavung bestätigt die völkergewohnheitsrechtliche Anerkennung dieser Tatvariante des Verbrechens gegen die Menschlichkeit.

465 *Biehler/Kerll*, LB Australien, Bd. 6, S. 19 (91 f.).

Bemerkenswert sind auch der deutsche und der kroatische Tatbestand, da diese – ohne inhaltliche Abweichung vom Römischen Statut – eine vom internationalen Vorbild deutlich abweichende Formulierung des strafbaren Verhaltens enthalten.[466]

Die Spezialtatbestände von Estland sowie Serbien und Montenegro (Teilrepublik Montenegro) führen Versklavung dagegen nicht als Einzeltat auf. Doch können Versklavungshandlungen im völkerstrafrechtlichen Sinne in Estland unter die generalklauselartig formulierte Tatvariante "deprivation of restriction of human rights and freedoms" und in Montenegro unter die Auffangformulierung „andere Taten, die gegen die Menschenrechte verstoßen oder die mit der Absicht begangen werden, große Leiden oder eine ernsthafte Gefährdung der Gesundheit eines Menschen zu verursachen", subsumiert werden.[467]

Die Staaten, die über keinen Spezialtatbestand zur Ahndung von Verbrechen gegen die Menschlichkeit verfügen, können allein bestimmte einzelne Akte, die völkerstrafrechtlich betrachtet (regelmäßig) Bestandteil einer Versklavung oder als Versklavung zu klassifizieren sind, ahnden. Vielfach verfügen diese Rechtsordnungen über Tatbestände, die Entführungen, Menschenraub, Zwangsarbeit oder Sklavenhandel bzw. Menschenhandel im klassischen Sinne pönalisieren.[468] Zumindest können Versklavungshandlungen als Freiheitsberaubung geahndet werden.[469] Aber dennoch verbleiben Strafbarkeitsdefizite, nicht zuletzt deshalb, weil das besondere Unrecht der komplexen Tathandlung der Versklavung allein durch eine Bestrafung wegen Freiheitsberaubung nicht hinreichend erfasst werden kann.

---

466 Nach § 7 Abs. 1 Nr. 3 VStGB verwirklicht die Einzeltat der Versklavung, wer „Menschenhandel betreibt, insbesondere mit einer Frau oder einem Kind, oder wer auf andere Weise einen Menschen versklavt und sich dabei ein Eigentumsrecht an ihm anmaßt". Siehe auch *Gropengießer*, LB Deutschland, Bd. 1, S. 21 (125). Nach dem kroatischen Tatbestand (Art. 157a StG) ist es strafbar, „Menschenhandel zu betreiben, insbesondere mit einer Frau oder einem Kind, oder eine Person aus Gründen sexueller Ausbeutung oder aus anderen Gründen zu versklaven, so dass über sie einzelne oder alle Befugnisse eines Eigentumsrechts ausgeübt werden"; vgl. *Novoselec*, LB Kroatien, Bd. 3, S. 19 (31).

467 *Parmas*, LB Estland, Bd. 5, S. 89 (106); *Škulić*, LB Serbien und Montenegro, Bd. 3, S. 211 (222 f.).

468 Vgl. *Cornils*, LB Schweden, Bd. 2, S. 183 (196) (der schwedische Gesetzentwurf für ein Gesetz über Völkerrechtsstraftaten sieht allerdings die Erfassung von Sklaverei durch einen dem Römischen Statut entsprechenden neu zu schaffenden Spezialtatbestand vor; vgl. *Cornils*, a.a.O., S. 198); *Frände*, LB Finnland, Bd. 2, S. 21 (30); *Grammer*, LB Italien, Bd. 4, S. 337 (353 f.); *Korošec*, LB Slowenien, Bd. 3, S. 329 (353); *Kremnitzer/Cohen*, LB Israel, Bd. 5, S. 317 (332); *Retalis*, LB Griechenland, Bd. 5, S. 189 (219 f.); *Richter*, LB China, Bd. 6, S. 141 (155); *Weigend*, LB Polen, Bd. 2, S. 77 (116); *Zerbes*, LB Österreich, Bd. 3, S. 85 (98, 174 f.).

469 Siehe etwa *Kouassi/Paulenz*, LB Côte d'Ivoire, Bd. 4, S. 19 (33 f.).

dd) Vertreibung oder zwangsweise Überführung der Bevölkerung

Die Einzeltat der Vertreibung oder zwangsweisen Überführung der Bevölkerung (Art. 7(1)(d) IStGH-Statut i.V.m. Art. 7(2)(d) IStGH-Statut) wird von den Spezialtatbeständen von England und Wales,[470] Estland,[471] Kanada,[472] Kroatien,[473] Serbien und Montenegro (Teilrepublik Montenegro)[474] und Spanien[475] in gleicher Weise erfasst wie vom Römischen Statut, sei es, indem auf dieses verwiesen wird (England und Wales; Kanada), sei es deshalb, weil die nationalen Tatbestände in Anlehnung an das Römische Statut bloß von Vertreibung und zwangsweiser Überführung der Bevölkerung bzw. Zwangsumsiedelung sprechen (Estland, Kroatien, Serbien und Montenegro, Spanien).

Andere Spezialtatbestände sind jedoch enger gefasst als die Tatdefinition des Römischen Statuts. Insbesondere die recht vage Festlegung des Römischen Statuts, die Handlungen müssten „völkerrechtlich unzulässig" sein, wird in einigen nationalen Tatbeständen präzisiert. So betont section 268.11 australischer Federal CC, die Tat müsse gegen Art. 12(4) oder Art. 13 IPBPR verstoßen.[476] Der deutsche Tatbestand, § 7 Abs. 1 Nr. 4 VStGB, stellt nicht pauschal auf die Völkerrechtswidrigkeit der Tat ab, sondern verlangt einen Verstoß gegen allgemeine Regeln des Völkerrechts, also gegen Völkergewohnheitsrecht bzw. allgemeine Rechtsgrundsätze im Sinne des Art. 38(1)(c) IGH-Statut.[477] Damit bleiben der australische und der deutsche Spezialtatbestand hinter dem völkerrechtlichen Strafrecht zurück.[478] Dafür stellen der australische und der deutsche Tatbestand – in Übereinstimmung mit den *Elements of Crimes* – ausdrücklich fest, dass bereits die Vertreibung bzw. Überführung einer einzelnen Person tatbestandsmäßig sein kann.[479] Der französische Spezialtatbestand (Art. 212-1 CP) erfasst mit dem Begriff der „Deportation" (wohl)

---

470 Section 50(1) ICC Act; vgl. *Rabenstein/Bahrenberg*, LB England/Wales, Bd. 6, S. 261 (271).

471 Art. 89 CC; vgl. *Parmas*, LB Estland, Bd. 5, S. 89 (104).

472 Sections 4(3) und 6(3) CAHWCA; vgl. *Gut/Wolpert*, LB Kanada, Bd. 5, S. 19 (25, 28 ff.).

473 Art. 157a StG; vgl. *Novoselec*, LB Kroatien, Bd. 3, S. 19 (31 f.).

474 Art. 427 StGB Montenegro. Ebenso der Entwurf für einen parallelen Tatbestand des StGB der Teilrepublik Serbien. Vgl. *Škulić*, LB Serbien und Montenegro, Bd. 3, S. 211 (222 f.).

475 Art. 607bis Abs. 2 Nr. 4 CP; vgl. *Gil Gil*, LB Spanien, Bd. 4, S. 99 (199).

476 *Biehler/Kerll*, LB Australien, Bd. 6, S. 19 (92).

477 *Gropengießer*, LB Deutschland, Bd. 1, S. 21 (126 f.).

478 So für das deutsche Recht auch *Gropengießer*, LB Deutschland, Bd. 1, S. 21 (127).

479 Siehe zum deutschen Recht *Gropengießer*, LB Deutschland, Bd. 1, S. 21 (126).

allein die Vertreibung.[480] Und der türkische Tatbestand (Art. 77 StGB) beschränkt sich darauf, als Einzeltat „Freiheitsberaubung" zu pönalisieren.[481]

Die Staaten, die über keinen Spezialtatbestand verfügen, haben Schwierigkeiten, Verbrechen gegen die Menschlichkeit in Form von Vertreibung oder zwangsweiser Überführung vollumfänglich zu ahnden. Sie können lediglich sehr allgemeine Straftatbestände wie den der Nötigung[482] oder der Freiheitsberaubung[483] zur Anwendung bringen oder aber bestimmte Erscheinungsformen einer Vertreibung bzw. zwangsweisen Überführung durch Rückgriff auf Tatbestände der Entführung[484] oder des Menschenraubs[485] ahnden.

ee) Freiheitsentzug

Die Spezialtatbestände aller in das Projekt einbezogenen Länder bis auf Frankreich führen explizit die Freiheitsentziehung als strafbare Einzeltat auf.[486] In Deutschland,[487] England und Wales,[488] Estland,[489] Kanada,[490] Kroatien,[491] Spanien[492] und Weißrussland[493] ist eine Strafbarkeit in gleichem Umfang gegeben wie

---

480 Siehe *Lelieur-Fischer*, LB Frankreich, Bd. 4, S. 225 (239), die es für fraglich hält, ob unter Deportation i.S.d. Art. 212-1 CP auch die zwangsweise Überführung der Bevölkerung gefasst werden kann. Auch der weißrussische Spezialtatbestand (Art. 128 StGB) beschränkt sich – jedenfalls dem Wortlaut nach – auf die Pönalisierung von Deportationen; siehe *Lammich*, LB Russland/Weißrussland, Bd. 6, S. 351 (361 f.).

481 *Tellenbach*, LB Türkei, Bd. 6, S. 393 (403). Die Autorin vermutet, dass der „Verzicht" auf eine Pönalisierung von Vertreibungen durch die Sorge begründet sein könnte, wegen der Deportationen von Armeniern international an den Pranger gestellt zu werden; vgl. *Tellenbach*, a.a.O.

482 Siehe *Zerbes*, LB Österreich, Bd. 3, S. 85 (99, 175).

483 Siehe *Frände*, LB Finnland, Bd. 2, S. 21 (30); *Kouassi/Paulenz*, LB Côte d'Ivoire, Bd. 4, S. 19 (34).

484 Siehe *Kremnitzer/Cohen*, LB Israel, Bd. 5, S. 317 (334 f.); *Retalis*, LB Griechenland, Bd. 5, S. 189 (221); *Richter*, LB China, Bd. 6, S. 141 (156).

485 Siehe *Cornils*, LB Schweden, Bd. 2, S. 183 (196) (der schwedische Gesetzentwurf für ein Gesetz über Völkerrechtsstraftaten sieht allerdings die Erfassung von Vertreibungen und Überführungen durch einen dem Römischen Statut entsprechenden neu zu schaffenden Spezialtatbestand vor; vgl. *Cornils*, a.a.O., S. 198); *Frände*, LB Finnland, Bd. 2, S. 21 (30).

486 Damit wird die völkergewohnheitsrechtliche Anerkennung dieser Tatvariante des Verbrechens gegen die Menschlichkeit bestätigt.

487 § 7 Abs. 1 Nr. 9 VStGB; vgl. *Gropengießer*, LB Deutschland, Bd. 1, S. 21 (128).

488 Section 50(1) ICC Act; vgl. *Rabenstein/Bahrenberg*, LB England/Wales, Bd. 6, S. 261 (271).

489 Art. 89 CC; vgl. *Parmas*, LB Estland, Bd. 5, S. 89 (104).

490 Sections 4(3) und 6(3) CAHWCA; vgl. *Gut/Wolpert*, LB Kanada, Bd. 5, S. 19 (25, 28 ff.).

491 Art. 157a StG; vgl. *Novoselec*, LB Kroatien, Bd. 3, S. 19 (31 f.).

492 Art. 607bis Abs. 2 Nr. 7 CP; vgl. *Gil Gil*, LB Spanien, Bd. 4, S. 99 (199).

nach Art. 7(1)(e) IStGH-Statut. Der türkische Tatbestand geht sogar noch über das Römische Statut hinaus, denn er spricht ohne jede Einschränkung schlicht von „Freiheitsberaubung".[494] Der australische Tatbestand weicht insofern vom „internationalen Vorbild" ab, als eine Freiheitsentziehung unter Verstoß gegen Art. 9, 14 oder 15 IPBPR gefordert wird.[495] Unter den französischen Spezialtatbestand, Art. 212-1 CP, können Freiheitsentziehungen im Sinne des Art. 7(1)(e) IStGH-Statut allenfalls insofern fallen, als man sie unter die Tatvariante „Entführungen von Personen mit anschließendem Verschwindenlassen" subsumieren kann.[496] Restriktiver als das Römische Statut ist auch der Spezialtatbestand von Serbien und Montenegro, der in der Teilrepublik Montenegro bereits in Kraft ist, während er sich für die Teilrepublik Serbien noch im Entwurfsstadium befindet:[497] Zusätzlich zur Freiheitsentziehung ist erforderlich, dass das Opfer über den Grund der Freiheitsentziehung nicht informiert wird.[498]

Die Staaten, die Verbrechen gegen die Menschlichkeit nicht mittels eines nationalen Spezialtatbestands ahnden können, haben allein die Möglichkeit, die Einzeltat des Freiheitsentzugs im Sinne des Art. 7(1)(e) IStGH-Statut durch Anwendung ihrer „normalen" Tatbestände der Freiheitsberaubung, Freiheitsentziehung bzw. rechtswidrigen Inhaftierung zu ahnden.[499] Doch da für solche Delikte regelmäßig nur verhältnismäßig niedrige Strafrahmen vorgesehen sind, ist es kaum möglich, auf diesem Wege eine unrechtsadäquate Sanktionierung vorzunehmen.

ff) Folter

In allen Staaten, die einen Spezialtatbestand zur Erfassung von Verbrechen gegen die Menschlichkeit haben, führt dieser die Folter als in Betracht kommende Einzeltat auf.[500] Dabei wird Folter jeweils so verstanden wie in Art. 7(1)(f) IStGH-

493 Art. 128 StGB; vgl. *Lammich*, LB Russland/Weißrussland, Bd. 6, S. 351 (361 f.).

494 Art. 77 Abs. 1 lit. d) StGB; vgl. *Tellenbach*, LB Türkei, Bd. 6, S. 393 (403 f.).

495 Section 268.12 Federal CC; vgl. *Biehler/Kerll*, LB Australien, Bd. 6, S. 19 (92).

496 Vgl. *Lelieur-Fischer*, LB Frankreich, Bd. 4, S. 225 (239 ff., 319).

497 Siehe schon oben Anm. 380.

498 Art. 427 StGB Montenegro, Art. 141a Entwurf Grund-StGB Serbien. Siehe *Škulić*, LB Serbien und Montenegro, Bd. 3, S. 211 (222 f.)

499 Siehe *Cornils*, LB Schweden, Bd. 2, S. 183 (196) (der schwedische Gesetzentwurf für ein Gesetz über Völkerrechtsstraftaten sieht allerdings die Erfassung von Freiheitsentziehungen durch einen dem Römischen Statut entsprechenden neu zu schaffenden Spezialtatbestand vor; vgl. *Cornils*, a.a.O., S. 198); *Frände*, LB Finnland, Bd. 2, S. 21 (30); *Grammer*, LB Italien, Bd. 4, S. 337 (354); *Korošec*, LB Slowenien, Bd. 3, S. 329 (353 f.); *Kouassi/Paulenz*, LB Côte d'Ivoire, Bd. 4, S. 19 (34 f., 84); *Kremnitzer/Cohen*, LB Israel, Bd. 5, S. 317 (335); *Retalis*, LB Griechenland, Bd. 5, S. 189 (220); *Richter*, LB China, Bd. 6, S. 141 (156); *Zerbes*, LB Österreich, Bd. 3, S. 85 (98, 175).

500 Damit wird die völkergewohnheitsrechtliche Anerkennung dieser Tatvariante des Verbrechens gegen die Menschlichkeit bestätigt.

Statut i.V.m. Art. 7(2)(e) IStGH-Statut.[501] Dies gilt auch für Deutschland. Zwar spricht § 7 Abs. 1 Nr. 5 VStGB davon, die Zufügung körperlicher oder seelischer Schäden oder Leiden dürfe nicht lediglich Folge „völkerrechtlich zulässiger Sanktionen" sein, während in Art. 7(2)(e) IStGH-Statut schlicht von „gesetzlich zulässigen Sanktionen" die Rede ist. Doch ergibt sich daraus keine sachliche Divergenz,[502] denn auch nach dem Römischen Statut ist nicht schon jede innerstaatlich legalisierte Folterung gestattet, sondern nur eine solche Gewaltanwendung, die zugleich im Einklang mit dem Völkerrecht steht.[503]

Die Staaten, die keinen Spezialtatbestand zur Erfassung von Verbrechen gegen die Menschlichkeit haben, sind zumeist darauf beschränkt, Verbrechen gegen die Menschlichkeit in der Tatvariante der Folterung durch Anwendung ihrer „normalen" Körperverletzungstatbestände zu ahnden.[504] Vereinzelt kommen noch andere Tatbestände in Betracht, etwa der Tatbestand der grausamen Behandlung überwachter Personen,[505] der Tatbestand der Aussageerpressung, soweit – was von Art. 7(1)(e) IStGH-Statut nicht verlangt wird[506] – die Folterungen mit dem Ziel des Erhalts einer Aussage verübt werden,[507] der Tatbestand des Angriffs[508] oder der Tatbestand des Amtsmissbrauchs[509]. Damit kann zwar regelmäßig eine echte Straflosigkeit verhindert werden, doch ist es auf diese Weise kaum möglich, unrechtsadäquate Sanktionen zu verhängen. Lediglich Griechenland und Schweden verfü-

---

501 Section 268.13 Federal CC, vgl. *Biehler/Kerll*, LB Australien, Bd. 6, S. 19 (92 f.); § 7 Abs. 1 Nr. 5 VStGB, vgl. *Gropengießer*, LB Deutschland, Bd. 1, S. 21 (128 f.); section 50(1) ICC Act England und Wales, vgl. *Rabenstein/Bahrenberg*, LB England/Wales, Bd. 6, S. 261 (271); Art. 89 CC, vgl. *Parmas*, LB Estland, Bd. 5, S. 89 (101); Art. 212-1 CP, vgl. *Lelieur-Fischer*, LB Frankreich, Bd. 4, S. 225 (239); sections 4(3) und 6(3) CAHWCA, vgl. *Gut/Wolpert*, LB Kanada, Bd. 5, S. 19 (25, 28 ff.); Art. 157a StG, vgl. *Novoselec*, LB Kroatien, Bd. 3, S. 19 (31 f.); Art. 427 StGB Montenegro, Art. 141a Entwurf Grund-StGB Serbien, vgl. *Škulić*, LB Serbien und Montenegro, Bd. 3, S. 211 (222 f.); Art. 607bis Abs. 2 Nr. 8 CP; vgl. *Gil Gil*, LB Spanien, Bd. 4, S. 99 (200); Art. 77 Abs. 1 lit. c) StGB, vgl. *Tellenbach*, LB Türkei, Bd. 6, S. 393 (403); Art. 128 StGB, vgl. *Lammich*, LB Russland/Weißrussland, Bd. 6, S. 351 (361 f.).

502 Ebenso *Gropengießer*, LB Deutschland, Bd. 1, S. 21 (129).

503 Vgl. oben Anm. 337.

504 *Frände*, LB Finnland, Bd. 2, S. 21 (31); *Grammer*, LB Italien, Bd. 4, S. 337 (354 f.); *Korošec*, LB Slowenien, Bd. 3, S. 329 (353); *Kouassi/Paulenz*, LB Côte d'Ivoire, Bd. 4, S. 19 (35 f.); *Kremnitzer/Cohen*, LB Israel, Bd. 5, S. 317 (336); *Zerbes*, LB Österreich, Bd. 3, S. 85 (99, 175).

505 § 248 StrG; vgl. *Richter*, LB China, Bd. 6, S. 141 (156 f.).

506 Siehe zu diesem Unterschied des Römischen Statuts zur UN-Folterkonvention bereits oben S. 69.

507 § 247 StrG, vgl. *Richter*, LB China, Bd. 6, S. 141 (156); section 277 PL, vgl. *Kremnitzer/Cohen*, LB Israel, Bd. 5, S. 317 (337).

508 Section 378 PL; vgl. *Kremnitzer/Cohen*, LB Israel, Bd. 5, S. 317 (336).

509 Kap. 40 § 8 StG, vgl. *Frände*, LB Finnland, Bd. 2, S. 21 (31); § 270 StGB, vgl. *Korošec*, LB Slowenien, Bd. 3, S. 329 (353).

gen über einen besonderen Tatbestand, der explizit auf Folterungen – allerdings nicht allein auf solche im völkerstrafrechtlichen Sinne – bezogen ist.[510]

gg) Sexuelle Gewalttaten

Art. 7(1)(g) IStGH-Statut stellt mit Vergewaltigung, sexueller Sklaverei, Nötigung zur Prostitution, erzwungener Schwangerschaft und Zwangssterilisation eine Vielzahl sexueller Gewaltakte als Einzeltaten unter Strafe, wobei diese Auflistung noch ergänzt wird durch die generalklauselartige Formulierung, dass auch „jede andere Form sexueller Gewalt von vergleichbarer Schwere" eine Einzeltat im Rahmen eines Verbrechens gegen die Menschlichkeit sein könne.[511] Die nationalen Spezialtatbestände zur Erfassung von Verbrechen gegen die Menschlichkeit haben in Bezug auf sexuelle Gewalttaten in aller Regel eine vergleichbare Reichweite. Auch diese listen – soweit sie nicht pauschal auf das Römische Statut oder das gesamte Völkerstrafrecht verweisen – zumeist eine Vielzahl von Arten sexueller Gewalt als strafbare Einzelhandlungen auf und lassen zudem für nicht explizit genannte sexuelle Gewaltakte einen Rückgriff auf eine generalklauselartige Formulierung zu.[512] Lediglich der – ohnehin von Art. 7 IStGH-Statut sehr weit abweichende[513] – französische Spezialtatbestand und die Spezialnorm von Weißrussland beziehen sich nicht auf sexuelle Gewalttaten, wobei man jedoch für Frankreich immerhin von einer indirekten Erfassung über die Auffangformulierung „unmenschliche Handlungen" ausgehen kann.[514] Bemerkenswert im vorliegenden Zusammenhang ist die auf gleich mehrere sections des Federal Criminal Code (sec-

---

510 Kap. 4 § 4 Abs. 2 BrB, vgl. *Cornils*, LB Schweden, Bd. 2, S. 183 (196) (der schwedische Gesetzentwurf für ein Gesetz über Völkerrechtsstraftaten sieht allerdings die Erfassung von Folterhandlungen durch einen dem Römischen Statut entsprechenden neu zu schaffenden Spezialtatbestand vor; vgl. *Cornils*, a.a.O., S. 198); Art. 137A griechischer CC, vgl. *Retalis*, LB Griechenland, Bd. 5, S. 189 (217, 292).

511 Siehe hierzu schon oben S. 70.

512 Auf einen Detailvergleich des nationalen Rechts mit den in Art. 7(1)(g) IStGH-Statut aufgeführten Tatvarianten soll an dieser Stelle verzichtet werden. Insofern wird auf die einzelnen Landesberichte verwiesen. Vgl. *Biehler/Kerll*, LB Australien, Bd. 6, S. 19 (30 f., 93 ff.); *Gil Gil*, LB Spanien, Bd. 4, S. 99 (200, 212); *Gropengießer*, LB Deutschland, Bd. 1, S. 21 (130 ff.); *Gut/Wolpert*, LB Kanada, Bd. 5, S. 19 (25, 28 ff.); *Novoselec*, LB Kroatien, Bd. 3, S. 19 (31 f.); *Parmas*, LB Estland, Bd. 5, S. 89 (102); *Rabenstein/Bahrenberg*, LB England/Wales, Bd. 6, S. 261 (271); *Škulić*, LB Serbien und Montenegro, Bd. 3, S. 211 (222 f.) (von dem Spezialtatbestand von Montenegro und dem parallelen Entwurf für Serbien wird die Beraubung der Fortpflanzungsfähigkeit allerdings nur dann pönalisiert, wenn die Tat in der Absicht verübt wird, eine Änderung der ethnischen Zusammensetzung der Bevölkerung herbeizuführen); *Tellenbach*, LB Türkei, Bd. 6, S. 393 (403).

513 Siehe zu den Gründen für die besondere Diskrepanz des französischen Spezialtatbestands und des Römischen Statuts oben S. 80.

514 *Lammich*, LB Russland/Weißrussland, Bd. 6, S. 351 (361 f.); *Lelieur-Fischer*, LB Frankreich, Bd. 4, S. 225 (240).

tions 268.14–268.19 CC) aufgeteilte australische Regelung. Denn diese stellt – anders als die *Elements of Crimes* zum Römischen Statut – nicht auf die zwangsweise Tatbegehung ab; vielmehr sind nach australischem Recht tatbestandsmäßig sexuelle Handlungen, die ohne Einwilligung des Tatopfers vorgenommen werden. Wann von einer fehlenden Einwilligung auszugehen ist, ist detailliert festgelegt.[515]

Die Staaten, die über keinen völkerstrafrechtlichen Spezialtatbestand zur Ahndung von Verbrechen gegen die Menschlichkeit verfügen, müssen bei sexuellen Gewaltakten auf die „normalen" Straftatbestände zurückgreifen, die – unabhängig vom Kontext eines völkerstrafrechtlich relevanten Gesamttatgeschehens – Sexualdelikte pönalisieren. Auf diesem Wege können die meisten sexuellen Gewaltakte im Sinne des Art. 7(1)(g) IStGH-Statut gleichfalls geahndet werden.[516]

hh) Verfolgung

Die äußerst komplexe Einzeltat der Verfolgung im Sinne des Art. 7(1)(h) IStGH-Statut i.V.m. Art. 7(2)(g) IStGH-Statut wird nur von wenigen Spezialtatbeständen in gleicher Weise erfasst wie vom Römischen Statut. Deckungsgleich mit der Tatdefinition des Römischen Statuts sind allein die Spezialtatbestände von England und Wales, von Kanada sowie von Serbien und Montenegro (Teilrepublik Montenegro).[517]

Die Spezialtatbestände von Australien, Deutschland, Kroatien, Spanien und Weißrussland weichen mehr oder weniger stark vom internationalen Vorbild ab. Der deutsche Tatbestand – § 7 Abs. 1 Nr. 10 VStGB – und die kroatische Norm – Art. 157a StG – verzichten auf das Nexuserfordernis des Art. 7(1)(h) IStGH-Statut.[518] Der australische Tatbestand – section 268.20 Federal CC – ist insofern präziser als sein internationales Vorbild, als nicht allgemein von Grundrechten gesprochen wird, die entzogen werden müssen, und auch in Bezug auf die besondere

515 Vgl. *Biehler/Kerll*, LB Australien, Bd. 6, S. 19 (31, 93 ff.).

516 Auf einen Detailvergleich soll auch insofern an dieser Stelle verzichtet werden. Vielmehr wird auf die einzelnen Landesberichte verwiesen. Vgl. *Cornils*, LB Schweden, Bd. 2, S. 183 (196) (der schwedische Gesetzentwurf für ein Gesetz über Völkerrechtsstraftaten sieht allerdings die Erfassung von sexuellen Gewalttaten durch einen dem Römischen Statut entsprechenden neu zu schaffenden Spezialtatbestand vor; vgl. *Cornils*, a.a.O., S. 198); *Frände*, LB Finnland, Bd. 2, S. 21 (31); *Grammer*, LB Italien, Bd. 4, S. 337 (355); *Korošec*, LB Slowenien, Bd. 3, S. 329 (354 f.); *Kouassi/Paulenz*, LB Côte d'Ivoire, Bd. 4, S. 19 (36); *Kremnitzer/Cohen*, LB Israel, Bd. 5, S. 317 (338 ff.); *Retalis*, LB Griechenland, Bd. 5, S. 189 (217 ff.); *Richter*, LB China, Bd. 6, S. 141 (157 f.); *Škulić*, LB Serbien und Montenegro, Bd. 3, S. 211 (222 f.); *Zerbes*, LB Österreich, Bd. 3, S. 85 (100 f., 175 f.).

517 *Gut/Wolpert*, LB Kanada, Bd. 5, S. 19 (25, 28 ff.); *Rabenstein/Bahrenberg*, LB England/Wales, Bd. 6, S. 261 (271); *Škulić*, LB Serbien und Montenegro, Bd. 3, S. 211 (222 f.).

518 *Gropengießer*, LB Deutschland, Bd. 1, S. 21 (133 f. mit Fn. 465); *Novoselec*, LB Kroatien, Bd. 3, S. 19 (31).

Motivation des Täters nicht pauschal von „nach dem Völkerrecht universell als unzulässig anerkannten Gründen" die Rede ist, sondern jeweils konkret auf den IPBPR Bezug genommen wird. Der Täter muss konkret bestimmte im IPBPR aufgeführte Grundrechte entziehen und aus Gründen handeln, die mit Art. 2(1) IPBPR unvereinbar sind.[519] Der weißrussische Tatbestand erfasst Verfolgungen nur dann, wenn sie sich in „massiven oder systematischen Bestrafungen ohne Gerichtsurteil" manifestieren.[520] Auf die Besonderheit des spanischen Tatbestands der Verbrechen gegen die Menschlichkeit wurde bereits hingewiesen: Dieser pönalisiert Verfolgungen nicht als Einzeltat, sondern legt fest, dass die Begehung anderer Einzeltaten stets als Verbrechen gegen die Menschlichkeit zu bewerten ist, wenn die Elemente von Verfolgung im Sinne des Art. 7(1)(g) IStGH-Statut gegeben sind.[521]

Von den Spezialtatbeständen der Länder Estland, Frankreich und der Türkei wird die Einzeltat der Verfolgung zumindest explizit gar nicht erfasst.[522] In Estland können allerdings Verfolgungshandlungen im völkerstrafrechtlichen Sinne unter die Auffangformulierung "deprivation or restriction of human rights and freedoms" subsumiert werden.[523] Und in Frankreich dürfte es vielfach möglich sein, die im Spezialtatbestand Art. 212-1 CP enthaltene Auffangformulierung „unmenschliche Handlungen" nutzbar zu machen.[524]

Die Länder, die über keinen Spezialtatbestand der Verbrechen gegen die Menschlichkeit verfügen bzw. deren Spezialtatbestand Verfolgungshandlungen nicht erfasst, haben Schwierigkeiten, dieses völkerrechtliche Verbrechen in der Verfolgungsvariante zu ahnden. Sie können allein einzelne Erscheinungsformen eines Grundrechteentzugs ahnden – je nach Fallkonstellation etwa als Freiheitsberaubung, Körperverletzung oder Nötigung – oder nicht speziell auf Völkerstraftaten bezogene allgemeine Diskriminierungstatbestände bzw. Tatbestände des Amtsmissbrauchs zur Anwendung bringen.[525] Die Tatsache, dass Verfolgungen im völkerstrafrechtlichen Sinne gegen eine Gruppe oder Gemeinschaft gerichtet sind und

---

519 *Biehler/Kerll*, LB Australien, Bd. 6, S. 19 (96 f.).

520 *Lammich*, LB Russland/Weißrussland, Bd. 6, S. 351 (361 f.).

521 Siehe oben S. 82 mit Anm. 430.

522 *Lelieur-Fischer*, LB Frankreich, Bd. 4, S. 225 (238, 240); *Parmas*, LB Estland, Bd. 5, S. 89 (105); *Tellenbach*, LB Türkei, Bd. 6, S. 393 (403).

523 *Parmas*, LB Estland, Bd. 5, S. 89 (105).

524 Vgl. *Lelieur-Fischer*, LB Frankreich, Bd. 4, S. 225 (238 ff.).

525 Vgl. *Cornils*, LB Schweden, Bd. 2, S. 183 (197) (der schwedische Gesetzentwurf für ein Gesetz über Völkerrechtsstraftaten sieht allerdings die Erfassung von Verfolgungen durch einen dem Römischen Statut entsprechenden neu zu schaffenden Spezialtatbestand vor; vgl. *Cornils*, a.a.O., S. 199); *Frände*, LB Finnland, Bd. 2, S. 21 (31); *Grammer*, LB Italien, Bd. 4, S. 337 (355 f.); *Kouassi/Paulenz*, LB Côte d'Ivoire, Bd. 4, S. 19 (36); *Kremnitzer/Cohen*, LB Israel, Bd. 5, S. 317 (343 f.); *Lelieur-Fischer*, LB Frankreich, Bd. 4, S. 225 (319); *Retalis*, LB Griechenland, Bd. 5, S. 189 (222 f.); *Richter*, LB China, Bd. 6, S. 141 (159; *Weigend*, LB Polen, Bd. 2, S. 77 (89 f.); *Zerbes*, LB Österreich, Bd. 3, S. 85 (101 f.).

aus nach dem Völkerrecht universell als unzulässig anerkannten Gründen erfolgen, kann bei einer solchen Form der Ahndung aber in aller Regel nicht berücksichtigt werden. Damit wird erneut deutlich, dass ein Rückgriff auf die Tatbestände des „allgemeinen" Strafrechts zur Ahndung völkerrechtlicher Verbrechen nur ein Notbehelf sein kann, der weder dogmatisch noch völkerrechtspolitisch zu überzeugen vermag.

ii) Zwangsweises Verschwindenlassen

Die Spezialtatbestände zur Ahndung von Verbrechen gegen die Menschlichkeit der Staaten Australien,[526] Deutschland,[527] England und Wales,[528] Frankreich,[529] Kanada,[530] Kroatien,[531] Spanien[532] und Weißrussland[533] listen ebenso wie Art. 7(1)(i) IStGH-Statut auch das Verschwindenlassen als mögliche Einzeltat auf. Doch unterscheiden sich die nationalen Tatbestände dieser Staaten im Detail deutlich voneinander. Ebenso wie im Römischen Statut (Art. 7(1)(i) i.V.m. Art. 7(2)(i) IStGH-Statut) ist das Verschwindenlassen von den Tatbeständen der Staaten Australien, Deutschland, England und Wales sowie Kanada geregelt, wobei die Normen von Australien und Deutschland in Übereinstimmung mit den *Elements of Crimes*[534] ausdrücklich feststellen, dass es ausreicht, wenn der Täter entweder an der Gefangennahme bzw. Entführung beteiligt ist oder aber sich in Kenntnis der Gefangennahme oder Entführung weigert, diese anzuerkennen bzw. Auskunft über den Verbleib des Opfers zu erteilen.[535] Dagegen genügt es nach dem Wortlaut der Spezialtatbestände von Frankreich, Kroatien und Spanien anders als nach dem völkerstrafrechtlichen Tatbestand nicht, wenn der Täter lediglich eine der beiden

---

526 Section 268.21 Federal CC; vgl. *Biehler/Kerll*, LB Australien, Bd. 6, S. 19 (97 f.).

527 § 7 Abs. 1 Nr. 7 VStGB; vgl. *Gropengießer*, LB Deutschland, Bd. 1, S. 21 (134 f.).

528 Section 50(1) ICC Act; vgl. *Rabenstein/Bahrenberg*, LB England/Wales, Bd. 6, S. 261 (271).

529 Art. 212-1 CP; vgl. *Lelieur-Fischer*, LB Frankreich, Bd. 4, S. 225 (238 ff.). Allerdings ist die Tat in Art. 212-1 CP definiert als „Entführungen von Personen mit anschließendem Verschwindenlassen". Damit ist der Tatbestand enger gefasst als nach dem Römischen Statut.

530 Sections 4(3) und 6(3) CAHWCA; vgl. *Gut/Wolpert*, LB Kanada, Bd. 5, S. 19 (25, 28 ff.).

531 Art. 157a StG; vgl. *Novoselec*, LB Kroatien, Bd. 3, S. 19 (31 f.).

532 Art. 607bis Abs. 2 Nr. 7 CP; vgl. *Gil Gil*, LB Spanien, Bd. 4, S. 99 (201).

533 *Lammich*, LB Russland/Weißrussland, Bd. 6, S. 351 (361 f.).

534 Siehe oben S. 71 mit Anm. 351.

535 *Biehler/Kerll*, LB Australien, Bd. 6, S. 19 (97 f.); *Gropengießer*, LB Deutschland, Bd. 1, S. 21 (134 f.).

Handlungsalternativen „Freiheitsentziehung“ und „Auskunftsverweigerung“ in Kenntnis des jeweils anderen Tatteils verwirklicht.[536]

Die Tatbestände der Verbrechen gegen die Menschlichkeit von Estland, von Serbien und Montenegro (Teilrepublik Montenegro) sowie der Türkei erfassen die Einzeltat des zwangsweisen Verschwindenlassens nicht explizit;[537] doch ist in Estland und in Montenegro ein Rückgriff auf die Auffangformulierung „deprivation or restriction of human rights and freedoms“ (Estland) bzw. „andere Taten, die gegen die Menschenrechte verstoßen“ (Montenegro) möglich, so dass der Spezialtatbestand der Verbrechen gegen die Menschlichkeit dieser Staaten auch auf Fälle des zwangsweisen Verschwindenlassens Anwendung finden kann.[538]

Die Länder, die nicht über einen Spezialtatbestand zur Ahndung von Verbrechen gegen die Menschlichkeit verfügen, müssen sich damit behelfen, auf allgemeine Straftatbestände wie die der Entführung oder Freiheitsberaubung zurückzugreifen.[539] Damit dürfte zwar in vielen Fällen eine Bestrafung möglich sein,[540] doch können die besonderen Charakteristika dieses unvollkommen zweiaktigen völkerrechtlichen Verbrechens[541] auf diese Weise nicht berücksichtigt werden.

jj) Verbrechen der Apartheid

Die Einzeltat der Apartheid ist die von allen in Art. 7(1) IStGH-Statut aufgeführten Handlungsalternativen am wenigsten rezipierte Einzeltat. Lediglich die Spezialtatbestände von Australien,[542] England und Wales,[543] Kanada,[544] Kroatien[545] sowie

---

536 Siehe Art. 212-1 CP, vgl. *Lelieur-Fischer*, LB Frankreich, Bd. 4, S. 225 (238 f.); Art. 157a StG, vgl. *Novoselec*, LB Kroatien, Bd. 3, S. 19 (31 f.); Art. 607bis Abs. 2 Nr. 6 CP; vgl. *Gil Gil*, LB Spanien, Bd. 4, S. 99 (199).

537 Vgl. *Parmas*, LB Estland, Bd. 5, S. 89 (106); *Škulić*, LB Serbien und Montenegro, Bd. 3, S. 211 (222 f.); *Tellenbach*, LB Türkei, Bd. 6, S. 393 (403).

538 *Parmas*, LB Estland, Bd. 5, S. 89 (106).

539 Vgl. *Cornils*, LB Schweden, Bd. 2, S. 183 (197) (der schwedische Gesetzentwurf für ein Gesetz über Völkerrechtsstraftaten sieht allerdings die Erfassung des Verschwindenlassens durch einen dem Römischen Statut entsprechenden neu zu schaffenden Spezialtatbestand vor, der auch ausdrücklich betont, dass es ausreicht, wenn der Täter eine der beiden Handlungsalternativen vornimmt; vgl. *Cornils*, a.a.O., S. 199); *Frände*, LB Finnland, Bd. 2, S. 21 (31); *Grammer*, LB Italien, Bd. 4, S. 337 (355 f.); *Kouassi/Paulenz*, LB Côte d'Ivoire, Bd. 4, S. 19 (37); *Kremnitzer/Cohen*, LB Israel, Bd. 5, S. 317 (344 f.) (in Israel ist allerdings gegebenenfalls auch ein Rückgriff auf den Tatbestand des „Verbergens einer entführten Person“ möglich; vgl. *Kremnitzer/Cohen*, a.a.O.); *Retalis*, LB Griechenland, Bd. 5, S. 189 (221 f.); *Zerbes*, LB Österreich, Bd. 3, S. 85 (102).

540 Die bloße Auskunftsverweigerung kann jedoch mit diesen Tatbeständen nicht geahndet werden.

541 So die Einstufung von *Gropengießer*, LB Deutschland, Bd. 1, S. 21 (135).

542 Section 268.22 Federal CC; vgl. *Biehler/Kerll*, LB Australien, Bd. 6, S. 19 (98).

543 Section 50(1) ICC Act; vgl. *Rabenstein/Bahrenberg*, LB England/Wales, Bd. 6, S. 261 (271).

Serbien und Montenegro (Teilrepublik Montenegro)[546] pönalisieren Akte der Apartheid in dem Umfang, wie sie durch Art. 7(1)(j) IStGH-Statut i.V.m. Art. 7(2)(h) IStGH-Statut erfasst sind. Dagegen ist in Deutschland die Tatvariante der Apartheid allein als Qualifikationstatbestand der übrigen Verbrechen gegen die Menschlichkeit ausgestaltet[547] und in Spanien ist das Verschwindenlassen nicht als Einzeltat strafbar, sondern Art. 607bis CP legt fest, dass die Begehung anderer Einzeltaten stets als Verbrechen gegen die Menschlichkeit zu bewerten ist, wenn das Verbrechen der Apartheid im Sinne des Art. 7(2)(h) IStGH-Statut gegeben ist.[548]

Die Spezialtatbestände von Estland, Frankreich und der Türkei erfassen die Einzeltat des Verbrechens der Apartheid überhaupt nicht.[549] Doch kann in Estland und Frankreich gegebenenfalls auf die Auffangformulierungen der Spezialtatbestände „deprivation or restriction of human rights and freedoms“ (Estland) bzw. „unmenschliche Handlungen“ (Frankreich) zurückgegriffen werden und auf diese Weise der jeweilige Spezialtatbestand für Verbrechen gegen die Menschlichkeit zur Anwendung gebracht werden.[550]

In den Staaten, die keinen Spezialtatbestand der Verbrechen gegen die Menschlichkeit haben, sind in Bezug auf die Einzeltat der Apartheid echte Strafbarkeitslücken festzustellen. In den meisten Landesberichten zu diesen Staaten wird festgestellt, dass das Verbrechen der Apartheid nicht geahndet werden könne.[551] Lediglich einigen wenigen Landesberichterstattern ist es möglich, auf allgemeine Diskriminierungstatbestände der untersuchten Rechtsordnung verweisen.[552] Während bei den meisten anderen Einzeltaten echte Strafbarkeitsdefizite zu verneinen sind, weil in der einen oder anderen Weise ein Rückgriff auf das „allgemeine“

---

544 Section 4(3) und section 6(3) CAHWCA; vgl. *Gut/Wolpert*, LB Kanada, Bd. 5, S. 19 (25, 28 ff.).

545 Art. 157a StG; vgl. *Novoselec*, LB Kroatien, Bd. 3, S. 19 (31 f.).

546 Art. 427 StGB Montenegro. Ebenso der Entwurf für einen parallelen Tatbestand des StGB der Teilrepublik Serbien. Vgl. *Škulić*, LB Serbien und Montenegro, Bd. 3, S. 211 (222 f.) sowie oben Anm. 380.

547 § 7 Abs. 5 VStGB; vgl. *Gropengießer*, LB Deutschland, Bd. 1, S. 21 (135 ff.).

548 Siehe oben S. 82 mit Anm. 430.

549 *Lelieur-Fischer*, LB Frankreich, Bd. 4, S. 225 (238, 319); *Parmas*, LB Estland, Bd. 5, S. 89 (106); *Tellenbach*, LB Türkei, Bd. 6, S. 393 (403).

550 *Lelieur-Fischer*, LB Frankreich, Bd. 4, S. 225 (238, 319); *Parmas*, LB Estland, Bd. 5, S. 89 (106).

551 *Grammer*, LB Italien, Bd. 4, S. 337 (355 f.); *Kouassi/Paulenz*, LB Côte d'Ivoire, Bd. 4, S. 19 (37); *Kremnitzer/Cohen*, LB Israel, Bd. 5, S. 317 (346); *Lammich*, LB Russland/Weißrussland, Bd. 6, S. 351 (361 f.); *Retalis*, LB Griechenland, Bd. 5, S. 189 (217); *Richter*, LB China, Bd. 6, S. 141 (159); *Zerbes*, LB Österreich, Bd. 3, S. 85 (102).

552 *Cornils*, LB Schweden, Bd. 2, S. 183 (197) (der schwedische Gesetzentwurf für ein Gesetz über Völkerrechtsstraftaten sieht allerdings die Erfassung des Verbrechens der Apartheid durch einen dem Römischen Statut entsprechenden neu zu schaffenden Spezialtatbestand vor; vgl. *Cornils*, a.a.O., S. 199); *Frände*, LB Finnland, Bd. 2, S. 21 (31); *Korošec*, LB Slowenien, Bd. 3, S. 329 (355, 401).

Strafrecht möglich ist, können also Täter der Tatvariante der Apartheid von den meisten der Staaten, die über keinen Spezialtatbestand verfügen, nicht bestraft werden.

kk) Andere unmenschliche Handlungen ähnlicher Art

Die Spezialtatbestände zur Erfassung von Verbrechen gegen die Menschlichkeit von Australien,[553] Deutschland,[554] England und Wales,[555] Estland,[556] Frankreich,[557] Kanada,[558] Weißrussland[559] sowie Serbien und Montenegro (Teilrepublik Montenegro)[560] enthalten wie das Römische Statut (Art. 7(1)(k) IStGH-Statut) einen allgemeinen Auffangtatbestand, mit dem andere als die explizit genannten Einzeltaten, die aber den genannten ebenbürtig sind, gleichfalls als Verbrechen gegen die Menschlichkeit geahndet werden können.[561] Während die Tatbestände von Australien, England und Wales, Kanada sowie Serbien und Montenegro (Teilrepublik Montenegro) mit Art. 7(1)(k) IStGH-Statut zumindest weitgehend deckungsgleich sind, verwenden die Tatbestände von Deutschland, Estland, Frankreich und Weißrussland deutlich abweichende Formulierungen, die jedoch in der Praxis nicht zu Strafverfolgungsdefiziten führen dürften. § 7 Abs. 1 Nr. 8 des deutschen VStGB spricht von der Zufügung schwerer körperlicher oder seelischer Schäden.[562] In Art. 89 des estnischen CC ist zum einen die Rede von "other abuse of civilians", zum anderen – wie schon mehrfach erwähnt – allgemein von "deprivation or restriction of human rights and freedoms".[563] Der französische Tatbestand – Art. 212-1 CP – verwendet kurz und bündig die Formulierung „unmenschliche Handlungen".[564] Und die Aufzählung strafbarer Einzelhandlungen in Art. 128 des

---

553 Section 268.23 Federal CC; vgl. *Biehler/Kerll*, LB Australien, Bd. 6, S. 19 (98).

554 § 7 Abs. 1 Nr. 8 VStGB; vgl. *Gropengießer*, LB Deutschland, Bd. 1, S. 21 (137 f.).

555 Section 50(1) ICC Act; vgl. *Rabenstein/Bahrenberg*, LB England/Wales, Bd. 6, S. 261 (271).

556 Art. 89 CC; vgl. *Parmas*, LB Estland, Bd. 5, S. 89 (98, 164).

557 Art. 212-1 CP, vgl. *Lelieur-Fischer*, LB Frankreich, Bd. 4, S. 225 (238 ff., 319).

558 Sections 4(3) und 6(3) CAHWCA; vgl. *Gut/Wolpert*, LB Kanada, Bd. 5, S. 19 (25, 28 ff.).

559 Art. 128 StGB; vgl. *Lammich*, LB Russland/Weißrussland, Bd. 6, S. 351 (361 f.).

560 Art. 427 StGB Montenegro. Ebenso der Entwurf für einen parallelen Tatbestand des StGB der Teilrepublik Serbien. Vgl. *Škulić*, LB Serbien und Montenegro, Bd. 3, S. 211 (222 f.) sowie oben Anm. 380.

561 Damit wird die völkergewohnheitsrechtliche Anerkennung dieser Generalklausel, die nicht nur im Römischen Statut, sondern auch in allen anderen völkerrechtlichen Fixierungen des Verbrechens gegen die Menschlichkeit enthalten ist bzw. war (vgl. oben S. 73), bestätigt.

562 *Gropengießer*, LB Deutschland, Bd. 1, S. 21 (137 f.).

563 *Parmas*, LB Estland, Bd. 5, S. 89 (98, 164).

564 *Lelieur-Fischer*, LB Frankreich, Bd. 4, S. 225 (23 ff.).

weißrussischen StGB wird abgeschlossen mit dem Begriff „andere Grausamkeiten“.[565]

Es gibt allerdings auch nationale Straftatbestände zur Ahndung von Verbrechen gegen die Menschlichkeit, die keine Auffangklausel enthalten. Zu nennen sind die Spezialtatbestände von Kroatien,[566] Spanien[567] und der Türkei[568].

Ein wie auch immer formulierter allgemeiner Auffangtatbestand hat den Vorteil, dass Strafbarkeitsdefizite auf nationaler Ebene (weitgehend) vermieden werden und somit vor dem Hintergrund des Komplementaritätsprinzips[569] nicht befürchtet zu werden braucht, dass dem betreffenden Land eine die Zuständigkeit des IStGH begründende Unfähigkeit zu einer nationalen Strafverfolgung vorgehalten wird. Auf der anderen Seite sind allgemein gehaltene Auffangformulierungen im Hinblick auf den Bestimmtheitsgrundsatz sehr problematisch. Aus diesem Grund hat beispielsweise der deutsche Gesetzgeber davon abgesehen, Art. 7(1)(k) IStGH-Statut unverändert im VStGB zu implementieren, sondern sich darauf beschränkt, zusätzlich zu den anderen Einzeltaten noch allgemein die Zufügung schwerer körperlicher oder seelischer Schäden als taugliche Einzeltat in § 7 VStGB aufzunehmen.[570]

e) Die subjektiven Strafbarkeitsvoraussetzungen

Die subjektiven Strafbarkeitsvoraussetzungen der nationalen Spezialtatbestände zur Erfassung von Verbrechen gegen die Menschlichkeit sind weitgehend deckungsgleich mit denen des völkerrechtlichen Verbrechenstatbestands.[571] Verlangt wird stets Vorsatz bezüglich der Gesamttat[572] und der Einzelhandlungen, darüber hinaus bei bestimmten Einzelhandlungen eine in der Beschreibung der jeweiligen Einzeltat genannte besondere Handlungsmotivation (Absicht) des Täters.[573] Hin-

---

565 *Lammich*, LB Russland/Weißrussland, Bd. 6, S. 351 (361 f.).

566 *Novoselec*, LB Kroatien, Bd. 3, S. 19 (31 f.).

567 *Gil Gil*, LB Spanien, Bd. 4, S. 99 (198 ff.).

568 *Tellenbach*, LB Türkei, Bd. 6, S. 393 (403).

569 Siehe hierzu oben S. 2.

570 Vgl. oben Anm. 562.

571 Zu den subjektiven Strafbarkeitsvoraussetzungen des völkerrechtlichen Tatbestands Verbrechen gegen die Menschlichkeit siehe oben S. 73.

572 Allerdings verlangen die meisten nationalen Tatbestände anders als Art. 7(1) IStGH-Statut nicht ausdrücklich positive Kenntnis (im Sinne sicheren Wissens) von der Gesamttat, sondern behandeln die Gesamttat – was die subjektiven Strafbarkeitsvoraussetzungen anbelangt – ebenso wie die Tatbestandsmerkmale der Einzeltaten (vgl. für § 7 VStGB *Gropengießer*, LB Deutschland, Bd. 1, S. 21 [138]). Wie das Römische Statut dagegen das australische Recht (section 268.8 ff. Federal CC; vgl. *Biehler/Kerll*, LB Australien, Bd. 6, S. 19 [91 ff.]) und der kroatische Spezialtatbestand (Art. 157a StG; vgl. *Novoselec*, LB Kroatien, Bd. 3, S. 19 [31]).

573 Vgl. für § 7 VStGB *Gropengießer*, LB Deutschland, Bd. 1, S. 21 (138 f.).

zuweisen ist allerdings erneut auf die Besonderheiten des französischen und des türkischen Spezialtatbestands, die in subjektiver Hinsicht ein Handeln aus politischen, philosophischen, rassischen oder religiösen Motiven verlangen.[574]

f) Besondere Regelungen zur Strafbarkeit von Befehlsgebern

Die nationalen Spezialtatbestände zur Erfassung von Verbrechen gegen die Menschlichkeit der Länder Kroatien sowie Serbien und Montenegro legen ergänzend fest, dass als Täter nicht nur derjenige gilt, der die jeweiligen Einzeltaten ausführt, sondern ebenso derjenige, der einen Befehl zur Tatbegehung gibt.[575] Insofern wird eine klassische Frage des Allgemeinen Teils des Strafrechts ([mittelbare] Täterschaft und Teilnahme, Strafbarkeit von Hintermännern) in diesen Ländern bereits im Straftatbestand selbst beantwortet. Die Erstreckung des Tatbestands auch auf Personen, die – etwa als militärische oder politische Funktionsträger – ein Verbrechen gegen die Menschlichkeit anordnen, bedeutet, dass diese nicht als Anstifter oder Gehilfen, sondern auf jeden Fall als Täter zu bestrafen sind und ihre Strafbarkeit unabhängig davon eintritt, ob mit der Tatausführung begonnen wird oder nicht.[576] In den übrigen nationalen Rechtsordnungen ist die Strafbarkeit von Befehlsgebern dagegen nach Maßgabe der (allgemeinen) Regeln über Täterschaft und Teilnahme zu bestimmen.[577]

3. Im nationalen Recht vorgesehene Rechtsfolgen

Während das Römische Statut – wie bereits erwähnt – in Art. 77(1) IStGH-Statut lediglich pauschal für alle der Gerichtsbarkeit des IStGH unterfallenden Taten festlegt, dass der Gerichtshof grundsätzlich zeitlich begrenzte Freiheitsstrafen bis zu einer Höchstdauer von 30 Jahren, alternativ aber auch lebenslange Freiheitsstrafen verhängen darf, wenn dies durch die außergewöhnliche Schwere des Verbrechens und die persönlichen Verhältnisse des Verurteilten gerechtfertigt ist,[578] enthalten die nationalen Spezialtatbestände jeweils speziell auf Verbrechen gegen die Menschlichkeit bezogene Rechtsfolgeregelungen. Damit ist es für den IStGH, aber auch für die anderen internationalen Strafgerichte von besonderem Interesse, bei der Entscheidung über eine schuld- und tatangemessene Strafe einen Blick auf die im nationalen Recht vorgesehenen Strafen zu werfen.

---

574 Vgl. hierzu näher oben S. 80.

575 *Novoselec*, LB Kroatien, Bd. 3, S. 19 (31 f.); *Škulić*, LB Serbien und Montenegro, Bd. 3, S. 211 (222).

576 Vgl. in diesem Zusammenhang auch die Ausführungen zur parallelen Rechtslage in diesen Ländern in Bezug auf Völkermord oben auf S. 54.

577 Siehe hierzu näher unten S. 221.

578 Vgl. oben S. 56 mit Anm. 269. Der Wortlaut von Art. 77 IStGH-Statut ist wiedergegeben unten auf S. 261.

Es finden sich zwei verschiedene Arten von Rechtsfolgeregelungen in den nationalen Spezialtatbeständen zur Erfassung von Verbrechen gegen die Menschlichkeit.[579] Zunächst einmal gibt es Spezialtatbestände, die einheitlich für alle festgelegten Varianten des Verbrechens gegen die Menschlichkeit eine einzige Sanktionierungsvorgabe machen, also nicht zwischen den verschiedenen Einzeltaten differenzieren. Eine solche Regelung findet sich in England und Wales,[580] Estland,[581] Frankreich,[582] Kanada,[583] Kroatien,[584] Serbien und Montenegro (Teilrepublik Montenegro)[585] sowie Weißrussland.[586] Betrachtet man diese Länder genauer, so ist Folgendes festzustellen: In *England und Wales* ist dann, wenn zugleich der Tatbestand des Mordes nach englischem Recht verwirklicht wird, obligatorisch eine lebenslange Freiheitsstrafe zu verhängen; ansonsten ist die Verhängung einer Freiheitsstrafe von bis zu 30 Jahren statthaft. In *Estland* ist für Verbrechen gegen die Menschlichkeit eine Strafe von acht bis 20 Jahren oder alternativ lebenslanger Freiheitsentzug vorgesehen. Nach dem *französischen* Spezialtatbestand darf eine Strafe zwischen zwei Jahren und lebenslangem Freiheitsentzug verhängt werden. Das *kanadische* Recht sieht vor, dass dann, wenn ein Verbrechen gegen die Menschlichkeit in Form einer vorsätzlichen Tötung verübt wird, zwingend lebenslange Freiheitsstrafe, ansonsten – ohne Festlegung einer Mindeststrafe – maximal lebenslange Freiheitsstrafe zu verhängen ist. In *Kroatien* ist die Verhängung einer Freiheitsstrafe von fünf bis 15 Jahren oder alternativ 20 bis 40 Jahre vorgesehen.[587] Das Recht von *Serbien und Montenegro* (Teilrepublik Montenegro) sieht eine Freiheitsstrafe von fünf bis 20 Jahren oder alternativ von 30 Jahren vor.[588] Und in *Weißrussland* können Verbrechen gegen die Menschlichkeit im Sinne des nationa-

---

579 Auf die Rechtsfolgen, die von den Staaten, die über keinen Spezialtatbestand verfügen, in Anwendung der „normalen" Straftatbestände verhängt werden können, soll an dieser Stelle nicht eingegangen werden. Insofern wird auf die Darstellung unter Gliederungspunkt B.II.2. in den einzelnen Landesberichten verwiesen.

580 *Rabenstein/Bahrenberg*, LB England/Wales, Bd. 6, S. 261 (272).

581 *Parmas*, LB Estland, Bd. 5, S. 89 (98, 106).

582 *Lelieur-Fischer*, LB Frankreich, Bd. 4, S. 225 (249 f., 318 f.).

583 *Gut/Wolpert*, LB Kanada, Bd. 5, S. 19 (28, 31).

584 *Novoselec*, LB Kroatien, Bd. 3, S. 19 (32).

585 *Škulić*, LB Serbien und Montenegro, Bd. 3, S. 211 (224 f.) sowie oben Anm. 380.

586 *Lammich*, LB Russland/Weißrussland, Bd. 6, S. 351 (362).

587 Die Tatsache, dass keine Freiheitsstrafe zwischen 15 und 20 Jahren verhängt werden darf und es eine langdauernde Alternativstrafe von 20–40 Jahren gibt, ist damit zu erklären, dass die langdauernde Freiheitsstrafe ein Substitut für die abgeschaffte Todesstrafe sein soll. Vgl. hierzu schon oben Anm. 276.

588 Diese Sanktionen gelten allein für den Spezialtatbestand der Teilrepublik Montenegro (Art. 427 StGB Montenegro). Im Entwurf für einen parallelen Tatbestand des StGB der Teilrepublik Serbien sind als Sanktionen Freiheitsstrafe von fünf bis 15 Jahren oder alternativ 40 Jahre vorgesehen. Die Ausführungen oben in Anm. 587 gelten entsprechend für Serbien und Montenegro.

len Spezialtatbestands mit einer Freiheitsstrafe von sieben bis zwölf Jahren, mit lebenslanger Freiheitsstrafe oder mit der Todesstrafe geahndet werden.

Die Spezialtatbestände von Australien,[589] Deutschland[590] und Spanien[591] dagegen enthalten sehr differenzierte Rechtsfolgeregelungen.[592] Sie legen individuell für jede erfasste Einzeltat einen besonderen Strafrahmen fest. Damit nimmt schon der Gesetzgeber eine Wertung und Differenzierung hinsichtlich des Unrechtsgehalts der verschiedenen Einzeltaten vor. Da diese gesetzgeberischen Wertungen auch für andere Staaten und den IStGH interessante Aufschlüsse über die unterschiedliche Schwere der verschiedenen Einzeltaten und gewichtige Anhaltspunkte für gerechte Sanktionsentscheidungen geben, ist es lohnend, diese detaillierten Rechtsfolgeregelungen hier näher darzustellen.

Für die Einzeltat der *Tötung* (Art. 7(1)(a) IStGH-Statut) ist in Australien als Höchststrafe lebenslange Freiheitsstrafe vorgesehen,[593] in Deutschland ist zwingend lebenslange Freiheitsstrafe zu verhängen, in Spanien ist eine Freiheitsstrafe von 15 bis 30 Jahren auszusprechen.

Ausrottung (Art. 7(1)(b) IStGH-Statut) kann in Australien mit einer lebenslangen Freiheitsstrafe, in Deutschland mit Freiheitsstrafe von fünf Jahren bis lebenslang und in Spanien mit acht bis zwölf Jahren Freiheitsentzug geahndet werden.

Für die Einzeltat der *Versklavung* (Art. 7(1)(c) IStGH-Statut) ist in Australien eine Höchststrafe von 25 Jahren Freiheitsentzug, in Deutschland Freiheitsentzug von zwei Jahren bis lebenslang und in Spanien eine Freiheitsstrafe von vier bis acht Jahren festgelegt.

Taten der *Vertreibung oder zwangsweisen Überführung der Bevölkerung* (Art. 7(1)(d) IStGH-Statut) können in Australien mit einer Höchststrafe von 17 Jahren Freiheitsentzug, in Deutschland mit mindestens zwei Jahren und höchstens

---

589 Vgl. *Biehler/Kerll*, LB Australien, Bd. 6, S. 19 (31 f., 91 ff.).

590 Vgl. *Gropengießer*, LB Deutschland, Bd. 1, S. 21 (121 ff., 139 f.). § 7 VStGB differenziert bei den Einzeltaten noch einmal zwischen „normalen“ Fällen (§ 7 Abs. 1 VStGB) und minder schweren Fällen (§ 7 Abs. 2 und Abs. 4 VStGB) und sieht zum Teil für den Fall eines Todeserfolgs einen veränderten Strafrahmen vor (§ 7 Abs. 3 VStGB). Im Folgenden werden lediglich die geringsten und die höchsten zulässigen Strafen (also die Gesamtstrafrahmen) wiedergegeben. Für eine Detailbetrachtung wird verwiesen auf *Gropengießer*, a.a.O.

591 *Gil Gil*, LB Spanien, Bd. 4, S. 99 (120, 212 f.).

592 Auch der türkische Spezialtatbestand nimmt eine Differenzierung zwischen verschiedenen Einzeltaten vor, doch ist diese eng begrenzt: Für die Einzeltat der Tötung ist zwingend lebenslange Freiheitsstrafe zu verhängen, für die anderen Einzeltaten mindestens acht und höchstens 20 Jahre Freiheitsstrafe. Vgl. *Tellenbach*, LB Türkei, Bd. 6, S. 393 (403).

593 Eine Mindeststrafe kennt das australische Recht nicht; vgl. *Biehler/Kerll*, LB Australien, Bd. 6, S. 19 (32).

lebenslangem Freiheitsentzug sowie in Spanien mit einer Freiheitsstrafe von acht bis zwölf Jahren bestraft werden.

Die Einzeltat des *Freiheitsentzugs* (Art. 7(1)(e) IStGH-Statut) kann in Australien mit maximal 17 Jahren Freiheitsentzug, in Deutschland mit Freiheitsstrafe von einem Jahr bis 15 Jahren und in Spanien mit Freiheitsstrafe von zwei bis acht Jahren bestraft werden.

Für *Folter* (Art. 7(1)(f) IStGH-Statut) ist in Australien eine Höchststrafe von 25 Jahren Freiheitsentzug, in Deutschland eine Freiheitsstrafe von zwei Jahren bis lebenslang und in Spanien eine Freiheitsstrafe von zwei bis acht Jahren vorgesehen.

Bei den *sexuellen Gewalttaten* (Art. 7(1)(g) IStGH-Statut) liegt die Höchststrafe nach australischem Recht bei 25 Jahren Freiheitsstrafe, in Deutschland kann eine Freiheitsstrafe von zwei Jahren bis lebenslang und in Spanien eine Freiheitsstrafe von vier bis 15 Jahren ausgesprochen werden.

Verfolgung (Art. 7(1)(h) IStGH-Statut) kann in Australien mit maximal 17 Jahren Freiheitsstrafe, in Deutschland mit einer Freiheitsstrafe von drei bis 15 Jahren und in Spanien mit einer Freiheitsstrafe von zwei bis 30 Jahren sanktioniert werden.

Für die Einzeltat des *zwangsweisen Verschwindenlassens* (Art. 7(1)(i) IStGH-Statut) ist in Australien eine Maximalstrafe von 17 Jahren, in Deutschland eine Freiheitsstrafe von zwei Jahren bis lebenslang und in Spanien ein Freiheitsentzug mit einer Dauer von zwölf bis 15 Jahren vorgesehen.

Auf das *Verbrechen der Apartheid* (Art. 7(1)(j) IStGH-Statut) kann in Australien mit einer Höchststrafe von 17 Jahren, in Deutschland mit einer Freiheitsstrafe von drei Jahren bis 15 Jahren und in Spanien mit einer Freiheitsstrafe von zwei bis 30 Jahren reagiert werden.

Andere unmenschliche Handlungen (Art. 7(1)(k) IStGH-Statut) schließlich können in Australien mit einer Maximalstrafe von 25 Jahren und in Deutschland mit einer Freiheitsstrafe von einem Jahr bis 15 Jahre geahndet werden.

Diese Ergebnisse ermöglichen gleich mehrere Feststellungen. Erstens erachten die nationalen Gesetzgeber nicht alle Varianten der Verbrechen gegen die Menschlichkeit als gleich schweres Unrecht. Zweitens erachten sie nicht alle Einzeltaten für so schwer, dass eine Verhängung der schwersten Strafe, die das nationale Recht kennt, ermöglicht werden müsste. Vielmehr bleibt die zulässige Maximalstrafe bei vielen Einzeltaten deutlich hinter der höchsten Strafe, die das jeweilige nationale Strafrecht kennt, zurück. Drittens besteht – wie die sehr unterschiedlichen Sanktionsregelungen zeigen – kein staatenübergreifender Konsens darüber, wie hoch die Strafen für einzelne Verbrechen gegen die Menschlichkeit sein sollten und wie schwer mithin das Unrecht der einzelnen Tatvarianten zu bewerten ist. Und vergleicht man viertens die hier aufgezeigten Regelungen für Verbrechen gegen die Menschlichkeit mit den Sanktionenregelungen des nationalen Rechts, die für Völkermordtaten getroffen sind,[594] so ist darüber hinaus zu konstatieren, dass Völkermord im Vergleich zu Verbrechen gegen die Menschlichkeit allgemein für das schwerere völkerrechtliche Verbrechen gehalten wird. Denn wie bereits ausgeführt wurde, ist für Taten des Völkermords von den nationalen Strafrechtsordnungen zumeist ohne Differenzierung zwischen den verschiedenen Einzeltaten die Verhängung der höchsten Strafe vorgesehen oder zumindest gestattet, die das jeweilige nationale Recht kennt.[595]

III. Kriegsverbrechen

1. Die völkerrechtlichen Verbrechenstatbestände

a) Historische Entwicklung

Im Krieg sind den kriegführenden Parteien und den für sie agierenden Personen Verhaltensweisen erlaubt, die in Friedenszeiten gewöhnlich schwerste Strafen nach sich ziehen – das Töten gegnerischer Soldaten ist nur ein Beispiel dafür. Gleichwohl besteht seit langem Einigkeit, dass Kriege nicht in einem rechtsfreien Raum geführt werden, die Kriegsparteien also keine freie Wahl der Methoden, Mittel und Ziele ihrer militärischen Aktivitäten haben, sondern dass völkerrechtliche Normen – das so genannte Kriegsvölkerrecht *(ius in bello)* – dem Handlungsspielraum der Kriegsparteien relativ enge Schranken setzen.[596]

Die Bemühungen um eine Humanisierung des Krieges lassen sich bis in das Altertum zurückverfolgen.[597] Eine Verrechtlichung der Schranken der Kriegsführung auf völkerrechtlicher Ebene trat jedoch erst im 19. Jahrhundert ein. Nachdem zunächst viele Staaten auf nationaler Ebene für das jeweils eigene Militär verbindliche Regeln der Kriegsführung erlassen hatten,[598] kam es auch zu zwischenstaat-

---

594 Siehe hierzu oben S. 55.

595 Siehe hierzu oben S. 55.

596 *Werle*, Völkerstrafrecht, Rn. 768 ff. Zwar werden in der Realität der Kriege diese Schranken vielfach missachtet, doch ändert die Faktizität des Rechtsbruchs – von der „Politik verbrannter Erde“ über Flächenbombardements von Städten bis hin zur Folterung und Tötung von Kriegsgefangenen – nichts an der rechtlichen Verbindlichkeit der Normen des Kriegsvölkerrechts.

597 Vgl. *Greenwood*, in: Fleck (Hrsg.), Handbuch des humanitären Völkerrechts, S. 1 (10 ff.).

598 Siehe z.B. das deutsche Militärstrafgesetzbuch (MStGB) vom 20.6.1872 (RGBl. 1872, S. 174, aufgehoben durch Art. 3 KRG Nr. 34 vom 20.8.1946), das nach der Gründung des Deutschen Reiches 1871 ältere Militärstrafgesetzbücher der deutschen Länder ersetzte; vgl. *Gropengießer*, LB Deutschland, Bd. 1, S. 21 (141 f.) mit einer Auflistung der Militärstrafgesetzbücher der deutschen Länder, Nachweise in Fn. 513.

lichen Vereinbarungen;[599] zu nennen sind zunächst die Genfer Abkommen von 1864 und 1929, die den kriegführenden Parteien Pflichten zum Schutz von Verwundeten und Kriegsgefangenen, also am Kampfgeschehen nicht mehr beteiligter Personen auferlegten.[600] Von zentraler Bedeutung war die Verabschiedung des auch heute noch gültigen *Haager Abkommens betreffend die Gesetze und Gebräuche des Landkrieges* vom 18. Oktober 1907, das als Anlage die so genannte *Haager Landkriegsordnung* (HLKO) enthält.[601] Die HLKO normiert bestimmte Verbote hinsichtlich der Mittel und Methoden der Kriegsführung und bewirkt damit zum Schutz der kämpfenden Soldaten, aber auch der Zivilbevölkerung, bestimmte Einschränkungen in Bezug auf die zulässige Art und Weise der Kriegsführung.[602]

Diese völkervertraglichen Regeln waren aber zumeist noch nicht mit Strafandrohungen für die handelnden Personen verbunden. Von einigen Ausnahmen abgesehen – vgl. Art. 56(2) HLKO – wurden weder die Vertragsparteien verpflichtet, auf der Ebene des jeweiligen nationalen Rechts für eine Strafbarkeit der verbotenen Verhaltensweisen Sorge zu tragen und Verstöße gegen das Kriegsrecht auf nationaler Ebene strafrechtlich zu ahnden, noch wurde unmittelbar auf völkerrechtlicher Ebene eine (völkerrechtliche) Strafbarkeit von Verstößen gegen das Kriegsvölkerrecht normiert.[603] Bis zum Ersten Weltkrieg wurde sogar – ganz dem Souveränitätsdenken des klassischen Völkerrechts verhaftet – teilweise die Auffassung vertreten, dass es den Staaten von Völkerrechts wegen untersagt sei, Soldaten anderer Staaten – etwa Kriegsgefangene – für „Kriegsverbrechen" vor eigenen Gerichten strafrechtlich zur Verantwortung zu ziehen, da das Handeln der Soldaten als fremdstaatliches Handeln zu klassifizieren und eine strafrechtliche Ahndung damit ein Verstoß gegen Souveränitätsrechte der Heimatstaaten der Soldaten zu bewerten sei.[604] Diese Rechtsauffassung wurde jedoch zu Beginn des 20. Jahrhunderts zu-

---

599 Eine Zusammenstellung der einschlägigen Völkerrechtsquellen findet sich bei *Fleck* (Hrsg.), Handbuch des humanitären Völkerrechts, S. 441 ff.; *Ipsen*, in: ders., Völkerrecht, § 63 Rn. 2.

600 Vgl. *Greenwood*, in: Fleck (Hrsg.), Handbuch des humanitären Völkerrechts, S. 1 (10, 19); *Werle*, Völkerstrafrecht, Rn. 775 f. mit Fundstellennachweisen.

601 *Haager Abkommen betreffend die Gesetze und Gebräuche des Landkrieges* vom 18.10.1907; RGBl. 1910, S. 107). Die HLKO von 1907 basiert auf einem älteren Abkommen aus dem Jahr 1899 (*Abkommen betreffend die Gesetze und Gebräuche des Landkrieges* vom 28.7.1899; RGBl. 1901, S. 423).

602 Vgl. *Greenwood*, in: Fleck (Hrsg.), Handbuch des humanitären Völkerrechts, S. 1 (17 f., 21 f.); *Werle*, Völkerstrafrecht, Rn. 779 ff.

603 *Bremer*, Nationale Strafverfolgung internationaler Verbrechen, S. 78 f.; *Dahm/Delbrück/Wolfrum*, Völkerrecht, Bd. I/3, S. 1052; *Gropengießer*, LB Deutschland, Bd. 1, S. 21 (141). Zu den Ausnahmen siehe *Ahlbrecht*, Geschichte der völkerrechtlichen Strafgerichtsbarkeit, S. 29; *Grewe/Küster*, Nürnberg als Rechtsfrage, S. 18; *Jescheck*, Verantwortlichkeit der Staatsorgane nach Völkerstrafrecht, S. 38.

604 Vgl. aus der zeitgenössischen Literatur etwa *Arndt*, GA 66 (1919), 522 (522 ff.); *Kohler*, GA 62 (1916), 354 (371 f.); *Wegner*, Kriminelles Unrecht, S. 28 ff. Vgl. ferner die Nachweise bei *Jescheck*, Verantwortlichkeit der Staatsorgane nach Völkerstrafrecht,

rückgedrängt; es entwickelte sich klares Völkergewohnheitsrecht dahingehend, dass es den Staaten gestattet sei, auch (kriegsgefangene) Soldaten anderer Staaten für Verletzungen des Kriegsvölkerrechts vor eigenen nationalen Gerichten strafrechtlich zur Verantwortung zu ziehen.[605] Dabei wurde die Strafbarkeit nicht nur auf das nationale Recht der strafverfolgenden Staaten gestützt, sondern zunehmend argumentiert, die Strafbarkeit ergebe sich unmittelbar aus dem Kriegsvölkerrecht.[606] Diese Entwicklung kann als die Grundsteinlegung des Völkerstrafrechts bezeichnet werden, wurde doch erstmals anerkannt, dass sich Einzelpersonen unmittelbar nach Völkerrecht strafbar machen und auf der Basis des „Kriegsvölkerstrafrechts" zur Verantwortung gezogen werden können. Kriegsverbrechen sind damit die ältesten und ursprünglichsten Straftaten des Völkerstrafrechts.[607]

Praktische Relevanz erlangte das neue Völkerstrafrecht jedoch zunächst nicht. Zwar bestimmten die Siegermächte des Ersten Weltkrieges mit Art. 227 des Versailler Vertrags,[608] dass ein internationales Strafgericht den deutschen Kaiser wegen „schwerste(r) Verletzungen des internationalen Sittengesetzes und der Heiligkeit der Verträge" zur Verantwortung ziehen sollte, doch kam es bekanntlich nicht zu einem Prozess, da die Niederlande, in denen der abgedankte deutsche Kaiser Zuflucht gesucht hatte, sich einer Auslieferung widersetzten.[609] Auch zu der geplanten Strafverfolgung von etwa 900 namentlich bezeichneten deutschen Soldaten wegen Zuwiderhandlungen „gegen die Gesetze und Gebräuche des Krieges", also wegen Kriegsverbrechen, durch die alliierten Siegermächte auf der Basis der

---

S. 44 f. und bei *Schwengler*, Völkerrecht, Versailler Vertrag, S. 65. Zumeist wurde allerdings von einer Befugnis der Staaten ausgegangen, auch Soldaten des Feindes für Verletzungen des *ius in bello* strafrechtlich zur Verantwortung zu ziehen; vgl. *Jescheck*, a.a.O., S. 33 ff. Siehe in diesem Zusammenhang auch die Ausführungen zur Staatenimmunität unten S. 272 ff.

605 Vgl. *Hinz*, Kriegsgefangenenrecht, S. 165 ff.; *Jescheck*, Verantwortlichkeit der Staatsorgane nach Völkerstrafrecht, S. 46 ff.; *Oehler*, Internationales Strafrecht, Rn. 1057; *Schwengler*, Völkerrecht, Versailler Vertrag, S. 60 ff.; *Verdross*, Völkerrechtswidrige Kriegshandlung, S. 8 ff. (mit einer ausführlichen Darstellung der in der Literatur bis Anfang des 20. Jahrhunderts vertretenen Auffassungen).

606 *Ahlbrecht*, Geschichte der völkerrechtlichen Strafgerichtsbarkeit, S. 30; siehe auch *Bothe*, in: Cassese u.a. (Hrsg.), Rome Statute of the International Criminal Court, Bd. I, S. 379 (382); *Grewe/Küster*, Nürnberg als Rechtsfrage, S. 18; *Jescheck*, Verantwortlichkeit der Staatsorgane nach Völkerstrafrecht, S. 33 ff. m.w.N.

607 BT-Drucks. 14/2682, S. 104. *Werle*, JZ 2000, 755 (757) spricht in Bezug auf Kriegsverbrechen von der „historisch ältesten Materie" des Völkerstrafrechts; *Kreß*, in: Grützner/Pötz, Internationaler Rechtshilfeverkehr, vor III 26, Rn. 38 von der „Keimzelle des Völkerstrafrechts".

608 RGBl. 1919, S. 687 (981, 983).

609 Vgl. *Ahlbrecht*, Geschichte der völkerrechtlichen Strafgerichtsbarkeit, S. 27 ff.; *Bassiouni*, in: ders. (Hrsg.), International Criminal Law, Bd. III: Enforcement, S. 31 (33 ff.); *Dahm/Delbrück/Wolfrum*, Völkerrecht, Bd. I/3, S. 1025 f.; *Jescheck*, Verantwortlichkeit der Staatsorgane nach Völkerstrafrecht, S. 41 ff.; *Merkel*, in: Nürnberger Menschenrechtszentrum (Hrsg.), Von Nürnberg nach Den Haag, S. 68 (71 ff.); *von Selle*, ZNR 19 (1997), 193 (194 ff.); *Werle*, Völkerstrafrecht, Rn. 5 ff.

Art. 228 ff. des Versailler Vertrags kam es nicht, da Deutschland eine Auslieferung der Personen ablehnte, so dass sich die Alliierten schließlich mit nationalen deutschen Verfahren gegen einige wenige der aufgelisteten Personen vor dem Leipziger Reichsgericht nach einem speziell zu diesem Zweck geschaffenen deutschen Gesetz[610] zufrieden gaben, die aber nur äußerst halbherzig betrieben wurden.[611]

So erlange die Strafbarkeit wegen Kriegsverbrechen unmittelbar nach Völkerrecht erst im Nürnberger Hauptkriegsverbrecherprozess nach dem Ende des Zweiten Weltkrieges praktische Bedeutung.[612] Gemäß Art. 6(2)(b) IMT-Statut[613] fielen auch Kriegsverbrechen in die Zuständigkeit des Nürnberger Gerichtshofs.[614] Auch der für die „Nachfolgeprozesse" vor Gerichten der einzelnen Alliierten maßgebliche Art. II(1)(b) KRG Nr. 10[615] führte Kriegsverbrechen als Straftaten auf.[616] Bemerkenswert ist, dass sich die Kritik, die gegen die Nürnberger Prozesse in Bezug auf einen Verstoß gegen das Rückwirkungsverbot vorgebracht wurde, nicht auf

---

610 *Gesetz zur Verfolgung von Kriegsverbrechen und Kriegsvergehen* vom 18.12.1919, RGBl. 1919, S. 2125. Hinzuweisen ist zudem auf ergänzende Gesetze vom 24.3.1920 (RGBl. 1920, S. 341) und vom 12.5.1921 (RGBl. 1921, S. 508). Siehe zu diesen Gesetzen *von Selle*, ZNR 19 (1997), 193 (194).

611 *Ahlbrecht*, Geschichte der völkerrechtlichen Strafgerichtsbarkeit, S. 41 ff.; *Bassiouni*, in: ders. (Hrsg.), International Criminal Law, Bd. III: Enforcement, S. 31 (37 ff.); *Jescheck*, Verantwortlichkeit der Staatsorgane nach Völkerstrafrecht, S. 64 ff.; *Satzger*, Internationales und Europäisches Strafrecht, § 12 Rn. 3 f.; *von Selle*, ZNR 19 (1997), 193 (194 ff.); *Werle*, Völkerstrafrecht, Rn. 8 ff.

612 *Satzger*, Internationales und Europäisches Strafrecht, § 15 Rn. 56.

613 Siehe oben Anm. 151.

614 Art. 6(2)(b) IMT-Statut lautet: „Die folgenden Handlungen, oder jede einzelne von ihnen, stellen Verbrechen dar, für deren Aburteilung der Gerichtshof zuständig ist. (…) b) Kriegsverbrechen: Nämlich: Verletzungen der Kriegsgesetze oder -gebräuche. Solche Verletzungen umfassen, ohne jedoch darauf beschränkt zu sein, Mord, Mißhandlungen, oder Deportation zur Sklavenarbeit oder für irgendeinen anderen Zweck, von Angehörigen der Zivilbevölkerung von oder in besetzten Gebieten, Mord oder Mißhandlungen von Kriegsgefangenen oder Personen auf hoher See, Töten von Geiseln, Plünderung öffentlichen oder privaten Eigentums, die mutwillige Zerstörung von Städten, Märkten oder Dörfern oder jede durch militärische Notwendigkeit nicht gerechtfertigte Verwüstung (…)." Vgl. zur Erfassung von Kriegsverbrechen durch das IMT-Statut auch *Bothe*, in: Cassese u.a. (Hrsg.), Rome Statute of the International Criminal Court, Bd. I, S. 379 (383); *Werle*, Völkerstrafrecht, Rn. 18.

615 Vgl. oben Anm. 286.

616 Art. II(1)(b) KRG Nr. 10 lautet: „Jeder der folgenden Tatbestände stellt ein Verbrechen dar: (…) b) Kriegsverbrechen. Gewalttaten oder Vergehen gegen Leib, Leben oder Eigentum, begangen unter Verletzung der Kriegsgesetze oder -gebräuche, einschließlich der folgenden den obigen Tatbestand jedoch nicht erschöpfenden Beispiele: Mord, Mißhandlung der Zivilbevölkerung der besetzten Gebiete oder ihre Verschleppung zur Zwangsarbeit oder zu anderen Zwecken, Mord oder Mißhandlung von Kriegsgefangenen oder Personen auf hoher See, Tötung von Geiseln, Plünderung von öffentlichem oder privatem Eigentum, mutwillige Zerstörung von Stadt oder Land; oder Verwüstungen, die nicht durch militärische Notwendigkeit gerechtfertigt sind."

die Festlegung einer Strafbarkeit wegen Kriegsverbrechen bezog.[617] Vielmehr zeigt sich gerade an dieser insoweit begrenzten Kritik an den Nürnberger Prozessen, dass die Strafbarkeit von Einzelpersonen nach Völker(gewohnheits-)recht wegen Kriegsverbrechen bereits vor dem Zweiten Weltkrieg weithin anerkannt war.

Für die weitere Entwicklung der Strafbarkeit von Kriegsverbrechen war dann vor allem die Verabschiedung der vier Genfer Abkommen vom 12. August 1949[618] von Bedeutung, durch die das alte „Genfer Recht“[619] an die Völkerrechtsentwicklung angepasst, der Schutz der von den Abkommen erfassten Verwundeten, Kranken, Schiffbrüchigen und Kriegsgefangenen vergrößert sowie der Kreis der geschützten Personen um Zivilpersonen erweitert wurde. Bedeutsam sind diese Verträge vor allem deshalb, weil die Vertragsstaaten erstmals umfassend völkervertraglich zu einer nationalen Strafverfolgung von Kriegsverbrechen verpflichtet wurden. Gemäß Art. 49 GA I, Art. 50 GA II, Art. 129 GA III sowie Art. 146 GA IV sind die Vertragsstaaten verpflichtet, „alle notwendigen gesetzgeberischen Maßnahmen zur Festsetzung von angemessenen Strafbestimmungen für solche Personen zu treffen, die irgendeine der im folgenden Artikel umschriebenen schweren Verletzungen des vorliegenden Abkommens begehen oder zu einer solchen Verletzung den Befehl erteilen“. Ferner werden die Vertragsstaaten verpflichtet, die Personen, die der Begehung einer solchen Tat beschuldigt werden, „ungeachtet ihrer Nationalität vor ihre eigenen Gerichte“ zu stellen oder aber „einer anderen an der gerichtlichen Verfolgung interessierten Vertragspartei zur Aburteilung zu übergeben“ (Prinzip des *aut dedere aut judicare*). Die Genfer Abkommen verpflichten die Vertragsstaaten damit zwar zu einer Strafverfolgung, jedoch nicht wegen aller Verstöße gegen das Kriegsvölkerrecht, sondern „nur“ wegen so genannter „schwerer Verletzungen“ (*grave crimes* bzw. *grave breaches*) der Bestimmungen der Genfer Abkommen. Zudem beschränkt sich die Verfolgungspflicht auf Kriegsverbrechen in „klassischen“ zwischenstaatlichen bewaffneten Konflikten, erstreckt sich mithin nicht auf Kriegsverbrechen in „Bürgerkriegen“ innerhalb des Gebiets eines Staates.[620] Auch verhalten sich die Genfer Abkommen nicht zur Frage der Reichweite der völkerrechtlichen Kriegsverbrechenstatbestände,[621] wenngleich aus den Abkommen abgeleitet werden kann und wird, dass zumindest die Kriegsverbrechen, die als „schwere Verletzungen der Genfer Abkommen“ einer nationalen Verfolgungspflicht unterworfen werden, auch unmittelbar nach Völkerrecht strafbar sind.[622]

---

617 Siehe nur *Jescheck*, Verantwortlichkeit der Staatsorgane nach Völkerstrafrecht, S. 180 f.; *Jescheck/Weigend*, Lehrbuch, § 14 II. 2. Vgl. auch *Werle*, Völkerstrafrecht, Rn. 24 ff.

618 Vgl. oben Anm. 27.

619 Siehe oben Anm. 600.

620 Siehe zu den Verfolgungspflichten nach den Genfer Abkommen die Ausführungen oben auf S. 9 ff. mit Nachweisen in Anm. 30 ff.

621 *Jescheck*, GA 1981, 49 (55). Der Text der Genfer Abkommen spricht deshalb auch von „Verletzungen“ und nicht von „Verbrechen“.

622 Vgl. *Gropengießer*, LB Deutschland, Bd. 1, S. 21 (143 f.).

Im Jahr 1977 wurden die Genfer Abkommen durch zwei Zusatzprotokolle ergänzt, wobei sich das erste Protokoll[623] auf internationale bewaffnete Konflikte, das zweite[624] auf nichtinternationale bewaffnete Konflikte (Bürgerkriege)[625] bezieht. Für den vorliegenden Zusammenhang ist von Belang, dass das ZP I nicht nur den Vertragsstaaten weitere Beschränkungen bei der Kriegsführung auferlegt, sondern auch weitere Verstöße gegen das Kriegsvölkerrecht als „schwere Verletzungen" klassifiziert, die gemäß den Genfer Abkommen von 1949 einer nationalen Strafverfolgungspflicht unterfallen, und zudem den Kreis der geschützten Personen erweitert.[626] Mit dem ZP I ist also auch eine Ausweitung der die Vertragsstaaten treffenden Strafverfolgungspflichten verbunden, wobei auch insofern die Schlussfolgerung gezogen wurde, dass jedenfalls die Verstöße gegen das Kriegsvölkerrecht, die im ZP I als „schwere Verletzungen" bezeichnet werden, auch nach völkerrechtlichem Strafrecht strafbar und mithin Tatbestände des völkergewohnheitsrechtlich geltenden Völkerstrafrechts sind.

Darüber hinaus sind seit dem Ende des Zweiten Weltkrieges noch etliche andere völkerrechtliche Verträge verabschiedet worden, die bestimmte Mittel und Methoden der Kriegsführung untersagen bzw. bestimmte Objekte unter besonderen Schutz stellen, indem sie als unzulässige Angriffsziele eingeordnet werden.[627] Exemplarisch genannt werden kann das *Übereinkommen über das Verbot des Einsatzes, der Lagerung, der Herstellung und der Weitergabe von Antipersonenminen und über deren Vernichtung* vom 3./4. Dezember 1997[628]. Bemerkenswert ist an dieser Stelle, dass einige der in diesen Abkommen als unzulässig charakterisierte Verhaltensweisen als so schwerwiegende Handlungen angesehen werden, dass nicht nur von einem völkerrechtlichen Verbot, sondern wegen der Schwere von Verstößen gegen die Verpflichtungen auch von einer völkergewohnheitsrechtlichen Strafbarkeit von Zuwiderhandlungen ausgegangen wird, also auch diese weiteren

---

623 Vgl. oben Anm. 28.

624 *Zusatzprotokoll zu den Genfer Abkommen vom 12. August 1949 über den Schutz der Opfer nichtinternationaler bewaffneter Konflikte (Protokoll II)* vom 8.6.1977 (BGBl. 1990 II, S. 1637).

625 Näher zu dieser Differenzierung unten S. 115.

626 Vgl. BGHSt 46, 292 (297 f.) = NJW 2001, 2728 (2729); *Bremer*, Nationale Strafverfolgung internationaler Verbrechen, S. 96 ff.; *Jescheck*, GA 1981, 49 (56 f.); *Schmidt*, Externe Strafpflichten, S. 160 ff.; *Werle/Nerlich*, HuV-I 2002, 124 (124 f.); *Wilkitzki*, ZStW 99 (1987), 455 (466 ff.); *Zimmermann*, ZRP 2002, 97 (98). Zum Kreis der durch die Genfer Abkommen und das ZP I geschützten Personen vgl. näher unten S. 122.

627 Vgl. *Ipsen*, in: ders., Völkerrecht, § 63 Rn. 10; *Werle*, Völkerstrafrecht, Rn. 781. Siehe auch *Greenwood*, in: Fleck (Hrsg.), Handbuch des humanitären Völkerrechts, S. 1 (23 f.).

628 BGBl. 1998 II, S. 779.

völkerrechtlichen Verträge zur Ausweitung des Kreises der nach Völkerstrafrecht strafbaren Kriegsverbrechen geführt haben.[629]

Die Entwicklung des Völkerstrafrechts im Bereich der Kriegsverbrechen in den letzten Jahren ist vor allem gekennzeichnet durch eine Erstreckung der völkergewohnheitsrechtlichen Strafbarkeit auch auf Verstöße gegen die Regeln für nichtinternationale bewaffnete Konflikte, den so genannten Bürgerkriegen. Bevor hierauf kurz eingegangen wird,[630] soll zunächst der Begriff „Kriegsverbrechen" noch etwas konkretisiert werden.

b) Begriff der Kriegsverbrechen

Der Begriff „Kriegsverbrechen" steht in unmittelbarem Zusammenhang mit dem des „humanitären Völkerrechts"; in der Literatur wird insofern von einer „Akzessorietät" der Kriegsverbrechen gesprochen.[631] Daher ist es angezeigt, vorab den Begriff „humanitäres Völkerrecht" zu skizzieren.

Zum *humanitären Völkerrecht* werden diejenigen Normen des Kriegsvölkerrechts, also diejenigen auf bewaffnete Konflikte bezogenen völkerrechtlichen Regeln gezählt, die die zulässige Art und Weise der Kriegführung beschränken und den Schutz von Personen und Objekten vor kriegerischen Aktivitäten und Auswirkungen von Kriegsgeschehen im weiteren Sinne betreffen, die also dazu dienen sollen, die Einhaltung eines Mindestmaßes an Humanität auch im Rahmen bewaffneter Konflikte sicherzustellen *(ius in bello)*.[632] Traditionell wird dabei zwischen dem „Haager Recht" und dem „Genfer Recht" unterschieden, wenngleich hiermit keine rechtlichen Konsequenzen verbunden sind und diese Dichotomie zunehmend an Trennschärfe verliert, nicht zuletzt deshalb, weil sich das ZP I auf beide Bereiche des humanitären Völkerrechts bezieht.

Zum *Haager Recht*, dessen Kern die HLKO bildet, werden gemeinhin diejenigen Normen des humanitären Völkerrechts gezählt, die unmittelbar die Art und Weise der Kriegsführung betreffen, also festlegen, mit welchen Mitteln und welchen Methoden Kriege geführt werden dürfen und welche Personen und Objekte zum Ziel

---

[629] Hinzuweisen ist an dieser Stelle auf Art. 15 und 17 des *II. Protokolls zur Haager Konvention von 1954 zum Schutz des kulturellen Eigentums im Fall eines bewaffneten Konflikts* vom 26. März 1999; ILM 38 (1999), S. 769. Die Bundesrepublik Deutschland plant, dieses Abkommen in der nächsten Zeit zu ratifizieren.

[630] Siehe unten S. 115.

[631] *Satzger*, Internationales und Europäisches Strafrecht, § 15 Rn. 53; *Werle*, Völkerstrafrecht, Rn. 797, 801.

[632] *Greenwood*, in: Fleck (Hrsg.), Handbuch des humanitären Völkerrechts, S. 1 (7 f.); *Satzger*, Internationales und Europäisches Strafrecht, § 15 Rn. 53; *Werle*, Völkerstrafrecht, Rn. 767 mit Fn. 6, 779 f.

militärischer Maßnahmen gemacht werden dürfen.[633] Die Verbote, Gift oder vergiftete Waffen einzusetzen, Angriffe gegen die Zivilbevölkerung zu richten, also gezielt Zivilpersonen anzugreifen, um Kriegsziele zu erreichen, sowie – um ein weiteres Beispiel zu nennen – das Verbot der meuchlerischen Tötung von gegnerischen Soldaten zählen damit zum *Haager Recht*.

Zum *Genfer Recht*, dessen Kern die vier Genfer Abkommen von 1949 bilden, werden dagegen diejenigen Normen des humanitären Völkerrechts gezählt, die speziell zum Schutz von Personen bestimmt sind, die nicht oder jedenfalls nicht mehr unmittelbar am Kampfgeschehen beteiligt sind, sich aber in einer Situation befinden, in der sie in besonderem Maße Gefahr laufen, Opfer militärischer Aktionen der gegnerischen Kriegspartei zu werden.[634] Die Genfer Abkommen zählen hierzu Verwundete, Schiffbrüchige, Kranke, Kriegsgefangene und Zivilpersonen, Letztere aber nur, soweit sie sich im Machtbereich der gegnerischen Partei befinden. Zum *Genfer Recht* zählen damit zum Beispiel das Verbot, Verwundete oder Kriegsgefangene zu töten, das Verbot, Angehörige der gegnerischen Zivilbevölkerung, die sich im militärisch eingenommenen Gebiet des Gegners aufhalten, zu foltern oder zu vergewaltigen, aber auch das Verbot, nach einer Besetzung gegnerischen Gebiets zu plündern.

Hinsichtlich der im Kontext des Völkerstrafrechts verwendeten Begriffe ist zudem darauf hinzuweisen, dass der Begriff „Krieg" zunehmend durch den – sprachlich unglücklichen – Begriff „bewaffneter Konflikt" *(armed conflict)* ersetzt wird. So wird – wie sogleich näher zu zeigen ist – zwischen Kriegsverbrechen in internationalen bewaffneten Konflikten und nichtinternationalen bewaffneten Konflikten differenziert. Damit soll terminologisch verdeutlicht werden, dass entscheidend für die Anwendbarkeit des humanitären Völkerrechts und der Kriegsverbrechenstatbestände nicht das Vorliegen eines ausdrücklich erklärten Krieges ist, sondern das rein tatsächliche Vorliegen einer mit militärischen Mitteln geführten Auseinandersetzung.[635]

Bezüglich des *zeitlichen Anwendungsbereichs* der Normen des humanitären Völkerrechts – und damit auch der Straftatbestände der Kriegsverbrechen – ist zu beachten, dass diese von Beginn der bewaffneten Auseinandersetzung bis zu einer endgültigen Beendigung der Feindseligkeiten gelten, also nicht nur während der eigentlichen Kampfhandlungen. Dies ist insbesondere im Zusammenhang mit dem

---

633 Vgl. BT-Drucks. 14/8524, S. 23; *Cassese*, International Criminal Law, S. 47 f.; *Satzger*, Internationales und Europäisches Strafrecht, § 15 Rn. 54.

634 Vgl. BT-Drucks. 14/8524, S. 23; *Cassese*, International Criminal Law, S. 48; *Satzger*, Internationales und Europäisches Strafrecht, § 15 Rn. 54, 67; *Werle*, Völkerstrafrecht, Rn. 775 ff.

635 Näher zum Begriff „bewaffneter Konflikt" *Ipsen*, in: ders., Völkerrecht, § 65 Rn. 6 ff.; § 66 Rn. 2 ff.; *Werle*, Völkerstrafrecht, Rn. 815 ff. (insb. Fn. 138); ICTY, *Tadić*, IT-94-1-AR72, 2.10.1995, para. 66 ff.

Schutz von Kriegsgefangenen nach dem GA III und Zivilpersonen in besetzten Gebieten nach dem GA IV von Belang. Diesen gegenüber sind die einschlägigen Normen des humanitären Völkerrechts bis zu einer Beendigung der Kriegsgefangenschaft bzw. der Besatzung eines Gebiets anzuwenden.[636]

Als „Kriegsverbrechen" werden im Völkerstrafrecht nun diejenigen Verstöße gegen das humanitäre Völkerrecht, und zwar sowohl des Haager als auch des Genfer Rechts bezeichnet, die unmittelbar nach Völkerrecht strafbar sind, für die also die verantwortlichen Personen unmittelbar auf der Basis des Völkerrechts strafrechtlich zur Verantwortung gezogen werden können.[637]

Dabei ist es für die Bewertung einer Tat als Kriegsverbrechen nicht ausreichend, wenn eine pönalisierte Tathandlung im zeitlichen Kontext eines bewaffneten Konflikts begangen wird. Eine Begehung „bloß" gelegentlich eines Krieges reicht nicht aus, um eine Tat als Kriegsverbrechen einstufen zu können. Vielmehr muss die jeweilige Tathandlung in einem inneren *funktionalen Zusammenhang* mit einem bewaffneten Konflikt stehen, also gerade wegen des bewaffneten Konflikts begangen werden oder zumindest durch das Vorliegen eines bewaffneten Konflikts ermöglicht oder wesentlich erleichtert werden und mit diesem in einem unmittelbaren Zusammenhang stehen.[638] Dagegen spiegelt der Einschub in Art. 8(1) IStGH-Statut, laut dem der Gerichtshof „insbesondere" Gerichtsbarkeit über Kriegsverbrechen hat, wenn diese „als Teil eines Planes oder einer Politik oder als Teil der Begehung solcher Verbrechen in großem Umfang verübt werden", keine Beschränkung der völkergewohnheitsrechtlichen Strafbarkeit von Kriegsverbrechen auf derartige Fallkonstellationen wider, sondern soll nur dazu beitragen, ein Tätigwerden des IStGH auf Fälle schwerster Verbrechensgeschehen zu beschränken.[639]

---

636 Vgl. ICTY, *Tadić*, IT-94-1-AR72, 2.10.1995, para. 70; BT-Drucks. 14/8524, S. 25; *Satzger*, Internationales und Europäisches Strafrecht, § 15 Rn. 62; *Werle*, Völkerstrafrecht, Rn. 835 f. Auch eine räumliche Begrenzung des Anwendungsbereichs des humanitären Völkerrechts etwa auf den Schauplatz von Kampfhandlungen kennt das Völkerrecht grundsätzlich nicht, eine solche kann sich aber aus einzelnen Verbotsnormen bzw. Kriegsverbrechenstatbeständen ergeben; vgl. ICTY, a.a.O.; *Werle*, a.a.O.

637 *Satzger*, Internationales und Europäisches Strafrecht, § 15 Rn. 54; *Werle*, Völkerstrafrecht, Rn. 766 (dort werden auch andere – nicht überzeugende – Definitionen vorgestellt).

638 ICTY, *Tadić*, IT-94-1-AR72, 2.10.1995, para. 66 ff.; ICTY, *Kunarac* et al., IT-96-23; 12.6.2002, para. 58; BT-Drucks. 14/8524, S. 12, 25; *Bothe*, in: Cassese u.a. (Hrsg.), Rome Statute of the International Criminal Court, Bd. I, S. 388 f.; *Cassese*, International Criminal Law, S. 49; *Gropengießer*, LB Deutschland, Bd. 1, S. 21 (158); *Satzger*, NStZ 2002, 125 (126); *ders.*, Internationales und Europäisches Strafrecht, § 15 Rn. 58, 63; *Werle*, Völkerstrafrecht, Rn. 82, 837 ff.

639 BT-Drucks. 14/8524, S. 25; *Fenrick*, in: Triffterer (Hrsg.), Commentary on the Rome Statute, Art. 8 Rn. 4; *Gropengießer*, LB Deutschland, Bd. 1, S. 21 (158 f.); *Kreß*, Vom Nutzen eines deutschen Völkerstrafgesetzbuchs, S. 15; *Satzger*, Internationales und Europäisches Strafrecht, § 15 Rn. 64.

Der Kreis der in Betracht kommenden Täter von Kriegsverbrechen ist nicht beschränkt, so dass Kriegsverbrechen von jeder beliebigen Person, nicht etwa nur von Kombattanten, begangen werden können.[640] Allerdings ist bei Taten von „Privatpersonen" ein besonderes Augenmerk darauf zu richten, ob die Tathandlung den Erfordernissen des funktionellen Zusammenhangs mit dem bewaffneten Konflikt genügt; regelmäßig wird das bei Handlungen von Privatpersonen, die „lediglich" unter Ausnutzung der allgemeinen kriegsbedingten (Not-)Lage der Opfer begangen werden, nicht der Fall sein.

Wichtig für das Verständnis des Rechts der Kriegsverbrechen ist, dass nicht alle Verstöße gegen das humanitäre Völkerrecht auch Kriegsverbrechen, also nach Völkerstrafrecht strafbar sind.[641] Vielmehr sind nach Völkerrecht „nur" schwerwiegende Verstöße gegen das humanitäre Völkerrecht strafbar. Eine der besonderen Schwierigkeiten, gerade der UN-Strafgerichtshöfe, deren Statuten anders als das Römische Statut keine detaillierte Auflistung der als Kriegsverbrechen strafbare Verhaltensweisen enthalten, liegt darin festzustellen, welche Verstöße gegen das humanitäre Völkerrecht auch nach Völkergewohnheitsrecht strafbar und damit Kriegsverbrechen sind.[642] Eine – aus Platzgründen allerdings nur skizzenhafte – Darstellung der gegenwärtig als Kriegsverbrechen „anerkannten" Verhaltensweisen soll unten unter B.III.1.f) vorgenommen werden.[643]

Soweit Verstöße gegen das humanitäre Völkerrecht nicht zugleich auch Kriegsverbrechen sind, können diese gleichwohl gegebenenfalls strafrechtlich geahndet werden, jedoch nicht nach Völkerstrafrecht, sondern nur auf der Basis des nationalen Strafrechts einzelner Staaten, deren Strafgewalt die betreffende Tat erfasst.[644] Zum Teil begründen völkerrechtliche Verträge sogar eine Verpflichtung zu einer nationalen Strafverfolgung auch von nicht nach Völkerstrafrecht strafbaren Verlet-

---

640 BT-Drucks. 14/8524, S. 26; *Gropengießer*, LB Deutschland, Bd. 1, S. 21 (159); *Werle*, Völkerstrafrecht, Rn. 842. Ebenso speziell in Bezug auf die Genfer Abkommen *Bremer*, Nationale Strafverfolgung internationaler Verbrechen, S. 99 f.

641 BT-Drucks. 14/8524, S. 23; *Bothe*, in: Cassese u.a. (Hrsg.), Rome Statute of the International Criminal Court, Bd. I, S. 387; *Cassese*, International Criminal Law, S. 50 f.; *Werle*, Völkerstrafrecht, Rn. 796.

642 Zur Frage, wie festgestellt werden kann, ob eine (schwere) Verletzung einer Norm des humanitären Völkerrechts nicht „nur" eine völkerrechtswidrige Handlung darstellt, sondern zugleich auch eine völkerstrafrechtliche Verantwortlichkeit begründet, also zur Frage, wie festgestellt werden kann, welche Rechtsverstöße Kriegsverbrechen sind, vgl. *Cassese*, International Criminal Law, S. 50 ff. Siehe zudem *Werle*, Völkerstrafrecht, Rn. 799 ff.

643 Siehe unten S. 122 ff.

644 BT-Drucks. 14/8524, S. 13. In Deutschland wird vielfach folgendes Beispiel erwähnt: Ein Flugzeugpilot, der die völkerrechtlich gebotenen Vorsichtsmaßnahmen (vgl. etwa Art. 57 Abs. 2 ZP I) nicht eingehalten und deshalb beim Abwurf von Bomben Zivilpersonen getötet hat, kann nach §§ 211 ff. StGB bestraft werden, obgleich das *Völker*strafrecht sein Verhalten nicht unter Strafe stellt. Siehe BT-Drucks. 14/8524, S. 13; *Gropengießer*, LB Deutschland, Bd. 1, S. 21 (156); *Werle/Nerlich*, HuV-I 2002, 124 (129 Fn. 65).

zungen des humanitären Völkerrechts.[645] Dabei ist zu beachten, dass die Staaten ihre Strafgewalt über solche nicht völkerstrafrechtlich erfassten Verstöße gegen das humanitäre Völkerrecht abgesehen von den Fällen, in denen dies völkervertraglich angeordnet ist, nicht nach dem Universalitätsprinzip auf Auslandstaten erstrecken dürfen. Denn die bereits erläuterte Befugnis zu einer nationalen Strafverfolgung nach dem Universalitätsprinzip beschränkt sich grundsätzlich auf Taten, die (auch) vom Völkerstrafrecht erfasst werden, mithin in Bezug auf Verstöße gegen das humanitäre Völkerrecht auf Kriegsverbrechen.

Zudem ist bereits an dieser Stelle darauf hinzuweisen, dass die Regeln des humanitären Völkerrechts zwar einerseits festlegen, welche Handlungsweisen im Rahmen bewaffneter Konflikte unzulässig sind, damit aber umgekehrt und mittelbar auch bestimmen, welche Verhaltensweisen, die in Friedenszeiten gemeinhin als kriminelles Unrecht angesehen werden, im Rahmen bewaffneter Konflikte ausnahmsweise gestattet sind. Soweit nämlich die Regeln des humanitären Völkerrechts ein Verhalten nicht untersagen und es auch nach der so genannten *Marten'schen Klausel* nicht unzulässig ist,[646] ist es im Rahmen bewaffneter Konflikte grundsätzlich als legale Art und Weise der Kriegsführung zu bewerten. An dieser Stelle kann erneut das eingangs erwähnte Beispiel der Tötung eines gegnerischen Kombattanten aufgegriffen werden. Solche ausnahmsweise völkerrechtlich gestatteten Taten dürfen einzelne Staaten, auch wenn sie nach dem nationalen Strafrecht des betreffenden Staates eigentlich strafbar sind, nicht ahnden; das Kriegsvölker-

---

645 Als Beispiel für eine solche völkervertragliche Pflicht ist auf Art. 1(1)(a) i.V.m. Art. 9 *Übereinkommen über das Verbot des Einsatzes, der Lagerung, der Herstellung und der Weitergabe von Antipersonenminen und über deren Vernichtung* vom 3.12.1997 (BGBl. 1998 II, S. 779) hinzuweisen. *Gropengießer*, LB Deutschland, Bd. 1, S. 21 (150 f.) spricht in diesem Zusammenhang von einer „Dreiklassengesellschaft von Kriegsverbrechen": Kriegsverbrechen der „1. Klasse" seien Verstöße gegen das humanitäre Völkerrecht, die (auch) nach Völkerstrafrecht strafbar sind, Kriegsverbrechen der „2. Klasse" solche Verletzungen des humanitären Völkerrechts, die nicht nach Völkerstrafrecht strafbar sind, zu deren Ahndung die Staaten aber gleichwohl auf der Basis nationaler Straftatbestände durch völkerrechtliche Verträge verpflichtet sind, und Kriegsverbrechen der „3. Klasse" seien schließlich Verstöße gegen das humanitäre Völkerrecht, bei denen die Staaten befugt, aber nicht von Völkerrechts wegen verpflichtet seien, auf der Basis nationalen Strafrechts eine Strafverfolgung durchzuführen.

646 Kernaussage der *Marten'schen Klausel* – benannt nach Professor *Friedrich von Martens* (1845-1909), der als Delegierter des russischen Zaren an den Haager Friedenskonferenzen zu Beginn des 20. Jahrhunderts teilnahm – ist die Feststellung, dass nicht alles, was nicht ausdrücklich durch Völkervertrags- oder Völkergewohnheitsrecht verboten ist, erlaubt ist, sondern vielmehr Schranken des Zulässigen sich auch aus „feststehenden Gebräuchen, aus den Grundsätzen der Menschlichkeit und aus den Forderungen des öffentlichen Gewissens ergeben". In diesem Sinne hat die *Marten'sche Klausel* in Art. 1(2) ZP I ihren Niederschlag gefunden; vgl. *Greenwood*, in: Fleck (Hrsg.), Handbuch des humanitären Völkerrechts, S. 1 (24 f.), der aber zu dem Ergebnis kommt, dass sich aus dieser Klausel heutzutage keine expliziten Verbote ableiten lassen, sondern sie lediglich als Erinnerung dafür dienen kann, dass neben völkervertraglichen Regeln des humanitären Völkerrechts auch Rechtssätze des Völkergewohnheitsrechts den Handlungsspielraum von Kriegführenden beschränken können.

recht stellt insofern einen von den Staaten zu beachtenden strafrechtlichen Rechtfertigungsgrund dar.[647]

c) Differenzierung zwischen Kriegsverbrechen in internationalen und nichtinternationalen bewaffneten Konflikten

Der Regelungsgegenstand des humanitären Völkerrechts und damit auch die Anwendbarkeit der Kriegsverbrechenstatbestände bezogen sich zunächst allein auf zwischenstaatliche bewaffnete Konflikte, namentlich auf die „klassischen" Kriege zwischen souveränen Staaten und deren ordentlichen Streitkräften. Nur insofern hielt man den Regelungsbereich des Völkerrechts, verstanden als Recht der Beziehungen der Staaten untereinander, für eröffnet. Bewaffnete Auseinandersetzungen, die sich auf das Gebiet eines Staates beschränkten und die zwischen den Streitkräften des betroffenen Staates auf der einen und Aufständischen auf der anderen Seite oder zwischen verschiedenen rivalisierenden Bevölkerungsgruppen ausgetragen wurden (so genannte Bürgerkriege), wurden dagegen zu den inneren Angelegenheiten der betroffenen Staaten gezählt, in die sich einzumischen nicht Aufgabe anderer Staaten bzw. des Völkerrechts war, ja sogar als völkerrechtlich unzulässig angesehen wurde.[648] Der Wandel des Völkerrechts von einer Rechtsordnung, deren Regelungsgegenstand die Beziehungen souveräner Staaten untereinander war, hin zu einer Rechtsordnung, die den einzelnen Menschen in den Mittelpunkt stellt und deren primäre Aufgabe der Schutz des Individuums ist, und zwar auch vor Eingriffen in Rechtspositionen durch den eigenen Staat, bewirkte jedoch eine weitgehende Ausdehnung des Anwendungsbereichs des humanitären Völkerrechts auch auf innerstaatliche bewaffnete Auseinandersetzungen. Der erste signifikante Schritt in diese Richtung war die Normierung eines jeweils gleichlautenden Art. 3 in den vier Genfer Abkommen von 1949 („gemeinsamer Art. 3"),[649] mit dem erstmals grund-

---

647 BT-Drucks. 14/8524, S. 13; *Bothe*, in: Cassese u.a. (Hrsg.), Rome Statute of the International Criminal Court, Bd. I, S. 379 (388); *Jescheck/Weigend*, Lehrbuch, § 31 III. 2.; *Schwenck*, Wehrstrafrecht, S. 106 ff.; *ders*, NZWehrr 20 (1978), 199 (202); *Werle/Nerlich*, HuV-I 2002, 124 (129); *Zimmermann*, ZRP 2002, 97 (100). Siehe auch *Zimmermann*, NJW 2002, 3068 (3070), der zu Recht darauf hinweist, dass viele völkerrechts*gemäße* Handlungen in der Öffentlichkeit als illegitim angesehen werden. Näher zu diesem Rechtfertigungsgrund unten S. 321 f. m.w.N. in Anm. 1693 f.

648 Vgl. *Werle*, Völkerstrafrecht, Rn. 804.

649 Der gemeinsame Art. 3 hat – soweit er hier von Interesse ist – folgenden Wortlaut:
„Im Falle eines bewaffneten Konflikts, der keinen internationalen Charakter hat und der auf dem Gebiet einer der Hohen Vertragsparteien entsteht, ist jede der am Konflikt beteiligten Parteien gehalten, mindestens die folgenden Bestimmungen anzuwenden:
1. Personen, die nicht unmittelbar an den Feindseligkeiten teilnehmen, einschließlich der Mitglieder der Streitkräfte, welche die Waffen gestreckt haben, und der Personen, die durch Krankheit, Verwundung, Gefangennahme oder irgendeine andere Ursache außer Kampf gesetzt sind, werden unter allen Umständen mit Menschlichkeit behandelt, ohne jede auf Rasse, Farbe, Religion oder Glauben, Geschlecht, Geburt oder Vermögen oder auf irgendeinem anderen ähnlichen Unterscheidungsmerkmal beruhende Benachteiligung. Zu

legende völkerrechtliche Garantien für die von einem Bürgerkrieg Betroffenen geschaffen wurden.[650]

Beachtenswert ist insofern allerdings, dass sich die erwähnten Strafpflichten der Genfer Abkommen (Art. 49 GA I, Art. 50 GA II, Art. 129 GA III und Art. 146 GA IV) allein auf internationale bewaffnete Konflikte beziehen und durch den gemeinsamen Art. 3 der Genfer Abkommen „lediglich“ Verhaltensgebote- und Verbote normiert werden.[651]

Eine deutliche Erweiterung der auf nichtinternationale bewaffnete Konflikte bezogenen Regeln des humanitären Völkerrechts brachte die Verabschiedung des ZP II mit sich, das sich ausschließlich auf nichtinternationale bewaffnete Konflikte bezieht, allerdings anders als das ZP I keine Verpflichtung für die Vertragsstaaten normiert, Kriegsverbrechen in nichtinternationalen bewaffneten Konflikten einer nationalen Strafverfolgung zu unterwerfen, womit die Beschränkung der Strafverfolgungspflicht auf internationale bewaffnete Konflikte, die die Genfer Abkommen festlegen, beibehalten blieb.[652] Doch trug das ZP II Wesentliches zur Abgrenzung zwischen internationalen und nichtinternationalen bewaffneten Konflikten bei. Diese Abgrenzung ist auch für das hier interessierende Recht der Kriegsverbrechen von ganz zentraler Bedeutung, denn die Regelungen des humanitären Völkerrechts sind für internationale und nichtinternationale bewaffnete Konflikte (noch) nicht deckungsgleich. Nach wie vor gelten manche Regeln des humanitären Völkerrechts nur für internationale bewaffnete Konflikte, da es den Staaten schwer fällt, den mit der Ausweitung des Regelungsbereichs des humanitären Völkerrechts auf nichtinternationale bewaffnete Konflikte verbundenen Einschränkungen ihrer Handlungsfreiheit und vor allem auch der Möglichkeiten, ihre Staatsgewalt in Zeiten von Aufständen und Unruhen innerstaatlich zur Geltung zu bringen, zuzustimmen.

Internationale bewaffnete Konflikte sind – vgl. den gemeinsamen Art. 2 der Genfer Abkommen – in erster Linie mit militärischen Mitteln ausgetragene Streitigkei-

---

diesem Zweck sind und bleiben in Bezug auf die oben erwähnten Personen jederzeit und überall verboten a) Angriffe auf das Leben und die Person, namentlich Tötung jeder Art, Verstümmelung, grausame Behandlung und Folterung; b) das Festnehmen von Geiseln; c) Beeinträchtigung der persönlichen Würde, namentlich erniedrigende und entwürdigende Behandlung; d) Verurteilungen und Hinrichtungen ohne vorhergehendes Urteil eines ordentlich bestellten Gerichtes, das die von den zivilisierten Völkern als unerlässlich anerkannten Rechtsgarantien bietet.
2. Die Verwundeten und Kranken werden geborgen und gepflegt.“

[650] *Gropengießer*, LB Deutschland, Bd. 1, S. 21 (214 f.); *Ipsen*, in: ders., Völkerrecht, § 65 Rn. 13; *Werle*, Völkerstrafrecht, Rn. 804.

[651] *Zimmermann*, in: Neuner (Hrsg.), National Legislation Incorporating International Crimes, S. 137 (146).

[652] *Ambos*, in: Hasse/Müller/Schneider (Hrsg.), Humanitäres Völkerrecht, S. 325 (338); *Bremer*, Nationale Strafverfolgung internationaler Verbrechen, S. 97; *Gropengießer*, LB Deutschland, Bd. 1, S. 21 (143, 215); *Kreß*, IYHR 30 (2000), 103 (105); *Zimmermann*, ZRP 2002, 97 (99).

ten zwischen zwei oder mehr Staaten als Kriegsparteien.[653] Art. 1 Abs. 4 ZP I stuft – in Anerkennung eines Rechts der Völker in Kolonialgebieten auf Realisierung des völkerrechtlich anerkannten Selbstbestimmungsrechts der Völker – ergänzend auch bewaffnete Konflikte, in denen Völker gegen Kolonialherrschaft und fremde Besetzung sowie gegen rassistische Regimes in Ausübung ihres Rechts auf Selbstverteidigung kämpfen, als internationale bewaffnete Konflikte ein.[654]

Als *nichtinternationale bewaffnete Konflikte* werden demgegenüber mit militärischen Mitteln geführte Auseinandersetzungen innerhalb eines Staates zwischen Regierungskräften und anderen bewaffneten Gruppen oder zwischen solchen Gruppen untereinander verstanden.[655] Eine gewisse Einschränkung im Interesse der Souveränität der Staaten ergibt sich dadurch, dass – wie es in Art. 8(2)(d) IStGH-Statut in Übereinstimmung mit dem Völkergewohnheitsrecht heißt – „Fälle innerer Unruhen und Spannungen wie Tumulte, vereinzelt auftretende Gewalttaten oder andere ähnliche Handlungen" nicht als nichtinternationale bewaffnete Konflikte klassifiziert werden, mithin ein länger anhaltender Konflikt gegeben sein muss, der von Parteien mit einem gewissen Organisationsgrad geführt wird.[656]

Die Ausweitung des Anwendungsbereichs des humanitären Völkerrechts auf nichtinternationale bewaffnete Konflikte brachte auch eine entsprechende Ausweitung des Völkerstrafrechts mit sich. Gleichwohl aber kann von einer identischen Reichweite der Strafbarkeit (noch) nicht gesprochen werden; nach wie vor sind einige Taten nur dann nach Völkergewohnheitsrecht Kriegsverbrechen, wenn sie im Rahmen internationaler bewaffneter Konflikte begangen werden.

Vor allem die Schaffung der UN-Strafgerichte für das ehemalige Jugoslawien und für Ruanda hat dazu beigetragen, dass die meisten Kriegsverbrechen nach gegenwärtigem Völkerstrafrecht in gleicher Weise in internationalen und nichtinternationalen bewaffneten Konflikten begangen werden können. So legt Art. 4 ICTR-Statut fest, dass schwere Verletzungen des gemeinsamen Art. 3 der Genfer Abkommen und des ZP II, die ja beide *nicht*internationale Konflikte betreffen, vom ICTR als Kriegsverbrechen geahndet werden können.[657] Maßgeblichen Einfluss auf diese Entwicklung hatte das Urteil der Rechtsmittelkammer des ICTY im Fall

---

653 Vgl. BT-Drucks. 14/8524, S. 25; *Gropengießer*, LB Deutschland, Bd. 1, S. 21 (157); *Werle*, JZ 2001, 885 (894); *ders.*, Völkerstrafrecht, Rn. 816 f., 825; *Zimmermann*, ZRP 2002, 97 (102).

654 Hierzu *Werle*, Völkerstrafrecht, Rn. 826 ff.

655 Vgl. ICTY, *Tadić*, IT-94-1-T, 7.5.1997, para. 561; BT-Drucks. 14/8524, S. 25; *Werle*, Völkerstrafrecht, Rn. 816, 818 f.

656 Vgl. ICTY, *Tadić*, IT-94-1-AR72, 2.10.1995, para. 70; ICTY, *Tadić*, IT-94-1-T, 7.5.1997, para. 562; BT-Drucks. 14/8524, S. 25; *Gropengießer*, LB Deutschland, Bd. 1, S. 21 (157); *Satzger*, Internationales und Europäisches Strafrecht, § 15 Rn. 61; *Zimmermann*, ZRP 2002, 97 (102); *ders.*, NJW 2002, 3068 (3070); *Werle*, Völkerstrafrecht, Rn. 819 ff.

657 Vgl. *Werle*, Völkerstrafrecht, Rn. 805.

Tadić vom 2. Oktober 1995.[658] Der ICTY bestätigte mit dieser Entscheidung die weitgehende Strafbarkeit von Kriegsverbrechen nach Völkerstrafrecht auch bei einer Begehung im Rahmen nichtinternationaler bewaffneter Konflikte.[659]

Es kann mithin festgehalten werden, dass die jüngste Entwicklung des Völkerstrafrechts im Bereich der Kriegsverbrechen gekennzeichnet ist durch eine „Assimilierung des Kriegs- und Bürgerkriegsvölkerstrafrechts“[660], also eine Ausdehnung der völkerrechtlichen Strafbarkeit von Verstößen gegen das humanitäre Völkerrecht auch auf Taten im Kontext nichtinternationaler bewaffneter Konflikte, so dass es heute für die Strafbarkeit wegen Kriegsverbrechen weitgehend irrelevant ist, ob eine Tat im Rahmen eines internationalen oder nichtinternationalen bewaffneten Konflikts begangen wurde.[661] Dieser weitgehende Gleichlauf der Strafbarkeit ist nicht nur von akademischer Bedeutung, sondern hat auch unmittelbar praktische Relevanz, erübrigt sich doch die mitunter nicht leicht zu treffende Feststellung, ob ein bewaffneter Konflikt als internationaler oder nichtinternationaler zu klassifizieren ist.[662]

d) Die geschützten Rechtsgüter

Ebenso wie hinsichtlich der Verbrechen gegen die Menschlichkeit besteht auch hinsichtlich der Kriegsverbrechen eine gewisse Unsicherheit über die durch die Strafnormen geschützten rechtlichen Interessen. Einigkeit besteht, soweit ersichtlich, darüber, dass durch den Tatbestand Individualrechtsgüter der einzelnen durch einen bewaffneten Konflikt betroffenen natürlichen Personen, namentlich deren Leben, Gesundheit, Freiheit und Besitztümer, geschützt werden.[663] Dies gilt nicht

---

[658] ICTY, *Tadić*, IT-94-1-AR72, 2.10.1995, para. 70, 96 ff., 125 ff.; 128 ff.

[659] Vgl. die Urteilsbesprechung von *Kreß*, EuGRZ 1996, 638 (638 ff.) sowie *Werle*, Völkerstrafrecht, Rn. 806 f. Siehe auch die in die gleiche Richtung gehenden Urteile ICTY, *Kupreskic*, IT-95-16, 14.1.2000, para. 521, und ICTR, *Akayesu*, ICTR-96-4, 2.9.1998, para. 615.

[660] *Gropengießer*, LB Deutschland, Bd. 1, S. 21 (148).

[661] Vgl. BT-Drucks. 14/8524, S. 11 (24); *Ambos*, in: Hasse/Müller/Schneider (Hrsg.), Humanitäres Völkerrecht, S. 325 ff.; *Gropengießer*, LB Deutschland, Bd. 1, S. 21 (148); *Kreicker*, LB Deutschland, Bd. 1, S. 21 (66 f.); *Kreß*, EuGRZ 1996, 638 (645 ff.); *ders.*, IYHR 30 (2001), 103 (104 ff.); *ders.*, in: Grützner/Pötz, Internationaler Rechtshilfeverkehr, vor III 26, Rn. 43 f.; *Satzger*, Internationales und Europäisches Strafrecht, § 15 Rn. 58; *Werle*, ZStW 109 (1997), 808 (818 ff.); *ders.*, JZ 2001, 885 (894 f.); *ders.*, Völkerstrafrecht, Rn. 804 ff.; *Werle/Jeßberger*, JZ 2002, 725 (731 f.); *dies.*, CLF 13 (2002), 191 (210 f.); *Werle/Nerlich*, HuV-I 2002, 124 (127, 134); *Zimmermann*, ZRP 2002, 97 (99); *ders.*, in: Neuner (Hrsg.), National Legislation Incorporating International Crimes, S. 137 (147).

[662] *Gropengießer*, LB Deutschland, Bd. 1, S. 21 (152).

[663] *Satzger*, Internationales und Europäisches Strafrecht, § 15 Rn. 57; *Werle*, Völkerstrafrecht, Rn. 810. Es wurde bereits darauf hingewiesen, dass der Schutz von Individualrechtsgütern und eine Strafbarkeit unmittelbar nach Völkerrecht keinen Wertungswiderspruch darstellt; vgl. hierzu oben S. 62.

nur für die Straftatbestände des so genannten Genfer Rechts, sondern in gleicher Weise auch für diejenigen des Haager Rechts. Denn auch wenn diese nicht unmittelbar Angriffe gegen einzelne Personen oder deren Sachgüter pönalisieren, sondern ohne Rücksicht auf potentielle Tatopfer bestimmte Mittel und Methoden der Kriegsführung untersagen, etwa verbieten, Krankenhäuser oder unverteidigte Wohnhäuser zu beschießen, so dienen doch auch die Kriegsverbrechenstatbestände des Haager Rechts letztlich dem Schutz einzelner Menschen.[664]

Soweit darüber hinaus auch noch von einem Schutz kollektiver Rechtsgüter durch die Kriegsverbrechenstatbestände ausgegangen wird,[665] namentlich der „Frieden" als geschützt angesehen wird,[666] kann dem nicht gefolgt werden.[667] Denn weder untersagen die Kriegsverbrechenstatbestände die Führung bewaffneter Konflikte – insoweit ist allein das Verbrechen der Aggression einschlägig[668] – noch sollen sie eine Verkürzung oder Beendigung eines Krieges und damit einen (schnellen) Friedenszustand herbeiführen. Sie dienen vielmehr als Bestandteil des humanitären Völkerrechts allein dazu, unbeteiligte bzw. am Kriegsgeschehen nicht mehr beteiligte Personen, namentlich Zivilisten, vor Schäden aufgrund von Kriegshandlungen zu bewahren und den beteiligten Soldaten ein Mindestmaß an Schutz vor unlauteren Formen des Kampfes zu gewähren.[669]

---

664 So auch *Satzger*, Internationales und Europäisches Strafrecht, § 15 Rn. 57; *Werle*, Völkerstrafrecht, Rn. 810.

665 So etwa die amtliche Begründung zum deutschen VStGB, BT-Drucks. 14/8524, S. 15; *Satzger*, Internationales und Europäisches Strafrecht, § 11 Rn. 4; § 17 Rn. 57; *Schwenck*, NZWehrr 20 (1978), 199 (208 ff.); *Stahn*, KritJ 1999, 343 (351 f.); *Stahn/Eiffler*, KritV 1999, 253 (263 ff.); *Werle*, Völkerstrafrecht, Rn. 811.

666 So *Satzger*, Internationales und Europäisches Strafrecht, § 11 Rn. 4; § 17 Rn. 57 („Die Kriegsverbrechen gefährden den Frieden durch eine Eskalation der Gewalt und die Auswirkungen des bewaffneten Konflikts auf die Zivilbevölkerung." „[…] wird der Weltfriede als überindividuelles Rechtsgut zum Schutzgut erhoben, indem die bereits eingetretene Friedensstörung begrenzt und ein Friedensschluss sowie ein friedliches Zusammenleben nach dem Ende des Konflikts ermöglicht werden soll."); *Werle*, Völkerstrafrecht, Rn. 811 („[…] ist es das Ziel des Kriegsvölkerstrafrechts, die Störung des Friedens und der Sicherheit der Menschheit zu begrenzen und den Friedensschluss und das Zusammenleben nach dem Ende des Konflikts zu erleichtern.").

667 Kritisch auch *Gropengießer*, LB Deutschland, Bd. 1, S. 21 (154 ff.), der hinsichtlich der verschiedenen Kriegsverbrechenstatbestände differenziert und lediglich für einzelne der Tatbestände, die die Verhältnismäßigkeit der Methoden und Mittel der Kriegsführung betreffen, vom Schutz eines zusätzlichen Kollektivrechtsguts ausgeht.

668 *Werle*, Völkerstrafrecht, Rn. 766.

669 Die Verneinung des Schutzes eines Kollektivrechtsguts durch die Kriegsverbrechenstatbestände hat die ganz praktische Konsequenz, dass in engen Grenzen eine Einwilligung des individuellen Tatopfers in die tatbestandsmäßige Handlung rechtfertigende Wirkung haben kann. Siehe hierzu näher unten S. 322 ff.

e) Die Erfassung von Kriegsverbrechen durch das Römische Statut

Die weitgehende Angleichung des in internationalen und nichtinternationalen bewaffneten Konflikten geltenden Rechts auch in Bezug auf die Strafbarkeit wegen Kriegsverbrechen hat dazu geführt, dass auf der Ebene des nationalen Rechts zunehmend nicht zwischen diesen beiden Arten bewaffneter Konflikte differenziert wird, sondern die meisten nationalen Kriegsverbrechenstatbestände unabhängig davon anwendbar sind, ob eine Tat im Rahmen eines internationalen oder nichtinternationalen bewaffneten Konflikts begangen wurde. Häufig dient als Gliederungs- und Ordnungskriterium stattdessen die althergebrachte Differenzierung zwischen dem Haager Recht und dem Genfer Recht.[670]

Das Römische Statut dagegen hat insoweit die moderne Entwicklung des Völkerstrafrechts nicht rezipiert. Da man bei der Ausarbeitung des Römischen Statuts bestrebt sein musste, einen Konsens zwischen möglichst vielen der 160 an der Römischen Konferenz beteiligten Staaten herzustellen, einige Staaten aber zum einen Zweifel an der völkergewohnheitsrechtlichen Anerkennung einer weitgehenden Strafbarkeit von Kriegsverbrechen unabhängig von der Art des bewaffneten Konflikts hatten, zum anderen gewisse Bedenken dagegen hegten, die Strafgewalt des IStGH in Anerkennung einer noch nicht vollständig abgesicherten Entwicklung des Völkergewohnheitsrechts auf innerstaatliche Vorgänge wie Bürgerkriege zu erstrecken und damit die nationalstaatliche Souveränität in besonderem Maße zu beschneiden, ist die Regelung zu den Kriegsverbrechen in Art. 8 IStGH-Statut Ausdruck einer sehr konservativen und vorsichtigen Haltung. Kriegsverbrechen werden vom Römischen Statut nur insoweit erfasst, als ihre Strafbarkeit nach Völkerrecht ohne jeden Zweifel anerkannt und vor allem auch auf völkerrechtliche Instrumente wie die HLKO, die Genfer Abkommen und die Zusatzprotokolle zu den Genfer Abkommen zurückgeführt werden kann.[671]

Das Resultat des auf der Römischen Konferenz gefundenen Minimalkonsenses stellt Art. 8 IStGH-Statut dar, eine überaus komplexe Norm mit über 90 Einzeltatbeständen, die sich zudem zum Teil überschneiden.

Art. 8 IStGH-Statut differenziert erstens zwischen Kriegsverbrechen in internationalen bewaffneten Konflikten und nichtinternationalen bewaffneten Konflikten, zweitens zwischen Kriegsverbrechenstatbeständen einerseits, die die schweren Verletzungen der Genfer Abkommen bzw. Verbotsregelungen des gemeinsamen Art. 3 der Genfer Abkommen betreffen, also auf den universell anerkannten Genfer Ab-

---

[670] So etwa das deutsche VStGB aus dem Jahr 2002; vgl. BT-Drucks. 14/8524, S. 23 f.; *Gropengießer*, LB Deutschland, Bd. 1, S. 21 (148 f., 152 f.); *Kreicker*, LB Deutschland, Bd. 1, S. 21 (71 f.); *Werle*, JZ 2001, 885 (893 f.); *Werle/Jeßberger*, JZ 2002, 725 (728); *Werle/Nerlich*, HuV-I 2002, 124 (126); *Zimmermann*, ZRP 2002, 97 (99).

[671] Vgl. BT-Drucks. 14/2682, S. 101 f.; *Werle/Nerlich*, HuV-I 2002, 124 (127); *Zimmermann*, in: Triffterer (Hrsg.), Commentary on the Rome Statute, Art. 8 Rn. 233 f.

kommen von 1949 basieren, und andererseits Kriegsverbrechenstatbeständen, die auf sonstigen Bestimmungen des humanitären Völkerrechts basieren.[672]

Art. 8(2)(a) IStGH-Statut betrifft Kriegsverbrechen in internationalen bewaffneten Konflikten, die schwere Verletzungen der Genfer Abkommen von 1949 darstellen, hinsichtlich derer die Genfer Abkommen also den einzelnen Staaten eine Strafverfolgungspflicht auferlegen.

Art. 8(2)(b) IStGH-Statut betrifft sonstige Kriegsverbrechen in internationalen bewaffneten Konflikten, wobei vor allem auf die Verbotsregelungen in der HLKO, auf die Verbotsnormen in den Genfer Abkommen, die keine „schweren Verletzungen" betreffen, sowie auf das ZP I rekurriert wird.

Art. 8(2)(c) IStGH-Statut betrifft diejenigen Kriegsverbrechen in nichtinternationalen bewaffneten Konflikten, die schwere Verstöße gegen den gemeinsamen Art. 3 der Genfer Abkommen von 1949 darstellen.

Art. 8(2)(e) IStGH-Statut schließlich erfasst sonstige Kriegsverbrechen in nichtinternationalen bewaffneten Konflikten, wobei – wie erwähnt – hier ein sehr konservativer Ansatz gewählt wurde und nur solche Taten aufgeführt werden, die ohne jeden Zweifel auch dann als Kriegsverbrechen strafbar sind, wenn sie im Rahmen nichtinternationaler bewaffneter Konflikte verübt werden.

Dies bedeutet, dass die Regelung der Kriegsverbrechen in Art. 8 IStGH-Statut den Stand des völkergewohnheitsrechtlich geltenden Völkerstrafrechts nicht vollständig widerspiegelt und es Kriegsverbrechen gibt, die nach Völkergewohnheitsrecht strafbar, aber nicht der Gerichtsbarkeit des IStGH unterworfen sind.[673] Man sollte allerdings dieses „Defizit" des Römischen Statuts nicht vorschnell kritisieren, sondern es vielmehr begrüßen, dass es auf der Römischen Konferenz überhaupt gelungen ist, einen Kernbestand an Kriegsverbrechen in nichtinternationalen bewaffneten Konflikten der Gerichtsbarkeit des IStGH zu unterstellen.[674]

---

672 Vgl. BT-Drucks. 14/2682, S. 105; *Gropengießer*, LB Deutschland, Bd. 1, S. 21 (151, 216); *Kreß*, in: Grützner/Pötz, Internationaler Rechtshilfeverkehr, vor III 26, Rn. 39 ff.; *Satzger*, Internationales und Europäisches Strafrecht, § 15 Rn. 59; *Werle*, Völkerstrafrecht, Rn. 812; *Werle/Nerlich*, HuV-I 2002, 124 (125).

673 Vgl. BT-Drucks. 14/2682, S. 104; BT-Drucks. 14/8524, S. 12, 23; *Cassese*, International Criminal Law, S. 59 ff.; *Kreicker*, LB Deutschland, Bd. 1, S. 21 (66 f., 487 f.); *Kreß*, IYHR 30 (2000), 103 (134 ff.); *Werle*, JZ 2001, 885 (894 f.); *ders.*, Völkerstrafrecht, Rn. 808; *Werle/Jeßberger*, JZ 2002, 725 (731 f.); *Werle/Nerlich*, HuV-I 2002, 124 (127).

674 So auch die überwiegende Auffassung in der Literatur; vgl. nur *Gropengießer*, LB Deutschland, Bd. 1, S. 21 (215, 220); *Kreß*, IYHR 30 (2000), 103 (130); *Zimmermann*, in: Triffterer (Hrsg.), Commentary on the Rome Statute, Art. 8 Rn. 276.

f) Die einzelnen Kriegsverbrechen

Die nachfolgende Skizze der einzelnen nach Völkerstrafrecht strafbaren Kriegsverbrechen orientiert sich an der Systematik des Art. 8 IStGH-Statut, also an der – in der Sache nicht überzeugenden – Differenzierung zwischen Kriegsverbrechen in internationalen bewaffneten Konflikten und Kriegsverbrechen in nichtinternationalen bewaffneten Konflikten. Denn primäres Ziel des Projekts „Nationale Strafverfolgung völkerrechtlicher Verbrechen" ist es, die Rechtslage in einzelnen Staaten mit der nach dem Römischen Statut zu vergleichen, so dass es sachgerecht erscheint, auch hinsichtlich der völkerrechtlichen Strafbarkeit von Kriegsverbrechen von der Rechtslage nach dem Römischen Statut auszugehen. Somit werden zunächst die vom Römischen Statut erfassten Kriegsverbrechen in internationalen bewaffneten Konflikten (B.III.1.f)aa)und bb)) benannt. Sodann werden diejenigen Kriegsverbrechen in internationalen bewaffneten Konflikten aufgeführt, die zwar nach Völkergewohnheitsrecht strafbar, aber nicht der Gerichtsbarkeit des IStGH unterworfen sind (B.III.1.f)cc)). Anschließend werden die vom Römischen Statut erfassten Kriegsverbrechen in nichtinternationalen bewaffneten Konflikten (B.III.1.f)dd) und ee)) benannt. Abgeschlossen wird der Überblick mit einer Aufzählung der Kriegsverbrechen, die bei einer Begehung im Rahmen nichtinternationaler bewaffneter Konflikte zwar nach Völkergewohnheitsrecht, nicht aber nach dem Römischen Statut strafbar sind (B.III.1.f)ff)).

Es ist nicht Aufgabe des vorliegenden Beitrags, Einzelregelungen des Römischen Statuts im Detail zu erläutern oder gar zu kommentieren. Daher sollen die Kriegsverbrechenstatbestände nur vorgestellt und soll ihr Anwendungsbereich lediglich insoweit aufgezeigt werden, als er sich nicht schon ohne weiteres aus dem Wortlaut der Vorschriften ergibt.[675]

aa) Schwere Verletzungen der Genfer Abkommen – Art. 8(2)(a) IStGH-Statut

Art. 8(2)(a) IStGH-Statut erfasst die gemäß Art. 50 GA I, Art. 51 GA II, Art. 130 GA III sowie Art. 147 GA IV einer nationalen Strafverfolgungspflicht unterworfenen schweren Verletzungen der Genfer Abkommen von 1949, also bestimmte, als besonders gravierende Verletzungen des humanitären Völkerrechts angesehene Taten gegen die durch die Genfer Abkommen geschützten Personen.

Die Genfer Abkommen schützen nur bestimmte Personen, nicht alle Personen, die Opfer kriegerischer Auseinandersetzungen werden können. Das GA I erfasst Verwundete, Kranke, medizinisches und religiöses Personal im Felde, das GA II Verwundete, Kranke, Schiffbrüchige sowie medizinisches und religiöses Personal auf See, das GA III Kriegsgefangene und schließlich das GA IV Zivilpersonen.

---

[675] Eine knappe, konzentrierte Erläuterung der Kriegsverbrechenstatbestände des Römischen Statuts findet sich bei *Dahm/Delbrück/Wolfrum*, Völkerrecht, Bd. I/3, S. 1054 ff.

Durch das ZP I, vor allem durch Art. 85(2) ZP I, wird der Kreis der durch das *Genfer Recht* geschützten Personen noch geringfügig erweitert.[676]

Allerdings macht das GA IV die Einschränkung, dass Zivilpersonen nicht generell erfasst werden, sondern gemäß Art. 4(1) GA IV nur dann, wenn sie sich bereits im unmittelbaren Machtbereich einer für sie fremden Konfliktpartei befinden.[677] Die bedeutet namentlich, dass Zivilpersonen durch das GA IV nicht vor so genannten Distanzangriffen (etwa den Beschuss einer weit im gegnerischen Hinterland befindlichen Stadt durch Raketen oder den Abwurf von Bomben auf Wohnsiedlungen über feindlichem Gebiet) geschützt sind und damit Distanzangriffe auch keine Kriegsverbrechen nach Art. 8(2)(a) IStGH-Statut sind.[678]

Zudem ist zu beachten, dass die vier Genfer Abkommen den Kreis der *grave crimes* nicht identisch ziehen. Dies bedeutet, dass einige „schwere Verletzungen" nur dann Verstöße gegen das jeweilige Genfer Abkommen und damit auch nur dann Kriegsverbrechen gemäß Art. 8(2)(a) IStGH-Statut darstellen, wenn sie gegen eine bestimmte der geschützten Personengruppen gerichtet sind.[679] Ein Beispiel soll dies verdeutlichen: Die Tathandlung der rechtswidrigen Gefangenhaltung wird nur vom GA IV und damit nicht vom GA III als „schwere Verletzung" bezeichnet. Damit stellt die rechtswidrige Gefangenhaltung von Kriegsgefangenen keine schwere Verletzung i.S.d. Genfer Abkommen dar und ist auch kein Kriegsverbrechen gemäß Art. 8(2)(a) IStGH-Statut.[680] Das Römische Statut übernimmt in Art. 8(2)(a) IStGH-Statut diese wichtige Beschränkung des Anwendungsbereichs der Genfer Abkommen dadurch, dass dort Kriegsverbrechen definiert werden als „jede der folgenden Handlungen gegen die nach dem *jeweiligen* Genfer Abkommen geschützten Personen oder Güter".[681]

---

676 Vgl. BT-Drucks. 14/8524, S. 30; *Gropengießer*, LB Deutschland, Bd. 1, S. 21 (160 f.).

677 Art. 4(1) GA IV lautet: „Durch das Abkommen werden die Personen geschützt, die sich im Falle eines Konflikts oder einer Besetzung zu irgendeinem Zeitpunkt und gleichgültig auf welche Art und Weise im Machtbereich einer am Konflikt beteiligten Partei oder einer Besatzungsmacht befinden, deren Angehörige sie nicht sind." Der Begriff des Angehörigen wird dabei nicht allein über die Staatszugehörigkeit, sondern auch über die Zugehörigkeit zu einer ethnischen Gruppe definiert; vgl. hierzu ICTY, *Tadić*, IT-94-1, 15.7.1999, para. 166; ICTY, *Blaškić*, IT-95-14, 3.3.2000, para. 127; BGHSt 46, 292 (301) = NJW 2001, 2728 (2730); BT-Drucks. 14/8524, S. 30; *Werle*, Völkerstrafrecht, Rn. 856, 859 ff.

678 *Gropengießer*, LB Deutschland, Bd. 1, S. 21 (161).

679 *Bremer*, Nationale Strafverfolgung internationaler Verbrechen, S. 94 f.; *Boot*, Genocide, Crimes Against Humanity, War Crimes, S. 545; LK-StGB-*Gribbohm*, vor § 3 Rn. 31 ff.; *Gropengießer*, LB Deutschland, Bd. 1, S. 21 (143, 159 f.); *Satzger*, Internationales und Europäisches Strafrecht, § 15 Rn. 69; *Schmidt*, Externe Strafpflichten, S. 159 f.; *Werle*, Völkerstrafrecht, Rn. 852 f., 858; *Wolfrum*, in: Fleck (Hrsg.), Handbuch des humanitären Völkerrechts, S. 425 ff.

680 *Gropengießer*, LB Deutschland, Bd. 1, S. 21 (172 f.); *Satzger*, Internationales und Europäisches Strafrecht, § 15 Rn. 69; *Werle*, Völkerstrafrecht, Rn. 858.

681 Hervorhebung durch den Verfasser. Siehe auch *Gropengießer*, LB Deutschland, Bd. 1, S. 21 (160).

Von Art. 8(2)(a) IStGH-Statut als Kriegsverbrechen erfasste Tathandlungen sind: die Tötung einer geschützten Person (i),[682] Folter oder unmenschliche Behandlung einschließlich biologischer Versuche (ii), die vorsätzliche Verursachung großer Leiden oder schwere Beeinträchtigung der körperlichen Unversehrtheit oder der Gesundheit (iii), die in größerem Ausmaße erfolgende Zerstörung und Aneignung von fremden Besitztümern, sofern die Taten nicht durch militärische Erfordernisse gerechtfertigt sind und rechtswidrig und willkürlich vorgenommen werden (iv),[683] das Zwingen eines Kriegsgefangenen oder einer anderen geschützten Person[684] zur Dienstleistung in den Streitkräften einer für sie fremden Macht (v), der vorsätzliche Entzug des Rechts eines Kriegsgefangenen oder einer anderen geschützten Person auf ein unparteiisches ordentliches Gerichtsverfahren (vi),[685] die rechtswidrige Vertreibung oder Überführung oder rechtswidrige Gefangenhaltung einer geschützten Person (vii)[686] sowie schließlich die Geiselnahme einer geschützten Person (viii).[687]

bb) Andere schwere Verstöße gegen das Kriegsvölkerrecht in internationalen bewaffneten Konflikten – Art. 8(2)(b) IStGH-Statut

Art. 8(2)(b) IStGH-Statut listet als weitere Kriegsverbrechen in internationalen bewaffneten Konflikten 26 Tatbestände auf, die ihrerseits zum Teil verschiedenartige Einzelhandlungen erfassen, so dass sich eine Vielzahl von als Kriegsverbrechen strafbare Verhaltensweisen ergibt, die sich teilweise sogar untereinander überschneiden bzw. je nach Tatopfer bereits nach 8(2)(a) IStGH-Statut Kriegsverbrechen darstellen.

---

682 Auf welche Art und Weise die Tat begangen wird, ist irrelevant; die Verwendung kriegstypischer Waffen ist nicht geboten; vgl. BT-Drucks. 14/8524, S. 26; *Werle*, Völkerstrafrecht, Rn. 867.

683 Auch dieses Kriegsverbrechen kann nicht gegenüber Kriegsgefangenen begangen werden, da Art. 130 GA III die Zerstörung und Aneignung fremder Besitztümer nicht als *grave crime* auflistet.

684 Dies können grundsätzlich nur Zivilpersonen sein, da weder das GA I noch das GA II die Tathandlung als „schwere Verletzung" klassifizieren; vgl. *Gropengießer*, LB Deutschland, Bd. 1, S. 21 (169).

685 Welche Anforderungen an ein Gerichtsverfahren gestellt werden, damit es als „ordentlich" angesehen werden kann, ergibt sich vornehmlich aus Art. 75(4) ZP I. Siehe hierzu *Dahm/Delbrück/Wolfrum*, Völkerrecht, Bd. I/3, S. 1057; *Fenrick*, in: Triffterer (Hrsg.), Commentary on the Rome Statute, Art. 8 Rn. 16; *Werle*, Völkerstrafrecht, Rn. 924.

686 Der Anwendungsbereich dieses Kriegsverbrechens ist, da lediglich das GA IV die Tathandlung als „schwere Verletzung" klassifiziert, auf Taten gegen Zivilpersonen beschränkt, dürfte aber ohnehin nur bei diesen praktische Bedeutung erlangen können; siehe *Fenrick*, in: Triffterer (Hrsg.), Commentary on the Rome Statute, Art. 8 Rn. 17; *Gropengießer*, LB Deutschland, Bd. 1, S. 21 (172); *Werle*, Völkerstrafrecht, Rn. 936, 949. Zu den Begriffen „Vertreibung" und „Überführung" siehe oben S. 68.

687 Der Anwendungsbereich dieses Kriegsverbrechen ist auf Zivilpersonen beschränkt, da lediglich das GA IV die Tathandlung als schwere Verletzung klassifiziert; vgl. *Fenrick*, in: Triffterer (Hrsg.), Commentary on the Rome Statute, Art. 8 Rn. 19; *Gropengießer*, LB Deutschland, Bd. 1, S. 21 (173).

Kriegsverbrechen sind nach Art. 8(2)(b) IStGH-Statut folgende Verhaltensweisen: Angriffe auf die Zivilbevölkerung als solche oder auf einzelne Zivilpersonen, die an den Feindseligkeiten nicht unmittelbar teilnehmen (i),[688] Angriffe auf zivile Objekte (ii),[689] Angriffe auf humanitäre Missionen (iii),[690] das Führen von Angriffen in Kenntnis ihrer eindeutigen Unverhältnismäßigkeit, also in Kenntnis der Tatsache, dass der militärische Vorteil in keinem Verhältnis zu den drohenden Folgen des Angriffs für Menschen, zivile Objekte oder die Umwelt steht (iv),[691] Angriffe gegen unverteidigte Städte, Dörfer, Wohnstätten sowie Gebäude, die keine militärischen Ziele sind (v),[692] die Tötung oder Verwundung von Kombattanten, die sich ergeben und die Waffen gestreckt haben oder sonst wie wehrlos sind (vi),[693] der Missbrauch von Abzeichen und Uniformen, namentlich der Parlamentärflagge und der Zeichen der Vereinten Nationen (vii),[694] die zwangsweise Vertreibung oder Überführung der Zivilbevölkerung des gegnerischen Staates aus ihrem angestammten Besiedelungsgebiet sowie die Besiedelung gegnerischen Gebiets mit Angehörigen der eigenen Zivilbevölkerung (viii),[695] Angriffe auf Gebäude, die der Religionsausübung, der Erziehung, Kunst, Wissenschaft oder Wohltätigkeit dienen, sowie Angriffe auf Denkmäler, Krankenhäuser und Sammelstellen von Kranken und Verwundeten (ix),[696] die körperliche Verstümmelung von Personen sowie die Durchführung medizinischer und wissenschaftlicher Versuche an Personen, die

---

688 Dieses Kriegsverbrechen basiert auf Art. 51(2) i.V.m. Art. 85(3)(a) ZP I; vgl. *Fenrick*, in: Triffterer (Hrsg.), Commentary on the Rome Statute, Art. 8 Rn. 21.

689 Dieses Kriegsverbrechen basiert auf Art. 52 i.V.m. Art. 85(3) und (4) ZP I.

690 Zu den völkerrechtlichen Grundlagen dieses Tatbestands und den mit ihm verbundenen Interpretationsschwierigkeiten vgl. *Cottier*, in: Triffterer (Hrsg.), Commentary on the Rome Statute, Art. 8 Rn. 28 ff.

691 Dieses Kriegsverbrechen basiert auf Art. 85(3)(b) und (c) ZP I; vgl. *Bothe*, in: Cassese u.a. (Hrsg.), Rome Statute of the International Criminal Court, Bd. I, S. 379 (398).

692 Dieses Kriegsverbrechen basiert auf Art. 85(3)(d) ZP I und Art. 25 HLKO; vgl. *Gropengießer*, LB Deutschland, Bd. 1, S. 21 (185).

693 Dieser dem Schutz des Kämpfers „hors de combat" dienende Kriegsverbrechenstatbestand basiert auf Art. 23(c) HLKO, greift aber die moderne Entwicklung des humanitären Völkerrechts, die ihren Niederschlag in Art. 41 i.V.m. Art. 85(3)(e) ZP I gefunden hat, nicht auf, so dass die Regelung des Römischen Statuts hinter dem gewohnheitsrechtlichen Völkerstrafrecht zurückbleibt (siehe hierzu näher unten S. 128); vgl. *Bothe*, in: Cassese u.a. (Hrsg.), Rome Statute of the International Criminal Court, Bd. I, S. 379 (405); *Cottier*, in: Triffterer (Hrsg.), Commentary on the Rome Statute, Art. 8 Rn. 55 ff.

694 Dieser Kriegsverbrechenstatbestand, der Ausdruck des klassischen „Perfidieverbots" ist, basiert auf Art. 23(f) HLKO und Art. 38, 39(2), 85(3)(f) ZP I; vgl. *Gropengießer*, LB Deutschland, Bd. 1, S. 21 (188).

695 Dieses Kriegsverbrechen basiert auf Art. 85(4)(a) ZP I; vgl. *Cottier*, in: Triffterer (Hrsg.), Commentary on the Rome Statute, Art. 8 Rn. 86 f. Zum Verhältnis von Art. 8(2)(a)(vii) IStGH-Statut zu Art. 8(2)(b)(viii) IStGH-Statut vgl. *Gropengießer*, LB Deutschland, Bd. 1, S. 21 (190).

696 Dieser Kriegsverbrechenstatbestand ist auf Art. 27(1) HLKO und Art. 85(4)(d) ZP I zurückzuführen.

sich in der Macht einer gegnerischen Partei befinden (x),[697] die meuchlerische, also unter Ausnutzung völkerrechtswidrig erschlichenen Vertrauens erfolgende Tötung oder Verwundung eines Angehörigen der gegnerischen Streitkräfte oder Bevölkerung (xi),[698] die Erklärung, dass kein Pardon gegeben wird, also die Erklärung, selbst bei einem Aufgeben des Gegners bis zu dessen Vernichtung mit den Kampfhandlungen fortzufahren (xii),[699] die nicht durch kriegerische Erfordernisse zwingend gebotene Zerstörung oder Beschlagnahme von Eigentum der gegnerischen Partei oder von Angehörigen eines Gegners (xiii),[700] die Erklärung, dass (zivilrechtliche) Rechte und Forderungen von Angehörigen der gegnerischen Partei (zeitweilig) nicht mehr gelten oder nicht mehr einklagbar sind (xv),[701] die Zwangsverpflichtung von Angehörigen eines Gegners, sich an Kriegshandlungen gegen ihr eigenes Land zu beteiligen (xv),[702] Plünderungen (xvi),[703] die Verwendung von Gift oder vergifteten Waffen (xvii)[704] sowie von erstickenden, giftigen oder gleich-

---

697 Basis dieser Bestimmung des Römischen Statuts ist Art. 11 ZP I, dessen Schutzbereich vom Römischen Statut aber nur zum Teil abgedeckt wird; vgl. *Bothe*, in: Cassese u.a. (Hrsg.), Rome Statute of the International Criminal Court, Bd. I, S. 379 (413); *Gropengießer*, LB Deutschland, Bd. 1, S. 21 (192 ff.) sowie unten S. 128.

698 Auch diese auf Art. 23(b) HLKO und Art. 37(1) ZP I zurückzuführende Norm ist Ausdruck des allgemeinen Perfidieverbots. Allgemein zu dessen Ausprägungen *Cottier*, in: Triffterer (Hrsg.), Commentary on the Rome Statute, Art. 8 Rn. 114. Beispielsweise liegt eine meuchlerische Tötung vor, wenn ein Soldat vorgibt, verwundet zu sein, so bewirkt, dass sich ihm gegnerische Soldaten in der Absicht, Hilfe zu leisten, nähern, und er diese dann tötet. Zur Abgrenzung unzulässiger perfider Handlungen von statthaften Kriegslisten vgl. *Werle*, Völkerstrafrecht, Rn. 1037.

699 Basis dieser Regelung des Römischen Statuts sind Art. 23(d) HLKO und Art. 40 ZP I; vgl. *Cottier*, in: Triffterer (Hrsg.), Commentary on the Rome Statute, Art. 8 Rn. 131 und 137; *Dahm/Delbrück/Wolfrum*, Völkerrecht, Bd. I/3, S. 1063. Täter kann, wie sich aus den *Elements of Crimes* (vgl. oben Anm. 178) ergibt, nur eine Person mit einer gewissen Kommandogewalt sein; vgl. *Cottier*, a.a.O.; *Werle*, Völkerstrafrecht, Rn. 1057.

700 Basis dieses Kriegsverbrechens ist Art. 23(g) HLKO. Zum Gebot einer restriktiven Auslegung des Art. 8(2)(b)(xiii) IStGH-Statut vgl. *Zimmermann*, in: Triffterer (Hrsg.), Commentary on the Rome Statute, Art. 8 Rn. 141 ff.

701 Basis dieses Kriegsverbrechens ist Art. 23(h) HLKO; siehe (auch zum Regelungsgehalt, namentlich zur Frage, ob lediglich privatrechtliche Rechte geschützt werden) *Cottier*, in: Triffterer (Hrsg.), Commentary on the Rome Statute, Art. 8 Rn. 156 ff.

702 Basis dieses Kriegsverbrechens ist Art. 23(2) HLKO. Zur weitreichenden Überschneidung des Anwendungsbereichs des Art. 8(2)(b)(xv) IStGH-Statut mit dem des Art. 8(2)(a)(v) IStGH-Statut vgl. *Bothe*, in: Cassese u.a. (Hrsg.), Rome Statute of the International Criminal Court, Bd. I, S. 379 (412); *Gropengießer*, LB Deutschland, Bd. 1, S. 21 (201).

703 Das Verbot von Plünderungen gehört neben dem Perfidieverbot zu den ältesten Normen des Kriegsvölkerrechts; das Römische Statut stützt sich insofern auf Art. 28 HLKO. Vgl. *Bothe*, in: Cassese u.a. (Hrsg.), Rome Statute of the International Criminal Court, Bd. I, S. 379 (413); *Zimmermann*, in: Triffterer (Hrsg.), Commentary on the Rome Statute, Art. 8 Rn. 167 ff.

704 Auch das Verbot der Verwendung von Gift und vergifteten Waffen gehört zu den älteren Normen des humanitären Völkerrechts; Vorbild für das Römische Statut war insofern Art. 23(a) HLKO; vgl. *Bothe*, in: Cassese u.a. (Hrsg.), Rome Statute of the International

artigen Gasen oder Flüssigkeiten bzw. Stoffen (xviii),[705] die Verwendung so genannter Dum-Dum-Geschosse (xix),[706] die Verwendung von verbotenen Waffen, Geschossen, Stoffen und Methoden der Kriegsführung, die geeignet sind, überflüssige Verletzungen oder unnötige Leiden hervorzurufen oder die unterschiedslos wirken (xx),[707] entwürdigende oder erniedrigende Behandlungen (xxi),[708] sexuelle Gewalttaten, namentlich Vergewaltigungen, erzwungene Schwangerschaften, Zwangssterilisationen, sexuelle Sklaverei und Nötigung zur Prostitution (xxii),[709] die Benutzung von Personen als „menschliche Schutzschilde", um Kampfhandlungen von bestimmten Orten fernzuhalten (xxiii),[710] Angriffe auf Örtlichkeiten, Fahrzeuge oder Personen, die humanitäre Hilfsdienste leisten und daher mit dem Schutzzeichen der Genfer Abkommen – gemäß Art. 38 GA I sind dies das Rote Kreuz, der Rote Halbmond und der (heute nicht mehr verwendete persische) Rote Löwe mit Roter Sonne[711] – versehen sind (xxiv),[712] vorsätzliches Aushungernlas-

---

Criminal Court, Bd. I, S. 379 (406); *Oeter*, in: Fleck (Hrsg.), Handbuch des humanitären Völkerrechts, S. 89 (114); *Werle*, Völkerstrafrecht, Rn. 1081. Zum Begriff „Gift" siehe *Werle*, a.a.O., Rn. 1084 f.

705 Angesichts der generell sehr konservativen Ausrichtung der Kriegsverbrechenstatbestände des Römischen Statuts überrascht es kaum, dass sich das Statut hinsichtlich dieses Kriegsverbrechens am *Genfer Giftgasprotokoll* vom 17.6.1925 (RGBl. 1929 II, S. 173) orientiert und nicht am sehr viel moderneren *Chemiewaffenübereinkommen* vom 13.1.1993 (BGBl. 1994 II, S. 807). Gleichwohl dürfte nach dem Römischen Statut die Verwendung sämtlicher chemischer Waffen ein Kriegsverbrechen darstellen. Vgl. *Gropengießer*, LB Deutschland, Bd. 1, S. 21 (204).

706 Benannt nach dem Ort einer unter britischer Kolonialherrschaft betriebenen Munitionsfabrik bei Kalkutta. Dieses Kriegsverbrechen basiert auf einer Erklärung zur HLKO von 1899 (siehe Anm. 601); RGBl. 1901, S. 478.

707 Bei dieser Kriegsverbrechensregelung des Römischen Statuts handelt es sich um eine „Öffnungsklausel", die gegenwärtig allein als „politisches Programm" gewertet werden kann, da sie erst aktuell wird, wenn im Rahmen einer – bislang nicht absehbaren – Änderung des Römischen Statuts mit einer Mehrheit von 2/3 der Vertragsstaaten eine besondere Waffenliste als Anhang zum Statut verabschiedet worden ist; vgl. *Cassese*, International Criminal Law, S. 60; *Cottier*, in: Triffterer (Hrsg.), Commentary on the Rome Statute, Art. 8 Rn. 185; *Gropengießer*, LB Deutschland, Bd. 1, S. 21 (206 f.); *Kreß*, in: Grützner/Pötz, Internationaler Rechtshilfeverkehr, vor III 26, Rn. 42.

708 Zur völkerrechtlichen Basis dieses Kriegsverbrechens vgl. *Gropengießer*, LB Deutschland, Bd. 1, S. 21 (207).

709 Dieses Kriegsverbrechen ist im Römischen Statut verhältnismäßig progressiv normiert, da die verschiedensten Formen sexueller Gewalt pönalisiert werden, was gegenüber dem bisherigen Völkervertragsrecht eine beachtliche Weiterentwicklung darstellt; vgl. *Bothe*, in: Cassese u.a. (Hrsg.), Rome Statute of the International Criminal Court, Bd. I, S. 379 (415); *Cottier*, in: Triffterer (Hrsg.), Commentary on the Rome Statute, Art. 8 Rn. 200 ff.; *Gropengießer*, LB Deutschland, Bd. 1, S. 21 (209 f.). Zu den einzelnen Tathandlungen siehe die Ausführungen oben auf S. 70.

710 Dieses Kriegsverbrechen basiert auf Art. 28 GA IV und Art. 51(7) ZP I, die jedoch nur Zivilpersonen schützen; vgl. *Gropengießer*, LB Deutschland, Bd. 1, S. 21 (210).

711 Der von Israel benutzte Rote Davidstern ist nicht offiziell als Schutzzeichen des humanitären Völkerrechts anerkannt, wird aber de facto den anderen Schutzzeichen gleichgestellt; vgl. *Werle*, Völkerstrafrecht, Rn. 1016. Wegen der Ablehnung des Roten David-

sen von Zivilpersonen bzw. das Vorenthalten von lebensnotwendigen Gegenständen (xxv)[713] sowie schließlich der zwangsweise Einsatz von Kindersoldaten unter 15 Jahren in den eigenen Streitkräften (xxvi)[714].

cc) Vom Römischen Statut nicht erfasste Kriegsverbrechen in internationalen bewaffneten Konflikten

Die Liste der Kriegsverbrechen in internationalen bewaffneten Konflikten, die sich aus Art. 8(2)(a) und (b) IStGH-Statut ergibt, weist verglichen mit dem Stand des völkergewohnheitsrechtlich geltenden Völkerstrafrechts nur wenige Defizite auf. Während die Tötung oder Verwundung von Kombattanten, die die Waffen gestreckt haben oder sonst wie wehrlos sind, gemäß Art. 8(2)(b)(vi) IStGH-Statut nur dann als Kriegsverbrechen gilt, wenn die Tat gegen einen Kombattanten gerichtet ist, der sich bereits ergeben hat, ist gemäß Art. 41 i.V.m. Art. 85(3)(e) ZP I eine ausdrückliche Erklärung, sich zu ergeben, nicht erforderlich, so dass auch der insoweit über das Römische Statut hinausgehende völkergewohnheitsrechtliche Kriegsverbrechenstatbestand ein solches Erfordernis nicht aufstellt.[715] Während Art. 8(2)(b)(x) IStGH-Statut hinsichtlich medizinischer Eingriffe lediglich „Versuche" erfasst, stellt das Völkergewohnheitsrecht, das sich insofern auf Art. 11(1)(2) und Art. 11(2)(c) ZP I stützt, darüber hinaus auch die Anwendung medizinisch nicht anerkannter Behandlungsmethoden sowie die Entnahme von Gewebe und Organen bei in der gegnerischen Gewalt befindlichen Personen als Kriegsverbrechen unter Strafe.[716] Ferner ist nach völkergewohnheitsrechtlichem Strafrecht basierend auf Art. 85(4)(b) ZP I die ungerechtfertigte Verzögerung bei der Heimschaffung von Kriegsgefangenen bzw. internierten Zivilpersonen als Kriegsverbrechen strafbar; dieses Kriegsverbrechen wird jedoch vom Römischen Statut nicht erfasst. Lediglich in Bezug auf Zivilpersonen dürfte man insoweit über

---

sterns durch die arabischen Staaten wurde auf einer Vertragsstaatenversammlung im Dezember 2005 beschlossen, als weiteres Schutzsymbol ein Rotes Kristall zu schaffen.

712 Eine Vielzahl von Normen des humanitären Völkerrechts schützt Sanitätspersonal und -einrichtungen und bildet die Basis für dieses Kriegsverbrechen; vgl. *Bothe*, in: Cassese u.a. (Hrsg.), Rome Statute of the International Criminal Court, Bd. I, S. 379 (410).

713 Dieses Kriegsverbrechen hat seine Basis in Art. 54 ZP I; vgl. *Cottier*, in: Triffterer (Hrsg.), Commentary on the Rome Statute, Art. 8 Rn. 214 f.; *Werle*, Völkerstrafrecht, Rn. 1062 f.

714 Basis dieses Kriegsverbrechens ist Art. 77(2) ZP I. Ob die Altersgrenze von 15 Jahren angesichts des breiten Zuspruchs, den das *Fakultativprotokoll zum UN-Übereinkommen über die Rechte des Kindes* vom 25.5.2000 (BGBl. 2004 II, S. 1354) erfährt (gegenwärtig – Stand Nov. 2005 – 102 Vertragsstaaten), das eine Altersgrenze von 18 Jahren festlegt, (noch) dem Völkergewohnheitsrecht entspricht, wird zunehmend fraglich.

715 *Bothe*, in: Cassese u.a. (Hrsg.), Rome Statute of the International Criminal Court, Bd. I, S. 379 (405); *Cottier*, in: Triffterer (Hrsg.), Commentary on the Rome Statute, Art. 8 Rn. 55 ff.; *Gropengießer*, LB Deutschland, Bd. 1, S. 21 (186 f.).

716 *Gropengießer*, LB Deutschland, Bd. 1, S. 21 (195 f.).

Art. 8(2)(a)(vii) IStGH-Statut in der Praxis zu einer Erfassung solcher Taten auch durch das Römische Statut kommen (da eine ungerechtfertigte Verzögerung bei der Heimschaffung auch als rechtswidrige [weitere] Gefangenhaltung interpretiert werden kann). Auf Kriegsgefangene ist Art. 8(2)(a)(vii) IStGH-Statut dagegen nicht anwendbar, da das GA III die rechtswidrige Gefangenhaltung anders als das GA IV nicht als *grave crime* bezeichnet, so dass hinsichtlich der ungerechtfertigten Verzögerung bei der Heimschaffung von Kriegsgefangenen das Römische Statut eine echte Lücke aufweist. Schließlich wird das auf Art. 56(1) i.V.m. Art. 85(3)(c) ZP I basierende Kriegsverbrechen des Führens eines Angriffs gegen gefährliche Kräfte enthaltende Anlagen oder Einrichtungen vom Römischen Statut nicht erwähnt, wenngleich man in solchen Fällen nach dem Römischen Statut regelmäßig in Anwendung des Art. 8(2)(b)(iv) IStGH-Statut zu einer Strafbarkeit wegen Kriegsverbrechen gelangen dürfte.

Soweit dagegen in der Literatur bemängelt wird, das Römische Statut erfasse weder die Verwendung von Landminen, bakteriellen Kampfstoffen, Brandwaffen und zur Erblindung führenden Laserwaffen noch den Gebrauch von Atomwaffen als Kriegsverbrechen,[717] ist dem entgegenzuhalten, dass auch das Völkergewohnheitsrecht solche Verhaltensweisen (noch) nicht als Kriegsverbrechen pönalisiert und angesichts der Reichweite der Strafgewalt des IStGH, die sich unter Umständen auch auf Angehörige von Nichtvertragsstaaten des IStGH und auf Nichtvertragsstaaten völkerrechtlich zurechenbares Handeln erstreckt, eine Erfassung von Taten als Kriegsverbrechen über das Völkergewohnheitsrecht hinausreichend zumindest völkerrechtlich nicht unproblematisch gewesen wäre.

dd) Schwere Verstöße gegen den gemeinsamen Art. 3 der Genfer Abkommen in nichtinternationalen bewaffneten Konflikten – Art. 8(2)(c) IStGH-Statut

Hinsichtlich der Kriegsverbrechen in nichtinternationalen bewaffneten Konflikten nimmt das Römische Statut mit Art. 8(2)(c) IStGH-Statut zunächst Rekurs auf den gemeinsamen Art. 3 der Genfer Abkommen und erfasst einige wenige, aber bedeutsame Handlungen als Kriegsverbrechen, sofern sie sich gegen Personen richten, die nicht unmittelbar an den Feindseligkeiten teilnehmen. Zu dem Kreis der geschützten Personen werden dabei auch solche gezählt, die nicht mehr an den Kampfhandlungen teilnehmen, weil sie die Waffen gestreckt haben oder aufgrund von Krankheit, Verwundung, Gefangennahme bzw. aus einem anderen Grund außer Gefecht befindlich sind.[718]

Folgende gegen die genannten Personen gerichtete Handlungen werden von Art. 8(2)(c) IStGH-Statut erfasst: Angriffe auf Leib oder Leben, insbesondere vor-

---

717 So etwa *Satzger*, Internationales und Europäisches Strafrecht, § 15 Rn. 73.

718 *Werle*, Völkerstrafrecht, Rn. 863 f.

sätzliche Tötungen, Verstümmelungen, grausame Behandlungen und Folterungen (i),[719] Beeinträchtigungen der persönlichen Würde (ii),[720] Geiselnahmen (iii)[721] sowie Verurteilungen und Hinrichtungen ohne vorhergehendes Urteil durch ein rechtsstaatlichen Anforderungen genügendes Gericht (iv).[722]

ee) Andere schwere Verstöße gegen das Kriegsvölkerrecht in nichtinternationalen bewaffneten Konflikten – Art. 8(2)(e) IStGH-Statut

Der recht dürftige Katalog von Kriegsverbrechen in nichtinternationalen bewaffneten Konflikten in Art. 8(2)(c) IStGH-Statut wird ergänzt durch eine Auflistung weiterer als Kriegsverbrechen qualifizierender Verhaltensweisen in Art. 8(2)(e) IStGH-Statut, wobei sofort auffällt, dass der Katalog der aufgeführten Verhaltensweisen erheblich kürzer ist als der Katalog des Art. 8(2)(b) IStGH-Statut, der sich auf internationale bewaffnete Konflikte bezieht – statt 26 Tatbestände werden nur zwölf geregelt. Es wird also schon auf den ersten Blick deutlich, dass vom Römischen Statut bezogen auf nichtinternationale bewaffnete Konflikte deutlich weniger Verhaltensweisen als Kriegsverbrechen erfasst werden als bezogen auf internationale bewaffnete Konflikte. In der Sache – und auch in der Formulierung – entsprechen die aufgeführten Tathandlungen von einer Ausnahme abgesehen jeweils einzelnen in Art. 8(2)(b) IStGH-Statut genannten Tathandlungen, so dass man gewissermaßen sagen kann, dass Teile des Katalogs des Art. 8(2)(b) IStGH-Statut auch für nichtinternationale bewaffnete Konflikte maßgeblich sind.

Folgende Handlungen stellen gemäß Art. 8(2)(e) IStGH-Statut (weitere) Kriegsverbrechen in Bürgerkriegen dar:[723] Angriffe auf die Zivilbevölkerung als solche

---

719 Für einen Vergleich mit den entsprechenden Regelungen des Römischen Statuts für internationale bewaffnete Konflikte siehe *Gropengießer*, LB Deutschland, Bd. 1, S. 21 (218 f.).

720 Die Parallelnorm für internationale bewaffnete Konflikte ist Art. 8(2)(a)(xxi) IStGH-Statut.

721 Während der entsprechende Tatbestand für internationale bewaffnete Konflikte – Art. 8(2)(a)(viii) IStGH-Statut – lediglich Geiselnahmen von Zivilpersonen i.S.d. GA IV erfasst, werden durch Art. 8(2)(c)(iii) IStGH-Statut Geiselnahmen in nichtinternationalen bewaffneten Konflikten sämtlicher Personen, die nicht unmittelbar an den Feindseligkeiten teilnehmen, pönalisiert. Insofern ist ausnahmsweise die Strafbarkeit in Bürgerkriegen weitergehend als in internationalen bewaffneten Konflikten; vgl. *Werle*, Völkerstrafrecht, Rn. 945. An diesem Ergebnis zeigt sich deutlich, dass die Kriegsverbrechenstatbestände des Römischen Statuts kein kohärentes System bilden, sondern sich in der Übernahme verschiedener, nicht aufeinander abgestimmter völkerrechtlicher Regelungen erschöpfen.

722 Vgl oben Anm. 685. Verglichen mit dem Paralleltatbestand für internationale bewaffnete Konflikte – Art. 8(2)(a)(vi) IStGH-Statut – ist der strafrechtliche Schutz nach hinten verlagert, wird doch nicht auf die Durchführung eines Verfahrens, sondern auf das Urteil bzw. eine Hinrichtung abgestellt.

723 Das Römische Statut spricht wörtlich von „andere[n] schwere[n] Verstöße[n] gegen die innerhalb des feststehenden Rahmens des Völkerrechts anwendbaren Gesetze und Ge-

oder auf einzelne Zivilpersonen, die an den Feinseligkeiten nicht unmittelbar teilnehmen (i),[724] Angriffe auf Örtlichkeiten, Fahrzeuge oder Personen, die humanitäre Hilfsdienste leisten und daher mit dem Schutzzeichen der Genfer Abkommen versehen sind (ii),[725] Angriffe auf humanitäre Missionen (iii),[726] Angriffe auf Gebäude, die der Religionsausübung, der Erziehung, Kunst, Wissenschaft oder Wohltätigkeit dienen, sowie Angriffe auf Denkmäler, Krankenhäuser und Sammelstellen von Kranken und Verwundeten (iv),[727] Plünderungen (v),[728] sexuelle Gewalttaten, namentlich Vergewaltigungen, erzwungene Schwangerschaften, Zwangssterilisationen, sexuelle Sklaverei und Nötigung zur Prostitution (vi),[729] der zwangsweise Einsatz von Kindersoldaten unter 15 Jahren in den eigenen Streitkräften (vii),[730] die Anordnung der Verlegung der Zivilbevölkerung, soweit dies nicht im Hinblick auf die Sicherheit der betreffenden Zivilpersonen oder aus zwingenden militärischen Gründen geboten ist (viii),[731] die meuchlerische Tötung oder Verwundung eines Angehörigen der gegnerischen Streitkräfte oder Bevölkerung (ix),[732] die Erklärung, dass kein Pardon gegeben wird (x),[733] die körperliche Verstümmelung von Personen sowie die Durchführung medizinischer und wissenschaftlicher Versuche an Personen, die sich in der Macht einer gegnerischen Partei befinden (xi),[734] sowie die nicht durch kriegerische Erfordernisse zwingend gebotene Zerstörung oder Beschlagnahme von Eigentum der gegnerischen Partei oder von Angehörigen eines Gegners (xii).[735]

ff) Vom Römischen Statut nicht erfasste Kriegsverbrechen in nichtinternationalen bewaffneten Konflikten

Wie bereits geschildert, weist das Römische Statut vor allem im Bereich der Kriegsverbrechen in nichtinternationalen bewaffneten Konflikten deutliche Defizite gegenüber dem gewohnheitsrechtlichen Völkerstrafrecht auf, da es die moderne

---

bräuche im bewaffneten Konflikt, der keinen internationalen Charakter hat, nämlich jede der folgenden Handlungen (…).“

724 Diese Regelung entspricht dem für internationale bewaffnete Konflikte geltenden Art. 8(2)(b)(i) IStGH-Statut.

725 Diese Regelung entspricht Art. 8(2)(b)(xxiv) IStGH-Statut.

726 Diese Regelung entspricht Art. 8(2)(b)(iii) IStGH-Statut.

727 Diese Regelung entspricht Art. 8(2)(b)(ix) IStGH-Statut.

728 Diese Regelung entspricht Art. 8(2)(b)(xvi) IStGH-Statut.

729 Diese Regelung entspricht Art. 8(2)(b)(xxii) IStGH-Statut.

730 Diese Regelung entspricht Art. 8(2)(b)(xxvi) IStGH-Statut.

731 Vgl. für den internationalen bewaffneten Konflikt Art. 8(2)(a)(vii) und Art. 8(2)(b)(viii) IStGH-Statut.

732 Diese Regelung entspricht Art. 8(2)(b)(xi) IStGH-Statut.

733 Diese Regelung entspricht Art. 8(2)(b)(xii) IStGH-Statut.

734 Diese Regelung entspricht Art. 8(2)(b)(x) IStGH-Statut.

735 Diese Regelung entspricht Art. 8(2)(b)(xiii) IStGH-Statut.

Entwicklung der weitgehenden Assimilierung von Kriegsverbrechen in internationalen und nichtinternationalen bewaffneten Konflikten nicht aufgenommen hat. Daraus folgt ein relativ großer Katalog von Kriegsverbrechen, die zwar nach Völkergewohnheitsrecht auch dann strafbar sind, wenn sie in nichtinternationalen bewaffneten Konflikten begangen werden, in einem solchen Fall jedoch nicht der Strafgewalt des IStGH unterworfen sind.

Im Einzelnen handelt es sich zum einen um folgende Kriegsverbrechen: Angriffe auf zivile Objekte,[736] das Führen von Angriffen in Kenntnis ihrer eindeutigen Unverhältnismäßigkeit, also in Kenntnis der Tatsache, dass der militärische Vorteil in keinem Verhältnis zu den drohenden Folgen des Angriffs für Menschen, zivile Objekte oder die Umwelt steht,[737] Angriffe gegen unverteidigte Städte, Dörfer, Wohnstätten sowie Gebäude, die keine militärischen Ziele sind,[738] der Missbrauch von Abzeichen und Uniformen, namentlich der Parlamentärflagge und der Zeichen der Vereinten Nationen,[739] Angriffe auf gefährliche Kräfte enthaltende Anlagen oder Einrichtungen,[740] die Tötung oder Verwundung eines die Waffen streckenden oder sonst wie wehrlosen gegnerischen Kombattanten,[741] die Anwendung medizinisch nicht anerkannter Behandlungsmethoden sowie die Entnahme von Gewebe und Organen bei in der gegnerischen Gewalt befindlichen Personen,[742] die Benutzung von Personen als „menschliche Schutzschilde", um Kampfhandlungen von bestimmten Orten fernzuhalten,[743] und das vorsätzliche Aushungernlassen von Zivilpersonen bzw. das Vorenthalten von lebensnotwendigen Gegenständen.[744]

Zum anderen gelten diejenigen Kriegsverbrechenstatbestände, die die Verwendung nach humanitärem Völkerrecht verbotener Mittel der Kriegsführung pönalisieren, nach heutigem Völkerstrafrecht ebenso wie in internationalen auch in nicht-

---

736 In internationalen bewaffneten Konflikten von Art. 8(2)(b)(ii) IStGH-Statut erfasst.

737 In internationalen bewaffneten Konflikten von Art. 8(2)(b)(iv) IStGH-Statut erfasst.

738 In internationalen bewaffneten Konflikten von Art. 8(2)(b)(v) IStGH-Statut erfasst.

739 In internationalen bewaffneten Konflikten von Art. 8(2)(b)(vii) IStGH-Statut erfasst.

740 Dieses Kriegsverbrechen ist selbst bei einer Tatbegehung im Rahmen eines internationalen bewaffneten Konflikts vom Römischen Statut nicht bzw. nur teilweise und indirekt über Art. 8(2)(b)(ii) IStGH-Statut erfasst; vgl. oben S. 129. Siehe auch *Gropengießer*, LB Deutschland, Bd. 1, S. 21 (225 f.); *Zimmermann*, in: Triffterer (Hrsg.), Commentary on the Rome Statute, Art. 8 Rn. 292.

741 In internationalen bewaffneten Konflikten teilweise von Art. 8(2)(b)(vi) IStGH-Statut erfasst; soweit sich der Kombattant jedoch nicht ausdrücklich ergeben hat, selbst bei einer Tatbegehung im Rahmen eines internationalen bewaffneten Konflikts vom Römischen Statut nicht erfasst; vgl. oben S. 128.

742 Diese Kriegsverbrechen sind selbst bei einer Tatbegehung im Rahmen eines internationalen bewaffneten Konflikts vom Römischen Statut nicht erfasst; vgl. oben S. 128.

743 In internationalen bewaffneten Konflikten von Art. 8(2)(b)(xxiii) IStGH-Statut erfasst.

744 In internationalen bewaffneten Konflikten von Art. 8(2)(b)(xxv) IStGH-Statut erfasst.

internationalen bewaffneten Konflikten, so dass nach Völkergewohnheitsrecht auch die Taten bei einer Begehung in nichtinternationalen bewaffneten Konflikten strafbar sind, die gemäß Art. 8(2)(b)(xvii) bis (xx) IStGH-Statut vom Römischen Statut zwar erfasst werden, aber nur bei Tatbegehung im Rahmen internationaler bewaffneter Konflikte.[745] Dabei handelt es sich um folgende Taten: die Verwendung von Gift oder vergifteten Waffen sowie von erstickenden, giftigen oder gleichartigen Gasen oder Flüssigkeiten bzw. Stoffen, die Verwendung so genannter Dum-Dum-Geschosse sowie die Verwendung von verbotenen Waffen, Geschossen, Stoffen und Methoden der Kriegsführung, die geeignet sind, überflüssige Verletzungen oder unnötige Leiden hervorzurufen oder die unterschiedslos wirken.

g) Subjektive Strafbarkeitsvoraussetzungen

In subjektiver Hinsicht ist zunächst Vorsatz hinsichtlich der einzelnen pönalisierten Tathandlungen erforderlich, wobei es nach Völkergewohnheitsrecht anders als nach dem Römischen Statut grundsätzlich ausreicht, wenn der Täter im Falle eines vorausgesetzten Handlungserfolgs diesen für möglich hält, also mit bedingtem Vorsatz (dolus eventualis) handelt.[746] Bei einigen Kriegsverbrechenstatbeständen wird dagegen eine besondere Intention des Täters verlangt, so dass strengere Anforderungen an die subjektiven Voraussetzungen einer Strafbarkeit gestellt werden. Dies gilt bei den Kriegsverbrechenstatbeständen, die ein zielgerichtetes Handeln verlangen, etwa bei Art. 8(2)(b)(i) IStGH-Statut, der Angriffe auf die Zivilbevölkerung bzw. auf einzelne, sich an den Kampfhandlungen nicht beteiligende Zivilisten betrifft, oder bei Art. 8(2)(b)(xi) IStGH-Statut, der – so jedenfalls die *Elements of Crimes*[747] – erfordert, dass der Täter mit der Absicht handelt, das beim Gegner erweckte Vertrauen zu brechen.[748] Bei anderen Tatbeständen werden dagegen die subjektiven Voraussetzungen für eine völkerstrafrechtliche Verantwortlichkeit weiter reduziert.[749] Ferner muss der jeweilige Täter Kenntnis haben von den Umstän-

---

745 Die völkergewohnheitsrechtliche Strafbarkeit der Verwendung verbotener Mittel der Kriegsführung auch in nichtinternationalen bewaffneten Konflikten war vom ICTY in seiner richtungweisenden *Tadić*-Entscheidung klargestellt worden (IT-94-1-AR72, 2.10.1995). Der ICTY betonte (para. 119): "What is inhumane, and consequently proscribed, in international wars, cannot but be inhumane and inadmissible in civil strife." Auf der Römischen Konferenz war über eine Aufnahme der entsprechenden Regelungen für nichtinternationale bewaffnete Konflikte ernsthaft diskutiert worden, doch letztlich konnten sich die Befürworter solcher Parallelregelungen nicht durchsetzten; vgl. *Zimmermann*, in: Triffterer (Hrsg.), Commentary on the Rome Statute, Art. 8 Rn. 237.

746 Zur umstrittenen Frage, ob bzw. inwieweit Art. 30 IStGH-Statut auch Fälle des bedingten Vorsatzes erfasst, vgl. unten S. 206.

747 Vgl. oben Anm. 178.

748 Vgl. *Werle*, Völkerstrafrecht, Rn. 848, 1003, 1006, 1008, 1014, 1039.

749 Dies gilt etwa bei einzelnen Kriegsverbrechen nach dem Römischen Statut, bei denen die verbindliche englische Fassung hinsichtlich der subjektiven Tatseite von *wilfully* spricht (die dt. Übers. verwendet auch hier den Begriff „vorsätzlich“) – siehe nur

den, die das Vorliegen eines bewaffneten Konflikts begründen, sowie von der funktionellen Einbindung seiner Tathandlung in den Kontext eines bewaffneten Konflikts.[750]

2. Tatbestandsmäßigkeit im nationalen Recht

a) Allgemeine Feststellungen zur nationalen Gesetzgebung

Anders als hinsichtlich der Verbrechen gegen die Menschlichkeit haben relativ viele der untersuchten Staaten zur Erfassung von Kriegsverbrechen durch die eigene nationale Strafgewalt spezielle Straftatbestände geschaffen. Dieser Befund überrascht kaum, verpflichten doch – wie schon mehrfach erwähnt[751] – die Genfer Abkommen von 1949, das ZP I von 1977 sowie einige weitere Verträge des humanitären Völkerrechts die Staaten unter bestimmten Umständen zu einer nationalen Strafverfolgung von Kriegsverbrechen. Erneut zeigt sich, dass die Staaten vor allem dann motiviert sind, spezielle nationale Straftatbestände zur Implementation von Völkerstrafrecht zu schaffen, wenn eine klare völkervertragliche Verpflichtung zu einer nationalen Strafverfolgung besteht.[752] Dies gilt offenbar selbst dann, wenn das Völkerrecht nur die Strafverfolgung als solche vorschreibt, nicht aber eine Ahndung durch Spezialtatbestände verlangt – denn es wurde ja bereits darauf hingewiesen, dass die einschlägigen völkerrechtlichen Verträge keine Ahndung von Kriegsverbrechen als solche fordern, sondern auch mit einer Anwendung der Straftatbestände des „allgemeinen" Strafrechts den völkerrechtlichen Verfolgungspflichten Genüge getan werden kann.[753] Im Wesentlichen dürften drei Gründe entscheidend dafür sein, dass gleichwohl viele Staaten nationale Spezialtatbestände

---

Art. 8(1)(2)(b)(vi) IStGH-Statut. Damit wird neben den Fällen des dolus eventualis in Anerkennung der Figur der *recklessness* des common law auch eine „gesteigerte Fahrlässigkeit" als ausreichend für eine strafrechtliche Verantwortlichkeit erachtet. Vgl. *Bothe*, in: Cassese u.a. (Hrsg.), Rome Statute of the International Criminal Court, Bd. I, S. 392; *Satzger*, Internationales und Europäisches Strafrecht, § 15 Rn. 66; *Werle*, Völkerstrafrecht, Rn. 847 ff., 873.

750 *Satzger*, Internationales und Europäisches Strafrecht, § 15 Rn. 65; *Werle*, Völkerstrafrecht, Rn. 845. In den *Elements of Crimes* (vgl. oben Anm. 178) wird hinsichtlich jedes Tatbestands das Erfordernis der Kontextkenntnis wie folgt umschrieben: "The perpetrator was aware of factual circumstances that established the existence of an armed conflict." Dagegen ist nicht erforderlich, dass der Täter aufgrund der den bewaffneten Konflikt begründenden tatsächlichen Umstände (die ihm bekannt sein müssen) rechtlich zutreffend auf das Vorliegen eines bewaffneten Konflikts schließt. Auch ist weder erforderlich, dass der Täter von den Umständen Kenntnis hat, die entscheidend sind für die Einordnung als internationalen oder nichtinternationalen Konflikt, noch dass er den Konflikt rechtlich zutreffend als internationalen bzw. nichtinternationalen einordnet. So ausdrücklich die Einleitung der *Elements of Crimes*. Siehe diesbezüglich auch *Werle*, a.a.O., Rn. 845 f.

751 Siehe vor allem oben S. 9 ff.

752 Siehe hierzu schon in Bezug auf das Verbrechen des Völkermords oben S. 43 ff.

753 Vgl. oben S. 15.

geschaffen haben: Erstens wird so am besten sichergestellt, dass keine Strafbarkeitsdefizite bestehen, zweitens kann durch andere Strafandrohungen als für „normale“ Straftaten dem besonderen Unrechtsgehalt von Kriegsverbrechen besser Rechnung getragen werden und drittens kann durch eine Verurteilung auf der Basis von Spezialtatbeständen das Unrecht präziser benannt werden.

Spezielle Kriegsverbrechenstatbestände gibt es in 17 der untersuchten Staaten. Die große Mehrzahl dieser Staaten hat die Kriegsverbrechenstatbestände in das „normale“ nationale Strafgesetzbuch integriert. Dies gilt namentlich für Australien, China, Côte d'Ivoire, Estland, Finnland, Italien, Kroatien, Polen, Russland, Schweden, Serbien und Montenegro, Slowenien und Weißrussland.[754] Dagegen haben England und Wales, Deutschland und Kanada sowie teilweise auch die USA die Kriegsverbrechenstatbestände außerhalb des allgemeinen Strafgesetzbuches normiert. In England und Wales, Deutschland und Kanada gibt es – wie schon erwähnt – spezielle eigenständige Völkerstrafgesetzbücher; auch der schwedische Entwurf für ein Gesetz über Völkerrechtsstraftaten sieht die Schaffung eines solchen vor.[755] In den USA gibt es zum einen einen *War Crimes Act* von 1996, zum anderen den *Uniform Code of Military Justice* (UCMJ).[756]

Während die Kriegsverbrechenstatbestände von Australien, China, Côte d'Ivoire, Deutschland, England und Wales, Estland, Italien, Kroatien, Serbien und Montenegro sowie Slowenien die als Kriegsverbrechen strafbaren Verhaltensweisen konkret bezeichnen, also nicht zur Bestimmung der strafbaren Verhaltensweisen auf Völkerrecht verweisen, nehmen die Regelungen anderer Staaten – vor dem Hintergrund des Ziels von Strafnormen, verhaltensdeterminierend zu wirken, in durchaus nicht unproblematischer Art und Weise – weitreichenden Bezug auf das Völkerrecht. Die einschlägigen Strafnormen von Finnland, Polen, Russland, Schweden

[754] Vgl. *Biehler/Kerll*, LB Australien, Bd. 6, S. 19 (25); *Cornils*, LB Schweden, Bd. 2, S. 183 (200 f.); *Frände*, LB Finnland, Bd. 2, S. 21 (32 ff.); *Jarvers*, LB Italien, Bd. 4, S. 337 (356 f.) (die italienischen Kriegsverbrechenstatbestände sind allerdings schon sehr alt; sie wurden schon 1941, also deutlich vor der Verabschiedung der Genfer Abkommen, geschaffen und weichen daher deutlich von den völkerstrafrechtlichen Normen ab); *Korošec*, LB Slowenien, Bd. 3, S. 329 (335 f.); *Kouassi/Paulenz*, LB Côte d'Ivoire, Bd. 4, S. 19 (39 f.) (allerdings sind die Kriegsverbrechenstatbestände von Côte d'Ivoire im Wesentlichen beschränkt auf die *grave crimes* der Genfer Abkommen); *Lammich*, LB Russland/Weißrussland, Bd. 6, S. 351 (357 f., 362 ff.); *Novoselec*, LB Kroatien, Bd. 3, S. 19 (25 f., 32 ff.); *Parmas*, LB Estland, Bd. 5, S. 89 (95 f.); *Richter*, LB China, Bd. 6, S. 141 (164 ff.) (im chinesischen Strafgesetz finden sich im 10. Abschn. einige wenige, als „Verletzungen von Amtspflichten durch Armeeangehörige“ betitelte Spezialtatbestände); *Škulić*, LB Serbien und Montenegro, Bd. 3, S. 211 (225 ff.); *Weigend*, LB Polen, Bd. 2, S. 77 (85).

[755] Vgl. *Cornils*, LB Schweden, Bd. 2, S. 183 (190 f.) (bezüglich des Entwurfs für ein Gesetz über Völkerrechtsstraftaten); *Gropengießer*, LB Deutschland, Bd. 1, S. 21 (146); *Gut/Wolpert*, LB Kanada, Bd. 5, S. 19 (24); *Rabenstein/Bahrenberg*, LB England/Wales, Bd. 6, S. 261 (267).

[756] Vgl. *Silverman*, LB USA, Bd. 5, S. 411 (426 f., 432).

und Weißrussland erklären (zumindest teilweise) solche Verhaltensweisen für als Kriegsverbrechen strafbar, die nach Völkergewohnheitsrecht bzw. den Verträgen des humanitären Völkerrechts, die das Land ratifiziert hat, verboten sind.[757] Noch weitreichender ist der Verweis auf das Völkerrecht in Kanada und in den USA. In diesen Ländern, in denen traditionell dem Bestimmtheitsgrundsatz nicht die strafrechtsbegrenzende Bedeutung beigemessen wird wie in den kontinentaleuropäischen Staaten, werden durch den (kanadischen) CAHWCA bzw. den (US-amerikanischen) UCMJ, der für Personen gilt, die der US-amerikanischen Militärgerichtsbarkeit unterliegen (das sind in erster Linie, aber nicht ausschließlich, Angehörige der Streitkräfte) und für Militärgerichte anwendbar ist, pauschal alle Taten für als Kriegsverbrechen durch die nationalen (Militär-)Gerichte verfolgbar erklärt, die nach Völkerrecht – und zwar einschließlich des Völkergewohnheitsrechts! – als Kriegsverbrechen strafbar sind.[758]

Keine speziellen Kriegsverbrechenstatbestände finden sich dagegen in den Strafrechtsordnungen von Griechenland, Israel, Österreich und der Türkei.[759] In diesen Staaten können Kriegsverbrechen damit nur unter Anwendung der „normalen" Straftatbestände und als „normale" Straftaten geahndet werden – also je nach Tatgeschehen beispielsweise als Mord, Totschlag, Körperverletzung, Freiheitsberaubung, Brandstiftung oder Sachbeschädigung. Dies gilt auch für Frankreich,[760] das offenbar einer Ahndung von Kriegsverbrechen als Völkerstraftaten besonders skeptisch gegenüber steht, ist doch die Regelung des Art. 124 IStGH-Statut, die es einem Vertragsstaat ermöglicht, für einen Zeitraum bis 2009 die Zuständigkeit des IStGH für Kriegsverbrechen bezogen auf Taten eigener Staatsbürger bzw. im eigenen Land abzulehnen, auf Initiative Frankreichs geschaffen worden und Frankreich das bislang einzige Land, das von dieser Option Gebrauch gemacht hat.[761] Ferner ist darauf hinzuweisen, dass auch die meisten lateinamerikanischen Staaten keine oder allenfalls nur einige wenige (völkerstrafrechtliche) Spezialtatbestände zur Erfassung von Kriegsverbrechen vorweisen können.[762]

Auch wenn die auf den Genfer Abkommen, dem ZP I und weiteren Verträgen resultierenden völkerrechtlichen Verfolgungspflichten zumeist bereits älteren Datums

---

757 Vgl. *Frände*, LB Finnland, Bd. 2, S. 21 (32); *Lammich*, LB Russland/Weißrussland, Bd. 6, S. 351 (363 ff.); *Weigend*, LB Polen, Bd. 2, S. 77 (92 ff.). Siehe auch schon oben Anm. 108 und dazugehörigen Text.

758 Vgl. *Gut/Wolpert*, LB Kanada, Bd. 5, S. 19 (32); *Silverman*, LB USA, Bd. 5, S. 411 (426 f., 432).

759 Vgl. *Kremnitzer/Cohen*, LB Israel, Bd. 5, S. 317 (325, 347); *Retalis*, LB Griechenland, Bd. 5, S. 189 (195, 224 ff.); *Tellenbach*, LB Türkei, Bd. 6, S. 393 (411 ff.); *Zerbes*, LB Österreich, Bd. 3, S. 85 (95, 107 ff.).

760 Vgl. *Lelieur-Fischer*, LB Frankreich, Bd. 4, S. 225 (255 ff.).

761 Siehe *Lelieur-Fischer*, LB Frankreich, Bd. 4, S. 225 (233 mit Fn. 6 und 260 mit Fn. 129).

762 Vgl. *Ambos/Malarino*, Zusammenfassung Lateinamerika, Bd. 4, S. 469 (476).

sind,[763] so sind die derzeit geltenden nationalen Kriegsverbrechenstatbestände doch überwiegend erst in letzter Zeit geschaffen worden, wenngleich sie teilweise auf älteren nationalen Normen aufbauen bzw. ältere nationale Kriegsverbrechenstatbestände abgelöst haben.[764] Einige Staaten – zu diesen zählt auch Deutschland – haben erst relativ spät, vielfach erst nach der Schaffung des Römischen Statuts, ihr nationales Strafrecht erstmals um Kriegsverbrechenstatbestände ergänzt – dies relativiert natürlich in gewisser Weise die obige Feststellung, dass konkret gefasste völkervertragliche Verfolgungspflichten die Schaffung entsprechender nationaler Spezialtatbestände motivieren. Andere Staaten – zu nennen sind beispielhaft die in das Projekt einbezogenen Nachfolgestaaten des früheren Jugoslawiens, aber auch Estland und Polen – haben ihre nationalen Kriegsverbrechenstatbestände in den letzten Jahren an die Entwicklung des Völkerstrafrechts, vor allem das Römische Statut, angepasst und damit deutlich gemacht, dass die Weiterentwicklung des Völkerstrafrechts auf völkerrechtlicher Ebene durchaus Widerhall auf nationaler Ebene findet.

Die Tatsache, dass Staaten wie Australien, England und Wales, Deutschland und Kanada erst nach der jeweiligen Ratifikation des Römischen Statuts nationale Kriegsverbrechenstatbestände bzw. umfassende völkerstrafrechtliche Kodifikationen geschaffen und andere Staaten ihre nationalen Kriegsverbrechenstatbestände an das Römische Statut angepasst haben, lässt im Übrigen auch bezogen auf Kriegsverbrechen folgenden Schluss zu: Nicht nur echte völkerrechtliche Verfolgungspflichten, sondern auch indirekte Mechanismen wie die Regelung des Römischen Statuts (das keine Verfolgungspflicht begründet), nach der ein Staat, der nicht selbst in der Lage ist, Kriegsverbrechen adäquat zu verfolgen, hinnehmen muss, dass der IStGH seine Gerichtsbarkeit wahrnimmt (Komplementaritätsprinzip),[765] sind geeignet, die Staaten zu einer völkerrechtlich gewünschten nationalen Imple-

---

763 Vgl. oben S. 9 ff. und S. 108 ff.

764 Siehe *Biehler/Kerll*, LB Australien, Bd. 6, S. 19 (25) (Ergänzung des Strafgesetzbuchs im Jahr 2002); *Kreicker*, LB Deutschland, Bd. 1, S. 21 (60) (Schaffung des VStGB im Jahr 2002); *Gut/Wolpert*, LB Kanada, Bd. 5, S. 19 (24) (Schaffung des CAHWCA im Jahr 2000); *Korošec*, LB Slowenien, Bd. 3, S. 329 (335) (Schaffung eines eigenständigen Strafgesetzbuchs im Jahr 1995); *Lammich*, LB Russland/Weißrussland, Bd. 6, S. 351 (357) (neues russisches Strafgesetzbuch von 1996, neues weißrussisches Strafgesetzbuch von 1999); *Novoselec*, LB Kroatien, Bd. 3, S. 19 (26 f.) (Ergänzung des nationalen Strafgesetzbuchs im Jahr 2004); *Parmas*, LB Estland, Bd. 5, S. 89 (95 f.) (Inkrafttreten des Strafgesetzbuchs in seiner aktuellen Fassung im Jahr 2002); *Rabenstein/Bahrenberg*, LB England/Wales, Bd. 6, S. 261 (267) (Schaffung des International Criminal Court Act im Jahr 2001); *Silverman*, LB USA, Bd. 5, S. 411 (425, 432) (War Crimes Act aus dem Jahr 1996); *Škulić*, LB Serbien und Montenegro, Bd. 3, S. 211 (225 ff.) (Überarbeitung des nationalen Strafgesetzbuchs im Jahr 2003). Eine absolute Sonderstellung nimmt Italien ein. Denn die Kriegsverbrechenstatbestände der italienischen Militärstrafgesetzbücher stammen von 1941, wurden also bereits vor der Verabschiedung der Genfer Abkommen geschaffen, und sind bislang nicht an die Rechtsentwicklung des Völkerstrafrechts angepasst worden; vgl. *Jarvers*, LB Italien, Bd. 4, S. 337 (347, 356) sowie oben Anm. 754.

765 Siehe hierzu oben S. 8.

mentationsgesetzgebung zu veranlassen.[766] Der durch das Komplementaritätsprinzip des Römischen Statuts ausgehende „rechtspolitische Zwang" zu nationaler Implementationsgesetzgebung dürfte sogar wirkungsvoller sein als direkte völkervertragliche Verfolgungspflichten. Denn während ein Verstoß gegen Letztere mangels völkerrechtlicher Sanktionierungsmöglichkeit zumeist folgenlos bleibt, hat das Komplementaritätsprinzip des Römischen Statuts im Falle eines Untätigbleibens der einzelnen Staaten die unmittelbare Konsequenz des Tätigwerdens des IStGH, was nicht nur vielfach auf politisches Missfallen der betroffenen Staaten stoßen, sondern auch Souveränitätsansprüche tangieren dürfte.

b) Die einzelnen Kriegsverbrechen

Betrachtet man die verschiedenen nationalen Spezialtatbestände zur Erfassung von Kriegsverbrechen, so fällt zunächst auf, dass vielfach nicht zwischen Kriegsverbrechen in internationalen bewaffneten Konflikten und Kriegsverbrechen in nichtinternationalen bewaffneten Konflikten differenziert wird. So gelten in Côte d'Ivoire, Estland, Italien, Finnland, Kroatien, Polen, Russland und Weißrussland, Schweden, Serbien und Montenegro sowie Slowenien sämtliche Kriegsverbrechenstatbestände in gleicher Weise für beide Arten von bewaffneten Konflikten.[767] Im Landesbericht zu Italien wird jedoch zu Recht darauf hingewiesen, dass zwar dem Wortlaut der Vorschriften keine Beschränkung ihres Geltungsbereichs auf internationale bewaffnete Konflikte zu entnehmen sei, so dass die Tatbestände heutzutage ohne weiteres auch auf Kriegsverbrechen in Bürgerkriegen zur Anwendung gebracht werden könnten und müssten, dass aber bei Schaffung der Spezialnormen niemand eine Anwendung auf Taten in nichtinternationalen bewaffneten Konflikten vor Augen gehabt habe.[768] Dies gilt für die Spezialtatbestände vieler anderer Staaten ebenso. Doch zeigt schon die Tatsache, dass in den einzelnen Staaten angenommen wird, eine vom Wortlaut der Vorschriften ausgehende und dem Willen des historischen Gesetzgebers keine Bedeutung beimessende Norminterpretation sei möglich und geboten, dass die geschilderte – maßgeblich durch die Rechtsprechung des ICTY geförderte – Assimilierung der Strafbarkeit von Kriegsverbrechen in internationalen bewaffneten Konflikten und Bürgerkriegsverbrechen[769] bei den einzelnen Staaten auf Zustimmung stößt. Die Differenzierungs-

---

766 Siehe hierzu bereits oben (in Bezug auf Verbrechen gegen die Menschlichkeit) S. 77 f.

767 Vgl. *Cornils*, LB Schweden, Bd. 2, S. 183 (201); *Frände*, LB Finnland, Bd. 2, S. 21 (32 ff.); *Jarvers*, LB Italien, Bd. 4, S. 337 (358, 374); *Korošec*, LB Slowenien, Bd. 3, S. 329 (402 ff.); *Kouassi/Paulenz*, LB Côte d'Ivoire, Bd. 4, S. 19 (46 ff.); *Lammich*, LB Russland/Weißrussland, Bd. 6, S. 351 (362 f.); *Novoselec*, LB Kroatien, Bd. 3, S. 19 (32 ff., insb. S. 40); *Parmas*, LB Estland, Bd. 5, S. 89 (106 f.); *Škulić*, LB Serbien und Montenegro, Bd. 3, S. 211 (225 ff.); *Weigend*, LB Polen, Bd. 2, S. 77 (94 ff.).

768 *Jarvers*, LB Italien, Bd. 4, S. 337 (358).

769 Siehe hierzu oben S. 117 f.

regelung des Römischen Statuts, nach der zwischen Kriegsverbrechen in internationalen bewaffneten Konflikten und solchen in nichtinternationalen Konflikten unterschieden wird und Taten in Letzteren nur in deutlich geringerem Umfang der Gerichtsbarkeit des IStGH unterfallen als Taten in internationalen bewaffneten Konflikten,[770] spiegeln also keinen Konsens der Staaten wider.

Dagegen folgen die Normen zu Kriegsverbrechen der Strafrechtsordnungen von Australien und England und Wales dem Ordnungsprinzip des Römischen Statuts,[771] wobei allerdings diese Staaten ohnehin die Verbrechenstatbestände des Römischen Statuts im Wesentlichen pauschal in ihr nationales Recht übernommen haben.[772]

Besondere Aufmerksamkeit auch im Rahmen eines Ländervergleichs verdient das Ordnungsprinzip der Kriegsverbrechen des deutschen VStGB. Das VStGB behandelt beide Konfliktarten im Hinblick auf die Strafbarkeit von Kriegsverbrechen grundsätzlich gleich und folgt damit der jüngsten Entwicklung des gewohnheitsrechtlichen Völkerstrafrechts. Deshalb wird auch hinsichtlich der Verbrechenstatbestände weitgehend nicht zwischen einer Anwendbarkeit auf Taten in internationalen und Taten in nichtinternationalen bewaffneten Konflikten unterschieden; die meisten Tatbestände stellen Verhaltensweisen unabhängig davon, in welcher Art Konflikt sie begangen wurden, als Kriegsverbrechen unter Strafe. Die Tatbestände sprechen insofern von einer Tatbegehung „in Zusammenhang mit einem internationalen oder nichtinternationalen bewaffneten Konflikt" (etwa § 8 Abs. 1 VStGB). Lediglich insoweit, als sich dem gegenwärtigen Völkerrecht (noch) nicht sicher entnehmen lässt, dass bestimmte Taten auch dann strafbar sind, wenn sie im Rahmen von Bürgerkriegen begangen werden, beschränkt das deutsche VStGB die Strafbarkeit ausdrücklich auf Taten „im Zusammenhang mit einem internationalen bewaffneten Konflikt" (etwa § 8 Abs. 3 VStGB).[773] Damit unterscheidet sich das deutsche Recht von den Strafrechtsordnungen der Länder Côte d'Ivoire, Estland, Italien, Finnland, Kroatien, Polen, Russland und Weißrussland, Schweden, Serbien und Montenegro, Slowenien, in denen – wie soeben erwähnt – überhaupt keine Unterscheidung zwischen zwischenstaatlichen Konflikten und Bürgerkriegen vorgenommen wird und damit die Gefahr besteht, dass die nationalen Straftatbestände über das völkerrechtliche Strafrecht hinausreichen.[774]

---

770 Siehe hierzu oben S. 120 ff.

771 Vgl. *Biehler/Kerll*, LB Australien, Bd. 6, S. 19 (32 f.); *Rabenstein/Bahrenberg*, LB England/Wales, Bd. 6, S. 261 (273 ff.).

772 Siehe in diesem Zusammenhang auch oben S. 28.

773 Vgl. *Gropengießer*, LB Deutschland, Bd. 1, S. 21 (146 ff.).

774 Dies ist völkerrechtlich dann problematisch, wenn für die betreffenden Taten eine extraterritoriale Strafgewalt nach dem Weltrechtsprinzip in Anspruch genommen wird. Siehe hierzu oben Anm. 215 sowie *Kreicker*, LB Deutschland, Bd. 1, S. 21 (68 Fn. 101).

Statt – wie das Römische Statut – zwischen verschiedenen Arten von Konflikten und den völkerrechtlichen Rechtsgrundlagen differenziert das deutsche VStGB zwischen verschiedenen Arten von Kriegsverbrechen, nämlich zwischen Kriegsverbrechen gegen Personen (§ 8 VStGB), gegen Eigentum und sonstige Rechte (§ 9 VStGB), gegen humanitäre Missionen und Embleme (§ 10 VStGB), Kriegsverbrechen des Einsatzes verbotener Methoden der Kriegsführung (§ 11 VStGB) sowie des Einsatzes verbotener Mittel der Kriegsführung (§ 12 VStGB).[775]

Das Ziel des deutschen Gesetzgebers, mit dieser zukunftsweisenden Regelung der Strafbarkeit von Kriegsverbrechen anderen Ländern, die ihr nationales Strafrecht ebenfalls an das moderne Völkerstrafrecht anpassen wollen, ein Vorbild zu sein, also gewissermaßen mit dem VStGB ein nachahmenswertes Modellgesetz zu schaffen,[776] scheint nicht zu hoch gesteckt zu sein: Der schwedische Entwurf für ein Gesetz über Völkerrechtsstraftaten übernimmt die Ordnung des VStGB, unterscheidet also in identischer Weise wie das VStGB zwischen verschiedenen Arten von Kriegsverbrechen.[777]

Doch ist das „deutsche Modell“ selbstverständlich nicht die einzige Möglichkeit einer an Sachgesichtspunkten orientierten Systematisierung von Kriegsverbrechen. Soweit die Länder nicht – wie etwa Australien oder England und Wales – einfach die Regelung des Art. 8 IStGH-Statut übernommen haben oder aber – wie Kanada[778] – durch Verweis auf Völker(gewohnheits-)recht pauschal sämtliche nach Völker(gewohnheits-)recht strafbare Kriegsverbrechen für auch nach nationalem Recht strafbar erklären, sondern sich wie das deutsche VStGB um eine (weitgehend) eigenständige Festlegung der strafbaren Handlungen in nationalen Strafnormen bemühen, finden sich recht unterschiedliche Ordnungen. Beispielhaft soll auf die Regelungen in Polen, in den untersuchten Nachfolgestaaten des früheren Jugoslawien sowie in Estland hingewiesen werden, wobei hier nur die verschiedenen Strafnormen genannt werden können, für die Frage aber, welche Verhaltensweisen im Einzelnen unter die verschiedenen Tatbestände fallen, auf die jeweiligen Landesberichte verwiesen werden muss.

Die Art. 120 ff. polnisches StGB unterscheiden zwischen folgenden Straftaten: Straftaten gegen Personen (Art. 123, Art. 124), des Einsatzes verbotener Kampfmittel (Art. 120, Art. 121 und Art. 122 § 2), des Einsatzes verbotener Kampfmethoden (Art. 122 § 1 und Art. 125) sowie Straftaten des Missbrauchs anerkannter Schutzzeichen (Art. 126).[779]

---

775 Vgl. *Gropengießer*, LB Deutschland, Bd. 1, S. 21 (146 ff).

776 Siehe hierzu *Kreicker*, LB Deutschland, Bd. 1, S. 21 (69 f.).

777 Vgl. *Cornils*, LB Schweden, Bd. 2, S. 183 (203 f.).

778 Vgl. *Gut/Wolpert*, LB Kanada, Bd. 5, S. 19 (32).

779 *Weigend*, LB Polen, Bd. 2, S. 77 (92).

Weitaus mehr Straftatbestände zur Erfassung von Kriegsverbrechen finden sich in den Strafgesetzen von Kroatien, Montenegro, Serbien und Slowenien. Die jeweiligen nationalen Regelungen sind weitgehend identisch, da sie alle auf dem früheren Bundesstrafgesetzbuch Jugoslawiens basieren; hier sollen deshalb die Straftatbestände Kroatiens exemplarisch herausgegriffen werden. Das kroatische Strafgesetz unterscheidet zwischen folgenden Kriegsverbrechen: Kriegsverbrechen gegen die Zivilbevölkerung (Art. 158), gegen Verwundete und Kranke (Art. 159), gegen Kriegsgefangene (Art. 160), der widerrechtlichen Tötung und Verwundung des Feindes (Art. 161), der rechtswidrigen Wegnahme von Besitztümern von Getöteten oder Verwundeten auf dem Kampfplatz (Art. 162), der Anwendung verbotener Kampfmittel (Art. 163), der Verletzung eines Parlamentärs (Art. 164), der Misshandlung von Verwundeten, Kranken oder Kriegsgefangenen (Art. 165), der rechtswidrigen Aufschiebung der Repatriierung von Kriegsgefangenen (Art. 166), der Zerstörung von Kulturgütern oder Objekten, in denen sich solche befinden (Art. 167) sowie schließlich Kriegsverbrechen des Missbrauchs internationaler Embleme (Art. 168).[780]

Und das Strafgesetzbuch von Estland schließlich differenziert zwischen Kriegshandlungen gegen die Zivilbevölkerung (Art. 95), dem Einsatz verbotener Mittel der Kriegsführung gegen Zivilisten (Art. 96), Angriffen gegen Zivilisten (Art. 97), der rechtswidrigen Behandlung von Kriegsgefangenen oder internierten Zivilisten (Art. 98), Angriffen gegen Kriegsgefangene oder Zivilisten (Art. 99), der Versagung von Hilfe für Kranke, Verwundete oder Schiffbrüchige (Art. 100), Angriffen gegen außer Gefecht befindliche Kombattanten (Art. 101), Angriffen gegen besonders geschützte Personen (Art. 102), der Verwendung verbotener Waffen (Art. 103), der Verursachung von Umweltschäden als Mittel der Kriegsführung (Art. 104), dem Missbrauch von Schutzzeichen (Art. 105), Angriffen gegen nichtmilitärische Objekte (Art. 106), Angriffen gegen Kulturgüter (Art. 107), der Zerstörung oder unrechtmäßigen Aneignung von Besitztümern im Kriegsgebiet oder in besetztem Gebiet (Art. 108) sowie schließlich der Plünderung (Art. 109).[781]

Nicht nur im Hinblick auf die Systematik der nationalen Kriegsverbrechenstatbestände, sondern auch im Hinblick auf die *sachliche Reichweite* der nationalen Tatbestände unterscheiden sich die untersuchten Strafrechtsordnungen zum Teil erheblich voneinander. Deckungsgleich mit der sachlichen Reichweite des Art. 8 IStGH-Statut sind die Kriegsverbrechenstatbestände von Australien sowie England und Wales, denn diese Staaten haben die Bestimmungen des Römischen Statuts über-

780 *Novoselec*, LB Kroatien, Bd. 3, S. 19 (32 ff.). Zu den Regelungen in den Strafgesetzbüchern von Montenegro, Serbien und Slowenien vgl. *Korošec*, LB Slowenien, Bd. 3, S. 329 (336, 348 ff., 356 ff.); *Škulić*, LB Serbien und Montenegro, Bd. 3, S. 211 (225 ff.).

781 Vgl. *Parmas*, LB Estland, Bd. 5, S. 89 (107 ff.).

nommen.[782] In Bezug auf Kriegsverbrechen weniger weitreichend als die Strafgewalt des IStGH ist beispielsweise die Strafgewalt von China, Côte d'Ivoire, und – soweit es um Personen geht, die nicht dem Militärrecht unterworfen sind – der USA,[783] weitergehend dagegen die von Deutschland, Finnland, Kanada, Kroatien, Polen Schweden, Serbien und Montenegro sowie in Bezug auf dem Militärrecht unterworfene Personen auch der USA.[784]

Hinsichtlich des *zeitlichen Anwendungsbereichs* der nationalen Spezialtatbestände zur Erfassung von Kriegsverbrechen gibt es keine besonderen Regelungen; insofern dürfte für die staatlichen Normen nichts anderes gelten als für die völkerrechtlichen. Gleiches gilt für das Erfordernis eines *funktionellen Zusammenhangs* zwischen der Tatbegehung und einem Kriegsgeschehen – wie nach völkerrechtlichem Strafrecht reicht es auch für eine Anwendung der nationalen Tatbestände nicht aus, dass die Tat während eines bewaffneten Konflikts begangen wurde; die Tat muss vielmehr in einem inneren Zusammenhang mit einem Kriegsgeschehen stehen.[785]

In den meisten Staaten gibt es auch bezüglich des in Betracht kommenden *Täterkreises* keine Besonderheiten, so dass sich wie nach völkerrechtlichem Strafrecht nicht nur Soldaten, sondern auch sonstige Personen nach den nationalen Spezialtatbeständen strafbar machen können.[786] Etwas anderes gilt nur in den Staaten, in denen die Spezialtatbestände Bestandteil des Militärrechts sind, wie dies etwa in Italien der Fall ist. So können sich beispielsweise nach den Kriegsverbrechenstatbeständen der italienischen Militärstrafgesetzbücher allein Militärangehörige, namentlich Soldaten, strafbar machen, während für eine Ahndung von durch Zivilis-

---

782 Vgl. *Biehler/Kerll*, LB Australien, Bd. 6, S. 19 (32 ff., 80 ff.); *Rabenstein/Bahrenberg*, LB England/Wales, Bd. 6, S. 261 (273).

783 Vgl. *Kouassi/Paulenz*, LB Côte d'Ivoire, Bd. 4, S. 19 (39 ff.) (Das nationale Strafrecht von Côte d'Ivoire kennt nur Spezialtatbestände zur Erfassung der *graves crimes* der Genfer Abkommen, doch finden diese Tatbestände heute auch Anwendung auf Kriegsverbrechen, die in nichtinternationalen bewaffneten Konflikten begangen werden.); *Richter*, LB China, Bd. 6, S. 141 (165 ff.); *Silverman*, LB USA, Bd. 5, S. 411 (432 f.) (in Bezug auf Personen, die nicht dem Militärrecht der USA unterliegen).

784 Vgl. *Cornils*, LB Schweden, Bd. 2, S. 183 (200 ff.) (dadurch, dass pauschal auf Völkervertragsrecht und Völkergewohnheitsrecht verwiesen wird); *Frände*, LB Finnland, Bd. 2, S. 21 (32 ff.); *Gropengießer*, LB Deutschland, Bd. 1, S. 21 (147 f.); *Gut/Wolpert*, LB Kanada, Bd. 5, S. 19 (32) (dadurch, dass pauschal auf das gesamte Völkerrecht verwiesen wird: Nach dem CAHWCA sind die Taten als Kriegsverbrechen strafbar, die nach Völkerrecht – sei es Völkergewohnheitsrecht, sei es Völkervertragsrecht – strafbar sind); *Novoselec*, LB Kroatien, Bd. 3, S. 19 (73 ff.); *Silverman*, LB USA, Bd. 5, S. 411 (426 f.) (in Bezug auf dem Militärrecht unterliegende Personen); *Škulić*, LB Serbien und Montenegro, Bd. 3, S. 211 (224 ff.); *Weigend*, LB Polen, Bd. 2, S. 77 (169 ff.).

785 Siehe bezüglich des deutschen Rechts *Gropengießer*, LB Deutschland, Bd. 1, S. 21 (158 f.).

786 Vgl. nur *Cornils*, LB Schweden, Bd. 2, S. 183 (202); *Gropengießer*, LB Deutschland, Bd. 1, S. 21 (159); *Weigend*, LB Polen, Bd. 2, S. 77 (95, 101).

ten begangenen Kriegsverbrechen auf das „normale" Strafrecht zurückgegriffen werden muss.[787]

Es würde den Rahmen des vorliegenden Ländervergleichs sprengen, die nationalen Kriegsverbrechenstatbestände der einzelnen untersuchten Länder im Detail zu analysieren und mit den völkerrechtlichen Kriegsverbrechenstatbeständen zu vergleichen. Auch insofern muss auf die jeweiligen Landesberichte verwiesen werden. Im Folgenden soll jedoch dargelegt werden, inwieweit die nach völkerrechtlichem Strafrecht strafbaren Kriegsverbrechen überhaupt von den Spezialtatbeständen der untersuchten Länder erfasst werden. Dabei orientiert sich die Darstellung ebenso wie die obige Erörterung der völkerrechtlichen Verbrechenstatbestände an der Systematik des Art. 8 IStGH-Statut.[788]

aa) Schwere Verletzungen der Genfer Abkommen

Die *grave crimes* der Genfer Abkommen von 1949 sind in den meisten der untersuchten Länder durch nationale Spezialtatbestände ebenso erfasst wie durch das Römische Statut (Art. 8(2)(a)). Nationale Kriegsverbrechenstatbestände, die die *grave crimes* der Genfer Abkommen pönalisieren, finden sich in den Strafrechtsordnungen von Australien, Côte d'Ivoire, Deutschland, England und Wales, Estland, Finnland, Kanada, Kroatien, Polen, Russland und Weißrussland, Schweden, Serbien und Montenegro, Slowenien und den USA.[789] Die durch eine nationale Verfolgungspflicht flankierte völkerrechtliche Strafbarkeit der seit 1949 durch die Genfer Abkommen als Kriegsverbrechen gebrandmarkten Taten steht damit außer Zweifel. Von den Strafrechtsordnungen, die überhaupt Spezialtatbestände zur Erfassung von Kriegsverbrechen haben, sind in Bezug auf die *grave crimes* der Genfer Abkommen lediglich die von China und Italien defizitär,[790] wobei hinsichtlich der italienischen Kriegsverbrechenstatbestände in diesem Zusammenhang daran zu erinnern ist, dass diese aus dem Jahr 1941 stammen und deshalb nicht auf eine

---

[787] Vgl. *Jarvers*, LB Italien, Bd. 4, S. 337 (357).

[788] Siehe zu den Gründen für diese Vorgehensweise oben S. 122.

[789] Vgl. *Biehler/Kerll*, LB Australien, Bd. 6, S. 19 (80); *Cornils*, LB Schweden, Bd. 2, S. 183 (253 f.) (das Gleiche gilt für den schwedischen Entwurf für ein Gesetz über Völkerrechtsstraftaten); *Frände*, LB Finnland, Bd. 2, S. 21 (35 ff.); *Gropengießer*, LB Deutschland, Bd. 1, S. 21 (163 ff.); *Gut/Wolpert*, LB Kanada, Bd. 5, S. 19 (32); *Korošec*, LB Slowenien, Bd. 3, S. 329 (402 f.); *Kouassi/Paulenz*, LB Côte d'Ivoire, Bd. 4, S. 19 (39 ff., 86 f.); *Lammich*, LB Russland/Weißrussland, Bd. 6, S. 351 (382); *Lammich*, LB Russland/Weißrussland, Bd. 6, S. 351 (363 ff.); *Novoselec*, LB Kroatien, Bd. 3, S. 19 (36 ff.); *Parmas*, LB Estland, Bd. 5, S. 89 (109 ff., 165 f.); *Rabenstein/Bahrenberg*, LB England/Wales, Bd. 6, S. 261 (273 ff., 318 ff.); *Silverman*, LB USA, Bd. 5, S. 411 (432); *Škulić*, LB Serbien und Montenegro, Bd. 3, S. 211 (300 ff., 313 ff.); *Weigend*, LB Polen, Bd. 2, S. 77 (170).

[790] Vgl. *Jarvers*, LB Italien, Bd. 4, S. 337 (359 ff., 426 ff.); *Richter*, LB China, Bd. 6, S. 141 (165 ff., 181 ff.).

skeptische Haltung Italiens hinsichtlich der völkerrechtlichen Strafbarkeit der von den Genfer Abkommen erfassten Kriegsverbrechen geschlossen werden darf.[791]

bb) Andere vom Römischen Statut erfasste schwere Verstöße gegen das Kriegsvölkerrecht in internationalen bewaffneten Konflikten

Auch die sonstigen vom Römischen Statut als Kriegsverbrechen erfassten Verstöße gegen das Kriegsvölkerrecht in internationalen bewaffneten Konflikten sind in etlichen der untersuchten Länder, die spezielle Kriegsverbrechenstatbestände aufweisen, pönalisiert, womit auch die völkergewohnheitsrechtliche Strafbarkeit dieser Kriegsverbrechen eine klare Bestätigung findet. So sind sämtliche in Art. 8(2)(b) IStGH-Statut aufgeführten Kriegsverbrechen auch von den Kriegsverbrechenstatbeständen von Australien, Deutschland, England und Wales, Finnland, Kanada, Montenegro, Russland und Weißrussland sowie Schweden unter Strafe gestellt.[792]

Die Rechtsordnungen von Estland, Kroatien, Polen, Serbien und Slowenien pönalisieren zwar die meisten der in Art. 8(2)(b) IStGH-Statut aufgeführten Taten, weisen aber einzelne Defizite auf. So sind in Kroatien und Polen Angriffe in der Kenntnis, dass durch sie unverhältnismäßig schwere Verluste oder Schäden herbeigeführt werden, nicht als Kriegsverbrechen pönalisiert.[793] In Polen ist darüber hinaus auch die Erklärung, dass kein Pardon gegeben wird, nicht erfasst.[794] Die Strafrechtsordnungen von Estland, Serbien und Slowenien erstrecken die Strafbarkeit nach den Kriegsverbrechenstatbeständen nicht auf die Zwangsverpflichtung von Kindern unter 15 Jahren als Kombattanten.[795] In Estland und Slowenien ist darüber

---

[791] Vgl. oben Anm. 754.

[792] Vgl. *Biehler/Kerll*, LB Australien, Bd. 6, S. 19 (81 ff.); *Cornils*, LB Schweden, Bd. 2, S. 183 (254 ff.) (das Gleiche gilt für den schwedischen Entwurf für ein Gesetz über Völkerrechtsstraftaten); *Frände*, LB Finnland, Bd. 2, S. 21 (32 ff.); *Gropengießer*, LB Deutschland, Bd. 1, S. 21 (174 ff.); *Gut/Wolpert*, LB Kanada, Bd. 5, S. 19 (32); *Lammich*, LB Russland/Weißrussland, Bd. 6, S. 351 (363 ff.) (allerdings sind diese Kriegsverbrechen teilweise nicht explizit unter Strafe gestellt, sondern „nur" durch einen pauschalen Verweis auf völkerrechtliche Verträge); *Rabenstein/Bahrenberg*, LB England/Wales, Bd. 6, S. 261 (273 ff., 320 ff.); *Škulić*, LB Serbien und Montenegro, Bd. 3, S. 211 (315 ff). Hinzuweisen ist darauf, dass zwar die Verwendung verbotener Waffen, die geeignet sind, überflüssige Verletzungen hervorzurufen (vgl. Art. 8(2)(b)(xx) IStGH-Statut), in einigen der genannten Länder nicht als Kriegsverbrechen pönalisiert ist, doch erfasst auch das Römische Statut diese Taten nur vorbehaltlich der Schaffung einer gesonderten Bestimmung derartiger Waffen (siehe hierzu oben S. 127 mit Anm. 707).

[793] Vgl. *Novoselec*, LB Kroatien, Bd. 3, S. 19 (36 ff., insb. S. 43); *Weigend*, LB Polen, Bd. 2, S. 77 (171).

[794] Vgl. *Weigend*, LB Polen, Bd. 2, S. 77 (171).

[795] Vgl. *Korošec*, LB Slowenien, Bd. 3, S. 329 (404 ff.); *Parmas*, LB Estland, Bd. 5, S. 89 (111 ff., 167 ff.); *Škulić*, LB Serbien und Montenegro, Bd. 3, S. 211 (302 ff.).

hinaus auch die Benutzung einer geschützten Person als menschlichen Schutzschild nicht erfasst.[796]

Nur einige wenige Kriegsverbrechen im Sinne des Art. 8(2)(b) IStGH-Statut sind durch die Kriegsverbrechenstatbestände von China und Italien sowie – soweit es um Personen geht, die nicht der Militärgerichtsbarkeit unterliegen – der USA unter Strafe gestellt.[797] Die Kriegsverbrechenstatbestände von Côte d'Ivoire pönalisieren sogar überhaupt keines der in Art. 8(2)(b) IStGH-Statut genannten Verbrechen.[798]

cc) Vom Römischen Statut nicht erfasste Kriegsverbrechen in internationalen bewaffneten Konflikten

Wie dargelegt, gibt es Kriegsverbrechen, die nach Völkergewohnheitsrecht bei einer Begehung im Rahmen internationaler bewaffneter Konflikte strafbar sind, vom Römischen Statut aber nicht erfasst werden.[799] Dagegen sind in Australien, Deutschland, England und Wales, Finnland, Kanada, Schweden, Serbien und Montenegro sowie Slowenien auch diese Kriegsverbrechen durch spezielle Tatbestände unter Strafe gestellt, womit die materielle Strafgewalt dieser Staaten über die des IStGH hinausreicht.[800] Letzteres gilt auch für Kroatien und Polen, wenngleich die Strafrechtsordnungen dieser Staaten insoweit Defizite gegenüber dem Völkerstrafrecht aufweisen, als in Polen ungerechtfertigte Verzögerungen bei der Heimschaffung von Kriegsgefangenen bzw. internierten Zivilpersonen und in Kroatien die Anwendung medizinisch nicht anerkannter Behandlungsmethoden nicht speziell unter Strafe gestellt sind.[801] Gar keine Berücksichtigung finden die vom Römischen

---

796 Vgl. *Korošec*, LB Slowenien, Bd. 3, S. 329 (407); *Parmas*, LB Estland, Bd. 5, S. 89 (111 ff., 167 ff.).

797 Vgl. *Jarvers*, LB Italien, Bd. 4, S. 337 (365 ff., 429 ff.); *Richter*, LB China, Bd. 6, S. 141 (168 ff., 184 ff.); *Silverman*, LB USA, Bd. 5, S. 411 (426 f., 432 f.) (in Bezug auf Personen, die der US-amerikanischen Militärgerichtsbarkeit unterliegen, sind dagegen alle Kriegsverbrechen im Sinne des Völkerstrafrechts strafbar).

798 Vgl. *Kouassi/Paulenz*, LB Côte d'Ivoire, Bd. 4, S. 19 (44 ff., 87 ff.).

799 Dabei handelt es sich um folgende Taten: Die Tötung wehrloser Kombattanten, die sich noch nicht ergeben haben; die Anwendung medizinisch nicht anerkannter Behandlungsmethoden sowie die Entnahme von Gewebe und Organen bei in der gegnerischen Gewalt befindlichen Personen, die ungerechtfertigte Verzögerung bei der Heimschaffung von Kriegsgefangenen bzw. internierten Zivilpersonen sowie das Führen von Angriffen gegen gefährliche Kräfte enthaltende Anlagen oder Einrichtungen; vgl. oben S. 128 ff.

800 Vgl. *Biehler/Kerll*, LB Australien, Bd. 6, S. 19 (81 ff.); *Cornils*, LB Schweden, Bd. 2, S. 183 (254 ff.) (das Gleiche gilt für den schwedischen Entwurf für ein Gesetz über Völkerrechtsstrafttaten); *Frände*, LB Finnland, Bd. 2, S. 21 (32 ff.); *Gropengießer*, LB Deutschland, Bd. 1, S. 21 (175 ff.); *Gut/Wolpert*, LB Kanada, Bd. 5, S. 19 (32); *Korošec*, LB Slowenien, Bd. 3, S. 329 (404 ff.); *Rabenstein/Bahrenberg*, LB England/Wales, Bd. 6, S. 261 (277, 320 ff.); *Škulić*, LB Serbien und Montenegro, Bd. 3, S. 211 (302 ff.).

801 Vgl. *Novoselec*, LB Kroatien, Bd. 3, S. 19 (32 ff., insb. S. 42 f.); *Weigend*, LB Polen, Bd. 2, S. 77 (171 ff.).

Statut nicht erfassten, aber nach Völkergewohnheitsrecht strafbaren Kriegsverbrechen in China, Côte d'Ivoire, Estland, Italien und – in Bezug auf Personen, die nicht der US-amerikanischen Militärgerichtsbarkeit unterliegen – in den USA.[802]

dd) Schwere Verstöße gegen den gemeinsamen Art. 3 der Genfer Abkommen in nichtinternationalen bewaffneten Konflikten

Obwohl der gemeinsame Art. 3 der Genfer Abkommen keine nationalen Strafverfolgungspflichten begründet und auch keine völkerrechtliche Strafbarkeit postuliert, sondern „lediglich" Verhaltensverbote normiert,[803] sind in erstaunlich vielen Staaten Verstöße gegen den Art. 3 der Genfer Abkommen in gleicher Weise wie nach dem Römischen Statut als (Bürger-)Kriegsverbrechen strafbar. Dies gilt für Australien, Côte d'Ivoire, Deutschland, England und Wales, Estland, Finnland, Kanada, Kroatien, Polen, Russland und Weißrussland, Schweden, Serbien und Montenegro, Slowenien sowie die USA.[804] Nur einige wenige Taten im Sinne des Art. 8(2)(c) IStGH-Statut werden von den italienischen Kriegsverbrechenstatbeständen pönalisiert.[805] Und in China schließlich sind diese Kriegsverbrechen als solche überhaupt nicht unter Strafe gestellt.[806]

ee) Andere vom Römischen Statut erfasste schwere Verstöße gegen das Kriegsvölkerrecht in nichtinternationalen bewaffneten Konflikten

Auch wenn das Römische Statut – wie dargelegt – in Bezug auf Kriegsverbrechen in nichtinternationalen bewaffneten Konflikten große Defizite gegenüber dem völkergewohnheitsrechtlichen Völkerstrafrecht aufweist, so reicht der Katalog der

---

802 Vgl. *Jarvers*, LB Italien, Bd. 4, S. 337 (429 ff.); *Kouassi/Paulenz*, LB Côte d'Ivoire, Bd. 4, S. 19 (44 ff., 87 ff.); *Parmas*, LB Estland, Bd. 5, S. 89 (111 ff., 167 ff.); *Richter*, LB China, Bd. 6, S. 141 (184 ff.); *Silverman*, LB USA, Bd. 5, S. 411 (426 f., 432 f.) (in Bezug auf Personen, die nicht der Militärgerichtsbarkeit unterliegen, während für Personen, die der Militärgerichtsbarkeit unterliegen, alle Kriegsverbrechen strafbar sind).

803 Vgl. die Nachweise oben in Anm. 33.

804 Vgl. *Biehler/Kerll*, LB Australien, Bd. 6, S. 19 (85); *Cornils*, LB Schweden, Bd. 2, S. 183 (258 f.) (das Gleiche gilt für den schwedischen Entwurf für ein Gesetz über Völkerrechtsstraftaten); *Frände*, LB Finnland, Bd. 2, S. 21 (32 ff.); *Gropengießer*, LB Deutschland, Bd. 1, S. 21 (214 ff.); *Gut/Wolpert*, LB Kanada, Bd. 5, S. 19 (32); *Korošec*, LB Slowenien, Bd. 3, S. 329 (408); *Kouassi/Paulenz*, LB Côte d'Ivoire, Bd. 4, S. 19 (46 ff., 91 f.); *Lammich*, LB Russland/Weißrussland, Bd. 6, S. 351 (363 ff.) (allerdings sind diese Kriegsverbrechen teilweise nicht explizit unter Strafe gestellt, sondern „nur" durch einen pauschalen Verweis auf völkerrechtliche Verträge); *Novoselec*, LB Kroatien, Bd. 3, S. 19 (36 ff.); *Parmas*, LB Estland, Bd. 5, S. 89 (117 f., 176 ff.); *Rabenstein/Bahrenberg*, LB England/Wales, Bd. 6, S. 261 (273 ff., 327); *Silverman*, LB USA, Bd. 5, S. 411 (432); *Škulić*, LB Serbien und Montenegro, Bd. 3, S. 211 (306 f.); *Weigend*, LB Polen, Bd. 2, S. 77 (175).

805 Vgl. *Jarvers*, LB Italien, Bd. 4, S. 337 (374 f., 434 f.).

806 Vgl. *Richter*, LB China, Bd. 6, S. 141 (175 f., 195 f.).

vom Römischen Statut erfassten Bürgerkriegsverbrechen doch über die Verbotsnormen des gemeinsamen Art. 3 der Genfer Abkommen hinaus, indem Art. 8(2)(e) IStGH-Statut noch weitere Verhaltensweisen in nichtinternationalen Konflikten als Bürgerkriegsverbrechen benennt.[807] Diese Bürgerkriegsverbrechen werden in gleicher Weise wie von Art. 8(2)(e) IStGH-Statut auch von den nationalen Kriegsverbrechenstatbeständen von Australien, Deutschland, England und Wales, Finnland, Kanada, Kroatien, Montenegro und Schweden unter Strafe gestellt.[808] Mit geringfügigen Einschränkungen erfassen auch die Rechtsordnungen von Estland, Serbien, Slowenien und Polen diese Bürgerkriegsverbrechen; dies gilt nur insoweit nicht, als in Polen die Erklärung, dass kein Pardon gegeben wird, und in Estland, Serbien und Slowenien die Rekrutierung von Kindersoldaten nicht als Bürgerkriegsverbrechen pönalisiert sind.[809] Nur einige wenige der in Art. 8(2)(e) IStGH-Statut aufgeführten Bürgerkriegsverbrechen sind in China, Italien und – in Bezug auf Personen, die nicht der US-amerikanischen Militärgerichtsbarkeit unterliegen – in den USA als solche unter Strafe gestellt.[810] Im Strafrecht von Côte d'Ivoire finden Bürgerkriegsverbrechen im Sinne des Art. 8(2)(e) IStGH-Statut sogar überhaupt keine Berücksichtigung.[811]

ff) Vom Römischen Statut nicht erfasste Kriegsverbrechen in nichtinternationalen bewaffneten Konflikten

Die jüngste Entwicklung des Völkerstrafrechts hat – wie erwähnt – dazu geführt, dass Kriegsverbrechen heute weitgehend unabhängig davon strafbar sind, in welcher Art bewaffnetem Konflikt sie begangen werden. Während das Römische Statut diese Entwicklung nur sehr eingeschränkt rezipiert hat, sind in einer nicht unerheblichen Zahl von Staaten auch die vom Römischen Statut nicht erfassten Bürgerkriegsverbrechen[812] durch nationale Spezialtatbestände unter Strafe gestellt.

---

807 Vgl. oben S. 120 ff. und S. 130 ff.

808 Vgl. *Biehler/Kerll*, LB Australien, Bd. 6, S. 19 (86 ff.); *Cornils*, LB Schweden, Bd. 2, S. 183 (259 ff.) (das Gleiche gilt für den schwedischen Entwurf für ein Gesetz über Völkerrechtsstraftaten); *Frände*, LB Finnland, Bd. 2, S. 21 (32 ff.); *Gropengießer*, LB Deutschland, Bd. 1, S. 21 (220 ff.); *Gut/Wolpert*, LB Kanada, Bd. 5, S. 19 (32); *Novoselec*, LB Kroatien, Bd. 3, S. 19 (36 ff.); *Rabenstein/Bahrenberg*, LB England/Wales, Bd. 6, S. 261 (273 ff., 328 ff.); *Škulić*, LB Serbien und Montenegro, Bd. 3, S. 211 (320 ff.).

809 *Korošec*, LB Slowenien, Bd. 3, S. 329 (409 ff.); *Parmas*, LB Estland, Bd. 5, S. 89 (118 ff.; 178 ff.); *Škulić*, LB Serbien und Montenegro, Bd. 3, S. 211 (302 ff.); *Weigend*, LB Polen, Bd. 2, S. 77 (176 ff.).

810 Vgl. *Jarvers*, LB Italien, Bd. 4, S. 337 (375 f., 435 ff.); *Richter*, LB China, Bd. 6, S. 141 (176 ff., 197 ff.); *Silverman*, LB USA, Bd. 5, S. 411 (426 f., 432 f.) (in Bezug auf Personen, die der Militärgerichtsbarkeit unterliegen, sind alle Kriegsverbrechen strafbar).

811 Vgl. *Kouassi/Paulenz*, LB Côte d'Ivoire, Bd. 4, S. 19 (48 ff., 92 ff.).

812 Dabei geht es um folgende Taten: um das Führen von Angriffen in Kenntnis ihrer eindeutigen Unverhältnismäßigkeit, also in Kenntnis der Tatsache, dass der militärische Vorteil in keinem Verhältnis zu den drohenden Folgen des Angriffs für Menschen, zivile

Dies gilt vollumfänglich für Deutschland, Finnland, Kanada, Schweden sowie Serbien und Montenegro;[813] mit Einschränkungen auch für Estland, Kroatien, Polen und Slowenien. Während die Strafrechtsordnungen Kroatiens und Polens jeweils das Führen von Angriffen in Kenntnis ihrer eindeutigen Unverhältnismäßigkeit, also in Kenntnis der Tatsache, dass der militärische Vorteil in keinem Verhältnis zu den drohenden Folgen des Angriffs für Menschen, zivile Objekte oder die Umwelt steht, bei Tatbegehung in Bürgerkriegen nicht als Kriegsverbrechen pönalisieren,[814] wird vom estnischen und slowenischen Strafrecht die Benutzung einer geschützten Person als menschlichen Schutzschild nicht als Bürgerkriegsverbrechen klassifiziert[815]. Nur ganz wenige der vom Römischen Statut nicht erfassten, aber nach Völkergewohnheitsrecht strafbaren Bürgerkriegsverbrechen werden durch die italienischen Kriegsverbrechenstatbestände unter Strafe gestellt.[816] Die Kriegsverbrechenstatbestände von Australien, China, Côte d'Ivoire, England und Wales sowie – in Bezug auf Personen, die der US-amerikanischen Militärgerichtsbarkeit nicht unterliegen – auch der USA erfassen sogar kein einziges dieser Bürgerkriegsverbrechen.[817]

Objekte oder die Umwelt steht; um Angriffe auf gefährliche Kräfte enthaltende Anlagen oder Einrichtungen; um die Tötung oder Verwundung eines die Waffen streckenden oder sonst wie wehrlosen gegnerischen Kombattanten; um die Anwendung medizinisch nicht anerkannter Behandlungsmethoden sowie die Entnahme von Gewebe und Organen bei in der gegnerischen Gewalt befindlichen Personen; um Angriffe auf zivile Objekte; um Angriffe gegen unverteidigte Städte, Dörfer, Wohnstätten sowie Gebäude, die keine militärischen Ziele sind; um den Missbrauch von Abzeichen und Uniformen, namentlich der Parlamentärflagge und der Zeichen der Vereinten Nationen; um die Benutzung von Personen als „menschliche Schutzschilde" mit dem Ziel, Kampfhandlungen von bestimmten Orten fernzuhalten; um das vorsätzliche Aushungernlassen von Zivilpersonen bzw. das Vorenthalten von lebensnotwendigen Gegenständen; um die Verwendung von Gift oder vergifteten Waffen sowie von erstickenden, giftigen oder gleichartigen Gasen oder Flüssigkeiten bzw. Stoffen; um die Verwendung so genannter Dum-Dum-Geschosse sowie um die Verwendung von verbotenen Waffen, Geschossen, Stoffen und Methoden der Kriegsführung, die geeignet sind, überflüssige Verletzungen oder unnötige Leiden hervorzurufen oder die unterschiedslos wirken. Vgl. diesbezüglich oben S. 131 ff.

813 Vgl. *Cornils*, LB Schweden, Bd. 2, S. 183 (259 ff.) (das Gleiche gilt für den schwedischen Entwurf für ein Gesetz über Völkerrechtsstraftaten); *Frände*, LB Finnland, Bd. 2, S. 21 (32 ff.); *Gropengießer*, LB Deutschland, Bd. 1, S. 21 (221 ff.); *Gut/Wolpert*, LB Kanada, Bd. 5, S. 19 (32); *Škulić*, LB Serbien und Montenegro, Bd. 3, S. 211 (307 ff.).

814 Vgl. *Novoselec*, LB Kroatien, Bd. 3, S. 19 (32 ff., insb. S. 42 f.); *Weigend*, LB Polen, Bd. 2, S. 77 (176 ff.).

815 Vgl. *Korošec*, LB Slowenien, Bd. 3, S. 329 (411); *Parmas*, LB Estland, Bd. 5, S. 89 (118 ff.; 178 ff.).

816 Vgl. *Jarvers*, LB Italien, Bd. 4, S. 337 (435 ff.).

817 Vgl. *Biehler/Kerll*, LB Australien, Bd. 6, S. 19 (86 ff.); *Kouassi/Paulenz*, LB Côte d'Ivoire, Bd. 4, S. 19 (48 ff., 92 ff.); *Rabenstein/Bahrenberg*, LB England/Wales, Bd. 6, S. 261 (278, 328 ff.); *Richter*, LB China, Bd. 6, S. 141 (197 ff.); *Silverman*, LB USA, Bd. 5, S. 411 (426 f., 432 f.) (in Bezug auf Personen, die der Militärgerichtsbarkeit unterliegen, sind alle Kriegsverbrechen strafbar).

c) *Subjektive Strafbarkeitsvoraussetzungen*

Besonderheiten hinsichtlich der subjektiven Strafbarkeitsvoraussetzungen bei Kriegsverbrechen gibt es in keinem der untersuchten Staaten. Nahezu alle Landesberichte treffen daher gar keine Feststellungen zu den subjektiven Strafbarkeitsvoraussetzungen bei Kriegsverbrechen.[818]

Kriegsverbrechen setzen vorsätzliches Handeln des Täters voraus, wobei alle nach dem jeweiligen nationalen Recht anerkannten Vorsatzformen in Betracht kommen.[819]

3. Im nationalen Recht vorgesehene Rechtsfolgen

Die meisten Länder haben – anders als das Römische Statut – nicht pauschal für alle von der nationalen Strafgewalt erfassten Kriegsverbrechen den gleichen Strafrahmen bzw. die gleiche Rechtsfolge vorgesehen, sondern unterscheiden zwischen den verschiedenen Arten von Kriegsverbrechen. Regelmäßig sind die Strafrahmen sehr weit, so dass den Gerichten im Einzelfall ein großer Spielraum für die Bestimmung einer angemessenen Strafe verbleibt. Jedoch sind die festgelegten Mindest- und Höchststrafen, verglichen mit den Strafandrohungen für andere „normale“ Straftaten, relativ hoch. Darin manifestiert sich die Auffassung der Staaten, dass nicht nur Völkermordtaten und Verbrechen gegen die Menschlichkeit, sondern auch Kriegsverbrechen zu den schwersten Straftaten zählen – was in Bezug auf Kriegsverbrechen nicht immer überzeugt, sind doch im Krieg viele Verhaltensweisen, die in Friedenszeiten mit harten Strafen bedroht sind, erlaubt und handeln doch in Kriegszeiten die (potentiellen) Täter von Kriegsverbrechen, namentlich Soldaten, vielfach in Ausnahmesituationen, so dass es an sich nahe liegen würde, bei Verstößen gegen das Kriegsrecht besondere Nachsicht zu üben. Doch ist zu bedenken, dass bei bewaffneten Konflikten die Opfer, die durch die Normen des humanitären Völkerrechts geschützt werden sollen, regelmäßig besonders gefährdet sind und daher auch eines besonderen strafrechtlichen Schutzes bedürfen. Gleiches gilt für die durch das Kriegsvölkerstrafrecht geschützten Sachgüter. Dies rechtfertigt es regelmäßig, bei Kriegsverbrechen hohe Strafen zu verhängen. Andererseits aber sind die Strafen, die für Kriegsverbrechen verhängt werden können, vielfach geringer als die, die für Völkermord und Verbrechen gegen die Menschlichkeit vorgesehen sind[820] – insofern wird dann doch der besonderen Situation, in der Kriegsverbrechen typischerweise begangen werden, Rechnung getragen.

---

818 Eine Ausnahme ist der Landesbericht zu Deutschland; vgl. *Gropengießer*, LB Deutschland, Bd. 1, S. 21 (235).

819 Insofern kann hinsichtlich der subjektiven Strafbarkeitsvoraussetzungen bei Kriegsverbrechen auf die Ausführungen unten in Teil D.I.1. (S. 207 ff.) verwiesen werden.

820 Vgl. diesbezüglich oben S. 55 ff. und S. 100 ff.

Die Höchststrafe, die für Kriegsverbrechen verhängt werden kann, liegt in Australien, Deutschland, England und Wales, Estland, Kanada, Polen und Schweden bei lebenslanger Freiheitsstrafe, wobei diese Strafe in Australien, Deutschland, England und Wales sowie Polen nur verhängt werden darf, soweit sich der Tatvorwurf auf die vorsätzliche Tötung einer geschützten Person bezieht; in Estland auch bei anderen schweren Kriegsverbrechen.[821] Ansonsten liegt die Höchststrafe in Deutschland bei 15 Jahren bzw. in einigen Fällen weniger schwer wiegender Kriegsverbrechen (Plünderung, Zerstörung oder Beschlagnahme fremden Eigentums, Aufhebung von Rechten und Forderungen) bei zehn Jahren Freiheitsstrafe, in Polen bei 25 Jahren Freiheitsstrafe, in Estland zwischen drei und 20 Jahren Freiheitsstrafe, in Australien je nach Tatbestand zwischen zehn und 25 Jahren Freiheitsentzug, in England und Wales bei 30 Jahren.[822] In Kroatien sowie Serbien und Montenegro beträgt die Höchststrafe für Kriegsverbrechen 40 Jahre Freiheitsstrafe, in Slowenien 30 Jahre, in Russland 20 Jahre Freiheitsentzug.[823]

Die Mindeststrafe liegt – um einige Länderregelungen herauszugreifen – in Deutschland je nach Verbrechenstatbestand zwischen sechs Monaten und fünf Jahren Freiheitsentzug, in Polen im Falle der vorsätzlichen Tötung einer Person bei zwölf Jahren, ansonsten zwischen ein und fünf Jahren Freiheitsstrafe, in Russland bei zwei Jahren, in Kroatien sowie Serbien und Montenegro bei fünf Jahren, in Slowenien bei zehn Jahren Freiheitsentzug.[824]

In gewisser Weise aus dem Rahmen fallen die Rechtsfolgeregelungen bei Kriegsverbrechen in Finnland. Die Höchststrafe nach den dortigen speziellen Kriegsverbrechenstatbeständen liegt zwischen „nur" vier Monaten und sechs Jahren Freiheitsentzug. Doch können unter Umständen auf eine Tat parallel zu den speziellen Kriegsverbrechenstatbeständen auch die „normalen" Strafnormen zur Anwendung gebracht werden, die eine höhere Strafandrohung aufweisen, so dass es gegebenenfalls möglich ist, beispielsweise die rechtswidrige Tötung eines Kriegsgefangenen als Mord mit lebenslanger Freiheitsstrafe zu ahnden.[825]

---

821 *Biehler/Kerll*, LB Australien, Bd. 6, S. 19 (36); *Cornils*, LB Schweden, Bd. 2, S. 183 (202); *Gropengießer*, LB Deutschland, Bd. 1, S. 21 (164 f., 174 ff., 217); *Gut/Wolpert*, LB Kanada, Bd. 5, S. 19 (28, 32); *Parmas*, LB Estland, Bd. 5, S. 89 (122); *Rabenstein/ Bahrenberg*, LB England/Wales, Bd. 6, S. 261 (279); *Weigend*, LB Polen, Bd. 2, S. 77 (93, 106, 110 f.).

822 *Biehler/Kerll*, LB Australien, Bd. 6, S. 19 (36); *Gropengießer*, LB Deutschland, Bd. 1, S. 21 (164 f., 174 ff., 217); *Parmas*, LB Estland, Bd. 5, S. 89 (122); *Rabenstein/Bahrenberg*, LB England/Wales, Bd. 6, S. 261 (279); *Weigend*, LB Polen, Bd. 2, S. 77 (93, 106, 110 f.).

823 *Korošec*, LB Slowenien, Bd. 3, S. 329 (348 ff., 358 f., 395 ff.); *Lammich*, LB Russland/Weißrussland, Bd. 6, S. 351 (366); *Novoselec*, LB Kroatien, Bd. 3, S. 19 (32 ff.); *Škulić*, LB Serbien und Montenegro, Bd. 3, S. 211 (225 ff., 237 ff.).

824 *Gropengießer*, LB Deutschland, Bd. 1, S. 21 (164 f., 174 ff., 217); *Korošec*, LB Slowenien, Bd. 3, S. 329 (348 ff., 358 f., 395 ff.); *Lammich*, LB Russland/Weißrussland, Bd. 6, S. 351 (366); *Novoselec*, LB Kroatien, Bd. 3, S. 19 (32 ff.); *Škulić*, LB Serbien und Montenegro, Bd. 3, S. 211 (225 ff., 237 ff.); *Weigend*, LB Polen, Bd. 2, S. 77 (93, 106, 110 f.).

825 Vgl. *Frände*, LB Finnland, Bd. 2, S. 21 (35 ff.).

IV. Verbrechen der Aggression

1. Der völkerrechtliche Verbrechenstatbestand

a) Die Regelung des Aggressionsverbrechens im Römischen Statut

Nach Art. 5(1)(d) IStGH-Statut erstreckt sich die Gerichtsbarkeit des IStGH nicht nur auf Völkermord, Verbrechen gegen die Menschlichkeit und Kriegsverbrechen, sondern auch auf das Verbrechen der Aggression.[826] Doch ist in Art. 5(2) IStGH-Statut zugleich festgelegt, dass der Gerichtshof seine Gerichtsbarkeit über das Verbrechen der Aggression so lange nicht ausüben darf, bis im Wege einer förmlichen Änderung des Römischen Statuts durch Beschluss einer Vertragsstaatenkonferenz eine Bestimmung angenommen worden ist, die das Verbrechen definiert und die Bedingungen für die Ausübung der Gerichtsbarkeit über Aggressionsverbrechen festlegt.[827]

Eine solche Ergänzung des Römischen Statuts kann gemäß Art. 121 und Art. 123 IStGH-Statut frühestens im Jahr 2009 beschlossen werden.[828] Ihr müssten nach Art. 121(3) IStGH-Statut mindestens zwei Drittel der Vertragsstaaten zustimmen; zudem würde sie nur die Vertragsstaaten betreffen, die die Änderung durch Ratifikation des Änderungsvertrags annehmen. Denn nach Art. 121(5) IStGH-Statut darf der Gerichtshof seine Gerichtsbarkeit über ein von einer Änderung des Römischen Statuts erfasstes Verbrechen nicht ausüben, wenn das Verbrechen von Staatsangehörigen oder im Hoheitsgebiet eines Staates begangen wurde, der die Änderung nicht angenommen hat.[829]

---

826 Vgl. *Werle*, Völkerstrafrecht, Rn. 1138; *Zimmermann*, in: Triffterer (Hrsg.), Commentary on the Rome Statute, Art. 5 Rn. 16.

827 Vgl. *Eser*, ZBJV 139 (2003), 2 (17); *Werle*, Völkerstrafrecht, Rn. 1138; *Zimmermann*, in: Triffterer (Hrsg.), Commentary on the Rome Statute, Art. 5 Rn. 16 ff., 26 ff. Art. 5(2) IStGH-Statut lautet in der amtlichen dt. Übers.: „Der Gerichtshof übt die Gerichtsbarkeit über das Verbrechen der Aggression aus, sobald in Übereinstimmung mit den Artikeln 121 und 123 eine Bestimmung angenommen worden ist, die das Verbrechen definiert und die Bedingungen für die Ausübung der Gerichtsbarkeit im Hinblick auf dieses Verbrechen festlegt. Die Bestimmung muss mit den einschlägigen Bestimmungen der Charta der Vereinten Nationen vereinbar sein."

828 Da das Römische Statut am 1.7.2002 in Kraft getreten ist, läuft die von Art. 121 und Art. 123 IStGH-Statut festgelegte siebenjährige „Sperrfrist" Ende Juni 2009 aus.

829 Vgl. *Clark*, in: Triffterer (Hrsg.), Commentary on the Rome Statute, Art. 121 Rn. 9, 11 ff. Diese Bestimmungen über eine Änderung des Römischen Statuts gelten gemäß Art. 123(3) IStGH-Statut auch für Änderungen, die auf der gemäß Art. 123(1) IStGH-Statut im Jahr 2009 vom UN-Generalsekretär zwingend einzuberufenden Überprüfungskonferenz behandelt werden.

De facto fällt das Verbrechen der Aggression damit zumindest derzeit nicht in die Zuständigkeit des IStGH.[830]

Die Ausklammerung des Verbrechens der Aggression hat ihren Grund darin, dass man sich auf der Römischen Konferenz im Jahr 1998 weder auf eine Definition dieser Völkerstraftat (also eine genaue Bestimmung des strafbaren Verhaltens) einigen konnte noch darauf, welche Rolle dem UN-Sicherheitsrat bei der Entscheidung darüber zukommen soll, ob eine ein Strafverfahren rechtfertigende völkerrechtswidrige Aggression vorliegt oder nicht.[831] Während etliche arabische und afrikanische Staaten dafür plädierten, das Verbrechen der Aggression weit zu fassen und so zu definieren, wie es in Art. 3 der „Aggressionsdefinition" der UN-Generalversammlung von 1974[832] beschrieben ist, also eine sehr weitgehende Strafbarkeit propagierten, sprachen sich andere Staaten, vor allem Deutschland, dafür aus, allein einen Kernbereich des Aggressionsverbrechens, nämlich den völkerrechtswidrigen Angriffskrieg, zu erfassen.[833] Andere Staaten wiederum wollten gänzlich davon Abstand nehmen, das Verbrechen der Aggression der Gerichtsbarkeit des IStGH zu unterwerfen.

Da der UN-Sicherheitsrat gemäß Art. 24(1) UN-Charta die Hauptverantwortung für die Wahrung des Weltfriedens trägt und er laut Kapitel VII UN-Charta mit verbindlicher Wirkung für alle UN-Staaten zu entscheiden hat, ob eine Aggressionshandlung vorliegt und welche Maßnahmen einzelne Staaten – bzw. die Staatengemeinschaft insgesamt – zu ergreifen haben oder ergreifen dürfen, ist es einerseits geboten sicherzustellen, dass die Zuständigkeiten des UN-Sicherheitsrats nicht durch Entscheidungen des IStGH missachtet werden. Andererseits konnten sich viele Staaten nicht mit der Idee anfreunden, dem UN-Sicherheitsrat auch für Ver-

---

830 *Gropengießer*, LB Deutschland, Bd. 1, S. 21 (240); *Zimmermann*, in: Triffterer (Hrsg.), Commentary on the Rome Statute, Art. 5 Rn. 16. Auf den ersten Blick könnte man geneigt sein, die Regelung des Art. 5 IStGH-Statut – zunächst Erfassung des Aggressionsverbrechens, dann Ausschluss der Verfolgungskompetenz – für widersinnig zu halten und den Schöpfern des Statuts vorzuhalten, sie hätten besser getan, auf eine Erwähnung des Aggressionsverbrechens gänzlich zu verzichten. Doch hat die getroffene Regelung insofern Bedeutung, als mit ihr die Existenz des Aggressionsverbrechens anerkannt wird. Vgl. hierzu unten S. 156 f. mit Anm. 860.

831 *Gaja*, in: Cassese u.a. (Hrsg.), Rome Statute of the International Criminal Court, Bd. I, S. 427 (430 ff.); *Hummrich*, Der völkerrechtliche Straftatbestand der Aggression, S. 165 ff.; *Werle*, Völkerstrafrecht, Rn. 1137 f.

832 Resolution 3314 (XXIX) der UN-Generalversammlung vom 14.12.1974. Dt. Übers. abgedr. in Sartorius II unter Nr. 5, in VN 1975, 120 sowie in LK-StGB-*Laufhütte*, § 80 Rn. 2 Fn. 4. Verbindlicher englischer Text abrufbar unter <www.un.org/documents/ga/res/29/ares29.htm> (1.1.2006). Siehe näher zu dieser Resolution *Gaja*, in: Cassese u.a. (Hrsg.), Rome Statute of the International Criminal Court, Bd. I, S. 435 ff.; *Hummrich*, Der völkerrechtliche Straftatbestand der Aggression, S. 67 ff.; *Jescheck*, GA 1981, 49 (54 f.); *Kreß*, in: Grützner/Pötz, Internationaler Rechtshilfeverkehr, vor III 26, Rn. 46.

833 *Zimmermann*, in: Triffterer (Hrsg.), Commentary on the Rome Statute, Art. 5 Rn. 19 f., 23.

fahren vor dem IStGH die verbindliche Entscheidung über das Vorliegen einer völkerrechtswidrigen Aggression zu überlassen und die Zulässigkeit von Verfahren von einer Zustimmung durch den UN-Sicherheitsrat abhängig zu machen, ist dieser doch ein politisches und nicht ein unabhängiges justitielles Organ, gegen dessen Entscheidungen die fünf ständigen Mitglieder zudem ein Vetorecht haben.[834] Am Ende der Debatte stand dann der erwähnte Kompromiss, laut dem der IStGH zwar für Aggressionsverbrechen zuständig ist, diese Zuständigkeit aber nicht wahrnehmen darf.

Die Schwierigkeiten mit dem Verbrechen der Aggression auf der Römischen Konferenz verwundern nicht. Zum einen berühren eine völkerrechtliche Pönalisierung von Aggressionsakten und die Begründung entsprechender supranationaler Strafverfolgungskompetenzen die nationalstaatliche Souveränität in besonderem Maße, betreffen sie doch unmittelbar den (außen-)politischen Handlungsspielraum der Staaten. Zum anderen ist der Grat zwischen völkerrechtlich erlaubten Militäreinsätzen und völkerrechtswidrigen, gegen das allgemeine Gewaltverbot verstoßenden Aggressionshandlungen äußerst schmal; nach wie vor ist eine klare Grenzziehung noch nicht gelungen. Dies zeigt sich insbesondere an der Diskussion über die völkerrechtliche Zulässigkeit einer so genannten humanitären Intervention, also eines Militäreinsatzes im Gebiet eines anderen Staates ohne Autorisierung durch den UN-Sicherheitsrat, der erfolgt, um die Begehung massenhafter Menschenrechtsverletzungen, vor allem völkerrechtlicher Verbrechen, zu beenden.[835] Während die einen solche Interventionen für völkerrechtswidrig halten und als verbotene Aggressionsakte klassifizieren, erachten andere sie – zu Recht – als unter Umständen vereinbar mit dem modernen Völkerrecht, mithin nicht als völkerrechtswidrige Aggression. Da auch etliche der Staaten, die für einen starken Internationalen Strafgerichtshof eintreten – unter anderem Deutschland –, den ohne Mandat des UN-Sicherheitsrats zur Beendigung völkerrechtlicher Verbrechen durchgeführten NATO-Militäreinsatz im Kosovo 1999 für völkerrechtskonform erachtet haben, ist auszuschließen, dass es im Jahr 2009 oder auch später zu einer Definition des Aggressionsverbrechens im Römischen Statut kommt, mit der mehr als ein absoluter Kernbereich ohne Zweifel völkerrechtswidriger Aggressionsakte pönalisiert wird.

---

834 Vgl. *Zimmermann*, in: Triffterer (Hrsg.), Commentary on the Rome Statute, Art. 5 Rn. 21. Siehe in diesem Zusammenhang auch den unten in Anm. 882 entwickelten Vorschlag für eine Einbeziehung des UN-Sicherheitsrats in Verfahren wegen des Verbrechens der Aggression.

835 Siehe hierzu *Doehring*, Völkerrecht, Rn. 1008 ff.; *Herdegen*, Völkerrecht, § 16 Rn. 9, § 34 Rn. 25 ff.

b) Die Strafbarkeit des Verbrechens der Aggression nach gegenwärtigem Völkergewohnheitsrecht

aa) Die gewohnheitsrechtliche Strafbarkeit des Angriffskrieges als Teilmenge des Aggressionsverbrechens

Unabhängig von der Diskussion über die – grundsätzlich wünschenswerte – Begründung einer Verfolgungszuständigkeit des IStGH für Aggressionsverbrechen stellt sich die Frage, ob – und wenn ja, inwieweit – trotz der fehlenden Zuständigkeit des IStGH das Verbrechen der Aggression völkergewohnheitsrechtlich strafbar ist.

In der wissenschaftlichen Literatur wird dem Verbrechen der Aggression zum Teil der Charakter eines völkerrechtlichen Verbrechens im Sinne eines unmittelbar nach Völkergewohnheitsrecht strafbaren Verhaltens abgesprochen.[836] Wenn, so die Argumentation, noch nicht einmal Einigkeit über die Tatbestandsmerkmale besteht und daher eine Definition des Verbrechens auf der Römischen Konferenz nicht zustande kam, dann könne nicht von einer völkergewohnheitsrechtlichen Strafbarkeit ausgegangen werden. Eine solche Strafbarkeit setzte sachlogisch eine Definition des zu ahndenden Verhaltens voraus.[837]

Doch geht eine solche pauschale Ablehnung einer völkerrechtlichen Strafbarkeit des Aggressionsverbrechens zu weit. Zwar kann nicht davon ausgegangen werden, dass sämtliche völkerrechtswidrige Aggressionshandlungen, so wie sie in der bereits erwähnten Aggressionsdefinition der UN-Generalversammlung von 1974[838] beschrieben sind, oder gar jegliche mit der Charta der Vereinten Nationen unvereinbare Androhungen oder Anwendungen von Gewalt völkerrechtlich strafbar sind, also über die Staatenverantwortlichkeit für völkerrechtswidriges Handeln hinaus auch eine individuelle völkerstrafrechtliche Verantwortlichkeit der handelnden Akteure auslösen.[839] Jedoch lässt sich nachweisen, dass das Vorbereiten und Durchführen eines völkerrechtswidrigen *Angriffskrieges* eine Völkerstraftat ist.[840] Angriffskrieg und Aggression sind – und das ist für das Verständnis der Reichweite

---

836 *Tomuschat*, EuGRZ 1998, 1 (5); *Wolny*, KritJ 2003, 48 (61 f.). Skeptisch auch *Gropengießer*, LB Deutschland, Bd. 1, S. 21 (241).

837 *Tomuschat*, EuGRZ 1998, 1 (5).

838 Vgl. oben Anm. 832.

839 So aber *Cassese*, International Criminal Law, S. 113 f., der sämtliche Aggressionshandlungen i.S.d. Aggressionsdefinition der UN-Generalversammlung (siehe oben Anm. 832) für nach Völkergewohnheitsrecht strafbar erachtet. Gegen ihn aber zu Recht *Werle*, Völkerstrafrecht, Rn. 1156 mit Fn. 61 und Rn. 1164 sowie *Satzger*, Internationales und Europäisches Strafrecht, § 15 Rn. 77.

840 So auch *Dahm/Delbrück/Wolfrum*, Völkerrecht, Bd. I/3, S. 1048 f.; *Hummrich*, Der völkerrechtliche Straftatbestand der Aggression, S. 92 ff., 139; *Khan*, in: Ambos/Arnold, (Hrsg.), Irak-Krieg und das Völkerrecht, S. 449 (462 f.); *Kreß*, ZStW 115 (2003), 294 (296 ff.); *Satzger*, Internationales und Europäisches Strafrecht, § 15 Rn. 77; *Werle*, Völkerstrafrecht, Rn. 1139, 1150, 1156 m.w.N. in Fn. 59.

der völkerrechtlichen Strafbarkeit des Aggressionsverbrechens von entscheidender Bedeutung – keine Synonyme. Vielmehr erfasst der Begriff des Angriffskrieges allein den Kernbereich völkerrechtswidriger Aggressionshandlungen.[841]

Für eine völkergewohnheitsrechtliche Strafbarkeit eines völkerrechtswidrigen Angriffskrieges lässt sich zunächst auf das Statut des Nürnberger Militärgerichtshofs[842] und das Statut des Internationalen Militärgerichtshofs für den Fernen Osten[843] verweisen.[844] Sowohl von Art. 6(a) IMT-Statut als auch von Art. 5(a) IMTFE-Statut wurde der völkerrechtswidrige Angriffskrieg unter dem Begriff des „Verbrechens gegen den Frieden" erfasst.[845] Die meisten der Angeklagten wurden auch wegen Verbrechen gegen den Frieden verurteilt.[846] Auch das KRG Nr. 10[847] erstreckte sich auf den – dort ebenfalls als Verbrechen gegen den Frieden bezeichneten – Angriffskrieg.[848] Durch die Resolution 95(I) von 1946 bestätigte die UN-General-

---

841 *Dahm/Delbrück/Wolfrum*, Völkerrecht, Bd. I/3, S. 1047; *Kreß*, ZStW 115 (2003), 294 (300 f.); *Kurth*, NZWehrr 2005, 59 (61 ff.); *Werle*, Völkerstrafrecht, Rn. 1150.

842 Vgl. oben Anm. 151.

843 Das Statut ist wiedergegeben bei *Minear*, Victor's Justice, S. 185 ff. Internetquelle: <www.oup.com/uk/orc/bin/0199259119/> (1.1.2006). Allgemein zum Tokioter Verfahren *Ahlbrecht*, Geschichte der völkerrechtlichen Strafgerichtsbarkeit, S. 103 ff.; *Dahm/Delbrück/Wolfrum*, Völkerrecht, Bd. I/3, S. 1029; *Ipsen*, in: Herzberg (Hrsg.), FS Oehler, S. 505 (505 ff.); *Minear*, Victor's Justice, passim; *Röling*, Tokyo Trial, in: Bernhardt (Hrsg.), EPIL IV, S. 863 ff.; *Werle*, Völkerstrafrecht, Rn. 29 ff.

844 So auch *Werle*, Völkerstrafrecht, Rn. 1151 ff.

845 Art. 6(a) IMT-Statut: „Verbrechen gegen den Frieden: Nämlich: Planen, Vorbereitung, Einleitung oder Durchführung eines Angriffskrieges oder eines Krieges unter Verletzung internationaler Verträge, Abkommen oder Zusicherungen oder Beteiligung an einem gemeinsamen Plan oder an einer Verschwörung zur Ausführung der vorgenannten Handlungen." Zur Entstehungsgeschichte des völkerrechtlichen Aggressionsverbots und seiner völkerrechtlichen Pönalisierung vgl. *Gaja*, in: Cassese u.a. (Hrsg.), Rome Statute of the International Criminal Court, Bd. I, S. 427 ff., *Hummrich,* Der völkerrechtliche Straftatbestand der Aggression, S. 41 ff.; *Sunga*, Emerging System of International Criminal Law, S. 23 ff.; *Werle*, Völkerstrafrecht, Rn. 1140 ff.

846 *Werle*, Völkerstrafrecht, Rn. 1151. Siehe ferner *Hummrich,* Der völkerrechtliche Straftatbestand der Aggression, S. 56 ff.; *Sunga*, Emerging System of International Criminal Law, S. 43 ff. Allerdings erfolgten diese Verurteilungen damals unter rückwirkender Anwendung des Tatbestands des Verbrechens gegen den Frieden. Denn zur Tatzeit bestand noch keine völkerstrafrechtliche Erfassung des Aggressionsverbrechens. So auch *Gropengießer*, LB Deutschland, Bd. 1, S. 21 (239 m.w.N.); *Kreicker*, LB Deutschland, Bd. 1, S. 21 (85 f.). Anders dagegen *Dahm/Delbrück/Wolfrum*, Völkerrecht, Bd. I/3, S. 1045 f.; *Werle*, a.a.O., Rn. 1152 f.

847 Vgl. oben Anm. 286.

848 Art. II(1)(a) KRG Nr. 10: „Verbrechen gegen den Frieden[:] Das Unternehmen des Einfalls in andere Länder und des Angriffskrieges unter Verletzung des Völkerrechts und internationaler Verträge einschließlich der folgenden den obigen Tatbestand jedoch nicht erschöpfenden Beispiele: Planung, Vorbereitung, Beginn oder Führung eines Angriffskrieges oder eines Krieges unter Verletzung von internationalen Verträgen, Abkommen oder Zusicherungen; Teilnahme an einem gemeinsamen Plan oder einer Verschwörung zum Zwecke der Ausführung eines der vorstehend aufgeführten Verbrechen." Die textliche

versammlung die völkerrechtliche Strafbarkeit des Verbrechens des Angriffskrieges. Von besonderer Bedeutung für die Differenzierung zwischen dem völkerstrafrechtlich erfassten Verbrechen des Angriffskrieges und weiteren, nicht nach Völkerrecht strafbaren Aggressionshandlungen ist Art. 5 der Aggressionsdefinition der UN-Generalversammlung von 1974[849]. Dort wird betont, eine Aggression führe zu internationaler Verantwortung (im Sinne einer Staatenverantwortlichkeit). Einen Satz zuvor heißt es dagegen, ein Angriffskrieg sei ein Verbrechen gegen den Weltfrieden.[850] Die sehr weitreichende Definition der Aggression in dieser Resolution der UN-Generalversammlung wurde in großem Umfang in Art. 15 des *Draft Code of Crimes against the Peace and Security of Mankind* von 1991[851] übernommen,[852] während sich Art. 16 des *Draft Code of Crimes against the Peace and Security of Mankind* von 1996[853] wieder an der knapperen Nürnberger Formulierung orientierte.[854] Die Nichterfassung des Angriffskrieges durch das ICTY-Statut[855] und das ICTR-Statut[856] kann nicht gegen dessen völkergewohnheitsrechtliche Strafbarkeit ins Feld geführt werden, stand doch dieser Tatbestand von vornherein im Kontext der Verbrechen auf dem Balkan und in Ruanda nicht zur Debatte.[857] Für eine völkerrechtliche Strafbarkeit des Angriffskrieges kann nicht zuletzt auch – selbst wenn das auf den ersten Blick verwundern mag – das Römische Statut angeführt werden. Denn indem Art. 5(1)(d) IStGH-Statut die Gerichtsbarkeit des Gerichtshofs auf das Verbrechen der Aggression erstreckt und Art. 5(2) IStGH-Statut „lediglich" festlegt, dass diese Gerichtsbarkeit nicht ausgeübt werden darf,[858] wird zum Ausdruck gebracht, dass das Verbrechen der Aggression ebenso wie Völkermord, Verbrechen gegen die Menschlichkeit und Kriegsverbrechen ein völkerrechtliches Verbrechen

---

Differenz zu Art. 6(a) IMT-Statut ist inhaltlich ohne Relevanz; vgl. *Dahm/Delbrück/Wolfrum*, Völkerrecht, Bd. I/3, S. 1044.

849 Zur Aggressionsdefinition der UN-Generalversammlung von 1974 siehe oben Anm. 832.

850 Vgl. zu dieser begrifflichen und inhaltlichen Differenzierung in Art. 5 der Aggressionsdefinition *Dahm/Delbrück/Wolfrum*, Völkerrecht, Bd. I/3, S. 1049; *Werle*, Völkerstrafrecht, Rn. 1154. Auch die „Friendly Relations Declaration" (Erklärung über völkerrechtliche Grundsätze für freundschaftliche Beziehungen und Zusammenarbeit zwischen den Staaten im Sinne der Charta der Vereinten Nationen) der UN-Generalversammlung vom 24.10.1970 (GA Res. 2625 [XXV], abgedr. in Sartorius II unter Nr. 4 und in VN 1978, 138) bezeichnet den Angriffskrieg als „Verbrechen gegen den Frieden".

851 YBILC 1991-II/2, 94 ff.

852 *Blanke/Molitor*, AVR 39 (2001), 142 (145); *Sunga*, Emerging System of International Criminal Law, S. 50.

853 YBILC 1996 II/2, 15 ff.

854 *Gaja*, in: Cassese u.a. (Hrsg.), Rome Statute of the International Criminal Court, Bd. I, S. 427 (430); *Sunga*, Emerging System of International Criminal Law, S. 57 ff.

855 Siehe oben Anm. 91.

856 Siehe oben Anm. 92.

857 So auch *Gaja*, in: Cassese u.a. (Hrsg.), Rome Statute of the International Criminal Court, Bd. I, S. 427 (430). Siehe auch *Werle*, Völkerstrafrecht, Rn. 1155.

858 Siehe hierzu oben S. 151 mit Anm. 827.

ist, also gewissermaßen „existiert".[859] Derzeit darf bloß der IStGH über dieses Verbrechen nicht urteilen.[860] Der Vorbehalt in Art. 5(2) IStGH-Statut dahingehend, dass zunächst eine Definition des Verbrechens beschlossen werden müsse, spricht dafür, dass zwar der Kernbereich des Aggressionsverbrechens – der Angriffskrieg – als strafbar anerkannt ist, nicht aber die Strafbarkeit sonstiger Aggressionsakte.

bb) Die Tatbestandselemente des Verbrechens des Angriffskrieges nach geltendem Völkergewohnheitsrecht

Angesichts der Zurückhaltung der Staaten hinsichtlich der Akzeptanz einer völkerstrafrechtlichen Erfassung des Aggressionsverbrechens ist es geboten, die Tatbestandsmerkmale des Verbrechens des Angriffskrieges eng zu definieren.[861] Dem entspricht auch die Rechtsprechung des Internationalen Militärgerichtshofs von Nürnberg. Drei Voraussetzungen müssen gegeben sein, damit man von einem Angriffskrieg im völkerstrafrechtlichen Sinne sprechen kann.[862]

Erstens muss das Vorliegen eines Krieges bejaht werden können, der *offensichtlich und eklatant völkerrechtswidrig* ist. Nur solche Kriege, deren Völkerrechtswidrigkeit angesichts des Standes der völkerrechtlichen Diskussion nicht ernsthaft in Zweifel gezogen werden kann, können eine völkerstrafrechtliche Verantwortlichkeit auslösen.[863] Damit sind nicht nur so genannte humanitäre Interventionen[864] wie die NATO-Luftangriffe im Kosovokonflikt 1999 keine strafbaren Angriffskriege, sondern auch Militäreinsätze wie der von den USA angeführte Afghanistankrieg 2001/2002 nicht, mit denen ein Staat militärisch im Gebiet eines anderen Staates auf Angriffe nichtstaatlicher Terrororganisationen reagiert. Dies gilt unabhängig davon, ob man – was allerdings zu bejahen ist – das militärische Vorgehen der USA gegen Anhänger der für die Terroranschläge vom 11. September 2001 ver-

---

859 So auch *Dahm/Delbrück/Wolfrum*, Völkerrecht, Bd. I/3, S. 1048; *Gaja*, in: Cassese u.a. (Hrsg.), Rome Statute of the International Criminal Court, Bd. I, S. 427 (431); *Kreß*, ZStW 115 (2003), 294 (297); *Werle*, Völkerstrafrecht, Rn. 1138, 1154.

860 Insofern kann man es als einen kleinen „Sieg" der Befürworter einer Zuständigkeit des IStGH für Aggressionsverbrechen bezeichnen, dass auf der Römischen Konferenz die erörterte Regelung in Art. 5 IStGH-Statut beschlossen und nicht gänzlich auf eine Erwähnung des Aggressionsverbrechens verzichtet wurde.

861 Ähnlich *Kreß*, ZStW 115 (2003), 294 (298): „Allerdings legen die Zweifel an der völkerrechtlichen Geltung des Verbrechenstatbestandes ein besonders vorsichtiges Vorgehen im Hinblick auf seine inhaltliche Konturierung nahe."

862 Wie hier *Werle*, Völkerstrafrecht, Rn. 1157 ff.

863 *Kreß*, ZStW 115 (2003), 294 (303 f., 306). So auch der Vorschlag Deutschlands auf der Römischen Konferenz 1998 für eine Tatbestandsdefinition; vgl. *Khan*, in: Ambos/Arnold, (Hrsg.), Irak-Krieg und das Völkerrecht, S. 449 (463); *Kreß*, ZStW 115 (2003), 294 (302). Allein auf die Völkerrechtswidrigkeit abstellend *Satzger*, Internationales und Europäisches Strafrecht, § 15 Rn. 78; *Werle*, Völkerstrafrecht, Rn. 1158.

864 Zum Begriff „humanitäre Intervention" siehe oben Anm. 835 mit dazugehörigem Text.

antwortlichen *al-Qaida*-Gruppe in Afghanistan für vom Selbstverteidigungsrecht des Art. 51 UN-Charta gedeckt hält oder nicht.[865] Offensichtlich und eklatant völkerrechtswidrig war dagegen der Einmarsch des Irak in Kuwait und dessen Besetzung durch die Truppen von *Saddam Hussein* im Jahr 1991, durch den der zweite Golfkrieg ausgelöst wurde.[866]

Zweitens ist zu berücksichtigen, dass die bislang einzigen Präzedenzfälle, in denen es zu Verurteilungen wegen eines Angriffskrieges kam – die Urteile von Nürnberg und Tokio nach dem Ende des Zweiten Weltkrieges –, sich auf Kriege bezogen, die darauf gerichtet waren, die angegriffenen Staaten dauerhaft zu unterwerfen und deren Gebiet zu annektieren. Da sich die völkergewohnheitsrechtliche Strafbarkeit des Verbrechens des Angriffskrieges auf der Grundlage dieser Urteile herausbildete, ist mithin zusätzlich zur offensichtlichen und eklatanten Völkerrechtswidrigkeit eines Krieges für die völkerstrafrechtliche Erfassung des Verbrechens des Angriffskrieges erforderlich, dass ihm ein *zusätzliches aggressives Moment* innewohnt. Der Krieg muss eine besondere, aggressive Zielrichtung aufweisen, die beispielsweise darauf gerichtet sein kann, sich das Gebiet des angegriffenen Staates untertan zu machen und über das Gebiet bzw. die Ressourcen des angegriffenen Staates zum eigenen Vorteil zu verfügen.[867] Auch aus diesem Grund sind humanitäre Interventionen zur Beendigung schwerer Menschenrechtsverletzungen keine völkerstrafrechtlich relevanten Angriffskriege.[868] Auch spricht vieles dafür, dass der Einmarsch der USA in den Irak und der Sturz *Saddam Husseins* im Jahr 2003

---

865 Siehe hierzu näher unten Anm. 874 und Anm. 987 mit dazugehörigem Text.

866 Schon schwieriger zu beurteilen ist dagegen der von den USA angeführte Krieg gegen den Irak im Jahr 2003, der in dem Sturz *Saddam Husseins* und in die bis heute andauernde Besetzung des Irak durch die USA und ihre Verbündeten mündete. Zwar ist dieser Angriff der USA auf den Irak als völkerrechtswidrig zu klassifizieren, da die USA weder von den UN mandatiert waren noch ein Fall des Selbstverteidigungsrechts nach Art. 51 UN-Charta gegeben war (vgl. nur *Kreß*, ZStW 115 [2003], 294 ff.; *Murswiek*, NJW 2003, 1014 ff. Siehe ferner die Beiträge in *Ambos/Arnold* [Hrsg.], Der Irak-Krieg und das Völkerrecht). Doch könnte man an der Offensichtlichkeit der Völkerrechtswidrigkeit zweifeln, da sich die USA auf ein angebliches Recht zu einem „pre-emptive strike" wegen einer angeblich jederzeit aktualisierbaren Gefahr eines Angriffs des Iraks mittels Massenvernichtungswaffen beriefen. Doch da die USA weder Beweise für die Existenz von Massenvernichtungswaffen vorlegen konnten noch Grund für die Annahme besteht, dass sich außerhalb der UN-Charta ein Recht auf Präventivschläge herausgebildet hat, wird man im Ergebnis die offensichtliche und eklatante Völkerrechtswidrigkeit des Vorgehens der USA bejahen müssen. Die bloße Behauptung eines Rechts zum Angriff durch den Angreifer vermag noch nicht die Offensichtlichkeit der Völkerrechtswidrigkeit des Angriffs zu beseitigen.

867 Ebenso *Kurth*, NZWehrr 2005, 59 (62); *Satzger*, Internationales und Europäisches Strafrecht, § 15 Rn. 78; *Werle*, Völkerstrafrecht, Rn. 1159; *Westdickenberg/Fixson*, in: Frowein u.a. (Hrsg.), FS Eitel, S. 483 (509). Ganz zu Recht weist aber *Kreß*, ZStW 115 (2003), 294 (304 f.) darauf hin, dass nicht ausschließlich Kriege, die auf Gebietserwerb gerichtet sind, eine solche aggressive Zielrichtung aufweisen. Auch Kriege, die darauf abzielen, eine Bevölkerungsgruppe auszurotten, genügen beispielsweise der hier propagierten Anforderung.

868 *Kurth*, NZWehrr 2005, 59 (62 f.); *Satzger*, Internationales und Europäisches Strafrecht, § 15 Rn. 78; *Werle*, Völkerstrafrecht, Rn. 1160.

wegen des Fehlens der hier erörterten aggressiven Zielrichtung in völkerstrafrechtlicher Hinsicht kein Angriffskrieg war; schließlich ging es den USA nicht um die Gewinnung von Land und Ressourcen zum eigenen Vorteil, sondern um den Sturz des menschenrechtsfeindlichen Regimes und die Beseitigung einer angeblichen Bedrohung des Friedens.[869] Damit soll nicht einer völkerrechtlichen Legalität des Irakkriegs der USA das Wort geredet werden – der Krieg war, da weder eine Ermächtigung des UN-Sicherheitsrats nach Kapitel VII UN-Charta erteilt worden war noch die Voraussetzungen des Art. 51 UN-Charta vorlagen, völkerrechtswidrig.[870] Aber nicht jeder völkerrechtswidrige Krieg löst eine strafrechtliche Verantwortlichkeit der handelnden Akteure wegen des Verbrechens des Angriffskrieges aus.

Drittens schließlich legt das Wort „Krieg“ nahe, nicht jede Art militärischen Eingreifens genügen zu lassen. Vielmehr muss der Einsatz militärischer Mittel ein größeres Ausmaß aufweisen.[871] Es müssen *militärische Mittel in größerem sachlichem und personellem Umfang* und verteilt auf einen größeren geographischen Raum zum Einsatz gebracht werden. Ein „Kommandounternehmen“, etwa ein einzelner Einsatz eines Spezialkommandos zur Befreiung eigener Staatsbürger aus fremder Hoheitsgewalt oder zur Zerstörung einer im Bau befindlichen Atomanlage, ist schon wegen des geringen Umfangs der eingesetzten Mittel kein Angriffskrieg im völkerstrafrechtlichen Sinne. Auch Terroranschläge nichtstaatlicher organisierter Gruppen wie die Anschläge von *al-Qaida* vom 11. September 2001 oder Übergriffe privater Milizen auf das Hoheitsgebiet eines anderen Staates fallen aus diesem Grund nicht unter den Begriff des Angriffskrieges im völkerstrafrechtlichen Sinne,[872] auch wenn man sie als bewaffnete Angriffe im Sinne des Art. 51 UN-Charta einstufen kann – Angriffe im Sinne des Art. 51 UN-Charta brauchen nicht von einem Staat auszugehen oder ihm zurechenbar zu sein[873] –, die das von der UN-Charta anerkannte Selbstverteidigungsrecht eröffnen.[874]

---

869 Gegen eine Einstufung dieses Krieges als völkerstrafrechtlich relevanter Angriffskrieg aus den genannten Gründen etwa *Werle*, Völkerstrafrecht, Rn. 1161.

870 Siehe hierzu schon oben Anm. 866.

871 So auch *Kreß*, ZStW 115 (2003), 294 (299, 306); *Werle*, Völkerstrafrecht, Rn. 1162; *Westdickenberg/Fixson*, in: Frowein u.a. (Hrsg.), FS Eitel, S. 483 (508).

872 Siehe hierzu auch unten S. 181 sowie *Cassese*, International Criminal Law, S. 115. Generell lediglich für eine Erfassung *staatlicher* Angriffe durch das Verbrechen des Angriffskrieges *Kreß*, ZStW 115 (2003), 294 (298 mit Fn. 23).

873 *Bruha/Bortfeld*, VN 2001, 161 (163, 165); *Bruha*, AVR 40 (2002), 383 (393 ff.); *Frowein*, ZaöRV 62 (2002), 879 (887); *Kotzur*, AVR 40 (2002), 454 (468 ff.); *Krajewski*, AVR 40 (2002), 183 (195 ff.); *Stahn*, ZaöRV 62 (2002), 183 (213); *Tomuschat*, EuGRZ 2001, 535 (540). Anderer Ansicht aber *Ruffert*, ZRP 2002, 247 (247); *Tietje/Nowrot*, NZWehrr 2002, 1 (5 f., 11).

874 Der UN-Sicherheitsrat hat in seinen nach den Anschlägen vom 11.9.2001 erlassenen Resolutionen SR-Res. 1368 (2001) und SR-Res. 1373 (2001) (abrufbar unter <www.un.org/documents/scres.htm> [1.1.2006]) das Selbstverteidigungsrecht der USA herausgestellt. In diesem Zusammenhang ist darauf hinzuweisen, dass zwar auch Terroranschläge privater Gruppen wie die Anschläge der *al-Qaida* vom 11.9.2001 als bewaffnete

Ebenso wie für das Vorliegen einer völkerrechtswidrigen Aggression ist es auch für das Vorliegen eines Angriffskrieges im völkerstrafrechtlichen Sinne unerheblich, ob eine förmliche Kriegserklärung vorliegt oder nicht.[875]

Strafbare Tathandlungen des Verbrechens des Angriffskrieges sind neben der unmittelbaren Durchführung eines Angriffskrieges auch dessen Planung, Vorbereitung und Einleitung.[876] Strafbar ist allerdings nicht schon jede Person, die in irgendeiner Weise – etwa als einfacher Soldat – in einen Angriffskrieg im völkerstrafrechtlichen Sinne involviert ist. Vielmehr ist das Verbrechen des Angriffskrieges ein *Führungsverbrechen*.[877] Der Kreis der in Betracht kommenden Täter ist beschränkt auf die Angehörigen der politischen und militärischen Führungsriege, also auf Personen, die – unabhängig von ihrer formalen Stellung – die effektive

---

Angriffe i.S.d. Art. 51 UN-Charta eingestuft werden können, also für eine Eröffnung des Selbstverteidigungsrechts als Ausnahme vom allgemeinen Gewaltverbot nicht erforderlich ist, dass in den Angriff selbst ein Staat involviert ist (vgl. die Nachweise oben in Anm. 873), dass sich aber militärische Maßnahmen in Ausübung des Selbstverteidigungsrechts wegen des Anspruchs aller Staaten auf Achtung ihrer territorialen Unversehrtheit und Souveränität nur dann gegen fremde Staaten richten dürfen bzw. auf deren Territorium stattfinden dürfen, wenn der betreffende Staat entweder die terroristische Gruppierung unterstützt bzw. ihre Aktivitäten im eigenen Hoheitsgebiet duldet oder aber nicht in der Lage ist, deren Aktivitäten Einhalt zu gebieten. Die Tatsache, dass durch die Terroranschläge vom 11.9.2001 das Selbstverteidigungsrecht der USA i.S.d. Art. 51 UN-Charta eröffnet war, ermächtigte die USA daher noch nicht zur militärischen Intervention in Afghanistan. Diese war vielmehr erst und nur deshalb vom Selbstverteidigungsrecht gedeckt, weil das Taliban-Regime, das de facto die Regierungsgewalt in Afghanistan inne hatte, die *al-Qaida*-Aktivisten unterstützte; vgl. *Bruha/Bortfeld*, VN 2001, 161 (166 f.); *Bruha*, AVR 40 (2002), 383 (408); *Herdegen*, Völkerrecht, § 34 Rn. 15; *Hobe/Kimminich*, Einführung in das Völkerrecht, S. 321; *Kotzur*, AVR 40 (2002), 454 (474 f.); *Krajewski*, AVR 40 (2002), 183 (202 ff.); *Tomuschat*, EuGRZ 2001, 535 (541). Diese Unterstützung kann aber andererseits noch nicht dafür hinreichen, von einem Angriff Afghanistans auf die USA zu sprechen (ebenso *Krajewski*, AVR 40 [2002], 183 [188 ff.]; anderer Ansicht aber *Ruffert*, ZRP 2002, 247 [248]; *Tietje/Nowrot*, NZWehrr 2002, 1 [8]). Denn wie der IGH in seinem Nicaragua-Urteil (IGH, Military and Paramilitary Activities in and against Nicaragua [Nicaragua vs. USA], ICJ-Reports 1986, 12 [103 f., Ziff. 195 f.]) ausgeführt hat, ist die logistische, materielle und finanzielle Unterstützung von Gruppierungen nicht ausreichend, um von einem Angriff des unterstützenden Staates ausgehen zu können (vgl. hierzu *Fischer*, in: Ipsen, Völkerrecht, § 59 Rn. 28; *Herdegen*, Völkerrecht, § 34 Rn. 14 f.). Doch ist es – wie gesagt – ohnehin irrelevant für die Eröffnung des Selbstverteidigungsrechts, ob man die Terroranschläge vom 11.9.2001 Afghanistan zurechnen kann oder nicht).

[875] *Werle*, Völkerstrafrecht, Rn. 1163. So schon explizit die Formulierung des Tatbestands des Verbrechens gegen den Frieden in Art. 5(a) IMTFE-Statut (vgl. oben Anm. 843): „declared or undeclared war of aggression".

[876] *Cassese*, International Criminal Law, S. 114; *Dahm/Delbrück/Wolfrum*, Völkerrecht, Bd. I/3, S. 1050; *Werle*, Völkerstrafrecht, Rn. 1167 ff. So auch schon explizit Art. 6(a) IMT-Statut (vgl. oben Anm. 845), Art. II(1)(a) KRG Nr. 10 (vgl. oben Anm. 848) und Art. 5(a) IMTFE-Statut (vgl. oben Anm. 843).

[877] So die Formulierung von *Kurth*, NZWehrr 2005, 59 (64); *Westdickenberg/Fixson*, in: Frowein u.a. (Hrsg.), FS Eitel, S. 483 (503).

Möglichkeit der Leitung oder Kontrolle eines Angriffskrieges haben.[878] Zum Kreis der in Betracht kommenden Täter gehören damit regelmäßig allein die – faktischen – Mitglieder der Regierung sowie die obersten militärischen Führer eines Staates.

In *subjektiver Hinsicht* verlangt das Verbrechen des Angriffskrieges *Vorsatz*. Der Täter muss also von der Planung oder Durchführung eines Krieges Kenntnis haben, der die oben aufgeführten drei Voraussetzungen erfüllt, und dennoch an dessen Planung, Vorbereitung oder Durchführung mitwirken. Eine besondere persönliche Absicht wird dagegen nicht verlangt.[879]

Es bleibt zu hoffen, dass es auf der im Jahr 2009 stattfindenden Überprüfungskonferenz zum Römischen Statut gelingt, sich dahingehend zu einigen, das nach Völkergewohnheitsrecht strafbare Verbrechen des Angriffskrieges, dessen Tatbestandsmerkmale im Vorstehenden entfaltet wurden, der Gerichtsbarkeit des IStGH zu unterstellen.[880] Bemühungen, über den bereits jetzt nach Völkergewohnheitsrecht strafbaren Angriffskrieg hinaus auch weitere Aggressionsakte – etwa sämtliche nach der Aggressionsdefinition von 1974 verbotene Handlungen – durch das Römische Statut zu pönalisieren und der Gerichtsbarkeit des IStGH zu unterwerfen, wären dagegen wohl nicht nur von vornherein zum Scheitern verurteilt, sondern auch völkerrechtspolitisch nicht sinnvoll.[881] Würde man sämtliche völkerrechtswidrige Aggressionsakte für strafbar erklären und der Gerichtsbarkeit des IStGH unterstellen, müsste der Gerichtshof über besonders heikle Fragen der völkerrechtlichen Legalität des Einsatzes militärischer Gewalt entscheiden; er würde unweigerlich zu einem politischen Organ mutieren und damit nicht nur in unmittelbare Konkurrenz zum IGH, sondern auch zum UN-Sicherheitsrat treten. Eine solche Rolle des IStGH können sich auch dessen Befürworter nicht wünschen.[882]

---

878 *Dahm/Delbrück/Wolfrum*, Völkerrecht, Bd. I/3, S. 1050; *Khan*, in: Ambos/Arnold, (Hrsg.), Irak-Krieg und das Völkerrecht, S. 449 (462 f.); *Satzger*, Internationales und Europäisches Strafrecht, § 15 Rn. 79; *Werle*, Völkerstrafrecht, Rn. 1165; *Westdickenberg/Fixson*, in: Frowein u.a. (Hrsg.), FS Eitel, S. 483 (503 ff.).

879 *Cassese*, International Criminal Law, S. 115; *Dahm/Delbrück/Wolfrum*, Völkerrecht, Bd. I/3, S. 1051; *Satzger*, Internationales und Europäisches Strafrecht, § 15 Rn. 79; *Werle*, Völkerstrafrecht, Rn. 1170.

880 Die Vertragsstaatenkonferenz hat bereits eine Arbeitsgruppe eingerichtet, die im Hinblick auf die 2009 stattfindende Überprüfungskonferenz Überlegungen zur Einbeziehung des Aggressionsverbrechens in die Zuständigkeit des IStGH anstellen soll. Vgl. *Kurth*, NZWehrr 2005, 59 (60 ff.); *Westdickenberg/Fixson*, in: Frowein u.a. (Hrsg.), FS Eitel, S. 483 (500).

881 Dagegen auch *Werle*, Völkerstrafrecht, Rn. 1176; *Westdickenberg/Fixson*, in: Frowein u.a. (Hrsg.), FS Eitel, S. 483 (509 f.).

882 Zwar bestünde dann, wenn man dem IStGH nur Gerichtsbarkeit über Angriffskriege im völkerstrafrechtlichen Sinne zuerkennte, kaum eine Gefahr der Politisierung des Gerichts und eines Konkurrenzverhältnisses zum UN-Sicherheitsrat. Doch ist gleichwohl zu empfehlen, der besonderen und primären Verantwortlichkeit des UN-Sicherheitsrats für die Wahrung und Wiederherstellung des Weltfriedens (vgl. Art. 24 und Art. 39 UN-Charta) dadurch Rechnung zu tragen, dass dem UN-Sicherheitsrat eine über Art. 16

2. Tatbestandsmäßigkeit im nationalen Recht

Die bisherige Betrachtung des Verbrechens der Aggression beschränkte sich auf die völkerrechtliche Ebene. Nun soll der Frage nachgegangen werden, inwieweit völkerrechtswidrige Aggressionshandlungen im nationalen Recht der in das Projekt „Nationale Strafverfolgung völkerrechtlicher Verbrechen“ einbezogenen Staaten unter Strafe gestellt sind. Die Ergebnisse einer solchen Analyse gestatten möglicherweise Rückschlüsse auf den Stand des Völkerstrafrechts. Eine Pönalisierung des Verbrechens der Aggression als Völkerstraftat in einer Vielzahl von Staaten würde die auch hier vertretene Auffassung stützen, dass trotz der Regelung in Art. 5(2) IStGH-Statut eine völkergewohnheitsrechtliche Strafbarkeit gegeben ist. Andererseits würde ein negativer Befund die oben entwickelte These, dass als Kern der völkerrechtswidrigen Aggression das Verbrechen des Angriffskrieges nach Völkergewohnheitsrecht strafbar ist, zumindest in Frage stellen.

a) Überblick über die Erfassung von Aggressionsverbrechen im nationalen Recht

Lässt man zunächst die im Teilprojekt „Lateinamerika“[883] untersuchten mittel- und südamerikanischen Staaten außer Betracht, so ergibt sich, was die Pönalisierung des Aggressionsverbrechens in den nationalen Strafrechtsordnungen anbe-

---

IStGH-Statut hinausgehende Einflussmöglichkeit auf Strafverfolgungen durch den IStGH wegen Verbrechen des Angriffskrieges zugestanden wird (siehe zu diesen Überlegungen *Werle*, Völkerstrafrecht, Rn. 1177 f.). Explizit sollte dem UN-Sicherheitsrat im Römischen Statut die – ihm allerdings ohnehin aufgrund des Vorrangs der UN-Charta und der in dieser festgelegten Bindungswirkung von UN-Sicherheitsratsresolutionen vor dem Römischen Statut (vgl. Art. 103 i.V.m. Art. 25 UN-Charta) zustehende – Befugnis zuerkannt werden, durch eine Resolution nach Kap. VII UN-Charta ein Tätigwerden des IStGH wegen des Verbrechens des Angriffskrieges zu unterbinden. Dem UN-Sicherheitsrat sollte also nicht nur – wie derzeit schon durch Art. 16 IStGH-Statut – die Möglichkeit zuerkannt werden, Ermittlungen zeitweilig zu suspendieren, sondern ihm sollte im Römischen Statut auch die Befugnis zugesprochen werden, Strafverfolgungen dauerhaft oder jedenfalls bis zu einer gegenteiligen Sicherheitsratsentscheidung zu verhindern. Aber wie schon angesprochen, wäre solche Regelung rein deklaratorisch. Diese Befugnis steht – ungeachtet der Bestimmung des Art. 16 IStGH-Statut – dem UN-Sicherheitsrat gemäß Kap. VII UN-Charta schon jetzt zu (ebenso *Herbst*, EuGRZ 2002, 581 [584] und *Lavalle*, CLF 14 [2003], 195 [205 f.], die Art. 16 IStGH-Statut zu Recht als allenfalls deklaratorisch bzw. „stricly speaking unnecessary“ bezeichnen. Zu der hier vertretenen Ansicht tendierend auch *Kreß*, in: Grützner/Pötz, Internationaler Rechtshilfeverkehr, vor III 26, Rn. 21). Verfehlt wäre es dagegen im Hinblick auf das Vetorecht der fünf ständigen Sicherheitsratsmitglieder, die Zulässigkeit einer Aufnahme von Ermittlungen durch den IStGH wegen des Verbrechens des Angriffskrieges an eine ausdrückliche Gestattung durch den UN-Sicherheitsrat zu knüpfen. Zur gegenwärtigen Diskussion im Hinblick auf die 2009 anstehende Überprüfungskonferenz (vgl. oben Anm. 880) siehe *Kurth*, NZWehrr 2005, 59 (65 f.).

883 Zur gesonderten Bearbeitung der in das Projekt „Nationale Strafverfolgung völkerrechtlicher Verbrechen“ einbezogenen lateinamerikanischen Staaten siehe oben S. 4.

langt, folgendes Bild: Von 23 untersuchten Staaten[884] verfügen nur sieben Staaten – allesamt solche des früheren sozialistischen Machtbereichs – über einen Spezialtatbestand, der sich auf das Verbrechen der Aggression bezieht. Namentlich handelt es sich um Estland,[885] Kroatien,[886] Polen,[887] Russland,[888] Serbien und Montenegro,[889] Slowenien[890] sowie Weißrussland[891]. Dagegen wird von den Strafrechtsordnungen von 16 Staaten das Verbrechen der Aggression nicht erfasst. Dabei handelt es sich um Australien,[892] China,[893] Côte d'Ivoire,[894] Deutschland,[895] England und Wales,[896] Finnland,[897] Frankreich,[898] Griechenland,[899] Israel,[900] Italien,[901] Kanada,[902] Österreich,[903] Schweden,[904] Spanien,[905] die Türkei[906] sowie die USA[907]. Al-

---

884 Zu den in das Projekt einbezogenen Staaten und ihrer geographischen Verteilung siehe oben S. 4.

885 Art. 91 estnischer CC; vgl. *Ploom*, LB Estland, Bd. 5, S. 89 (122).

886 Art. 157 kroatisches StG; vgl. *Novoselec*, LB Kroatien, Bd. 3, S. 19 (43 f.).

887 Art. 117 polnisches StGB; vgl. *Weigend*, LB Polen, Bd. 2, S. 77 (111 ff.).

888 Art. 353 russisches StGB; vgl. *Lammich*, LB Russland/Weißrussland, Bd. 6, S. 351 (366 f.).

889 Art. 152 serbisches StGB, Art. 442 montenegrinisches StGB; vgl. *Škulić*, LB Serbien und Montenegro, Bd. 3, S. 211 (240 f.).

890 Art. 385 slowenisches StGB; vgl. *Korošec*, LB Slowenien, Bd. 3, S. 329 (364).

891 Art. 122 weißrussisches StGB; vgl. *Lammich*, LB Russland/Weißrussland, Bd. 6, S. 351 (367).

892 *Biehler/Kerll*, LB Australien, Bd. 6, S. 19 (36 f.).

893 *Richter*, LB China, Bd. 6, S. 141 (204).

894 *Kouassi/Paulenz*, LB Côte d'Ivoire, Bd. 4, S. 19 (52).

895 *Gropengießer*, LB Deutschland, Bd. 1, S. 21 (242 ff.). Von einer Pönalisierung des Verbrechens des Angriffskrieges über die §§ 80, 80a StGB hinaus (siehe zu diesen Normen unten S. 166) im neuen VStGB wurde angesichts der nach wie vor bestehenden Schwierigkeiten einer völkerstrafrechtlichen Verbrechensdefinition bewusst abgesehen. Dies wurde in Deutschland einhellig begrüßt. Vgl. nur *Gropengießer*, a.a.O., S. 245; *Kreicker*, LB Deutschland, Bd. 1, S. 21 (68 f.); *Werle*, JZ 2000, 755 (758); *Werle/Jeßberger*, JZ 2002, 725 (728).

896 *Rabenstein/Bahrenberg*, LB England/Wales, Bd. 6, S. 261 (279 f.).

897 *Frände*, LB Finnland, Bd. 2, S. 21 (44 f.).

898 *Lelieur-Fischer*, LB Frankreich, Bd. 4, S. 225 (261).

899 *Retalis*, LB Griechenland, Bd. 5, S. 189 (234 ff.).

900 *Kremnitzer/Cohen*, LB Israel, Bd. 5, S. 317 (361 f.).

901 *Grammer*, LB Italien, Bd. 4, S. 337 (377 f.).

902 *Gut/Wolpert*, LB Kanada, Bd. 5, S. 19 (33 f.).

903 *Zerbes*, LB Österreich, Bd. 3, S. 85 (122).

904 *Cornils*, LB Schweden, Bd. 2, S. 183 (211). Auch der schwedische Entwurf für ein Gesetz über Völkerrechtsstraftaten sieht keine Erfassung des Verbrechens der Aggression vor; vgl. *Cornils*, a.a.O.

905 *Gil Gil*, LB Spanien, Bd. 4, S. 99 (132, 191).

906 *Tellenbach*, LB Türkei, Bd. 6, S. 393 (427 f.).

907 *Silverman*, LB USA, Bd. 5, S. 411 (433).

lerdings existieren in Côte d'Ivoire, Deutschland, Griechenland, Italien und Schweden Tatbestände, die sich auf (Angriffs-)Kriege beziehen, doch sind diese als Staatsschutzdelikte, nicht als Tatbestände zur Erfassung völkerrechtlicher Verbrechen ausgestaltet: Strafbar sind nur Aktivitäten, die den betreffenden Staat einer Kriegsgefahr aussetzen.[908] Es zeigt sich mithin, dass etwa ein Drittel der untersuchten Staaten über einen Tatbestand verfügt, der Aggressionsverbrechen im völkerstrafrechtlichen Sinne explizit erfasst.

Nimmt man nun noch die im Teilprojekt „Lateinamerika" untersuchten Staaten mit in das Blickfeld, ist das Verhältnis der Staaten, die über einen Spezialtatbestand zur Erfassung von Verbrechen der Aggression verfügen, deutlich geringer. Denn in keinem der elf untersuchten lateinamerikanischen Staaten ist das Verbrechen der Aggression unter Strafe gestellt.[909] Lediglich El Salvador verfügt über einen Tatbestand, der auf kriegerische Aktivitäten bezogen ist; doch ist auch dieser als Staatsschutzdelikt ausgestaltet.[910]

Damit können, betrachtet man alle im Projekt „Nationale Strafverfolgung völkerrechtlicher Verbrechen" untersuchten Staaten, nur etwa 20 Prozent der Länder zur Ahndung von Aggressionsverbrechen auf einen Spezialtatbestand zurückgreifen, der sich tatsächlich auf Aggressionsverbrechen im völkerstrafrechtlichen Sinne bezieht.

b) Einzelheiten der nationalen Regelungen

Es ist lohnend, die sieben Staaten, die über einen Spezialtatbestand zur Erfassung von Verbrechen der Aggression verfügen, näher zu betrachten. In diesen Staaten erstreckt sich die Strafbarkeit nicht auf alle Aggressionen, die nach der Aggressionsdefinition der UN-Generalversammlung von 1974 völkerrechtswidrig sind,[911] sondern beschränkt sich auf das Verbrechen des Angriffskrieges. Stets wird in den Tatbeständen explizit der Begriff „Angriffskrieg" *(war of aggression)* verwandt.[912] Zudem sind die nationalen Tatbestände ebenso wie der völkerrechtliche Verbre-

---

908 *Cornils*, LB Schweden, Bd. 2, S. 183 (211); *Grammer*, LB Italien, Bd. 4, S. 337 (377 f.); *Gropengießer*, LB Deutschland, Bd. 1, S. 21 (243 ff.); *Kouassi/Paulenz*, LB Côte d'Ivoire, Bd. 4, S. 19 (52); *Retalis*, LB Griechenland, Bd. 5, S. 189 (234 ff.).

909 *Ambos/Malarino*, Zusammenfassung Lateinamerika, Bd. 4, S. 469 (476).

910 *Ambos/Malarino*, Zusammenfassung Lateinamerika, Bd. 4, S. 469 (476 Fn. 19).

911 Vgl. oben Anm. 832.

912 Siehe Art. 91 estnischer CC (hierzu *Ploom*, LB Estland, Bd. 5, S. 89 [122]); Art. 157 kroatisches StG (hierzu *Novoselec*, LB Kroatien, Bd. 3, S. 19 [43 f.]); Art. 117 § 1 polnisches StGB (hierzu *Weigend*, LB Polen, Bd. 2, S. 77 [111]); Art. 353 russisches StGB (hierzu *Lammich*, LB Russland/Weißrussland, Bd. 6, S. 351 [366 f.]); Art. 152 serbisches StGB, Art. 442 montenegrinisches StGB (hierzu *Škulić*, LB Serbien und Montenegro, Bd. 3, S. 211 [240 f.]); Art. 385 slowenisches StGB (hierzu *Korošec*, LB Slowenien, Bd. 3, S. 329 [364]); Art. 122 weißrussisches StGB (hierzu *Lammich*, a.a.O., S. 367).

chenstatbestand als „Führungsverbrechen“ ausgestaltet.[913] Dies wird beispielsweise im estnischen Tatbestand dadurch zum Ausdruck gebracht, dass strafbar allein die Beteiligung an der Anführung oder Vorbereitung eines Angriffskrieges, nicht aber schon die Mitwirkung an einem solchen Krieg ist.[914] Aber auch die Tatbestände, die – neben der Anordnung, Planung und Vorbereitung – auch die Durchführung eines Angriffskrieges pönalisieren – dies sind die Tatbestände von Kroatien,[915] Polen,[916] Russland[917] und Weißrussland[918] –, werden so verstanden, dass nicht schon jeder am Krieg beteiligte Soldat, sondern nur solche Personen an der Spitze von Staat und Militär strafbar sein können, die in der Lage sind, die Durchführung eines Krieges zu steuern.[919] Bemerkenswert im Hinblick auf die oben entwickelten tatbestandlichen Voraussetzungen einer völkerrechtlichen Strafbarkeit wegen des Verbrechens des Angriffskrieges ist, dass in der polnischen Literatur ausdrücklich betont wird, der nationale Straftatbestand erfasse Aggressionsakte sporadischer Art, die durch kleinere militärische Einheiten in zeitlich und örtlich begrenztem Umfang vorgenommen werden, nicht.[920] Hinzuweisen ist ferner noch auf eine Besonderheit des kroatischen Straftatbestands: Dieser stellt – in Übereinstimmung mit dem völkerrechtlichen Strafrecht[921] – explizit fest, dass das Vorliegen oder auch Nichtvorliegen einer förmlichen Kriegserklärung für die Strafbarkeit irrelevant ist.[922]

Die Spezialtatbestände von Serbien und Montenegro sowie von Slowenien weisen die Besonderheit auf, dass nur die Aufstachelung zur Begehung eines Angriffskrieges (in Montenegro darüber hinaus allerdings auch die Erteilung eines Befehls zur Durchführung eines Angriffskrieges) strafbar ist. Planung und Vorbereitung eines Angriffskrieges und letztlich auch die Durchführung eines Angriffskrieges

913 Zum völkerrechtlichen Verbrechenstatbestand siehe oben S. 160.

914 Vgl. *Ploom*, LB Estland, Bd. 5, S. 89 (122 f.). Daneben ist in Estland allerdings auch die Drohung eines Staatsbediensteten mit einem Angriffskrieg strafbar; vgl. *Ploom*, a.a.O., S. 122.

915 Art. 157 kroatisches StG; vgl. *Novoselec*, LB Kroatien, Bd. 3, S. 19 (43 f.).

916 Art. 117 polnisches StGB; vgl. *Weigend*, LB Polen, Bd. 2, S. 77 (111).

917 Art. 353 russisches StGB; vgl. *Lammich*, LB Russland/Weißrussland, Bd. 6, S. 351 (366 f.).

918 Art. 122 weißrussisches StGB; vgl. *Lammich*, LB Russland/Weißrussland, Bd. 6, S. 351 (367).

919 Vgl. nur *Weigend*, LB Polen, Bd. 2, S. 77 (113): Täter kann nach der in Polen vertretenen Rechtsauffassung nur eine Person sein, die aufgrund ihrer Stellung im Staat bzw. ihrer Funktion beim Militär oder in den politischen Entscheidungsgremien in der Lage ist, einen Angriffskrieg zu beginnen und zu führen.

920 Vgl. *Weigend*, LB Polen, Bd. 2, S. 77 (112).

921 Vgl. oben S. 160.

922 Art. 157 kroatisches StG; vgl. *Novoselec*, LB Kroatien, Bd. 3, S. 19 (43 f.).

sind dagegen nicht pönalisiert.[923] Damit erfassen diese Tatbestände das Verbrechen des Angriffskrieges nur rudimentär.

Wie bereits angesprochen, verfügen Côte d'Ivoire, Deutschland, Griechenland, Italien, Schweden sowie El Salvador über Tatbestände, die sich zwar auf (Angriffs-) Kriege beziehen und damit in unmittelbarer Nähe zum Aggressionsverbrechen stehen, die aber als Staatsschutzdelikte ausgestaltet sind. So sind nach Art. 151 Nr. 1 des CP von Côte d'Ivoire Handlungen strafbar, die eine gegen das Land gerichtete Kriegserklärung zur Folge haben.[924] In Deutschland erfassen die §§ 80 und 80a StGB – in (allerdings lückenhafter) Umsetzung des Pönalisierungsgebots des Art. 26 GG[925] – die Vorbereitung eines Angriffskrieges und die Aufstachelung zu einem Angriffskrieg.[926] Doch wird verlangt, dass es sich um einen Angriffskrieg handelt, an dem die Bundesrepublik beteiligt ist. Dies bedeutet, dass der Täter eine unmittelbare Mitwirkung der Bundesrepublik an dem kriegerischen Geschehen – und zwar auf der Angreiferseite[927] – erstreben muss.[928] Die deutsche Generalbundesanwaltschaft hat in ihrer Entscheidung, keine Ermittlungsmaßnahmen nach § 80 StGB wegen des von den USA angeführten Irakkrieges des Jahres 2003 aufzunehmen, zudem festgestellt, dass diese Beteiligung von substantieller Bedeutung sein müsse, sich also Deutschland an dem Angriff mit eigenen Streitkräften beteiligen müsse, so dass die bloße Gewährung von Überflug- und Bewegungsrechten für eine Tatbestandserfüllung nicht ausreiche.[929] Ferner wird verlangt, dass die Tathandlung objektiv die Gefahr eines Krieges für die Bundesrepublik Deutschland

---

923 *Korošec*, LB Slowenien, Bd. 3, S. 329 (364); *Škulić*, LB Serbien und Montenegro, Bd. 3, S. 211 (240 f.).

924 *Kouassi/Paulenz*, LB Côte d'Ivoire, Bd. 4, S. 19 (52).

925 Art. 26 Abs. 1 GG: „Handlungen, die geeignet sind und in der Absicht vorgenommen werden, das friedliche Zusammenleben der Völker zu stören, insbesondere die Führung eines Angriffskrieges vorzubereiten, sind verfassungswidrig. Sie sind unter Strafe zu stellen." Vgl. zu diesem Pönalisierungsgebot *Gropengießer*, LB Deutschland, Bd. 1, S. 21 (242 f.); *Pernice*, in: Dreier (Hrsg.), Grundgesetz. Kommentar. Bd. II, Art. 26 Rn. 1 ff. (zum Zurückbleiben der §§ 80, 80a StGB hinter dem Pönalisierungsgebot vgl. *Pernice*, a.a.O, Art. 26 Rn. 19 mit Fn. 110).

926 Vgl. *Gropengießer*, LB Deutschland, Bd. 1, S. 21 (243 ff.). Um dem Bestimmtheitsgebot des Grundgesetzes Genüge zu tun, wird überwiegend davon ausgegangen, der Tatbestand sei auf eindeutige Fälle eines völkerrechtswidrigen Angriffskrieges zu beschränken. Siehe etwa LK-StGB-*Laufhütte*, § 80 Rn. 2; Schönke/Schröder-*Stree/Sternberg-Lieben*, § 80 Rn. 4 sowie die Presseerklärung des Generalbundesanwalts vom 21.3.2003 (siehe auch unten Anm. 929), JZ 2003, 908 (909 ff.). Zur entsprechenden Restriktion des völkerrechtlichen Verbrechenstatbestands siehe oben S. 157.

927 Wie hier *Kreß*, ZStW 115 (2003), 294 (344 ff.).

928 LK-StGB-*Laufhütte*, § 80 Rn. 3; Schönke/Schröder-*Stree/Sternberg-Lieben*, § 80 Rn. 2; *Tröndle/Fischer*, Strafgesetzbuch, § 80 Rn. 7; *Werle*, Völkerstrafrecht, Rn. 1180.

929 Presseerklärung des Generalbundesanwalts vom 21.3.2003, JZ 2003, 908 (911) (abgedr. auch in *Ambos/Arnold* [Hrsg.], Der Irak-Krieg und das Völkerrecht, S. 173 ff.) mit zust. Anm. von *Kreß*.

bewirkt.[930] Das griechische Strafrecht pönalisiert in Art. 139 f. CC verschiedene Handlungen, die Griechenland der Gefahr eines Krieges aussetzen.[931] Art. 244 des italienischen CP erfasst feindselige Handlungen gegen einen anderen Staat, die zu im Einzelnen benannten Nachteilen – von der Störung der Beziehungen zu einem anderen Staat über den Abbruch diplomatischer Beziehungen bis hin zur Kriegsbeteiligung – für Italien führen.[932] Nach schwedischem Recht (Kap. 19 § 2 BrB) macht sich wegen Kriegsanstiftung strafbar, wer die Gefahr herbeiführt, dass Schweden in einen Krieg verwickelt wird.[933] Und in El Salvador schließlich ist das Hervorrufen eines Krieges pönalisiert, sofern die Tat in El Salvador begangen wird und Kriegsgefahr für das Land zur Folge hat.[934]

Die Staaten, die über keine Spezialtatbestände zur Erfassung des Verbrechens der Aggression verfügen, können in aller Regel solche völkerrechtlichen Verbrechen überhaupt nicht ahnden. „Passende" Tatbestände des „allgemeinen" Strafrechts, die nicht nur einzelne Kriegsfolgen – etwa den Tod oder die Verletzung von Personen bzw. die Zerstörung oder Beschädigung von Sachgütern – unter Strafe stellen, sondern unmittelbar die Planung, Vorbereitung oder Durchführung eines Krieges betreffen, gibt es nicht.

c) Schlussfolgerungen

Aus diesem rechtsvergleichenden Befund lassen sich mehrere Schlussfolgerungen ableiten: Die Tatsache, dass immerhin sieben Staaten das Verbrechen der Aggression durch einen nationalen Spezialtatbestand erfassen, kann als Bestätigung der oben entwickelten Auffassung dienen, dass es bereits *de lege lata* eine völkerrechtliche Strafbarkeit von Aggressionshandlungen gibt.[935] Doch hat die nähere Betrachtung dieser nationalen Spezialtatbestände gezeigt, dass keiner von ihnen umfassend Aggressionshandlungen im Sinne der Aggressionsdefinition der UN-Generalversammlung von 1974 unter Strafe stellt. Vielmehr pönalisieren alle Spezialtatbestände allein das Verbrechen des Angriffskrieges als Teilmenge der völkerrechtswidrigen Aggression. Damit findet auch die oben entwickelte These eine Bestätigung, dass allein Verbrechen des Angriffskrieges nach Völkergewohnheitsrecht strafbar sind, nicht aber weitere Aggressionsakte.[936]

---

930 *Tröndle/Fischer*, Strafgesetzbuch, § 80 Rn. 9 sowie die Presseerklärung des Generalbundesanwalts vom 21.3.2003 (siehe oben Anm. 929), JZ 2003, 908 (911).

931 *Retalis*, LB Griechenland, Bd. 5, S. 189 (234 ff.).

932 *Grammer*, LB Italien, Bd. 4, S. 337 (377 f.).

933 *Cornils*, LB Schweden, Bd. 2, S. 183 (211).

934 *Ambos/Malarino*, Zusammenfassung Lateinamerika, Bd. 4, S. 469 (476 Fn. 19).

935 Vgl. hierzu oben S. 154 f. mit Anm. 840.

936 Siehe hierzu oben S. 154.

Dass die meisten der hier untersuchten Staaten nicht einmal das Verbrechen des Angriffskrieges auf nationaler Ebene pönalisiert haben, vermag dagegen die völkergewohnheitsrechtliche Strafbarkeit des Angriffskrieges nicht in Frage zu stellen. Diese fehlende nationale Pönalisierung darf nämlich nicht als Ausdruck einer Ablehnung einer völkerrechtlichen Strafbarkeit gewertet werden, sondern zeigt allein, dass die Staaten es nicht für geboten bzw. sinnvoll erachtet haben, dieses Verbrechen (auch) auf nationaler Ebene zu pönalisieren.[937] Damit aber ist eine weitere Schlussfolgerung statthaft: Das weitgehende Fehlen einer Strafbarkeit des Verbrechens des Angriffskrieges auf nationaler Ebene lässt den Schluss zu, dass eine völkergewohnheitsrechtliche Pflicht der Staaten zu einer nationalen Strafverfolgung von Verbrechen des Angriffskrieges nicht existiert. Gingen die Staaten mehrheitlich davon aus, zu einer solchen nationalen Strafverfolgung verpflichtet zu sein, dann hätten sie die hierfür erforderlichen normativen Grundlagen geschaffen. So aber fehlt es an der für eine Feststellung einer völkergewohnheitsrechtlichen Verfolgungspflicht notwendigen (normativen) Staatenpraxis.

Die nähere Ausgestaltung der nationalen Spezialtatbestände zur Erfassung von Verbrechen des Angriffskrieges bestätigt die bereits oben[938] getroffene Feststellung, dass diese Völkerstraftat ein „Führungsverbrechen“ ist, dessen sich allein hochrangige militärische oder politische Führer strafbar machen können. Zugleich bestätigen die nationalen Tatbestände, dass nicht nur die Durchführung, sondern auch die Planung und Vorbereitung von Angriffskriegen zu den strafbaren Handlungsmodalitäten zu zählen sind.[939]

3. Im nationalen Recht vorgesehene Rechtsfolgen

Die Strafen, die von den einschlägigen Spezialtatbeständen der sieben Staaten vorgesehen sind, die Verbrechen des Angriffskrieges im nationalen Recht explizit unter Strafe stellen, weisen deutliche Unterschiede auf. In Estland kann die Beteiligung an der Anführung oder Planung eines Angriffskrieges mit Freiheitsentzug von drei bis zwölf Jahren geahndet werden.[940] In Kroatien ist für das Verbrechen des Angriffskrieges eine Freiheitsstrafe von nicht unter zehn Jahren oder alternativ eine langjährige Freiheitsstrafe zwischen 20 und 40 Jahren vorgesehen.[941] Nach polnischem Recht ist als Strafe für das Führen eines Angriffskrieges eine Freiheitsstrafe von nicht unter zwölf Jahren oder alternativ eine 25 Jahre lange bzw. lebenslange Freiheitsstrafe vorgesehen. Vorbereitungshandlungen dagegen können in Polen

---

937 Siehe in diesem Zusammenhang auch die Ausführungen oben auf S. 76 ff.

938 Siehe S. 160.

939 Siehe in Bezug auf den völkerrechtlichen Verbrechenstatbestand oben S. 160.

940 *Ploom*, LB Estland, Bd. 5, S. 89 (122, 124).

941 *Novoselec*, LB Kroatien, Bd. 3, S. 19 (43 f.).

„nur" mit einer Freiheitsstrafe von drei bis 15 Jahren geahndet werden.[942] In Russland beträgt die Strafandrohung für die Planung, Vorbereitung oder Entfesselung eines Angriffskrieges sieben bis zehn Jahre Freiheitsentzug, für die Durchführung eines Angriffskrieges zehn bis 20 Jahre Freiheitsentzug.[943] Eine ebensolche Differenzierung findet sich im weißrussischen Recht. In Weißrussland liegt die Strafandrohung für die Planung, Vorbereitung oder Entfesselung eines Angriffskrieges bei fünf bis zehn Jahren Freiheitsentzug, für die Durchführung eines Angriffskrieges bei sieben bis 20 Jahren Freiheitsentzug, doch kann für die Durchführung eines Angriffskrieges alternativ auch lebenslange Freiheitsstrafe oder sogar die Todesstrafe verhängt werden.[944]

Insgesamt lässt sich feststellen, dass für Verbrechen des Angriffskrieges zumeist deutlich geringere Strafen vorgesehen sind als für Völkermord oder Verbrechen gegen die Menschlichkeit.[945] Das Verbrechen des Angriffskrieges wird also auf nationaler Ebene, auch wenn es an der Spitze der Auflistung strafbarer Handlungen im IMT-Statut und im IMTFE-Statut stand, nicht als das gravierendste völkerrechtliche Verbrechen angesehen.

V. Sonstige völkerstrafrechtliche Verbrechenstatbestände des nationalen Rechts

Die Zuständigkeit des Internationalen Strafgerichtshofs beschränkt sich gemäß Art. 5 IStGH-Statut auf die vier im Vorstehenden betrachteten „Kernverbrechen" *(core crimes)* Völkermord, Verbrechen gegen die Menschlichkeit, Kriegsverbrechen und Verbrechen der Aggression. Es stellt sich die Frage, ob damit der Kreis der anerkannten völkerrechtlichen Verbrechen erschöpft ist oder ob es über das Römische Statut hinausgehend noch weitere völkerstrafrechtliche Verbrechenstatbestände gibt.[946] Da konstitutiv für das insofern einschlägige Völkergewohnheitsrecht gemäß Art. 38(1)(b) IGH-Statut die sich in einer Staatenpraxis manifestierende Rechtsüberzeugung der Staaten von der Existenz einer Norm ist,[947] lohnt es sich, zur Klärung dieser Frage einen Blick auf das nationale Strafrecht einzelner Staaten zu werfen und zu untersuchen, inwieweit diese neben den Kernverbrechen

942 *Weigend*, LB Polen, Bd. 2, S. 77 (111, 114).

943 *Lammich*, LB Russland/Weißrussland, Bd. 6, S. 351 (367 f.).

944 *Lammich*, LB Russland/Weißrussland, Bd. 6, S. 351 (368).

945 Siehe zu den Rechtsfolgen für Völkermord und Verbrechen gegen die Menschlichkeit oben S. 55 und S. 100.

946 Diese Frage ist noch keineswegs geklärt. In der Literatur werden unterschiedliche Auffassungen vertreten. Vgl. einerseits *Werle*, Völkerstrafrecht, Rn. 73 ff., und andererseits *Cassese*, International Criminal Law, S. 117 ff.

947 Vgl. BVerfGE 96, 68 (87) = NJW 1998, 50 (53); *Doehring*, Völkerrecht, Rn. 285 ff.; *Herdegen*, Völkerrecht, § 16 Rn. 1 ff.; *Schweitzer*, Staatsrecht III, Rn. 237 ff.

weitere Taten als – nach eigenem Verständnis – völkerrechtliche Verbrechen im nationalen Recht pönalisieren.

Erschwert wird die Diskussion der aufgeworfenen Frage dadurch, dass in der Völkerrechts- und Strafrechtswissenschaft nicht immer hinreichend zwischen den verschiedenen Arten völkerrechtlicher Normen mit strafrechtlicher Relevanz differenziert wird und die verwendete Terminologie nicht einheitlich ist.[948] Insofern sind zunächst einige Vorbemerkungen geboten.

Im vorliegenden Zusammenhang geht es allein um Taten, die als so genannte völkerrechtliche Verbrechen durch Völkerstrafrecht (völkerrechtliches Strafrecht) pönalisiert sind. Bei dem Völkerstrafrecht (völkerrechtlichen Strafrecht) handelt es sich um Straftatbestände, die Bestandteil des universellen Völker(gewohnheits-)rechts sind, den einzelnen Menschen unmittelbar verpflichten, ihn also insoweit als Rechtssubjekt des Völkerrechts anerkennen, und den Staaten bzw. internationalen Gerichten gestatten, in direkter Anwendung dieser Straftatbestände Sanktionen zu verhängen. Kennzeichen völkerstrafrechtlicher Verbrechenstatbestände ist also, dass sich Einzelpersonen unmittelbar nach diesen völkerrechtlichen Normen strafbar machen können und sie unmittelbar nach diesen Normen zur Verantwortung gezogen werden können.[949]

Neben den vom Völkerstrafrecht erfassten völkerrechtlichen Verbrechen gibt es noch weitere, anders geartete internationale Verbrechen. Der Begriff des „internationalen Verbrechens“ ist mithin gegenüber dem des „völkerrechtlichen Verbrechens“ ein Oberbegriff.[950] Zu den internationalen Verbrechen werden nämlich auch Verhaltensweisen gezählt, die vom Völkerrecht als strafwürdig eingestuft werden, die aber nicht unmittelbar nach Völkerrecht strafbar sind, sondern bezüglich derer das Völkerrecht (in aller Regel völkerrechtliche Verträge) „lediglich“ die Staaten verpflichtet, nationale Strafnormen zur Pönalisierung zu schaffen und unter bestimmten Umständen zur Anwendung zu bringen.[951] Solche völkerrechtlichen Normen, die allein an einzelne Staaten adressiert sind und diese verpflichten, bestimmte von der Staatengemeinschaft als schutzwürdig angesehene Rechtsgüter durch Schaffung und Anwendung eigener nationaler Strafrechtsnormen zu schützen, gibt es in großer Zahl;[952] sie sind aber für den vorliegenden Zusammenhang

---

948 Ebenso die Einschätzung von *Werle*, Völkerstrafrecht, Rn. 101.

949 *Kreicker*, LB Deutschland, Bd. 1, S. 21 (49 Fn. 2); *Werle*, Völkerstrafrecht, Rn. 2 f., 71 ff. Siehe auch schon oben Anm. 1.

950 So auch *Werle*, Völkerstrafrecht, Rn. 100.

951 Vgl. *Werle*, Völkerstrafrecht, Rn. 100.

952 Zu nennen sind beispielhaft neben den Bestimmungen der bereits mehrfach erwähnten UN-Folterkonvention (siehe oben Anm. 40) die Regeln des *Haager Übereinkommens zur Bekämpfung der widerrechtlichen Inbesitznahme von Luftfahrzeugen* vom 16.12.1970 (BGBl. 1972 II, S. 1505), des *Montrealer Übereinkommens zur Bekämpfung widerrechtlicher Handlungen gegen die Sicherheit der Zivilluftfahrt* vom 23.9.1971 (BGBl. 1977 II, S. 1229) sowie die unten auf S. 172 f. mit Anm. 958 ff. und Anm. 967 f. aufgeführten in-

irrelevant. Insofern interessieren hier auch nicht die nationalen Straftatbestände, die von den einzelnen Staaten geschaffen wurden, um solchen völker(vertrags-) rechtlichen Pönalisierungsgeboten nachzukommen.[953]

In der völkerstrafrechtlichen Literatur wird vor allem diskutiert, ob neben den bereits erörterten Kernverbrechen auch Taten des internationalen Terrorismus sowie außerhalb des Kontextes der Kernverbrechen begangene Folterungen (schon) unmittelbar nach Völkerrecht strafbar, also als völkerrechtliche Verbrechen zu klassifizieren sind.

1. Terrorismus

Derzeit, zu Beginn des 21. Jahrhunderts, sind es weniger die momentan – zumeist in Afrika – verübten „klassischen" völkerrechtlichen Verbrechen,[954] sondern vor allem Taten des internationalen Terrorismus, die – um mit den die Charakteristika von Völkerstraftaten benennenden Worten der Präambel des Römischen Statuts zu sprechen – die internationale Gemeinschaft als Ganzes berühren und die Menschheit zutiefst erschüttern. Sind daher Terroranschläge wie die auf das New Yorker World Trade Center vom 11. September 2001 Völkerstraftaten? Da diese Frage gegenwärtig von großer Bedeutung ist und zu erwarten steht, dass ein Schwerpunkt der 2009 stattfindenden Revisionskonferenz zum Römischen Statut (vgl. Art. 123(1) IStGH-Statut) die Debatte über eine Erstreckung der Gerichtsbarkeit des IStGH auf Akte des internationalen Terrorismus betreffen wird, soll nachfolgend etwas ausgreifender auf die völkerstrafrechtliche Relevanz von Terrorismus eingegangen werden.

---

ternationalen Terrorismuskonventionen. Eine umfangreiche Aufstellung einschlägiger völkerrechtlicher Verträge findet sich bei LK-StGB-*Gribbohm*, vor § 3 Rn. 9 ff.

953 Da nicht nur generell in der Literatur vielfach nicht hinreichend zwischen völkerrechtlichen Verbrechen und sonstigen internationalen Verbrechen differenziert wird, sondern auch einige Landesberichterstatter beide Kategorien völkerrechtlicher Normen mit strafrechtlicher Relevanz nicht immer klar trennen, sind die Ausführungen in den Landesberichten zu sonstigen völkerrechtlichen Verbrechen mit großer Vorsicht zu bewerten.

954 Als ein Beispiel für momentan verübte völkerrechtliche Verbrechen, die nach Einschätzung einer hochrangigen UN-Kommission als Verbrechen gegen die Menschlichkeit und Kriegsverbrechen, nach Auffassung der USA sogar als Völkermord zu klassifizieren sind, können die Angriffe sudanesischer Regierungstruppen und von der sudanesischen Regierung unterstützter arabischer Janjaweed-Milizen gegen die afrikanische Zivilbevölkerung in der westsudanesischen Provinz Darfur genannt werden. Vgl. hierzu SZ vom 2.2.2005, S. 9, SZ vom 28.4.2005, S. 9; SZ vom 7.6.2005, S. 1, 4.

a) Überblick über die bisherigen völkerrechtlichen Bemühungen zur strafrechtlichen Ahndung terroristischer Gewaltakte

Schon seit langem ist das Völkerrecht bemüht, Taten des internationalen, also über das Gebiet eines einzelnen Staates hinausgehenden und damit völkerrechtliche Bedeutung erlangenden Terrorismus durch den Einsatz des Strafrechts zu unterbinden und für eine Bestrafung der verantwortlichen Täter Sorge zu tragen. Bereits 1937 wurde – in Reaktion auf die Ermordung des französischen Außenministers und des jugoslawischen Königs bei einem Terroranschlag in Marseille im Jahr 1934 – im Rahmen des Völkerbundes eine internationale Terrorismuskonvention, die „Konvention zur Verhütung und Bekämpfung des Terrorismus" verabschiedet. Dieser Vertrag, der eine Verpflichtung der Staaten zur Strafverfolgung bei bestimmten terroristischen Akten vorsah, trat jedoch nie in Kraft; er wurde bloß von einem Staat ratifiziert.[955] Denn es gelang nicht, eine Verständigung darüber herbeizuführen, welche Taten als terroristisch anzusehen seien.

Das Scheitern der Bemühungen, einen hinreichenden Konsens über die Definition von „Terrorismus" zu erzielen, prägte auch über 40 Jahre lang die Aktivitäten zur Terrorismusbekämpfung der Vereinten Nationen. Insbesondere die Länder der so genannten „Dritten Welt" bestanden darauf, dass Gewaltakte von „Freiheitskämpfern", die mit dem Ziel völkerrechtlicher Selbstbestimmung verübt wurden, nicht als Terrorismus klassifiziert wurden.[956] Der vielzitierte Satz "One man's terrorist is another man's freedom fighter" kennzeichnet diesen Konflikt in treffender Weise. Die Vereinten Nationen verlegten sich deshalb auf einen differenzierten sektoralen Ansatz der Terrorismusbekämpfung, indem bestimmte, genau spezifizierte Gewaltakte durch eine Vielzahl völkerrechtlicher Verträge verboten und einer staatlichen Verfolgungspflicht unterworfen wurden.[957] Das Problem einer Definition von Terrorismus wurde damit umgangen. Zunächst wurden 1963, 1970 und 1971 Konventionen zur Bekämpfung von Flugzeugentführungen und Gewaltakten im Bereich des Luftverkehrs verabschiedet.[958] 1973 folgte eine „Konvention über

---

[955] Vgl. zu dem Vertrag von 1937 *Dahm/Delbrück/Wolfrum*, Völkerrecht, Bd. I/3, S. 1109.

[956] Vgl. *Cassese*, International Criminal Law, S. 120 ff.; *Oeter*, ZaöRV 49 (1989), 445 (445 ff.). Selbst die erst 1999 verabschiedete *Convention of the Organisation of the Islamic Conference on Combating International Terrorism* und die *Convention on the Prevention and Combating of Terrorism* der OAU aus demselben Jahr (beide Verträge abrufbar unter <http://untreaty.un.org/English/Terrorism.asp> [1.1.2006]) enthalten noch entsprechende Ausschlussklauseln; vgl. *Fischer*, in: Ipsen, Völkerrecht, § 59 Rn. 13.

[957] Vgl. *Dahm/Delbrück/Wolfrum*, Völkerrecht, Bd. I/3, S. 1108 ff.

[958] *Abkommen über strafbare und bestimmte andere an Bord von Luftfahrzeugen begangene Handlungen* (Tokioter Abkommen), BGBl. 1969 II, S. 121; *Übereinkommen zur Bekämpfung der widerrechtlichen Inbesitznahme von Flugzeugen* (Haager Abkommen), BGBl. 1972 II, S. 1505; *Übereinkommen zur Bekämpfung widerrechtlicher Handlungen gegen die Sicherheit der Zivilluftfahrt* (Montrealer Abkommen), BGBl. 1977 II, S. 1229. Siehe ferner das Protokoll zum Montrealer Abkommen von 1988, BGBl. 1993 II, S. 866.

(...) Verbrechen gegen international geschützte Personen" (die Diplomatenschutzkonvention)[959], 1979 die Geiselnahmekonvention[960]. 1988 wurde das *Übereinkommen zur Bekämpfung widerrechtlicher Handlungen gegen die Sicherheit der Seeschifffahrt*[961] verabschiedet. Diese und weitere Konventionen[962] verpflichten die Staaten im Kern, die in ihnen bezeichneten Handlungen im nationalen Recht unter Strafe zu stellen und Beschuldigte entweder selbst zu verfolgen oder an einen bestrafungswilligen Staat auszuliefern *(aut dedere aut iudicare)*.[963] Diese multilatera-

---

Vgl. zu diesen Abkommen *Dahm/Delbrück/Wolfrum*, Völkerrecht, Bd. I/3, S. 1114 ff.; *Fischer*, in: Ipsen, Völkerrecht, § 55 Rn. 51 ff.

959 BGBl. 1976 II, S. 1745. Hierzu *Dahm/Delbrück/Wolfrum*, Völkerrecht, Bd. I/1, S. 276; *dies.*, Völkerrecht, Bd. I/3, S. 1116 f.

960 BGBl. 1980 II, S. 1361. Vgl. hierzu *Dahm/Delbrück/Wolfrum*, Völkerrecht, Bd. I/3, S. 1117 f.

961 BGBl. 1990 II, S. 508. Vgl. *Dahm/Delbrück/Wolfrum*, Völkerrecht, Bd. I/2, S. 389; *dies.*, Völkerrecht, Bd. I/3, S. 1104.

962 Zu den weiteren relevanten Abkommen siehe *Dahm/Delbrück/Wolfrum*, Völkerrecht, Bd. I/3, S. 1108 ff.; *Wouters/Naert*, in: Fijnaut u.a. (Hrsg.), Legal Instruments in the Fight against International Terrorism, S. 411 (413 f.). Sämtliche hier erwähnte Konventionen sind im Volltext abrufbar unter <http://untreaty.un.org/English/Terrorism.asp> (1.1.2006).

963 *Dahm/Delbrück/Wolfrum*, Völkerrecht, Bd. I/3, S. 1113 ff.; *Finke/Wandscher*, VN 2001, 168 (169); *Wouters/Naert*, in: Fijnaut u.a. (Hrsg.), Legal Instruments in the Fight against International Terrorism, S. 411 (416). Allerdings begründet das „Tokioter Abkommen" (vgl. Anm. 958) keine Strafverfolgungspflicht. Zunehmend diskutiert wird die Frage, inwieweit die Staaten auch durch das *Völkergewohnheitsrecht* zu einer nationalen Strafverfolgung terroristischer Gewaltakte verpflichtet sind. Ein interessanter Ansatz rekurriert auf Abs. 6 der Präambel des IStGH-Statuts. Dort wird – wie bereits oben auf S. 12 skizziert – als ein Akt völkerrechtlicher Verbalpraxis die Rechtsüberzeugung der Signatarstaaten des Römischen Statuts zum Ausdruck gebracht, dass es die Pflicht eines jeden Staates sei, „seine Strafgerichtsbarkeit über die für internationale Verbrechen Verantwortlichen auszuüben". Der Begriff „internationales Verbrechen" wird nun nicht mit dem der Völkerstraftat synonym gesetzt, sondern unter Einschluss der Straftaten verstanden, zu deren Ahndung völkerrechtliche Verträge verpflichten. Mithin wird auch Terrorismus als internationales Verbrechen im Sinne von Abs. 6 der Präambel verstanden und als einer völkergewohnheitsrechtlichen Verfolgungspflicht unterworfene Handlung klassifiziert. So *Werle*, Völkerstrafrecht, Rn. 100 Fn. 189 unter Verweis auf *Triffterer*, in: ders. (Hrsg.), Commentary on the Rome Statute, preamble Rn. 17. Zudem hat der UN-Sicherheitsrat in seiner auf Kap. VII der UN-Charta gestützten Resolution 1373 (2001) den Staaten pauschal die Pflicht auferlegt, die für Terrorakte Verantwortlichen zu verfolgen und zu bestrafen. In der SR-Res. 1373 (2001) heißt es: „The Security Council (...), Acting under Chapter VII of the Charter of the United Nations (...), Decides also that States shall: (...) Ensure that any person who participates in the financing, planning, preparation or perpetration of terrorist acts or in supporting terrorist acts is brought to justice and ensure that, in addition to any other measures against them, such terrorist acts are established as serious criminal offences in domestic laws and regulations and that the punishment duly reflects the seriousness of such terrorist acts." Damit wurde – jenseits völkervertraglicher und völkergewohnheitsrechtlicher Verpflichtungen – eine weitere Form völkerrechtlicher Pönalisierungs- und Bestrafungsgebote in Bezug auf Terrorismus kreiert. Die Staaten sind nunmehr auch aufgrund der für sie nach Art. 25 UN-Charta unmittelbar verbindlichen Sicherheitsratsresolution zu einer nationalen Strafverfolgung von Terrorismusakten verpflichtet. Diese Verpflichtung wurde in der – allerdings nicht auf Kap. VII UN-Charta

len Übereinkommen finden eine Ergänzung in einigen wenigen regionalen völkerrechtlichen Verträgen;[964] hinzuweisen ist namentlich auf das *Europäische Übereinkommen zur Bekämpfung des Terrorismus* von 1977[965], mit dem eine Erleichterung der Auslieferung des Terrorismus beschuldigter Personen angestrebt wurde.

Die geopolitischen Umwälzungen nach dem Zusammenbruch des Systems des Staatssozialismus Ende der achtziger Jahre des 20. Jahrhunderts hatten auch bedeutende Konsequenzen für die völkerrechtliche Terrorismusbekämpfung. Denn das Beharren einzelner Staaten auf einer generellen Ausnahme von „Freiheitskämpfern“ aus dem Begriff und von dem Verbot des Terrorismus hatte ein Ende. Im Jahr 1994 verabschiedete die UN-Generalversammlung eine Resolution, in der erstmalig Terrorismus allgemein verdammt und vor allem auch definiert wurde.[966] In dieser Resolution hieß es: “Criminal acts intended or calculated to provoke a state of terror in the general public, a group of persons or particular persons for political purposes are in any circumstance unjustifiable (...).” Während mit dem *Übereinkommen zur Bekämpfung terroristischer Bombenanschläge* von 1997[967] noch einmal dem „klassischen“ sektoralen Ansatz der Terrorismusbekämpfung gefolgt wurde, indem das Anbringen bzw. zur Explosion Bringen von Sprengsätzen an bestimmten Örtlichkeiten einer nationalen Pönalisierungs- und Bestrafungspflicht unterworfen wurde, steht das *Übereinkommen zur Bekämpfung der Finanzierung des Terrorismus* von 1999[968] für einen Paradigmenwechsel hin zu einem neuen „ganzheitlichen“ Ansatz. Allgemein wird die (finanzielle) Unterstützung von Terrorismus untersagt und einer nationalen Pönalisierungs- und Verfolgungspflicht unterworfen, wobei Terrorismus in Art. 2(1)(b) definiert wird als ein “act intended to cause death or serious bodily injury to a civilian, or to any other person not taking an active part in the hostilities in a situation of armed conflict, when the pur-

---

gestützten – SR-Res. 1456 (2003) wiederholt und dahingehend charakterisiert, dass die Staaten ihre nationale Strafgerichtsbarkeit über terroristische Akte „on the basis of the principle to extradite or prosecute“ auszuüben hätten. Sämtliche Resolutionen des UN-Sicherheitsrats zu Terrorismus sind abrufbar unter <www.un.org/terrorism/sc.htm> (1.1.2006).

964 Siehe oben Anm. 956 sowie die Aufstellung bei *Dahm/Delbrück/Wolfrum*, Völkerrecht, Bd. I/3, S. 1119 f.; *Wouters/Naert*, in: Fijnaut u.a. (Hrsg.), Legal Instruments in the Fight against International Terrorism, S. 411 (414 f.). Auch diese regionalen Terrorismuskonventionen sind abrufbar unter <http://untreaty.un.org/English/Terrorism.asp> (1.1.2006).

965 BGBl. 1978 II, S. 321. Das Übereinkommen sieht im Kern vor, terroristische Akte i.S.d. vorstehend genannten völkerrechtlichen Verträge nicht als politische Delikte zu klassifizieren und damit nicht als Delikte anzusehen, bei denen eine Auslieferung nicht in Betracht kommt. Vgl. *Dahm/Delbrück/Wolfrum*, Völkerrecht, Bd. I/3, S. 1114, 1120 f.; *Tomuschat*, EuGRZ 2001, 535 (537).

966 GV-Res. 49/60 vom 9.12.1994; im Internet abrufbar unter <www.un.org/documents/> (1.1.2006).

967 BGBl. 2002 II, S. 2506. Hierzu *Dahm/Delbrück/Wolfrum*, Völkerrecht, Bd. I/3, S. 1119.

968 BGBl. 2003 II, S. 1923. Hierzu *Dahm/Delbrück/Wolfrum*, Völkerrecht, Bd. I/3, S. 1122; *Finke/Wandscher*, VN 2001, 168 (169 f.).

pose of such act, by its nature or context, is to intimidate a population, or to compel a Government or an international organization to do or to abstain from doing any act".[969]

Auf völkerrechtlicher Ebene besteht mithin seit dem Ende des 20. Jahrhunderts weitgehend Konsens über die Definition von Terrorismus. Terrorismus kann – bei aller Vorsicht – auf völkerrechtlicher Ebene definiert werden als (1.) Gewaltakte gegen Personen oder Sachen, die (2.) Angst und Schrecken verbreiten sollen und (3.) der Verfolgung eines politischen, religiösen oder ideologischen Ziels dienen sollen.[970] Im Übrigen zeigt schon die Verwendung des Begriffs „Terrorismus" in verschiedenen völkerrechtlichen Dokumenten (vgl. nur Art. 33(1) GA IV; Art. 4(2)(d) ZP II; Art. 4(d) ICTR-Statut), dass im Völkerrecht von einer Definierbarkeit und der Existenz einer völkerrechtlich maßgeblichen Definition des Begriffs „Terrorismus" ausgegangen wird.[971]

Von völkerrechtlichem Belang ist Terrorismus allerdings nur, wenn er – als „internationaler Terrorismus" – staatenübergreifende Relevanz erlangt, sei es, weil die politischen Ziele in einem anderen Staat als dem Tatortstaat erreicht werden sollen, die Tathandlung in einem anderen Staat vorgenommen wird als dem Staat, in dem der Taterfolg eintritt, oder Täter und Opfer unterschiedliche Staatsangehörigkeiten haben.[972] Die Frage, ob Urheber und letztlich Verantwortlicher für einen Terrorakt ein Staat („Staatsterrorismus") oder eine private Gruppierung ist, ist in völkerrechtlicher Hinsicht allein in Bezug auf die (sekundäre) Problematik von staatlichen Wiedergutmachungspflichten, nicht aber in Bezug auf die Terrorismusdefinition und die Pönalisierungs- und Bestrafungspflichten von Belang.[973] Dies zeigt sich

---

969 Siehe zu dieser Definition *Dahm/Delbrück/Wolfrum*, Völkerrecht, Bd. I/3, S. 1110. Allerdings folgt auch die von der UN-Generalversammlung am 13.4.2005 verabschiedete, aber bislang noch nicht in Kraft getretene „International Convention for the Suppression of Acts of Nuclear Terrorism" (abrufbar unter <http://untreaty.un.org/English/Terrorism.asp> [1.1.2006]) dem „klassischen sektoralen Ansatz", indem den Vertragsstaaten die Verpflichtung auferlegt wird, den Besitz radioaktiver Materialien in der Absicht, diese zur Tötung oder schweren Verletzung von Personen bzw. zur schweren Beschädigung von Sachwerten oder der Umwelt einzusetzen, unter Strafe zu stellen und Taten, die von eigenen Staatsbürgern oder im eigenen Land begangen wurden, zu ahnden.

970 Vgl. *Cassese*, International Criminal Law, S. 124; *ders.*, in: Evans (Hrsg.), International Law, S. 752; *Dahm/Delbrück/Wolfrum*, Völkerrecht, Bd. I/3, S. 1110 f. Ausführlich zur „Definitionsfrage" *Walter*, in: ders. u.a. (Hrsg.) Terrorism as a Challenge for National and International Law, S. 23 ff.

971 So auch die Einschätzung von *Cassese*, in: Evans (Hrsg.), International Law, S. 750.

972 Vgl. Art. 3 Übereinkommen zur Bekämpfung terroristischer Bombenanschläge (siehe Anm. 967) und Art. 3 Übereinkommen zur Bekämpfung der Finanzierung des Terrorismus (siehe Anm. 968). Siehe ferner *Cassese*, in: Evans (Hrsg.), International Law, S. 752; *Robinson*, in: Cassese u.a. (Hrsg.), Rome Statute of the International Criminal Court I, S. 497 (514).

973 *Cassese*, International Criminal Law, S. 126; *ders.*, in: Evans (Hrsg.), International Law, S. 752 f.

auch daran, dass eine völkergewohnheitsrechtlich geltende Ausnahme von der als völkerrechtliches Strafverfolgungshindernis wirkenden Staatenimmunität bei geheimdienstlichen Gewaltakten anerkannt ist.[974]

b) Der „Neue internationale Terrorismus" des 21. Jahrhunderts als Herausforderung für das Völker(straf-)recht

In den terroristischen Gewaltakten, die die Welt zu Beginn des 21. Jahrhunderts erschüttert haben und deren – hoffentlich nicht nur vorläufigen – Höhepunkt die Anschläge vom 11. September 2001 markieren, manifestiert sich nicht nur eine quantitativ, sondern vor allem auch qualitativ neue Dimension des Terrors, so dass von einem „Neuen internationalen Terrorismus" gesprochen wird.[975] Dieser fordert das Völkerrecht in völlig neuer Weise heraus.

Der „klassische" internationale Terrorismus wies trotz seiner staatenübergreifenden Dimension einen klaren territorialen Bezug auf: Auch wenn Anschläge im Ausland oder gegen Ausländer verübt wurden, so sollten doch stets politische Veränderungen in einem bestimmten Land oder jedenfalls einer bestimmten Region befördert werden. Zudem waren die politischen Ziele (relativ) klar definiert und die Anschläge dienten konkreten Zwecken. Entweder sollten bestimmte Personen als politische Entscheidungsträger „ausgeschaltet" oder – bei Geiselnahmen und Flugzeugentführungen – die Regierung eines bestimmten Landes zu konkreten Einzelmaßnahmen genötigt werden.[976] Trotz seiner politischen Implikationen wurde dieser Terror „lediglich" als eine Erscheinungsform von Kriminalität begriffen, die es mit den Mitteln des nationalen Straf- und Polizeirechts der einzelnen betroffenen Staaten zu bekämpfen galt, auf die also die Staaten innerhalb ihres Hoheitsbereichs und nach Maßgabe nationalen Straf- und Polizeirechts zu reagieren hatten. Auch wenn der Terrorismus selbst „international" war, so blieb doch seine Bekämpfung – jedenfalls im Grundsatz – im nationalen Rahmen. Dieser Rahmen war lediglich insofern völkerrechtlich determiniert, als den einzelnen Staaten durch die genannten völkerrechtlichen Verträge Pönalisierungs-, Verfolgungs- und Kooperationspflichten auferlegt wurden.

Der „Neue internationale Terrorismus" dagegen ist gekennzeichnet durch eine völlige Entterritorialisierung.[977] Es werden keine regionalen Veränderungen erstrebt, sondern der Angriff gilt der globalen Zivilisation als solcher bzw. bestimmter Zivilisationsformen wie der „westlichen Lebensform". Der Ort eines Anschlags ist letztlich sekundär. Die neue politische Motivation hat Auswirkungen auf die konkreten Terrorziele: Es geht nicht mehr um politische Erpressung, sondern um

---

974 Vgl. *Doehring/Ress*, AVR 37 (1999), 68 (97); *Folz/Soppe*, NStZ 1996, 578 (580).

975 *Bruha/Bortfeld*, VN 2001, 161 (161); *Bruha*, AVR 40 (2002), 383 (384).

976 *Bruha*, AVR 40 (2002), 383 (384); *Kotzur*, AVR 40 (2002), 454 (459).

977 *Bruha/Bortfeld*, VN 2001, 161 (161); *Bruha*, AVR 40 (2002), 383 (384).

möglichst umfassende Vernichtung und Zerstörung.[978] Die Globalisierung hat auch den Terrorismus erreicht.[979] Weitere Kennzeichen des „Weltterrorismus" bzw. *global terrorism* sind, dass die Täter nicht nur weltweit agieren, sondern auch in weltweiten oder jedenfalls staatenübergreifenden Netzwerken organisiert sind, dass sie sich modernster Kommunikationsformen bedienen und – zumindest im Fall von *al-Qaida* – über erhebliche finanzielle Ressourcen verfügen. Hinzu kommt die neue quantitative Dimension des Terrors. Die Zahl der Opfer und der Umfang der Zerstörungen sind so groß, dass Ausmaße wie im Krieg erreicht werden. Damit verlässt der „Neue internationale Terrorismus" den Bereich der mit innerstaatlichem Polizei- und Strafrecht sowie zwischenstaatlicher Kooperation zu bekämpfenden Kriminalität und wird zu einem kriegsähnlichen Angriff auf den jeweils betroffenen Staat. Dieser Terrorismus hat eine qualitative und quantitative Dimension erreicht, in der er aus der Sicht des betroffenen Staates mit einem kriegerischen Angriff eines anderen Staates vergleichbar wird, auf den also (auch) mit militärischen Mitteln zu reagieren für geboten erachtet wird. Damit ist auch eine neue völkerrechtliche Dimension erreicht.[980] Das durch die 1945 geschaffene UN-Charta geprägte Völkerrecht des 20. Jahrhunderts basiert aber auf der Annahme, dass Akteure bewaffneter Konflikte, die über das Territorium eines Staates hinausreichen, also internationaler bewaffneter Konflikte, einzelne Staaten sind. Auf diesem Axiom basieren das bisherige Friedenssicherungsrecht, das gegenwärtige humanitäre Völkerrecht und – weitgehend – auch das bisherige Völkerstrafrecht. Der „Neue internationale Terrorismus" dagegen ist gekennzeichnet durch das Auftreten nichtstaatlicher Akteure in staatenübergreifenden bewaffneten Konflikten, mithin durch eine Privatisierung internationaler Gewalt.[981] Dabei ist – wie die Anschläge vom 11. September 2001 gezeigt haben – die Wirkungsmacht dieser nicht-staatlichen Akteure durchaus mit der von Staaten vergleichbar. Auf diese fundamentalen Veränderungen in den internationalen Beziehungen muss auch das Völkerrecht reagieren.[982] Da der internationale Terrorismus, insbesondere in seiner neuen Form, ebenso wie die „klassischen" völkerrechtlichen Verbrechen die internationale Gemeinschaft als Ganzes betrifft, ist es nur konsequent und richtig, als eine Form der Reaktion Terrorismus völkerstrafrechtlich zu erfassen.[983] In der gegenwärtigen

---

978 *Bruha*, AVR 40 (2002), 383 (385).

979 Vgl. *Kotzur*, AVR 40 (2002), 454 (459 ff.).

980 *Bruha*, AVR 40 (2002), 383 (385); *Kotzur*, AVR 40 (2002), 454 (460).

981 Generell zur zu verzeichnenden Tendenz der „Privatisierung" internationaler Gewaltausübung *Bruha*, AVR 40 (2002), 383 (383 f. m.w.N.).

982 Dabei darf jedoch nicht vergessen werden, dass der „klassische" internationale Terrorismus nicht an Bedeutung verloren hat. So dürfte die Geiselnahme von Schülern im russischen Beslan durch tschetschenische Rebellen im September 2004 eher zum Bereich dieses „klassischen" Terrorismus denn zum skizzierten „Neuen internationalen Terrorismus" zu zählen sein.

983 Die Diskussion über eine völkerstrafrechtliche Erfassung von Terrorismus ist nicht neu. Vgl. nur *Dinstein*, IYHR 18 (1989), 55 (55 ff.).

Diskussion geht es dabei um drei Fragen: Erstens um die Frage, inwieweit Terrorakte von den ohne Zweifel geltenden Völkerstrafnormen erfasst werden, also als Völkermord, Verbrechen gegen die Menschlichkeit oder Kriegsverbrechen klassifiziert werden können, zweitens um die Frage, ob Terrorismus als solcher eine eigenständige Völkerstraftat ist, und drittens darum, ob die supranationale Strafgerichtsbarkeit des IStGH Terrorismus erfassen sollte.

c) Terrorismus als Völkermord oder Verbrechen gegen die Menschlichkeit

Die Erfassung terroristischer Gewaltakte als *Völkermord* ist wegen der wohl stets fehlenden, aber für die Tatbestandsverwirklichung erforderlichen Absicht der Zerstörung einer nationalen, ethnischen, rassischen oder religiösen Gruppe[984] eine rein theoretische Überlegung. Anders dagegen verhält es sich in Bezug auf *Verbrechen gegen die Menschlichkeit*: Da dieser Tatbestand Tötungen und andere unmenschliche Handlungen ähnlicher Art erfasst, mit denen vorsätzlich schwere Beeinträchtigungen der geistigen oder körperlichen Unversehrtheit verursacht werden, sofern sie im Rahmen eines ausgedehnten oder systematischen Angriffs gegen eine Zivilbevölkerung begangen werden[985] und gemäß Art. 7(2)(a) IStGH-Statut auch Taten in Ausführung oder Unterstützung der Politik einer privaten Organisation tatbestandsmäßig sind,[986] dürften terroristische Gewaltakte von Gruppierungen wie *al-Qaida*, die detailliert geplant sind – also systematisch erfolgen – und hohe Verluste unter der Zivilbevölkerung bewirken – also ausgedehnt sind – als Verbrechen gegen die Menschlichkeit einzustufen sein. In der Völkerrechtswissenschaft sind die Anschläge vom 11. September 2001 daher ganz zu Recht als Verbrechen gegen die Menschlichkeit klassifiziert worden.[987]

d) Terrorismus als Kriegsverbrechen

In einer seiner ersten Stellungnahmen nach dem 11. September 2001 bezeichnete US-Präsident *Bush* die Terroranschläge als *act of war*.[988] Dies wirft die Frage auf, ob die Terroristen des 11. September Kriegsverbrecher waren, internationaler Ter-

---

[984] Siehe zum Absichtserfordernis oben S. 42.

[985] Siehe oben S. 61 ff.

[986] Siehe oben S. 64 mit Anm. 312.

[987] So etwa MK-StGB-*Ambos*, vor § 3 Rn. 55; *Bruha*, AVR 40 (2002), 383 (391); *Cassese*, International Criminal Law, S. 128; *Frowein*, ZaöRV 62 (2002), 879 (893 f.); *Stahn*, ZaöRV 62 (2002), 183 (247 f.); *Tomuschat*, EuGRZ 2001, 535 (536). Siehe ferner *Werle*, Völkerstrafrecht, Rn. 645 f. Allerdings soll nicht verkannt werden, dass die Klassifizierung der Anschläge vom 11.9.2001 als Verbrechen gegen die Menschlichkeit keinesfalls eindeutig ist und in der Wissenschaft nicht auf ungeteilte Zustimmung stößt. Es gibt durchaus gute Argumente für die These, dass die mit dem Erfordernis eines „ausgedehnten oder systematischen Angriffs“ aufgestellten Tatbestandsvoraussetzungen nicht erfüllt wurden.

[988] Vgl. *Kotzur*, AVR 40 (2002), 454 (454 f.); *Tomuschat*, EuGRZ 2001, 535 (535 f.).

rorismus mithin gegebenenfalls als Kriegsverbrechen geahndet werden kann. In der Literatur wurde die Anwendbarkeit des humanitären Völkerrechts – also auch der Normen über Kriegsverbrechen – auf die Terrorakte des 11. September zumeist pauschal verneint.[989] Auch wenn dies bezogen auf die Anschläge auf das World Trade Center und das Pentagon im Ergebnis richtig ist, so gilt es doch bei einem Versuch einer allgemeinen Einordnung von Terrorismus zu differenzieren. Im Einzelfall können terroristische Akte durchaus Kriegsverbrechen sein.[990]

Werden von Kombattanten im Rahmen eines internationalen bewaffneten Konflikts[991] terroristische Akte im Sinne der oben genanten Definition[992] begangen, so sind diese als Kriegsverbrechen einzustufen (vgl. Art. 8(2)(b)(i) und (ii) IStGH-Statut); solche Akte verstoßen gegen Art. 33(1) GA IV bzw. Art. 51(2) und 52(1) ZP I. Als verdeckt agierende Kombattanten kommen die Akteure grundsätzlich auch nicht in den „Genuss" der Kriegsgefangenschaft. Auch in nichtinternationalen bewaffneten Konflikten sind den (Bürgerkriegs-)Parteien terroristische Akte als Methode der Kriegsführung untersagt (vgl. Art. 4(2)(d) und Art. 13(2) ZP II), diese sind mithin auch in nichtinternationalen bewaffneten Konflikten als Kriegsverbrechen strafbar.[993]

Gewaltakte von Terrorgruppierungen wie *al-Qaida* sind aber in aller Regel keine Kriegshandlungen im Rahmen internationaler oder nichtinternationaler bewaffneter Konflikte. Terrorakte innerhalb eines Staates (also Akte des nichtinternationalen Terrorismus) sind zumeist keine nichtinternationalen bewaffneten Konflikte, da diese voraussetzen, dass die nicht-staatliche(n) Partei(en) einen erheblichen Bewaffnungs- und Organisierungsgrad aufweist bzw. aufweisen, der sie im Wesentlichen staatlichen Streitkräften ebenbürtig erscheinen lässt. Über einen solchen Organisierungsgrad verfügen Terrororganisationen typischerweise nicht.[994] Für eine Einstufung von Akten des internationalen Terrorismus als Akte im Rahmen internationaler bewaffneter Konflikte wäre – die von Art. 1(4) ZP I erfasste Konstellation spielt insofern keine Rolle[995] – erforderlich, dass ein Staat als Konfliktpartei

---

989 *Bruha*, AVR 40 (2002), 383 (411 ff.); *Ipsen*, in: ders., Völkerrecht, § 64 Rn. 10; *Kotzur*, AVR 40 (2002), 454 (476 f.); *Ruffert*, ZRP 2002, 247 (249); *Schneider*, HuV-I 2001, 222 (222); *Tomuschat*, EuGRZ 2001, 535 (536).

990 So auch *Cassese*, in: Evans (Hrsg.), International Law, S. 752; *Triffterer*, ZStW 114 (2002), 321 (371); *Werle*, Völkerstrafrecht, Rn. 73.

991 Im vorliegenden Zusammenhang ist von besonderer Bedeutung, dass internationale bewaffnete Konflikte nicht nur solche zwischen Staaten als Kriegsparteien sind (vgl. Art. 2 der Genfer Abkommen von 1949), sondern auch bewaffnete Konflikte, in denen Völker gegen Kolonialherrschaft und fremde Besetzung sowie gegen rassistische Regimes in Ausübung ihres Rechts auf Selbstverteidigung kämpfen (Art. 1 Abs. 4 ZP I).

992 Siehe oben S. 175.

993 Vgl. *Cassese*, International Criminal Law, S. 126 f.; *Dahm/Delbrück/Wolfrum*, Völkerrecht, Bd. I/3, S. 1072.

994 *Bruha*, AVR 40 (2002), 383 (417 f.); *Stahn*, ZaöRV 62 (2002), 183 (193).

995 *Bruha*, AVR 40 (2002), 383 (412); *Schneider*, HuV-I 2001, 222 (222 f.).

beteiligt ist. Terrorakte, die unmittelbar von Staatsorganen in staatlichem Auftrag begangen werden, aber auch Terrorakte privater Terrorgruppen, die von einem Staat „in Auftrag gegeben“ oder „initiiert“ wurden, können Aggressionshandlungen und mithin als Kriegsverbrechen in einem internationalen bewaffneten Konflikt strafbar sein. Kennzeichen des „Neuen internationalen Terrorismus“ ist dagegen, dass Terrorgruppen wie *al-Qaida* keine solchen staatlichen Verbindungen aufweisen. Zwar haben die Terroristen von *al-Qaida* die Unterstützung des *Taliban*-Regimes in Afghanistan genossen, dort durften sie unter anderem Ausbildungscamps unterhalten. Doch ist bei Anlegung des Maßstabs des Nicaragua-Urteils des IGH[996] eine bloße Unterstützung nicht ausreichend, um einen Terroranschlag als staatlichen Angriff und mithin als Kriegshandlung im Rahmen eines internationalen bewaffneten Konflikts zu klassifizieren.[997] Daher waren auch die Anschläge vom 11. September 2001 keine Kriegsverbrechen.

Nun drängt sich die Forderung auf, das humanitäre Völkerrecht so zu modifizieren, dass es auch Akte des „Neuen internationalen Terrorismus“ erfasst, mithin auch diese Kriegsverbrechen werden. Wenn – wie erwähnt – Kennzeichen des „Neuen internationalen Terrorismus“ ist, dass private Akteure einen (oder mehrere) Staat(en) in einer Weise angreifen, wie dies nach herkömmlichem Verständnis allein andere Staaten tun konnten, dann scheint es nahe zu liegen, nicht nur Staaten, sondern auch private Terrorgruppen als Parteien eines internationalen bewaffneten Konflikts zu akzeptieren und in den Anwendungsbereich des humanitären Völkerrechts und damit der Kriegsverbrechenstatbestände einzubeziehen. Doch wird dem ganz zu Recht in der Literatur entgegengetreten. Denn die Anwendbarkeit des humanitären Völkerrechts bedeutete eine nicht gerechtfertigte Privilegierung von Terroristen.[998] Schließlich sieht das humanitäre Völkerrecht vor, dass gefangengenommene feindliche Kombattanten den mit gewissen Rechten verbundenen Kriegsgefangenenstatus genießen (wenngleich verdeckt kämpfenden Personen kein Kriegsgefangenenstatus gewährt zu werden braucht) und Taten, die normalerweise strafbar sind, als Kriegshandlungen gerechtfertigt sind. Grundsätzlich sind im Rahmen von bewaffneten Konflikten begangene Taten nur dann (als Kriegsverbrechen) strafbar, wenn die weitgezogenen Grenzen des im Rahmen bewaffneter Konflikte Zulässigen überschritten werden (was aber bei Terrorakten, wie gezeigt wurde, stets der Fall ist). Damit wird (auch) der Tatsache Rechnung getragen, dass die Kombattanten nicht aus allgemein zu missbilligender krimineller Motivation, sondern in Verfolgung staatlicher Interessen und vielfach nicht freiwillig an den Aus-

---

[996] IGH, Military and Paramilitary Activities in and against Nicaragua (Nicaragua vs. USA), ICJ-Reports 1986, 14. Abrufbar im Internet unter <www.icj-cij.org/> (1.1.2006).

[997] Vgl. *Fischer*, in: Ipsen, Völkerrecht, § 59 Rn. 28; *Krajewski*, AVR 40 (2002), 183 (188 ff.). Anderer Ansicht *Ruffert*, ZRP 2002, 247 (248); *Tietje/Nowrot*, NZWehrr 2002, 1 (8). Siehe hierzu auch schon oben Anm. 874.

[998] Zutreffend *Bruha*, AVR 40 (2002), 383 (411 ff.); *Kotzur*, AVR 40 (2002), 454 (476 f.); *Stahn*, ZaöRV 62 (2002), 183 (195 ff.); *Tomuschat*, EuGRZ 2001, 535 (536).

einandersetzungen beteiligt sind. Zwar sind selbstverständlich die völkerrechtlichen Menschenrechtsgewährleistungen auch bei der Terrorbekämpfung zu beachten, doch ist für eine Anwendung des humanitären Völkerrechts kein Raum. Auf völkerstrafrechtlicher Ebene ist mithin nicht eine Ausweitung des Anwendungsbereichs der Kriegsverbrechenstatbestände, sondern eine Pönalisierung von Terrorakten als solchen geboten.

e) Terrorismus als Aggressionsverbrechen

Die Bezeichnung der Terroranschläge vom 11. September 2001 als *acts of war*[999] legt die Überlegung nahe, ob derartige Terrorakte, die von ihrer Wirkungsmacht her staatlichen militärischen Angriffen durchaus ebenbürtig sind, als Verbrechen der Aggression strafbar sein können. Dies ist jedoch, wie schon dargelegt wurde,[1000] nicht der Fall. Zwar können auch private Terrororganisationen einen bewaffneten Angriff im Sinne des Art. 51 UN-Charta verüben,[1001] doch ist nach Völkergewohnheitsrecht nicht jede Aggression, sondern nur der Angriffskrieg strafbar. Dieser setzt aber – durch Verwendung des Begriffs „Krieg“ – voraus, dass der Angriff mit militärischen Mitteln in größerem Umfang und verteilt auf einen größeren geographischen Raum erfolgt, so dass im Grunde nur größere Einsätze von staatlichem Militär als Angriffskrieg gewertet werden können.[1002]

f) Terrorismus als eigenständiges völkerrechtliches Verbrechen

Ob internationaler Terrorismus[1003] mittlerweile als völkerrechtliches Verbrechen qualifiziert, also als solches unmittelbar nach Völkerrecht strafbar ist, ist überaus umstritten. Lange Zeit konnte diese Frage schon wegen des fehlenden Konsenses über die Definition von Terrorismus[1004] relativ leicht verneint werden. Wie ausgeführt wurde, besteht aber seit etwa einem Jahrzehnt hinreichende Einigkeit darüber, welche Akte als Terrorismus im völkerrechtlichen Sinne einzustufen sind.[1005] Damit ist nun eine wesentliche Voraussetzung für eine völkerrechtliche Pönalisierung gegeben. Ohne Zweifel erreichen internationale terroristische Gewaltakte auch die für eine völkerstrafrechtliche Erfassung gebotene Dimension. Daher wird von

---

999 Vgl. oben S. 178.

1000 Siehe oben S. 159.

1001 Vgl. oben S. 159 mit Anm. 873 f.

1002 Siehe zu dieser Einschränkung oben S. 159. Generell lediglich für eine Erfassung *staatlicher* Angriffe durch das Verbrechen des Angriffskrieges *Kreß*, ZStW 115 (2003), 294 (298 mit Fn. 23).

1003 „Nichtinternationaler Terrorismus“ ist nach einhelliger Ansicht keine Völkerstraftat. Zur Abgrenzung vgl. oben S. 175 mit Anm. 972.

1004 Siehe hierzu oben S. 172 f.

1005 Vgl. oben S. 174 f.

namhaften Völkerrechtlern die Auffassung vertreten, nach Völkergewohnheitsrecht sei auch internationaler Terrorismus eine Völkerstraftat.[1006] Zur Unterstützung dieser Auffassung ist darauf hinzuweisen, dass der UN-Sicherheitsrat in seinen jüngeren Resolutionen zum internationalen Terrorismus diesen als *criminal* bzw. *threat to international peace and security* klassifiziert.[1007]

Andererseits aber ist für einen völkergewohnheitsrechtlichen Straftatbestand des Terrorismus erforderlich, dass eine auf einer entsprechenden Rechtsüberzeugung der Staaten basierende Staatenpraxis nachweisbar ist, nach der eine solche Strafbarkeit – und nicht nur Strafwürdigkeit – tatsächlich existiert. Insofern ist es von großem Interesse zu erfahren, inwieweit einzelne Staaten Terrorismus im nationalen Strafrecht pönalisieren und ob sie bei einer solchen nationalen Strafgewaltserstreckung davon ausgehen, ein völkerrechtliches Verbrechen zu erfassen oder (lediglich) einer völker(vertrags-)rechtlichen Pönalisierungspflicht in Bezug auf ein internationales Verbrechen[1008] Genüge zu tun.

In etlichen der im Projekt „Nationale Strafverfolgung völkerrechtlicher Verbrechen" untersuchten Staaten werden terroristische Gewalttaten durch spezielle Tatbestände erfasst. Solche speziellen Terrorismustatbestände gibt es in Australien,[1009] China,[1010] Estland,[1011] Finnland,[1012] Italien,[1013] Kanada,[1014] Schweden,[1015] Serbien und Montenegro,[1016] Slowenien,[1017] Spanien[1018] und den USA[1019]. Doch wird in keinem der Landesberichte zu diesen Staaten vermerkt, dass in dem betreffenden Staat davon ausgegangen werde, die pönalisierten Taten seien zugleich völkerrecht-

---

1006 Etwa *Cassese*, International Criminal Law, S. 120 ff.; *ders.*, in: Evans (Hrsg.), International Law, S. 750 ff. *Cassese* sieht allerdings nur solche Akte internationalen Terrorismus als Völkerstraftat an, in die im weiten Sinne ein Staat involviert ist, und sei es nur, weil er Vorbereitungsaktivitäten in seinem Territorium nicht verhindert oder nicht verhindern kann.

1007 SR-Res 1269 (1999); SR-Res. 1368 (2001); SR-Res. 1373 (2001); SR-Res. 1377 (2001); SR-Res. 1456 (2003). UN-Sicherheitsratsresolutionen sind im Internet abrufbar unter <www.un.org/documents/scres.htm> (1.1.2006).

1008 Zur Differenzierung zwischen „völkerrechtlichen Verbrechen" und „internationalen Verbrechen" siehe oben S. 170 f.

1009 *Biehler/Kerll*, LB Australien, Bd. 6, S. 19 (38).

1010 *Richter*, LB China, Bd. 6, S. 141 (205).

1011 *Ploom*, LB Estland, Bd. 5, S. 89 (126).

1012 *Frände*, LB Finnland, Bd. 2, S. 21 (45 f.).

1013 *Jarvers*, LB Italien, Bd. 4, S. 337 (379).

1014 *Gut/Wolpert*, LB Kanada, Bd. 5, S. 19 (35 f.).

1015 *Cornils*, LB Schweden, Bd. 2, S. 183 (214 ff.).

1016 *Škulić*, LB Serbien und Montenegro, Bd. 3, S. 211 (242 f.).

1017 *Korošec*, LB Slowenien, Bd. 3, S. 329 (365 ff.).

1018 *Gil Gil*, LB Spanien, Bd. 4, S. 99 (132 f.).

1019 *Silverman*, LB USA, Bd. 5, S. 411 (434).

liche Verbrechen, also auch unmittelbar nach Völkerrecht strafbar.[1020] Vielmehr wird vielfach darauf hingewiesen, die nationalen Terrorismustatbestände seien in Umsetzung bestimmter völkerrechtlicher Verträge geschaffen worden, die von dem betreffenden Staat ratifiziert worden seien und zu einer nationalen Pönalisierung und Ahndung von Terrorismustaten verpflichteten. Da es sich bei diesen Verträgen um die im Vorstehenden bereits erwähnten Übereinkommen handelt,[1021] die keine völkerrechtliche Strafbarkeit begründen, sondern (lediglich) die Staaten verpflichten, im nationalen Recht für eine Strafbarkeit zu sorgen, verbietet es sich, von den in den Landesberichten erwähnten nationalen Terrorismusstraftatbeständen auf eine Rechtsüberzeugung der Staaten dahingehend zu schließen, dass Terrorismus eine unmittelbar nach Völkerrecht strafbare Völkerstraftat sei. Die Autorinnen und Autoren der Landesberichte zu Deutschland, England und Wales, Frankreich, Kroatien, Österreich, Polen sowie Russland und Weißrussland erwähnen Terrorismus im Zusammenhang mit der Frage, ob im untersuchten Land neben den Kernverbrechen weitere Taten als völkerstrafrechtliche Verbrechen angesehen werden, überhaupt nicht,[1022] so dass davon auszugehen ist, dass im betreffenden Land eine solche Diskussion nicht geführt wird.

Mithin ist – jedenfalls derzeit – der Nachweis, dass Terrorismus neben den völkerstrafrechtlichen Kernverbrechen Völkermord, Verbrechen gegen die Menschlichkeit und Kriegsverbrechen ein eigenständiges völkerrechtliches Verbrechen ist, nicht zu erbringen. Daher ist denjenigen Stimmen in der Literatur beizupflichten, die gegenwärtig die Existenz einer Völkerstraftat Terrorismus (noch) verneinen.[1023] In der Tendenz aber ist die Entwicklung klar: Die wünschenswerte völkerstrafrechtliche Erfassung von internationalem Terrorismus dürfte wohl nur eine Frage der Zeit sein. Jedenfalls aber ist davon auszugehen, dass die zukünftige völkerstrafrechtliche Diskussion wesentlich geprägt sein wird von der Frage der Erfassung terroristischer Gewaltakte und – wie bereits ausgeführt – über die Erstreckung der Zuständigkeit des IStGH auf Terrorismus auf der 2009 stattfindenden Revisionskonferenz debattiert werden wird, zumal einige der 1998 auf der Römischen Kon-

---

[1020] Allerdings sprechen zwei Autoren explizit von völkerstrafrechtlichen Tatbeständen, wobei jedoch zu vermuten ist, dass dabei nicht zwischen internationalen Verbrechen und völkerrechtlichen Verbrechen differenziert wird. Vgl. *Korošec*, LB Slowenien, Bd. 3, S. 329 (365); *Škulić*, LB Serbien und Montenegro, Bd. 3, S. 211 (242).

[1021] Siehe oben in Anm. 958 ff. und Anm. 967 f. mit dazugehörigem Text.

[1022] Vgl. *Gropengießer*, LB Deutschland, Bd. 1, S. 21 (246); *Lammich*, LB Russland/Weißrussland, Bd. 6, S. 351 (368 ff.); *Lelieur-Fischer*, LB Frankreich, Bd. 4, S. 225 (261 ff.); *Novoselec*, LB Kroatien, Bd. 3, S. 19 (44 f.); *Rabenstein/Bahrenberg*, LB England/Wales, Bd. 6, S. 261 (280); *Weigend*, LB Polen, Bd. 2, S. 77 (114 ff.); *Zerbes*, LB Österreich, Bd. 3, S. 85 (122).

[1023] Siehe *Werle*, Völkerstrafrecht, Rn. 73 m.w.N.

ferenz gegen eine Aufnahme von Terrorismustaten in das Römische Statut vorgebrachten Argumente mittlerweile erheblich an Zugkraft verloren haben.[1024]

2. Folter

Folterungen, die im Rahmen und in Kenntnis eines ausgedehnten oder systematischen Angriffs gegen eine Zivilbevölkerung begangen werden, sind – wie ausgeführt wurde[1025] – gemäß Art. 7(1)(f) IStGH-Statut als Verbrechen gegen die Menschlichkeit strafbar.[1026] Bei Vorliegen der für Völkermord erforderlichen Absicht, durch die Tat eine nationale, ethnische, rassische oder religiöse Gruppe ganz oder teilweise zu zerstören, können Folterungen unter Umständen auch als Völkermord strafbar sein, nämlich dann, wenn durch sie Mitgliedern der angegriffenen Gruppe schwere körperliche oder seelische Schäden zugefügt werden (Art. 6(b) IStGH-Statut).[1027] Folterungen, die im Rahmen bewaffneter Konflikte gegenüber Personen begangen werden, die durch die Genfer Abkommen geschützt sind, sind als Kriegsverbrechen strafbar.[1028]

Fraglich ist aber, ob – und wenn ja, inwieweit – Folterungen auch ansonsten unmittelbar nach Völkerrecht strafbar sind. Die UN-Folterkonvention[1029] legt nahe, dass sonstige Folterungen keine völkerrechtlichen Verbrechen sind, denn die Folterkonvention verpflichtet die einzelnen Vertragsstaaten, Foltertaten im Sinne der

---

1024 Bereits im Vorfeld der Römischen Konferenz von 1998, auf der das Statut des IStGH ausgearbeitet wurde, sowie auf der Konferenz selbst wurde intensiv über eine Einbeziehung von Terrorismus in die Zuständigkeit des IStGH diskutiert. Auf der Konferenz hatten vor allem Algerien, Indien und die Türkei dafür votiert, doch konnte sich diese Auffassung nicht durchsetzen (vgl. *Werle*, Völkerstrafrecht, Rn. 73 Fn. 136; *Stahn*, ZaöRV 62 [2002], 183 [252 f.]; *Zimmermann*, in: Triffterer [Hrsg.], Commentary on the Rome Statute, Art. 5 Rn. 3). Denn das Bestreben der Mehrheit der Staaten ging dahin, allein das gesicherte Völkerstrafrecht zu erfassen und so die gebotene Akzeptanz des Gerichtshofs durch die Staatengemeinschaft zu erleichtern. Im Wesentlichen wurden vier – nicht vollends überzeugende – Argumente gegen eine Erstreckung der Strafgewalt des IStGH auf Terrorismus vorgebracht (siehe *Cassese*, International Criminal Law, S. 125; *Robinson*, in: Cassese u.a. [Hrsg.], Rome Statute of the International Criminal Court, Vol. I, S. 497 [514 ff.]; *Zimmermann*, a.a.O., Art. 5 Rn. 3): Terrorismus sei (noch) nicht hinreichend definiert; bei einer Erfassung durch das Statut bestehe die Gefahr, dass der IStGH politisch instrumentalisiert werde; terroristische Taten seien nicht hinreichend schwer, um eine Erfassung durch das Statut zu rechtfertigen; eine Bestrafung könne auf nationaler Ebene besser erfolgen. Man einigte sich aber darauf, dass über die Erstreckung der Gerichtsbarkeit des IStGH auf Terrorismus auf der gemäß Art. 123 IStGH-Statut im Jahr 2009 stattfindenden Überprüfungskonferenz erneut befunden werden solle (*Stahn*, a.a.O., S. 253; *Zimmermann*, a.a.O., Art. 5 Rn. 4.).

1025 Siehe oben S. 40.

1026 *Cassese*, International Criminal Law, S. 118.

1027 Siehe oben S. 69.

1028 *Cassese*, International Criminal Law, S. 117 f.

1029 Siehe oben Anm. 40.

Folterkonvention durch nationale Straftatbestände unter Strafe zu stellen und unter bestimmten Umständen in Anwendung dieser nationalen Straftatbestände Personen, die Folterungen im Sinne der Konvention begangen haben, zu bestrafen. Zudem sind bisher von keinem Statut eines internationalen Strafgerichts Folterungen außerhalb der Kernverbrechen erfasst worden. Daher wird in der völkerstrafrechtlichen Literatur die Auffassung vertreten, „sonstige" Folterungen seien nicht vom Völkerstrafrecht erfasst, also keine völkerrechtlichen Verbrechen.[1030]

Es gibt aber auch Stimmen in der Literatur, die dem widersprechen. So vertritt *Cassese* die Auffassung, Folter sei dann ein eigenständiges völkerrechtliches Verbrechen, wenn die Tathandlung – die Zufügung großer körperlicher oder seelischer Schäden oder Leiden – von staatlichen Funktionsträgern oder auf deren Anordnung oder mit deren Billigung begangen werde und nicht Teil rechtmäßiger und völkerrechtskonformer Sanktionen sei.[1031] Unerheblich sei, ob die Folterungen vorgenommen würden, um ein Geständnis bzw. eine Aussage zu erzwingen oder nicht.[1032] Allerdings gelingt es *Cassese* nicht, seine These mit hinreichenden Verweisen auf eine diese Rechtsauffassung stützende Staatenpraxis zu belegen. Soweit er Entscheidungen des ICTY anführt,[1033] ist dem entgegenzuhalten, dass es in diesen stets um Folterungen als Einzeltat eines Verbrechens gegen die Menschlichkeit ging. Und die von ihm genannten Entscheidungen anderer Gerichte[1034] lassen sich ebenso gut dahingehend interpretieren, dass sie von einer an die Staaten gerichteten völkerrechtlichen Verpflichtung ausgehen, Folter im nationalen Recht unter Strafe zu stellen, also Folter als internationales Verbrechen im weiten Sinne einstufen. Umso bedeutsamer ist es, der Frage nachzugehen, ob einzelne Staaten Folterhandlungen im nationalen Recht unter Strafe gestellt haben *und* davon ausgehen, damit Völkerstrafrecht implementiert zu haben, also ein völkerrechtliches Verbrechen pönalisiert zu haben.

Die Autorinnen und Autoren der Landesberichte zu China, Côte d'Ivoire, Deutschland, Estland, Finnland, Frankreich, Griechenland, Israel, Italien, Kanada, Kroatien, Österreich, Polen, Russland und Weißrussland, Schweden, Serbien und Montenegro, Slowenien, Spanien sowie den USA erwähnen Folter im Zusammenhang mit sonstigen völkerstrafrechtlichen Verbrechenstatbeständen des nationalen Rechts überhaupt nicht.[1035] Es spricht deshalb vieles dafür, dass in diesen Ländern

---

1030 *Werle*, Völkerstrafrecht, Rn. 73 ff.

1031 *Cassese*, International Criminal Law, S. 117 ff.

1032 *Cassese*, International Criminal Law, S. 118 f.

1033 *Cassese*, International Criminal Law, S. 119.

1034 *Cassese*, International Criminal Law, S. 119.

1035 Vgl. *Cornils*, LB Schweden, Bd. 2, S. 183 (212 ff.); *Frände*, LB Finnland, Bd. 2, S. 21 (45 f.); *Gil Gil*, LB Spanien, Bd. 4, S. 99 (132 ff.); *Gropengießer*, LB Deutschland, Bd. 1, S. 21 (246); *Gut/Wolpert*, LB Kanada, Bd. 5, S. 19 (34 ff.); *Jarvers*, LB Italien, Bd. 4, S. 337 (379); *Korošec*, LB Slowenien, Bd. 3, S. 329 (365 ff.); *Kouassi/Paulenz*, LB Côte d'Ivoire, Bd. 4, S. 19 (52 f.); *Kremnitzer/Cohen*, LB Israel, Bd. 5, S. 317 ff.; *Lam-*

Folter nicht als völkerrechtliches Verbrechen eingestuft wird.[1036] Die Landesberichterstatter zu England und Wales weisen darauf hin, dass in England Folter im Jahr 1988 in Umsetzung der UN-Folterkonvention national unter Strafe gestellt wurde, dass aber nicht feststellbar sei, ob England damit Folter als Völkerstraftat ansieht.[1037] Lediglich in Australien wird – so die Landesberichterstatterinnen unter Berufung auf australische Literatur – Folter als solche als völkerrechtliches Verbrechen eingestuft. Der nationale australische Straftatbestand, der Folterungen im Sinne der UN-Folterkonvention pönalisiert, wird mithin als Völkerstraftatbestand klassifiziert.[1038]

Damit spricht alles dafür, dass Folterungen, die nicht zugleich als Völkermord, Verbrechen gegen die Menschlichkeit oder Kriegsverbrechen einzustufen sind, keine völkerrechtlichen Verbrechen sind, sondern lediglich – soweit die Voraussetzungen der UN-Folterkonvention vorliegen – sonstige internationale Verbrechen, die „nur" einer nationalen Pönalisierungs- und Verfolgungspflicht unterliegen.

3. Weitere Taten

Die Landesberichterstatter erwähnen unter der Rubrik „Sonstige völkerstrafrechtliche Verbrechenstatbestände des nationalen Rechts" teilweise weitere bzw. andere Taten als Folterungen und terroristische Gewaltakte. Diese lassen sich in vier Gruppen unterteilen.

a) Die Pönalisierung großer Umweltzerstörungen als „Ökozid"

Schon begrifflich in enger Anlehnung an den Tatbestand des Völkermords (Genozids) ist in Russland und Weißrussland die massenhafte Zerstörung natürlicher Ressourcen oder Ökosysteme, die eine ökologische Katastrophe herbeiführen kann, als „Ökozid" unter Strafe gestellt.[1039] Zwar steht dieser Tatbestand in Russland und

---

mich, LB Russland/Weißrussland, Bd. 6, S. 351 (368 ff.); *Lelieur-Fischer*, LB Frankreich, Bd. 4, S. 225 (261 ff.); *Novoselec*, LB Kroatien, Bd. 3, S. 19 (44 f.); *Ploom*, LB Estland, Bd. 5, S. 89 (125 f.); *Retalis*, LB Griechenland, Bd. 5, S. 189 (238 f.); *Richter*, LB China, Bd. 6, S. 141 (205); *Silverman*, LB USA, Bd. 5, S. 411 (434 f.); *Škulić*, LB Serbien und Montenegro, Bd. 3, S. 211 (242 ff.); *Weigend*, LB Polen, Bd. 2, S. 77 (114 ff.); *Zerbes*, LB Österreich, Bd. 3, S. 85 (122).

1036 Für Deutschland kann man dies sogar mit Bestimmtheit sagen, denn der Begründung zum VStGB, das Folterungen außerhalb der Kernverbrechen nicht erfasst, ist zu entnehmen, dass mit dem VStGB sämtliche sicher anerkannte völkerrechtliche Verbrechen pönalisiert werden sollten. Vgl. BT-Drucks. 14/8524, S. 12 und *Kreicker*, LB Deutschland, Bd. 1, S. 21 (65 ff.).

1037 *Rabenstein/Bahrenberg*, LB England/Wales, Bd. 6, S. 261 (280).

1038 *Biehler/Kerll*, LB Australien, Bd. 6, S. 19 (37).

1039 Der Tatbestand des „Ökozids" (Art. 358 russisches StGB, Art. 131 weißrussisches StGB) erfasst die „massenhafte Zerstörung der Pflanzen- und Tierwelt, die Vergiftung der Atmosphäre oder der Wasserressourcen sowie die Vornahme sonstiger Handlungen, die

Weißrussland in einer Reihe mit Tatbeständen, durch die die Kernverbrechen des Völkerstrafrechts innerstaatlich pönalisiert werden, so dass davon auszugehen ist, dass auch der „Ökozid“ in Russland und Weißrussland als völkerrechtliches Verbrechen angesehen wird, doch hat dieser Straftatbestand in anderen bedeutenden Rechtsordnungen, zumal in solchen anderer Rechtskreise, keine Anerkennung gefunden. Deshalb verbietet es sich, von dieser nationalen Strafbarkeit weitreichender Umweltzerstörungen auf eine entsprechende völkerrechtliche Strafbarkeit zu schließen.

b) Straftaten gegen die Rechtspflege durch internationale Strafgerichtshöfe

Zwar wird vereinzelt in Landesberichten darauf hingewiesen, dass im untersuchten Land bestimmte die Rechtspflege durch internationale Strafgerichte beeinträchtigende Verhaltensweisen (etwa Falschaussagen) besonders unter Strafe gestellt sind,[1040] doch handelt es sich bei diesen Tatbeständen nicht um solche zur Erfassung völkerrechtlicher Verbrechen. Vielmehr sind Delikte gegen die Rechtspflege durch internationale Strafgerichtshöfe sonstige internationale Verbrechen, zu deren nationaler Pönalisierung und Ahndung die Staaten völkerrechtlich verpflichtet sind, die aber nicht unmittelbar nach völkergewohnheitsrechtlichem Völkerstrafrecht strafbar sind.[1041] So legt Art. 70(4)(a) IStGH-Statut den Vertragsstaaten die völkervertragliche Pflicht auf, bestimmte Delikte gegen die Rechtspflege durch den IStGH durch eine Erweiterung des Anwendungsbereichs der nationalen Straftatbestände zum Schutz der Rechtspflege zu pönalisieren.[1042]

c) Taten im unmittelbaren Zusammenhang mit den völkerrechtlichen Kernverbrechen

In einigen Staaten sind neben den völkerrechtlichen Kernverbrechen Verhaltensweisen durch besondere nationale Straftatbestände pönalisiert, die in einem unmittelbaren Zusammenhang mit den Kernverbrechen stehen und auf diese bezogen sind. So sind in Frankreich die Verherrlichung von Kriegsverbrechen und Verbrechen gegen die Menschlichkeit, die öffentliche Leugnung von Verbrechen gegen die Menschlichkeit sowie die Verwendung von Uniformen, Abzeichen oder

---

geeignet sind, eine ökologische Katastrophe hervorzurufen“. Vgl. *Lammich*, LB Russland/Weißrussland, Bd. 6, S. 351 (369).

1040 *Gil Gil*, LB Spanien, Bd. 4, S. 99 (133 f.); *Gut/Wolpert*, LB Kanada, Bd. 5, S. 19 (34 f.).

1041 Vgl. *Harris*, in: Triffterer (Hrsg.), Commentary on the Rome Statute, Art. 70 Rn. 17 ff.; *Werle*, Völkerstrafrecht, Rn. 73 Fn. 136. Allerdings hat der IStGH aufgrund des Römischen Statuts (Art. 70(1)) die Annexkompetenz, selbst – auf der Basis des Römischen Statuts – bestimmte Taten gegen seine Rechtspflege strafrechtlich zu ahnden; vgl. *Harris*, a.a.O., Art. 70 Rn. 5 ff.; *Werle*, a.a.O.

1042 *Harris*, in: Triffterer (Hrsg.), Commentary on the Rome Statute, Art. 70 Rn. 17 ff.

Symbolen ähnlich denen von Organisationen oder Personen, die der Begehung von Verbrechen gegen die Menschlichkeit schuldig gesprochen wurden, unter Strafe gestellt.[1043] Für Deutschland lässt sich auf § 130 Abs. 3 StGB verweisen, durch den die Leugnung, Billigung und Verharmlosung des unter der Herrschaft der Nationalsozialisten begangenen Völkermords unter Strafe gestellt wird.[1044] Bei diesen Tatbeständen handelt es sich aber nicht um solche zur Erfassung völkerrechtlicher Verbrechen; ihre Einführung war nicht völkerrechtlich motiviert.[1045] Damit sind sie für den vorliegenden Zusammenhang irrelevant und ermöglichen keinen Rückschluss auf eine eventuelle völkerrechtliche Strafbarkeit der erfassten Verhaltensweisen.

d) Nationale Straftatbestände in Umsetzung völkerrechtlicher Pönalisierungsgebote

In den Landesberichten werden darüber hinaus zum Teil weitere nach dem Recht des untersuchten Staates strafbare Taten erwähnt, deren Strafbarkeit gemäß nationalem Recht völkerrechtlich motiviert ist. Beispielhaft zu nennen sind die Herstellung und Verbreitung verbotener Waffen, Piraterie, Angriffe gegen die Sicherheit des Luftverkehrs, Söldnertum und Drogenhandel.[1046] Es zeigt sich aber, dass es sich bei den betreffenden Tatbeständen jeweils nicht um völkerstrafrechtliche Tatbestände, also nicht um solche zur Erfassung völkerrechtlicher Verbrechen handelt, sondern die Tatbestände in Umsetzung völker(vertrags-)rechtlicher Pönalisierungsgebote geschaffen wurden, also sonstige internationale Verbrechen betreffen. Zum einen werden in den Landesberichten jeweils nationale Strafverfolgungspflichten begründende völkerrechtliche Verträge bzw. sonstige Instrumente benannt, deren Verbindlichkeit für den Staat Anlass zur Schaffung der erwähnten Strafnormen gab, zum anderen wird nicht dargelegt, dass im untersuchten Land die Auffassung vertreten werde, bei den betreffenden Taten handele es sich um völkerrechtliche Verbrechen, also um Taten, die (auch) unmittelbar nach Völkerrecht strafbar sei-

---

1043 *Lelieur-Fischer*, LB Frankreich, Bd. 4, S. 225 (262 ff.).

1044 *Tröndle/Fischer*, Strafgesetzbuch, § 130 Rn. 23 ff. Ferner ist darauf hinzuweisen, dass der Landesberichterstatter zu China in diesem Zusammenhang folgende Tatbestände des chinesischen Strafgesetzes erwähnt: „Aufwiegeln zum Hass gegen eine ethnische Gruppe oder zu ihrer Diskriminierung" (§ 249 StrG), „Publizieren von Werken, die ethnische Minderheiten diskriminieren oder beleidigen" (§ 250 StrG); vgl. *Richter*, LB China, Bd. 6, S. 141 (205).

1045 Wäre man in Deutschland davon ausgegangen, die Leugnung des Holocausts sei ein völkerrechtliches Verbrechen, wäre § 130 Abs. 3 StGB ohne Zweifel ebenso wie § 220a a.F. StGB (früherer Völkermordtatbestand, nunmehr § 6 VStGB) in das VStGB überführt worden.

1046 Siehe *Cornils*, LB Schweden, Bd. 2, S. 183 (212 f.); *Korošec*, LB Slowenien, Bd. 3, S. 329 (366 ff.); *Lammich*, LB Russland/Weißrussland, Bd. 6, S. 351 (368 ff.); *Ploom*, LB Estland, Bd. 5, S. 89 (125 f.); *Retalis*, LB Griechenland, Bd. 5, S. 189 (238 f.); *Silverman*, LB USA, Bd. 5, S. 411 (434 f.); *Škulić*, LB Serbien und Montenegro, Bd. 3, S. 211 (243 f.).

en.[1047] Insofern ist es nicht möglich, aus den Ausführungen in den Landesberichten auf eine Ausweitung des Kreises der nach Völkerrecht strafbaren Verhaltensweisen zu schließen.

4. Fazit

Als Fazit lässt sich mithin festhalten, dass die Untersuchungen des Projekts „Nationale Strafverfolgung völkerrechtlicher Verbrechen" keine Anhaltspunkte dafür ergeben haben, dass neben den Kernverbrechen Völkermord, Verbrechen gegen die Menschlichkeit, Kriegsverbrechen und Verbrechen der Aggression noch weitere Taten als völkerrechtliche Verbrechen unmittelbar nach Völkerrecht strafbar sind.

C. Grundsätze für die Anwendung nationaler Strafgewalt

I. Anknüpfungsprinzipien für die nationale Strafgewalt

1. Der völkerrechtliche Rahmen für die räumliche Reichweite der nationalen Strafgewalt einzelner Staaten

Auf den von den einzelnen Staaten zu beachtenden völkerrechtlichen Rahmen für die räumliche Reichweite der nationalen Strafgewalt wurde bereits oben unter A.I.2.a) eingegangen,[1048] so dass an dieser Stelle, um eine Einordnung der nachfolgend darzustellenden nationalen Bestimmungen zu ermöglichen, einige zusammenfassende Feststellungen genügen.

Eine Erfassung völkerrechtlicher Verbrechen, die im eigenen Staatsgebiet oder von eigenen Staatsbürgern begangen werden, also eine Begründung nationaler Strafgewalt nach dem *Territorialitätsprinzip* und dem *aktiven Personalitätsprinzip*, ist nicht nur ohne Zweifel völkerrechtskonform, sondern sogar völkerrechtlich geboten.[1049] In Ergänzung des Territorialitätsprinzips ist auch eine Erstreckung nationaler Strafgewalt nach dem so genannten *Flaggenprinzip* auf Taten statthaft, die auf Schiffen oder in Luftfahrzeugen verübt werden, die im eigenen Staat registriert

1047 Vgl. *Cornils*, LB Schweden, Bd. 2, S. 183 (212 f.); *Korošec*, LB Slowenien, Bd. 3, S. 329 (366 ff.); *Lammich*, LB Russland/Weißrussland, Bd. 6, S. 351 (368 ff.); *Ploom*, LB Estland, Bd. 5, S. 89 (125 f.); *Retalis*, LB Griechenland, Bd. 5, S. 189 (238 f.); *Silverman*, LB USA, Bd. 5, S. 411 (434 f.); *Škulić*, LB Serbien und Montenegro, Bd. 3, S. 211 (243 f.).

1048 Siehe oben S. 18 ff.

1049 Zur Völkerrechtskonformität des Territorialitätsprinzips und des aktiven Personalitätsprinzips vgl. die Nachweise oben in Anm. 69. Zu den Verfolgungspflichten vgl. oben S. 11 f. und S. 14.

sind.[1050] Die Völkerrechtskonformität des *passiven Personalitätsprinzips*, nach dem sich die nationale Strafgewalt auf Taten erstrecken darf, die gegen eigene Staatsbürger im Ausland begangen werden, ist zwar umstritten. Denn damit werden auch Ausländer im Ausland nationaler Hoheitsgewalt unterstellt, was fremdstaatliche Souveränität in besonderem Maße berührt.[1051] Doch da völkerrechtliche Verbrechen bereits unmittelbar nach Völkerrecht universell strafbar sind, können in Bezug auf die hier allein interessierenden Völkerstraftaten auch gegen eine Strafgewalterstreckung nach dem passiven Personalitätsprinzip keine Einwände erhoben werden. Gleiches gilt für eine Strafgewalterstreckung nach dem *Prinzip der stellvertretenden Strafrechtspflege*, also eine Begründung von Strafgewalt über Auslandstaten von Ausländern, wenn diese sich im Inland aufhalten und eine Überstellung an den Heimat- oder Tatortstaat nicht in Betracht kommt.[1052] Bei völkerrechtlichen Verbrechen kommt es dabei – anders als bei „normalen" Straftaten – wegen der universellen Strafbarkeit nach Völkergewohnheitsrecht auch nicht auf die Strafbarkeit und Verfolgbarkeit der betreffenden Tat nach dem (nationalen) Tatortrecht an.[1053]

Da es sich bei völkerrechtlichen Verbrechen um Taten handelt, die grundlegende universelle Werte verletzen, ist zudem jedenfalls im Grundsatz anerkannt, dass den Staaten bei Völkerstraftaten eine Begründung nationaler Strafgewalt nach dem *Weltrechtsprinzip (Universalitätsprinzip)* – also unabhängig vom Tatort sowie der Staatsangehörigkeit des Täters und der Opfer – erlaubt ist.[1054] Im Einzelnen aber sind die Bedingungen, unter denen nationale Strafgewalt nach dem Weltrechtsprinzip völkerrechtskonform ausgeübt werden darf, umstritten. Zum Teil wird eine nationale Strafverfolgung nach dem Weltrechtsprinzip nur für statthaft erachtet, wenn sich der Beschuldigte bereits im Hoheitsgebiet des strafverfolgenden Staates aufhält (Strafverfolgung nach dem *eingeschränkten Weltrechtsprinzip*, so genannte *territorial universal jurisdiction*).[1055] Andere Stimmen in der Literatur – auch der Autor des vorliegenden Beitrags – vertreten dagegen die Auffassung, eine solche

---

[1050] MK-StGB-*Ambos*, vor § 3 Rn. 34; Schönke/Schröder-*Eser*, vor § 3 Rn. 5; LK-StGB-*Gribbohm*, vor § 3 Rn. 127; *Jescheck/Weigend*, Lehrbuch, § 18 II.

[1051] Deshalb kann eine exterritoriale Strafgewalterstreckung nach dem passiven Personalitätsprinzip grundsätzlich allenfalls dann für statthaft erachtet werden, wenn die nationale Strafgewalt unter dem Vorbehalt einer gleichzeitigen Strafbarkeit der betreffenden Tat nach dem Tatortrecht steht. Siehe zum Ganzen MK-StGB-*Ambos*, vor § 3 Rn. 42 ff. sowie LK-StGB-*Gribbohm*, vor § 3 Rn. 130.

[1052] Zum Prinzip der stellvertretenden Strafrechtspflege vgl. MK-StGB-*Ambos*, vor § 3 Rn. 58 ff.; Schönke/Schröder-*Eser*, vor § 3 Rn. 9; LK-StGB-*Gribbohm*, vor § 3 Rn. 136.

[1053] Zum grundsätzlichen Erfordernis einer Strafbarkeit und Verfolgbarkeit der betreffenden Tat nach dem (nationalen) Tatortrecht bei einer Strafgewalterstreckung nach dem Prinzip der stellvertretenden Strafrechtspflege vgl. Schönke/Schröder-*Eser*, § 7 Rn. 11, 23 m.w.N. Noch enger MK-StGB-*Ambos*, vor § 3 Rn. 58, der ein explizites Einzelfalleinverständnis des Tatortstaates mit der fremdstaatlichen Strafverfolgung für geboten erachtet.

[1054] Vgl. die Nachweise oben in Anm. 72.

[1055] Vgl. die Nachweise oben in Anm. 77 und Anm. 80.

Restriktion nationaler Strafverfolgungskompetenzen bestehe von Völkerrechts wegen nicht.[1056]

Wegen dieses Disputs über die Bedingungen, unter denen eine Strafverfolgung nach dem Weltrechtsprinzip völkerrechtskonform ausgeübt werden kann, ist bei der nun folgenden Betrachtung der Regeln über die Strafgewalterstreckung in den vom Projekt „Nationale Strafverfolgung völkerrechtlicher Verbrechen" untersuchten Staaten ein besonderes Augenmerk auf die Frage zu richten, inwieweit Strafgewalt nach dem Weltrechtsprinzip in Anspruch genommen wird.

2. Anknüpfungsprinzipien bei den von der nationalen Strafgewalt erfassten völkerrechtlichen Verbrechen

a) Strafgewalterstreckung nach dem Weltrechtsprinzip

Fast alle der im Projekt untersuchten Staaten unterstellen völkerrechtliche Verbrechen ihrer nationalen Strafgewalt nach dem Weltrechtsprinzip. Doch ist diese Strafgewalterstreckung unabhängig vom Tatort und ohne Rücksicht auf die Nationalität des Beschuldigten und des Opfers bzw. der Opfer nahezu immer in der einen oder anderen Weise begrenzt.

aa) Strafgewalterstreckung nach einem eingeschränkten Weltrechtsprinzip

In vielen Ländern werden völkerrechtliche Verbrechen (nur) insoweit vom Weltrechtsprinzip erfasst, als ein für den betreffenden Staat verbindlicher völkerrechtlicher Vertrag den Staaten die Pflicht auferlegt, (unter bestimmten Umständen) Taten nach dem Weltrechtsprinzip durch eigene Gerichte zu ahnden.[1057] Zu diesen Ländern, in denen die Strafgewalterstreckung nach dem Weltrechtsprinzip an das Bestehen einer entsprechenden völkervertraglichen Verfolgungspflicht geknüpft ist, zählen China,[1058] England und Wales,[1059] Estland,[1060] Griechenland,[1061] Kroatien,[1062] Österreich,[1063] Polen[1064] sowie Russland[1065] und Weißrussland[1066].

1056 Vgl. die Nachweise oben in Anm. 83 ff.

1057 Siehe hierzu – in Bezug auf Völkermord – auch die rechtsvergleichende Zusammenschau von *Eser*, in: Vohrah u.a. (Hrsg.), FS Cassese, S. 279 (284 ff.).

1058 § 9 chinesisches StrG; vgl. *Richter*, LB China, Bd. 6, S. 141 (206 f.).

1059 *Rabenstein/Bahrenberg*, LB England/Wales, Bd. 6, S. 261 (283 ff.). Zudem darf in England und Wales ein gerichtliches Hauptverfahren wegen Taten nach dem ICC Act gemäß section 53(3) generell nur durch den Attorney General oder mit dessen Zustimmung eingeleitet werden; vgl. *Rabenstein/Bahrenberg*, a.a.O., S. 261 (283 Fn. 87).

1060 Art. 8 estnischer CC; vgl. *Parmas*, LB Estland, Bd. 5, S. 89 (127 f.).

1061 Art. 8 griechischer CC; vgl. *Retalis*, LB Griechenland, Bd. 5, S. 189 (244 f.).

1062 Art. 14 Abs. 1 Ziff. 3 kroatisches StGB; vgl. *Novoselec*, LB Kroatien, Bd. 3, S. 19 (45). Allerdings ist nach dem kroatischen „Gesetz über die Anwendung des Statuts des

Wie bereits dargelegt wurde,[1067] wird eine solche nationale Strafverfolgungspflicht in Bezug auf völkerrechtliche Verbrechen lediglich durch die Genfer Abkommen[1068] und das diese ergänzende ZP I[1069] für die in den Übereinkommen aufgeführten schweren Verstöße *(grave breaches)* gegen das Kriegsvölkerrecht begründet.[1070] Zudem beschränken sich die Verfolgungspflichten der Genfer Abkommen und des ZP I auf Kriegsverbrechen in internationalen bewaffneten Konflikten und treffen diese Pflichten nicht jeden Vertragsstaat, sondern allein den jeweiligen Aufenthaltsstaat eines Beschuldigten. Allein der jeweilige Aufenthaltsstaat ist verpflichtet, eine eigene nationale Strafverfolgung erforderlichenfalls auch nach dem Weltrechtsprinzip durchzuführen.[1071] Damit ist die Strafgewalterstreckung bei völkerrechtlichen Verbrechen nach dem Weltrechtsprinzip in den genannten Staaten beschränkt auf Fälle, in denen sich Personen, denen in einem internationalen bewaffneten Konflikt begangene schwere Kriegsverbrechen im Sinne der Genfer Abkommen und des ZP I zur Last gelegt werden, im jeweiligen Land aufhalten. Eine Strafverfolgung sonstiger völkerrechtlicher Verbrechen ist nur nach

---

Internationalen Strafgerichtshofs und die Verfolgung von Straftaten gegen das internationale Kriegs- und Humanitätsrecht" eine Strafverfolgung wegen völkerrechtlicher Verbrechen nur statthaft, wenn der Täter entweder in Kroatien verhaftet oder aber an Kroatien ausgeliefert wird, sich also während des gesamten Verfahrens in Kroatien befindet, und zudem eine Strafverfolgung durch ein internationales Strafgericht nicht in Betracht kommt; vgl. *Novoselec*, a.a.O., S. 48. Siehe zudem unten Anm. 1084 mit dazugehörigem Text.

1063 § 64 Abs. 1 Ziff. 6 österreichisches StGB; vgl. *Zerbes*, LB Österreich, Bd. 3, S. 85 (126, 129 f.). Daneben unterfallen einige in § 64 StGB explizit aufgelistete Taten in Österreich dem Weltrechtsprinzip. Im vorliegenden Zusammenhang sind insofern Menschen-, Sklaven- und Prostituiertenhandel zu nennen (vgl. *Zerbes*, a.a.O., S. 124). Allerdings müssen solche Taten, um dem Weltrechtsprinzip zu unterfallen, grundsätzlich noch einen besonderen „Österreichbezug" aufweisen. Fehlt dieser, ist österreichische Strafgewalt nur gegeben, wenn eine Auslieferung scheitert (vgl. *Zerbes*, a.a.O., S. 125, 128 f.).

1064 Art. 113 polnisches StGB; vgl. *Weigend*, LB Polen, Bd. 2, S. 77 (119 f.). Bei Taten von Ausländern besteht über diese Einschränkung hinaus nur dann polnische Strafgewalt, wenn diese sich in Polen aufhalten; vgl. *Weigend*, a.a.O.

1065 Art. 12 Abs. 3 Alt. 2 russisches StGB; vgl. *Lammich*, LB Russland/Weißrussland, Bd. 6, S. 351 (376).

1066 *Lammich*, LB Russland/Weißrussland, Bd. 6, S. 351 (376).

1067 Vgl. oben S. 8 ff.

1068 Siehe oben Anm. 27.

1069 Siehe oben Anm. 28.

1070 Siehe oben S. 9 f. mit Anm. 30. Art. 49 GA I, Art. 50 GA II, Art. 129 GA III sowie Art. 146 GA IV verpflichten die Signatarstaaten dazu, die in Art. 50, 51, 130 sowie 147 der Genfer Abkommen bezeichneten und im Rahmen internationaler bewaffneter Konflikte begangenen schweren Verletzungen des humanitären Völkerrechts unter Strafe zu stellen und zu ahnden. Art. 85 ZP I erweitert den Kreis der von den Staaten zu verfolgenden Kriegsverbrechen.

1071 Siehe oben S. 9 f. mit Anm. 33 f. Er hat allerdings alternativ – insofern besteht ein echtes Wahlrecht – auch die Möglichkeit, den Beschuldigten an einen anderen strafverfolgungswilligen Staat – etwa an seinen Heimatstaat – auszuliefern (Prinzip des *aut dedere aut judicare*). Vgl. hierzu schon oben S. 10 mit Fn. 35.

einem anderen Anknüpfungspunkt für eine extraterritoriale nationale Strafgewalterstreckung möglich.[1072]

Die UN-Völkermordkonvention[1073] verpflichtet – wie schon dargelegt wurde – allein den jeweiligen Tatortstaat zu einer nationalen Strafverfolgung, verlangt also gerade keine Strafgewalterstreckung nach dem Weltrechtsprinzip.[1074] Genannt werden kann an dieser Stelle allerdings noch die UN-Folterkonvention[1075], wenngleich sich diese nicht speziell auf völkerrechtliche Verbrechen bezieht. Da die UN-Folterkonvention – insofern mit den Genfer Abkommen vergleichbar – den Staaten eine Pflicht zu einer nationalen Strafverfolgung von Foltertaten im Sinne von Art. 1 der Konvention nach dem Weltrechtsprinzip auferlegt, sofern sich der Beschuldigte im eigenen Hoheitsgebiet aufhält und nicht zum Zwecke der Strafverfolgung an einen anderen Staat überstellt wird (Art. 5(2) i.V.m. Art. 7(1) UN-Folterkonvention; Prinzip des *aut dedere aut judicare*),[1076] erstrecken sich die hier vorgestellten nationalen Regelungen auch auf Folterungen im Sinne der UN-Folterkonvention.[1077] Wenn völkerrechtliche Verbrechen zugleich auch als solche Folterungen einzustufen sind – was gerade bei Verbrechen gegen die Menschlichkeit im Sinne des Art. 7(1)(f) IStGH-Statut häufig der Fall sein dürfte[1078] – unterstehen auch diese Taten, sofern sich der Beschuldigte im betreffenden Land aufhält, der nationalen Strafgewalt der hier genannten Staaten nach dem Weltrechtsprinzip.[1079]

Grundsätzlich sind zudem auch Israel und Italien zum Kreis der Staaten zu zählen, in denen nationale Strafgewalt nach dem Weltrechtsprinzip insoweit besteht, als diese durch einen verbindlichen völkerrechtlichen Vertrag gefordert wird.[1080]

1072 Zur Frage, nach welchen anderen Anknüpfungspunkten die hier untersuchten Staaten nationale Strafgewalt (über völkerrechtliche Verbrechen) begründen, siehe unten S. 198 ff.

1073 Siehe oben Anm. 36.

1074 Siehe oben S. 10 mit Anm. 39. Das Römische Statut legt – siehe oben S. 8 – den Staaten keine völkervertragliche Pflicht zur nationalen Strafverfolgung völkerrechtlicher Verbrechen auf.

1075 Siehe oben Anm. 40.

1076 Vgl. oben S. 11.

1077 Alle genannten Staaten haben die UN-Folterkonvention ratifiziert. Vgl. oben Anm. 42.

1078 Siehe hierzu bereits oben S. 184.

1079 Entsprechendes gilt vielfach für terroristische Gewaltakte, soweit sie zugleich als völkerrechtliche Verbrechen klassifiziert werden können (siehe zur Einstufung von terroristischen Gewaltakten als Völkerstraftaten oben S. 178 ff.). Denn etliche der völkerrechtlichen Verträge, die sich auf (einzelne) terroristische Gewaltakte beziehen (siehe oben Anm. 958 ff. und Anm. 967 f.), verlangen von den Vertragsstaaten eine Strafverfolgung der bezeichneten Gewaltakte nach dem Prinzip *aut dedere aut judicare* (vgl. die Nachweise oben Anm. 963).

1080 Vgl. *Jarvers*, LB Italien, Bd. 4, S. 337 (381 ff.); *Kremnitzer/Cohen*, LB Israel, Bd. 5, S. 317 (363, 366 f.).

Doch sind in diesen Staaten darüber hinaus durch eine besondere, nicht auf völkervertragliche Verpflichtungen abstellende Regelung explizit auch Völkermordtaten dem Weltrechtsprinzip unterstellt.[1081]

In anderen Ländern ist zwar für völkerrechtliche Verbrechen nationale Strafgewalt nach dem Weltrechtsprinzip begründet, doch dadurch beschränkt, dass eine Strafverfolgung nur statthaft ist, wenn sich der Beschuldigte im Hoheitsgebiet des betreffenden Staates aufhält. Zu diesen Staaten, die mithin nationale Strafgewalt über völkerrechtliche Verbrechen „nur" nach dem oben erwähnten Prinzip der *territorial universal jurisdiction*[1082] beanspruchen, zählen Kanada,[1083] Kroatien,[1084] Serbien und Montenegro,[1085] Spanien[1086] und die USA[1087], aber auch die Nieder-

---

1081 *Jarvers*, LB Italien, Bd. 4, S. 337 (381 f.); *Kremnitzer/Cohen*, LB Israel, Bd. 5, S. 317 (363, 368). Damit entspricht die Rechtslage in Israel und Italien derjenigen, die in Deutschland vor Inkrafttreten des VStGB bestand. Nach § 6 Nr. 1 a.F. StGB war explizit für Völkermordtaten deutsche Strafgewalt nach dem Weltrechtsprinzip gegeben; darüber hinaus legt § 6 Nr. 9 StGB (auch heute noch) fest, dass deutsche Strafgewalt nach dem Weltrechtsprinzip insoweit besteht, als ein für Deutschland verbindlicher völkerrechtlicher Vertrag eine solche Strafgewalterstreckung verlangt. Siehe hierzu *Kreicker*, LB Deutschland, Bd. 1, S. 21 (249 f.).

1082 Siehe oben S. 190 mit Anm. 1055.

1083 *Gut/Wolpert*, LB Kanada, Bd. 5, S. 19 (39). Zudem ist in Kanada – ähnlich wie in England und Wales (hierzu oben Anm. 1059) – für alle Verfahren auf der Grundlage des CAHWCA ein schriftliches Einverständnis des Attorney General erforderlich, wobei dieser – in Kanada gilt ohnehin das Opportunitätsprinzip – eine politische Ermessensentscheidung zu treffen hat; vgl. *Gut/Wolpert*, a.a.O., S. 42, 60.

1084 In Kroatien besteht mithin Strafgewalt nach beiden hier skizzierten Arten des eingeschränkten Weltrechtsprinzips (siehe schon oben Anm. 1062). Voraussetzung für eine Strafverfolgung nach dem Prinzip der *territorial universal jurisdiction* ist neben dem Aufenthalt des Beschuldigten in Kroatien, dass die betreffende Tat nach kroatischem Recht mit einer Freiheitsstrafe von mindestens fünf Jahren bedroht ist, sie nach Tatortrecht oder internationalem Recht (Völkerstrafrecht) strafbar ist und der Täter noch nicht von einem anderen Staat wegen der Tat verurteilt wurde und die Strafe verbüßt hat bzw. dort freigesprochen wurde. Ferner sind die Einschränkungen zu beachten, die das oben in Anm. 1062 erwähnte Spezialgesetz normiert. Siehe *Novoselec*, LB Kroatien, Bd. 3, S. 19 (46, 48).

1085 *Škulić*, LB Serbien und Montenegro, Bd. 3, S. 211 (247). In Serbien und Montenegro ist die Strafgewalterstreckung nach dem Weltrechtsprinzip zusätzlich noch dadurch begrenzt, dass eine – vorrangige – Auslieferung unmöglich sein muss und ein Strafverfahren nur mit Zustimmung des Generalstaatsanwalts eingeleitet werden darf; vgl. *Škulić*, a.a.O., S. 247 ff.

1086 *Gil Gil*, LB Spanien, Bd. 4, S. 99 (134 ff., 192). Das Erfordernis eines namentlich durch den Aufenthalt des Beschuldigten in Spanien begründeten besonderen „Spanienbezugs" der Tat ist vom obersten spanischen Gericht, dem Tribunal Supremo, aufgestellt worden. Die Strafgewalterstreckung ist nach dem Weltrechtsprinzip darüber hinaus noch dadurch begrenzt, dass sie sich nur auf Völkermord sowie die Taten bezieht, zu deren Ahndung nach dem Weltrechtsprinzip Spanien aufgrund eines völkerrechtlichen Vertrags verpflichtet ist, mithin im hier interessierenden Kontext allein auf Völkermord und Kriegsverbrechen im Sinne der Genfer Abkommen und des ZP I. Zudem darf der Beschuldigte wegen der betreffenden Tat noch nicht im Ausland eine Strafe verbüßt haben bzw. noch nicht freigesprochen oder begnadigt worden sein. Vgl. zu diesen Einschränkungen *Gil Gil*, a.a.O.

lande[1088] sowie aus dem Kreis der hier nicht im Detail analysierten lateinamerikanischen Rechtsordnungen die Staaten Brasilien, Chile, Costa Rica und Venezuela.[1089]

Da sich auch die auf völkerrechtliche Verbrechen bezogenen völkervertraglichen Verfolgungspflichten, die eine Strafgewalterstreckung nach dem Weltrechtsprinzip verlangen, wie gezeigt auf Fälle beschränken, in denen sich der Beschuldigte im Hoheitsgebiet des betreffenden Staates aufhält, ist *de facto* auch in den Staaten, die zur erstgenannten Gruppe von Ländern gehören, in denen die Strafgewalterstreckung nach dem Weltrechtsprinzip an das Bestehen einer entsprechenden völkervertraglichen Verfolgungspflicht geknüpft ist, allein eine *territorial universal jurisdiction* gegeben.

Damit ist folgende Feststellung statthaft: In den meisten der im Projekt „Nationale Strafverfolgung völkerrechtlicher Verbrechen“ untersuchten Staaten ist die nationale Strafgewalt nach dem Weltrechtsprinzip dahingehend begrenzt, dass sie nur Fälle erfasst, in denen sich der Beschuldigte im Hoheitsgebiet des betreffenden Staates aufhält.

bb) Strafgewalterstreckung nach dem uneingeschränkten Weltrechtsprinzip

Nur in vergleichsweise wenigen Staaten ist eine nationale Strafgewalt über völkerrechtliche Verbrechen nach einem nicht durch ein solches Anwesenheitserfordernis beschränkten Weltrechtsprinzip gegeben. Strafgewalt nach dem uneingeschränkten Weltrechtsprinzip nehmen Australien, Deutschland und Slowenien sowie begrenzt auf einzelne Verbrechenskategorien auch Finnland, Italien, Israel, Schweden und die Türkei in Anspruch; doch unterscheiden sich die Regelungen im Detail deutlich voneinander.

In *Australien* unterfallen die durch den *International Criminal Court (Consequential Amendments) Act 2002*[1090] geregelten völkerrechtlichen Verbrechen (Völkermord, Verbrechen gegen die Menschlichkeit und Kriegsverbrechen) gemäß sec-

---

1087 *Silverman*, LB USA, Bd. 5, S. 411 (440 f.). Die Landesberichterstatterin betont allerdings, mit dem Erfordernis, dass sich der Beschuldigte bei Durchführung des Verfahrens in US-Gewahrsam befinden muss, sei nicht mehr als das Gebot gemeint, Verfahren nur in Anwesenheit eines Beschuldigten durchzuführen. Es reiche, wenn die USA des Beschuldigten durch Auslieferung oder auch gewaltsame Verbringung in die USA habhaft werden könnten. Siehe zur Rechtslage in den USA auch *Eser*, in: Vohrah u.a. (Hrsg.), FS Cassese, S. 279 (288 f.).

1088 Vgl. § 1 Section 2 des niederländischen Völkerstrafgesetzes vom 19.6.2003, abrufbar unter <www.iuscrim.mpg.de/forsch/straf/docs/natstraf_nl.pdf> (1.1.2006).

1089 Zu den genannten (und weiteren) lateinamerikanischen Staaten siehe *Ambos/ Malarino*, Zusammenfassung Lateinamerika, Bd. 4, S. 469 (479 f.).

1090 Abrufbar unter <http://scaletext.law.gov.au/html/pasteact/3/3501/top.htm> (1.1.2006).

tion 268.117 dem uneingeschränkten Weltrechtsprinzip.[1091] Doch muss bei Auslandstaten von Ausländern gemäß section 268.121 Federal CC der Attorney General sein schriftliches Einverständnis mit einer Strafverfolgung erklären. Dieses Einverständnis kann – es gilt das Opportunitätsprinzip[1092] – von Zweckmäßigkeitsüberlegungen abhängig gemacht werden, so dass nicht zu erwarten steht, dass Australien seine uneingeschränkte Strafgewalt bei Auslandstaten von Ausländern auch dann ausüben wird, wenn sich der Beschuldigte nicht in Australien aufhält und auch sonst kein besonderer Bezug zu Australien eine australische Strafverfolgung nahe legt.[1093]

In *Finnland* gilt das uneingeschränkte Weltrechtsprinzip allein für Völkermord und Kriegsverbrechen. Die Geltung des Weltrechtsprinzips bestimmt sich nach Kap. 1 § 7 StG in Verbindung mit einer Rechtsverordnung, in der die Taten, die nach dem Weltrechtsprinzip verfolgt werden können, enumerativ aufgelistet sind. In dieser Verordnung werden Völkermord sowie Kriegsverbrechen – und zwar ohne Rücksicht darauf, ob diese in internationalen oder nichtinternationalen bewaffneten Konflikten begangen werden – aufgeführt, nicht aber Verbrechen gegen die Menschlichkeit.[1094] Ähnlich wie in Australien ist zudem bei Auslandstaten eine Anklageerhebung nur mit Zustimmung des Reichsanklägers statthaft, wobei der Reichsankläger seine Zustimmung von Zweckmäßigkeitserwägungen abhängig machen kann (somit gilt bei Auslandstaten faktisch das Opportunitätsprinzip).[1095]

Eng gefasst ist die Strafgewalt nach dem uneingeschränkten Weltrechtsprinzip auch in Slowenien, Schweden sowie Italien und Israel. In *Slowenien* ist bei einer Strafverfolgung wegen völkerrechtlicher Verbrechen nach dem Weltrechtsprinzip erforderlich, dass die Tat entweder nach Tatortrecht strafbar ist oder aber der slowenische Justizminister die Strafverfolgung gestattet hat. Zudem scheidet eine Strafverfolgung aus, wenn der Täter bereits vom Tatortstaat verurteilt worden ist und seine Strafe verbüßt hat oder aber vom Tatortstaat freigesprochen wurde.[1096] In *Schweden* bezieht sich die Strafgewalt nach dem uneingeschränkten Weltrechtsprinzip allein auf Kriegsverbrechen, allerdings auch auf solche, die in nichtinternationalen bewaffneten Konflikten begangen werden.[1097] In *Italien* und *Israel* sind

---

1091 *Biehler/Kerll*, LB Australien, Bd. 6, S. 19 (42 f.).

1092 Siehe unten Anm. 1116.

1093 Vgl. *Biehler/Kerll*, LB Australien, Bd. 6, S. 19 (42, 44, 66 ff.).

1094 *Frände*, LB Finnland, Bd. 2, S. 21 (48 ff.).

1095 *Frände*, LB Finnland, Bd. 2, S. 21 (51 ff.).

1096 *Korošec*, LB Slowenien, Bd. 3, S. 329 (369 f.).

1097 Kap. 2 § 3 Nr. 6 BrB; vgl. *Cornils*, LB Schweden, Bd. 2, S. 183 (217 ff.). Der schwedische Entwurf für ein Gesetz über Völkerrechtsstraftaten sieht generell die Geltung des Weltrechtsprinzips für Völkermord, Verbrechen gegen die Menschlichkeit und Kriegsverbrechen vor, allerdings mit der sehr allgemeinen und pauschal auf das Völkerrecht verweisenden Einschränkung, dass Strafverfolgungen nur insoweit statthaft sein sollen, als sie

lediglich Völkermordtaten dem uneingeschränkten Weltrechtsprinzip unterworfen, während ansonsten Strafgewalt nach dem Weltrechtsprinzip bei völkerrechtlichen Verbrechen – wie schon ausgeführt – allein insoweit besteht, als eine völkervertragliche Verfolgungspflicht eine solche Strafgewalterstreckung gebietet.[1098] Hinzu kommt, dass in Israel – ähnlich wie in Australien und Finnland – die Einleitung einer Strafverfolgung nach dem Weltrechtsprinzip bei Auslandstaten nur statthaft ist, wenn sie entweder direkt durch den Attorney General oder aber aufgrund seiner schriftlichen Zustimmung erfolgt. Die Entscheidung des Attorney General hängt davon ab, ob er eine Strafverfolgung durch Israel für im öffentlichen Interesse geboten erachtet.[1099] In Schweden darf eine Strafverfolgung von Auslandstaten sogar generell nur aufgrund einer Anordnung der schwedischen Regierung oder des von ihr ermächtigten Reichsanklägers begonnen werden. Die Entscheidung, ob eine solche Anordnung erteilt wird, liegt im Ermessen der Regierung bzw. des Reichsanklägers.[1100] Beschränkt auf die durch nationale Spezialtatbestände erfassten Völkermordtaten und Verbrechen gegen die Menschlichkeit gilt das uneingeschränkte Weltrechtsprinzip zudem in der *Türkei*.[1101]

Die im internationalen Vergleich am weitesten reichende nationale Strafgewalt über völkerrechtliche Verbrechen nimmt *Deutschland* in Anspruch. Der deutsche Gesetzgeber hat mit dem neuen VStGB die Zulässigkeit der Einleitung eines Strafverfahrens nach dem Weltrechtsprinzip ohne Rücksicht auf den Aufenthaltsort des Täters oder einen sonst wie gearteten Inlandsbezug einer Tat bejaht und sich damit klar gegen die frühere Rechtsprechung des deutschen Bundesgerichtshofs gestellt, der die Durchführung eines Strafverfahrens nach dem Weltrechtsprinzip nur bei Vorliegen eines besonderen inländischen Anknüpfungspunkts für statthaft erachtet hatte.[1102] Nach § 1 VStGB gilt das Völkerstrafgesetzbuch auch dann, wenn die betreffende Tat im Ausland begangen wurde und keinen Bezug zum Inland aufweist, also weder Täter noch Tatopfer Deutsche sind und sich der Beschuldigte weder in Deutschland aufhält noch nach Deutschland zu kommen beabsichtigt.[1103] Allerdings ist in solchen Fällen die zuständige Generalbundesanwaltschaft nicht zur Einleitung eines Strafverfahrens verpflichtet; es gilt vielmehr, wie sich aus

---

nach Völkerrecht (Völkervertrags- oder Völkergewohnheitsrecht) erlaubt sind; vgl. *Cornils*, a.a.O., S. 191, 220.

1098 *Jarvers*, LB Italien, Bd. 4, S. 337 (381 ff.); *Kremnitzer/Cohen*, LB Israel, Bd. 5, S. 317 (363, 366 ff.).

1099 *Kremnitzer/Cohen*, LB Israel, Bd. 5, S. 317 (363).

1100 Kap. 2 § 5 BrB; vgl. *Cornils*, LB Schweden, Bd. 2, S. 183 (219, 221 f.).

1101 *Tellenbach*, LB Türkei, Bd. 6, S. 393 (432 f.).

1102 Zur früheren Rechtsprechung vgl. die Nachweise oben in Anm. 78 sowie *Kreicker*, LB Deutschland, Bd. 1, S. 21 (253 ff.).

1103 *Kreicker*, LB Deutschland, Bd. 1, S. 21 (250 ff.). Siehe zu dieser Regelung auch die amtliche Gesetzesbegründung zum VStGB in BT-Drucks. 14/8524, S. 14.

§ 153f StPO ergibt, das Opportunitätsprinzip.[1104] Zudem kann es bei der Durchführung eines Strafverfahrens nach dem uneingeschränkten Weltrechtsprinzip gegen Personen, die sich nicht in Deutschland aufhalten, allein um Ermittlungsmaßnahmen gehen. Denn die Durchführung einer Hauptverhandlung und eine Verurteilung sind gemäß § 230 StPO generell nur bei Anwesenheit des Angeklagten zulässig.[1105]

b) Strafgewalterstreckung nach anderen Anknüpfungsprinzipien

Aus dem Kreis der untersuchten Staaten verzichten lediglich Côte d'Ivoire und Frankreich bei völkerrechtlichen Verbrechen gänzlich auf eine Strafgewalterstreckung nach dem Weltrechtsprinzip.[1106] Aber wie ausgeführt wurde, werden in den meisten anderen Staaten nur einzelne völkerrechtliche Verbrechen von der Geltung des Weltrechtsprinzips erfasst bzw. müssen besondere Voraussetzungen wie ein Aufenthalt des Beschuldigten im Hoheitsgebiet des betreffenden Staates gegeben sein, damit eine Strafverfolgung nach dem Weltrechtsprinzip durchgeführt werden darf. Daher soll im Folgenden der Frage nachgegangen werden, nach welchen anderen Anknüpfungsprinzipien von den untersuchten Staaten nationale Strafgewalt über völkerrechtliche Verbrechen in Anspruch genommen wird. Dabei kann es allerdings um nicht mehr als um eine kurze Skizze gehen; die verschiedenen nationalen Regelungen des so genannten „Strafrechtsanwendungsrechts" bzw. „transnationalen Strafrechts" sind so komplex und unterschiedlich, dass für eine Detailbetrachtung auf die einzelnen Landesberichte verwiesen werden muss.

Alle untersuchten Staaten unterstellen nach dem *Territorialitätsprinzip* ihrer nationalen Strafgewalt diejenigen Straftaten, die im eigenem Staatsgebiet begangen werden, wobei nicht nur solche Taten als im eigenen Staatsgebiet begangen gelten, bei denen die Handlung dort vorgenommen wurde, sondern stets der Eintritt des Taterfolgs im eigenen Hoheitsgebiet ausreicht. Insofern unterfallen der nationalen Strafgewalt alle im eigenen Staatsgebiet begangenen völkerrechtlichen Verbrechen – entweder nach dem Weltrechtsprinzip oder aber zumindest nach dem Territorialitätsprinzip.[1107] Regelmäßig wird das Territorialitätsprinzip ergänzt durch eine Fest-

---

[1104] Vgl. hierzu näher unten S. 203.

[1105] *Kreicker*, LB Deutschland, Bd. 1, S. 21 (256).

[1106] *Kouassi/Paulenz*, LB Côte d'Ivoire, Bd. 4, S. 19 (55); *Lelieur-Fischer*, LB Frankreich, Bd. 4, S. 225 (265 ff.). Anzumerken ist aber, dass in Frankreich das Weltrechtsprinzip für Folterhandlungen i.S.d. UN-Folterkonvention gilt, so dass völkerrechtliche Verbrechen, die zugleich als Folterungen im Sinne dieser Konvention einzustufen sind, auch in Frankreich dem Weltrechtsprinzip unterfallen. Siehe *Lelieur-Fischer*, a.a.O.

[1107] Vgl. *Cornils*, LB Schweden, Bd. 2, S. 183 (215 f.); *Frände*, LB Finnland, Bd. 2, S. 21 (46) (bemerkenswert ist, dass in Finnland eine Tat auch dann als im Inland begangen gilt, wenn der inländische Tatort zwar nicht mit Sicherheit festgestellt werden kann, wohl aber Grund für die Annahme besteht, dass die Tat im Inland verübt wurde); *Gut/Wolpert*, LB Kanada, Bd. 5, S. 19 (38) (die Strafgewalterstreckung auf völkerrechtliche Verbrechen nach diesem Prinzip ist im CAHWCA explizit festgelegt); *Jarvers*, LB Italien, Bd. 4,

legung von Strafgewalt nach dem *Flaggenprinzip*,[1108] so dass auch eine nationale Strafgewalt über die völkerrechtlichen Verbrechen gegeben ist, die auf Schiffen oder in Luftfahrzeugen begangen werden, die im eigenen Staat registriert sind.[1109]

Zudem erstreckt sich die Strafgewalt aller untersuchten Staaten auf diejenigen völkerrechtlichen Verbrechen, die von eigenen Staatsbürgern begangen werden. Denn soweit nicht eine Strafgewalt nach dem Weltrechtsprinzip eingreift, kommt eine Strafgewalt nach dem *aktiven Personalitätsprinzip* in Betracht. Alle untersuchten Staaten nehmen Strafgewalt nach dem aktiven Personalitätsprinzip für sich in Anspruch, wenn auch die Regelungen im Detail recht unterschiedlich sind.[1110]

S. 337 (380); *Korošec*, LB Slowenien, Bd. 3, S. 329 (368); *Kouassi/Paulenz*, LB Côte d'Ivoire, Bd. 4, S. 19 (54 f.); *Kreicker*, LB Deutschland, Bd. 1, S. 21 (246 f.); *Kremnitzer/Cohen*, LB Israel, Bd. 5, S. 317 (364); *Lammich*, LB Russland/Weißrussland, Bd. 6, S. 351 (374); *Lelieur-Fischer*, LB Frankreich, Bd. 4, S. 225 (264); *Novoselec*, LB Kroatien, Bd. 3, S. 19 (45); *Parmas*, LB Estland, Bd. 5, S. 89 (126); *Rabenstein/Bahrenberg*, LB England/Wales, Bd. 6, S. 261 (280 f.); *Retalis*, LB Griechenland, Bd. 5, S. 189 (240); *Richter*, LB China, Bd. 6, S. 141 (206); *Silverman*, LB USA, Bd. 5, S. 411 (436 f.); *Škulić*, LB Serbien und Montenegro, Bd. 3, S. 211 (245); *Tellenbach*, LB Türkei, Bd. 6, S. 393 (430 f.); *Weigend*, LB Polen, Bd. 2, S. 77 (117); *Zerbes*, LB Österreich, Bd. 3, S. 85 (122).

1108 Zum Flaggenprinzip siehe oben S. 189 f. mit Anm. 1050.

1109 Vgl. *Cornils*, LB Schweden, Bd. 2, S. 183 (217); *Frände*, LB Finnland, Bd. 2, S. 21 (47); *Jarvers*, LB Italien, Bd. 4, S. 337 (380); *Kouassi/Paulenz*, LB Côte d'Ivoire, Bd. 4, S. 19 (54); *Kreicker*, LB Deutschland, Bd. 1, S. 21 (247); *Kremnitzer/Cohen*, LB Israel, Bd. 5, S. 317 (364 Fn. 110); *Lammich*, LB Russland/Weißrussland, Bd. 6, S. 351 (374); *Novoselec*, LB Kroatien, Bd. 3, S. 19 (45); *Parmas*, LB Estland, Bd. 5, S. 89 (126); *Retalis*, LB Griechenland, Bd. 5, S. 189 (240); *Richter*, LB China, Bd. 6, S. 141 (206); *Škulić*, LB Serbien und Montenegro, Bd. 3, S. 211 (245 f.); *Tellenbach*, LB Türkei, Bd. 6, S. 393 (430 f.) (beachtenswert ist, dass bei Militärstraftaten von Angehörigen des türkischen Militärs im Ausland ein inländischer Tatort fingiert wird, also diese uneingeschränkt türkischer Strafgewalt unterfallen); *Weigend*, LB Polen, Bd. 2, S. 77 (117); *Zerbes*, LB Österreich, Bd. 3, S. 85 (122).

1110 In England und Wales gilt das aktive Personalitätsprinzip nicht nur für eigene Staatsangehörige, sondern auch für Personen, die ihren Wohnsitz im Vereinigten Königreich haben oder nehmen bzw. die Angehörige der britischen Streitkräfte sind; vgl. *Rabenstein/Bahrenberg*, LB England/Wales, Bd. 6, S. 261 (284 f.). In Kanada erstreckt sich die Strafgewalt über völkerrechtliche Verbrechen nach dem aktiven Personalitätsprinzip gemäß dem CAHWCA nicht nur auf kanadische Staatsbürger, sondern auch auf sonstige Angehörige des kanadischen Militärs sowie auf Staats- und Militärangehörige von Kriegsgegnern; vgl. *Gut/Wolpert*, LB Kanada, Bd. 5, S. 19 (38). In Finnland und Schweden erfasst das aktive Personalitätsprinzip nicht nur eigene Staatsbürger, sondern ebenso im Land dauerhaft ansässige Ausländer sowie Personen, die Angehörige eines anderen nordischen Staates (Dänemark, Island, Norwegen, Schweden, Finnland) sind und im Inland angetroffen werden; vgl. *Cornils*, LB Schweden, Bd. 2, S. 183 (216); *Frände*, LB Finnland, Bd. 2, S. 21 (47). In Schweden ist allerdings erforderlich, dass die konkrete Tat auch nach Tatortrecht strafbar und tatsächlich verfolgbar ist, zudem darf die in Schweden verhängte Strafe die nach Tatortrecht für die Tat vorgesehene Höchststrafe nicht übersteigen; vgl. *Cornils*, a.a.O., S. 216. In Côte d'Ivoire, Deutschland, Estland und Griechenland erstreckt sich die nationale Strafgewalt auf Auslandstaten von Personen, die zur Tatzeit eigene Staatsangehörige waren oder danach geworden sind, sofern die Tat auch nach Tatortrecht strafbar ist oder der Tatort keiner territorialen Strafgewalt unterliegt (allerdings gilt das Erfordernis der doppelten Strafbarkeit in Côte d'Ivoire nur bei Vergehen – Taten mit Strafandrohung

Sämtliche untersuchten Länder bis auf Côte d'Ivoire sowie England und Wales erfassen – wenngleich mit verschiedenartigen Einschränkungen – völkerrechtliche Verbrechen, die gegen eigene Staatsbürger begangen werden. Denn in allen untersuchten Rechtsordnungen bis auf Côte d'Ivoire sowie England und Wales wird Strafgewalt nach dem *passiven Personalitätsprinzip*[1111] wahrgenommen.[1112]

---

bis zu zehn Jahren Freiheitsentzug –, nicht für Verbrechen); vgl. *Kouassi/Paulenz*, LB Côte d'Ivoire, Bd. 4, S. 19 (54 f.); *Kreicker*, LB Deutschland, Bd. 1, S. 21 (248); *Parmas*, LB Estland, Bd. 5, S. 89 (127); *Retalis*, LB Griechenland, Bd. 5, S. 189 (241). Das Erfordernis der doppelten Strafbarkeit gilt auch in Kroatien (vgl. *Novoselec*, LB Kroatien, Bd. 3, S. 19 [46]), Polen (vgl. *Weigend*, LB Polen, Bd. 2, S. 77 [118]) sowie Russland und Weißrussland (vgl. *Lammich*, LB Russland/Weißrussland, Bd. 6, S. 351 [375]). Es gilt ferner in Israel für eine Strafverfolgung nach dem – nicht nur israelische Staatsbürger, sondern auch ausländische Personen mit Wohnsitz in Israel erfassenden – aktiven Personalitätsprinzip, doch ist in Israel darüber hinaus auch die Verfolgbarkeit der konkreten Tat am Tatort erforderlich, zudem darf bei einer Verurteilung nach israelischem Recht die nach Tatortrecht zulässige Höchststrafe nicht überschritten werden; vgl. *Kremnitzer/Cohen*, LB Israel, Bd. 5, S. 317 (366). In Italien erstreckt sich die Strafgewalt nach dem aktiven Personalitätsprinzip auf Taten, für die eine Mindeststrafe von drei Jahren Freiheitsentzug vorgesehen ist, sowie auf weniger schwere Taten, sofern ein Strafverfolgungsersuchen des italienischen Justizministers oder ein Strafantrag bzw. Strafverfolgungsersuchen des Verletzten vorliegt; vgl. *Jarvers*, LB Italien, Bd. 4, S. 337 (380). Ähnlich ist die Rechtslage in der Türkei: Die Strafgewalt nach dem aktiven Personalitätsprinzip setzt voraus, dass die Tat entweder mit einer Mindeststrafe von einem Jahr Freiheitsentzug bedroht ist oder aber ein Strafantrag des Opfers oder der Regierung des Tatortstaates vorliegt. Zudem darf der Täter noch nicht im Ausland verurteilt worden sein; vgl. *Tellenbach*, LB Türkei, Bd. 6, S. 393 (431). Dagegen kennt das chinesische Recht Einschränkungen der im Vorstehenden geschilderten Art nicht; vgl. *Richter*, LB China, Bd. 6, S. 141 (206). Nur in äußerst engem Rahmen besteht Strafgewalt nach dem aktiven Personalitätsprinzip in Österreich, nämlich von einigen Ausnahmen abgesehen nur bei Taten österreichischer Beamter im Ausland sowie dann, wenn ein Österreicher im Ausland eine Tat gegen einen anderen Österreicher begeht und beide ihren Wohnsitz in Österreich haben; vgl. *Zerbes*, LB Österreich, Bd. 3, S. 85 (123). Siehe ferner *Korošec*, LB Slowenien, Bd. 3, S. 329 (369); *Lelieur-Fischer*, LB Frankreich, Bd. 4, S. 225 (264); *Silverman*, LB USA, Bd. 5, S. 411 (436 ff.) für die Rechtslage in Frankreich, Slowenien und den USA.

1111 Zum passiven Personalitätsprinzip siehe oben S. 190 mit Anm. 1051.

1112 In Deutschland, Estland, Griechenland, Kroatien und Polen erstreckt sich die nationale Strafgewalt auf Taten, die im Ausland gegen eigene Staatsangehörige begangen werden, sofern die Tat auch nach Tatortrecht strafbar ist (oder der Tatort keiner territorialen Strafgewalt unterliegt); vgl. *Kreicker*, LB Deutschland, Bd. 1, S. 21 (248); *Novoselec*, LB Kroatien, Bd. 3, S. 19 (46); *Parmas*, LB Estland, Bd. 5, S. 89 (127); *Retalis*, LB Griechenland, Bd. 5, S. 189 (242); *Weigend*, LB Polen, Bd. 2, S. 77 (118). In China ist darüber hinaus erforderlich, dass für die betreffende Tat nach chinesischem Recht eine Mindeststrafe von drei Jahren Freiheitsentzug vorgesehen ist; vgl. *Richter*, LB China, Bd. 6, S. 141 (206). Das finnische, das italienische und das türkische Recht verlangen ebenfalls eine bestimmte Strafandrohung für die Tat nach nationalem Recht; in Finnland muss die Tat mit mehr als sechs Monaten Freiheitsstrafe geahndet werden können, in Italien muss eine Mindeststrafandrohung von einem Jahr Freiheitsstrafe gegeben sein sowie ein Strafverfolgungsersuchen des Justizministers oder des Verletzten vorliegen, in der Türkei muss die Tat mit einer Mindeststrafe von einem Jahr Freiheitsentzug bedroht sein, zudem muss ein Strafantrag des türkischen Tatopfers vorliegen; vgl. *Frände*, LB Finnland, Bd. 2, S. 21 (48); *Jarvers*, LB Italien, Bd. 4, S. 337 (381); *Tellenbach*, LB Türkei, Bd. 6, S. 393 (431). In Serbien und Montenegro ist Strafgewalt nach dem passiven Personalitätsprinzip nur

Darüber hinaus begründen etliche Staaten nationale Strafgewalt nach dem Prinzip der *stellvertretenden Strafrechtspflege.*[1113] Zu nennen sind Deutschland, Estland, Finnland, Griechenland, Italien, Kroatien, Österreich, Polen, Serbien und Montenegro sowie die Türkei.[1114] Stets ist für eine Strafverfolgung in Anwendung des Prinzips der stellvertretenden Strafrechtspflege erforderlich, dass die Tat nach Tatortrecht mit Strafe bedroht ist, der Täter sich im Inland aufhält und eine Auslieferung an den Tatortstaat nicht stattfinden kann.[1115]

---

gegeben, wenn die Tat nach Tatortrecht strafbar und verfolgbar ist oder alternativ der Generalstaatsanwalt die Strafverfolgung genehmigt hat und der Täter wegen der Tat noch keine Strafe verbüßt hat bzw. noch nicht freigesprochen wurde; vgl. *Škulić*, LB Serbien und Montenegro, Bd. 3, S. 211 (246 f.). Vergleichsweise weit ist die Reichweite des passiven Personalitätsprinzips nach israelischem Recht, wobei in der israelischen Regelung das Selbstverständnis Israels als Heimstatt aller Menschen jüdischen Glaubens und als Schutzmacht für Juden in aller Welt zum Ausdruck kommt: Strafbarkeit nach diesem Prinzip ist zunächst einmal vorgesehen für Delikte gegen die Person (Tötung, Körperverletzung, Freiheitsdelikte), sofern das Tatopfer Staatsangehöriger oder Bewohner Israels ist und gerade wegen seiner israelischen Staatszugehörigkeit oder seines dortigen Wohnorts angegriffen wird oder aber die Tat gegen Juden als solche (also aufgrund ihrer Eigenschaft als Juden) begangen wird. In diesen Fällen besteht kein Erfordernis doppelter Strafbarkeit. Ferner ist Strafbarkeit nach dem passiven Personalitätsprinzip gegeben bei Taten gegen die Person, Gesundheit oder Freiheit von Israelis, wenn die Tat in Israel mit einer Mindestfreiheitsstrafe von einem Jahr bedroht ist und zudem – in abstracto sowie in concreto – eine doppelte Strafbarkeit, also auch eine Tatortstrafbarkeit und -verfolgbarkeit, gegeben ist. Zudem darf keine höhere Strafe als nach Tatortrecht vorgesehen verhängt werden. Vgl. zum israelischen Recht *Kremnitzer/Cohen*, LB Israel, Bd. 5, S. 317 (364 ff.). Der kanadische CAHWCA unterstellt sämtliche von ihm erfasste Verbrechen, die gegen kanadische Staatsbürger sowie gegen Angehörige mit Kanada alliierter Staaten verübt werden, der kanadischen Strafgewalt; vgl. *Gut/Wolpert*, LB Kanada, Bd. 5, S. 19 (38). Äußerst begrenzt ist die Strafgewalterstreckung nach dem passiven Personalitätsprinzip in Schweden – sie erstreckt sich ausschließlich auf Taten, die in gebietshoheitsfreien Räumen begangen werden; vgl. *Cornils*, LB Schweden, Bd. 2, S. 183 (217). Siehe ferner *Korošec*, LB Slowenien, Bd. 3, S. 329 (368 f.); *Lammich*, LB Russland/Weißrussland, Bd. 6, S. 351 (375); *Lelieur-Fischer*, LB Frankreich, Bd. 4, S. 225 (264); *Silverman*, LB USA, Bd. 5, S. 411 (439) für die Rechtslage in Frankreich, Slowenien, Russland, den USA und Weißrussland.

1113 Siehe zu diesem Prinzip oben S. 190 mit Anm. 1052 f.

1114 *Frände*, LB Finnland, Bd. 2, S. 21 (48); *Jarvers*, LB Italien, Bd. 4, S. 337 (380 f.); *Kreicker*, LB Deutschland, Bd. 1, S. 21 (248); *Novoselec*, LB Kroatien, Bd. 3, S. 19 (46 f.); *Parmas*, LB Estland, Bd. 5, S. 89 (127); *Retalis*, LB Griechenland, Bd. 5, S. 189 (243); *Škulić*, LB Serbien und Montenegro, Bd. 3, S. 211 (247); *Tellenbach*, LB Türkei, Bd. 6, S. 393 (431 f.); *Weigend*, LB Polen, Bd. 2, S. 77 (119); *Zerbes*, LB Österreich, Bd. 3, S. 85 (126 ff., 130 ff.).

1115 Vgl. *Frände*, LB Finnland, Bd. 2, S. 21 (48); *Jarvers*, LB Italien, Bd. 4, S. 337 (380 f.); *Kreicker*, LB Deutschland, Bd. 1, S. 21 (248 f.); *Parmas*, LB Estland, Bd. 5, S. 89 (127); *Retalis*, LB Griechenland, Bd. 5, S. 189 (243); *Weigend*, LB Polen, Bd. 2, S. 77 (119). In Deutschland wird darüber hinaus – jedenfalls nach vorherrschender Rechtsauffassung, auch die Verfolgbarkeit der Tat nach Tatortrecht gefordert; vgl. *Kreicker*, a.a.O. In Finnland muss die Tat mit einer Mindeststrafe von sechs Monaten Freiheitsentzug bedroht sein (vgl. *Frände*, a.a.O.), in der Türkei muss sogar eine Mindeststrafdrohung von drei Jahren Freiheitsentzug gegeben sein (vgl. *Tellenbach*, LB Türkei, Bd. 6, S. 393 [431 f.]). Das polnische Recht verlangt, dass die Tat in Polen mit mindestens zwei Jahren Freiheitsentzug bedroht ist (vgl. *Weigend*, a.a.O.). Auch das italienische Recht sieht das Erfordernis

II. Verfolgungspflicht oder Verfolgungsermessen

Nicht nur die extraterritoriale Reichweite der nationalen Strafgewalt über völkerrechtliche Verbrechen ist von Staat zu Staat unterschiedlich ausgestaltet. Deutliche Unterschiede gibt es auch im Hinblick auf die Frage, ob bzw. unter welchen Umständen die nationalen Strafverfolgungsbehörden dann, wenn ein völkerrechtliches Verbrechen nach dem Recht des betreffenden Staates strafbar und verfolgbar ist, zu einem Tätigwerden verpflichtet sind oder es in ihrem Ermessen liegt, Strafverfolgungsmaßnahmen einzuleiten oder nicht.

In Australien, England und Wales, Kanada und den USA gilt – der Tradition des common law entsprechend – generell das Opportunitätsprinzip.[1116] Das Gleiche trifft auf Frankreich zu.[1117] Die Einleitung eines Strafverfahrens liegt also im Ermessen der Strafverfolgungsbehörden. Das Opportunitätsprinzip findet in Bezug auf im Ausland begangene völkerrechtliche Verbrechen ferner in Finnland, Israel und Schweden Anwendung, ist doch dort Voraussetzung für eine Verfolgung von Auslandstaten die Zustimmung der Regierung bzw. des Attorney General/Reichsanklägers, die von Zweckmäßigkeitserwägungen abhängig gemacht werden kann.[1118]

Dagegen gilt in China, Côte d'Ivoire, Griechenland, Italien, Kroatien, Österreich, Polen, Russland, Serbien und Montenegro, Slowenien, der Türkei sowie Weißrussland das Legalitätsprinzip. Dort sind die Strafverfolgungsbehörden also bei Vorliegen eines hinreichenden Tatverdachts eines nach nationalem Recht strafbaren und

---

einer Mindeststrafdrohung nach nationalem Recht vor: Verlangt wird, dass die betreffende Tat in Italien mit einer Mindestfreiheitsstrafe von einem Jahr bedroht ist und zudem ein Strafverfolgungsersuchen des Justizministers vorliegt; vgl. *Jarvers*, a.a.O. In Österreich darf der Täter nicht strenger bestraft werden als dies nach dem Tatortrecht statthaft ist; vgl. *Zerbes*, LB Österreich, Bd. 3, S. 85 (127). In Serbien und Montenegro ist die Strafgewalt nach dem Prinzip der stellvertretenden Strafrechtspflege mit dem Universalitätsprinzip gekoppelt, vgl. oben Anm. 1085 und *Škulić*, LB Serbien und Montenegro, Bd. 3, S. 211 (247).

1116 *Biehler/Kerll*, LB Australien, Bd. 6, S. 19 (44).; *Gut/Wolpert*, LB Kanada, Bd. 5, S. 19 (42 f., 60); *Rabenstein/Bahrenberg*, LB England/Wales, Bd. 6, S. 261 (287); *Silverman*, LB USA, Bd. 5, S. 411 (445 ff.).

1117 *Lelieur-Fischer*, LB Frankreich, Bd. 4, S. 225 (270 f.). Allerdings wird das Opportunitätsprinzip in Frankreich flankiert durch eine weitreichende Privat- und Verbandsklagemöglichkeit. Strafklage erheben kann auch das Opfer selbst sowie bei Verbrechen gegen die Menschlichkeit und Kriegsverbrechen jeder Verband, der sich die Bekämpfung dieser Verbrechen in seiner Satzung zum Ziel gesetzt hat; vgl. *Lelieur-Fischer*, a.a.O.

1118 Vgl. *Cornils*, LB Schweden, Bd. 2, S. 183 (221 f.) (es gibt allerdings Ausnahmen von dem Anordnungserfordernis und damit dem faktischen Opportunitätsprinzip in Schweden, u.a. bei Taten von schwedischen Amtsträgern im Ausland; vgl. *Cornils*, a.a.O., S. 222); *Frände*, LB Finnland, Bd. 2, S. 21 (51 ff.); *Kremnitzer/Cohen*, LB Israel, Bd. 5, S. 317 (363). Abgesehen von den Fällen, auf die sich das hier erwähnte Anordnungserfordernis erstreckt, gilt in Finnland und Schweden aber das Legalitätsprinzip; vgl. *Cornils*, a.a.O., und *Frände*, a.a.O.

verfolgbaren völkerrechtlichen Verbrechens zur Durchführung einer Strafverfolgung verpflichtet.[1119]

Eine sehr differenzierte Regelung gilt in Deutschland. Nach § 153f StPO, durch den die in § 1 VStGB festgelegte uneingeschränkte Erstreckung der deutschen materiellen Strafgewalt auf völkerrechtliche Verbrechen nach dem Weltrechtsprinzip prozessual flankiert wird, besteht bei Inlandstaten eine umfassende Verfolgungspflicht; bei Auslandstaten von Ausländern dagegen muss vom zuständigen Generalbundesanwalt ein Strafverfahren nur dann eingeleitet werden, wenn sich der Beschuldigte bereits in Deutschland aufhält oder ein solcher Aufenthalt zu erwarten ist.[1120] Bei Auslandstaten deutscher Staatsbürger ist allerdings nicht nur bei gegebenem oder beabsichtigtem Inlandsaufenthalt ein Strafverfahren einzuleiten, sondern auch immer schon dann, wenn die Tat nicht bereits von einem internationalen Strafgerichtshof oder dem Tatortstaat oder dem Staat, dessen Angehöriger durch die Tat verletzt wurde, verfolgt wird.[1121]

1119 *Jarvers*, LB Italien, Bd. 4, S. 337 (383 f.); *Korošec*, LB Slowenien, Bd. 3, S. 329 (370); *Kouassi/Paulenz*, LB Côte d'Ivoire, Bd. 4, S. 19 (55 f.); *Lammich*, LB Russland/Weißrussland, Bd. 6, S. 351 (377); *Novoselec*, LB Kroatien, Bd. 3, S. 19 (48); *Richter*, LB China, Bd. 6, S. 141 (207); *Retalis*, LB Griechenland, Bd. 5, S. 189 (246); *Škulić*, LB Serbien und Montenegro, Bd. 3, S. 211 (248 f.); *Tellenbach*, LB Türkei, Bd. 6, S. 393 (433); *Weigend*, LB Polen, Bd. 2, S. 77 (120 f.); *Zerbes*, LB Österreich, Bd. 3, S. 85 (132 f.).

1120 *Kreicker*, LB Deutschland, Bd. 1, S. 21 (259 ff.). Jedoch darf dann auf ein deutsches Strafverfahren verzichtet werden, wenn wegen einer (angeblichen) Tat eines in Deutschland befindlichen oder nach Deutschland kommenden Ausländers, dem ein im Ausland begangenes völkerrechtliches Verbrechen vorgeworfen wird, dem kein deutscher Staatsbürger zum Opfer fiel, bereits durch einen internationalen Strafgerichtshof, den Tatortstaat oder den Heimatstaat von Täter oder Opfer Strafverfolgungsmaßnahmen durchgeführt werden (§ 153f Abs. 2 Satz 2 StPO); vgl. *Kreicker*, a.a.O., S. 265 f. sowie die unten in Anm. 1774 erwähnte Presseerklärung des Generalbundesanwalts. Siehe zur Anwendung des § 153f StPO in der Praxis unten S. 337 f.

1121 *Kreicker*, LB Deutschland, Bd. 1, S. 21 (264). Diese die Geltung des uneingeschränkten Weltrechtsprinzips flankierenden Regelungen des § 153f StPO sind allerdings noch nicht weitreichend genug, denn sie verpflichten den Generalbundesanwalt ohne Ausnahme, (bei Vorliegen eines hinreichenden Tatverdachts) bei Auslandstaten von Ausländern, die sich in Deutschland aufhalten und wegen deren Tat noch nicht von einem Internationalen Strafgericht bzw. vom Heimat- oder Tatortstaat Strafverfolgungsmaßnahmen durchgeführt werden, Ermittlungsverfahren einzuleiten. Damit wird aber Umständen nicht ausreichend Rechnung getragen, bei denen es aus politischen Gründen dringend geboten sein kann, auch in solchen Fällen von einer deutschen Strafverfolgung abzusehen. Deshalb sollte die Einstellungsmöglichkeit des § 153d StPO auch auf Taten nach dem VStGB erstreckt werden. Vgl. hierzu ausführlich *Kreicker*, a.a.O, S. 433 ff.

D. Allgemeine Strafbarkeitsvoraussetzungen bzw. Straffreistellungen

I. Allgemeine Strafbarkeitsvoraussetzungen bzw. Straffreistellungen im Vergleich mit dem Römischen Statut

Im Folgenden sollen die allgemeinen Strafbarkeitsvoraussetzungen bzw. Straffreistellungen – die Regelungen des Allgemeinen Teils des Strafrechts und die Verfahrensvoraussetzungen – nach dem nationalen Recht der untersuchten Staaten den entsprechenden Bestimmungen des Völkerstrafrechts, namentlich denen des Römischen Statuts, gegenübergestellt werden.[1122] Dabei kann es allerdings an dieser Stelle um nicht mehr gehen als darum, zunächst in aller Kürze und ohne auf spezielle Details einzugehen die völkerstrafrechtlichen Bestimmungen zu skizzieren und dann in einem zweiten Schritt einen groben Überblick über die nationalen Regelungen zu geben und zu fragen, inwieweit signifikante Übereinstimmungen mit bzw. Abweichungen von den völkerstrafrechtlichen Bestimmungen gegeben sind. Ein Detailvergleich der nationalen Regelungen einzelner Staaten mit den völkerstrafrechtlichen allgemeinen Strafbarkeitsvoraussetzungen und Straffreistellungen kann an dieser Stelle nicht vorgenommen und braucht hier auch nicht geleistet zu werden. Insofern wird auf die einzelnen Landesberichte verwiesen, denn die Autorinnen und Autoren stellen nicht nur die Rechtslage in „ihrem“ Land dar, sondern vergleichen auch die jeweiligen nationalen Regelungen zu den allgemeinen Strafbarkeitsvoraussetzungen und Straffreistellungen mit der völkerrechtlichen Rechtslage nach dem Römischen Statut.

Bereits an dieser Stelle sei darauf hingewiesen, dass die untersuchten Staaten in Bezug auf die hier betrachteten allgemeinen Regeln der strafrechtlichen Verantwortlichkeit zumeist keine Spezialbestimmungen für völkerrechtliche Verbrechen haben. Vielmehr wenden sie nahezu ausnahmslos auf völkerrechtliche Verbrechen die auch für sonstige Straftaten geltenden allgemeinen Bestimmungen ihres Strafrechts an. Die nationalen Spezialtatbestände zur Erfassung völkerrechtlicher Verbrechen gehen also von wenigen Ausnahmen abgesehen nicht einher mit besonderen Regeln betreffend allgemeine Strafbarkeitsvoraussetzungen und Straffreistellungen.

[1122] Es wurde bereits oben auf S. 6 darauf hingewiesen, dass die Regeln des Allgemeinen Teils des (materiellen) Völkerstrafrechts anders als die Straftatbestände des Besonderen Teils des Völkerstrafrechts in ihrer völkergewohnheitsrechtlichen Geltung in weiten Teilen noch nicht klar konturiert sind (siehe hierzu auch *Werle*, Völkerstrafrecht, Rn. 235 ff.) und daher im Rahmen dieser Untersuchung primär auf die Bestimmungen des Römischen Statuts abgestellt wird. Soweit im Folgenden die „völkerstrafrechtliche Ausgangslage“ skizziert wird, werden mithin in erster Linie die betreffenden Regelungen des Römischen Statuts vorgestellt.

1. Erforderlichkeit von Vorsatz und anerkannte Vorsatzformen

a) Völkerstrafrechtliche Ausgangslage

Das Römische Statut enthält mit Art. 30 eine Bestimmung zu den subjektiven Tatbestandsmerkmalen, die für eine strafrechtliche Verantwortlichkeit nach dem Statut gegeben sein müssen. Damit wird deutlich, dass auch nach Völkerstrafrecht die objektiv zurechenbare Erfolgsverursachung nicht für eine strafrechtliche Verantwortlichkeit ausreicht, sondern darüber hinaus auch eine subjektive Zurechenbarkeit gegeben sein muss.[1123] Nach Art. 30(1) IStGH-Statut muss der Täter – sofern nichts anderes bestimmt ist[1124] – die in den Art. 6 bis 8 IStGH-Statut festgelegten objektiven Tatbestandsmerkmale „vorsätzlich und wissentlich" *(with intent and knowledge)* verwirklichen. Die deutsche Übersetzung des Begriffs „intent" mit „vorsätzlich" scheint auf den ersten Blick unglücklich gewählt zu sein, schließlich umfasst nach der deutschen Strafrechtsdogmatik bereits der Begriff „Vorsatz" neben einem voluntativen Element auch ein kognitives Element. Vorsatz wird bündig als „Wissen und Wollen der Tatbestandsverwirklichung" definiert.[1125] Damit scheint der Begriff „wissentlich" in Art. 30(1) IStGH-Statut redundant zu sein. Doch zeigt die Legaldefinition des Begriffs „Vorsatz" in Art. 30(2) und Art. 30(3) IStGH-Statut, dass im Grunde nicht die deutsche Übersetzung problematisch ist, sondern bereits die Norm selbst überaus unklar formuliert ist.[1126] Zumindest aber Folgendes ist dem Art. 30 IStGH-Statut sicher zu entnehmen: Nach dem

---

1123 *Ambos*, Der Allgemeine Teil des Völkerstrafrechts, S. 518 ff.; *Cassese,* International Criminal Law, S. 159; *Satzger*, Internationales und Europäisches Strafrecht, § 14 Rn. 21; *Werle*, Völkerstrafrecht, Rn. 248 f., 262 f.

1124 Etwas anderes bestimmt ist beispielsweise beim Völkermordtatbestand (Art. 6 IStGH-Statut), der subjektiv eine besondere Zerstörungsabsicht des Täters verlangt; siehe hierzu oben S. 42 f. mit Anm. 194 f. Im Übrigen weist *Ambos*, Der Allgemeine Teil des Völkerstrafrechts, S. 789, zu Recht darauf hin, dass Art. 30 IStGH-Statut mit anderweitigen Bestimmungen allein Spezialregelungen zur subjektiven Tatseite in den Art. 6–8 IStGH-Statut meint, nicht aber pauschal auch andere Bestimmungen des Völkergewohnheitsrechts (dies wäre insbesondere im Hinblick auf die Möglichkeit einer Tatbegehung mit bloßem Eventualvorsatz von Relevanz; vgl. hierzu unten S. 207). Anderer Ansicht aber *Cassese*, International Criminal Law, S. 176; *Werle*, Völkerstrafrecht, Rn. 283 ff. m.w.N. in Fn. 101, Rn. 307 f.; *Werle/Jeßberger*, JICJ 3 (2005), 35 (43 ff.).

1125 *Wessels/Beulke*, Strafrecht AT, Rn. 203.

1126 Ganz zu Recht ist Art. 30 IStGH-Statut daher in der Literatur auf heftige Kritik gestoßen. Vgl. nur *Ambos*, CLF 10 (1999), 1 (22); *ders.*, Der Allgemeine Teil des Völkerstrafrechts, S. 758, 760 f. („terminologisch unklar"); *Eser*, in: Cassese u.a. (Hrsg.), Rome Statute of the International Criminal Court, Bd. I, S. 889 (904 ff.); *Kreß*, Vom Nutzen eines deutschen Völkerstrafgesetzbuchs, S. 35 („in hohem Maße geeignet, für Verwirrung zu sorgen"); *ders.*, in: Grützner/Pötz, Internationaler Rechtshilfeverkehr, vor III 26, Rn. 52 („misslungen"); *Satzger*, Internationales und Europäisches Strafrecht, § 14 Rn. 22; *Werle*, Völkerstrafrecht, Rn. 270, 309 („missglückte Regelung"); *Werle/Jeßberger*, JZ 2002, 725 (731). Zur Entstehungsgeschichte der Regelung siehe *Clark*, ZStW 114 (2002), 372 (373 ff.).

Römischen Statut ist in subjektiver Hinsicht erforderlich, dass in der Person des Täters ein voluntatives und ein kognitives Element vorliegen.[1127]

Fraglich bleibt aber, wie diese Elemente beschaffen sein müssen. Einigkeit besteht darüber, dass die subjektiven Tatbestandsvoraussetzungen des Art. 30 IStGH-Statut bei Vorliegen eines unbedingten Willens zur Tatbestandsverwirklichung (Absicht, dolus directus 1. Grades) erfüllt sind, also dann, wenn es dem Täter auf die Herbeiführung des tatbestandsmäßigen Erfolgs ankommt, wobei allerdings zusätzlich erforderlich ist, dass der Täter davon ausgeht, dass der Taterfolg bei gewöhnlichem Verlauf der Dinge auch eintreten wird, so dass ein vom Täter selbst als irreal eingeschätzter Erfolgsverwirklichungswille nicht ausreicht.[1128] Ausreichend ist aber auch, wenn der Täter zwar nicht mit dem unbedingten Willen zur Erfolgsverwirklichung handelt, er aber weiß oder als sicher voraussieht, dass der Erfolg eintreten wird und er dennoch handelt (direkter Vorsatz, dolus directus 2. Grades).[1129]

Problematisch ist dagegen, inwieweit Art. 30 IStGH-Statut auch den so genannten Eventualvorsatz (bedingten Vorsatz; dolus eventualis) genügen lässt, es also ausreicht, wenn der Täter den Erfolgseintritt lediglich für möglich hält und ihn zwar nicht erstrebt, sich aber mit ihm abfindet, ihn billigt. Die Legaldefinition von „Vorsatz“ und „Wissen“ in Art. 30(1) und Art. 30(2) IStGH-Statut lässt es richtigerweise *nicht* zu, Eventualvorsatz für ausreichend zu halten.[1130] Denn dort wird verlangt, dass dem Täter zumindest bewusst ist, dass es „im gewöhnlichen Verlauf der Ereignisse“ zur Tatbestandsverwirklichung kommen wird. Damit wird – gemessen am deutschen Vorsatzbegriff – zwar weniger als das beim direkten Vorsatz erforderliche „sichere Wissen“ verlangt, wohl aber mehr als das beim Eventualvorsatz genügende „Für-möglich-Halten“ des Erfolgseintritts.[1131] In der Literatur wird

---

[1127] *Eser*, in: Cassese u.a. (Hrsg.), Rome Statute of the International Criminal Court, Bd. I, S. 889 (907); *Kreß*, Vom Nutzen eines deutschen Völkerstrafgesetzbuchs, S. 35; *Satzger*, Internationales und Europäisches Strafrecht, § 14 Rn. 23 ff.; *Werle*, Völkerstrafrecht, Rn. 268.

[1128] *Ambos*, Der Allgemeine Teil des Völkerstrafrechts, S. 770 f.; *Werle*, Völkerstrafrecht, Rn. 275, sowie *Satzger*, Internationales und Europäisches Strafrecht, § 14 Rn. 24, der insofern zutreffend von einer „eigenartig anmutende(n) Kombination aus dolus directus 1. und 2. Grades“ spricht.

[1129] *Satzger*, Internationales und Europäisches Strafrecht, § 14 Rn. 24.

[1130] So auch *Ambos*, CLF 10 (1999), 1 (21 f.); *ders.*, Der Allgemeine Teil des Völkerstrafrechts, S. 502, 804 f.; *Gropengießer*, LB Deutschland, Bd. 1, S. 21 (272 f.); *Merkel*, ZStW 114 (2002), 437 (444); *Satzger*, Internationales und Europäisches Strafrecht, § 14 Rn. 24; *Weigend*, in: Schünemann u.a. (Hrsg.), FS Roxin, S. 1375 (1390 Fn. 58); *Werle*, JZ 2001, 885 (890); *Werle/Nerlich*, HuV-I 2002, 124 (129). Anderer Ansicht *Jescheck*, JICJ 2 (2004), 38 (45); *Pigaroff*, in: Triffterer (Hrsg.), Commentary on the Rome Statute, Art. 30 Rn. 22 sowie die amtliche Begründung zum deutschen VStGB, BT-Drucks. 14/8524, S. 15.

[1131] Ebenso *Gropengießer*, LB Deutschland, Bd. 1, S. 21 (272 f.); *Kreß*, HuV-I 1999, 4 (6). Restriktiver (lediglich für Erfassung von dolus directus durch das Römische Statut) *Eser*, in: Cassese u.a. (Hrsg.), Rome Statute of the International Criminal Court, Bd. I,

davon ausgegangen, es reiche für eine strafrechtliche Verantwortlichkeit aus, wenn der Täter den Eintritt des tatbestandsmäßigen Erfolgs für „höchst wahrscheinlich“[1132] halte bzw. „mit hoher Wahrscheinlichkeit“[1133] vom Erfolgseintritt ausgehe.

Damit bleibt noch zu klären, ob das völkergewohnheitsrechtliche Völkerstrafrecht dolus eventualis für eine Strafbarkeit genügen lässt, also das Römische Statut mit seiner Definition der subjektiven Tatbestandsmerkmale hinter dem Völkergewohnheitsrecht zurückbleibt. Betrachtet man die Rechtsprechung des ICTY und ICTR,[1134] so ist diese Frage zu bejahen.[1135] Eine Strafbarkeit nach völkergewohnheitsrechtlichem Strafrecht tritt mithin – soweit nicht der jeweilige Tatbestand besondere subjektive Tatbestandsvoraussetzungen (wie etwa die Zerstörungsabsicht beim Völkermord) normiert – bereits dann ein, wenn der Täter den Taterfolg lediglich für möglich hält, sich aber mit ihm abfindet.

b) Rechtslage in den untersuchten Staaten

In nahezu allen untersuchten Staaten gibt es keine Regelung zu den subjektiven Tatbestandsmerkmalen, die speziell auf völkerrechtliche Verbrechen im Sinne des Völkergewohnheitsrechts bzw. auf die jeweiligen nationalen Spezialtatbestände zur Erfassung völkerrechtlicher Verbrechen bezogen wäre. Vielmehr finden in fast allen Staaten auch bei einer nationalen Strafverfolgung völkerrechtlicher Verbrechen die „normalen“, nämlich auch für Taten der Alltagskriminalität geltenden nationalen Bestimmungen zu den subjektiven Tatbestandsmerkmalen Anwendung.[1136] Die Regelung im deutschen VStGB, nach der über § 2 VStGB die „normalen“ Bestimmungen hinsichtlich der subjektiven Tatbestandsmerkmale auch für

---

S. 889 (915 f.) (für den Vorsatz in Bezug auf den Erfolg); ebenso allgemein *Werle/Nerlich*, HuV-I 2002, 124 (129) und tendenziell auch *Weigend*, in: Schünemann u.a. (Hrsg.), FS Roxin, S. 1375 (1390); *Zimmermann*, NJW 2002, 3068 (3069).

1132 *Ambos*, Der Allgemeine Teil des Völkerstrafrechts, S. 771.

1133 *Gropengießer*, LB Deutschland, Bd. 1, S. 21 (273). Vgl. auch die amtliche Begründung zum deutschen VStGB, BT-Drucks. 14/8524, S. 15, wo von „Wahrscheinlichkeitswissen“ die Rede ist.

1134 Siehe die Nachweise bei *Werle/Nerlich*, HuV-I 2002, 124 (129 Fn. 62).

1135 So auch *Weigend*, in: Schünemann u.a. (Hrsg.), FS Roxin, S. 1375 (1389 Fn. 57); *Werle*, Völkerstrafrecht, Rn. 307, 764; *Werle/Nerlich*, HuV-I 2002, 124 (129) sowie implizit die amtliche Begründung zum deutschen VStGB, BT-Drucks. 14/8524, S. 15.

1136 Vgl. *Biehler/Kerll*, LB Australien, Bd. 6, S. 19 (45 f.); *Cornils*, LB Schweden, Bd. 2, S. 183 (224); *Frände*, LB Finnland, Bd. 2, S. 21 (53); *Gropengießer*, LB Deutschland, Bd. 1, S. 21 (270); *Gut/Wolpert*, LB Kanada, Bd. 5, S. 19 (44 ff.); *Jarvers*, LB Italien, Bd. 4, S. 337 (384); *Korošec*, LB Slowenien, Bd. 3, S. 329 (370 f.); *Kouassi/Paulenz*, LB Côte d'Ivoire, Bd. 4, S. 19 (57); *Kremnitzer/Cohen*, LB Israel, Bd. 5, S. 317 (369 f.); *Lammich*, LB Russland/Weißrussland, Bd. 6, S. 351 (377); *Lelieur-Fischer*, LB Frankreich, Bd. 4, S. 225 (271 ff.); *Novoselec*, LB Kroatien, Bd. 3, S. 19 (49); *Ploom*, LB Estland, Bd. 5, S. 89 (129); *Retalis*, LB Griechenland, Bd. 5, S. 189 (247 f.); *Richter*, LB China, Bd. 6, S. 141 (208 f.); *Silverman*, LB USA, Bd. 5, S. 411 (448 ff.); *Škulić*, LB Serbien und Montenegro, Bd. 3, S. 211 (249); *Tellenbach*, LB Türkei, Bd. 6, S. 393 (434); *Weigend*, LB Polen, Bd. 2, S. 77 (121 f.); *Zerbes*, LB Österreich, Bd. 3, S. 85 (384).

Taten nach dem VStGB maßgeblich sind,[1137] stellt also gewissermaßen den Regelfall dar. Eine spezielle Vorsatzregelung für völkerrechtliche Verbrechen gibt es jedoch in England und Wales. Der ICC Act 2001 von England und Wales enthält eine Spezialvorschrift zu den subjektiven Tatbestandsmerkmalen, die inhaltlich Art. 30 IStGH-Statut entspricht.[1138]

Betrachtet man die Vorsatzregelungen in den einzelnen Staaten, die keine spezielle Bestimmung für völkerrechtliche Verbrechen haben, genauer, so zeigt sich, dass nach dem Recht der meisten Staaten nicht nur dann eine Strafbarkeit begründet wird, wenn der Täter mit Absicht im Sinne eines unbedingten Willens zur Tatbestandsverwirklichung handelt[1139] bzw. wenn er weiß oder als sicher voraussieht, dass der tatbestandsmäßige Erfolg eintritt,[1140] also mit dolus directus 1. Grades oder dolus directus 2. Grades handelt, sondern auch dann, wenn (lediglich) dolus eventualis vorliegt, er also den Erfolgseintritt lediglich für möglich hält und ihn auch nicht erstrebt, sich jedoch mit ihm abfindet.[1141] Frankreich, wo dolus eventualis für eine Strafbarkeit nicht ausreicht,[1142] nimmt damit im internationalen Vergleich eine Ausnahmeposition ein. Und in Finnland weicht die Rechtslage insofern von derjenigen in den meisten anderen Staaten ab, als dort zumindest mit „Wahrscheinlichkeitsvorsatz" gehandelt werden muss. Ein solcher liegt vor, wenn der Täter den Eintritt des tatbestandsmäßigen Erfolgs für überwiegend wahrscheinlich

---

1137 Vgl. *Gropengießer*, LB Deutschland, Bd. 1, S. 21 (270).

1138 *Rabenstein/Bahrenberg*, LB England/Wales, Bd. 6, S. 261 (288).

1139 So *Cornils*, LB Schweden, Bd. 2, S. 183 (224); *Frände*, LB Finnland, Bd. 2, S. 21 (54); *Gropengießer*, LB Deutschland, Bd. 1, S. 21 (270 f.); *Jarvers*, LB Italien, Bd. 4, S. 337 (385); *Korošec*, LB Slowenien, Bd. 3, S. 329 (370 f.); *Kouassi/Paulenz*, LB Côte d'Ivoire, Bd. 4, S. 19 (57); *Lammich*, LB Russland/Weißrussland, Bd. 6, S. 351 (377); *Novoselec*, LB Kroatien, Bd. 3, S. 19 (49); *Ploom*, LB Estland, Bd. 5, S. 89 (129); *Retalis*, LB Griechenland, Bd. 5, S. 189 (247 f.); *Richter*, LB China, Bd. 6, S. 141 (208 f.); *Škulić*, LB Serbien und Montenegro, Bd. 3, S. 211 (249); *Tellenbach*, LB Türkei, Bd. 6, S. 393 (434); *Weigend*, LB Polen, Bd. 2, S. 77 (121 f.); *Zerbes*, LB Österreich, Bd. 3, S. 85 (134).

1140 So *Cornils*, LB Schweden, Bd. 2, S. 183 (224); *Frände*, LB Finnland, Bd. 2, S. 21 (54); *Gropengießer*, LB Deutschland, Bd. 1, S. 21 (270 f.); *Jarvers*, LB Italien, Bd. 4, S. 337 (385); *Korošec*, LB Slowenien, Bd. 3, S. 329 (370 f.); *Kouassi/Paulenz*, LB Côte d'Ivoire, Bd. 4, S. 19 (57); *Lammich*, LB Russland/Weißrussland, Bd. 6, S. 351 (377); *Novoselec*, LB Kroatien, Bd. 3, S. 19 (49); *Ploom*, LB Estland, Bd. 5, S. 89 (129); *Retalis*, LB Griechenland, Bd. 5, S. 189 (247 f.); *Richter*, LB China, Bd. 6, S. 141 (208 f.); *Škulić*, LB Serbien und Montenegro, Bd. 3, S. 211 (249); *Tellenbach*, LB Türkei, Bd. 6, S. 393 (434); *Weigend*, LB Polen, Bd. 2, S. 77 (121 f.); *Zerbes*, LB Österreich, Bd. 3, S. 85 (134).

1141 So etwa *Cornils*, LB Schweden, Bd. 2, S. 183 (224); *Gropengießer*, LB Deutschland, Bd. 1, S. 21 (270 f.); *Jarvers*, LB Italien, Bd. 4, S. 337 (385); *Korošec*, LB Slowenien, Bd. 3, S. 329 (370 f.); *Kouassi/Paulenz*, LB Côte d'Ivoire, Bd. 4, S. 19 (57); *Lammich*, LB Russland/Weißrussland, Bd. 6, S. 351 (377 f.); *Novoselec*, LB Kroatien, Bd. 3, S. 19 (49); *Ploom*, LB Estland, Bd. 5, S. 89 (129); *Retalis*, LB Griechenland, Bd. 5, S. 189 (247 ff.); *Richter*, LB China, Bd. 6, S. 141 (208 f.); *Škulić*, LB Serbien und Montenegro, Bd. 3, S. 211 (249); *Tellenbach*, LB Türkei, Bd. 6, S. 393 (434); *Weigend*, LB Polen, Bd. 2, S. 77 (121 f.); *Zerbes*, LB Österreich, Bd. 3, S. 85 (134).

1142 Siehe *Lelieur-Fischer*, LB Frankreich, Bd. 4, S. 225 (271).

hält, es also für wahrscheinlicher hält, dass der Erfolg eintritt, als dass er nicht eintritt.[1143]

Als Fazit kann mithin festgehalten werden, dass in den meisten der untersuchten Staaten eine Strafbarkeit wegen der Begehung völkerrechtlicher Verbrechen bereits dann eintritt, wenn der Täter „nur" mit dolus eventualis handelt. Dieses Ergebnis unterstützt die oben getroffene Feststellung, dass nach Völkergewohnheitsrecht – anders als nach dem Römischen Statut – Völkerstraftaten auch mit dolus eventualis begangen werden können.[1144] Einschränkend ist aber darauf hinzuweisen, dass dies selbstverständlich nur gilt, sofern nicht schon der anzuwendende Spezialtatbestand besondere Anforderungen an die subjektive Tatseite stellt, wie das etwa bei den nationalen Völkermordtatbeständen der Fall ist, die ebenso wie ihr internationales Vorbild eine spezielle Zerstörungsabsicht verlangen.[1145]

2. Erfassung von Fahrlässigkeitstaten

a) Völkerstrafrechtliche Ausgangslage

Das Römische Statut lässt Fahrlässigkeit grundsätzlich nicht für eine Strafbarkeit ausreichen, und zwar auch nicht in der gravierenderen Form der *recklessness*.[1146] Auch nach Völkergewohnheitsrecht können völkerrechtliche Verbrechen nur vorsätzlich, nicht aber fahrlässig begangen werden.[1147]

b) Rechtslage in den untersuchten Staaten

Wie bereits erwähnt, gibt es in den meisten der untersuchten Staaten keine Spezialregelung hinsichtlich der subjektiven Tatbestandsmerkmale für eine Strafverfolgung wegen völkerrechtlicher Verbrechen; dies gilt namentlich auch für die

---

1143 Vgl. *Frände*, LB Finnland, Bd. 2, S. 21 (54).

1144 Siehe hierzu oben S. 207.

1145 Siehe hierzu oben S. 53 ff.

1146 *Ambos*, CLF 10 (1999), 1 (21); *ders.*, Der Allgemeine Teil des Völkerstrafrechts, S. 771; *Clark*, ZStW 114 (2002), 372 (378, 402); *Piragoff*, in: Triffterer (Hrsg.), Commentary on the Rome Statute, Art. 30 Rn. 14; *Werle*, Völkerstrafrecht, Rn. 264, 277. Eine Ausnahme stellt die Regelung über *command responsibility* in Art. 28 IStGH-Statut (hierzu unten S. 232) dar, die auch eine Fahrlässigkeitskomponente aufweist und neben dem Vorsatz zwei Formen der Fahrlässigkeit kennt: zum einen einfache Fahrlässigkeit (Art. 28(a)(i) IStGH-Statut), zum anderen eine durch das Bewusstseinskriterium *(consciously)* noch über die deutsche Leichtfertigkeit hinausgehende, an die *recklessness* des common law erinnernde gesteigerte Form der Fahrlässigkeit (Art. 28(b)(i) IStGH-Statut) (eingehend dazu *Ambos*, Der Allgemeine Teil des Völkerstrafrechts, S. 692 ff., 706). Überdies sind bei einigen Kriegsverbrechen die Anforderungen an die subjektive Tatseite reduziert (siehe hierzu oben Anm. 749).

1147 *Werle*, Völkerstrafrecht, Rn. 264, 277 (auch insofern dürfte allerdings für den Bereich der *command responsibility* anderes gelten; vgl. hierzu schon oben Anm. 1146).

Frage einer Fahrlässigkeitsstrafbarkeit.[1148] Generell ist in der Mehrzahl der untersuchten Staaten fahrlässiges Handeln nur dann strafbar, sofern dies für einzelne Taten individuell gesetzlich festgelegt ist.[1149]

Dies führt – mangels einer solchen ausdrücklichen gesetzlichen Anordnung – dazu, dass eine Strafbarkeit nach den nationalen völkerstrafrechtlichen Spezialtatbeständen nur bei vorsätzlicher, nicht aber auch bei fahrlässiger Tatbegehung strafbar ist.[1150] Völkerstraftaten können also auch nach dem nationalen Recht der untersuchten Taten grundsätzlich nur vorsätzlich, nicht aber fahrlässig begangen werden – damit findet die obige Feststellung zum Stand des Völkergewohnheitsrechts eine Bestätigung.

Lediglich im Bereich der *command responsiblity* (Vorgesetztenverantwortlichkeit) sehen einige Staaten eine Strafbarkeit von Vorgesetzten bei Begehung von Völkerstraftaten durch Untergebene im Falle fahrlässiger Verletzung der Pflicht zur gehörigen Beaufsichtigung der Untergebenen vor.[1151] Zudem kennen einige Rechtsordnungen auch im Bereich der jeweiligen völkerstrafrechtlichen Spezialtatbestände so genannte Vorsatz-Fahrlässigkeitskombinationen, sehen also für den

---

[1148] Vgl. *Biehler/Kerll*, LB Australien, Bd. 6, S. 19 (47); *Cornils*, LB Schweden, Bd. 2, S. 183 (224 ff.); *Frände*, LB Finnland, Bd. 2, S. 21 (53); *Gropengießer*, LB Deutschland, Bd. 1, S. 21 (270); *Gut/Wolpert*, LB Kanada, Bd. 5, S. 19 (47); *Jarvers*, LB Italien, Bd. 4, S. 337 (385 f.); *Korošec*, LB Slowenien, Bd. 3, S. 329 (370 f.); *Kouassi/Paulenz*, LB Côte d'Ivoire, Bd. 4, S. 19 (57); *Kremnitzer/Cohen*, LB Israel, Bd. 5, S. 317 (369 f.); *Lammich*, LB Russland/Weißrussland, Bd. 6, S. 351 (378); *Lelieur-Fischer*, LB Frankreich, Bd. 4, S. 225 (273); *Novoselec*, LB Kroatien, Bd. 3, S. 19 (50); *Ploom*, LB Estland, Bd. 5, S. 89 (130); *Rabenstein/Bahrenberg*, LB England/Wales, Bd. 6, S. 261 (289); *Retalis*, LB Griechenland, Bd. 5, S. 189 (249 ff.); *Richter*, LB China, Bd. 6, S. 141 (208 f.); *Silverman*, LB USA, Bd. 5, S. 411 (451 ff.); *Škulić*, LB Serbien und Montenegro, Bd. 3, S. 211 (249); *Tellenbach*, LB Türkei, Bd. 6, S. 393 (434); *Weigend*, LB Polen, Bd. 2, S. 77 (122); *Zerbes*, LB Österreich, Bd. 3, S. 85 (134).

[1149] Vgl. *Cornils*, LB Schweden, Bd. 2, S. 183 (224 ff.); *Gropengießer*, LB Deutschland, Bd. 1, S. 21 (270, 273); *Jarvers*, LB Italien, Bd. 4, S. 337 (384 f.); *Korošec*, LB Slowenien, Bd. 3, S. 329 (371); *Kouassi/Paulenz*, LB Côte d'Ivoire, Bd. 4, S. 19 (57); *Kremnitzer/Cohen*, LB Israel, Bd. 5, S. 317 (370); *Lammich*, LB Russland/Weißrussland, Bd. 6, S. 351 (377); *Novoselec*, LB Kroatien, Bd. 3, S. 19 (50); *Škulić*, LB Serbien und Montenegro, Bd. 3, S. 211 (250 f.); *Weigend*, LB Polen, Bd. 2, S. 77 (122). Noch eingeschränkter ist die Rechtslage in Frankreich, dort kommt eine Fahrlässigkeitsstrafbarkeit nur bei Verbrechen in Betracht; vgl. *Lelieur-Fischer*, LB Frankreich, Bd. 4, S. 225 (273).

[1150] Siehe *Biehler/Kerll*, LB Australien, Bd. 6, S. 19 (47 f.); *Frände*, LB Finnland, Bd. 2, S. 21 (53 ff.); *Gropengießer*, LB Deutschland, Bd. 1, S. 21 (270, 273); *Jarvers*, LB Italien, Bd. 4, S. 337 (385); *Korošec*, LB Slowenien, Bd. 3, S. 329 (372); *Kouassi/Paulenz*, LB Côte d'Ivoire, Bd. 4, S. 19 (57); *Lammich*, LB Russland/Weißrussland, Bd. 6, S. 351 (378); *Lelieur-Fischer*, LB Frankreich, Bd. 4, S. 225 (271, 273); *Novoselec*, LB Kroatien, Bd. 3, S. 19 (50); *Ploom*, LB Estland, Bd. 5, S. 89 (130); *Rabenstein/Bahrenberg*, LB England/Wales, Bd. 6, S. 261 (289); *Richter*, LB China, Bd. 6, S. 141 (210); *Silverman*, LB USA, Bd. 5, S. 411 (453); *Škulić*, LB Serbien und Montenegro, Bd. 3, S. 211 (249 ff.); *Weigend*, LB Polen, Bd. 2, S. 77 (122).

[1151] Siehe beispielhaft *Frände*, LB Finnland, Bd. 2, S. 21 (55) und *Gropengießer*, LB Deutschland, Bd. 1, S. 21 (273, 296).

Fall, dass die Begehung einer Völkerstraftat verknüpft ist mit der fahrlässigen Verursachung einer besonders schweren Tatfolge (etwa dem Tod des Opfers), eine schwerere Bestrafung vor.[1152] Ferner ist darauf hinzuweisen, dass einige Staaten (des common law) eine Strafbarkeit bei so genannter *recklessness* vorsehen; wegen der Einzelheiten dieser strafrechtsdogmatischen Figur wird auf die betreffenden Landesberichte verwiesen.[1153]

Eine Sonderstellung nimmt teilweise das australische Recht ein: Es kennt die Figur der *strict liability*, nach der eine Strafbarkeit bereits dann begründet wird, wenn der Täter in objektiv zurechenbarer Weise den gesetzlichen Tatbestand verwirklicht, unabhängig davon, ob er vorsätzlich oder fährlässig handelte. Für die völkerstrafrechtlichen Spezialtatbestände gilt nach australischem Recht dann eine *strict liability*-Haftung, wenn die Tat zugleich einen Verstoß gegen den IPBPR darstellt oder aber eine durch die Genfer Abkommen oder deren ZP I geschützte Person verletzt wird.[1154]

Abschließend ist noch anzumerken, dass insoweit, als auf nationaler Ebene „normale" Straftatbestände – etwa die nationalen Tatbestände zur Erfassung von Tötungs- oder Brandstiftungsdelikten – zur Anwendung kommen, häufig auch eine Bestrafung wegen fahrlässiger Tatbegehung möglich ist – etwa wegen fahrlässiger Brandstiftung oder fahrlässiger Tötung.[1155] Doch geht es dann nicht mehr um die Ahndung von Völkerstraftaten im völkerrechtlichen Sinne, da die völkerrechtlichen Straftatbestände sich – wie gezeigt – nur auf vorsätzliches Handeln beziehen.

3. Regelungen hinsichtlich eines Tatirrtums und eines Rechtsirrtums

a) Völkerstrafrechtliche Ausgangslage

In Art. 32 IStGH-Statut, der den Stand des Völkergewohnheitsrechts widerspiegelt,[1156] trifft man auf die althergebrachte Differenzierung zwischen *error facti (mistake of fact)* und *error juris (mistake of law)*.[1157]

1152 Vgl. *Gropengießer*, LB Deutschland, Bd. 1, S. 21 (274); *Ploom*, LB Estland, Bd. 5, S. 89 (130); *Škulić*, LB Serbien und Montenegro, Bd. 3, S. 211 (250); *Zerbes*, LB Österreich, Bd. 3, S. 85 (134).

1153 Siehe *Biehler/Kerll*, LB Australien, Bd. 6, S. 19 (45 f.); *Kremnitzer/Cohen*, LB Israel, Bd. 5, S. 317 (369 f.); *Silverman*, LB USA, Bd. 5, S. 411 (451 ff.).

1154 Siehe *Biehler/Kerll*, LB Australien, Bd. 6, S. 19 (47 f.).

1155 Vgl. nur *Retalis*, LB Griechenland, Bd. 5, S. 189 (250 f.); *Zerbes*, LB Österreich, Bd. 3, S. 85 (134).

1156 *Ambos*, Der Allgemeine Teil des Völkerstrafrechts, S. 805 f.; *Werle*, Völkerstrafrecht, Rn. 346 m.w.N. in Fn. 204.

1157 Siehe zur Entstehungsgeschichte *Eser*, in: Cassese u.a. (Hrsg.), Rome Statute of the International Criminal Court, Bd. I, S. 889 (896 f.); *Triffterer*, in: ders. (Hrsg.), Commentary on the Rome Statute, Art. 32 Rn. 1 ff.

Nach Art. 32(1) IStGH-Statut führt ein Irrtum über *deskriptive äußere Tatsachen (Tatirrtum)* prinzipiell zu einem Ausschluss der strafrechtlichen Verantwortlichkeit.[1158] Schwieriger zu beurteilen sind die Folgen von Irrtümern über *normative Tatbestandsmerkmale* wie beispielsweise die Anforderungen an ein unparteiisches ordentliches Gerichtsverfahren (vgl. Art. 8(2)(a)(vi) IStGH-Statut).[1159] Diese sind als Rechtsirrtümer zu klassifizieren.[1160] Im Ergebnis allerdings sind sie nicht unbeachtlich, sondern schließen gemäß der Ausnahmeregelung des Art. 32(2)(2) IStGH-Statut ebenfalls die Strafbarkeit aus, und zwar – dies ist allerdings umstritten – nicht nur nach Ermessen des Gerichtshofs,[1161] sondern stets unmittelbar kraft des Römischen Statuts.[1162]

Ein *Irrtum über die Erfassung eines Verhaltens vom Römischen Statut*, also ein Verbotsirrtum *(Rechtsirrtum)*, ist gemäß Art. 32(2) IStGH-Statut – vom Spezialfall des Handelns auf Befehl einmal abgesehen[1163] – grundsätzlich irrelevant; er führt nicht zu einer Straffreistellung, und zwar unabhängig davon, ob er vermeidbar war oder nicht.[1164] Das Römische Statut folgt insofern – „eher archaisch“[1165] – dem mit dem Schuldgrundsatz unvereinbaren Prinzip *error iuris nocet.*[1166] Auch wenn das Bestreben, dem Täter eine Berufung auf einen Verbotsirrtum so schwer wie mög-

---

1158 *Ambos*, Der Allgemeine Teil des Völkerstrafrechts, S. 807; *Satzger*, Internationales und Europäisches Strafrecht, § 14 Rn. 30; *Werle*, Völkerstrafrecht, Rn. 347 ff. Da das Römische Statut keine Fahrlässigkeitsstrafbarkeit vorsieht, kommt eine subsidiäre Fahrlässigkeitsstrafbarkeit bei Vorliegen eines (Tat-)Irrtums über deskriptive äußere Tatsachen nicht in Betracht; vgl. *Ambos*, a.a.O.

1159 Beispiel von *Weigend*, in: Schünemann u.a. (Hrsg.), FS Roxin, S. 1375 (1391 f.).

1160 *Ambos*, Der Allgemeine Teil des Völkerstrafrechts, S. 811 ff.; *Clark*, ZStW 114 (2002), 372 (384 f.); *Weigend*, in: Schünemann u.a. (Hrsg.), FS Roxin, S. 1375 (1391); *Werle*, Völkerstrafrecht, Rn. 348. Hieran zeigt sich, dass die Differenzierung zwischen Tatirrtum und Rechtsirrtum nicht parallel verläuft zu der Unterscheidung zwischen Tatbestandsirrtum und Verbotsirrtum im deutschen Strafrecht; siehe hierzu *Satzger*, Internationales und Europäisches Strafrecht, § 14 Rn. 31.

1161 So aber *Ambos*, Der Allgemeine Teil des Völkerstrafrechts, S. 811 f.; *Eser*, in: Cassese u.a. (Hrsg.), Rome Statute of the International Criminal Court, Bd. I, S. 889 (941 f.); *Triffterer*, in: ders. (Hrsg.), Commentary on the Rome Statute, Art. 32 Rn. 38 f.

1162 So *Clark*, ZStW 114 (2002), 372 (385 f.); *Weigend*, in: Schünemann u.a. (Hrsg.), FS Roxin, S. 1375 (1391) und wohl auch *Werle*, Völkerstrafrecht, Rn. 354.

1163 Siehe hierzu *Triffterer*, in: ders. (Hrsg.), Commentary on the Rome Statute, Art. 32 Rn. 41; *Weigend*, in: Schünemann u.a. (Hrsg.), FS Roxin, S. 1375 (1392); *Werle*, Völkerstrafrecht, Rn. 355. Siehe näher zum Handeln auf Befehl unten S. 238 ff.

1164 BT-Drucks. 14/8524, S. 16; *Ambos*, Der Allgemeine Teil des Völkerstrafrechts, S. 817 ff.; *Hermsdörfer*, HuV-I 1999, 22 (26); *Kreß*, Vom Nutzen eines deutschen Völkerstrafgesetzbuchs, S. 36; *ders.*, HuV-I 1999, 4 (8); *ders.*, in: Grützner/Pötz, Internationaler Rechtshilfeverkehr, vor III 26, Rn. 56; *Satzger*, Internationales und Europäisches Strafrecht, § 14 Rn. 30; *Weigend*, in: Schünemann u.a. (Hrsg.), FS Roxin, S. 1375 (1392); *Werle*, Völkerstrafrecht, Rn. 352.

1165 *Weigend*, in: Schünemann u.a. (Hrsg.), FS Roxin, S. 1375 (1392).

1166 BT-Drucks. 14/8524, S. 16; *Ambos*, CLF 10 (1999), 1 (29); *Weigend*, in: Schünemann u.a. (Hrsg.), FS Roxin, S. 1375 (1392).

lich zu machen,[1167] angesichts der Dimension der Taten, um die es im Völkerstrafrecht geht, verständlich erscheint, so ist doch die damit verbundene Missachtung des Schuldgrundsatzes bedenklich.[1168] Zum einen sind im Völkerstrafrecht, auch im Römischen Statut, etliche Straftatbestände ziemlich vage formuliert.[1169] Zudem kann zumindest im Bereich der Kriegsverbrechen nicht von vornherein ausgeschlossen werden, dass Kombattanten – man denke nur an Kämpfer in Bürgerkriegen der so genannten Dritten Welt, die häufig keinerlei (militärische) Ausbildung erfahren haben – das Verbotensein ihres Tun nicht bekannt und dieser Irrtum auch nicht vermeidbar ist.[1170] Auch in einem solchen Fall ohne Rücksicht auf die Unvermeidbarkeit des Irrtums zu bestrafen, hieße, dem Täter trotz fehlender individueller Vorwerfbarkeit seines Tuns eine Sanktion aufzuerlegen.

Schwierigkeiten bereitet im Völkerstrafrecht – nicht zuletzt mangels ausdrücklicher Regelung im Römischen Statut – der Umgang mit anderen Irrtümern, namentlich mit *Erlaubnistatbestandsirrtümern* (Irrtümern über das Vorliegen von besonderen, ausnahmsweise zur Straffreistellung führenden tatsächlichen Umständen) und *Erlaubnisirrtümern* (indirekten Verbotsirrtümern, also [Rechts-]Irrtümern über die Existenz einer ausnahmsweise straffreistellend wirkenden Norm). Da nach dem Prinzip *error iuris nocet* Rechtsirrtümer prinzipiell unbeachtlich sind, muss die logische Konsequenz sein, dass auch ein Erlaubnisirrtum den Täter nicht entlastet.[1171] Den Erlaubnistatbestandsirrtum wird man dagegen wegen seiner engen strukturellen Nähe zum Tatirrtum in analoger Anwendung des Art. 32(1) IStGH-Statut richtigerweise wie diesen zu behandeln haben, so dass ihm strafbefreiende Wirkung beizumessen ist.[1172]

1167 So laut *Eser*, in: Schmoller (Hrsg.), FS Triffterer, S. 755 (770) die Motivation der Irrelevanz des Verbotsirrtums im Völkerstrafrecht.

1168 Ebenso *Ambos*, Der Allgemeine Teil des Völkerstrafrechts, S. 818 f.; *Eser*, in: Cassese u.a. (Hrsg.), Rome Statute of the International Criminal Court, Bd. I, S. 889 (945); *Satzger*, Internationales und Europäisches Strafrecht, § 14 Rn. 32; *Weigend*, in: Schünemann u.a. (Hrsg.), FS Roxin, S. 1375 (1392 f.); *Werle*, Völkerstrafrecht, Rn. 353.

1169 Hierauf weist *Ambos*, Der Allgemeine Teil des Völkerstrafrechts, S. 818 hin; *ders.*, CLF 10 (1999), 1 (30).

1170 So zu Recht *Gropengießer*, LB Deutschland, Bd. 1, S. 21 (278).

1171 Ebenso *Werle*, Völkerstrafrecht, Rn. 352.

1172 Ebenso *Ambos*, Der Allgemeine Teil des Völkerstrafrechts, S. 810; *Eser*, in: Cassese u.a. (Hrsg.), Rome Statute of the International Criminal Court, Bd. I, S. 889 (945); *Jescheck*, JICJ 2 (2004), 38 (47); *Kreß*, in: Grützner/Pötz, Internationaler Rechtshilfeverkehr, vor III 26, Rn. 56; *Satzger*, NStZ 2002, 125 (128); *ders.*, ICLR 2 (2002), 261 (271); *ders.*, Internationales und Europäisches Strafrecht, § 14 Rn. 33. Tendenziell auch *Werle*, Völkerstrafrecht, Rn. 350.

b) Rechtslage in den untersuchten Staaten

In fast allen untersuchten Staaten gibt es keine völkerstrafrechtliche Spezialregelung zur Relevanz von Irrtümern, seien es Irrtümer in tatsächlicher Hinsicht (namentlich Tatirrtümer bzw. Tatbestandsirrtümer), seien es Irrtümer in rechtlicher Hinsicht (Verbotsirrtümer). Vielmehr kommen in nahezu allen betrachteten Ländern auch bei einer Ahndung völkerrechtlicher Verbrechen die allgemeinen, auch für sonstige Straftaten geltenden Irrtumsregelungen zur Anwendung.[1173]

Lediglich das Strafrecht Schwedens enthält eine speziell auf völkerrechtliche Verbrechen bezogene Irrtumsregelung;[1174] auf diese wird sogleich näher eingegangen.

In Bezug auf die nationalen Irrtumsregelungen lassen sich die untersuchten Staaten in zwei Gruppen einteilen: Die Staaten des angloamerikanischen Rechtskreises differenzieren zwischen Tatirrtümern, also Irrtümern im tatsächlichen Bereich, auf der einen Seite und Rechtsirrtümern, also Irrtümern über juristische Bewertungen und Zuordnungen, auf der anderen Seite.[1175] Die zweite, weitaus größere Gruppe von Staaten unterscheidet (wenn auch nicht immer explizit) zwischen Tatbestandsirrtümern, also Irrtümern in Bezug auf Merkmale des gesetzlichen Straftatbestands, einerseits und Verbotsirrtümern, also Irrtümern über die Klassifizierung von Taten als Unrecht, andererseits.[1176] Ein praktisch relevanter Unterschied zwischen diesen beiden Irrtumskonzeptionen besteht im Hinblick auf die Bewertung normativer

---

[1173] *Biehler/Kerll*, LB Australien, Bd. 6, S. 19 (48 f.); *Frände*, LB Finnland, Bd. 2, S. 21 (55 f.); *Gil Gil*, LB Spanien, Bd. 4, S. 99 (150 ff.); *Gropengießer*, LB Deutschland, Bd. 1, S. 21 (275); *Gut/Wolpert*, LB Kanada, Bd. 5, S. 19 (47 f.); *Jarvers*, LB Italien, Bd. 4, S. 337 (386); *Korošec*, LB Slowenien, Bd. 3, S. 329 (372); *Kouassi/Paulenz*, LB Côte d'Ivoire, Bd. 4, S. 19 (58); *Kremnitzer/Cohen*, LB Israel, Bd. 5, S. 317 (370 f.); *Lammich*, LB Russland/Weißrussland, Bd. 6, S. 351 (378); *Lelieur-Fischer*, LB Frankreich, Bd. 4, S. 225 (273 ff.); *Novoselec*, LB Kroatien, Bd. 3, S. 19 (50); *Ploom*, LB Estland, Bd. 5, S. 89 (130); *Rabenstein/Bahrenberg*, LB England/Wales, Bd. 6, S. 261 (289); *Retalis*, LB Griechenland, Bd. 5, S. 189 (252); *Richter*, LB China, Bd. 6, S. 141 (211); *Silverman*, LB USA, Bd. 5, S. 411 (454 ff.); *Škulić*, LB Serbien und Montenegro, Bd. 3, S. 211 (251); *Tellenbach*, LB Türkei, Bd. 6, S. 393 (437); *Weigend*, LB Polen, Bd. 2, S. 77 (123); *Zerbes*, LB Österreich, Bd. 3, S. 85 (134).

[1174] *Cornils*, LB Schweden, Bd. 2, S. 183 (226).

[1175] Vgl. *Biehler/Kerll*, LB Australien, Bd. 6, S. 19 (48 f.); *Gut/Wolpert*, LB Kanada, Bd. 5, S. 19 (47 f.); *Rabenstein/Bahrenberg*, LB England/Wales, Bd. 6, S. 261 (289); *Silverman*, LB USA, Bd. 5, S. 411 (454 ff.).

[1176] Vgl. *Cornils*, LB Schweden, Bd. 2, S. 183 (226); *Frände*, LB Finnland, Bd. 2, S. 21 (55 f.); *Gil Gil*, LB Spanien, Bd. 4, S. 99 (150 ff.); *Gropengießer*, LB Deutschland, Bd. 1, S. 21 (275); *Jarvers*, LB Italien, Bd. 4, S. 337 (386); *Korošec*, LB Slowenien, Bd. 3, S. 329 (372); *Kouassi/Paulenz*, LB Côte d'Ivoire, Bd. 4, S. 19 (58); *Lelieur-Fischer*, LB Frankreich, Bd. 4, S. 225 (273 ff.); *Novoselec*, LB Kroatien, Bd. 3, S. 19 (50); *Ploom*, LB Estland, Bd. 5, S. 89 (130); *Retalis*, LB Griechenland, Bd. 5, S. 189 (252); *Richter*, LB China, Bd. 6, S. 141 (211); *Škulić*, LB Serbien und Montenegro, Bd. 3, S. 211 (251); *Tellenbach*, LB Türkei, Bd. 6, S. 393 (437); *Weigend*, LB Polen, Bd. 2, S. 77 (123); *Zerbes*, LB Österreich, Bd. 3, S. 85 (134).

Tatbestandselemente – wie etwa die Voraussetzungen für ein unparteiisches ordentliches Gerichtsverfahren im Sinne des Art. 8(2)(a)(vi) IStGH-Statut. Die Staaten des angloamerikanischen Rechtskreises bewerten Irrtümer über normative Tatbestandsmerkmale als Rechtsirrtümer,[1177] die Staaten der zweiten Gruppe als Tatbestandsirrtümer.

In allen untersuchten Staaten führt ein Tatirrtum bzw. Tatbestandsirrtum zum Ausschluss der Strafbarkeit wegen vorsätzlicher Tatbegehung.[1178] Insofern entspricht die Rechtslage nach dem Römischen Statut dem Recht der einzelnen Staaten. Zwar ist bei Vorliegen eines solchen Irrtums grundsätzlich eine Bestrafung wegen fahrlässiger Tatbegehung möglich (wobei Anknüpfungspunkt für den Fahrlässigkeitsvorwurf die pflichtwidrige und vorwerfbare Verkennung der tatsächlichen Sachlage ist);[1179] doch ist zu bedenken, dass – wie erwähnt[1180] – die nationalen völkerstrafrechtlichen Spezialtatbestände nahezu ausnahmslos nur vorsätzliches Handeln pönalisieren. In Betracht kommt jedoch vielfach die Anwendung „normaler", auch für die Alltagskriminalität geltender Fahrlässigkeitsstraftatbestände. Wer mithin einen verwundeten gegnerischen Soldaten tötet, weil er irrtümlich davon ausgeht, dieser habe sich nur zur Tarnung hingelegt, der kann in aller Regel wegen fahrlässiger Tötung unter Anwendung des „normalen" Strafrechts des strafverfolgenden Staates bestraft werden, sofern der Täter die tatsächliche Sachlage in zumutbarer Weise hätte erkennen können.

Anders als bei der Bewertung von Tat- und Tatbestandsirrtümern gibt es hinsichtlich der Bewertung von Rechts- bzw. Verbotsirrtümern erhebliche Unterschiede zwischen den Staaten. Einige Länder, namentlich die dem common law zuzu-

---

1177 So auch das Römische Statut; vgl. hierzu oben Anm. 1160 mit dazugehörigem Text.

1178 Siehe *Biehler/Kerll*, LB Australien, Bd. 6, S. 19 (49); *Cornils*, LB Schweden, Bd. 2, S. 183 (226); *Frände*, LB Finnland, Bd. 2, S. 21 (55 f.); *Gil Gil*, LB Spanien, Bd. 4, S. 99 (150 ff.); *Gropengießer*, LB Deutschland, Bd. 1, S. 21 (276); *Gut/Wolpert*, LB Kanada, Bd. 5, S. 19 (48); *Jarvers*, LB Italien, Bd. 4, S. 337 (386 f.); *Korošec*, LB Slowenien, Bd. 3, S. 329 (372); *Kouassi/Paulenz*, LB Côte d'Ivoire, Bd. 4, S. 19 (58); *Kremnitzer/Cohen*, LB Israel, Bd. 5, S. 317 (370); *Lelieur-Fischer*, LB Frankreich, Bd. 4, S. 225 (274); *Novoselec*, LB Kroatien, Bd. 3, S. 19 (50); *Ploom*, LB Estland, Bd. 5, S. 89 (130); *Rabenstein/Bahrenberg*, LB England/Wales, Bd. 6, S. 261 (289); *Retalis*, LB Griechenland, Bd. 5, S. 189 (253); *Richter*, LB China, Bd. 6, S. 141 (211); *Silverman*, LB USA, Bd. 5, S. 411 (454 f.); *Škulić*, LB Serbien und Montenegro, Bd. 3, S. 211 (251); *Tellenbach*, LB Türkei, Bd. 6, S. 393 (437); *Weigend*, LB Polen, Bd. 2, S. 77 (123); *Zerbes*, LB Österreich, Bd. 3, S. 85 (134).

1179 Siehe *Gil Gil*, LB Spanien, Bd. 4, S. 99 (150 ff.); *Gropengießer*, LB Deutschland, Bd. 1, S. 21 (276); *Jarvers*, LB Italien, Bd. 4, S. 337 (386); *Korošec*, LB Slowenien, Bd. 3, S. 329 (372); *Novoselec*, LB Kroatien, Bd. 3, S. 19 (50); *Ploom*, LB Estland, Bd. 5, S. 89 (130); *Retalis*, LB Griechenland, Bd. 5, S. 189 (253); *Richter*, LB China, Bd. 6, S. 141 (211); *Škulić*, LB Serbien und Montenegro, Bd. 3, S. 211 (251); *Tellenbach*, LB Türkei, Bd. 6, S. 393 (437); *Weigend*, LB Polen, Bd. 2, S. 77 (123); *Zerbes*, LB Österreich, Bd. 3, S. 85 (134), die jeweils die Möglichkeit einer Bestrafung wegen fahrlässiger Tatbegehung betonen.

1180 Siehe oben S. 207 ff.

ordnenden Staaten Australien, England und Wales, Kanada und die USA, folgen ebenso wie das Römische Statut dem Grundsatz *error iuris nocet*, erkennen einem Verbotsirrtum also keine strafbefreiende oder auch nur strafmildernde Wirkung zu.[1181] Andere Staaten – zu nennen sind Israel und Italien – halten zwar im Prinzip am Grundsatz der Unbeachtlichkeit von Rechtsirrtümern fest, beschränken diese aber – wie die Rechtsprechung des deutschen Reichsgerichts – auf Irrtümer über Strafgesetze, so dass Irrtümer über außerstrafrechtliche Rechtsvorschriften beachtlich sein können.[1182]

Die Mehrzahl der untersuchten Staaten jedoch untersagt in konsequenter Anerkennung des Schuldgrundsatzes eine Bestrafung, wenn der Täter kein Unrechtsbewusstsein hatte und dieses auch nicht hätte erlangen können. In den meisten Staaten hat der Verbotsirrtum damit zwar nicht generell strafbefreiende Wirkung, wohl aber dann, wenn er unvermeidbar war. Dies gilt etwa für Deutschland, Frankreich, Kroatien, Österreich, Serbien und Montenegro sowie die Türkei, um nur einige Staaten zu nennen.[1183] In anderen Ländern, namentlich den nordischen Ländern Finnland und Schweden, hat ein Verbotsirrtum (nur) strafbefreiende Wirkung, wenn er „offensichtlich entschuldbar" ist. In der Sache wird damit jedoch auch auf die Frage der Vermeidbarkeit des Irrtums abgestellt; für „offensichtlich entschuldbar" wird ein Verbotsirrtum dann gehalten, wenn der Täter ihn nicht vermeiden konnte.[1184]

An die Unvermeidbarkeit eines Verbotsirrtums werden in den einzelnen Staaten – worauf mehrere Landesberichterstatter explizit hinweisen[1185] – sehr hohe Anforderungen gestellt. Vor allem im Bereich des Kernstrafrechts wird stets von einem

---

1181 Vgl. *Biehler/Kerll*, LB Australien, Bd. 6, S. 19 (49); *Gut/Wolpert*, LB Kanada, Bd. 5, S. 19 (48); *Lammich*, LB Russland/Weißrussland, Bd. 6, S. 351 (378); *Ploom*, LB Estland, Bd. 5, S. 89 (130); *Rabenstein/Bahrenberg*, LB England/Wales, Bd. 6, S. 261 (289); *Silverman*, LB USA, Bd. 5, S. 411 (455 f.).

1182 *Jarvers*, LB Italien, Bd. 4, S. 337 (387); *Kremnitzer/Cohen*, LB Israel, Bd. 5, S. 317 (370 f.).

1183 Siehe *Gil Gil*, LB Spanien, Bd. 4, S. 99 (150 ff.); *Gropengießer*, LB Deutschland, Bd. 1, S. 21 (276); *Kouassi/Paulenz*, LB Côte d'Ivoire, Bd. 4, S. 19 (58); *Lelieur-Fischer*, LB Frankreich, Bd. 4, S. 225 (274 f.); *Novoselec*, LB Kroatien, Bd. 3, S. 19 (50); *Richter*, LB China, Bd. 6, S. 141 (211); *Škulić*, LB Serbien und Montenegro, Bd. 3, S. 211 (252); *Tellenbach*, LB Türkei, Bd. 6, S. 393 (437); *Zerbes*, LB Österreich, Bd. 3, S. 85 (135) (das Gesetz stellt auf die Vorwerfbarkeit ab, doch in der Sache geht es auch dabei um die Frage der individuellen Irrtumsvermeidbarkeit).

1184 Vgl. *Cornils*, LB Schweden, Bd. 2, S. 183 (226); *Frände*, LB Finnland, Bd. 2, S. 21 (56); *Korošec*, LB Slowenien, Bd. 3, S. 329 (372 f.); *Retalis*, LB Griechenland, Bd. 5, S. 189 (252); *Weigend*, LB Polen, Bd. 2, S. 77 (123).

1185 *Gropengießer*, LB Deutschland, Bd. 1, S. 21 (276); *Korošec*, LB Slowenien, Bd. 3, S. 329 (373); *Lelieur-Fischer*, LB Frankreich, Bd. 4, S. 225 (274 f.); *Škulić*, LB Serbien und Montenegro, Bd. 3, S. 211 (253).

zumindest potentiellen Unrechtsbewusstsein ausgegangen.[1186] Für das Völkerstrafrecht bedeutet dies, dass nur im Bereich der Kriegsverbrechen eine Straffreistellung wegen unvermeidbaren Verbotsirrtums praktisch denkbar ist.

Auf Kriegsverbrechen bezieht sich auch die schon angesprochene Spezialregelung Schwedens: Wenn der Täter bei der Tatbegehung Grund zu der Annahme hatte, dass sein Verhalten nach Kriegsgebrauch rechtmäßig war, dann darf nach schwedischem Recht auf eine mildere als die gesetzlich vorgesehene Strafe erkannt werden; unter ganz besonders mildernden Umständen entfällt die Strafbarkeit sogar vollständig.[1187]

Erlaubnistatbestandsirrtümer werden in den untersuchten Staaten zumeist wie Tat- bzw. Tatbestandsirrtümer behandelt, lassen also eine Strafbarkeit wegen vorsätzlicher Tatbegehung entfallen.[1188] Soweit die Landesberichterstatter auf Erlaubnisirrtümer eingehen, weisen sie auf deren Gleichbehandlung mit Verbotsirrtümern hin.[1189]

Betrachtet man die nationalen Irrtumsregelungen, so ist es umso bedauerlicher, dass das Römische Statut dem Grundsatz *error iuris nocet* folgt. Denn damit stellt sich das Römische Statut einseitig auf die Seite der common law-Staaten und missachtet nicht nur den Schuldgrundsatz, sondern lässt auch außer Betracht, dass eine Vielzahl von Staaten dem unvermeidbaren Verbotsirrtum strafbefreiende Wirkung zuerkennt. Dass eine solche Lösung nicht zu inakzeptablen Freistellungen führt, zeigt die Praxis der betreffenden Staaten, die hinsichtlich der Annahme von Unvermeidbarkeit eines Irrtums – wie gesagt – sehr restriktiv ist.

Ferner kann festgehalten werden, dass die hier in aller Kürze skizzierten nationalen Irrtumsregelungen die oben[1190] erhobene Forderung unterstützen, Erlaubnistatbestandsirrtümer durch analoge Anwendung des Art. 32(1) IStGH-Statut wie Tatirrtümer zu behandeln, ihnen also strafbefreiende Wirkung beizumessen.

[1186] Vgl. für Deutschland *Kreicker*, Art. 7 EMRK und die Gewalttaten an der deutsch-deutschen Grenze, S. 55 ff.

[1187] *Cornils*, LB Schweden, Bd. 2, S. 183 (226).

[1188] Siehe *Cornils*, LB Schweden, Bd. 2, S. 183 (226); *Frände*, LB Finnland, Bd. 2, S. 21 (56); *Gropengießer*, LB Deutschland, Bd. 1, S. 21 (276); *Korošec*, LB Slowenien, Bd. 3, S. 329 (372); *Kremnitzer/Cohen*, LB Israel, Bd. 5, S. 317 (370); *Novoselec*, LB Kroatien, Bd. 3, S. 19 (50); *Rabenstein/Bahrenberg*, LB England/Wales, Bd. 6, S. 261 (289 f.); *Škulić*, LB Serbien und Montenegro, Bd. 3, S. 211 (251 f.).

[1189] Siehe *Gropengießer*, LB Deutschland, Bd. 1, S. 21 (276); *Škulić*, LB Serbien und Montenegro, Bd. 3, S. 211 (252 f.).

[1190] Vgl. oben S. 213 mit Fn. 1172.

4. Strafbarkeit versuchter Tatbegehung und Möglichkeit des Rücktritts vom Versuch

a) Völkerstrafrechtliche Ausgangslage

Die Strafbarkeit versuchter Tatbegehung ist in Art. 25(3)(f) IStGH-Statut geregelt.[1191] Danach ist auch derjenige strafrechtlich verantwortlich, der versucht, ein vom Römischen Statut erfasstes völkerrechtliches Verbrechen zu begehen, dessen Tat aber nicht zur Vollendung gelangt.[1192] Diese Festlegung einer Versuchsstrafbarkeit entspricht dem Völkergewohnheitsrecht; auch nach gewohnheitsrechtlichem Völkerstrafrecht ist bereits die versuchte Tatbegehung strafbar.[1193] Erforderlich für eine Versuchsstrafbarkeit ist zum einen, dass der Täter eine Handlung vornimmt, die bereits einen wesentlichen Schritt zum Beginn der Ausführung eines völkerrechtlichen Verbrechens darstellt. Reine Vorbereitungshandlungen (Planungshandlungen) sind demnach jedenfalls nicht als versuchte Tatbegehung im Sinne des Art. 25(3)(f) IStGH-Statut strafbar; vielmehr muss der Täter bereits im Begriff gewesen sein, eine nach seiner Vorstellung den Taterfolg herbeiführende Handlung vorzunehmen.[1194] Zum anderen darf es aufgrund von Umständen, die vom Willen des Täters unabhängig sind, nicht zum Eintritt des tatbestandsmäßigen Erfolgs gekommen sein.[1195]

Ein freiwilliger und vollständiger Rücktritt von dem Versuch einer Tatbegehung führt gemäß Art. 25(3)(f) IStGH-Statut zur Strafbefreiung: Wer die Ausführung eines Verbrechens aufgibt oder dessen Vollendung auf andere Weise verhindert, ist

---

1191 Generell kritisch zur Versuchsstrafbarkeit im Völkerstrafrecht *Tomuschat*, in: Hankel/Stuby (Hrsg.), Strafgerichte gegen Menschheitsverbrechen, S. 270 (288); *ders.*, EuGRZ 1998, 1 (4).

1192 *Ambos*, in: Triffterer (Hrsg.), Commentary on the Rome Statute, Art. 25 Rn. 31; *ders.*, Der Allgemeine Teil des Völkerstrafrechts, S. 707 ff.; *Eser*, in: Cassese u.a. (Hrsg.), Rome Statute of the International Criminal Court, Bd. I, S. 767 (807); *Werle*, Völkerstrafrecht, Rn. 429 ff. Es ist davon auszugehen, dass auch ein untauglicher Versuch, also ein Versuch, bei dem es unabhängig vom Täterwillen von vornherein nicht zum Taterfolg kommen kann, nach Art. 25(3)(f) IStGH-Statut strafbar ist. So auch *Werle*, a.a.O., Rn. 433; zweifelnd aber *Kreß*, in: Grützner/Pötz, Internationaler Rechtshilfeverkehr, vor III 26, Rn. 65.

1193 *Eser*, in: Cassese u.a. (Hrsg.), Rome Statute of the International Criminal Court, Bd. I, S. 767 (807); *Satzger*, Internationales und Europäisches Strafrecht, § 14 Rn. 48; *Werle*, Völkerstrafrecht, Rn. 430 m.w.N. in Fn. 369.

1194 *Ambos*, CLF 10 (1999), 1 (14 ff.); *ders.*, Der Allgemeine Teil des Völkerstrafrechts, S. 716 ff.; *Werle*, Völkerstrafrecht, Rn. 422, 431. Inwieweit reine Vorbereitungs- und Planungshandlungen nach gewohnheitsrechtlichem Völkerstrafrecht strafbar sind, ist noch weitgehend ungeklärt; die Rechtsprechung des ICTY allerdings scheint generell von einer Strafbarkeit auch bloßer Vorbereitungshandlungen auszugehen; vgl. die Nachweise bei *Werle*, a.a.O., Rn. 428.

1195 *Eser*, in: Cassese u.a. (Hrsg.), Rome Statute of the International Criminal Court, Bd. I, S. 767 (811 ff.); *Satzger*, Internationales und Europäisches Strafrecht, § 14 Rn. 48; *Werle*, Völkerstrafrecht, Rn. 431.

nicht wegen versuchter Tatbegehung strafbar, wenn er die Tatausführung vollständig und freiwillig aufgibt.[1196]

b) Rechtslage in den untersuchten Staaten

In nahezu allen untersuchten Staaten gibt es keine spezielle Regelung zur Versuchsstrafbarkeit für völkerrechtliche Verbrechen. Vielmehr finden in allen in das Projekt einbezogenen Staaten außer England und Wales sowie Kanada die „normalen" Bestimmungen zur Versuchsstrafbarkeit auch dann Anwendung, wenn es um eine nationale Strafverfolgung völkerrechtlicher Verbrechen geht, und zwar auch insoweit, als diese auf der Basis von Spezialtatbeständen geahndet werden.[1197] In England und Wales enthält zwar der ICC Act 2001 eine Spezialregelung, doch verweist auch diese „nur" auf die allgemeinen Regeln zur Versuchsstrafbarkeit, die im Criminal Attempts Act 1981 normiert sind.[1198]

Alle betrachteten Staaten kennen grundsätzlich eine Versuchsstrafbarkeit, doch sind die Regelungen im Einzelnen durchaus unterschiedlich. Teilweise, etwa in Österreich, Polen und der Türkei, ist pauschal bestimmt, dass bereits die versuchte Begehung einer Straftat strafbar ist.[1199] Andere Staaten haben eine differenzierte Regelung getroffen. In Deutschland, Frankreich und Italien ist der Versuch von Verbrechen stets strafbar, der Versuch anderer Taten nur dann, wenn die Strafbarkeit versuchter Tatbegehung für die betreffende Tat speziell angeordnet ist.[1200] Ähnlich ist die Rechtslage in Côte d'Ivoire, Kroatien, Serbien und Montenegro und

---

[1196] *Ambos*, in: Triffterer (Hrsg.), Commentary on the Rome Statute, Art. 29 Rn. 34 f.; *ders.*, Der Allgemeine Teil des Völkerstrafrechts, S. 710 ff. und 755; *Eser*, in: Cassese u.a. (Hrsg.), Rome Statute of the International Criminal Court, Bd. I, S. 767 (815 f.); *Kreß*, in: Grützner/Pötz, Internationaler Rechtshilfeverkehr, vor III 26, Rn. 65; *Satzger*, Internationales und Europäisches Strafrecht, § 14 Rn. 49; *Werle*, Völkerstrafrecht, Rn. 437.

[1197] Vgl. *Biehler/Kerll*, LB Australien, Bd. 6, S. 19 (50 f.); *Cornils*, LB Schweden, Bd. 2, S. 183 (227); *Frände*, LB Finnland, Bd. 2, S. 21 (57); *Gil Gil*, LB Spanien, Bd. 4, S. 99 (156 ff.); *Gropengießer*, LB Deutschland, Bd. 1, S. 21 (279); *Jarvers*, LB Italien, Bd. 4, S. 337 (388 ff.); *Korošec*, LB Slowenien, Bd. 3, S. 329 (373 f.); *Kouassi/Paulenz*, LB Côte d'Ivoire, Bd. 4, S. 19 (58 f.); *Kremnitzer/Cohen*, LB Israel, Bd. 5, S. 317 (371 f.); *Lammich*, LB Russland/Weißrussland, Bd. 6, S. 351 (378 f.); *Lelieur-Fischer*, LB Frankreich, Bd. 4, S. 225 (275 f.); *Novoselec*, LB Kroatien, Bd. 3, S. 19 (51); *Ploom*, LB Estland, Bd. 5, S. 89 (130); *Retalis*, LB Griechenland, Bd. 5, S. 189 (253 ff.); *Richter*, LB China, Bd. 6, S. 141 (212 ff.); *Silverman*, LB USA, Bd. 5, S. 411 (456 f.); *Škulić*, LB Serbien und Montenegro, Bd. 3, S. 211 (253 f.); *Weigend*, LB Polen, Bd. 2, S. 77 (124); *Tellenbach*, LB Türkei, Bd. 6, S. 393 (435); *Zerbes*, LB Österreich, Bd. 3, S. 85 (136). Zur Rechtslage in Kanada siehe *Gut/Wolpert*, LB Kanada, Bd. 5, S. 19 (48 f.).

[1198] Vgl. *Rabenstein/Bahrenberg*, LB England/Wales, Bd. 6, S. 261 (290).

[1199] Vgl. *Biehler/Kerll*, LB Australien, Bd. 6, S. 19 (50 f.); *Weigend*, LB Polen, Bd. 2, S. 77 (124); *Tellenbach*, LB Türkei, Bd. 6, S. 393 (435); *Zerbes*, LB Österreich, Bd. 3, S. 85 (136).

[1200] *Gropengießer*, LB Deutschland, Bd. 1, S. 21 (279); *Jarvers*, LB Italien, Bd. 4, S. 337 (388); *Lelieur-Fischer*, LB Frankreich, Bd. 4, S. 225 (276).

Slowenien.[1201] In Finnland und Schweden sind ausschließlich diejenigen Taten bereits bei „nur" versuchter Tatbegehung strafbar, bei denen der einschlägige Straftatbestand die Versuchsstrafbarkeit ausdrücklich bestimmt.[1202]

Soweit völkerrechtliche Verbrechen durch nationale Spezialtatbestände erfasst werden, ist – von einigen wenigen Ausnahmen abgesehen – jeweils auch die versuchte Tatbegehung strafbar; soweit Völkerstraftaten „nur" unter Anwendung der „normalen", auch für die Alltagskriminalität geltenden Strafnormen geahndet werden können, ist jedenfalls hinsichtlich der schweren Delikte eine Versuchsstrafbarkeit gegeben.[1203] Damit ist die Feststellung statthaft, dass grundsätzlich auch auf nationaler Ebene bereits die versuchte Begehung völkerrechtlicher Verbrechen strafbar ist. Dieses Ergebnis bestätigt die obige Feststellung, dass nicht nur nach dem Römischen Statut, sondern auch nach Völkergewohnheitsrecht bereits die versuchte Begehung von völkerrechtlichen Verbrechen strafbar ist.[1204]

Ebenso wie nach Art. 25(3)(f) IStGH-Statut ist auch in den meisten Staaten nicht schon jede Vorbereitungshandlung strafbar, sondern setzt die Strafbarkeit erst bei Handlungen ein, die nach Vorstellung des Täters unmittelbar in die Tatverwirklichung einmünden sollen.[1205] Ein Beispiel für ein Land, in dem die Strafbarkeit frü-

---

[1201] In Kroatien sowie Serbien und Montenegro sind alle Taten, bei denen die Mindeststrafe bei fünf Jahren Freiheitsentzug oder mehr liegt, pauschal auch bei versuchter Begehung strafbar. Im Übrigen ist die versuchte Tatbegehung nur bei ausdrücklicher Festlegung strafbar; vgl. *Novoselec*, LB Kroatien, Bd. 3, S. 19 (51); *Škulić*, LB Serbien und Montenegro, Bd. 3, S. 211 (253 f.). In Slowenien ist eine pauschale Versuchsstrafbarkeit für alle Taten bestimmt, die mit einer Mindeststrafe von drei Jahren bedroht sind, im Übrigen ist auch dort die versuchte Tatbegehung nur bei ausdrücklicher Festlegung strafbar; vgl. *Korošec*, LB Slowenien, Bd. 3, S. 329 (374). Zu Côte d'Ivoire vgl. *Kouassi/Paulenz*, LB Côte d'Ivoire, Bd. 4, S. 19 (59 f.).

[1202] *Cornils*, LB Schweden, Bd. 2, S. 183 (227); *Frände*, LB Finnland, Bd. 2, S. 21 (57).

[1203] Vgl. *Cornils*, LB Schweden, Bd. 2, S. 183 (227 f.); *Frände*, LB Finnland, Bd. 2, S. 21 (57 f.); *Gil Gil*, LB Spanien, Bd. 4, S. 99 (156 ff.); *Gropengießer*, LB Deutschland, Bd. 1, S. 21 (280); *Gut/Wolpert*, LB Kanada, Bd. 5, S. 19 (48 f.); *Jarvers*, LB Italien, Bd. 4, S. 337 (388); *Korošec*, LB Slowenien, Bd. 3, S. 329 (374 f.); *Kouassi/Paulenz*, LB Côte d'Ivoire, Bd. 4, S. 19 (59 f.); *Novoselec*, LB Kroatien, Bd. 3, S. 19 (51); *Škulić*, LB Serbien und Montenegro, Bd. 3, S. 211 (254); *Tellenbach*, LB Türkei, Bd. 6, S. 393 (435); *Weigend*, LB Polen, Bd. 2, S. 77 (124); *Zerbes*, LB Österreich, Bd. 3, S. 85 (136 f.). Siehe aber auch *Silverman*, LB USA, Bd. 5, S. 411 (456 f.).

[1204] Siehe oben Anm. 1193 mit dazugehörigem Text.

[1205] Vgl. *Biehler/Kerll*, LB Australien, Bd. 6, S. 19 (51); *Cornils*, LB Schweden, Bd. 2, S. 183 (227 f.) (der schwedische Entwurf für ein Gesetz über Völkerrechtsstraftaten sieht sogar vor, generell die Vorbereitung und Verabredung zur Begehung der vom Entwurf erfassten völkerrechtlichen Verbrechen unter Strafe zu stellen); *Frände*, LB Finnland, Bd. 2, S. 21 (57); *Gil Gil*, LB Spanien, Bd. 4, S. 99 (156 ff.); *Gropengießer*, LB Deutschland, Bd. 1, S. 21 (280); *Gut/Wolpert*, LB Kanada, Bd. 5, S. 19 (48 f.); *Jarvers*, LB Italien, Bd. 4, S. 337 (388 f.); *Korošec*, LB Slowenien, Bd. 3, S. 329 (374 f.); *Kremnitzer/Cohen*, LB Israel, Bd. 5, S. 317 (371 f.); *Ploom*, LB Estland, Bd. 5, S. 89 (130); *Retalis*, LB Griechenland, Bd. 5, S. 189 (253 f.); *Škulić*, LB Serbien und Montenegro, Bd. 3, S. 211 (254); *Tellenbach*, LB Türkei, Bd. 6, S. 393 (435); *Weigend*, LB Polen, Bd. 2, S. 77 (124); *Zerbes*, LB Österreich, Bd. 3, S. 85 (136).

her ansetzt, ist China: Dort ist grundsätzlich bereits die Vorbereitung von Taten strafbar.[1206]

Zudem ist in sämtlichen untersuchten Staaten bis auf England und Wales[1207] eine Freistellung von der Versuchsstrafbarkeit für den Fall eines Rücktritts vom Versuch der Tatbegehung vorgesehen, wobei Voraussetzung für einen strafbefreienden Rücktritt vom Versuch jeweils ist, dass der Täter die Tatbegehung freiwillig und vollständig aufgibt und zudem die Tat nicht zur Vollendung gelangt.[1208]

Die Regelung des Art. 25(3)(f) IStGH-Statut entspricht somit weitestgehend den jeweiligen nationalen Bestimmungen zur Versuchsstrafbarkeit. Zudem spricht vieles dafür, dass Art. 25(3)(f) IStGH-Statut (auch was das Erfordernis eines „unmittelbaren Ansetzens zur Tatbegehung" anbelangt) den Stand des Völkergewohnheitsrechts widerspiegelt.[1209]

5. Formen der Täterschaft und Strafbarkeit von Teilnahmehandlungen

a) Völkerstrafrechtliche Ausgangslage

Ausgangspunkt des Völkerstrafrechts ist die individuelle strafrechtliche Verantwortlichkeit der Personen, die völkerrechtliche Verbrechen begehen. Diese in Art. 25(2) IStGH-Statut ausdrücklich betonte individuelle Verantwortlichkeit steht neben der (kollektiven) Staatenverantwortlichkeit, die den Staat als Völkerrechtssubjekt – mit der Folge völkerrechtlicher Wiedergutmachungs- und Schadensersatzpflichten – trifft, in dessen Auftrag oder dem sonst wie zurechenbar völkerrechtliche Verbrechen begangen werden.[1210]

1206 Vgl. *Richter*, LB China, Bd. 6, S. 141 (212 ff.). Ähnlich ist die Rechtslage in Russland; vgl. hierzu *Lammich*, LB Russland/Weißrussland, Bd. 6, S. 351 (378 f.).

1207 Nach Beginn der Versuchsstrafbarkeit ist in England und Wales eine Strafbefreiung durch Rücktritt von der versuchten Tatbegehung ausgeschlossen; vgl. *Rabenstein/Bohrenberg*, LB England/Wales, Bd. 6, S. 261 (291). Weitgehend ungeklärt ist die Rechtslage in Kanada und in den USA; vgl. *Gut/Wolpert*, LB Kanada, Bd. 5, S. 19 (49); *Silverman*, LB USA, Bd. 5, S. 411 (457 f.).

1208 Vgl. *Biehler/Kerll*, LB Australien, Bd. 6, S. 19 (51 f.); *Cornils*, LB Schweden, Bd. 2, S. 183 (227); *Frände*, LB Finnland, Bd. 2, S. 21 (58); *Gil Gil*, LB Spanien, Bd. 4, S. 99 (156 ff.); *Gropengießer*, LB Deutschland, Bd. 1, S. 21 (280); *Jarvers*, LB Italien, Bd. 4, S. 337 (389 f.); *Korošec*, LB Slowenien, Bd. 3, S. 329 (374 f.); *Kremnitzer/Cohen*, LB Israel, Bd. 5, S. 317 (373); *Lelieur-Fischer*, LB Frankreich, Bd. 4, S. 225 (276 f.); *Novoselec*, LB Kroatien, Bd. 3, S. 19 (51); *Ploom*, LB Estland, Bd. 5, S. 89 (130); *Retalis*, LB Griechenland, Bd. 5, S. 189 (254 f.); *Richter*, LB China, Bd. 6, S. 141 (216); *Škulić*, LB Serbien und Montenegro, Bd. 3, S. 211 (254 f.); *Tellenbach*, LB Türkei, Bd. 6, S. 393 (435); *Weigend*, LB Polen, Bd. 2, S. 77 (124 f.); *Zerbes*, LB Österreich, Bd. 3, S. 85 (137 f.).

1209 Siehe aber auch oben Anm. 1194.

1210 Vgl. *Schlösser*, Mittelbare individuelle Verantwortlichkeit im Völkerstrafrecht, S. 16 ff. sowie unten Anm. 1445. Zur Staatenverantwortlichkeit für völkerrechtliche Verbrechen siehe *Ipsen*, in: ders., Völkerrecht, § 39 f.

Das Römische Statut differenziert – wie das deutsche Recht[1211] und jedenfalls in Grundzügen auch das hinsichtlich der Beteiligungslehre noch weitgehend rudimentär entwickelte Völkergewohnheitsrecht[1212] – zwischen verschiedenen Arten der Begehung völkerrechtlicher Verbrechen bzw. der Beteiligung an solchen Verbrechen. Es folgt damit nicht dem Einheitstäterprinzip, sondern bekennt sich zum *dualistischen Beteiligungssystem*, das zwischen Täterschaft einerseits und Teilnahme an der Tat einer anderen Person andererseits unterscheidet.[1213]

Täter eines völkerrechtlichen Verbrechens ist gemäß Art. 25(3)(a) IStGH-Statut erstens derjenige, der ein Verbrechen in eigener Person selbst begeht, also selbst die objektiven Tatbestandsmerkmale eines völkerrechtlichen Verbrechens verwirklicht („unmittelbare Täterschaft“).[1214] Täter ist gemäß Art. 25(3)(a) IStGH-Statut zweitens, wer ein völkerrechtliches Verbrechen zusammen mit einer anderen Person („arbeitsteilig“) verübt, wobei eine wechselseitige Zurechnung der jeweiligen Tathandlungen erfolgt („Mittäterschaft“).[1215] Und drittens ist Täter auch derjenige, der – wie Art. 25(3)(a) IStGH-Statut formuliert – ein Verbrechen „durch einen anderen“ begeht, also sich einer anderen, ihm „unterlegenen“ Person – etwa einer ihm faktisch oder rechtlich zu Gehorsam verpflichteten oder einem Irrtum unterliegenden Person – als Werkzeug bedient, um die tatbestandsmäßigen Handlungen vorzunehmen („mittelbare Täterschaft“).[1216]

Teilnehmer an einem von einer anderen Person täterschaftlich begangenen völkerrechtlichen Verbrechen ist gemäß Art. 25(3)(b) IStGH-Statut zunächst derjeni-

---

1211 Hierzu *Gropengießer*, LB Deutschland, Bd. 1, S. 21 (282 ff.).

1212 Zum Völkergewohnheitsrecht siehe *Werle*, Völkerstrafrecht, Rn. 400 ff.

1213 *Ambos*, Der Allgemeine Teil des Völkerstrafrechts, S. 509 f., 543 ff.; *ders.*, in: Triffterer (Hrsg.), Commentary on the Rome Statute, Art. 25 Rn. 2; *Gropengießer*, LB Deutschland, Bd. 1, S. 21 (285). Anderer Ansicht *Kreß*, HuV-I 1999, 4 (9); *ders.*, in: Grützner/Pötz, Internationaler Rechtshilfeverkehr, vor III 26, Rn. 63, der im Römischen Statut wohl eher das Einheitstätersystem verwirklicht sieht. Siehe auch *Vogel*, ZStW 114 (2002), 403 (406 ff.), der zwischen insgesamt zwölf Regelungsmodellen unterscheidet. An eine bereits erwähnte Besonderheit des Aggressionsverbrechens sei an dieser Stelle unter Verweis auf die Ausführungen oben auf S. 160 erinnert: Das Aggressionsverbrechen ist ein Führungsverbrechen; der Kreis der in Betracht kommenden Täter ist beschränkt auf die Angehörigen der politischen und militärischen Führungsriege, also auf Personen, die – unabhängig von ihrer formalen Stellung – die effektive Möglichkeit der Leitung oder Kontrolle eines Angriffskrieges haben.

1214 Vgl. *Eser*, in: Cassese u.a. (Hrsg.), Rome Statute of the International Criminal Court, Bd. I, S. 767 (789); *Werle*, Völkerstrafrecht, Rn. 403.

1215 Vgl. *Ambos*, Der Allgemeine Teil des Völkerstrafrechts, S. 548 ff.; *Eser*, in: Cassese u.a. (Hrsg.), Rome Statute of the International Criminal Court, Bd. I, S. 767 (795 ff.); *Kreß*, in: Grützner/Pötz, Internationaler Rechtshilfeverkehr, vor III 26, Rn. 63; *Vogel*, ZStW 114 (2002), 403 (427); *Werle*, Völkerstrafrecht, Rn. 404 f.

1216 Vgl. *Ambos*, Der Allgemeine Teil des Völkerstrafrechts, S. 569; *Eser*, in: Cassese u.a. (Hrsg.), Rome Statute of the International Criminal Court, Bd. I, S. 767 (793 ff.); *Kreß*, in: Grützner/Pötz, Internationaler Rechtshilfeverkehr, vor III 26, Rn. 63; *Vogel*, ZStW 114 (2002), 403 (427); *Werle*, Völkerstrafrecht, Rn. 406 ff.

ge, der die Begehung der Tat anordnet, zu ihr auffordert oder zu ihr anstiftet („Anstiftung“).[1217] Teilnehmer ist nach Art. 25(3)(c) IStGH-Statut weiter, wer zur Erleichterung eines völkerrechtlichen Verbrechens einer anderen Person Beihilfe oder sonstige Unterstützung leistet („Beihilfe“).[1218] Erforderlich ist sowohl bei der Anstiftung als auch bei der Beihilfe, dass das Verbrechen, zu dem angestiftet bzw. dessen Begehung unterstützt wird, tatsächlich begangen wird und zumindest in das Stadium des strafbaren Versuchs gelangt (Grundsatz der Akzessorietät von Anstiftung und Beihilfe).[1219] Dagegen braucht ein Anstifter oder Unterstützer nicht in eigener Person die bei einigen Verbrechenstatbeständen erforderliche besondere Absicht – etwa beim Völkermord die Zerstörungsabsicht – aufzuweisen. Insofern kann sich auch derjenige, der sich ohne eigene Zerstörungsabsicht an der Begehung eines Völkermords durch andere beteiligt, nach Völkerrecht strafbar machen, wenngleich nicht als Täter, sondern „lediglich“ wegen Anstiftung oder Beihilfe.[1220]

Noch weitgehend ungeklärt ist, wie Täterschaft und Teilnahme, konkret Mittäterschaft und Beihilfe sowie mittelbare Täterschaft und Anstiftung, voneinander abzugrenzen sind. In der Literatur wird davon ausgegangen, dass entscheidend das Kriterium der *Tatherrschaft* sei.[1221] Täter ist danach, wer das Tatgeschehen „in den Händen hält“, Teilnehmer, wer ohne eigene Tatherrschaft als „Randfigur“ die Begehung der Tat veranlasst oder fördert.[1222] Die Frage, ob das Völkerstrafrecht die Figur des „Täters hinter dem Täter“ kennt, also die Möglichkeit der täterschaftlichen Verantwortlichkeit eines Hintermannes (als mittelbarer Täter) trotz voller Verantwortlichkeit der die Tat unmittelbar ausführenden Person,[1223] kann dagegen

---

1217 Vgl. *Ambos*, Der Allgemeine Teil des Völkerstrafrechts, S. 649; *Eser*, in: Cassese u.a. (Hrsg.), Rome Statute of the International Criminal Court, Bd. I, S. 767 (795 ff.); *Kreß*, in: Grützner/Pötz, Internationaler Rechtshilfeverkehr, vor III 26, Rn. 63; *Satzger*, Internationales und Europäisches Strafrecht, § 14 Rn. 45; *Werle*, Völkerstrafrecht, Rn. 409 ff.

1218 Vgl. *Ambos*, Der Allgemeine Teil des Völkerstrafrechts, S. 619; *Eser*, in: Cassese u.a. (Hrsg.), Rome Statute of the International Criminal Court, Bd. I, S. 767 (798 ff.); *Satzger*, Internationales und Europäisches Strafrecht, § 14 Rn. 46; *Werle*, Völkerstrafrecht, Rn. 403 ff. In der Literatur wird davon ausgegangen, für eine Beihilfestrafbarkeit sei die Absicht erforderlich, die Begehung eines Verbrechens zu erleichtern, die bloße Kenntnis, dies zu tun, reiche nicht aus; vgl. *Eser*, a.a.O., S. 801; *Gropengießer*, LB Deutschland, Bd. 1, S. 21 (286); *Satzger*, a.a.O. Insofern kritisch *Vogel*, ZStW 114 (2002), 403 (428).

1219 *Eser*, in: Cassese u.a. (Hrsg.), Rome Statute of the International Criminal Court, Bd. I, S. 767 (796); *Satzger*, Internationales und Europäisches Strafrecht, § 14 Rn. 40; *Werle*, Völkerstrafrecht, Rn. 433.

1220 *Satzger*, Internationales und Europäisches Strafrecht, § 14 Rn. 46; *Werle*, Völkerstrafrecht, Rn. 416. Siehe in Bezug auf die parallele Rechtslage nach dem deutschen VStGB *Gropengießer*, LB Deutschland, Bd. 1, S. 21 (106 ff.).

1221 So *Ambos*, Der Allgemeine Teil des Völkerstrafrechts, S. 612 ff.

1222 Siehe für das deutsche Recht Schönke/Schröder-*Cramer/Heine*, vor § 25 Rn. 62; *Kühl*, in: Lackner/Kühl, vor § 25 Rn. 4; *Wessels/Beulke*, Strafrecht AT, Rn. 513.

1223 Diese Rechtsfigur wurde in Deutschland im Rahmen der strafrechtlichen Aufarbeitung des DDR-Systemunrechts endgültig anerkannt: Die im politischen Raum bzw. als

eindeutig positiv beantwortet werden. Aus dem Zusatz "regardless whether that other person is criminally responsible" in Art. 25(3)(a) IStGH-Statut ist zu folgern, dass die Rechtsfigur des „Täters hinter dem Täter" auch in das internationale Recht Einzug gehalten hat.[1224]

Neben diesen Formen der Täterschaft und Teilnahme, die dem deutschen Beteiligungsmodell – vergleiche §§ 25–27 deutsches StGB – entsprechen,[1225] ist gemäß Art. 25(3)(d) IStGH-Statut – eine Regelung, die an die traditionelle *conspiracy* erinnert[1226] – ferner strafrechtlich verantwortlich, wer in irgendeiner Form zur Begehung eines völkerrechtlichen Verbrechens durch eine mit einem gemeinsamen Ziel handelnde Gruppe beiträgt, wobei der Tatbeitrag entweder mit dem Ziel geleistet werden muss, die Tätigkeit der Gruppe oder ihre Absicht zu fördern, oder aber in Kenntnis des Vorsatzes der Gruppe, ein völkerrechtliches Verbrechen zu begehen.[1227]

Eine eigenständige völkerstrafrechtliche Verantwortlichkeit wegen *Aufstachelung* trifft gemäß Art. 25(3)(e) IStGH-Statut schließlich auch denjenigen, der unmittelbar und öffentlich zur Begehung von Völkermord aufstachelt[1228] – hierauf

---

militärische Vorgesetzte für die Situation an der deutsch-deutschen Grenze verantwortlichen Personen wurden als mittelbare Täter wegen der Tötung von Flüchtlingen verurteilt, obwohl die Soldaten, die die Flüchtlinge erschossen hatten, ebenfalls als Täter verurteilt worden waren, also nach Ansicht der Rechtsprechung tatbestandsmäßig, rechtswidrig und schuldhaft, mithin vollverantwortlich gehandelt hatten. Begründet wurde die Verurteilung der Hintermänner als mittelbare Täter damit, diese hätten aufgrund der Befehlshierarchie und der Gehorsamspflicht der Grenzsoldaten das Geschehen unmittelbar steuern können. Vgl. BGHSt 40, 218 ff. = NJW 1994, 2703 ff. Siehe auch BGHSt 45, 270 ff. = NJW 2000, 443 ff. und BGHSt 48, 77 ff. = NJW 2003, 522 ff. sowie *Kreicker*, in: Eser/Arnold (Hrsg.), Strafrecht in Reaktion auf Systemunrecht, Bd. 2: Deutschland, S. 56 ff. m.w.N.

[1224] *Ambos*, in: Triffterer (Hrsg.), Commentary on the Rome Statute, Art. 25 Rn. 9 und 11; *Eser*, in: Cassese u.a. (Hrsg.), Rome Statute of the International Criminal Court, Bd. I, S. 767 (795); *Gropengießer*, LB Deutschland, Bd. 1, S. 21 (286); *Satzger*, Internationales und Europäisches Strafrecht, § 14 Rn. 43; *Vogel*, ZStW 114 (2002), 403 (427); *Werle*, Völkerstrafrecht, Rn. 408. Siehe auch *Schlösser*, Mittelbare individuelle Verantwortlichkeit im Völkerstrafrecht, S. 55 ff.

[1225] So auch die Gesetzesbegründung zum VStGB; vgl. BT-Drucks. 14/8524, S. 17.

[1226] *Werle*, Völkerstrafrecht, Rn. 401 spricht von einer „verkappten ‚Verschwörungs' regelung". *Conspiracy* (Verschwörung) im eigentlichen Sinne ist dagegen vom Römischen Statut nicht als solche erfasst; vgl. *Werle*, a.a.O., Rn. 420, 424 ff.

[1227] *Ambos*, Der Allgemeine Teil des Völkerstrafrechts, S. 641 ff.; *ders.*, CLF 10 (1999), 1 (12 f.); *Eser*, in: Cassese u.a. (Hrsg.), Rome Statute of the International Criminal Court, Bd. I, S. 767 (802); *Vogel*, ZStW 114 (2002), 403 (434); *Werle*, Völkerstrafrecht, Rn. 417 ff., 426.

[1228] Vgl. *Ambos*, CLF 10 (1999), 1 (13 f.); *Eser*, in: Cassese u.a. (Hrsg.), Rome Statute of the International Criminal Court, Bd. I, S. 767 (803 ff.); *Werle*, Völkerstrafrecht, Rn. 599 ff. Damit wird die Strafbarkeit gegenüber der Anstiftung noch weiter in das Vorfeld der Tatbegehung verlagert, denn es ist nicht erforderlich, dass ein Völkermord begangen oder auch nur versucht wird. Vgl. *Ambos*, a.a.O., S. 14; *Eser*, a.a.O., S. 804.

wurde bereits im Zusammenhang mit der Erörterung des Völkermordtatbestands eingegangen.[1229]

Überdies kennt das Völkerstrafrecht noch eine besondere *Vorgesetztenverantwortlichkeit* (Art. 28 IStGH-Statut – *command responsibility*), die Vorgesetzte trifft, deren Untergebene in Folge mangelnder Kontrolle und Aufsicht des Vorgesetzten Völkerstraftaten begehen. Anknüpfungspunkt für die strafrechtliche Verantwortlichkeit ist hier das Versäumnis einer gehörigen Beaufsichtigung der Untergebenen durch den Vorgesetzten. Auf diese besondere Vorgesetztenverantwortlichkeit soll wegen ihrer Anerkennung als eigenständiges Rechtsinstitut des Völkerstrafrechts nicht an dieser Stelle, sondern erst im Anschluss an die Erörterung der (allgemeinen) Unterlassungsstrafbarkeit eingegangen werden.[1230]

b) Rechtslage in den untersuchten Staaten

Spezialregelungen zu den Formen von Täterschaft und Teilnahme bei völkerrechtlichen Verbrechen gibt es bezüglich der untersuchten Staaten nur in England und Wales sowie in Kanada;[1231] in allen anderen Staaten kommen auch bei einer nationalen Strafverfolgung völkerrechtlicher Verbrechen stets die allgemein geltenden Beteiligungsregelungen zur Anwendung. Zwei Grundkonzepte stehen sich dabei gegenüber.

Die Strafrechtsordnungen von Australien, Côte d'Ivoire, Deutschland, Estland, Finnland, Frankreich, Griechenland, Israel, Kroatien, Polen, Russland und Weißrussland, Schweden, Serbien und Montenegro, Slowenien, Spanien, der Türkei und der USA folgen ebenso wie das Römische Statut[1232] dem *dualistischen Beteiligungssystem*, unterscheiden also wie dieses zwischen Täterschaft einerseits und Teilnahme an der Tat einer anderen Person andererseits.[1233]

1229 Siehe oben S. 54.

1230 Siehe unten S. 232 ff.

1231 Zur Regelung des CAHWCA siehe *Gut/Wolpert*, LB Kanada, Bd. 5, S. 19 (49 ff.); zur Regelung des ICC Act 2001 von England und Wales siehe *Rabenstein/Bahrenberg*, LB England/Wales, Bd. 6, S. 261 (291 ff.).

1232 Vgl. hierzu oben S. 222.

1233 Vgl. *Biehler/Kerll*, LB Australien, Bd. 6, S. 19 (52 f.); *Cornils*, LB Schweden, Bd. 2, S. 183 (228); *Frände*, LB Finnland, Bd. 2, S. 21 (58 f.); *Gil Gil*, LB Spanien, Bd. 4, S. 99 (158 f.); *Gropengießer*, LB Deutschland, Bd. 1, S. 21 (282 f.); *Korošec*, LB Slowenien, Bd. 3, S. 329 (375 f.); *Kouassi/Paulenz*, LB Côte d'Ivoire, Bd. 4, S. 19 (60 f.); *Kremnitzer/Cohen*, LB Israel, Bd. 5, S. 317 (373 ff.); *Lammich*, LB Russland/Weißrussland, Bd. 6, S. 351 (379 f.); *Lelieur-Fischer*, LB Frankreich, Bd. 4, S. 225 (277 ff.); *Novoselec*, LB Kroatien, Bd. 3, S. 19 (51); *Ploom*, LB Estland, Bd. 5, S. 89 (130 f.); *Retalis*, LB Griechenland, Bd. 5, S. 189 (255); *Silverman*, LB USA, Bd. 5, S. 411 (459 f.); *Škulić*, LB Serbien und Montenegro, Bd. 3, S. 211 (255 ff.); *Tellenbach*, LB Türkei, Bd. 6, S. 393 (436 f.); *Weigend*, LB Polen, Bd. 2, S. 77 (125 f.). Eine Sonderstellung, die hier nicht näher erläutert werden soll, nimmt China ein; vgl. insofern *Richter*, LB China, Bd. 6, S. 141 (217 ff.).

Täterschaft kann nach den Rechtsordnungen der genannten Staaten – auch insofern entspricht das nationale Recht dem Römischen Statut[1234] – in verschiedenen Formen gegeben sein: (1.) Als „unmittelbarer Täter“ ist verantwortlich, wer eine Tat in eigener Person selbst begeht, also selbst sämtliche objektive Tatbestandsmerkmale verwirklicht. (2.) Als „Mittäter“ ist verantwortlich, wer eine Tat in bewusstem und gewolltem Zusammenwirken gemeinsam („arbeitsteilig“) mit einer anderen Person verübt, wobei eine wechselseitige Zurechnung der jeweiligen Tathandlungen erfolgt. Schließlich ist in einer Vielzahl von Staaten (nicht aber in allen!) (3.) als „mittelbarer Täter“ zur Verantwortung zu ziehen, wer eine Tat „durch einen anderen“ begeht, also sich einer anderen Person, deren Verhalten er zu steuern vermag – etwa weil diese ihm zu Gehorsam verpflichtet ist – bildlich gesprochen als „Werkzeug“ für die Ausübung einer Tat bedient.[1235] In Deutschland und wohl auch in Israel und in der Türkei ist – was gerade bei völkerrechtlichen Verbrechen Bedeutung erlangen kann – auch dann eine Bestrafung eines Hintermannes als mittelbarer Täter (und nicht nur als Anstifter) möglich, wenn dieser sich einer ihm faktisch oder rechtlich zu Gehorsam verpflichteten Person als Werkzeug zur Tatausführung bedient, diese aber selbst vollverantwortlich handelt, so dass beispielsweise ein militärischer Befehlshaber, der den Befehl zur Begehung eines völkerrechtlichen Verbrechens erteilt, als mittelbarer Täter bestraft werden kann, wenn seine Untergebenen dem Befehl folgend die Tat begehen, selbst aber – etwa weil die Rechtswidrigkeit des Befehls offensichtlich war[1236] – vollverantwortlich handeln (Figur des „Täters hinter dem Täter“).[1237] Dagegen verlangen beispielsweise die Rechtsordnungen von Finnland sowie Russland und Weißrussland für eine Bestrafung eines Hintermannes als Täter, dass der so genannte Tatmittler in seiner Person „Defizite“ aufweist, die seine Bestrafung als Täter ausschließen.[1238]

Teilnehmer an einer von einer anderen Person täterschaftlich begangenen Tat ist nach den Strafrechtsordnungen der Länder, die dem dualistischen Beteiligungsmo-

---

1234 Vgl. hierzu oben S. 222.

1235 In Polen wird dabei differenziert zwischen „leitender Täterschaft“ und „Auftragstäterschaft“; vgl. *Weigend*, LB Polen, Bd. 2, S. 77 (125 f.). Die Rechtsordnungen von Frankreich, Schweden, Serbien und Montenegro sowie Slowenien kennen nur unmittelbare Täterschaft und Mittäterschaft, nicht aber das Rechtsinstitut der mittelbaren Täterschaft; Fälle der mittelbaren Täterschaft können in diesen Staaten nur als Anstiftung geahndet werden; vgl. *Cornils*, LB Schweden, Bd. 2, S. 183 (228); *Korošec*, LB Slowenien, Bd. 3, S. 329 (376); *Lelieur-Fischer*, LB Frankreich, Bd. 4, S. 225 (278); *Škulić*, LB Serbien und Montenegro, Bd. 3, S. 211 (255 ff.).

1236 Zur Problematik des Handelns auf Befehl in den einzelnen Staaten siehe unten S. 242 ff.

1237 Vgl. *Gropengießer*, LB Deutschland, Bd. 1, S. 21 (283 f.); *Kremnitzer/Cohen*, LB Israel, Bd. 5, S. 317 (373); *Tellenbach*, LB Türkei, Bd. 6, S. 393 (436). Zur entsprechenden Regelung nach dem Römischen Statut vgl. oben S. 223. Vgl. zur Rechtslage in Deutschland auch oben Anm. 1223.

1238 Vgl. *Frände*, LB Finnland, Bd. 2, S. 21 (59 f.); *Lammich*, LB Russland/Weißrussland, Bd. 6, S. 351 (379 f.).

dell folgen, zum einen – als Anstifter –, wer eine andere Person zur Begehung einer Tat auffordert, zum anderen, wer einer anderen Person in irgendeiner Weise bei der Begehung einer Tat Hilfe leistet (Beihilfe). Insofern entsprechen die nationalen Regelungen dieser Staaten – jedenfalls im Grundsatz – wiederum der Regelung des Römischen Statuts.[1239] Dies gilt auch für das Erfordernis, dass die Tat, zu deren Begehung angestiftet bzw. deren Begehung unterstützt wird, tatsächlich begangen wird oder zumindest in das Stadium des strafbaren Versuchs gelangt, sowie für die Regel, dass ein Anstifter oder Unterstützer nicht in eigener Person die bei einigen Verbrechenstatbeständen erforderliche besondere Absicht – etwa beim Völkermord die Zerstörungsabsicht – aufzuweisen braucht.

Die Strafrechtsordnungen von Italien und Österreich folgen dagegen dem *Einheitstäterprinzip*. Diese Staaten unterscheiden mithin nicht zwischen täterschaftlicher Begehung einer Tat und bloßer Mitwirkung – in Form der Beihilfe oder Anstiftung – an der Tat einer anderen Person, sondern in diesen Staaten trifft eine einheitliche strafrechtliche Verantwortlichkeit jeden, der in zurechenbarer Weise an der Tatbestandsverwirklichung mitwirkt.[1240] Gänzlich unbeachtet bleiben verschiedene Intensitäten der Tatbeteiligung aber selbstverständlich auch in diesen Staaten nicht. Doch wird nicht zwischen verschiedenen Formen der Tatbeteiligung und damit auf der Ebene des „ob“ und „wie“ der Strafbarkeit differenziert, sondern auf der Ebene der Strafzumessung den unterschiedlichen Formen des Engagements Rechnung getragen.[1241]

6. Bestehen einer Unterlassungsstrafbarkeit

a) Völkerstrafrechtliche Ausgangslage

Das Römische Statut enthält – anders als frühere Entwurfsfassungen[1242] und anders als Art. 86(1) ZP I – keine allgemeine Norm, die neben dem „Normalfall“ einer Tatbegehung durch aktives Tun pauschal auch eine strafrechtliche Verantwort-

---

1239 Vgl. zum Römischen Statut oben S. 222. Allerdings wird in Spanien (vgl. Art. 28 Código Penal) Anstiftung als Form der Täterschaft gewertet; vgl. *Gil Gil*, LB Spanien, Bd. 4, S. 99 (158 f.).

1240 Vgl. *Jarvers*, LB Italien, Bd. 4, S. 337 (390 f.); *Zerbes*, LB Österreich, Bd. 3, S. 85 (138 f.).

1241 *Jarvers*, LB Italien, Bd. 4, S. 337 (390 f.); *Zerbes*, LB Österreich, Bd. 3, S. 85 (139).

1242 Vgl. zur Verhandlungsgeschichte *Ambos*, Der Allgemeine Teil des Völkerstrafrechts, S. 498, 667; *ders.*, CLF 10 (1999), 1 (19); *ders.*, ZStW 111 (1999), 175 (184); *Eser*, in: Cassese u.a. (Hrsg.), Rome Statute of the International Criminal Court, Bd. I, S. 767 (819); *Lagodny*, ZStW 113 (2001), 800 (815); *Piragoff*, in: Triffterer (Hrsg.), Commentary on the Rome Statute, Art. 30 Rn. 17; *Saland*, in: Lee (Hrsg), International Criminal Court, S. 189 (212).

lichkeit für pflichtwidriges Unterlassen begründet.[1243] Insofern sieht das Römische Statut nur in explizit geregelten Spezialfällen eine Unterlassungsstrafbarkeit vor.[1244] Zum einen kennt das Statut Fälle einer „echten Unterlassungsstrafbarkeit“, bei denen das Unterlassen eines gebotenen Tuns bereits im Tatbestand explizit als strafbar definiert ist. Zu nennen ist die Strafbarkeit des Aushungerns von Zivilpersonen gemäß Art. 8(2)(b)(xxv) IStGH-Statut; tatbestandsmäßig ist hier das Unterlassen der Versorgung mit Lebensmitteln.[1245] Zum anderen ist die im Römischen Statut normierte und unten näher zu erläuternde *command responsibility* zu nennen.[1246]

Ob das Völkergewohnheitsrecht über das Römische Statut hinausgehend allgemein eine strafrechtliche Verantwortlichkeit wegen pflichtwidrigen Unterlassens vorsieht, wird zum Teil bejaht,[1247] zum Teil verneint[1248]. Auf der Römischen Konferenz sei – so weitere Stimmen in der Literatur – die Frage einer allgemeinen Unterlassungsstrafbarkeit bewusst offen gelassen und ihre Beantwortung der künftigen Rechtsprechung des IStGH übertragen worden.[1249] Die Rechtsprechung des ICTY[1250] deutet aber darauf hin, dass zumindest das UN-Tribunal von einer allgemeinen Unterlassungsstrafbarkeit ausgeht.[1251]

1243 *Ambos*, Der Allgemeine Teil des Völkerstrafrechts, S. 498, *Eser*, in: Cassese u.a. (Hrsg.), Rome Statute of the International Criminal Court, Bd. I, S. 767 (819); *Kreß*, HuV-I 1999, 4 (9); *ders.*, in: Grützner/Pötz, Internationaler Rechtshilfeverkehr, vor III 26, Rn. 67; *Werle*, Völkerstrafrecht, Rn. 443. Namentlich der Widerstand Frankreichs, dessen nationale Strafrechtsordnung keine allgemeine Unterlassungsstrafbarkeit kennt (vgl. *Lelieur-Fischer*, LB Frankreich, Bd. 4, S. 225 [284]; *Weltz*, Die Unterlassungshaftung im Völkerstrafrecht, S. 15 ff., 159 ff.), hat die Normierung einer generellen Unterlassungsstrafbarkeit im Römischen Statut verhindert; vgl. *Saland*, in: Lee (Hrsg), International Criminal Court, S. 189 (212).

1244 Anderer Ansicht *Eser*, in: Courakis (Hrsg.), FS Spinellis, S. 339 (363), der eine Unterlassungsstrafbarkeit nach dem Römischen Statut für „wohl nicht ausgeschlossen“ hält. Ähnlich *Werle*, Völkerstrafrecht, Rn. 444; *Werle/Jeßberger*, JZ 2002, 725 (731), die meinen, die Frage einer Unterlassungsstrafbarkeit sei in Rom bewusst offen gelassen worden; ihre Beantwortung sei der zukünftigen Rechtsprechung des IStGH überlassen worden. Gegen eine allgemeine Unterlassungsstrafbarkeit nach dem Römischen Statut aber *Ambos*, CLF 10 (1999), 1 (19).

1245 *Piragoff*, in: Triffterer (Hrsg.), Commentary on the Rome Statute, Art. 30 Rn. 18 mit Fn. 28; *Weltz*, Die Unterlassungshaftung im Völkerstrafrecht, S. 224 ff.; *Werle*, Völkerstrafrecht, Rn. 440, 1066. Siehe auch *Ambos*, Der Allgemeine Teil des Völkerstrafrechts, S. 506.

1246 Siehe unten S. 232 f.

1247 Bejahend *Cassese,* International Criminal Law, S. 200 f.

1248 Verneinend *Ambos*, Der Allgemeine Teil des Völkerstrafrechts, S. 667; *ders.*, CLF 10 (1999), 1 (19); *Werle*, JZ 2001, 885 (890 Fn. 45); *Zimmermann*, ZRP 2002, 97 (101).

1249 So etwa *Piragoff*, in: Triffterer (Hrsg.), Commentary on the Rome Statute, Art. 30 Rn. 17; *Werle/Jeßberger*, JZ 2002, 725 (731).

1250 Vgl. ICTY, *Kordić* und *Čerkez*, IT-95-14/2, 26.2.2001, para. 364: “a general principle of criminal law that an individual is responsible for his acts and omissions.” Siehe ferner ICTY, *Tadić*, IT-94-1, 7.5.1997, para. 626; *Aleksovski*, IT-95-14/1, 25.6.1999,

b) Rechtslage in den untersuchten Staaten

Eine explizite (Spezial-)Regelung zur Unterlassungsstrafbarkeit bei völkerrechtlichen Verbrechen findet sich nur im kanadischen CAHWCA.[1252] In allen anderen untersuchten Staaten richtet sich die Frage, inwieweit völkerrechtliche Verbrechen auch durch (pflichtwidriges) Unterlassen begangen werden können, abgesehen von der sogleich gesondert zu behandelnden Konstellation der *command responsibility* nach den auch für „normale" Straftaten geltenden Bestimmungen.[1253]

In China, Deutschland, Estland, Finnland, Griechenland, Israel, Italien, Kroatien, Österreich, Polen, Serbien und Montenegro, Slowenien, Spanien und der Türkei wird jeweils durch eine Norm des Allgemeinen Teils des nationalen Strafgesetzbuches, die auch auf völkerrechtliche Verbrechen Anwendung findet, angeordnet, dass generell eine Tatbegehung nicht nur durch aktives Tun, sondern auch durch pflichtwidriges Unterlassen möglich ist.[1254] Strafbar ist jeweils das Nicht-Tätigwerden trotz bestehender Handlungspflicht, sofern durch das Unterlassen der im Straftatbestand beschriebene und normalerweise durch aktives Tun zu verwirklichende Erfolg eintritt und dieser Erfolg durch ein Tätigwerden hätte verhindert werden können. Die entscheidende Frage ist im konkreten Fall, unter welchen Umständen eine derartige Handlungs- bzw. Erfolgsabwendungspflicht besteht. Zumeist

---

para. 55; *Delalic*, IT-96-21, 16.11.1998, para. 494 (siehe auch para. 474); *Naletilić* und *Martinović*, IT-98-34, 31.3.2003, para. 60, 246 f., 261. Ähnlich und zum Teil eingehender ICTY, *Tadić*, IT-94-1, 15.7.1999, para. 188; *Blaškić*, IT-95-14, 3.3.2000, para. 339; *Naletilić* und *Martinović*, IT-98-34, 31.3.2003, para. 62 f.

1251 *Gropengießer*, LB Deutschland, Bd. 1, S. 21 (291 f.); *Kreß*, in: Grützner/Pötz, Internationaler Rechtshilfeverkehr, vor III 26, Rn. 67; *Werle*, Völkerstrafrecht, Rn. 444; *Werle/Jeßberger*, JZ 2002, 725 (731) Fn. 79 m.w.N. Siehe auch MK-StGB-*Kreß*, § 220a/§ 6 VStGB Rn. 106 m.w.N.

1252 Siehe *Gut/Wolpert*, LB Kanada, Bd. 5, S. 19 (51, 71).

1253 Vgl. *Biehler/Kerll*, LB Australien, Bd. 6, S. 19 (54); *Cornils*, LB Schweden, Bd. 2, S. 183 (229); *Frände*, LB Finnland, Bd. 2, S. 21 (62 f.); *Gil Gil*, LB Spanien, Bd. 4, S. 99 (160 ff.); *Gropengießer*, LB Deutschland, Bd. 1, S. 21 (288 f.); *Jarvers*, LB Italien, Bd. 4, S. 337 (394 f.); *Korošec*, LB Slowenien, Bd. 3, S. 329 (376); *Kouassi/Paulenz*, LB Côte d'Ivoire, Bd. 4, S. 19 (62); *Kremnitzer/Cohen*, LB Israel, Bd. 5, S. 317 (379); *Lelieur-Fischer*, LB Frankreich, Bd. 4, S. 225 (283 f.); *Novoselec*, LB Kroatien, Bd. 3, S. 19 (52); *Ploom*, LB Estland, Bd. 5, S. 89 (131); *Rabenstein/Bahrenberg*, LB England/Wales, Bd. 6, S. 261 (293); *Retalis*, LB Griechenland, Bd. 5, S. 189 (260 f.); *Richter*, LB China, Bd. 6, S. 141 (222 ff.); *Silverman*, LB USA, Bd. 5, S. 411 (460 ff.); *Škulić*, LB Serbien und Montenegro, Bd. 3, S. 211 (257 f.); *Tellenbach*, LB Türkei, Bd. 6, S. 393 (437); *Weigend*, LB Polen, Bd. 2, S. 77 (127 f.); *Zerbes*, LB Österreich, Bd. 3, S. 85 (140 f.).

1254 Vgl. *Frände*, LB Finnland, Bd. 2, S. 21 (62 f.); *Gil Gil*, LB Spanien, Bd. 4, S. 99 (160 ff.); *Gropengießer*, LB Deutschland, Bd. 1, S. 21 (288 ff.); *Jarvers*, LB Italien, Bd. 4, S. 337 (394 f.); *Korošec*, LB Slowenien, Bd. 3, S. 329 (376); *Kremnitzer/Cohen*, LB Israel, Bd. 5, S. 317 (379); *Novoselec*, LB Kroatien, Bd. 3, S. 19 (52); *Ploom*, LB Estland, Bd. 5, S. 89 (131); *Retalis*, LB Griechenland, Bd. 5, S. 189 (260 f.); *Richter*, LB China, Bd. 6, S. 141 (222 f.)*Silverman*, LB USA, Bd. 5, S. 411 (460 ff.); *Škulić*, LB Serbien und Montenegro, Bd. 3, S. 211 (257 f.); *Weigend*, LB Polen, Bd. 2, S. 77 (127 f.); *Zerbes*, LB Österreich, Bd. 3, S. 85 (140 f.).

wird zwischen zwei Arten von so genannten Garantenstellungen unterschieden: Beschützergaranten haben dafür Sorge zu tragen, dass bestimmten Personen oder Sachen, denen gegenüber sie eine rechtliche Schutzpflicht haben, kein Schaden durch Dritte oder durch Naturgewalten zugefügt wird; Überwachergaranten haben zu verhindern, dass Gefahrenquellen, für die sie rechtlich verantwortlich sind, einen Schaden verursachen. Derartige Schutzpflichten können sich nicht nur aus einer expliziten gesetzlichen Regelung, sondern auch aus vertraglicher Vereinbarung ergeben.[1255]

Dagegen gibt es in Australien, Côte d'Ivoire, Frankreich, Schweden und der Türkei ebenso wie nach dem Römischen Statut[1256] keine derartige generelle Unterlassungsstrafbarkeit; in diesen Staaten ist das Unterlassen gebotenen Tuns vielmehr nur dann strafbar, wenn ein Straftatbestand des Besonderen Teil des Strafgesetzbuchs explizit die Nichtvornahme einer bestimmten Handlung pönalisiert.[1257]

In den meisten Staaten, die eine generelle Unterlassungsstrafbarkeit kennen, können auch Völkerstraftaten durch pflichtwidriges Unterlassen begangen werden.[1258] Dabei kann die Strafbarkeit entweder auf die nationalen völkerstrafrechtlichen Spezialtatbestände gestützt werden, da auch diese von der allgemeinen Norm des jeweiligen Strafrechts erfasst werden, die eine generelle Möglichkeit der Verwirklichung von Straftatbeständen durch pflichtwidriges Unterlassen bestimmt,

---

1255 Vgl. *Frände*, LB Finnland, Bd. 2, S. 21 (62 f.); *Gil Gil*, LB Spanien, Bd. 4, S. 99 (160 ff.); *Gropengießer*, LB Deutschland, Bd. 1, S. 21 (289); *Jarvers*, LB Italien, Bd. 4, S. 337 (394 f.); *Korošec*, LB Slowenien, Bd. 3, S. 329 (376); *Kremnitzer/Cohen*, LB Israel, Bd. 5, S. 317 (379); *Novoselec*, LB Kroatien, Bd. 3, S. 19 (52); *Ploom*, LB Estland, Bd. 5, S. 89 (131); *Retalis*, LB Griechenland, Bd. 5, S. 189 (260 f.); *Richter*, LB China, Bd. 6, S. 141 (222 f.); *Silverman*, LB USA, Bd. 5, S. 411 (460 ff.); *Škulić*, LB Serbien und Montenegro, Bd. 3, S. 211 (257 f.); *Weigend*, LB Polen, Bd. 2, S. 77 (127 f.); *Zerbes*, LB Österreich, Bd. 3, S. 85 (140 f.).

1256 Zur Regelung des Römischen Statuts vgl. oben S. 227.

1257 Vgl. *Biehler/Kerll*, LB Australien, Bd. 6, S. 19 (54); *Cornils*, LB Schweden, Bd. 2, S. 183 (229); *Kouassi/Paulenz*, LB Côte d'Ivoire, Bd. 4, S. 19 (62); *Lelieur-Fischer*, LB Frankreich, Bd. 4, S. 225 (283 f.); *Tellenbach*, LB Türkei, Bd. 6, S. 393 (437).

1258 Dies gilt etwa für Deutschland, Finnland, Griechenland, Italien, Kanada, Kroatien, Österreich, Polen, Serbien und Montenegro, Slowenien und Spanien, ferner wohl auch (insofern ist aber den jeweiligen Landesberichten keine klare Aussage zu entnehmen) für China, England und Wales, Estland, Israel und die USA, zudem unter bestimmten Umständen auch für die Türkei. Vgl. zu den jeweiligen nationalen Regelungen im Detail *Frände*, LB Finnland, Bd. 2, S. 21 (62 f.); *Gil Gil*, LB Spanien, Bd. 4, S. 99 (160 ff.); *Gropengießer*, LB Deutschland, Bd. 1, S. 21 (290); *Gut/Wolpert*, LB Kanada, Bd. 5, S. 19 (51, 71); *Jarvers*, LB Italien, Bd. 4, S. 337 (394 f.); *Korošec*, LB Slowenien, Bd. 3, S. 329 (376); *Kremnitzer/Cohen*, LB Israel, Bd. 5, S. 317 (379); *Novoselec*, LB Kroatien, Bd. 3, S. 19 (52); *Ploom*, LB Estland, Bd. 5, S. 89 (131); *Rabenstein/Bahrenberg*, LB England/Wales, Bd. 6, S. 261 (293); *Retalis*, LB Griechenland, Bd. 5, S. 189 (260 f.); *Silverman*, LB USA, Bd. 5, S. 411 (460 ff.); *Richter*, LB China, Bd. 6, S. 141 (222 f.); *Škulić*, LB Serbien und Montenegro, Bd. 3, S. 211 (257 f.); *Tellenbach*, LB Türkei, Bd. 6, S. 393 (437); *Weigend*, LB Polen, Bd. 2, S. 77 (127 f.); *Zerbes*, LB Österreich, Bd. 3, S. 85 (140 f.).

oder aber auf die „normalen" Straftatbestände, die durch pflichtwidriges Unterlassen verwirklicht werden können.

Die für eine Unterlassungsstrafbarkeit erforderlichen Rechtspflichten zum Handeln ergeben sich in Bezug auf Völkerstraftaten vornehmlich aus den Normen des humanitären Völkerrechts; zu nennen ist zum Beispiel die Pflicht einer kriegführenden Partei, die Zivilbevölkerung in einem besetzten Gebiet vor Gewalttätigkeiten zu schützen (siehe Art. 46 HLKO, Art. 13 und 27 GA IV),[1259] ferner die sich aus Art. 5 Haager Kulturschutzkonvention[1260] ergebende Pflicht für kriegführende Parteien, Kulturgüter wie Museen und Baudenkmäler zu schützen, und zwar nicht nur insofern, als sie durch eigenes Handeln nicht beschädigt werden dürfen (insofern ist eine völkerrechtswidrige Beschädigung bereits als aktives Tun strafbar), sondern auch insofern, als Schädigungshandlungen von Seiten Dritter, etwa durch marodierende Banden, unterbunden werden müssen.[1261]

In Australien, Côte d'Ivoire, Frankreich, Schweden und der Türkei können völkerrechtliche Verbrechen dagegen nicht auch in gleicher Weise wie durch aktives Tun durch pflichtwidriges Unterlassen begangen werden – schließlich kennen diese Staaten, wie erwähnt, keine allgemeine Unterlassungsstrafbarkeit und haben auch keine Spezialregelung, die eine Unterlassungsstrafbarkeit für den Bereich von Völkerstraftaten festlegte.[1262]

Hinzuweisen ist noch darauf, dass etliche Staaten neben einer allgemeinen Unterlassungsstrafbarkeit aufgrund einer Norm, die pauschal bestimmt, dass die auf aktives Handeln zugeschnittenen Straftatbestände auch durch pflichtwidriges Unterlassen verwirklicht werden können (so genannte „unechte" Unterlassungsdelikte), zudem in engen Grenzen auch „echte" Unterlassungsdelikte normiert haben, die völkerrechtliche Verbrechen betreffen bzw. bei solchen zur Anwendung kommen können und bei denen bereits im Straftatbestand selbst ausdrücklich festgelegt ist, dass ein bestimmtes Unterlassen strafbar ist. So ist – um drei Beispiele herauszugreifen – nach § 11 Abs. 1 Satz 1 Nr. 5 VStGB das Aushungern von Zivilpersonen (also deren Nichtversorgung mit Nahrungsmitteln) strafbar; § 312 Abs. 2 österreichisches StGB pönalisiert das Vernachlässigen von Gefangenen und nach Art. 278 CP von Côte d'Ivoire ist das Nichtverhindern der Begehung einer Straftat gegen die körperliche Unversehrtheit durch eine dritte Person trotz bestehender

---

1259 Vgl. *Gasser*, in: Fleck (Hrsg.), Handbuch des humanitären Völkerrechts, S. 168 (199).

1260 Konvention zum Schutz von Kulturgut bei bewaffneten Konflikten vom 14.5.1954; BGBl. 1967 II, S. 1235. Hierzu näher *Partsch*, in: Fleck (Hrsg.), Handbuch des humanitären Völkerrechts, S. 306 (320 f.).

1261 Vgl. *Gasser*, in: Fleck (Hrsg.), Handbuch des humanitären Völkerrechts, S. 168 (199 f.).

1262 Vgl. *Biehler/Kerll*, LB Australien, Bd. 6, S. 19 (54); *Cornils*, LB Schweden, Bd. 2, S. 183 (229); *Kouassi/Paulenz*, LB Côte d'Ivoire, Bd. 4, S. 19 (62); *Lelieur-Fischer*, LB Frankreich, Bd. 4, S. 225 (283 f.).

Möglichkeit, die Tatbegehung ohne Gefahr für eigene Rechtsgüter zu verhindern, strafbar.[1263]

Aus der hier in aller Kürze skizzierten Rechtslage in den einzelnen im Projekt „Nationale Strafverfolgung völkerrechtlicher Verbrechen" untersuchten Staaten lassen sich – wenngleich im Hinblick auf die vergleichsweise geringe Zahl analysierter Rechtsordnungen nur mit gewisser Vorsicht – Anhaltspunkte für die Beantwortung der umstrittenen Frage gewinnen, ob das gewohnheitsrechtliche Völkerstrafrecht eine generelle Unterlassungsstrafbarkeit kennt.[1264] Da die ganz überwiegende Zahl der untersuchten Staaten eine generelle Unterlassungsstrafbarkeit auch für völkerrechtliche Verbrechen normiert, mithin die ganz überwiegende Zahl der Staaten die Auffassung vertritt, völkerrechtliche Verbrechen könnten generell auch durch pflichtwidriges Unterlassen begangen werden, spricht vieles dafür, dass auch nach Völkergewohnheitsrecht eine solche allgemeine Unterlassungsstrafbarkeit besteht.[1265]

7. Spezielle Vorgesetztenverantwortlichkeit

a) Völkerstrafrechtliche Ausgangslage

Das Völkerstrafrecht kennt eine spezielle Vorgesetztenverantwortlichkeit, die *command responsibility* (wörtlich: Befehlsverantwortlichkeit[1266]). Bei dieser originär völkerstrafrechtlichen Rechtsfigur handelt es sich – vereinfacht gesprochen – um eine besondere strafrechtliche Verantwortlichkeit von Vorgesetzten für die Duldung von Straftaten ihrer Weisungsunterworfenen.[1267] Sie kann auf eine lange völkerstrafrechtliche Geschichte zurückblicken,[1268] hat sowohl in den Statuten der UN-Strafgerichtshöfe[1269] als auch in deren Rechtsprechung[1270] Anerkennung gefunden und ist nun in Art. 28 IStGH-Statut in der bislang umfassendsten und detaillliertesten Form geregelt worden. Ihre völkergewohnheitsrechtliche Anerkennung steht jedenfalls im Grundsatz außer Frage.[1271]

1263 Vgl. *Gropengießer*, LB Deutschland, Bd. 1, S. 21 (289); *Kouassi/Paulenz*, LB Côte d'Ivoire, Bd. 4, S. 19 (62 f.); *Zerbes*, LB Österreich, Bd. 3, S. 85 (140).

1264 Siehe zu dieser Streitfrage oben S. 228.

1265 Das Ergebnis der Rechtsvergleichung stützt also die Rechtsauffassung des ICTY (vgl. zu dieser oben Anm. 1250).

1266 Vgl. *Ambos*, Der Allgemeine Teil des Völkerstrafrechts, S. 666.

1267 *Gropengießer*, LB Deutschland, Bd. 1, S. 21 (292).

1268 *Fenrick*, in: Triffterer (Hrsg.), Commentary on the Rome Statute, Art. 28 Rn. 1 ff.; *Triffterer*, in: Prittwitz u.a. (Hrsg.), FS Lüderssen, S. 437 (438 ff.).

1269 Art. 7(3) ICTY-Statut (vgl. oben Anm. 91) und Art. 6(3) ICTR-Statut (vgl. oben Anm. 92).

1270 Vgl. *Triffterer*, in: Prittwitz u.a. (Hrsg.), FS Lüderssen, S. 437 (441 f.).

1271 *Ambos*, Der Allgemeine Teil des Völkerstrafrechts, S. 666; *Werle*, Völkerstrafrecht, Rn. 468.

Der Begriff *command responsibility* läuft Gefahr, zu Missverständnissen zu führen. Daher sei vorab auf zwei Charakteristika dieses Rechtsinstituts hingewiesen: Erstens geht es allein um eine besondere Unterlassungsstrafbarkeit.[1272] Die praktisch sehr viel relevanteren Fälle, in denen militärische oder zivile Vorgesetzte ihren Untergebenen befehlen oder sie in sonstiger Weise durch aktives Tun dazu veranlassen, völkerrechtliche Verbrechen zu begehen, werden nicht von der Figur der *command responsibility* erfasst; insofern finden die Regeln über Täterschaft und Teilnahme (Art. 25 IStGH-Statut) Anwendung.[1273] Zweitens ist die *command responsibility*, anders als der Begriff nahe legt, nicht auf militärische Vorgesetzte, also im militärischen Sinne befehlsbefugte Personen beschränkt, sondern erfasst neben den durch die Kategorien von Befehl und Gehorsam gekennzeichneten militärischen Dienstverhältnissen auch sonstige Abhängigkeitsverhältnisse ziviler oder rein faktischer Natur.[1274]

Nach dem sehr komplexen, in der Wissenschaft auf deutliche Kritik gestoßenen[1275] Art. 28 IStGH-Statut[1276] ist ein militärischer Befehlshaber bzw. eine rein faktisch als militärischer Befehlshaber handelnde Person[1277] (als Täter) strafrechtlich verantwortlich für (vom Römischen Statut erfasste) völkerrechtliche Verbre-

---

1272 *Ambos*, Der Allgemeine Teil des Völkerstrafrechts, S. 667; *ders.*, CLF 10 (1999), 1 (19); *Neuner*, in: ders. (Hrsg.), National Legislation Incorporating International Crimes, S. 105 (126); *Triffterer*, in: Prittwitz u.a. (Hrsg.), FS Lüderssen, S. 437 (439); *Weigend*, ZStW 116 (2004), 999 (1000). Die Strafbarkeit nach den Grundsätzen der *command responsibility* ist subsidiär zu einer Strafbarkeit wegen aktiver Mitwirkung an der Tatbegehung nach den Regeln des Art. 25(3) IStGH-Statut; vgl. *Werle*, Völkerstrafrecht, Rn. 467.

1273 *Ambos*, Der Allgemeine Teil des Völkerstrafrechts, S. 670 ff.; *Triffterer*, in: Prittwitz u.a. (Hrsg.), FS Lüderssen, S. 437 (443 f.). Zu den Regeln über Täterschaft und Teilnahme siehe oben S. 221 ff.

1274 *Vogel*, ZStW 114 (2002), 403 (428 f.). Aus diesem Grund schlägt *Ambos*, Der Allgemeine Teil des Völkerstrafrechts, S. 666, vor, den zu engen Terminus *command responsibility* durch den auch zivile Vorgesetzte miteinschließenden Oberbegriff *superior responsibility* (Vorgesetztenverantwortlichkeit) zu ersetzen. Ebenso *Neuner*, in: ders. (Hrsg.), National Legislation Incorporating International Crimes, S. 105 (126); *Werle*, Völkerstrafrecht, Rn. 465.

1275 Vgl. *Weigend*, in: Schünemann u.a. (Hrsg.), FS Roxin, S. 1375 (1396); *ders.*, in: Triffterer (Hrsg.), GedS Vogler, S. 197 (210); *Werle*, JZ 2001, 885 (891). Die Kritik entzündet sich vor allem daran, dass nicht zwischen verschiedenen Intensitäten der Vorgesetztenverantwortlichkeit (etwa der positiven Kenntnis von der Tatbegehung einerseits und der bloß fahrlässigen Nichtkenntnis) differenziert wird, wie dies das VStGB mit § 4 einerseits und § 13 andererseits tut (zur deutschen Regelung siehe *Gropengießer*, LB Deutschland, Bd. 1, S. 21 [294 ff.]; *Werle*, Völkerstrafrecht, Rn. 499 ff.). Kritisiert wird ferner das Ausmaß der strafrechtlichen Verantwortlichkeit von Vorgesetzten. Während *Weigend*, in: Schünemann u.a. (Hrsg.), FS Roxin, S. 1375 (1396 f.) – zu Recht – eine „klare Überdehnung der strafrechtlichen Haftung" konstatiert, begrüßt *Vogel*, ZStW 114 (2002), 403 (436) die Strenge des Völkerstrafrechts.

1276 Siehe zur Entstehungsgeschichte *Ambos*, CLF 10 (1999), 1 (16 ff.). Vgl. ferner die detailliert-kritische Analyse von *Triffterer*, in: Arnold u.a. (Hrsg.), FS Eser, S. 901 (902 ff.).

1277 Vgl. zu diesem Täterkreis *Werle*, Völkerstrafrecht, Rn. 470 ff.

chen, die von seinen/ihren Untergebenen aufgrund seines/ihres Versäumnisses begangen werden, eine ordnungsgemäße Kontrolle über die Untergebenen auszuüben. Voraussetzung für eine Strafbarkeit des militärischen Befehlshabers bzw. der als militärischer Befehlshaber handelnden Person ist aber, dass er/sie von der Tatbegehung entweder positiv wusste oder aber hätte wissen müssen (also aus Fahrlässigkeit nicht wusste[1278]) und er/sie nicht alle in seiner/ihrer Macht stehenden erforderlichen und angemessenen Maßnahmen ergriffen hat, um die Tatbegehung zu verhindern bzw. zu unterbinden oder um die Angelegenheit den zuständigen Behörden zur Untersuchung und Strafverfolgung zu unterbreiten (Art. 28(a) IStGH-Statut).[1279]

Etwas weniger weitreichend ist die entsprechende, in Art. 28(b) IStGH-Statut geregelte *command responsibility* von zivilen Vorgesetzten.[1280] Strafrechtlich verantwortlich für völkerrechtliche Verbrechen, die seine Untergebenen begehen, ist ein ziviler Vorgesetzter[1281] (nur) dann, wenn er entweder positiv wusste, dass die Untergebenen die Taten begingen oder im Begriff waren, sie zu begehen, oder aber wenn er eindeutig auf die Tatbegehung hinweisende Informationen bewusst außer Acht gelassen hat. Die bloße fahrlässige Unkenntnis von der Tatbegehung reicht also anders als bei militärischen Vorgesetzten bei zivilen Vorgesetzten für eine strafrechtliche Verantwortlichkeit nicht aus.[1282] Ebenso wie bei der *command responsibility* von militärischen Vorgesetzten ist auch für eine Strafbarkeit von

---

1278 Siehe in diesem Zusammenhang oben Anm. 1146.

1279 Vgl. *Ambos*, Der Allgemeine Teil des Völkerstrafrechts, S. 499 f., *Fenrick*, in: Triffterer (Hrsg.), Commentary on the Rome Statute, Art. 28 Rn. 4 ff.; *Werle*, Völkerstrafrecht, Rn. 465 ff. Mit der Figur der *command responsibility* sollen zwei Ziele erreicht werden: Zum einen soll sie der Schwierigkeit begegnen, dass (militärischen) Vorgesetzten eine aktive und direkte Mitwirkung an der Begehung völkerrechtlicher Verbrechen häufig nur schwer nachzuweisen ist, namentlich der Nachweis einer ununterbrochenen Befehlskette von dem Führungspersonal über mittlere Hierarchieebenen hin zu den unmittelbar tatausführenden Personen nur schwer oder sogar gar nicht zu führen ist. Insofern soll die Figur der *command responsibility* als „Rettungsanker" (*Werle*, Völkerstrafrecht, Rn. 466) dienen und ein Scheitern einer Bestrafung von Vorgesetzten verhindern (kritisch gegenüber diesem Legitimationsgrund *Weigend*, ZStW 116 [2004], 999 [1003]). Zum anderen soll das „Wegschauen" und „wohlwollende Geschehenlassen" der Tatbegehung durch Untergebene verhindert werden, denn solche Verhaltensweisen können Untergebene in gefährlichem Maße zu einer Begehung völkerrechtlicher Verbrechen motivieren. Grundlage der Vorgesetztenverantwortlichkeit ist dabei die Annahme einer rechtlichen Verpflichtung von Vorgesetzten organisierter Einheiten, aufgrund deren potentieller Gefährlichkeit (gewissermaßen als „Überwachungsgarant") dafür Sorge zu tragen, dass die Untergebenen sich (völker-)rechtskonform verhalten. Vgl. zur *ratio legis* der Vorgesetztenverantwortlichkeit auch *Weigend*, a.a.O., S. 1004; *Werle*, a.a.O., Rn. 466.

1280 Vgl. *Ambos*, CLF 10 (1999), 1 (17 f.); *ders.*, Der Allgemeine Teil des Völkerstrafrechts, S. 500, 703 f.; *Fenrick*, in: Triffterer (Hrsg.), Commentary on the Rome Statute, Art. 28 Rn. 15 ff.; *Werle*, Völkerstrafrecht, Rn. 481.

1281 Vgl. zum insofern in Betracht kommenden Täterkreis *Werle*, Völkerstrafrecht, Rn. 474 f.

1282 Siehe in diesem Zusammenhang oben Anm. 1146.

zivilen Vorgesetzten erforderlich, dass der Vorgesetzte nicht alle in seiner Macht stehenden erforderlichen und angemessenen Maßnahmen ergriffen hat, um die Tatbegehung zu verhindern oder zu unterbinden oder die Angelegenheiten den zuständigen Behörden zur Untersuchung und Strafverfolgung vorzulegen.[1283]

b) Rechtslage in den untersuchten Staaten

In etlichen der untersuchten Länder – namentlich in denen, die im Anschluss an die Ratifikation des Römischen Statuts ihr nationales Strafrecht um völkerstrafrechtliche Regelungen ergänzt haben – finden sich spezielle Regelungen, mit denen Fälle der *command responsibility* erfasst werden sollen. Dies gilt für Deutschland (§§ 4, 13, 14 VStGB),[1284] Schweden (Kap. 22 § 6 Abs. 3 schwedisches StGB),[1285] Kroatien (Art. 167a kroatisches StG),[1286] Serbien und Montenegro (Art. 440 montenegrisches StGB, Art. 33 eines Entwurfs für ein Strafrechtsänderungsgesetz Serbiens),[1287] Spanien (Art. 615bis CP),[1288] Australien (section 268.115 ICC [Consequential Amendments] Act 2002),[1289] England und Wales (section 65 ICC Act 2001),[1290] Kanada (section 5(1) und (2) CAHWCA für Taten in Kanada bzw. section 7(1) und (2) CAHWCA für Auslandstaten)[1291] sowie für Estland (Art. 88 Abs. 1 estnisches StGB).[1292] In den USA ist die Frage der *command responsibility* nicht ausdrücklich gesetzlich geregelt, aber von der Rechtsprechung als eine mögliche Form der Tatbegehung anerkannt worden. So kam es bereits 1945 zu einer Entscheidung des Supreme Court, der die Verurteilung eines ehemaligen japanischen Generals als Kriegsverbrecher bestätigte, der es unterlassen hatte, seine Untergebenen daran zu hindern, schwere Straftaten gegen die philippinische Zivilbevölkerung und gegen Kriegsgefangene zu begehen.[1293] Im Anschluss an diese Entscheidung ist die Verantwortlichkeit militärischer Vorgesetzter für die Nichtverhinderung von Straftaten ihrer Untergebenen auch in verschiedenen Militärhandbüchern der USA betont worden.[1294]

1283 Vgl. *Werle*, Völkerstrafrecht, Rn. 474 ff.

1284 *Gropengießer*, LB Deutschland, Bd. 1, S. 21 (295).

1285 *Cornils*, LB Schweden, Bd. 2, S. 183 (230). Allerdings gilt die Regelung des derzeitigen schwedischen Rechts lediglich für Kriegsverbrechen.

1286 *Novoselec*, LB Kroatien, Bd. 3, S. 19 (53 f.).

1287 *Škulić*, LB Serbien und Montenegro, Bd. 3, S. 211 (260).

1288 *Gil Gil*, LB Spanien, Bd. 4, S. 99 (162 ff.; 208 ff.).

1289 *Biehler/Kerll*, LB Australien, Bd. 6, S. 19 (55).

1290 *Rabenstein/Bahrenberg*, LB England/Wales, Bd. 6, S. 261 (294).

1291 *Gut/Wolpert*, LB Kanada, Bd. 5, S. 19 (51 ff.).

1292 *Ploom*, LB Estland, Bd. 5, S. 89 (131).

1293 *Silverman*, LB USA, Bd. 5, S. 411 (462 f.).

1294 *Silverman*, LB USA, Bd. 5, S. 411 (463 f.).

In den anderen untersuchten Ländern gibt es dagegen keine spezielle Regelung der Verantwortlichkeit militärischer oder ziviler Vorgesetzter; in diesen Staaten kann die pflichtwidrige Nichtverhinderung von Straftaten bzw. Nichtanzeige begangener Straftaten durch Vorgesetzte nur nach den allgemeinen Regeln der Unterlassungsstrafbarkeit[1295] geahndet werden.[1296]

Betrachtet man nun die Staaten genauer, die eine Spezialregelung zur Vorgesetztenverantwortlichkeit haben, so ist zunächst die auf den ersten Blick überraschende Feststellung zu treffen, dass lediglich Australien sowie England und Wales in Umsetzung des Römischen Statuts die Regelung des Art. 28 IStGH-Statut übernommen haben[1297] – das Römische Statut, an dem sich viele Staaten bei der Schaffung eines nationalen Völkerstrafrechts orientiert haben bzw. orientieren, hat also, was die Regelung zur Vorgesetztenverantwortlichkeit in Art. 28 anbelangt, kaum Vorbildwirkung entfaltet. Die zum Teil heftige Kritik, auf die Art. 28 in der Wissenschaft gestoßen ist,[1298] ist also nicht rein akademischer Natur. Vielmehr wird Art. 28 IStGH-Statut offenbar auch von den nationalen Gesetzgebern für wenig vorbildhaft erachtet.

In den übrigen untersuchten Ländern, die eine spezielle Regelung der Vorgesetztenverantwortlichkeit aufweisen, weicht diese also deutlich vom IStGH-Statut ab. Dies gilt namentlich insoweit, als die Länder zwischen den verschiedenen Formen der *command responsibility* deutlich differenzieren, während das Römische Statut sowohl die vorsätzliche als auch die fahrlässige Nichtverhinderung von Straftaten Untergebener als auch die Nichtanzeige derartiger Straftaten in einer Norm zusammenfasst und lediglich als einander gleich zu achtende Erscheinungsformen der Vorgesetztenverantwortlichkeit betrachtet.[1299]

1295 Siehe diesbezüglich oben S. 229 ff.

1296 *Cornils*, LB Schweden, Bd. 2, S. 183 (230) (soweit es nicht um Kriegsverbrechen geht; vgl. diesbezüglich oben Anm. 1285); *Frände*, LB Finnland, Bd. 2, S. 21 (63 f.); *Grammer*, LB Italien, Bd. 4, S. 337 (396) (mit Ausnahme einer Spezialvorschrift – Art. 230 des Militärstrafgesetzbuchs für Kriegszeiten pönalisiert die fahrlässige Nichtverhinderung der Begehung bestimmter militärischer Delikte durch militärische Vorgesetzte); *Korošec*, LB Slowenien, Bd. 3, S. 329 (377); *Kouassi/Paulenz*, LB Côte d'Ivoire, Bd. 4, S. 19 (64); *Kremnitzer/Cohen*, LB Israel, Bd. 5, S. 317 (379 ff.); *Lammich*, LB Russland/Weißrussland, Bd. 6, S. 351 (381); *Lelieur-Fischer*, LB Frankreich, Bd. 4, S. 225 (284); *Retalis*, LB Griechenland, Bd. 5, S. 189 (261 ff.); *Richter*, LB China, Bd. 6, S. 141 (223); *Tellenbach*, LB Türkei, Bd. 6, S. 393 (438) (mit Ausnahme einer Spezialregelung in Art. 139 des türkischen Militärstrafgesetzbuchs: Danach ist ein Vorgesetzter strafbar, der die Begehung einer Straftat toleriert, die er verhindern könnte und pflichtgemäß verhindern müsste); *Weigend*, LB Polen, Bd. 2, S. 77 (128); *Zerbes*, LB Österreich, Bd. 3, S. 85 (141 f.).

1297 Vgl. *Biehler/Kerll*, LB Australien, Bd. 6, S. 19 (55); *Rabenstein/Bahrenberg*, LB England/Wales, Bd. 6, S. 261 (294).

1298 Siehe hierzu oben Anm. 1275.

1299 Siehe hierzu oben S. 232 ff.

Ebenso wie das Römische Statut erfasst auch das deutsche VStGB nicht nur pflichtwidrige Unterlassungen von militärischen Befehlshabern, sondern gleichfalls solche von zivilen Vorgesetzten, wobei jeweils auch Personen erfasst werden, die nicht eine formale Stellung als militärischer Befehlshaber oder ziviler Vorgesetzter innehaben, sondern „nur" tatsächlich eine solche Funktion wahrnehmen. Abgestellt wird also auf die faktische Stellung einer Person. Das deutsche VStGB nimmt aber eine Differenzierung vor zwischen vorsätzlichem Nicht-Verhindern einer Tatbegehung durch Untergebene (strafbar nach § 4 VStGB), der – vorsätzlichen oder fahrlässigen – Verletzung der Aufsichtspflicht, sofern diese zur Folge hat, dass ein Untergebener eine Völkerstraftat begeht, deren Bevorstehen dem Vorgesetzten erkennbar war und die er hätte verhindern können (strafbar nach § 13 VStGB), sowie dem vorsätzlichen Nichtmelden einer durch Untergebene begangenen Völkerstraftat (strafbar nach § 14 VStGB). Damit soll klargestellt werden, dass die strafrechtliche Haftung im Bereich der *command responsibility* verschiedene Anknüpfungspunkte hat (vorsätzliche Nichtverhinderung, fahrlässige Nichtverhinderung und vorsätzliches Nichtmelden); gleichzeitig dient die Aufspaltung der *command responsibility* auf mehrere Normen dazu, auf der Rechtsfolgenebene sehr genau zwischen den verschiedenen Schweregraden des Unterlassungsvorwurfs unterscheiden und damit sehr differenzierte Sanktionsbestimmungen treffen zu können.[1300]

Die Mühe, die sich der deutsche Gesetzgeber mit der Herausarbeitung der verschiedenen Aspekte der *command responsibility* und der dogmatisch klaren Aufspaltung der im Römischen Statut einheitlich geregelten Vorgesetztenverantwortlichkeit entsprechend dem jeweiligen Haftungsgrund auf verschiedene Strafnormen (mit unterschiedlichen Strafandrohungen) gemacht hat, scheint sich gelohnt zu haben. Denn die deutsche Regelung wird von anderen Staaten rezipiert.

Der kroatische Gesetzgeber hat das „deutsche Modell" mit dem im Jahr 2004 neu geschaffenen Art. 167a kroatisches StG übernommen.[1301] Der schwedische Entwurf für ein Gesetz über Völkerrechtsstraftaten sieht eine der differenzierenden deutschen Regelung sehr ähnliche Strafbarkeit von zivilen und militärischen Vorgesetzten vor.[1302]

Auch die Spezialregelung zur *command responsibility* des kanadischen CAHWCA übernimmt nicht die pauschale Regelung des Art. 28 IStGH-Statut, sondern differenziert zwischen verschiedenen Formen der Vorgesetztenverantwortlichkeit, namentlich danach, ob der Vorgesetzte es vorsätzlich oder „lediglich" fahrlässig unterlassen hat, eine Tatbegehung durch seine Untergebenen zu verhin-

1300 Vgl. *Gropengießer*, LB Deutschland, Bd. 1, S. 21 (295 ff.).

1301 Vgl. *Novoselec*, LB Kroatien, Bd. 3, S. 19 (53 f.).

1302 Vgl. *Cornils*, LB Schweden, Bd. 2, S. 183 (230 f.).

dern.[1303] In Schweden wird ein militärischer Vorgesetzter bestraft, wenn ein ihm untergebener Soldat ein vom schwedischen Strafrecht durch spezielle Strafnorm erfasstes Kriegsverbrechen begeht, sofern er nicht alles ihm Zumutbare zur Verhinderung der Straftat unternommen hat, obwohl er die Tatbegehung hätte erkennen können.[1304]

In Serbien und Montenegro knüpft eine in Serbien noch im Entwurfsstadium befindliche, in Montenegro bereits in Kraft gesetzte neue Norm zur Vorgesetztenverantwortlichkeit ebenfalls an die Nichtvornahme von Handlungen zur Verhinderung von Verbrechen durch Untergebene an: Wer Kenntnis davon hat, dass Mitglieder der Streitkräfte, die ihm unterstehen, ein völkerrechtliches Verbrechen begehen oder ein solches vorbereiten, aber nichts zur Verhinderung der Tatbegehung unternimmt, wird als Täter der entsprechenden Tat bestraft. Eine mildere Bestrafung ist für denjenigen vorgesehen, der fahrlässig die Tatvorbereitung bzw. Tatbegehung durch Untergebene nicht erkennt und deshalb nichts zur Verhinderung der Tatbegehung unternimmt.[1305] Nach Art. 88 Abs. 1 estnisches StGB ist ein militärischer oder ziviler Vorgesetzter strafbar, der es unterlässt, die Begehung einer Straftat – die kein völkerrechtliches Verbrechen zu sein braucht – durch Untergebene zu verhindern, obwohl er die Tatbegehung hätte verhindern können.[1306] Und nach spanischem Strafrecht schließlich (Art. 615bis CP) wird ein Vorgesetzter, der nicht alle in seiner Macht stehenden Maßnahmen ergreift, um die Begehung einer Tat durch die seiner Befehlsgewalt unterstehenden Truppen zu verhindern, ebenso wie der Täter bestraft; im Falle „bloß“ fahrlässigen Handelns des Vorgesetzten ist die Strafe jedoch zu mildern. Zudem wird ein Vorgesetzter bestraft, der nicht alle in seiner Macht stehenden Maßnahmen ergreift, damit Untergebene, die eine Völkerstraftat begangen haben, hierfür strafrechtlich zur Verantwortung gezogen werden.[1307]

8. Relevanz eines Handelns auf Befehl

a) Völkerstrafrechtliche Ausgangslage

Im Völkerstrafrecht galt lange die Devise, dass ein Handeln auf Befehl oder Anordnung[1308] keine strafbefreiende, sondern allenfalls strafmildernde Wirkung haben

---

[1303] Vgl. *Gut/Wolpert*, LB Kanada, Bd. 5, S. 19 (51 ff.).

[1304] Vgl. *Cornils*, LB Schweden, Bd. 2, S. 183 (230).

[1305] Vgl. *Škulić*, LB Serbien und Montenegro, Bd. 3, S. 211 (260 ff.).

[1306] Vgl. *Ploom*, LB Estland, Bd. 5, S. 89 (131).

[1307] Vgl. *Gil Gil*, LB Spanien, Bd. 4, S. 99 (162 ff.; 208 ff.).

[1308] Zur Terminologie: *Weisungen* (dies ist der Oberbegriff) werden im militärischen Bereich als *Befehl*, im zivilen (z.B. polizeilichen) Bereich als *Anordnungen* bezeichnet; vgl. Schönke/Schröder-*Lenckner*, vor § 32 Rn. 87.

kann.[1309] Zum Teil wird sogar angenommen, die Irrelevanz des Handelns auf Befehl oder Anordnung für die völkerstrafrechtliche Verantwortlichkeit des Täters sei ein Rechtssatz des Völkergewohnheitsrechts.[1310] Dafür spricht, dass das IMT-Statut (Art. 8), die Statuten des ICTY (Art. 7(4)) und des ICTR (Art. 6(4)) sowie etliche andere völkerstrafrechtliche Dokumente[1311] ausdrücklich die Irrelevanz eines Handelns auf Weisung festlegen und auch die bisherige völkerstrafrechtliche Spruchpraxis den Einwand des Handelns auf Befehl nicht anerkannt hat.[1312] Das Römische Statut dagegen bricht mit dieser völkerstrafrechtlichen „Tradition" und enthält mit Art. 33 IStGH-Statut eine sehr differenzierte Bestimmung, die in engen Ausnahmefällen einem Handeln auf Befehl oder Anordnung strafbefreiende Wirkung beimisst.[1313]

Art. 33(1) IStGH-Statut legt zwar zunächst als Grundsatz fest, dass ein Handeln auf Weisung den Täter nicht der strafrechtlichen Verantwortlichkeit enthebt, ergänzt diese Feststellung aber um eine Ausnahmeregelung.[1314] Danach ist der Täter strafrechtlich nicht verantwortlich, wenn er erstens grundsätzlich verpflichtet war, Weisungen der Regierung oder Person, die ihm die in Frage stehende Anweisung erteilt hat, zu folgen, wenn er zweitens die Rechtswidrigkeit der Weisung nicht kannte und wenn drittens die Rechtswidrigkeit der Weisung auch nicht offensichtlich war.[1315] Mit anderen Worten: Eine straffreistellende Wirkung kann ein Han-

---

1309 Zur Entwicklungsgeschichte der *defence* Handeln auf Befehl vgl. *Eser*, IYHR 24 (1995), 201 (204 f.); *ders.*, in: Schmoller (Hrsg.), FS Triffterer, S. 755 (758 f.); *Nill-Theobald*, „Defences" bei Kriegsverbrechen, S. 67 ff.; *Zimmermann*, in: Cassese u.a. (Hrsg.), Rome Statute of the International Criminal Court, Bd. I, S. 957 (958 ff.).

1310 So etwa *Ambos*, Straflosigkeit von Menschenrechtsverletzungen, S. 294 ff.; *ders.*, JR 1998, 221 (223 ff.); *Cassese*, International Criminal Law, S. 231 f.; *Gaeta*, EJIL 10 (1999), 172 (186 ff.); *Werle*, Völkerstrafrecht, Rn. 362. Anderer Ansicht aber z.B. *Kreß*, in: Grützner/Pötz, Internationaler Rechtshilfeverkehr, vor III 26, Rn. 57; *Nill-Theobald*, „Defences" bei Kriegsverbrechen, S. 159 ff.; *Zimmermann*, in: Cassese u.a. (Hrsg.), Rome Statute of the International Criminal Court, Bd. I, S. 957 (965 f.) sowie *Jescheck*, JICJ 2 (2004), 38 (46), der in Bezug auf die differenzierende Regelung des Art. 33 IStGH-Statut von „the currently prevailing solution" spricht.

1311 Etwa Art. 5 *Draft Code of Crimes against the Peace and Security of Mankind* der ILC vom 5.7.1996; HRLJ 18 (1997), 96. Zum IMT-Statut sowie den Statuten der UN-Strafgerichtshöfe siehe oben Anm. 151, 91 und 92.

1312 Vgl. *Ambos*, JR 1998, 221 (223 f.); *Cassese*, EJIL 10 (1999), 144 (156); *Dahm/Delbrück/Wolfrum*, Völkerrecht, Bd. I/3, S. 1126 f.; *Gaeta*, EJIL 10 (1999), 172 (178 ff.); *Korte*, Handeln auf Befehl, S. 48 ff., 68 ff.; *Zimmermann*, in: Cassese u.a. (Hrsg.), Rome Statute of the International Criminal Court, Bd. I, S. 957 (959 ff.).

1313 Für eine solche differenzierende Lösung sind schon *Eser*, IYHR 24 (1995), 201 (209 f.); *ders.*, in: Schmoller (Hrsg.), FS Triffterer, S. 755 (763) und *Nill-Theobald*, „Defences" bei Kriegsverbrechen, S. 166 f. eingetreten.

1314 Vgl. *Triffterer*, in: ders. (Hrsg.), Commentary on the Rome Statute, Art. 33 Rn. 14; *Zimmermann*, in: Cassese u.a. (Hrsg.), Rome Statute of the International Criminal Court, Bd. I, S. 957 (967).

1315 Vgl. *Ambos*, ZStW 111 (1999), 175 (191); *ders.*, Der Allgemeine Teil des Völkerstrafrechts, S. 504; *Eser*, in: Triffterer (Hrsg.), Commentary on the Rome Statute, Art. 31

deln aufgrund eines Befehls oder einer Anordnung nur haben, wenn dem Täter die Rechtswidrigkeit der Weisung nicht bekannt und zudem die Weisung nicht offensichtlich rechtswidrig war.[1316] Das Römische Statut folgt damit dem in der wissenschaftlichen Diskussion über die Rechtswirkungen eines Handelns auf Befehl als „manifest illegality principle" bezeichnetem Prinzip.[1317]

Diese Privilegierung des auf Weisung handelnden Täters findet ihre Berechtigung darin, dass weisungsgebundene Personen in aller Regel kaum eine Möglichkeit haben, die Rechtmäßigkeit bzw. Verbindlichkeit einer an sie gerichteten Weisung zu prüfen oder prüfen zu lassen, sie grundsätzlich verpflichtet sind, an sie gerichtete Weisungen umgehend auszuführen und die Weigerung der Ausführung einer Weisung in aller Regel durch das nationale Recht strafbewehrt ist. Sie sind somit – anders als aus eigenem Antrieb handelnde Personen – einer besonderen Konfliktsituation ausgesetzt, haben sie doch Nachteile bis hin zu einer Bestrafung zu befürchten, wenn sie einer rechtskonformen Weisung – etwa in dem irrigen Glauben, sie sei rechtswidrig – nicht nachkommen.[1318]

Zu beachten ist, dass die amtliche deutsche Übersetzung von Art. 33(1) IStGH-Statut nicht ganz präzise ist. Diese spricht davon, der Täter müsse gesetzlich verpflichtet gewesen sein, den Anordnungen Folge zu leisten. Doch geht es nicht darum, ob die konkret in Frage stehende Weisung verbindlich war. Vielmehr ist – wie

---

Rn. 2; *Korte*, Handeln auf Befehl, S. 133 ff.; *Schabas*, Eur.J.CrimeCr.L.Cr.J. 6 (1998), 400 (427); *Triffterer*, in: ders. (Hrsg.), Commentary on the Rome Statute, Art. 33 Rn. 15 ff.; *Zimmermann*, in: Cassese u.a. (Hrsg.), Rome Statute of the International Criminal Court, Bd. I, S. 957 (968 ff.).

1316 Anders als zum Teil in nationalen Strafrechtsordnungen unterscheidet das Römische Statut nicht zwischen einer rechtfertigenden und einer (bloß) entschuldigenden Wirkung eines Handelns auf Befehl (vgl. für Deutschland *Kreicker*, LB Deutschland, Bd. 1, S. 21 [302 ff.]). Denn das Römische Statut differenziert generell nicht zwischen den Systemstufen der „Rechtswidrigkeit" und „Schuld" (und damit zwischen Rechtfertigungsgründen [justifications] und Entschuldigungsgründen [excuses], sondern spricht pauschal von „Gründen für den Ausschluss der strafrechtlichen Verantwortlichkeit". Vgl. BT-Drucks. 14/2682, S. 102; *Ambos*, Der Allgemeine Teil des Völkerstrafrechts, S. 826; *Cassese*, International Criminal Law, S. 222; *Dahm/Delbrück/Wolfrum*, Völkerrecht, Bd. I/3, S. 1125; *Eser*, in: Triffterer (Hrsg.), Commentary on the Rome Statute, Art. 31 Rn. 2, 15; *Kreß*, HuV-I 1999, 4 (5); *Lagodny*, ZStW 113 (2001), 800 (817 f.); *Satzger*, Internationales und Europäisches Strafrecht, § 14 Rn. 17 ff.; *Werle*, Völkerstrafrecht, Rn. 245, 250 sowie *Eser*, in: Courakis (Hrsg.), FS Spinellis, S. 339 (363), der bedauert, dass das Römische Statut nicht zwischen Rechtfertigungs- und Entschuldigungsgründen unterscheidet und insofern von einem „konzeptionellen Mangel" spricht. Kritisch im Hinblick auf diese Undifferenziertheit auch *Merkel*, ZStW 114 (2002), 437 (447 f.).

1317 *Ambos*, Der Allgemeine Teil des Völkerstrafrechts, S. 505, 511, 835; *Werle*, Völkerstrafrecht, Rn. 368. Siehe zu den unterschiedlichen Prinzipien und der wissenschaftlichen Diskussion *Korte*, Handeln auf Befehl, S. 63 ff.

1318 Vgl. zum Legitimationsgrund der Privilegierung aus der Perspektive des deutschen Rechts *Jescheck/Weigend*, Lehrbuch, § 46 I. 3.

etwa die englische Sprachfassung deutlich zeigt – allein erforderlich, dass der Täter der anweisenden Stelle gegenüber allgemein gehorsamspflichtig war.[1319]

Welche Maßstäbe an die „Offensichtlichkeit der Rechtswidrigkeit" einer Weisung angelegt werden müssen, ist wegen der „Neuheit" der Regelung des Art. 33 IStGH-Statut noch nicht geklärt. Doch lässt sich immerhin feststellen, dass es nicht darauf ankommen kann, ob die Rechtswidrigkeit der in Frage stehenden Weisung für den konkreten Täter (subjektiv) offensichtlich war, sondern dass die Offensichtlichkeit der Rechtswidrigkeit objektiv zu bestimmen ist.[1320] Man wird aber sinnvollerweise für die Beurteilung nur auf solche äußeren Umstände abstellen dürfen, die dem konkreten Täter bekannt waren oder jedenfalls hätten bekannt sein können. Entscheidend kann nicht die (fiktive) Kenntnis einer allwissenden Idealperson über sämtliche äußeren Umstände sein, sondern vor dem Hintergrund des Schuldprinzips gilt es, allein die Umstände in die Bewertung einfließen zu lassen, die einer Person in der konkreten Lebenssituation des Täters, also einer Person, die über die gleichen Möglichkeiten des Zugangs zu Informationen verfügt wie der Täter, zur Tatzeit bekannt sein konnten.[1321] Zudem wird man – wie auch die deutsche Rechtsprechung[1322] – die Offensichtlichkeit der Rechtswidrigkeit nicht am Maßstab einer hochgebildeten Idealperson beurteilen dürfen, sondern auf die Erkenntnisfähigkeit einer durchschnittlichen Person in der Stellung des Täters abzustellen haben, die von einem vergleichbaren Sozialisationsumfeld geprägt worden ist wie der Täter.[1323]

Art. 33(2) IStGH-Statut legt allerdings eine Ausnahme von der soeben erörterten Ausnahmeregelung fest: Die Anwendbarkeit des Straffreistellungsgrundes wird bei

1319 *Korte*, Handeln auf Befehl, S. 133; *Triffterer*, in: ders. (Hrsg.), Commentary on the Rome Statute, Art. 33 Rn. 26. Verfehlt daher *Zimmermann*, in: Cassese u.a. (Hrsg.), Rome Statute of the International Criminal Court, Bd. I, S. 957 (969).

1320 So auch *Korte*, Handeln auf Befehl, S. 150. Vgl. für die – weitgehend parallele – Rechtslage nach deutschem Recht *Kreicker*, LB Deutschland, Bd. 1, S. 21 (313 m.w.N.).

1321 Für Deutschland stellt § 5 Abs. 1 WStG explizit fest, dass allein die dem Täter bekannten Umstände zu berücksichtigen sind; vgl. *Kreicker*, LB Deutschland, Bd. 1, S. 21 (313 f. m.w.N.).

1322 BVerfGE 95, 96 (142) = NJW 1997, 929 (932 f.); BGHSt 39, 1 (33 f.) = NJW 1993, 141 (149); BGHSt 39, 168 (189) = NJW 1993, 1932 (1936); BGH NStZ 1993, 488 (488 f.). Siehe auch *Kreicker*, LB Deutschland, Bd. 1, S. 21 (314 m.w.N.)

1323 *Cassese*, EJIL 10 (1999), 144 (157); *ders.*, International Criminal Law, S. 241 und *Gaeta*, EJIL 10 (1999), 172 (190 f.) meinen, allein schon weil die Strafbarkeit von Kriegsverbrechen im Römischen Statut normiert sei, sei die Rechtswidrigkeit ihrer Begehung bzw. eines auf ihre Begehung gerichteten Befehls offensichtlich. Doch kann diesem Gedankengang nicht gefolgt werden. Denn die Offensichtlichkeit ist – wie soeben dargelegt wurde – nicht aus der Sicht einer rechtskundigen, alle äußeren Umstände sowie die Einzelregelungen des Römischen Statuts kennenden Idealperson zu bestimmen, sondern aus der Sicht eines durchschnittlichen Soldaten in der konkreten Situation des Beschuldigten. Dass aber beispielsweise einem „durchschnittlichen" afrikanischen „Kindersoldaten" (seine Strafmündigkeit einmal vorausgesetzt) die Vorschriften des Römischen Statuts bekannt oder überhaupt nur zugänglich sind, darf wohl ernsthaft bezweifelt werden.

Völkermordtaten und Verbrechen gegen die Menschlichkeit pauschal ausgeschlossen.[1324] Denn Art. 33(2) IStGH-Statut bestimmt im Wege einer Gesetzesfiktion, dass Anordnungen zur Begehung von Völkermord und Verbrechen gegen die Menschlichkeit stets als offensichtlich rechtswidrig anzusehen sind.

Im Ergebnis kann die Tatsache des Handelns auf Befehl oder Anordnung also nach dem Römischen Statut allein bei Kriegsverbrechen straffreistellende Wirkung haben, und auch bei diesen nur dann, wenn dem weisungsgebundenen Täter die Rechtswidrigkeit der Weisung unbekannt war und sie aus der Warte einer durchschnittlichen Person in der Stellung des Täters auch nicht offensichtlich war.

b) Rechtslage in den untersuchten Staaten

Die wohl häufigste Verteidigungseinrede in Verfahren wegen völkerrechtlicher Verbrechen ist die, „lediglich“ auf Befehl von Vorgesetzten gehandelt zu haben und daher selbst nicht für die begangenen Taten verantwortlich gemacht werden zu können. Insofern kann die Feststellung kaum überraschen, dass unter den bei nationalen Strafverfolgungen wegen völkerrechtlicher Verbrechen möglicherweise Relevanz gewinnenden Straffreistellungsbestimmungen der nationalen Strafrechtsordnungen die des „Handelns auf Befehl“ hervorsticht, und zwar schon insoweit, als verhältnismäßig viele Staaten bezüglich der Relevanz eines Handelns auf Befehl eine speziell auf völkerrechtliche Verbrechen bezogene Sonderregelung getroffen haben, während ansonsten – wie der vorliegende Beitrag zeigt – kaum Spezialbestimmungen für völkerrechtliche Verbrechen in Bezug auf die allgemeinen Strafbarkeitsvoraussetzungen bzw. Straffreistellungen zu finden sind.

Eine nationale Sonderregelung des Straffreistellungsgrundes „Handeln auf Befehl“ für völkerrechtliche Verbrechen haben Australien, Estland, Deutschland, Frankreich, Israel, Kanada und Spanien.[1325] Die auch für sonstige Straftaten maßgebliche Regelung zum Handeln auf Befehl kommt dagegen bei nationalen Strafverfolgungen wegen völkerrechtlicher Verbrechen in China, Côte d’Ivoire, England und Wales, Finnland, Griechenland, Italien, Kroatien, Österreich, Polen, Russland,

---

1324 BT-Drucks. 14/2682, S. 109; *Ambos*, ZStW 111 (1999), 175 (191); *ders.*, Der Allgemeine Teil des Völkerstrafrechts, S. 835; *Gaeta*, EJIL 10 (1999), 172 (173); *Kreß*, HuV-I 1999, 4 (7); *Satzger*, Internationales und Europäisches Strafrecht, § 14 Rn. 29; *Triffterer*, in: ders. (Hrsg.), Commentary on the Rome Statute, Art. 33 Rn. 30; *Werle*, Völkerstrafrecht, Rn. 369; *Werle/Nerlich*, HuV-I 2002, 124 (128); *Zimmermann*, in: Cassese u.a. (Hrsg.), Rome Statute of the International Criminal Court, Bd. I, S. 957 (971 f.).

1325 Vgl. *Biehler/Kerll*, LB Australien, Bd. 6, S. 19 (55 f.); *Gil Gil*, LB Spanien, Bd. 4, S. 99 (165 ff.) (soweit es um Völkermord und Verbrechen gegen die Menschlichkeit geht); *Gut/Wolpert*, LB Kanada, Bd. 5, S. 19 (53); *Kreicker*, LB Deutschland, Bd. 1, S. 21 (299); *Kremnitzer/Cohen*, LB Israel, Bd. 5, S. 317 (381) (soweit es um Völkermord und NS-Verbrechen geht); *Lelieur-Fischer*, LB Frankreich, Bd. 4, S. 225 (284) (soweit es um Völkermord und Verbrechen gegen die Menschlichkeit geht); *Ploom*, LB Estland, Bd. 5, S. 89 (132).

Schweden, Serbien und Montenegro, Slowenien, in der Türkei, in den USA und in Weißrussland zur Anwendung.[1326]

Die einschlägigen nationalen Regelungen unterscheiden sich nicht nur im Detail signifikant voneinander, sondern schon die Frage, ob überhaupt die Tatsache eines Handelns auf Befehl zugunsten des Täters Berücksichtigung finden soll, wird unterschiedlich beantwortet. Und in den Staaten, die unter bestimmten Umständen einem Täter, der „lediglich" aufgrund eines ihm erteilten Befehls gehandelt hat, Straffreistellung zubilligen, sind sehr verschiedene Kriterien dafür maßgeblich, ob eine solche Straffreistellung gewährt werden muss oder nicht.

Sehr weitgehend ist die Straffreistellung in China, Polen sowie Russland und Weißrussland. In diesen Staaten scheidet eine Bestrafung eines auf Befehl handelnden Täters grundsätzlich aus, es sei denn, der Täter wusste bei der Tatbegehung positiv, dass der Befehl nicht hätte erteilt werden dürfen.[1327]

Sehr restriktiv sind dagegen die Bestimmungen in England und Wales, Österreich und der Türkei. Dort kommt unabhängig vom Wissen des Täters eine Straffreistellung generell nicht in Betracht, wenn ein Befehl die Begehung einer Straftat beinhaltet.[1328] In anderen Staaten ist dagegen nur bei bestimmten Straftaten eine Berufung auf den Straffreistellungsgrund des Handelns auf Befehl ausgeschlossen.

So legen die Rechtsordnungen von Australien, Deutschland, Frankreich, Kanada und Spanien – im Falle Australiens, Deutschlands, Kanadas und Spaniens in bewusster Übernahme der Regelung des Art. 33 IStGH-Statut – fest, dass bei Völkermord und Verbrechen gegen die Menschlichkeit die Tatsache eines Handelns auf Befehl nicht als Straffreistellungsgrund in Betracht kommt.[1329] Das estnische Strafgesetzbuch bestimmt sogar, dass bei sämtlichen Taten, die unter die nationalen Spezialtatbestände zur Erfassung völkerrechtlicher Verbrechen fallen, Handeln auf Befehl nicht strafbefreiend wirken kann.[1330] Und in Israel ordnen zwei Spezial-

---

1326 Vgl. *Cornils*, LB Schweden, Bd. 2, S. 183 (232); *Frände*, LB Finnland, Bd. 2, S. 21 (64); *Grammer*, LB Italien, Bd. 4, S. 337 (397); *Korosec*, LB Slowenien, Bd. 3, S. 329 (378); *Kouassi/Paulenz*, LB Côte d'Ivoire, Bd. 4, S. 19 (64); *Lammich*, LB Russland/Weißrussland, Bd. 6, S. 351 (381); *Novoselec*, LB Kroatien, Bd. 3, S. 19 (54); *Rabenstein/Bahrenberg*, LB England/Wales, Bd. 6, S. 261 (296); *Retalis*, LB Griechenland, Bd. 5, S. 189 (263); *Richter*, LB China, Bd. 6, S. 141 (223 f.); *Silverman*, LB USA, Bd. 5, S. 411 (465); *Škulić*, LB Serbien und Montenegro, Bd. 3, S. 211 (262); *Tellenbach*, LB Türkei, Bd. 6, S. 393 (438); *Weigend*, LB Polen, Bd. 2, S. 77 (128); *Zerbes*, LB Österreich, Bd. 3, S. 85 (144).

1327 Vgl. *Lammich*, LB Russland/Weißrussland, Bd. 6, S. 351 (381 f.); *Richter*, LB China, Bd. 6, S. 141 (223 f.); *Weigend*, LB Polen, Bd. 2, S. 77 (129).

1328 Siehe *Rabenstein/Bahrenberg*, LB England/Wales, Bd. 6, S. 261 (296); *Tellenbach*, LB Türkei, Bd. 6, S. 393 (438 f.); *Zerbes*, LB Österreich, Bd. 3, S. 85 (144).

1329 Vgl. *Biehler/Kerll*, LB Australien, Bd. 6, S. 19 (55 f.); *Gil Gil*, LB Spanien, Bd. 4, S. 99 (165 ff.); *Kreicker*, LB Deutschland, Bd. 1, S. 21 (299 ff.); *Lelieur-Fischer*, LB Frankreich, Bd. 4, S. 225 (284).

1330 *Ploom*, LB Estland, Bd. 5, S. 89 (132).

gesetze die Irrelevanz des Verteidigungseinwands des Handelns auf Befehl für Völkermordtaten sowie für unter dem NS-Regime begangene Verbrechen an.[1331]

Die in das Projekt einbezogenen Staaten des früheren Jugoslawien machen die Frage, ob einem Handeln auf Befehl strafbefreiende Wirkung zukommen kann, teilweise davon abhängig, mit welcher Strafe die begangene Tat bedroht ist. Die Strafgesetze von Kroatien, Serbien und Montenegro sowie Slowenien bestimmen zum einen, dass eine Straffreistellung bei Kriegsverbrechen nicht möglich ist, zum anderen aber darüber hinaus, dass eine Straffreistellung von vornherein ausgeschlossen ist bei schweren Taten, worunter in Kroatien Taten gefasst werden, die mit einer Mindeststrafe von zehn Jahren Freiheitsentzug bedroht sind, während in Serbien und Montenegro eine Straffreistellung bereits bei allen Taten ausscheidet, die mit einer Mindeststrafe von fünf Jahren zu ahnden sind.[1332] Im Ergebnis bedeutet dies, dass bei völkerrechtlichen Verbrechen in diesen Staaten eine Straffreistellung wegen Handelns auf Befehl nicht in Betracht kommt.[1333]

In Schweden und Griechenland ist die Entscheidung, ob eine Straffreistellung wegen Handelns auf Befehl zu gewähren ist, im Rahmen einer allgemeinen Abwägung zu treffen.[1334] So handelt ein Täter nach schwedischem Recht nicht rechtswidrig, wenn er den Umständen nach dem Befehl zu gehorchen hatte.[1335] In der Praxis dürfte aber bei völkerrechtlichen Verbrechen die Abwägung immer zu Ungunsten des Täters ausgehen.[1336]

Ebenso wie das Römische Statut folgen auch die Rechtsordnungen von Australien, Côte d'Ivoire, Deutschland, Finnland, Israel, Italien, Kanada, Kroatien und den USA dem so genannten *manifest illegality principle*, gewähren also Straffreiheit, wenn der Täter nicht wusste, dass der Befehl rechtswidrig war und der Befehl auch nicht offensichtlich rechtswidrig war.[1337] In diesen Staaten kann einen Täter

---

1331 *Kremnitzer/Cohen*, LB Israel, Bd. 5, S. 317 (381).

1332 Vgl. *Korošec*, LB Slowenien, Bd. 3, S. 329 (378); *Novoselec*, LB Kroatien, Bd. 3, S. 19 (54); *Škulić*, LB Serbien und Montenegro, Bd. 3, S. 211 (262).

1333 Soweit allerdings in diesen Staaten eine Straffreistellung möglich ist, weil die vom Täter auf Befehl begangene Tat nicht zu den schweren zu zählen ist, sind die Hürden nicht sonderlich hoch: Dann kommt eine Bestrafung nur in Betracht, wenn der Täter positiv wusste, dass die Anordnung rechtswidrig war (vgl. *Korošec*, LB Slowenien, Bd. 3, S. 329 [378]; *Škulić*, LB Serbien und Montenegro, Bd. 3, S. 211 [262]) – insofern gilt dann das Gleiche wie nach dem Recht Chinas, Polens sowie Russlands und Weißrusslands (vgl. hierzu oben Anm. 1327 mit dazugehörigem Text).

1334 Vgl. *Cornils*, LB Schweden, Bd. 2, S. 183 (232); *Retalis*, LB Griechenland, Bd. 5, S. 189 (263).

1335 Vgl. *Cornils*, LB Schweden, Bd. 2, S. 183 (232).

1336 So *Cornils*, LB Schweden, Bd. 2, S. 183 (232).

1337 Vgl. *Biehler/Kerll*, LB Australien, Bd. 6, S. 19 (55 f.); *Frände*, LB Finnland, Bd. 2, S. 21 (65); *Grammer*, LB Italien, Bd. 4, S. 337 (397 f.); *Gut/Wolpert*, LB Kanada, Bd. 5, S. 19 (53); *Kouassi/Paulenz*, LB Côte d'Ivoire, Bd. 4, S. 19 (64); *Kreicker*, LB Deutschland, Bd. 1, S. 21 (299 ff.); *Kremnitzer/Cohen*, LB Israel, Bd. 5, S. 317 (381); *Novoselec*, LB Kroatien, Bd. 3, S. 19 (54); *Silverman*, LB USA, Bd. 5, S. 411 (465 f.).

ein Handeln auf Befehl also dann nicht entlasten, wenn die Rechtswidrigkeit des Befehls offensichtlich war.

Allerdings ist die Geltung dieses „Offensichtlichkeitsprinzips“ in einigen der genannten Staaten dadurch eingeschränkt, dass bei einigen Taten entweder – wie nach dem Römischen Statut – im Wege einer Gesetzesfiktion die Offensichtlichkeit der Rechtswidrigkeit unterstellt wird bzw. schlicht hinsichtlich einiger Taten die Möglichkeit einer Straffreistellung wegen Handelns auf Befehl ausgeschlossen ist. So ist – wie schon erwähnt – in Australien, Deutschland und Kanada festgelegt, dass eine Straffreistellung wegen Handelns auf Befehl bei Verbrechen gegen die Menschlichkeit und Völkermord ausgeschlossen ist.[1338] In Israel gilt dies für Völkermord und NS-Verbrechen, in Kroatien für sämtliche mit einer Mindeststrafe von zehn Jahren Freiheitsentzug bedrohten Taten.[1339]

Abschließend ist noch anzumerken, dass in der Praxis kaum jemals die Offensichtlichkeit der Rechtswidrigkeit eines Befehls, ein völkerrechtliches Verbrechen zu begehen, verneint werden dürfte.[1340]

9. Relevanz eines Handelns in Notwehr

a) Völkerstrafrechtliche Ausgangslage

Das Römische Statut erkennt – in Übereinstimmung mit dem völkergewohnheitsrechtlichen Strafrecht[1341] – die Notwehr in Art. 31(1)(c) IStGH-Statut als „Grund für den Ausschluss der strafrechtlichen Verantwortlichkeit“ an, ohne festzulegen, ob es sich dabei um einen Rechtfertigungsgrund *(justification)* oder bloßen Entschuldigungsgrund *(excuse)* handelt. Es wurde bereits darauf hingewiesen, dass das Römische Statut ebenso wie generell das Völkerstrafrecht nicht zwischen den Systemstufen der Rechtswidrigkeit und Schuld differenziert;[1342] es lehnt sich damit an das angloamerikanische Rechtssystem an, das den *offences* pauschal Straffreistellungsgründe als *defences* gegenüberstellt.[1343]

1338 Vgl. *Biehler/Kerll*, LB Australien, Bd. 6, S. 19 (55 f.); *Gut/Wolpert*, LB Kanada, Bd. 5, S. 19 (53); *Kreicker*, LB Deutschland, Bd. 1, S. 21 (299 ff.).

1339 Vgl. *Kremnitzer/Cohen*, LB Israel, Bd. 5, S. 317 (381); *Novoselec*, LB Kroatien, Bd. 3, S. 19 (54).

1340 So auch *Frände*, LB Finnland, Bd. 2, S. 21 (64 f.); *Grammer*, LB Italien, Bd. 4, S. 337 (397 f.); *Kreicker*, LB Deutschland, Bd. 1, S. 21 (315).

1341 Zur Notwehr nach gewohnheitsrechtlichem Völkerstrafrecht vgl. *Werle*, Völkerstrafrecht, Rn. 317 f.

1342 Vgl. oben Anm. 1316.

1343 Vgl. *Ambos*, Der Allgemeine Teil des Völkerstrafrechts, S. 539 f.; *Eser*, IYHR 24 (1995), 201 (201); *ders.*, in: Schmoller (Hrsg.), FS Triffterer, S. 755 (755); *Lagodny*, ZStW 113 (2001), 800 (817); *Etzel*, Notstand und Pflichtenkollision im amerikanischen Straf-

Die Grenzen der nach Art. 31(1)(c) IStGH-Statut zulässigen Notwehr sind eng gesteckt. Art. 31(1)(c) IStGH-Statut verlangt als Notwehrlage die „unmittelbar drohende und rechtswidrige Anwendung von Gewalt“. Mithin darf von vornherein gegen Rechtsverletzungen, die nicht gewaltsam erfolgen, nach dem Römischen Statut keine Notwehr (durch Begehung eines völkerrechtlichen Verbrechens) geübt werden. Dadurch, dass Art. 31(1)(c) IStGH-Statut eine Verteidigung von „sich oder einem anderen“ verlangt, wird der Kreis der notwehrfähigen Rechtsgüter grundsätzlich auf Leib und Leben beschränkt. Mit einem unglücklich formulierten, auf Betreiben der USA auf der Römischen Konferenz 1998 aufgenommenen Einschub wird zwar auch Eigentum als notwehrfähiges Rechtsgut anerkannt, doch nur im Fall von Kriegsverbrechen und nur dann, wenn es sich entweder um lebenswichtiges oder aber um für den militärischen Einsatz unverzichtbares Eigentum handelt.[1344]

Eine Straffreistellung nach Art. 31(1)(c) IStGH-Statut Statut kommt zudem nur dann in Betracht, wenn die Verteidigung in einem angemessenen Verhältnis zum Umfang der drohenden Gefahr steht. Zwar muss das durch den Angriff bedrohte Rechtsgut nicht höherrangiger sein als das durch die Verteidigungshandlung gefährdete Gut, so dass *ultima ratio* selbst die Tötung eines Angreifers strafbefreiende Wirkung haben kann. Doch stellt das Römische Statut ein allgemeines Proportionalitätserfordernis auf. Eine Verteidigung, die gemessen am Umfang des dem Angreifer drohenden Schadens unverhältnismäßig ist, hat keine strafbefreiende Wirkung.[1345]

Zwar ist noch nicht endgültig geklärt, ob Art. 31(1)(c) IStGH-Statut ein subjektives Rechtfertigungselement verlangt. Doch liegt das Erfordernis eines Verteidigungswillens schon deshalb nahe, weil die Norm von einem Handeln „um sich oder einen anderen zu verteidigen“ bzw. „für sich oder einen anderen Eigentum zu verteidigen“ spricht.[1346]

---

recht, S. 56 ff.; *Nill-Theobald*, „Defences“ bei Kriegsverbrechen, S. 57; *Satzger*, Internationales und Europäisches Strafrecht, § 14 Rn. 17 ff.; *Werle*, Völkerstrafrecht, Rn. 242.

[1344] Vgl. *Ambos*, ZStW 111 (1999), 175 (190); *ders.*, CLF 10 (1999), 1 (26 f.); *ders.*, Der Allgemeine Teil des Völkerstrafrechts, S. 503, 830; *Kreß*, HuV-I 1999, 4 (6); *ders.*, Vom Nutzen eines deutschen Völkerstrafgesetzbuchs, S. 27; *Merkel*, ZStW 114 (2002), 437 (444); *Satzger*, Internationales und Europäisches Strafrecht, § 14 Rn. 27; *Werle*, Völkerstrafrecht, Rn. 319 ff. Selbst diese sehr begrenzte Erstreckung des Notwehrrechts auf Angriffe auf Sachgüter hält *Cassese*, EJIL 10 (1999), 144 (154 f.) für zu weitreichend.

[1345] Vgl. *Ambos*, CLF 10 (1999), 1 (26); *ders.*, Der Allgemeine Teil des Völkerstrafrechts, S. 830 f.; *Dahm/Delbrück/Wolfrum*, Völkerrecht, Bd. I/3, S. 1128; *Eser*, in: Triffterer (Hrsg.), Commentary on the Rome Statute, Art. 31 Rn. 33; *Kreß*, HuV-I 1999, 4 (6), *ders.*, Vom Nutzen eines deutschen Völkerstrafgesetzbuchs, S. 27 f.; *Lagodny*, ZStW 113 (2001), 800 (818). Kritisch zu dem in Art. 31(1)(c) IStGH-Statut aufgestellten Proportionalitätserfordernis *Merkel*, ZStW 114 (2002), 437 (444 f.).

[1346] Gegen das Erfordernis eines „Verteidigungswillens“ aber *Ambos*, Der Allgemeine Teil des Völkerstrafrechts, S. 831. Wie hier dagegen *Satzger*, Internationales und Europäisches Strafrecht, § 14 Rn. 27; *Werle*, Völkerstrafrecht, Rn. 326.

Eine Regelung über die Behandlung eines *Notwehrexzesses*, also der Situation, dass der sich in Notwehr Verteidigende aus Furcht, Verwirrung oder Schrecken die Grenzen der Notwehr überschreitet,[1347] findet sich im Römischen Statut nicht.[1348] Doch bedeutet diese Feststellung noch nicht, dass es nach dem Römischen Statut in einer solchen Situation automatisch zur vollen strafrechtlichen Verantwortlichkeit des Täters kommt.

Denn die im Römischen Statut explizit normierten Gründe für den Ausschluss der strafrechtlichen Verantwortlichkeit sind nicht als abschließend anzusehen.[1349] In Art. 31 IStGH-Statut sind, wie dessen Abs. 1 ausdrücklich feststellt, nicht alle vom Statut vorgesehenen Straffreistellungsgründe normiert. Weitere Gründe für den Ausschluss der strafrechtlichen Verantwortlichkeit finden sich beispielsweise in Art. 30, 32 und 33 IStGH-Statut.[1350] Zudem bestimmt Art. 31(3) IStGH-Statut, dass der Gerichtshof andere als die im Statut ausdrücklich normierten Gründe für den Ausschluss der strafrechtlichen Verantwortlichkeit in Betracht ziehen kann, sofern diese aus dem gemäß Art. 21 IStGH-Statut anwendbaren Recht – dazu zählen neben dem Statut Regeln des Völkervertrags- und Völkergewohnheitsrechts sowie aus den einzelstaatlichen Rechtsvorschriften ableitbare allgemeine Rechtsgrundsätze[1351] – deduziert werden können.[1352] Insofern bleibt abzuwarten, wie sich der IStGH in Bezug auf die Relevanz eines Notwehrexzesses entscheiden wird.[1353]

1347 Vgl. für Deutschland § 33 StGB.

1348 *Merkel*, ZStW 114 (2002), 437 (447) „vermisst" eine solche Bestimmung im Römischen Statut.

1349 *Ambos*, ZStW 111 (1999), 175 (189); *Eser*, in: Triffterer (Hrsg.), Commentary on the Rome Statute, Art. 31 Rn. 5 ff.; *Satzger*, NStZ 2002, 125 (128).

1350 Vgl. die Auflistung bei *Eser*, in: Triffterer (Hrsg.), Commentary on the Rome Statute, Art. 31 Rn. 6 ff.

1351 Siehe *Werle*, Völkerstrafrecht, Rn. 166 ff.

1352 Vgl. BT-Drucks. 14/2682, S. 109; *Ambos*, ZStW 111 (1999), 175 (189); *ders.*, CLF 10 (1999), 1 (3, 32); *ders*, in: Cassese u.a. (Hrsg.), Rome Statute of the International Criminal Court, Bd. I, S. 1003 (1028); *Eser*, in: Triffterer (Hrsg.), Commentary on the Rome Statute, Art. 31 Rn. 13 f., 45; *ders.*, in: Courakis (Hrsg.), FS Spinellis, S. 339 (363); *Kleffner*, JICJ 1 (2003) 86 (101 ff.); *Satzger*, NStZ 2002, 125 (128); *Schabas*, Eur.J.CrimeCr.L.Cr.J. 6 (1998), 400 (421); *Werle*, Völkerstrafrecht, Rn. 388 sowie *Jescheck*, in: Bemmann/Spinellis (Hrsg.), FS Mangakis, S. 483 (496), der meint, die Frage, wie und in welchem Umfang diese Öffnungsklausel anzuwenden sei, werde das Gericht vor große Schwierigkeiten stellen, da die Rechtsvergleichung noch keine anerkannten allgemeinen Rechtsgrundsätze für Rechtfertigungs- und Entschuldigungsgründe hervorgebracht habe.

1353 Der in Bezug auf den Notwehrexzess geäußerten Befürchtung von *Satzger*, NStZ 2002, 125 (128), es seien Fälle vorgezeichnet, in denen nach dem VStGB eine Verurteilung unmöglich sei, während eine Bestrafung durch den IStGH denkbar erscheine, sollte deshalb mit Gelassenheit begegnet werden.

b) Rechtslage in den untersuchten Staaten

Nur in Israel gibt es eine auf völkerrechtliche Verbrechen bezogene Spezialregelung des Straffreistellungsgrundes der Notwehr, die aber lediglich für Völkermordtaten sowie die Ahndung von NS-Verbrechen gilt.[1354] In allen anderen untersuchten Staaten findet auch bei einer nationalen Strafverfolgung wegen völkerrechtlicher Verbrechen die „allgemeine" Notwehrregelung des jeweiligen Strafrechts Anwendung.[1355]

Der Straffreistellungsgrund der Notwehr wird von allen betrachteten Rechtsordnungen anerkannt; eine pauschale Nichtgeltung bei völkerrechtlichen Verbrechen ist in keinem Staat normiert, so dass grundsätzlich auch bei völkerrechtlichen Verbrechen eine Straffreistellung wegen Handelns in Notwehr in Betracht kommen kann.[1356] In Israel ist allerdings explizit festgelegt, dass eine Straffreistellung wegen Notwehr bei Völkermordtaten und bei Verfahren zur Ahndung von NS-Verbrechen nicht in Betracht kommt.[1357]

In den untersuchten Staaten ist der Straffreistellungsgrund Notwehr zumindest dem Normtext nach weiterreichend als nach Art. 31(1)(c) IStGH-Statut. Denn in keinem der untersuchten Staaten ist die Notwehr auf die Abwehr von Angriffen auf Leib oder Leben beschränkt. Vielmehr kann in allen Staaten auch gegen gegenwär-

---

1354 Vgl. *Kremnitzer/Cohen*, LB Israel, Bd. 5, S. 317 (383). Für andere Taten gelten auch in Israel die „allgemeinen" Notwehrregelungen.

1355 Vgl. *Biehler/Kerll*, LB Australien, Bd. 6, S. 19 (57); *Cornils*, LB Schweden, Bd. 2, S. 183 (233); *Frände*, LB Finnland, Bd. 2, S. 21 (65); *Gil Gil*, LB Spanien, Bd. 4, S. 99 (167 f.); *Gut/Wolpert*, LB Kanada, Bd. 5, S. 19 (54); *Jarvers/Grammer*, LB Italien, Bd. 4, S. 337 (398 f.); *Korošec*, LB Slowenien, Bd. 3, S. 329 (378 f.); *Kouassi/Paulenz*, LB Côte d'Ivoire, Bd. 4, S. 19 (65); *Kreicker*, LB Deutschland, Bd. 1, S. 21 (319); *Lammich*, LB Russland/Weißrussland, Bd. 6, S. 351 (382); *Lelieur-Fischer*, LB Frankreich, Bd. 4, S. 225 (285); *Novoselec*, LB Kroatien, Bd. 3, S. 19 (55); *Ploom*, LB Estland, Bd. 5, S. 89 (132); *Rabenstein/Bahrenberg*, LB England/Wales, Bd. 6, S. 261 (297); *Retalis*, LB Griechenland, Bd. 5, S. 189 (264); *Richter*, LB China, Bd. 6, S. 141 (224 f.); *Silverman*, LB USA, Bd. 5, S. 411 (467 f.); *Škulić*, LB Serbien und Montenegro, Bd. 3, S. 211 (263); *Tellenbach*, LB Türkei, Bd. 6, S. 393 (440); *Weigend*, LB Polen, Bd. 2, S. 77 (129 f.); *Zerbes*, LB Österreich, Bd. 3, S. 85 (145).

1356 Siehe *Biehler/Kerll*, LB Australien, Bd. 6, S. 19 (57); *Cornils*, LB Schweden, Bd. 2, S. 183 (233); *Frände*, LB Finnland, Bd. 2, S. 21 (65); *Gil Gil*, LB Spanien, Bd. 4, S. 99 (167 f.); *Gut/Wolpert*, LB Kanada, Bd. 5, S. 19 (54); *Jarvers/Grammer*, LB Italien, Bd. 4, S. 337 (398 f.); *Korošec*, LB Slowenien, Bd. 3, S. 329 (378 f.); *Kouassi/Paulenz*, LB Côte d'Ivoire, Bd. 4, S. 19 (65); *Kreicker*, LB Deutschland, Bd. 1, S. 21 (319); *Kremnitzer/Cohen*, LB Israel, Bd. 5, S. 317 (383); *Lammich*, LB Russland/Weißrussland, Bd. 6, S. 351 (382); *Lelieur-Fischer*, LB Frankreich, Bd. 4, S. 225 (285); *Novoselec*, LB Kroatien, Bd. 3, S. 19 (55); *Ploom*, LB Estland, Bd. 5, S. 89 (132); *Rabenstein/Bahrenberg*, LB England/Wales, Bd. 6, S. 261 (297); *Retalis*, LB Griechenland, Bd. 5, S. 189 (264); *Richter*, LB China, Bd. 6, S. 141 (224 f.); *Silverman*, LB USA, Bd. 5, S. 411 (467 f.); *Škulić*, LB Serbien und Montenegro, Bd. 3, S. 211 (263); *Tellenbach*, LB Türkei, Bd. 6, S. 393 (440); *Weigend*, LB Polen, Bd. 2, S. 77 (129 f.); *Zerbes*, LB Österreich, Bd. 3, S. 85 (145).

1357 *Kremnitzer/Cohen*, LB Israel, Bd. 5, S. 317 (383).

tige Angriffe auf Sachwerte durch den Verletzten – bzw. durch eine dritte Person[1358] – mit strafbefreiender Wirkung Notwehr geübt werden; und zwar nicht nur – wie nach Art. 31(1)(c) IStGH-Statut – durch Begehung eines Kriegsverbrechens, sondern im Grundsatz auch durch Begehung einer anderen Völkerstraftat.[1359]

Gleichwohl dürfte auch bei nationalen Strafverfolgungen eine Berufung auf Notwehr bei völkerrechtlichen Verbrechen kaum erfolgreich sein. Denn auch auf nationaler Ebene kommt nur dann eine Straffreistellung in Betracht, wenn die Verteidigung in einem angemessenen Verhältnis zum Umfang der drohenden Gefahr steht, so dass eine Verteidigung, die gemessen am Umfang des dem Angreifer drohenden Schadens unverhältnismäßig ist, den Täter nicht zu entlasten vermag. Ausdrücklich normiert ist dieses Verhältnismäßigkeitsgebot in Australien, China, England und Wales, Estland, Frankreich, Griechenland, Israel, Italien und in der Türkei.[1360] Zwar legen die Notwehrbestimmungen von Deutschland, Finnland, Österreich, Polen, Schweden und Spanien ein solches Proportionalitätserfordernis nicht explizit fest, in der Sache aber ist es – wenngleich in eingeschränkter Form – auch in diesen Staaten anerkannt.[1361]

Im Hinblick auf die Unsicherheit, ob nach dem Römischen Statut auch ein Handeln in Notwehrexzess straffreistellende Wirkung haben kann, ist bemerkenswert,

---

1358 In keinem der untersuchten Staaten ist eine Verteidigung der Rechtsgüter dritter Personen (altruistische Notwehr – Nothilfe) vom Straffreistellungsgrund der Notwehr ausgenommen.

1359 Vgl. *Biehler/Kerll*, LB Australien, Bd. 6, S. 19 (57 f.) (die Tötung oder schwerwiegende Verletzung eines Angreifers zur Verteidigung von Sachwerten ist in Australien nicht erlaubt); *Cornils*, LB Schweden, Bd. 2, S. 183 (233); *Frände*, LB Finnland, Bd. 2, S. 21 (65); *Gil Gil*, LB Spanien, Bd. 4, S. 99 (167 f.); *Jarvers/Grammer*, LB Italien, Bd. 4, S. 337 (398 f.); *Kouassi/Paulenz*, LB Côte d'Ivoire, Bd. 4, S. 19 (65); *Kreicker*, LB Deutschland, Bd. 1, S. 21 (319 f., 322 f.); *Kremnitzer/Cohen*, LB Israel, Bd. 5, S. 317 (383); *Lammich*, LB Russland/Weißrussland, Bd. 6, S. 351 (382); *Lelieur-Fischer*, LB Frankreich, Bd. 4, S. 225 (285 f.) (die Tötung eines Angreifers zur Verteidigung von Sachwerten ist in Frankreich nicht erlaubt); *Novosolac*, LB Kroatien, Bd. 3, S. 19 (55); *Ploom*, LB Estland, Bd. 5, S. 89 (132); *Rabenstein/Bahrenberg*, LB England/Wales, Bd. 6, S. 261 (298); *Retalis*, LB Griechenland, Bd. 5, S. 189 (264); *Richter*, LB China, Bd. 6, S. 141 (224 f.); *Silverman*, LB USA, Bd. 5, S. 411 (467 f.) (die Tötung eines Angreifers zur Verteidigung von Sachwerten ist in den USA nicht erlaubt); *Škulić*, LB Serbien und Montenegro, Bd. 3, S. 211 (263 f.); *Weigend*, LB Polen, Bd. 2, S. 77 (129 f.); *Zerbes*, LB Österreich, Bd. 3, S. 85 (145).

1360 Siehe *Biehler/Kerll*, LB Australien, Bd. 6, S. 19 (57 f.); *Lelieur-Fischer*, LB Frankreich, Bd. 4, S. 225 (285); *Jarvers/Grammer*, LB Italien, Bd. 4, S. 337 (398 f.); *Kremnitzer/Cohen*, LB Israel, Bd. 5, S. 317 (383); *Ploom*, LB Estland, Bd. 5, S. 89 (132); *Rabenstein/Bahrenberg*, LB England/Wales, Bd. 6, S. 261 (298); *Retalis*, LB Griechenland, Bd. 5, S. 189 (264 f.); *Richter*, LB China, Bd. 6, S. 141 (224 f.); *Tellenbach*, LB Türkei, Bd. 6, S. 393 (440).

1361 Siehe *Cornils*, LB Schweden, Bd. 2, S. 183 (233); *Frände*, LB Finnland, Bd. 2, S. 21 (65); *Gil Gil*, LB Spanien, Bd. 4, S. 99 (167 f.); *Kreicker*, LB Deutschland, Bd. 1, S. 21 (321 f.); *Weigend*, LB Polen, Bd. 2, S. 77 (129 f.); *Zerbes*, LB Österreich, Bd. 3, S. 85 (145).

dass einige Landesberichterstatter ausdrücklich darauf hinweisen, dass in „ihrem" Land – zu nennen sind Deutschland, Finnland, Kroatien, Österreich, Schweden sowie Serbien und Montenegro – unter bestimmten Umständen selbst dann einer zur Abwehr eines Angriffs handelnden Person Straffreistellung zugebilligt wird, wenn diese die Grenzen der Notwehr aus Furcht, Verwirrung oder Schrecken überschreitet.[1362]

10. Relevanz des Vorliegens eines Notstands

a) Völkerstrafrechtliche Ausgangslage

Der Begriff „Notstand" kennzeichnet eine außergewöhnliche Situation, in der sich der Täter gezwungen sieht bzw. es für dringend geboten erachtet, auf ein fremdes Rechtsgut in strafrechtlich relevanter Weise zuzugreifen, um eine gegenwärtig drohende Beeinträchtigung eines höherrangigen Rechtsguts als des verletzten oder eines zumindest besonders hochrangigen Rechtsguts zu verhindern.[1363] Während einige nationale Rechtsordnungen – unter anderem die deutsche – zwischen einem rechtfertigenden Notstand[1364] und einem (bloß) entschuldigenden Notstand[1365] differenzieren, nimmt das Völkerstrafrecht eine solche Unterscheidung mangels Differenzierung zwischen den Systemstufen der Rechtswidrigkeit und Schuld[1366] nicht vor. Dafür wird – in Anlehnung an das common law – zwischen

---

1362 Vgl. *Cornils*, LB Schweden, Bd. 2, S. 183 (233); *Frände*, LB Finnland, Bd. 2, S. 21 (65 f.); *Kreicker*, LB Deutschland, Bd. 1, S. 21 (322); *Novoselec*, LB Kroatien, Bd. 3, S. 19 (55); *Škulić*, LB Serbien und Montenegro, Bd. 3, S. 211 (263); *Zerbes*, LB Österreich, Bd. 3, S. 85 (145). Beachtenswert ist jedoch, dass Deutschland, Finnland und Schweden ein Handeln im Notwehrexzess nicht als Rechtfertigungsgrund, sondern lediglich als Entschuldigungsgrund ansehen, mithin das Verhalten nicht für rechtmäßig erachten, sondern nur dem Täter mit der Folge der Straflosigkeit nachsehen.

1363 Vgl. *Jescheck/Weigend*, Lehrbuch, § 33 I. 1.; Schönke/Schröder-*Lenckner*, vor § 32 Rn. 67.

1364 Bei einem *rechtfertigenden Notstand* wird dem Täter ein Zugriff auf ein fremdes Rechtsgut gestattet, die Handlung also für rechtmäßig erachtet, weil eine Güter- und Interessenabwägung ergibt, dass das bedrohte Rechtsgut, das der Täter mit seiner Handlung schützen will, höherwertig ist als das Rechtsgut, auf das der Täter zur Gefahrenabwehr zugreift (sog. *lesser evil principle*). Beim rechtfertigenden Notstand handelt es sich mithin um einen strafrechtlichen Rechtfertigungsgrund *(justification)*. Vgl. zum deutschen Recht (§§ 228, 904 BGB, § 34 StGB) *Kreicker*, LB Deutschland, Bd. 1, S. 21 (328 ff.).

1365 Bei einem *entschuldigenden Notstand*, der auf dem Grundgedanken der Unzumutbarkeit normgemäßen Verhaltens beruht, wird dem Täter ein Zugriff auf ein fremdes Rechtsgut zwar nicht gestattet, weil anders als beim rechtfertigenden Notstand das geschützte Rechtsgut das durch die Notstandshandlung beeinträchtigte nicht deutlich überwiegt, doch wird dem Täter die rechtswidrige Tat mit der Folge einer Strafbefreiung nachgesehen – sie wird entschuldigt *(excused)* –, weil der Täter in einer schwierigen Konfliktsituation aus nachvollziehbaren sittlich-moralischen Erwägungen heraus handelt. Vgl. zum deutschen Recht (§ 35 StGB) *Kreicker*, LB Deutschland, Bd. 1, S. 21 (333 ff.).

1366 Siehe hierzu schon oben Anm. 1316.

den Rechtsfiguren der *necessity* und der *duress* unterschieden. Mit dem Begriff *necessity* wird – jedenfalls überwiegend – die *defence* eines Handelns des Täters zur Abwehr einer Gefahr für ein höherwertiges Rechtsgut durch Verletzung eines geringwertigeren Rechtsguts bezeichnet (diese *defence* wird mit dem Stichwort *lesser evil principle* gekennzeichnet).[1367] Der so verstandene Begriff *necessity* entspricht dem des rechtfertigenden Notstands. Als *duress* wird dagegen eine den Täter zu einem Handeln motivierende Zwangssituation bezeichnet, bei der der Zwang unmittelbar von einem Menschen ausgeübt wird, beispielsweise der Täter von einem Vorgesetzten unter Androhung erheblicher Nachteile genötigt wird, ein Verbrechen zu begehen.[1368] *Duress* entspricht damit der Figur des Nötigungs- bzw. Befehlsnotstands.

Sowohl *necessity* als auch *duress* können im Völkerstrafrecht als *defence* zu einem Ausschluss der strafrechtlichen Verantwortlichkeit führen, wobei die vier völkergewohnheitsrechtlichen Voraussetzungen für eine Straffreistellung jeweils identisch sind: (1.) Die Tat muss aufgrund einer unmittelbaren und ernsthaften Bedrohung für Leib oder Leben verübt worden sein, (2.) es darf keine weniger einschneidende Möglichkeit zur Abwehr der Bedrohung bestanden haben, (3.) das bedrohte Rechtsgut muss höherwertig gewesen sein als das durch die Tat verletzte Rechtsgut oder zumindest diesem gleichwertig gewesen sein und (4.) der Täter darf die Bedrohungssituation nicht durch eigenes Verhalten (mit) herbeigeführt haben.[1369]

Das Römische Statut – einschlägig ist Art. 31(1)(d) IStGH-Statut – regelt beide Straffreistellungsgründe zusammen, bezieht sich also auf beide *defences*.[1370] Ein

---

1367 Vgl. *Ambos*, CLF 10 (1999), 1 (27); *ders.*, in: Cassese u.a. (Hrsg.), Rome Statute of the International Criminal Court, Bd. I, S. 1003 (1023 ff.); *ders.*, Der Allgemeine Teil des Völkerstrafrechts, S. 838 ff.; *Etzel*, Notstand und Pflichtenkollision im amerikanischen Strafrecht, S. 44 ff., 119 ff.; *Watzek*, Rechtfertigung und Entschuldigung im englischen Strafrecht, S. 134 ff., 178. Zum Teil wird allerdings unter *necessity* (in Abgrenzung zur *duress* – dazu sogleich) eine den Täter zu der Begehung einer rechtswidrigen Tat veranlassende Bedrohungssituation verstanden, bei der der Handlungszwang durch äußere Umstände und nicht – wie bei *duress* – durch eine Nötigung durch einen anderen Menschen bedingt ist. Insofern wird nach der „Gefahrenquelle" differenziert. Siehe *Cassese*, International Criminal Law, S. 242 f.; *Eser*, IYHR 24 (1995), 201 (213); *ders.*, in: Schmoller (Hrsg.), FS Triffterer, S. 755 (767); *Jescheck*, JICJ 2 (2004), 38 (47); *Schabas*, Eur.J.CrimeCr.L.Cr.J. 6 (1998), 400 (425).

1368 Vgl. *Cassese*, International Criminal Law, S. 242 f.; *Eser*, IYHR 24 (1995), 201 (213); *ders.*, in: Schmoller (Hrsg.), FS Triffterer, S. 755 (767); *Schabas*, Eur.J.CrimeCr.L.Cr.J. 6 (1998), 400 (425).

1369 Vgl. *Ambos*, Der Allgemeine Teil des Völkerstrafrechts, S. 503, 838, 849 ff.; *Cassese*, International Criminal Law, S. 242 ff.

1370 Art. 31(1)(d) (i) IStGH-Statut bezieht sich auf *duress*, Art. 31(1)(d) (ii) IStGH-Statut auf *necessity*. Wie hier *Ambos*, CLF 10 (1999), 1 (27); *ders.*, Der Allgemeine Teil des Völkerstrafrechts, S. 503, 838; *Kreß*, HuV-I 1999, 4 (6); *Merkel*, ZStW 114 (2002), 437 (441); *Satzger*, Internationales und Europäisches Strafrecht, § 14 Rn. 28; *Schabas*, Eur.J.CrimeCr.L.Cr.J. 6 (1998), 400 (425); *Werle*, Völkerstrafrecht, Rn. 331. Anderer An-

Ausschluss der strafrechtlichen Verantwortlichkeit kommt nach Art. 31(1)(d) IStGH-Statut (nur) in Betracht, wenn (1.) dem Täter selbst oder einer anderen Person eine unmittelbare Gefahr für das Leben oder eine dauernde oder unmittelbare Gefahr eines schweren körperlichen Schadens droht, wenn (2.) der Täter zur Abwehr dieser Gefahr eine vom Römischen Statut erfasste Völkerstraftat begeht und dabei in notwendiger und angemessener Weise handelt und wenn er zudem (3.) keinen größeren Schaden zuzufügen beabsichtigt als den, den er abzuwenden trachtet. Die Gefahr kann dabei entweder von einer Person ausgehen (*duress*; Situation des Nötigungs- bzw. Befehlsnotstands) oder durch andere Umstände bedingt sein, die der Täter nicht zu vertreten hat.[1371]

Umstritten ist im Völkerstrafrecht, ob – wie im deutschen Strafrecht nach § 35 StGB – die *defence* der *duress* auch bei Tötung einer anderen Person straffreistellende Wirkung haben kann, ob also ein Täter, der eine andere Person deshalb getötet hat, weil er von einer anderen Person damit bedroht wurde, selbst getötet zu werden, wenn er die Tat nicht begeht, wegen dieser Bedrohungssituation Straffreiheit erlangen kann.[1372] Beeinflusst durch die im common law vorherrschende Auffassung[1373] hat die Rechtsmittelkammer des ICTY dies im Fall *Erdemović* mit den Stimmen der Richtermehrheit verneint, während sich die überstimmten Richter in Sondervoten für die Möglichkeit einer Straffreistellung aufgrund Nötigungsnotstands auch in Fällen der Tötung einer anderen Person ausgesprochen haben.[1374]

---

sicht die amtliche Begründung zum VStGB, vgl. BT-Drucks. 14/8524, S. 17. Zumindest missverständlich *Ambos*, ZStW 111 (1999), 175 (190). Zu Recht sehr kritisch bezüglich der „Kombinationslösung" des Art. 31(1)(d) IStGH-Statut *Eser*, in: Triffterer (Hrsg.), Commentary on the Rome Statute, Art. 31 Rn. 35. Zutreffend stellt *Jescheck*, in: Bemmann/Spinellis (Hrsg.), FS Mangakis, S. 483 (495) fest, dass Art. 31(1)(d) IStGH-Statut nicht nur Fälle erfasst, die in Deutschland nach § 35 StGB zu beurteilen sind, sondern auch solche, die in Deutschland nach § 34 StGB gerechtfertigt sein können.

1371 Vgl. zu den Voraussetzungen im Einzelnen *Satzger*, Internationales und Europäisches Strafrecht, § 14 Rn. 28; *Werle*, Völkerstrafrecht, Rn. 334 ff.

1372 Vgl. zum Völkerstrafrecht *Ambos*, Der Allgemeine Teil des Völkerstrafrechts, S. 859 ff.; *Cassese*, International Criminal Law, S. 246 ff. Siehe zum deutschen Recht *Kreicker*, LB Deutschland, Bd. 1, S. 21 (335 ff.).

1373 Vgl. zur Rechtslage in England, wo das House of Lords 1987 im richtungweisenden Fall *Howe* ([1987] 1 All ER 771) dem Nötigungsnotstand bei Tötungsdelikten nicht einmal strafmildernde Wirkung beigemessen hat, *Watzek*, Rechtfertigung und Entschuldigung im englischen Strafrecht, S. 132 f., 143 ff.

1374 ICTY, *Erdemović*, IT-96-22-A, 7.10.1997. Vgl. hierzu *Ambos*, in: Cassese u.a. (Hrsg.), Rome Statute of the International Criminal Court, Bd. I, S. 1003 (1010 ff.); *Knoops*, Defenses, S. 59 ff.; *Kreß*, ZStW 111 (1999), 597 (597 ff.); *Nemitz/Wirth*, HuV-I 11 (1998), 43 (43 ff.); *Oellers-Frahm/Specht*, ZaöRV 58 (1998), 389 (389 ff.). *Eser*, IYHR 24 (1995), 201 (214); *ders.*, in: Schmoller (Hrsg.), FS Triffterer, S. 755 (767) vermutet wohl nicht zu Unrecht, die Ablehnung einer Straffreistellung aufgrund von *duress* bei Tötung einer anderen Person im common law sei auch darauf zurückzuführen, dass beim Verbrechensbegriff nicht differenziert werde zwischen den Systemstufen der Rechtswidrigkeit und der Schuld. Denn nur diese Differenzierung ermöglicht es, die Tötung im Nötigungsnotstand zwar dem Täter nachzusehen (zu entschuldigen), gleichwohl aber die Tat

Doch dürfte dieser Streit durch die Notstandsregelung in Art. 31(1)(d) IStGH-Statut jedenfalls für die Gerichtsbarkeit des IStGH entschieden worden sein. Denn da nach Art. 31(1)(d) IStGH-Statut ein Handeln im Nötigungs- bzw. Befehlsnotstand zu einem Ausschluss der strafrechtlichen Verantwortlichkeit führt, sofern der Täter keinen größeren Schaden zufügen will als den, den er abzuwehren gedenkt,[1375] und Art. 31(1)(d) IStGH-Statut nicht verlangt, dass der drohende Schaden größer sein muss als der, den der Täter verursachen will,[1376] ist davon auszugehen, dass auch die Tötung einer anderen Person nach dieser Norm zu einem Ausschluss der strafrechtlichen Verantwortlichkeit führen kann und das Römische Statut die genannte Erdemović-Entscheidung des ICTY – zu Recht – nicht rezipiert hat.[1377]

b) Rechtslage in den untersuchten Staaten

Ebenso wie hinsichtlich der Notwehr gibt es auch bezüglich des Straffreistellungsgrundes des Notstands nur in Israel eine auf völkerrechtliche Verbrechen bezogene Spezialregelung, die aber wiederum lediglich für Völkermordtaten und die Ahndung von NS-Verbrechen gilt – bei Völkermord sowie unter der NS-Diktatur begangenen Völkerstraftaten schließen spezialgesetzliche israelische Normen eine Berufung auf Notstand aus.[1378] In allen anderen untersuchten Staaten finden bei einer nationalen Strafverfolgung wegen völkerrechtlicher Verbrechen die auch für Taten der Alltagskriminalität geltenden Notstandsbestimmungen Anwendung.[1379]

---

nicht zu billigen (zu rechtfertigen). Ebenso in Bezug auf die Ablehnung dieser *defence* bei Tötungsdelikten in England *Watzek*, Rechtfertigung und Entschuldigung im englischen Strafrecht, S. 149 ff., 207 f., 316 ff.

1375 Vgl. *Ambos*, Der Allgemeine Teil des Völkerstrafrechts, S. 838, 849 ff.; *Kreß*, HuV-I 1999, 4 (6 f.); *Schabas*, Eur.J.CrimeCr.L.Cr.J. 6 (1998), 400 (425) mit Hinweisen zur Entstehungsgeschichte des Art. 31(1)(d) IStGH-Statut.

1376 Es wäre verfehlt, ein solches Erfordernis in die Bestimmung, dass die Handlung in „angemessener Weise" *(reasonably)* vorgenommen werden muss, hineinzulesen. So auch *Ambos*, in: Cassese u.a. (Hrsg.), Rome Statute of the International Criminal Court, Bd. I, S. 1003 (1040); *Eser*, in: Triffterer (Hrsg.), Commentary on the Rome Statute, Art. 31 Rn. 39 f.

1377 So auch *Ambos*, CLF 10 (1999), 1 (28); *ders.*, Der Allgemeine Teil des Völkerstrafrechts, S. 503, 859 ff.; *Cassese*, International Criminal Law, S. 251; *Kreß*, HuV-I 1999, 4 (7); *ders.*, ZStW 111 (1999), 597 (622); *ders.*, in: Grützner/Pötz, Internationaler Rechtshilfeverkehr, vor III 26, Rn. 55; *Merkel*, ZStW 114 (2002), 437 (453); *Satzger*, Internationales und Europäisches Strafrecht, § 14 Rn. 28; *Werle*, Völkerstrafrecht, Rn. 337. Die „Abkehr des Völkerstrafrechts von jener Richtung, die ihm das Jugoslawien-Tribunal mit dem Erdemović-Urteil gegeben hat", wird von *Merkel*, a.a.O., nachdrücklich begrüßt.

1378 Vgl. *Kremnitzer/Cohen*, LB Israel, Bd. 5, S. 317 (384 f.). Für andere Taten gelten auch in Israel die „allgemeinen" Notstandsregelungen.

1379 Vgl. *Biehler/Kerll*, LB Australien, Bd. 6, S. 19 (58); *Cornils*, LB Schweden, Bd. 2, S. 183 (233); *Frände*, LB Finnland, Bd. 2, S. 21 (66); *Gil Gil*, LB Spanien, Bd. 4, S. 99 (168 ff.); *Gut/Wolpert*, LB Kanada, Bd. 5, S. 19 (54); *Jarvers/Grammer*, LB Italien, Bd. 4,

Die Notstandsregelungen in den einzelnen Staaten sind überaus unterschiedlich, wenngleich in allen Staaten grundsätzlich anerkannt ist, dass ein Handeln im Notstand straffreistellende Wirkung haben kann, also eine Person, die tatbestandsmäßig handelt, dies aber nur deshalb tut, um eine Gefahr für ein bedrohtes Rechtsgut abzuwehren und dabei keinen Schaden verursacht, der höher ist als der dem zu schützenden Rechtsgut drohende Schaden, in den „Genuss" von Straffreiheit kommen kann.

Neben Deutschland differenzieren auch Finnland, Griechenland, Kroatien, Österreich und Polen zwischen einem rechtfertigenden Notstand[1380] auf der einen Seite und einem entschuldigenden Notstand[1381] auf der anderen Seite.[1382] Dagegen wird in China, Estland, Frankreich, Italien, Russland, Schweden, Serbien und Montenegro, Slowenien, Spanien, der Türkei und in Weißrussland keine derartige Unterscheidung zwischen verschiedenen Notstandsarten vorgenommen; in diesen Staaten gibt es vielmehr eine einheitliche Notstandsregelung für sämtliche Fallkonstellationen.[1383] Die Länder des angloamerikanischen Rechtskreises – zu nennen sind Australien, England und Wales, Israel, Kanada und die USA[1384] – schließlich differenzieren ebenso wie das gewohnheitsrechtliche Völkerstrafrecht zwischen *duress* und *necessity*.[1385]

S. 337 (399 ff.); *Korošec*, LB Slowenien, Bd. 3, S. 329 (380); *Kouassi/Paulenz*, LB Côte d'Ivoire, Bd. 4, S. 19 (65 f.); *Kreicker*, LB Deutschland, Bd. 1, S. 21 (327 f.); *Lammich*, LB Russland/Weißrussland, Bd. 6, S. 351 (383); *Lelieur-Fischer*, LB Frankreich, Bd. 4, S. 225 (286); *Novoselec*, LB Kroatien, Bd. 3, S. 19 (55); *Ploom*, LB Estland, Bd. 5, S. 89 (133); *Rabenstein/Bahrenberg*, LB England/Wales, Bd. 6, S. 261 (298); *Retalis*, LB Griechenland, Bd. 5, S. 189 (265); *Richter*, LB China, Bd. 6, S. 141 (226); *Silverman*, LB USA, Bd. 5, S. 411 (469 ff.); *Škulić*, LB Serbien und Montenegro, Bd. 3, S. 211 (264); *Tellenbach*, LB Türkei, Bd. 6, S. 393 (440); *Weigend*, LB Polen, Bd. 2, S. 77 (130); *Zerbes*, LB Österreich, Bd. 3, S. 85 (146).

1380 Zum rechtfertigenden Notstand siehe oben Anm. 1364.

1381 Zum entschuldigenden Notstand siehe oben Anm. 1365.

1382 *Frände*, LB Finnland, Bd. 2, S. 21 (66); *Kreicker*, LB Deutschland, Bd. 1, S. 21 (328); *Novoselec*, LB Kroatien, Bd. 3, S. 19 (55); *Retalis*, LB Griechenland, Bd. 5, S. 189 (265 ff.); *Weigend*, LB Polen, Bd. 2, S. 77 (130 f.); *Zerbes*, LB Österreich, Bd. 3, S. 85 (146 f.).

1383 *Cornils*, LB Schweden, Bd. 2, S. 183 (233); *Gil Gil*, LB Spanien, Bd. 4, S. 99 (168 ff.); *Jarvers/Grammer*, LB Italien, Bd. 4, S. 337 (400); *Korošec*, LB Slowenien, Bd. 3, S. 329 (379); *Lammich*, LB Russland/Weißrussland, Bd. 6, S. 351 (383); *Lelieur-Fischer*, LB Frankreich, Bd. 4, S. 225 (286); *Ploom*, LB Estland, Bd. 5, S. 89 (133); *Richter*, LB China, Bd. 6, S. 141 (226); *Škulić*, LB Serbien und Montenegro, Bd. 3, S. 211 (264); *Tellenbach*, LB Türkei, Bd. 6, S. 393 (440).

1384 Vgl. *Biehler/Kerll*, LB Australien, Bd. 6, S. 19 (59); *Gut/Wolpert*, LB Kanada, Bd. 5, S. 19 (54); *Kremnitzer/Cohen*, LB Israel, Bd. 5, S. 317 (384 f.); *Rabenstein/Bahrenberg*, LB England/Wales, Bd. 6, S. 261 (298 f.); *Silverman*, LB USA, Bd. 5, S. 411 (469 ff.).

1385 Vgl. zu *duress* und *necessity* oben S. 251 f. mit Anm. 1367 und 1368.

In den meisten der Länder, die zwischen rechtfertigendem und entschuldigendem Notstand bzw. zwischen *duress* und *necessity* unterscheiden, die also eine differenzierte Notstandsnormierung haben, sind die Voraussetzungen für einen rechtfertigenden Notstand bzw. für die defence necessity sehr restriktiv gefasst. Trotz aller Unterschiede zwischen den einzelnen nationalen Regelungen im Detail lässt sich festhalten, dass Voraussetzung für eine Straffreistellung wegen rechtfertigenden Notstands bzw. necessity in China, Côte d'Ivoire, Deutschland, Estland, Finnland, Griechenland, Kanada, Österreich, Schweden und den USA ist, dass (1.) die Tat aufgrund einer unmittelbaren und ernsthaften Bedrohung verübt wurde, wobei aber anders als nach Art. 31(1)(d) IStGH-Statut und dem Völkerstrafrecht nicht unbedingt eine Gefahr für Leib oder Leben erforderlich ist, sondern grundsätzlich auch eine Bedrohung anderer Rechtsgüter ausreicht, (2.) keine weniger einschneidende Möglichkeit zur Abwehr der Bedrohung bestand als die vorgenommene Handlung, (3.) das bedrohte Rechtsgut höherwertig ist als das durch die Tat verletzte Rechtsgut und (4.) der Täter die Bedrohungssituation nicht durch eigenes Verhalten (mit) herbeigeführt hat.[1386]

Im Ergebnis dürften die Notstandsregelungen dieser Länder der völkerstrafrechtlichen Regelung der necessity entsprechen. Zwar ist nach Völkerstrafrecht – wie erwähnt – eine Straffreistellung anders als nach den nationalen Regelungen von vornherein nur bei einem Handeln zur Abwehr einer Bedrohung für Leib oder Leben möglich, doch ist kaum ein Fall denkbar, in dem die Begehung eines völkerrechtlichen Verbrechens vor dem Hintergrund der erforderlichen Rechtsgüterabwägung zur Verteidigung von Sachwerten oder sonstigen anderen Rechtsgütern als Leben und körperliche Unversehrtheit nach den Gesichtspunkten des Notstands bzw. der necessity zu einer Straffreistellung führen könnte.

In anderen Ländern, vor allem solchen, die nicht zwischen verschiedenen Notstandsarten unterscheiden,[1387] sind die Notstandsregelungen insofern weiter gefasst als die soeben beschriebenen Straffreistellungsvoraussetzungen, als lediglich verlangt wird, dass der Schaden, der durch die Abwehrhandlung verursacht wird, den dem zu schützenden Rechtsgut drohenden Schaden nicht überwiegt. Zu nennen sind Australien, Frankreich, Israel, Italien, Russland, Schweden, Serbien und Montenegro, Slowenien, Spanien, die Türkei und Weißrussland.[1388] Damit kann unter

---

1386 *Cornils*, LB Schweden, Bd. 2, S. 183 (233); *Frände*, LB Finnland, Bd. 2, S. 21 (66); *Gut/Wolpert*, LB Kanada, Bd. 5, S. 19 (54); *Kouassi/Paulenz*, LB Côte d'Ivoire, Bd. 4, S. 19 (65 f.); *Kreicker*, LB Deutschland, Bd. 1, S. 21 (328 ff.); *Ploom*, LB Estland, Bd. 5, S. 89 (133); *Retalis*, LB Griechenland, Bd. 5, S. 189 (265 f.); *Richter*, LB China, Bd. 6, S. 141 (226); *Silverman*, LB USA, Bd. 5, S. 411 (469 ff.); *Zerbes*, LB Österreich, Bd. 3, S. 85 (146).

1387 Siehe hierzu oben Anm. 1383 mit dazugehörigem Text.

1388 Vgl. *Biehler/Kerll*, LB Australien, Bd. 6, S. 19 (59); *Cornils*, LB Schweden, Bd. 2, S. 183 (233); *Gil Gil*, LB Spanien, Bd. 4, S. 99 (168 ff.); *Jarvers/Grammer*, LB Italien, Bd. 4, S. 337 (400) (in Italien ist allerdings keine Straffreistellung bei Handeln zum Schutz von Sachgütern vorgesehen); *Korošec*, LB Slowenien, Bd. 3, S. 329 (379); *Kremnitzer/*

Umständen selbst die Tötung eines anderen Menschen wegen Handelns im Notstand straflos bleiben.

Damit werden auch Fälle erfasst, die in den Ländern, die zwischen einem rechtfertigenden und einem (bloß) entschuldigendem Notstand unterscheiden, unter Letzteren subsumiert werden. Es werden also auch Handlungen erfasst, die in anderen Ländern nicht als gerechtfertigt (= rechtmäßig) angesehen werden, sondern bei denen lediglich auf eine Bestrafung verzichtet wird. Für die Annahme eines entschuldigenden Notstands ist nicht erforderlich, dass das bedrohte Rechtsgut höherwertig ist als das durch die Notstandshandlung beeinträchtigte. Entscheidend ist vielmehr allein, dass eine Gefahr bestand, die der Täter nicht anders als durch die strafbare Handlung abwehren konnte, und es ihm nicht zuzumuten war, sich normgemäß zu verhalten, also auf die Vornahme der strafbaren Handlung zu verzichten. Andererseits sind die Konstellationen, in denen eine Berufung auf entschuldigenden Notstand möglich ist, überwiegend sachlich eng begrenzt. Vielfach – wenngleich nicht immer[1389] – kommt eine Entschuldigung nur in Betracht, wenn eine Gefahr für Leib oder Leben des Täters selbst oder aber einer ihm besonders nahe stehenden Person besteht – nur dann wäre das Unterlassen der Tatbegehung unzumutbar. Ferner darf der Täter die Gefahr nicht selbst verursacht haben und auch nicht rechtlich verpflichtet sein, die Gefahr hinzunehmen.[1390] Bei Vorliegen dieser Voraussetzungen kann dann aber selbst die Tötung einer anderen Person nach Notstandsgesichtspunkten entschuldigt werden.

Abschließend ist vor dem Hintergrund der insofern nicht abschließend geklärten Völkerrechtslage noch kurz auf die besondere Problematik der Tötung eines anderen Menschen im Nötigungsnotstand *(duress)* einzugehen. Kann einer Person, die einen anderen Menschen getötet hat, weil sie ihrerseits mit dem Tod bzw. einer schweren Verletzung für den Fall bedroht wurde, dass sie das Tötungsdelikt nicht begeht, Straffreiheit wegen Handelns im (Nötigungs-)Notstand[1391] zuerkannt werden? Es wurde darauf hingewiesen, dass der ICTY diese Frage verneint hat, das

---

Cohen, LB Israel, Bd. 5, S. 317 (384 f.); *Lammich*, LB Russland/Weißrussland, Bd. 6, S. 351 (383); *Lelieur-Fischer*, LB Frankreich, Bd. 4, S. 225 (286); *Škulić*, LB Serbien und Montenegro, Bd. 3, S. 211 (264); *Tellenbach*, LB Türkei, Bd. 6, S. 393 (440).

1389 Vgl. *Zerbes*, LB Österreich, Bd. 3, S. 85 (147).

1390 Siehe *Frände*, LB Finnland, Bd. 2, S. 21 (66 f.); *Kreicker*, LB Deutschland, Bd. 1, S. 21 (333 ff.); *Retalis*, LB Griechenland, Bd. 5, S. 189 (266 f.); *Zerbes*, LB Österreich, Bd. 3, S. 85 (146 f.).

1391 Ein Handeln im Nötigungsnotstand ist streng zu scheiden von einem Handeln auf Befehl. Beim Nötigungsnotstand handelt der Täter, weil er – ob verbunden mit einer befehlsmäßigen Aufforderung zur Tatbegehung (dann spricht man von einem „Befehlsnotstand") oder nicht – für den Fall der Nichtbegehung der Tat damit bedroht wird, man werde ihn oder eine ihm nahe stehende Person töten oder verletzen. Beim Handeln auf Befehl (näher hierzu oben S. 238 ff.) dagegen handelt der Täter, weil ihm die Tat befohlen wurde und er sich für gehorsamspflichtig hält, nicht aber wegen einer Bedrohung. Siehe zu dieser Differenzierung auch *Kreicker*, LB Deutschland, Bd. 1, S. 21 (337).

Römische Statut dagegen dahingehend interpretiert wird, dass auch in einem solchen Fall eine Straffreistellung nach Art. 31(1)(d) IStGH-Statut möglich ist.[1392] Ein Blick auf die nationalen Rechtsordnungen zeigt deutlich, dass das bisherige Völkerstrafrecht, namentlich die Rechtsprechung der UN-Strafgerichtshöfe, stark beeinflusst wurde durch das common law, also den angloamerikanischen Rechtskreis, das Römische Statut dagegen nicht in diesem Maße davon bestimmt ist. Denn während beispielsweise in England und Wales sowie in den USA eine Straffreistellung wegen Nötigungsnotstands *(duress)* im Fall der Tötung einer anderen Person generell ausgeschlossen ist,[1393] kommt in anderen Ländern eine solche sehr wohl in Betracht.[1394]

11. Mindestalter für die Zulässigkeit einer Bestrafung

a) Völkerstrafrechtliche Ausgangslage

Dem gewohnheitsrechtlichen Völkerstrafrecht lässt sich – jedenfalls derzeit – keine Regel über das Mindestalter für die Zulässigkeit einer Bestrafung entnehmen.[1395] Denn in den bisherigen Fällen gab es nie Anlass, über die Strafmündigkeit von Beschuldigten nachzudenken. Art. 26 IStGH-Statut legt allerdings fest, dass der Gerichtshof keine Gerichtsbarkeit ausüben darf über Personen, die zur Tatzeit noch keine 18 Jahre alt waren.[1396] Doch wird in der Literatur betont, Art. 26 IStGH-Statut schließe lediglich die Gerichtsbarkeit des IStGH über Personen unter 18 Jahren aus, um nicht besondere Verfahrens- und Sanktionsregelungen für Jugendliche vorsehen zu müssen. Dagegen könne aus Art. 26 IStGH-Statut nicht gefolgert werden, dass sich Personen unter 18 Jahren nicht nach völkerrechtlichem Strafrecht strafbar machen könnten.[1397]

1392 Vgl. oben S. 252.

1393 Vgl. *Rabenstein/Bahrenberg*, LB England/Wales, Bd. 6, S. 261 (299), *Silverman*, LB USA, Bd. 5, S. 411 (471) sowie oben Anm. 1373.

1394 Vgl. *Biehler/Kerll*, LB Australien, Bd. 6, S. 19 (59 f.); *Jarvers/Grammer*, LB Italien, Bd. 4, S. 337 (401); *Korošec*, LB Slowenien, Bd. 3, S. 329 (379); *Kreicker*, LB Deutschland, Bd. 1, S. 21 (334 f.).

1395 So auch *Cassese*, International Criminal Law (2003), S. 229 ("no customary rule has emerged on this matter").

1396 Vgl. *Ambos*, CLF 10 (1999), 1 (22); *Clark/Triffterer*, in: Triffterer (Hrsg.), Commentary on the Rome Statute, Art. 26 Rn. 14 ff.

1397 *Cassese*, International Criminal Law, S. 229; *Clark/Triffterer*, in: Triffterer (Hrsg.), Commentary on the Rome Statute, Art. 26 Rn. 20 f.; *Eser*, in: Courakis (Hrsg.), FS Spinellis, S. 339 (364); *Satzger*, Internationales und Europäisches Strafrecht, § 13 Rn. 6. Ebenso BT-Drucks. 14/2682, S. 108; BT-Drucks. 14/9524, S. 15. Siehe zur Intention und Entstehungsgeschichte des Art. 26 IStGH-Statut *Ambos*, ZStW 111 (1999), 175 (189); *Clark/Triffterer*, in: Triffterer (Hrsg.), Commentary on the Rome Statute, Art. 26 Rn. 1 ff., 20 f.; *Schabas*, Eur.J.CrimeCr.L.Cr.J. 6 (1998), 400 (414 f.).

b) Rechtslage in den untersuchten Staaten

In keinem der untersuchten Staaten gibt es eine speziell auf völkerrechtliche Verbrechen bezogene Regelung hinsichtlich des Mindestalters für eine strafrechtliche Verantwortlichkeit; stets kommen die allgemeinen Regeln zur Strafmündigkeit in gleicher Weise wie bei „normalen" Straftaten auch bei völkerrechtlichen Verbrechen zur Anwendung.[1398]

Die Strafmündigkeit, also das Mindestalter, ab dem sich eine Person strafbar machen bzw. für eine Straftat strafrechtlich zur Verantwortung gezogen kann, ist in den einzelnen Staaten sehr unterschiedlich definiert, die Altersgrenze reicht – soweit eine solche bestimmt ist – von acht Jahren in Griechenland bis zu 17 Jahren in Polen.

Während nach griechischem Recht eine Person ab einem Alter von acht Jahren strafbar sein kann,[1399] liegt die Altersgrenze in Australien, Côte d'Ivoire sowie in England bei zehn Jahren[1400] und in Israel, Kanada und der Türkei bei zwölf Jahren.[1401] In vergleichsweise vielen der untersuchten Länder beginnt die Strafmündigkeit im Alter von 14 Jahren, dies gilt für Deutschland, Estland, Italien, Kroatien, Österreich, Serbien und Montenegro, Slowenien sowie Spanien.[1402] Es folgen Finnland und Schweden mit einer Altersgrenze von 15 Jahren.[1403] In China, Russland und Weißrussland setzt die Strafmündigkeit grundsätzlich im Alter von 16 Jahren ein, doch für schwere Straftaten wie etwa Tötungsdelikte oder Vergewaltigungen

---

1398 *Biehler/Kerll*, LB Australien, Bd. 6, S. 19 (60); *Cornils*, LB Schweden, Bd. 2, S. 183 (234) (auch im schwedischen Reformentwurf ist eine Spezialregelung nicht vorgesehen); *Frände*, LB Finnland, Bd. 2, S. 21 (67); *Gil Gil*, LB Spanien, Bd. 4, S. 99 (170); *Gut/Wolpert*, LB Kanada, Bd. 5, S. 19 (54); *Jarvers*, LB Italien, Bd. 4, S. 337 (402); *Korošec*, LB Slowenien, Bd. 3, S. 329 (380); *Kouassi/Paulenz*, LB Côte d'Ivoire, Bd. 4, S. 19 (66); *Kreicker*, LB Deutschland, Bd. 1, S. 21 (341); *Kremnitzer/Cohen*, LB Israel, Bd. 5, S. 317 (386); *Lammich*, LB Russland/Weißrussland, Bd. 6, S. 351 (383); *Lelieur-Fischer*, LB Frankreich, Bd. 4, S. 225 (287); *Novoselec*, LB Kroatien, Bd. 3, S. 19 (56); *Ploom*, LB Estland, Bd. 5, S. 89 (133); *Rabenstein/Bahrenberg*, LB England/Wales, Bd. 6, S. 261 (300); *Retalis*, LB Griechenland, Bd. 5, S. 189 (267); *Richter*, LB China, Bd. 6, S. 141 (227); *Silverman*, LB USA, Bd. 5, S. 411 (471 f.); *Škulić*, LB Serbien und Montenegro, Bd. 3, S. 211 (265); *Tellenbach*, LB Türkei, Bd. 6, S. 393 (440); *Weigend*, LB Polen, Bd. 2, S. 77 (131 f.); *Zerbes*, LB Österreich, Bd. 3, S. 85 (148).

1399 *Retalis*, LB Griechenland, Bd. 5, S. 189 (268).

1400 *Biehler/Kerll*, LB Australien, Bd. 6, S. 19 (60); *Kouassi/Paulenz*, LB Côte d'Ivoire, Bd. 4, S. 19 (66); *Rabenstein/Bahrenberg*, LB England/Wales, Bd. 6, S. 261 (300).

1401 *Gut/Wolpert*, LB Kanada, Bd. 5, S. 19 (54 f.); *Kremnitzer/Cohen*, LB Israel, Bd. 5, S. 317 (386); *Tellenbach*, LB Türkei, Bd. 6, S. 393 (440).

1402 *Gil Gil*, LB Spanien, Bd. 4, S. 99 (170); *Jarvers*, LB Italien, Bd. 4, S. 337 (402); *Korošec*, LB Slowenien, Bd. 3, S. 329 (380); *Kreicker*, LB Deutschland, Bd. 1, S. 21 (341); *Novoselec*, LB Kroatien, Bd. 3, S. 19 (56); *Ploom*, LB Estland, Bd. 5, S. 89 (133); *Škulić*, LB Serbien und Montenegro, Bd. 3, S. 211 (265); *Zerbes*, LB Österreich, Bd. 3, S. 85 (148).

1403 *Cornils*, LB Schweden, Bd. 2, S. 183 (234); *Frände*, LB Finnland, Bd. 2, S. 21 (67).

ist die Altersgrenze auf 14 Jahre herabgesetzt.[1404] In Polen beginnt die Strafmündigkeit mit 17 Jahren; zwar ist dieser Altersgrenze bei einigen im Strafgesetzbuch enumerativ genannten Taten auf 15 Jahre herabgesetzt, zu diesen zählen aber die Spezialtatbestände zur Erfassung völkerrechtlicher Verbrechen nicht.[1405]

Frankreich hat gar keine feste Altersgrenze normiert; dort ist die Strafbarkeit abhängig von der individuellen Einsichtsfähigkeit des Beschuldigten, die jeweils im Einzelfall zu prüfen und zu bewerten ist.[1406] Hinsichtlich der USA ist zwischen dem – im Einzelnen sehr unterschiedlich ausgestalteten – Recht der Bundesstaaten und dem Bundesrecht zu unterscheiden. Nach Bundesrecht können Personen grundsätzlich erst ab einem Alter von 18 Jahren zur Verantwortung gezogen werden, für einzelne genau festgelegte Taten ist die Altersgrenze aber individuell geregelt, sie beginnt bezüglich einiger Taten bereits ab einem Alter von elf Jahren. Das Militärstrafrecht der USA ist auf alle Militärangehörigen anwendbar, eine Altersgrenze ergibt sich hier mittelbar insoweit, als grundsätzlich für einen Eintritt in die Streitkräfte ein Mindestalter von 17 Jahren verlangt wird.[1407]

Versucht man, aus den dargestellten Einzelregelungen Anhaltspunkte dafür zu gewinnen, welche Altersgrenze für eine völkerrechtliche, speziell auf völkerrechtliche Verbrechen bezogene Strafmündigkeitsregelung konsensfähig sein kann – Gewohnheitsrecht ist, wie ausgeführt, insofern noch nicht feststellbar –, so dürfte eine solche Altersgrenze bei 14 Jahren liegen. Diese Altersgrenze haben vergleichsweise viele Staaten als generelle Strafmündigkeitsgrenze festlegt, in anderen ist jedenfalls bei schweren Straftaten eine solche Grenze normiert. In nur vergleichsweise wenigen Staaten können sich auch Personen, die jünger als 14 Jahre alt sind, strafbar machen. Aus dem Kreis der untersuchten Staaten ist lediglich in Finnland, Polen und Schweden die absolute Mindestgrenze höher angesetzt, sie liegt dort bei 15 Jahren.

Auch wenn damit eine völkerrechtliche Strafmündigkeitsgrenze von 14 Jahren wohl konsensfähig wäre, so ist doch zu beachten, dass in vielen Staaten spezielle jugendstrafrechtliche Bestimmungen auf Personen anzuwenden sind, die zwar strafmündig, aber noch jugendlichen Alters sind.

So sind in den meisten der untersuchten Staaten bei Straftaten von Personen, die jünger als 18 Jahre alt sind, besondere (mildere) Sanktionen zu verhängen. Solche besonderen Sanktionsbestimmungen für Personen bis zu einem Alter von 18 Jahren gibt es in Côte d'Ivoire, Deutschland, Finnland, Frankreich, Griechenland, Israel, Italien, Kroatien, Österreich, Polen, Schweden, Serbien und Montenegro, Spanien

---

1404 *Lammich*, LB Russland/Weißrussland, Bd. 6, S. 351 (383); *Richter*, LB China, Bd. 6, S. 141 (277 f.).

1405 *Weigend*, LB Polen, Bd. 2, S. 77 (131).

1406 *Lelieur-Fischer*, LB Frankreich, Bd. 4, S. 225 (287).

1407 *Silverman*, LB USA, Bd. 5, S. 411 (471 ff.).

und der Türkei.[1408] Darüber hinaus ist auf Australien, China und Kanada hinzuweisen; in diesen Ländern sind ebenfalls für strafmündige Jugendliche bis zu einem bestimmten Alter besondere Sanktionen vorgesehen, doch wird die Altersgrenze, bis zu der die Spezialregelungen Anwendung finden, auf 14 Jahre (Australien), 16 Jahre (China) bzw. 17 Jahre (Kanada) festgelegt.[1409] Interessanterweise sind nur in Deutschland und Österreich besondere Verfahrens- und Sanktionenregelungen auf Personen anzuwenden, die zur Tatzeit zwar älter als 18 Jahre, jedoch jünger als 21 Jahre waren.[1410] In allen anderen Ländern ist spätestens ab einem Alter von 18 Jahren eine volle strafrechtliche Verantwortlichkeit gegeben.

In vielen Ländern sind bei Jugendlichen zudem nicht nur besondere Sanktionenregelungen einschlägig, sondern auch Spezialregelungen hinsichtlich der Durchführung von Strafverfahren maßgeblich, etwa besondere Jugendgerichte zuständig.[1411]

Da in der überwiegenden Zahl der Staaten für strafmündige Jugendliche, die zur Tatzeit noch nicht 18 Jahre alt waren, besondere Sanktionsnormen und teilweise auch besondere Verfahrensregelungen gelten, ist kaum anzunehmen, dass eine Erweiterung der Gerichtsbarkeit des IStGH auf Jugendliche über 14 Jahren durch eine Änderung des Art. 26 IStGH-Statut ohne gleichzeitige Einführung zumindest spezieller Sanktionsregelungen konsensfähig wäre. Ansonsten dürfte aus dem festgestellten Befund zu den einzelstaatlichen Regelungen immerhin ableitbar sein, dass bei Verurteilungen von Personen, die zur Tatzeit noch jünger als 18 Jahre waren, wegen völkerrechtlicher Verbrechen das jugendliche Alter strafmildernd zu berücksichtigen ist.

1408 *Cornils*, LB Schweden, Bd. 2, S. 183 (234); *Frände*, LB Finnland, Bd. 2, S. 21 (67); *Gil Gil*, LB Spanien, Bd. 4, S. 99 (170); *Jarvers*, LB Italien, Bd. 4, S. 337 (402); *Kouassi/Paulenz*, LB Côte d'Ivoire, Bd. 4, S. 19 (66); *Kreicker*, LB Deutschland, Bd. 1, S. 21 (342 f.); *Kremnitzer/Cohen*, LB Israel, Bd. 5, S. 317 (386); *Lelieur-Fischer*, LB Frankreich, Bd. 4, S. 225 (287); *Novoselec*, LB Kroatien, Bd. 3, S. 19 (56); *Retalis*, LB Griechenland, Bd. 5, S. 189 (268); *Škulić*, LB Serbien und Montenegro, Bd. 3, S. 211 (265 f.); *Tellenbach*, LB Türkei, Bd. 6, S. 393 (440); *Weigend*, LB Polen, Bd. 2, S. 77 (131); *Zerbes*, LB Österreich, Bd. 3, S. 85 (148).

1409 *Biehler/Kerll*, LB Australien, Bd. 6, S. 19 (60); *Gut/Wolpert*, LB Kanada, Bd. 5, S. 19 (55); *Richter*, LB China, Bd. 6, S. 141 (227 f.).

1410 *Kreicker*, LB Deutschland, Bd. 1, S. 21 (342 f.); *Zerbes*, LB Österreich, Bd. 3, S. 85 (148).

1411 Dies gilt etwa für *Frände*, LB Finnland, Bd. 2, S. 21 (67); *Kouassi/Paulenz*, LB Côte d'Ivoire, Bd. 4, S. 19 (66); *Kreicker*, LB Deutschland, Bd. 1, S. 21 (342 f.); *Kremnitzer/Cohen*, LB Israel, Bd. 5, S. 317 (386); *Lelieur-Fischer*, LB Frankreich, Bd. 4, S. 225 (287); *Škulić*, LB Serbien und Montenegro, Bd. 3, S. 211 (265); *Tellenbach*, LB Türkei, Bd. 6, S. 393 (440).

12. Strafzumessungsregeln und besondere Strafzwecke für die Ahndung völkerrechtlicher Verbrechen

a) Völkerstrafrechtliche Ausgangslage

Die völkerstrafrechtlichen Regeln zu den Rechtsfolgen strafbaren Verhaltens sind – verglichen mit den Normen, die das strafbare Verhalten definieren – recht spärlich.[1412] Dies gilt auch für das Römische Statut. Während die untersuchten nationalen Rechtsordnungen in aller Regel den einzelnen Straftatbeständen, zum Teil sogar einzelnen Tatbestandsalternativen, bestimmte Strafandrohungen zuordnen, und zwar regelmäßig in Form individueller im Straftatbestand normierter Strafrahmen,[1413] beschränkt sich das Römische Statut – wie schon erwähnt[1414] – auf allgemeine, nicht auf konkrete Taten bezogene Vorgaben über die zu verhängenden Strafen in Art. 77.[1415] Art. 77 IStGH-Statut lautet:

„(1) Vorbehaltlich des Artikels 110 kann der Gerichtshof über eine Person, die wegen eines in Artikel 5 dieses Statuts genannten Verbrechens verurteilt worden ist, eine der folgenden Strafen verhängen: a) eine zeitlich begrenzte Freiheitsstrafe bis zu einer Höchstdauer von 30 Jahren; b) eine lebenslange Freiheitsstrafe, wenn dies durch die außergewöhnliche Schwere des Verbrechens und durch die persönlichen Verhältnisse des Täters gerechtfertigt ist. (2) Neben der Freiheitsstrafe kann der Gerichtshof folgendes anordnen: a) eine Geldstrafe nach den in der Verfahrens- und Beweisordnung enthaltenen Kriterien; b) die Einziehung des Erlöses, des Eigentums und der Vermögensgegenstände, die unmittelbar oder mittelbar aus diesem Verbrechen stammen, unbeschadet der Rechte gutgläubiger Dritter."

Noch dürftiger ist insofern das Völkergewohnheitsrecht. Wie gleichfalls schon ausgeführt wurde,[1416] kennt dieses keine Regelungen zur Höhe bzw. Schwere der Sanktionen, die für völkerrechtliche Verbrechen verhängt werden dürfen. Derartiges Völkergewohnheitsrecht hat sich (noch) nicht herausgebildet.[1417]

1412 Siehe hierzu schon oben S. 55 f.

1413 Siehe hierzu oben S. 55 ff. (Völkermord), S. 100 ff. (Verbrechen gegen die Menschlichkeit), S. 149 ff. (Kriegsverbrechen), S. 168 f. (Aggressionsverbrechen).

1414 Siehe oben S. 55 f.

1415 Vgl. *Fife*, in: Triffterer (Hrsg.), Commentary on the Rome Statute, Art. 77 Rn. 16 ff.; *King/Rosa*, in: Lattanzi/Schabas (Hrsg.), Essays on the Rome Statute, Vol. I, S. 311 (312 ff.); *Kreß*, HuV-I 1998, 151 (158 ff.); *Peglau*, HuV-I 2001, 247 (248); *Schabas*, in: Cassese u.a. (Hrsg.), Rome Statute of the International Criminal Court, Bd. II, S. 1497 (1506 ff.). Der Verzicht auf konkrete Strafrahmen entspricht der Tradition des völkerrechtlichen Strafrechts. So hieß es in Art. 27 IMT-Statut (vgl. oben Anm. 151) schlicht, dass das Gericht das Recht habe, den für schuldig befundenen Angeklagten zum Tode oder zu einer anderen ihm gerecht erscheinenden Strafe zu verurteilen. Art. 24(1)(1) ICTY-Statut (vgl. oben Anm. 91) bestimmt lediglich, dass sich die verhängten Strafen auf Freiheitsentzug beschränken. Rule 101 (A) der Verfahrens- und Beweisregeln des ICTY legt ergänzend fest, dass eine zeitige oder lebenslange Freiheitsstrafe verhängt werden darf. Damit ist vor allem die Verhängung einer Todesstrafe ausgeschlossen, die Festlegung der Dauer einer Freiheitsstrafe aber nicht begrenzt.

1416 Vgl. oben S. 55.

1417 *Cassese*, International Criminal Law, S. 157 f.

Auch auf die an dieser Stelle interessierende Frage, welche Kriterien für eine Strafzumessungsentscheidung maßgeblich sein und welche Zwecke mit einer Bestrafung verfolgt werden sollen, gibt das Völkerstrafrecht nur vage Antworten. In Art. 78(1) IStGH-Statut heißt es lapidar:

> „Bei der Festsetzung der Strafe berücksichtigt der Gerichtshof in Übereinstimmung mit der Verfahrens- und Beweisordnung Faktoren wie die Schwere des Verbrechens und die persönlichen Verhältnisse des Verurteilten."

Detaillierte, den Art. 78(1) IStGH-Statut ergänzende Vorgaben enthält allerdings Regel 145 der Verfahrens- und Beweisordnung.[1418] Danach muss zuallererst die verhängte Strafe der individuellen Schuld des Verurteilten entsprechen (Regel 145(1)(a). Dies bedeutet, dass alle in Betracht kommenden strafschärfenden und strafmildernden Umstände berücksichtigt und abgewogen werden müssen. Als relevante schuldbestimmende Umstände nennt Regel 145(1)(c) das Ausmaß des verursachten Schadens und der Verletzung der Opfer und ihrer Familien, die Natur des rechtswidrigen Verhaltens, die Art der eingesetzten Tatmittel, das Ausmaß der individuellen Tatbeteiligung, das Ausmaß des individuellen Tatvorsatzes, Umstände betreffend die Art, die Zeit und den Ort der Tatbegehung sowie Alter, Bildung und soziale und wirtschaftliche Stellung des Verurteilten. Regel 145(2) führt sodann weitere strafmildernde und strafschärfende Faktoren an, wobei als strafmildernd zu berücksichtigen sind: geistige Einschränkungen des Verurteilten, das Vorliegen einer Notstandssituation, Kooperation des Angeklagten mit dem Gericht sowie Bemühungen des Angeklagten um eine Wiedergutmachung. Strafschärfend sei dagegen unter anderem zu werten, wenn der Täter einschlägig vorverurteilt sei, er bei der Tatbegehung eine offizielle Stellung missbraucht habe, die Opfer besonders wehrlos gewesen seien, die Tatbegehung besonders grausam war oder zu einer Vielzahl von Opfern geführt habe.[1419]

Hinzuweisen ist ferner auf die bisherige Rechtsprechung der UN-Strafgerichtshöfe.[1420] Als wesentliche *Ziele einer Bestrafung* wurden vom ICTY regel-

---

[1418] Abrufbar unter <www.icc-cpi.int/about/Official_Journal.html> (1.1.2006).

[1419] Siehe zu Regel 145 der Verfahrens- und Beweisordnung *Kreß*, in: Grützner/Pötz, Internationaler Rechtshilfeverkehr, vor III 26, Rn. 74. Vgl. allgemein zur Strafzumessung nach dem Römischen Statut *Nemitz*, Strafzumessung im Völkerstrafrecht, S. 9 ff., *Peglau*, HuV-I 2001, 247 (248 ff.).

[1420] Die normative Vorgabe des ICTY-Statuts (vgl. oben Anm. 91) für die Strafzumessungsentscheidung ist dürftig: Art. 24(1)(2) ICTY-Statut versucht den Schwierigkeiten bei der Bestimmung der im Einzelfall angemessenen Strafe dadurch zu begegnen, dass die Strafkammern verpflichtet werden, bei der Festsetzung eines Strafmaßes die „allgemeine Praxis der Gerichte im ehemaligen Jugoslawien in Bezug auf Freiheitsstrafen" zu „berücksichtigen". Vgl. den Bericht des UN-Generalsekretärs vom 3.5.1993 bezüglich der Errichtung des ICTY (UN-Dokument S/25704), para. 36; abgedr. in ILM 32 (1992), 1163 sowie *King/Rosa*, in: Lattanzi/Schabas (Hrsg.), Essays on the Rome Statute, Vol. I, S. 311 (313 f.), die zu einem ernüchternden Fazit kommen: "Interestingly, in their practice both tribunals have, to a great extent, essentially ignored this reference to national practice regarding prison sentences." Nach Art. 24(2) ICTY-Statut sind als Strafzumessungsfaktoren

mäßig die Vergeltung *(retribution)*[1421] und die Abschreckung *(deterrence)*[1422] genannt, wobei diese beiden Strafzwecke zumeist als gleichwertig erachtet wurden.[1423] Aber auch andere Ziele wurden benannt, namentlich die Ziele, eine natio-

---

die Schwere der Straftat und die persönlichen Verhältnisse in Betracht zu ziehen. Rule 101(B)(ii) der Verfahrens- und Beweisregeln legt ergänzend fest, dass als strafmildernder Faktor eine Kooperation des Verurteilten mit dem Prosecutor zu honorieren ist. Zur vergleichbaren Rechtslage nach dem ICTR-Statut siehe Art. 23 ICTR-Statut (vgl. oben Anm. 92).

1421 Vergeltung, also die Herbeiführung eines Ausgleichs für die erfolgte Rechtsverletzung durch Zufügung des mit der Strafe verbundenen Nachteils, ist nach Auffassung des ICTY nicht im Sinne von Rache zu verstehen, sondern als Verhängung einer gerechten Strafe, die dem Maß der individuellen Schuld entspricht. Vergeltung werde dadurch erreicht, dass die Schwere des Verbrechens Hauptfaktor bei der Strafzumessung sei. Vgl. die Entscheidungen *Deronjić*, IT-02-61-S, 30.3.2004, para. 149; *Kunarac* et al., IT-96-23&IT-96-23/1, 22.2.2001, para. 841; *Dragan Nikolić*, IT-94-2-S, 18.12.2003, para. 139; *Todorović*, IT-95-9/1, 31.7.2001, para. 29; *Vasiljevic*, IT-98-32, 29.11.2002, para. 273; *Kunarac* et al., IT-96-23, 12.6.2002, para. 516. Siehe auch *Nemitz*, Strafzumessung im Völkerstrafrecht, S. 148 ff. Zum Teil wurde in der bisherigen Rechtsprechung des ICTY Vergeltung etwas diffus dahingehend charakterisiert, es gehe darum, mit Deutlichkeit die Missbilligung der internationalen Gemeinschaft der begangenen Taten zum Ausdruck zu bringen; vgl. *Aleksovski*, IT-95-14/1, 24.3.2000, para. 185; *Stakić*, IT-97-24, 31.7.2003, para. 900; *Simić* et al., IT-95-9, 17.10.2003, para. 1059; *Momir Nikolić*, IT-02-60/1, 2.12.2003, para. 86. Damit wird der Strafzweck der Vergeltung in die Nähe des Zwecks der positiven Generalprävention gerückt und mit diesem vermengt. Ähnlich auch *Ambos/Steiner*, JuS 2001, 9 (13). Gegen den Strafgrund der Vergeltung im Völkerstrafrecht mit dem Argument, ein Ausgleich des erlittenen Unrechts sei bei Massenverbrechen undenkbar, *Ambos/Steiner*, a.a.O., S. 12; *Jäger*, in: Hankel/Stuby (Hrsg.), Strafgerichte gegen Menschlichkeitsverbrechen, S. 325 (339).

1422 Der ICTY unterscheidet zwischen dem Strafzweck der *individuellen Abschreckung* und dem der *generellen Abschreckung*. Als *generelle Abschreckung* bezeichnet der ICTY den Strafzweck der negativen Generalprävention: Durch die Verhängung einer Strafe sollen andere präsumtive Täter davon abgeschreckt werden, vergleichbare Straftaten zu begehen; vgl. *Čelebići*, IT-96-21, 6.11.1998, para. 1234; *Kupreškić* et al., IT-95-16, 14.1.2000, para. 848; *Aleksovski*, IT-95-14/1, 24.3.2000, para. 185; *Todorović*, IT-95-9/1, 31.7.2001, para. 30; *Stakić*, IT-97-24, 31.7.2003, para. 901 f. Siehe auch *Nemitz*, Strafzumessung im Völkerstrafrecht, 2002, S. 155 ff. Die *individuelle Abschreckung* dagegen zielt auf die Person des Angeklagten ab; dieser soll davon abgeschreckt werden, nach Vollstreckung der Strafe und seiner Freilassung erneut straffällig zu werden (insofern geht es um den Strafzweck der negativen Spezialprävention); vgl. *Čelebići*, IT-96-21, 6.11.1998, para. 1234; *Kupreškić* et al., IT-95-16, 14.1.2000, para. 848.

1423 Vgl. nur folgende Entscheidungen: *Erdemović*, IT-96-22, 26.11.1996, para. 64; *Čelebići*, IT-96-21, 6.11.1998, para. 1231 ff.; *Furundzija*, IT-95-17/1, 10.12.1998, para. 288; *Tadić*, IT-94-1, 11.11.1999, para. 9; *Kupreškić* et al., IT-95-16, 14.1.2000, para. 848; *Blaškić*, IT-95-14, 3.3.2000, para. 761; *Aleksovski*, IT-95-14/1, 24.3.2000, para. 185; *Čelebići*, IT-96-21, 20.2.2001, para. 806; *Kunarac* et al., IT-96-23&IT-96-23/1, 22.2.2001, para. 841; *Kordić*, IT-95-14/2, 26.2.2001, para. 847; *Todorović*, IT-95-9/1, 31.7.2001, para. 28; *Vasiljević*, IT-98-32, 29.11.2002, para. 273; *Naletilić and Marinović*, IT-98-34, 31.3.2003, para. 739; *Stakić*, IT-97-24, 31.7.2003, para. 900; *Simić* et al., IT-95-9, 17.10.2003, para. 1059; *Momir Nikolić*, IT-02-60/1, 2.12.2003, para. 85; *Galic*, IT-98-29, 5.12.2003, para. 757. Siehe auch *Nemitz*, Strafzumessung im Völkerstrafrecht, S. 36, 148 und *Schabas*, in: Cassese u.a. (Hrsg.), Rome Statute of the International Criminal Court, Bd. II, S. 1497 (1517).

nale Versöhnung zu ermöglichen und den Opfern und ihren Angehörigen Genugtuung zu verschaffen,[1424] zur Stärkung des Normbewusstseins und Vertrauens in die Unverbrüchlichkeit der Rechtsordnung beizutragen (sog. positive Generalprävention),[1425] dem Schutz der Gesellschaft zu dienen,[1426] die Täter zu resozialisieren[1427] sowie die öffentliche Verdammung *(reprobation)* und Brandmarkung *(stigmatisation)* solcher Verbrechen durch die Völkergemeinschaft zum Ausdruck zu bringen.[1428] Der ICTY erteilt damit sowohl absoluten als auch relativen Straftheorien eine Absage und folgt der auch in Deutschland vorherrschenden Vereinigungstheorie.[1429]

Hinsichtlich der *strafzumessungsrelevanten Faktoren* ist festzustellen, dass der ICTY in seinen mittlerweile zahlreichen Urteilen eine Vielzahl von Strafzumessungsfaktoren benennt.[1430] Diese alle hier aufzuführen, würde den Rahmen dieser Untersuchung sprengen. Daher sollen nur einige schlagwortartige Feststellungen getroffen werden: Die *Schwere der Tat* ist nach der Rechtsprechung des ICTY ein

---

1424 *Čelebići*, IT-96-21, 9.10.2001, para. 1231; *Momir Nikolić*, IT-02-60/1, 2.12.2003, para. 82.

1425 *Deronjić*, IT-02-61-S, 30.3.2004, para. 149; *Dragan Nikolić*, IT-94-2-S, 18.12.2003, para. 139. Die positive Generalprävention wird von *Ambos/Steiner*, JuS 2001, 9 (13) als bedeutendster Strafzweck des Völkerstrafrechts erachtet. Ebenso wohl auch *Werle*, Völkerstrafrecht, Rn. 86 f. Die zumindest für den kontinentaleuropäischen Juristen etwas überraschende Erörterung des Strafzwecks der positiven Generalprävention in den genannten Entscheidungen unter der Überschrift „Abschreckung" hat ihren Ursprung im englischen Recht, in dem der Strafzweck der positiven Generalprävention unter dem Oberbegriff *deterrence* diskutiert wird. Vgl. *Nemitz*, Strafzumessung im Völkerstrafrecht, S. 103.

1426 *Čelebići*, IT-96-21, 6.11.1998, para. 1232; *Blaškić*, IT-95-14, 3.3.2000, para. 761. Anders dagegen *Kunarac* et al., IT-96-23&IT-96-23/1, 22.2.2001, para. 843, da von diesen Tätern kaum eine weitere Gefahr ausgehe.

1427 *Erdemović*, IT-96-22, 26.11.1996, para. 66; *Čelebići*, IT-96-21, 6.11.1998, para. 1233; *Kupreškić* et al., IT-95-16, 14.1.2000, para. 849; *Blaškić*, IT-95-14, 3.3.2000, para. 761; *Čelebići*, IT-96-21, 20.2.2001, para. 806; *Stakić*, IT-97-24, 31.7.2003, para. 902; *Momir Nikolić*, IT-02-60/1, 2.12.2003, para. 93; *Galić*, IT-98-29, 5.12.2003, para. 757. Siehe auch *Nemitz*, Strafzumessung im Völkerstrafrecht, S. 158 ff. und *Schabas*, in: Cassese u.a. (Hrsg.), Rome Statute of the International Criminal Court, Bd. II, S. 1497 (1519 f.).

1428 *Erdemović*, IT-96-22, 26.11.1996, para. 64 f.; *Furundzija*, IT-96-17/1, 10.12.1998, para. 289; *Jelisić*, IT-95-10, 14.12.1999, para. 117; *Blaškić*, IT-95-14, 3.3.2000, para. 763.

1429 Es zeigt sich, dass die vom ICTY in der bisherigen Rechtsprechung benannten Strafzwecke mit denen übereinstimmen, die im nationalen Strafrecht der einzelnen Staaten – auch in Deutschland – zur Legitimation der Verhängung von Strafsanktionen herangezogen werden. Für eine solche Übertragbarkeit des staatlichen „Strafzweckprogramms" auf das Völkerstrafrecht *Werle*, Völkerstrafrecht, Rn. 84. Kritisch dagegen *Ambos/Steiner*, JuS 2001, 9 (13); *Jäger*, in: Hankel/Stuby (Hrsg.), Strafgerichte gegen Menschlichkeitsverbrechen, S. 325 (339 f.); *ders.*, KritV 1993, 259 (370 ff.).

1430 Vgl. *Nemitz*, in: Fischer/Kreß/Lüder (Hrsg.), International and National Prosecution of Crimes Under International Law, S. 605 (607 ff.) sowie die ausführliche Aufstellung bei *Schabas*, in: Cassese u.a. (Hrsg.), Rome Statute of the International Criminal Court, Bd. II, S. 1497 (1524 ff.).

Strafzumessungsfaktor von primärer Bedeutung,[1431] sie sei gleichsam der „Lackmustest für das Strafmaß“.[1432] Die Schwere der Tat werde bestimmt durch die besonderen Umstände des Falles und die Art und Intensität der Beteiligung des Angeklagten an der Tat.[1433] Als weitere *tatbezogene Strafzumessungsfaktoren* wurden in der bisherigen Rechtsprechung des ICTY unter anderem genannt eine besonders grausame oder verachtenswerte Art der Tatbegehung, ein diskriminierender Tathintergrund, das Ausmaß des Leidens der Tatopfer und sonstiger Auswirkungen auf die Tatopfer, auf Angehörige und auf andere Anwesende bzw. auf die angegriffene Volksgruppe, die Zahl der Opfer und ihre besondere Verletzlichkeit bzw. ihr Ausgeliefertsein, die Art des Tatbeitrags sowie das Ausmaß der vorherigen Tatplanung.[1434] Als *täterbezogene Strafzumessungsfaktoren* wurden in der bisherigen Rechtsprechung unter anderem anerkannt: Straffälligkeiten bzw. strafrechtliche Unauffälligkeit des Täters vor der Tatbegehung, die Motive des Täters, das zur Tatzeit junge Alter des Beschuldigten, eine schwierige familiäre Situation des Beschuldigten, seine Intelligenz und gute Erziehung (als erschwerender Faktor), seine geistige Verfassung, seine berufliche Situation, Handeln unter Zwang *(duress)* oder auf Befehl, die schlechte gesundheitliche Verfassung des Angeklagten, die Tatsache, dass der Beschuldigte die Tatbegehung ernsthaft bereute, und eine fehlende militärische Ausbildung.[1435] Als *verfahrensbezogener Strafzumessungsfaktor* wurde von der bisherigen Rechtsprechung des ICTY vor allem ein *guilty plea* des Beschuldigten strafmildernd berücksichtigt. Neben einem *guilty plea* wurden als strafmildernde verfahrensbezogene Strafzumessungsfaktoren unter anderem aner-

---

1431 *Čelebići*, IT-96-21, 16.11.1998, para. 1225; *Kupreškić* et al., IT-95-16, 14.1.2000, para. 852; *Čelebići*, IT-96-21, 20.2.2001, para. 731; *Aleksovski*, IT-95-14/1, 24.3.2000, para. 182, 185; *Furundzija*, IT-95-17/1, 21.7.2000, para. 249; *Kunarac* et al., IT-96-23, 22.2.2001, para. 856; *Todorović*, IT-95-9/1, 31.7.2001, para. 31; *Krstić*, IT-98-33, 2.8.2001, para. 698; *Kupreškić* et al., IT-95-16, 23.10.2001, para. 442; *Kvočka* et al., IT-98-20/1, 2.11.2001, para. 701; *Sikirica* et al., IT-95-8, 13.11.2001, para. 106; *Milan Simić*, IT-95-9-/2, 17.9.2002, para. 37; *Stakić*, IT-97-24, 31.7.2003, para. 903; *Simić* et al., IT-95-9, 17.10.2003, para. 1062; *Galić*, IT-98-29, 5.12.2003, para. 758.

1432 *Čelebići*, IT-96-21, 16.11.1998, para. 1225; *Aleksovski*, IT-95-14/1, 24.3.2000, para. 182, 185; *Krstić*, IT-98-33, 2.8.2001, para. 698; *Momir Nikolić*, IT-02-60/1, 2.12.2003, para. 102.

1433 *Kupreškić* et al., IT-95-16, 14.1.2000, para. 852; *Čelebići*, IT-96-21, 20.2.2001, para. 731; *Aleksovski*, IT-95-14/1, 24.3.2000, para. 182; *Furundzija*, IT-95-17/1, 21.7.2000, para. 249; *Kunarac* et al., IT-96-23, 22.2.2001, para. 856; *Todorović*, IT-95-9/1, 31.7.2001, para. 31; *Kvočka* et al., IT-98-20/1, 2.11.2001, para. 701; *Sikirica* et al., IT-95-8, 13.11.2001, para. 106; *Krnojelac*, IT-97-25, 15.3.2002, para. 522; *Stakić*, IT-97-24, 31.7.2003, para. 903; *Momir Nikolić*, IT-02-60/1, 2.12.2003, para. 101. Siehe ferner *Nemitz*, in: Fischer/Kreß/Lüder (Hrsg.), International and National Prosecution of Crimes Under International Law, S. 605 (607 f.); *ders.*, Strafzumessung im Völkerstrafrecht, S. 245, 266. Auch in Art. 78(1) IStGH-Statut (siehe oben S. 262) wird die Schwere der Tat als Strafzumessungsfaktor besonders hervorgehoben.

1434 Siehe auch die Aufstellung bei *Schabas*, in: Cassese u.a. (Hrsg.), Rome Statute of the International Criminal Court, Bd. II, S. 1497 (1524 ff.).

1435 Siehe auch die Aufstellung bei *Schabas* (vgl. oben Anm. 1434).

kannt die substantielle Kooperation des Angeklagten mit dem Prosecutor und dem Gericht, das positive Verhalten des Angeklagten in der Untersuchungshaft, die Tatsache, dass sich der Beschuldigte dem Verfahren vor dem ICTY freiwillig gestellt hatte, das positive Verhalten gegenüber Zeugen wie der Verzicht auf ein Kreuzverhör. Strafschärfend wurde dagegen negatives Prozessverhalten des Angeklagten berücksichtigt, etwa die Einschüchterung von Zeugen oder die Störung der Hauptverhandlung.[1436]

Abschließend ist noch auf zweierlei hinzuweisen: Erstens besteht nach dem Römischen Statut – anders als etwa nach deutschem Recht[1437] – nicht die Möglichkeit einer *Aussetzung der Vollstreckung einer verhängten Strafe zur Bewährung* oder der Aussetzung der Vollstreckung eines Strafrestes. Allerdings sieht Art. 110 IStGH-Statut die Möglichkeit einer nachträglichen Herabsetzung des Strafmaßes vor.[1438] Zweitens enthält das Römische Statut auch eine Regelung zu den „Konkurrenzen“, also zu der Frage, welche Strafe zu verhängen ist, wenn ein Beschuldigter wegen mehrerer Verbrechen zu verurteilen ist.[1439] Art. 78(3) IStGH-Statut legt fest:

> „Ist eine Person mehr als eines Verbrechens für schuldig befunden worden, so verhängt der Gerichtshof eine Strafe für jedes Verbrechen und eine Gesamtstrafe unter Angabe der Gesamtlänge der Freiheitsstrafe. Diese darf nicht kürzer sein als die höchste verhängte Einzelstrafe; sie darf 30 Jahre Freiheitsentzug oder eine lebenslange Freiheitsstrafe entsprechend Artikel 77 Absatz 1 Buchstabe b nicht überschreiten.“

b) Rechtslage in den untersuchten Staaten

Besondere, speziell auf völkerrechtliche Verbrechen bezogene Strafzumessungsregeln und Strafzwecke sind in keinem der untersuchten Staaten normiert.[1440] Dies

---

1436 Siehe auch die Aufstellung bei *Schabas* (vgl. oben Anm. 1434).

1437 Siehe zum deutschen Recht § 56 ff. StGB und *Kreicker*, LB Deutschland, Bd. 1, S. 21 (346).

1438 Vgl. BT-Drucks. 14/8524, S. 17.

1439 Vgl. allgemein zu den Konkurrenzen im Völkerstrafrecht *Werle*, Völkerstrafrecht, Rn. 505 ff.

1440 Vgl. *Biehler/Kerll*, LB Australien, Bd. 6, S. 19 (60 f.); *Cornils*, LB Schweden, Bd. 2, S. 183 (236 ff.) (auch der schwedische Entwurf für ein Gesetz über Völkerrechtsstraftaten sieht keine Sonderregelungen vor); *Frände*, LB Finnland, Bd. 2, S. 21 (67); *Gil Gil*, LB Spanien, Bd. 4, S. 99 (171); *Gut/Wolpert*, LB Kanada, Bd. 5, S. 19 (55); *Korošec*, LB Slowenien, Bd. 3, S. 329 (380); *Kouassi/Paulenz*, LB Côte d'Ivoire, Bd. 4, S. 19 (67); *Kreicker*, LB Deutschland, Bd. 1, S. 21 (345); *Kremnitzer/Cohen*, LB Israel, Bd. 5, S. 317 (387); *Lammich*, LB Russland/Weißrussland, Bd. 6, S. 351 (384); *Lelieur-Fischer*, LB Frankreich, Bd. 4, S. 225 (288 f.) (allerdings ist darauf hinzuweisen, dass gemäß Art. 213-4 Satz 2 CP ein Handeln auf Befehl bei der Strafzumessung besonders zu berücksichtigen ist); *Novoselec*, LB Kroatien, Bd. 3, S. 19 (56); *Ploom*, LB Estland, Bd. 5, S. 89 (133); *Rabenstein/Bahrenberg*, LB England/Wales, Bd. 6, S. 261 (301); *Retalis*, LB Griechenland, Bd. 5, S. 189 (269 f.); *Richter*, LB China, Bd. 6, S. 141 (228); *Silverman*, LB USA, Bd. 5, S. 411 (473); *Škulić*, LB Serbien und Montenegro, Bd. 3, S. 211 (266); *Tellenbach*, LB Türkei, Bd. 6, S. 393 (441); *Weigend*, LB Polen, Bd. 2, S. 77 (132 ff.); *Zerbes*, LB Österreich, Bd. 3, S. 85 (148 f.).

bedeutet, dass bei einer nationalen Strafverfolgung völkerrechtlicher Verbrechen die gleichen Determinanten für die Festlegung von Sanktionen gelten und die gleichen Strafzwecke zu beachten sind wie bei der Ahndung sonstigen strafbaren Verhaltens. Die Besonderheiten völkerrechtlicher Verbrechen, namentlich die Tatsache, dass es sich – jedenfalls bei Völkermordtaten und Verbrechen gegen die Menschlichkeit – um die schwersten Straftaten überhaupt handelt, die – so die Präambel des Römischen Statuts – den Frieden, die Sicherheit und das Wohl der Welt bedrohen, ferner, dass es sich typischerweise um makrokriminelle Taten handelt, findet also im Bereich der nationalen Strafzumessungskriterien und der Strafzwecke keinen Widerhall.

An dieser Stelle können die insofern einschlägigen „normalen" Bestimmungen der untersuchten Staaten nicht in Einzelheiten dargestellt werden, zumal auch den Landesberichterstattern lediglich zur Aufgabe gemacht worden war, besondere Strafzumessungsregeln und Strafzwecke bei einer Ahndung völkerrechtlicher Verbrechen zu benennen, nicht aber einen Überblick über das Recht der Strafzumessung im untersuchten Staat zu geben.

Daher sei hier lediglich Folgendes festgehalten: Soweit die Landesberichterstatter Feststellungen zum nationalen Strafzumessungsrecht treffen, wird nahezu ausnahmslos herausgehoben, dass die individuelle Schuld der entscheidende Faktor für die Bestimmung der konkret zu verhängenden Strafe sei.[1441] Auch die Umstände, auf die im Einzelfall für die Bewertung der Schwere der Schuld abgestellt werden muss, unterscheiden sich kaum. Genannt werden vor allem Beweggründe und Ziele des Täters, die Art der Tatausführung, das Maß der Pflichtwidrigkeit, die Auswirkungen der Tat, die persönlichen Verhältnisse des Täters zur Tatzeit sowie das Verhalten des Täters nach der Tat, insbesondere sein Verhalten im Strafverfahren und seine Bemühungen zur Schadenswiedergutmachung.[1442] Im Hinblick auf die mit einer strafrechtlichen Sanktionierung zu verfolgenden Strafzwecke wird – soweit die Landesberichte hierzu Auskunft geben – in den untersuchten Staaten auf die „klassischen" Strafzwecke der positiven und negativen Spezial- und Generalprävention abgestellt.[1443]

1441 *Biehler/Kerll*, LB Australien, Bd. 6, S. 19 (61); *Cornils*, LB Schweden, Bd. 2, S. 183 (236 f.;) *Jarvers*, LB Italien, Bd. 4, S. 337 (402); *Korošec*, LB Slowenien, Bd. 3, S. 329 (380); *Kreicker*, LB Deutschland, Bd. 1, S. 21 (345); *Richter*, LB China, Bd. 6, S. 141 (228); *Škulić*, LB Serbien und Montenegro, Bd. 3, S. 211 (266); *Weigend*, LB Polen, Bd. 2, S. 77 (133);

1442 Vgl. *Cornils*, LB Schweden, Bd. 2, S. 183 (236 f.); *Korošec*, LB Slowenien, Bd. 3, S. 329 (380); *Kreicker*, LB Deutschland, Bd. 1, S. 21 (345); *Lammich*, LB Russland/Weißrussland, Bd. 6, S. 351 (384); *Richter*, LB China, Bd. 6, S. 141 (228 f.); *Škulić*, LB Serbien und Montenegro, Bd. 3, S. 211 (266 f.); *Weigend*, LB Polen, Bd. 2, S. 77 (133 f.); *Zerbes*, LB Österreich, Bd. 3, S. 85 (148 f.).

1443 Vgl. *Cornils*, LB Schweden, Bd. 2, S. 183 (236 f.); *Jarvers*, LB Italien, Bd. 4, S. 337 (402); *Kreicker*, LB Deutschland, Bd. 1, S. 21 (345); *Lammich*, LB Russland/Weißrussland, Bd. 6, S. 351 (384); *Škulić*, LB Serbien und Montenegro, Bd. 3, S. 211

13. Strafbarkeit juristischer Personen

a) Völkerstrafrechtliche Ausgangslage

Das gegenwärtige Völkerstrafrecht kennt keine strafrechtliche Verantwortlichkeit von juristischen Personen, etwa von Staaten oder militärischen Gruppierungen. Art. 25(1) IStGH-Statut, der festlegt, dass der IStGH nur Gerichtsbarkeit über *natürliche* Personen ausübt,[1444] entspricht damit dem Völkergewohnheitsrecht.[1445]

b) Rechtslage in den untersuchten Staaten

Etliche der untersuchten Staaten – namentlich Deutschland, Griechenland, Österreich, Russland, Schweden, Spanien, die Türkei und Weißrussland – kennen generell keine Strafbarkeit juristischer Personen, beschränken den Geltungsbereich ihres nationalen Strafrechts also auf Verhaltensweisen natürlicher Personen. Dies gilt jeweils – da es keine abweichenden Spezialregelungen gibt – auch für Völkerstraftaten.[1446] Dagegen sehen China, Côte d'Ivoire, Estland, Finnland, Italien, Polen, Serbien und Montenegro, Slowenien – also die Mehrzahl der untersuchten Staaten – unter gewissen Voraussetzungen auch eine Bestrafung juristischer Personen vor, doch ist die Strafbarkeit in diesen Staaten jeweils auf bestimmte Delikte beschränkt, zu denen völkerrechtliche Verbrechen bzw. die auf völkerrechtliche Verbrechen anwendbaren nationalen Strafnormen nicht gehören.[1447] Lediglich in

---

(266 f.); *Tellenbach*, LB Türkei, Bd. 6, S. 393 (441); *Weigend*, LB Polen, Bd. 2, S. 77 (133 f.).

[1444] Hierzu *Ambos*, CLF 10 (1999), 1 (7); *Eser*, ZBJV 139 (2003), 2 (33); *Satzger*, Internationales und Europäisches Strafrecht, § 13 Rn. 6.

[1445] Das bedeutet aber nicht, dass Staaten für Völkerstraftaten nicht völkerrechtlich verantwortlich sein können. Sie kann jedoch „nur" die allgemeine völkerrechtliche Staatenverantwortlichkeit für völkerrechtswidriges Handeln (ihrer Organe) treffen, die auf Beendigung eines rechtswidrigen Verhaltens, Wiederherstellung des ursprünglichen völkerrechtskonformen Zustands sowie Schadensersatz gerichtet ist. Vgl. *Ipsen*, in: ders., Völkerrecht, § 39 f. Siehe auch die Ausführungen oben auf S. 221. Zur rechtspolitischen Diskussion einer strafrechtlichen Staatenverantwortlichkeit für völkerrechtliche Verbrechen siehe Schönke/Schröder-*Cramer/Heine*, vor § 25 Rn. 130 m.w.N. Auf der Römischen Konferenz, auf der das IStGH-Statut ausgearbeitet wurde, hatte namentlich Frankreich für eine Erfassung auch juristischer Personen von der Strafgewalt des IStGH plädiert, konnte sich aber insoweit nicht durchsetzen; vgl. *Ambos*, CLF 10 (1999), 1 (7).

[1446] *Cornils*, LB Schweden, Bd. 2, S. 183 (238); *Gil Gil*, LB Spanien, Bd. 4, S. 99 (171); *Kreicker*, LB Deutschland, Bd. 1, S. 21 (350); *Lammich*, LB Russland/Weißrussland, Bd. 6, S. 351 (384); *Retalis*, LB Griechenland, Bd. 5, S. 189 (270); *Tellenbach*, LB Türkei, Bd. 6, S. 393 (441 f.); *Zerbes*, LB Österreich, Bd. 3, S. 85 (149 f.) (allerdings wird in Österreich die Einführung einer umfassenden, also grundsätzlich auch völkerrechtliche Verbrechen erfassenden Strafbarkeit juristischer Personen erwogen).

[1447] *Frände*, LB Finnland, Bd. 2, S. 21 (67) f.; *Jarvers*, LB Italien, Bd. 4, S. 337 (404 f.); *Korošec*, LB Slowenien, Bd. 3, S. 329 (381 ff.) (allerdings kann sich nach slowenischem Recht eine juristische Person wegen Versklavung [Art. 387 StGB] strafbar machen); *Kouassi/Paulenz*, LB Côte d'Ivoire, Bd. 4, S. 19 (67); *Ploom*, LB Estland, Bd. 5,

Australien und Frankreich sowie theoretisch auch in England und Wales, in Israel, Kanada, Kroatien und den USA kommt eine Strafbarkeit juristischer Personen wegen Völkerstraftaten in Betracht. Art. 12.1 des australischen Federal CC, in den mit dem ICC (Consequental Amendment) Act die neuen völkerstrafrechtlichen Straftatbestände eingefügt wurden, bestimmt generell, dass sich auch juristische Personen wegen der im Criminal Code Act normierten Straftaten strafbar machen können.[1448] In Frankreich legt Art. 213-3 CP explizit fest, dass juristische Personen wegen Verbrechen gegen die Menschlichkeit bestraft werden können.[1449] In England und Wales sowie in Kroatien ist eine umfassendere Strafbarkeit von juristischen Personen (bei Verletzungen von Pflichten der juristischen Person durch für sie handelnde natürliche Personen) vorgesehen, die – so die Verfasser der Landesberichte – durchaus auch bei Völkerstraftaten Relevanz erlangen könnte.[1450] In Israel, Kanada und den USA ist – so die Landesberichterstatter – eine strafrechtliche Verantwortlichkeit juristischer Personen für Taten, die als völkerrechtliche Verbrechen zu bewerten sind, juristisch prinzipiell möglich, doch dürfte sie für solche Taten in der Praxis keine Rolle spielen.[1451] Als Fazit kann festgestellt werden, dass juristische Personen nur in sehr wenigen der untersuchten Staaten wegen völkerrechtlicher Verbrechen bestraft werden können, diese Möglichkeit von den Landesberichterstattern aber überwiegend lediglich als eine theoretisch denkbare Option erachtet wird. Dies bestätigt die obige Feststellung, dass es – nicht zuletzt in Ermangelung einer entsprechenden Staatenpraxis – nach Völkergewohnheitsrecht keine Strafbarkeit juristischer Personen wegen völkerrechtlicher Verbrechen gibt.

14. Relevanz völkerrechtlicher und verfassungsrechtlicher Immunitäten

a) Völkerstrafrechtliche Ausgangslage

aa) Unzulässigkeit von Rückschlüssen aus Art. 27 IStGH-Statut auf die nationale Gerichtsbarkeit einzelner Staaten

Nach Art. 27 IStGH-Statut sind völkerrechtliche und verfassungsrechtliche Exemtionen[1452] für den IStGH ohne Relevanz; sie können generell der Gerichtsbar-

S. 89 (133); *Richter*, LB China, Bd. 6, S. 141 (229 ff.); *Škulić*, LB Serbien und Montenegro, Bd. 3, S. 211 (267); *Weigend*, LB Polen, Bd. 2, S. 77 (135).

1448 *Biehler/Kerll*, LB Australien, Bd. 6, S. 19 (61 f.).

1449 *Lelieur-Fischer*, LB Frankreich, Bd. 4, S. 225 (289).

1450 *Novoselec*, LB Kroatien, Bd. 3, S. 19 (56 f); *Rabenstein/Bahrenberg*, LB England/ Wales, Bd. 6, S. 261 (301 f).

1451 *Gut/Wolpert*, LB Kanada, Bd. 5, S. 19 (55 f.) ([...] "hardly conceivable that corporations would actually be prosecuted for any of the three core crimes."); *Kremnitzer/ Cohen*, LB Israel, Bd. 5, S. 317 (387 ff.); *Silverman*, LB USA, Bd. 5, S. 411 (473 f.).

1452 Soweit im Folgenden der Begriff „Exemtionen“ Verwendung findet, wird er als Oberbegriff für Freistellungen von strafrechtlicher Verantwortlichkeit aus strafrechtsfremden Gründen verstanden. Immunitäten als Befreiungen von der Gerichtsbarkeit sind nur

keit des Strafgerichtshofs keine Schranken setzten.[1453] Es wäre aber verfehlt, aus Art. 27 IStGH-Statut auf eine Unerheblichkeit von Exemtionen auch für die nationale Gerichtsbarkeit einzelner Staaten zu schließen, soweit es um die Ahndung völkerrechtlicher Verbrechen geht. Denn Art. 27 IStGH-Statut betrifft seinem insoweit klaren Wortlaut nach allein die Frage, welche Bedeutung völkerrechtliche und verfassungsrechtliche Exemtionen für den *supranationalen Strafgerichtshof* haben; zu der Frage, inwieweit *einzelne Staaten* aufgrund völkerrechtlicher oder nationaler verfassungsrechtlicher Exemtionen an einer Strafverfolgung wegen völkerrechtlicher Verbrechen gehindert sein können, verhält sich diese Norm nicht.[1454]

Es lässt sich auch nicht argumentieren, Art. 27 IStGH-Statut spiegele lediglich Völkergewohnheitsrecht wider bzw. diese Norm habe dadurch, dass über die Hälfte der Staaten das Römische Statut ratifiziert und sich damit auch zu der Regelung des Art. 27 IStGH-Statut bekannt haben, mittlerweile (auch) völkergewohnheitsrechtliche Geltung erlangt, so dass die einzelnen Staaten wegen der völkergewohnheitsrechtlichen Geltung der Regelung nicht durch völkerrechtliche oder verfassungsrechtliche Exemtionen an einer nationalen Strafverfolgung wegen völkerrechtlicher Verbrechen gehindert seien. Denn wenn man – wofür durchaus einiges spricht – dem Gehalt des Art. 27 IStGH-Statut völkergewohnheitsrechtliche Geltung beimessen würde, dann hieße dies lediglich, dass nach Völkergewohnheitsrecht für den Internationalen Strafgerichtshof und eventuell generell für internationale Strafgerichtshöfe – also bei einer supranationalen Strafverfolgung – Exemtionen keine Strafverfolgungshindernisse darstellen. Auf eine ebensolche Irrelevanz von Exemtionen für nationale Strafverfolgungen könnte auch dann nicht geschlossen werden.

Insofern muss man bei der Frage, inwieweit völkerrechtliche und verfassungsrechtliche Exemtionen einer Strafverfolgung wegen völkerrechtlicher Verbrechen Schranken zu setzen vermögen, strikt zwischen – hier nicht weiter interessierenden –

---

eine Art von Exemtionen; neben Immunitäten, die im Rahmen ihrer sachlichen Reichweite jegliche Strafverfolgungsaktivitäten untersagen, zählen zu den Exemtionen z.B. auch noch die Unverletzlichkeitsgewährleistungen, die eine Ausübung unmittelbarer Zwangsgewalt (etwa Verhaftungen) untersagen.

1453 Vgl. *Gaeta*, in: Cassese u.a. (Hrsg.), Rome Statute of the International Criminal Court, S. 975 (978, 990 ff.); *Triffterer*, in: ders. (Hrsg.), Commentary on the Rome Statute, Art. 27 Rn. 11 ff. Zur Entstehungsgeschichte dieses Exemtionsausschlusses siehe *Triffterer*, a.a.O., Art. 27 Rn. 5 ff.

1454 Dies zeigt sich im Übrigen auch daran, dass das Römische Statut mit Art. 98 eine besondere Bestimmung zur Relevanz völkerrechtlicher Exemtionen bei Rechtshilfemaßnahmen einzelner Staaten zugunsten des IStGH enthält. Dieser Norm, auf die im Folgenden nicht weiter eingegangen zu werden braucht, da sie sich zur Frage einer autonomen nationalen Strafverfolgung völkerrechtlicher Verbrechen nicht verhält, kann entnommen werden, dass Exemtionen, die – gemäß Art. 27 IStGH-Statut – für den Gerichtshof selbst ohne Relevanz sind, die Kompetenzen einzelner Staaten selbst dann, wenn es um völkerrechtliche Verbrechen geht, begrenzen können. Vgl. näher zum (umstrittenen) Gehalt des Art. 98 IStGH-Statut *Kreß*, in: Grützner/Pötz, Internationaler Rechtshilfeverkehr, vor III 26, Rn. 240 ff.

Strafverfolgungen durch internationale Gerichte wie den IStGH einerseits und nationalen Strafverfolgungen durch Gerichte einzelner Staaten andererseits unterscheiden.

Eine solche Differenzierung ist auch deshalb angezeigt, weil die Interessenlage der durch Exemtionen begünstigten Staaten bei supranationalen und bei nationalen Strafverfolgungen durchaus verschieden ist. Während man davon ausgehen darf, dass es den Staaten (relativ) leicht fällt, auf ihren Funktionsträgern zukommende Exemtionen bei Strafverfolgungen durch ein supranationales Gericht wie den IStGH zu verzichten, da hier hohe Gewähr für ein unparteiisches und rechtsstaatlichen Anforderungen genügendes Strafverfahren besteht, dürften die Staaten – zu Recht – in weitaus geringerem Maße bereit sein, auf den Schutz vor Strafverfolgung, den ihre Funktionsträger – etwa Diplomaten – aufgrund von Exemtionen genießen, gegenüber nationalen Strafverfolgungen wegen völkerrechtlicher Verbrechen zu verzichten.[1455] Denn bei Strafverfolgungen durch Gerichte einzelner Staaten kann die Gefahr einer mit rechtsstaatlichen Grundsätzen unvereinbaren bzw. politisch motivierten Strafverfolgung nicht generell von der Hand gewiesen werden, zumal man bedenken muss, dass nach dem Universalitätsprinzip jeder Staat völkerrechtlich befugt ist, unabhängig vom Tatort und der Nationalität der Täter und der Opfer Strafverfolgungen durchzuführen.[1456] Deswegen spricht beispielsweise vieles dafür, dass die grundsätzlich unbeschränkte völkerrechtliche Immunität, die amtierenden Staatsoberhäuptern zukommt,[1457] nach Völkergewohnheitsrecht eine Ausnahme bei völkerrechtlichen Verbrechen insoweit erfährt, als es um eine Strafverfolgung durch ein auf Universalität angelegtes, von einer klaren Mehrheit der Staaten aus allen Teilen der Welt getragenes supranationales Gericht wie den IStGH geht, nicht aber auch insoweit, als es um nationale Strafverfolgungen durch Gerichte einzelner Staaten geht.[1458]

Im Übrigen ist zu bedenken, dass einige völkerrechtliche Exemtionen von vornherein nur nationale Strafverfolgungskompetenzen beschränken und Strafverfolgungen durch internationale Gerichte keine Grenzen zu setzen vermögen. Art. 27 IStGH-Statut hat insofern teilweise nur deklaratorische Bedeutung, so dass hinsichtlich der betreffenden Exemtionen für die Annahme einer sich in Art. 27 IStGH-Statut manifestierenden völker(gewohnheits-)rechtlichen Ausnahmeregel bei völkerrechtlichen Verbrechen überhaupt kein Raum ist. Dies gilt etwa für die diplomatischen und konsularischen Exemtionen nach dem WÜD[1459] und WÜK[1460]. Diese gelten – wie sich etwa aus Art. 31(1)(1) WÜD und Art. 43(1) WÜK ergibt –

1455 So auch *Maierhöfer*, EuGRZ 2003, 545 (552).

1456 Siehe zur Strafverfolgungskompetenz nach dem Universalitätsprinzip oben S. 19 ff.

1457 Siehe näher zu dieser Exemtion unten S. 275 ff.

1458 Siehe hierzu auch unten Anm. 1487.

1459 Vgl. unten Anm. 1489.

1460 Vgl. unten Anm. 1490.

von einigen wenigen Ausnahmen abgesehen nur im jeweiligen Empfangsstaat, nicht aber in allen anderen Staaten.[1461] Da sich die Strafverfolgungskompetenzen des IStGH aber aus den nationalen Strafverfolgungskompetenzen aller Vertragsstaaten ableiten, können diplomatische und konsularische Exemtionen die Strafverfolgungskompetenzen des IStGH ebenso wenig einschränken wie die der Staaten, die nicht Empfangsstaat der beschuldigten Person sind.[1462]

Im Folgenden ist also speziell der Frage nachzugehen, inwieweit völkervertragliche und völkergewohnheitsrechtliche Normen festlegen, dass den nationalen Gerichten einzelner Staaten eine Ahndung völkerrechtlicher Verbrechen aufgrund völkerrechtlicher Exemtionen untersagt ist bzw. inwieweit sich völkervertragliche und völkergewohnheitsrechtliche Normen zur möglichen Einschränkung nationaler Verfolgungspflichten und Verfolgungskompetenzen durch Immunitätsbestimmungen in den nationalen Verfassungen der einzelnen Staaten verhalten. Dabei gilt es, zwischen den verschiedenen Arten völkerrechtlicher Exemtionen zu differenzieren. Da diese auf unterschiedlichen Rechtsgründen beruhen, ist jeweils isoliert zu prüfen, inwieweit sie bei völkerrechtlichen Verbrechen eine Schranke für eine nationale Strafverfolgung darstellen können.

bb) Die allgemeine Staatenimmunität

Die Staatenimmunität folgt aus dem Grundsatz der souveränen Gleichheit der Staaten (Art. 2 Nr. 1 UN-Charta). Da alle Staaten rechtlich gleichrangig sind, soll sich kein Staat vor Gerichten eines anderen Staates für sein Handeln verantworten müssen *(par in parem non habet imperium)*. Der Grundsatz der Staatenimmunität verbietet daher zunächst, dass ein Staat vor Zivilgerichten eines anderen Staates wegen seines Handelns in Anspruch genommen wird. Gegen einen Staat gerichtete zivilrechtliche Ansprüche, etwa auf Schadensersatz, können vor Gerichten eines anderen Staates grundsätzlich nicht geltend gemacht werden.[1463]

Die Staatenimmunität steht aber grundsätzlich auch einer Strafverfolgung von Personen wegen ihrer für einen fremden Staat vorgenommenen Handlungen entgegen, da man ansonsten mit der Durchführung eines Strafverfahrens gegen den handelnden Funktionsträger – unabhängig davon, ob dieser in einem besonderen Dienstverhältnis zum fremden Staat steht oder nicht – indirekt ebenfalls über den

---

[1461] Siehe die Nachweise unten in Anm. 1514.

[1462] Vgl. hierzu auch unten S. 285 mit Fn. 1515.

[1463] Vgl. *Doehring*, Völkerrecht, Rn. 658 ff.; *Gloria*, in: Ipsen, Völkerrecht, § 26 Rn. 16 ff.; *Kissel/Mayer*, GVG, § 20 Rn. 3, 9; *Schweitzer*, Staatsrecht III, Rn. 606 f.; *Stein/von Buttlar*, Völkerrecht, Rn. 714 ff.

fremden Staat selbst „zu Gericht sitzen“ würde. Auch dies wäre mit dem Grundsatz der Gleichheit der Staaten unvereinbar.[1464]

Seitdem aber Staaten in großem Ausmaß kommerzielle Aktivitäten entfalten und wie Private wirtschaftlich tätig sind, wird die Staatenimmunität nur noch für *acta iure imperii*, also für hoheitliche staatliche Tätigkeit, nicht mehr jedoch für *acta iure gestionis*, also für nichthoheitliches Handeln gewährt.[1465] Auch staatliche Organe genießen daher allein für ihr hoheitlich-dienstliches Amtshandeln Immunität (Immunität *ratione materiae* für *acta iure imperii*).[1466]

Die Staatenimmunität verbietet eine Ausübung von Strafgerichtsbarkeit also allein deshalb, weil es sich bei der einer Person vorgeworfenen Tat um eine hoheitlich-dienstliche Handlung für einen fremden Staat handelt. Denn eine solche Strafverfolgung verstieße gegen den Grundsatz der Gleichheit der Staaten und damit gegen einen fundamentalen Rechtssatz des Völkerrechts.

Völkerrechtliche Verbrechen werden nun aber typischerweise in staatlichem Auftrag bzw. mit staatlicher Unterstützung und Billigung begangen, sind also in aller Regel einem Staat zurechenbare *acta iure imperii*. Mit der dem Völkerstrafrecht zugrunde liegenden Idee der individuellen strafrechtlichen Verantwortlichkeit des Einzelnen für Völkerrechtsverbrechen wäre eine auf dem Grundsatz der Staatenimmunität basierende Exemtion unvereinbar, denn eine solche bedeutete, dass allein der Staat, in dessen Auftrag bzw. dem zurechenbar die Tat begangen wurde, zu einer Strafverfolgung befugt wäre. Das Völkerstrafrecht liefe damit in aller Regel leer.

Eine solche Exemtion wäre auch nicht zu legitimieren. Denn die Staatenimmunität soll die Souveränität der Staaten schützen. Ein Staat, der völkerrechtliche

---

1464 BVerfGE 96, 68 (85, 91) = NJW 1998, 50 (53 f.); BGH NJW 1979, 1101 (1102); BGHSt 39, 260 (263) = NJW 1993, 3147 (3147); BVerwG, NJW 1989, 678 (679); House of Lords, zweite Entscheidung im Fall *Pinochet* vom 24.3.1999, Votum von Lord *Browne-Wilkinson*, HRLJ 1999, 61 (69), Votum von Lord *Millet*, HRLJ 1999, 61 (98); MK-StGB-*Ambos*, vor § 3 Rn. 106; *Bothe*, ZaöRV 31 (1971), 246 (247 ff.); *Cassese*, International Law, S. 110 ff.; *Dahm/Delbrück/Wolfrum*, Völkerrecht, Bd. I/1, S. 453; *Dörr*, AVR 41 (2003), 201 (202 ff.); *Folz/Soppe*, NStZ 1996, 576 (578); *Geiger*, Grundgesetz und Völkerrecht, S. 332 f.; *Gloria*, in: Ipsen, Völkerrecht, § 26 Rn. 29 f.; *Herdegen*, Völkerrecht, § 37 Rn. 3; *Jescheck*, Verantwortlichkeit der Staatsorgane nach Völkerstrafrecht, S. 164; *Kissel/Mayer*, GVG, § 20 Rn. 3; *Schweitzer*, Staatsrecht III, Rn. 610; *Seidl-Hohenveldern/Stein*, Völkerrecht, Rn. 1482 ff.; *Wirth*, Jura 2000, 70 (71 f.); *ders.*, NStZ 2001, 665 (666); *ders.*, CLF 12 (2001), 429 (431). Die Terminologie ist allerdings nicht einheitlich. Zum Teil wird synonym auch von „Act of State-Doktrin“, „Immunität als Staatsorgan“, „Organimmunität“ oder „Theorie der Hoheitsakte“ gesprochen.

1465 BVerfGE 16, 27 (33 ff., 51 f., 61) = NJW 1963, 1732 (1732 f., 1735); *Doehring*, Völkerrecht, Rn. 661; *Gloria*, in: Ipsen, Völkerrecht, § 26 Rn. 17; *Kissel/Mayer*, GVG, § 20 Rn. 3 f.; *Schweitzer*, Staatsrecht III, Rn. 606; *Stein/von Buttlar*, Völkerrecht, Rn. 716 ff.

1466 Vgl. MK-StGB-*Ambos*, § 3 Rn. 106; *Bothe*, ZaöRV 31 (1971), 246 (252, 257); *Kissel/Mayer*, GVG, § 20 Rn.3.

Verbrechen begehen lässt, ist jedoch in keiner Weise schutzwürdig. Er verletzt vielmehr seinerseits das Völkerrecht. Da völkerrechtliche Verbrechen – wie die Präambel des Römischen Statuts feststellt – den Frieden, die Sicherheit und das Wohl der Welt bedrohen und die internationale Gemeinschaft als Ganzes berühren, ist jeder Staat durch die Begehung eines völkerrechtlichen Verbrechens betroffen. Eine Bestrafung stellt damit keine Einmischung in die inneren Angelegenheiten des Tatortstaates oder Heimatstaates des Täters dar und verletzt generell keine schutzwürdigen Souveränitätsinteressen des Staates, der „hinter dem Verbrechen steht". Für die Staatenimmunität ist daher bei völkerrechtlichen Verbrechen kein Raum; mit der Entwicklung eines Völkerstrafrechts musste notwendigerweise eine Einschränkung der Staatenimmunität einhergehen.

Es steht daher heute außer Frage, dass die Staatenimmunität bei völkerrechtlichen Verbrechen eine völkergewohnheitsrechtlich anerkannte Ausnahme erfährt.[1467]

Art. IV der UN-Völkermordkonvention[1468] legt diesen Immunitätsausschluss sogar ausdrücklich fest. Auch die Genfer Abkommen von 1949[1469], die die Staaten verpflichten, in Anwendung des Weltrechtsprinzips Kriegsverbrecher, die sich in ihrem Hoheitsgebiet aufhalten, zu bestrafen bzw. an einen anderen Staat zum Zwecke der Bestrafung auszuliefern,[1470] gehen notwendigerweise von einer Nichtgeltung der Staatenimmunität aus. Die als solches von den Staaten nicht in Frage gestellte Verurteilung *Adolf Eichmanns* durch israelische Gerichte[1471] zeigt in gleicher Weise wie die von anderen Staaten durchgeführte strafrechtliche Verurteilung von Personen, die im Namen und im Dienste des NS-Regimes völkerrechtliche Verbrechen begangen hatten, dass auch die Staatenpraxis die Nicht-Geltung der Staatenimmunität bei völkerrechtlichen Verbrechen seit langem annimmt.

1467 Vgl. BVerfGE 96, 68 (84 f.) = NJW 1998, 50 (52 f.); MK-StGB-*Ambos*, vor § 3 Rn. 135 ff.; *Bothe*, ZaöRV 31 (1971), 246 (252, 254); *Cassese*, International Law, S. 113; *ders.*, EJIL 13 (2002), 853 (864 f.); *ders.*, International Criminal Law, S. 23 f., 267 ff.; *ders.*, JICJ 1 (2003), 437 (445 ff.); *Dahm/Delbrück/Wolfrum*, Völkerrecht, Bd. I/3, S. 1036; *Dörr*, AVR 41 (2003), 201 (210); *Folz/Soppe*, NStZ 1996, 576 (578 f., 582 f.); *Gaeta*, in: Cassese u.a. (Hrsg.), Rome Statute of the International Criminal Court, Bd. I, S. 975 (982); *Jescheck/Weigend*, Lehrbuch, § 14 III. 3.; *Kreicker*, LB Deutschland, Bd. 1, S. 21 (353); *Kreß*, NStZ 2000, 617 (622); *Lüke*, Immunität staatlicher Funktionsträger, S. 241, 271; *Werle*, Völkerstrafrecht, Rn. 451, 455; *Wirth*, NStZ 2001, 665 (667); *ders.*, EJIL 13 (2002), 877 (884, 888); *ders.*, CLF 12 (2001), 429 (433 ff.); *Zappalà*, EJIL 12 (2001), 595 (601 ff.).

1468 Vgl. oben Anm. 36.

1469 Vgl. oben Anm. 27.

1470 Vgl. im Einzelnen die Darstellung oben S. 9 ff.

1471 Urteil vom 12.12.1961, ILR 36 (1968), 18; Urteil vom 29.5.1962, ILR 36 (1968), 277. Näher zum Prozess gegen *Adolf Eichmann* unten S. 343 f. Siehe auch *Kremnitzer/Cohen*, LB Israel, Bd. 5, S. 317 (390 f.).

Zwar können die Nürnberger Prozesse und die Verfahren vor den UN-Strafgerichtshöfen als solche nicht als Beleg für eine Ausnahme von der Staatenimmunität herangezogen werden,[1472] doch ist Urteilen des Nürnberger Militärgerichtshofs und des ICTY zu entnehmen, dass diese ebenfalls von einer generellen Nichtgeltung der Staatenimmunität bei völkerrechtlichen Verbrechen ausgegangen sind.[1473] Die Tatsache, dass der IStGH nach Art. 12 IStGH-Statut auch Gerichtsbarkeit über Personen ausüben darf, die völkerrechtliche Verbrechen als Organe eines Staates begangen haben, der nicht Vertragsstaat des Statuts ist und Art. 27(2) IStGH-Statut auch in solchen Fällen Immunitäten generell für irrelevant erklärt, zeigt einmal mehr, dass die Staatenimmunität bei völkerrechtlichen Verbrechen nicht gilt.[1474]

Die allgemeine Staatenimmunität steht damit einer nationalen Strafverfolgung völkerrechtlicher Verbrechen nicht entgegen.

cc) Exemtionen für Staatsoberhäupter und Regierungsmitglieder

Amtierende Staatsoberhäupter sind der nationalen Gerichtsbarkeit für sie fremder Staaten von Völkerrechts wegen entzogen; sie genießen Immunität *ratione personae*.[1475] Ob auch Regierungsmitgliedern eine solche völkergewohnheitsrechtlich

---

1472 Die Nürnberger Prozesse wurden unter anderem von den alliierten Siegermächten betrieben, die Deutschland besetzt und damit die Hoheitsgewalt Deutschlands übernommen hatten. Als Träger deutscher Hoheitsgewalt konnten sie von vornherein nicht durch ein Strafverfahren die durch die Staatenimmunität geschützten Souveränitätsrechte Deutschlands verletzen. Da die UN-Strafgerichtshöfe Hilfsorgane des UN-Sicherheitsrats sind und die Staaten (jedenfalls die Mitgliedsstaaten der UN) sich gemäß Art. 24 f. UN-Charta Maßnahmen des Sicherheitsrats unterworfen haben, liegt insofern ein Einverständnis mit einem Eingriff in staatliche Souveränitätsrechte vor.

1473 Vgl. das Urteil des Nürnberger Internationalen Militärgerichtshofs vom 30.9.1946, Internationaler Militärgerichtshof, Der Prozess gegen die Hauptkriegsverbrecher, Bd. 1, Nürnberg 1947, S. 189 (249 f.), wo es heißt: „Jener Grundsatz des Völkerrechts, der unter gewissen Umständen dem Repräsentanten eines Staates Schutz gewährt, kann nicht auf Taten Anwendung finden, die durch das Völkerrecht als verbrecherisch gebrandmarkt werden." Vgl. das Urteil des ICTY im Verfahren gegen *Blaškić* vom 29.10.1997 (IT-94-1AR108*bis*), ILR 110, 607 (710), para. 41, wo es heißt: "The general rule under discussion is well established in international law and is based on the sovereign equality of States *(par in parem non habet imperium).* The few exceptions relate to one particular consequence of the rule. These exceptions arise from the norms of international criminal law prohibiting war crimes, crimes against humanity and genocide. Under these norms, those responsible for such crimes cannot invoke immunity from national or international jurisdiction even if they perpetrated such crimes while acting in their official capacity."

1474 Bestünde keine generelle völkergewohnheitsrechtliche Immunitätsausnahme, wäre Art. 27(2) IStGH-Statut in Bezug auf den Ausschluss der Staatenimmunität für Personen, die völkerrechtliche Verbrechen für einen Nicht-Vertragsstaat begangen haben, völkerrechtswidrig (vgl. Art. 34 WVRK). So aber ist Art. 27(2) IStGH-Statut insofern, als er die Irrelevanz der Staatenimmunität festlegt, rein deklaratorisch.

1475 Vgl. OLG Köln, NStZ 2000, 667 (667); MK-StGB-*Ambos*, vor § 3 Rn. 106; *Bothe*, ZaöRV 31 (1971), 246 (264); *Cassese*, EJIL 13 (2002), 853 (864); *ders.*, International

geltende vollständige Immunität zukommt, ist umstritten.[1476] Umstritten ist auch, ob die Immunität von Staatsoberhäuptern und Regierungsmitgliedern bei völkerrechtlichen Verbrechen eine Ausnahme erfährt. Vielfach wird angenommen, die Immunität gelte für amtierende Staatsoberhäupter (Regierungsmitglieder) selbst bei völkerrechtlichen Verbrechen, während ehemaligen Staatsoberhäuptern (Regierungsmitgliedern) bei völkerrechtlichen Verbrechen keine Immunität zukomme; vor allem im Zusammenhang mit dem Verfahren gegen den ehemaligen chilenischen Diktator *Augusto Pinochet* 1998/99 in Großbritannien wurde diese Auffassung vertreten.[1477] Zum Teil wird jedoch angenommen, auch amtierende Staatsoberhäupter und Regierungsmitglieder könnten sich bei völkerrechtlichen Verbrechen nicht auf einen Immunitätsschutz berufen.[1478]

Criminal Law, S. 264 ff.; *ders.*, JICJ 1 (2003), 437 (440); *Dahm/Delbrück/Wolfrum*, Völkerrecht, Bd. I/1, S. 252 f.; *Doehring*, Völkerrecht, Rn. 671; Schönke/Schröder-*Eser*, vor § 3 Rn. 39; *Gloria*, in: Ipsen, Völkerrecht, § 26 Rn. 29; *Gornig*, in: Ipsen u.a. (Hrsg.), FS Rauschning, S. 457 (460 ff.); *Hailbronner*, in: Graf Vitzthum (Hrsg.), Völkerrecht, 3. Abschn. Rn. 50; *Hokema*, Immunität von Staatsoberhäuptern, S. 28 ff.; *Jescheck/Weigend*, Lehrbuch, § 19 III. 1. b); *Lüke*, Immunität staatlicher Funktionsträger, S. 92 ff.; KK-StPO-*Pfeiffer*, § 20 GVG Rn. 2; *Simbeye*, Immunity and International Criminal Law, S. 111 ff.; *Stein/von Buttlar*, Völkerrecht, Rn. 723; *Tangermann*, Immunität von Staatsoberhäuptern, S. 116 ff., 207 f.; *Watts*, RdC 247 (1994 III), S. 9 (51 ff.); *Weiß*, JZ 2002, 696 (701); *Werle*, Völkerstrafrecht, Rn. 449, 456; *Wirth*, Jura 2000, 70 (72); *ders.*, NStZ 2001, 665 (666); *ders.*, CLF 12 (2001), 429 (432); *ders.*, EJIL 13 (2002), 877 (883 ff.);

1476 Bejahend etwa *Barberis*, Representatives of States, in: Bernhardt (Hrsg.), EPIL IV, S. 195 (197 f.); *Gries*, HuV-I 2001, 19 (24); *Simma/Paulus*, NZZ vom 27.11.1998, S. 7; *Watts*, RdC 247 (1994 III), S. 9 (105 ff.); *Wirth*, CLF 12 (2001), 429 (432). Verneinend beispielsweise *Bantekas/Nash/Mackarel*, International Criminal Law, S. 168; *Bosch*, Immunität und internationale Verbrechen, S. 75; *Bothe*, ZaöRV 31 (1971), 246 (264); *Folz/Soppe*, NStZ 1996, 576 (577); *Lüke*, Immunität staatlicher Funktionsträger, S. 104 ff.; *Ruffert*, NILR 2001, 171 (180 f.); *Satow*, Satow's guide to diplomatic practice, S. 159; *Schweitzer/Weber*, Handbuch der Völkerrechtspraxis, Rn. 956; *Zehnder*, Immunität von Staatsoberhäuptern, S. 57.

1477 Für eine solche Differenzierung etwa *Ambos*, JZ 1999, 16 (21 ff.); MK-StGB-*Kreß*, § 220a/§ 6 VStGB, Rn. 117; *Bröhmer*, LJIL 12 (1999), 361 (369); *Cassese*, EJIL 13 (2002), 853 (865 ff.); *ders.*, International Criminal Law, S. 267, 273; *ders.*, JICJ 1 (2003), 437 (441 ff.); *Gaeta*, in: Cassese u.a. (Hrsg.), Rome Statute of the International Criminal Court, S. 975 (982); *dies.*, JICJ 1 (2003), 186 (188 ff.); *Gornig*, in: Ipsen u.a. (Hrsg.), FS Rauschning, S. 457 (480 ff.); *Kreicker*, LB Deutschland, Bd. 1, S. 21 (357 ff.); *Kreß*, GA 2003, 25 (35); *Lüke*, Immunität staatlicher Funktionsträger, S. 101; *Maierhöfer*, EuGRZ 2003, 545 (551 f.); *Oellers-Frahm*, VN 2002, 121 (121); *Streinz*, in: Sachs (Hrsg.), Grundgesetz-Kommentar, Art. 25 Rn. 55a; *Tangermann*, Immunität von Staatsoberhäuptern, S. 213; *Werle*, Völkerstrafrecht, Rn. 450 ff.; *Wirth*, NStZ 2001, 665 (667); *ders.*, CLF 12 (2001), 429 (445 f., 457); *ders.*, EJIL 13 (2002), 877 (888 ff.); *Zappalà*, EJIL 12 (2001), 595 (599 ff.); *Zehnder*, Immunität von Staatsoberhäuptern, S. 152 ff.

1478 *Bantekas/Nash/Mackarel*, International Criminal Law, S. 171; *Bianchi*, EJIL 10 (1999), 237 (259 ff.); *Hokema*, Immunität von Staatsoberhäuptern, S. 129 f., 265 f.; *Kittichaisaree*, International Criminal Law, S. 260; *Lüke*, Immunität staatlicher Funktionsträger, S. 102 f.; *Nill-Theobald*, „Defences" bei Kriegsverbrechen, S. 372 ff.; *Orakhelashvili*, GYIL 45 (2002), 227 (250); *Ruffert*, NILR 2001, 171 (184 f.); *Schultz*, ZaöRV 62 (2002), 703 (705); *Watts*, RdC 247 (1994 III), S. 9 (84, 111 ff.); *Wouters*, LJIL 16 (2003), 253 (259 ff.).

Angesichts dieser unsicheren Rechtslage kommt dem Urteil des IGH im Verfahren *Kongo vs. Belgien* vom 14. Februar 2002 große Bedeutung zu. Der IGH entschied – in zwar methodisch angreifbarer Weise, im Ergebnis aber (auch völkerrechtspolitisch) zu Recht –, dass amtierende Außenminister in anderen Staaten vollständige Immunität *ratione personae* genießen, also auch wegen völkerrechtlicher Verbrechen nicht zur Verantwortung gezogen werden können.[1479] Wenn dies aber für einen Außenminister gilt, so kann die Rechtslage bei Staatsoberhäuptern und Regierungschefs nicht anders sein.[1480] Bedenkt man, dass auch andere Fachminister heutzutage in unmittelbarem Kontakt mit ausländischen Stellen stehen und vielfach dienstliche Reisen ins Ausland machen, so wird man auch diese in den Kreis der Immunität *ratione personae* genießenden Regierungsmitglieder einzubeziehen haben.[1481] Hinter dieser völkergewohnheitsrechtlichen Immunität treten völkerrechtliche Bestrafungspflichten zurück, so dass sich ein Staat nicht unter Berufung auf völkerrechtliche Bestrafungspflichten über diese Immunität hinwegsetzen kann.[1482]

Amtierende Staatsoberhäupter, Regierungschefs und Minister genießen also uneingeschränkte Immunität *ratione personae* und damit auch Immunität in Bezug auf völkerrechtliche Verbrechen gegenüber der Gerichtsbarkeit für sie fremder Staaten. Die Privilegierung dieser Funktionsträger ist nicht nur mit ihrer Stellung als hohe Repräsentanten ihres Staates zu erklären, sondern auch damit, dass sie im zwischenstaatlichen Verkehr wichtige Funktionen wahrnehmen. Für die Sicherung des Friedens und der Menschenrechte ist es unabdingbar, dass die Staaten in ständigem Kontakt zueinander stehen und stets in der Lage sind, miteinander auch in Form von Besuchen der obersten Akteure zu kommunizieren. Hierfür aber ist die mit einer vollständigen Immunität verbundene Sicherheit vor Strafverfolgung eine Grundvoraussetzung.

Aus diesen Gründen für die Immunität *ratione personae* folgt aber zugleich, dass sie die Amtszeit der jeweiligen Person nicht überdauern kann. Nach Beendigung

---

1479 IGH, Urteil im Verfahren *Democratic Republic of the Congo vs. Belgium* vom 14.2.2002, ILM 41 (2002), 536, <www.icj-cij.org> (1.1.2006), para. 54 f., 58. Vgl. zu dieser Entscheidung *Cassese*, EJIL 13 (2002), 853 ff.; *Kreß*, GA 2003, 25 ff.; *Schultz*, ZaöRV 62 (2002), 703 ff.; *Weiß*, JZ 2002, 696 ff.; *Wirth*, EJIL 13 (2002), 877 ff.; *Zeichen/Hebenstreit*, AVR 41 (2003), 182 ff. Wie der IGH schon zuvor auch einzelne Voten in den *Pinochet*-Urteilen des britischen House of Lords: Lord *Steyn* in der ersten Entscheidung vom 25.11.1998, HRLJ 1998, 419 (439); Lord *Millett* in der zweiten Entscheidung vom 24.3.1999, HRLJ 1999, 61 (98).

1480 So auch *Epping*, in: Ipsen, Völkerrecht, § 26 Rn. 36; *Knoops*, Law of International Criminal Tribunals, S. 69; *Weiß*, JZ 2002, 696 (698); *Wickremasinghe*, in: Evans (Hrsg.), International Law, S. 387 (401).

1481 So wohl auch *Cassese*, International Criminal Law, S. 264 f., wenn er allgemein von *senior members of cabinet* spricht. Anderer Ansicht aber *Kreß*, GA 2003, 25 (32 f.); *Orakhelashvili*, AJIL 96 (2002), 677 (681).

1482 IGH, Urteil im Verfahren *Democratic Republic of the Congo vs. Belgium* (vgl. oben Anm. 1479), para. 59. Siehe hierzu auch schon oben S. 16.

ihrer Funktion genießen Staatsoberhäupter und Regierungsmitglieder keine besondere Immunität mehr. Sie können sich jedoch für ihr dienstliches, ihrem Staat zuzurechnendes Handeln auf die Immunität *ratione materiae* der allgemeinen Staatenimmunität berufen.[1483] Doch erfährt diese bei völkerrechtlichen Verbrechen – wie gezeigt – eine Ausnahme.[1484] Die Staatenpraxis bestätigt diese Feststellungen. So hat im Fall *Pinochet* nicht nur Großbritannien dem ehemaligen Diktator eine völkerrechtliche Immunität abgesprochen,[1485] sondern haben auch etliche andere Staaten Ermittlungsverfahren eingeleitet. Diese Staatenpraxis zeigt also, dass ehemaligen Staatsoberhäuptern und Regierungsmitgliedern keine besondere Immunität mehr zukommt, sondern sie lediglich für ihre dienstlichen Handlungen zeitlich unbegrenzt die Immunität *ratione materiae* der Staatenimmunität genießen. Da diese aber bei Völkerstraftaten nicht gilt, steht ihnen keine Immunität in Bezug auf völ-

---

1483 Vgl. *Dahm/Delbrück/Wolfrum*, Völkerrecht, Bd. I/1, S. 254 f.; *Dörr*, AVR 41 (2003), 201 (205); *Hailbronner*, in: Graf Vitzthum (Hrsg.), Völkerrecht, 3. Abschn. Rn. 52; *Ruffert*, NILR 2001, 171 (178 f.); *Seidl-Hohenveldern/Stein*, Völkerrecht, Rn. 1497; *Wirth*, Jura 2000, 70 (72); *ders.*, NStZ 2001, 665 (666 f.); *ders.*, EJIL 13 (2002), 877 (888 ff.).

1484 Ausgehend von der Feststellung, dass Staatsoberhäupter und Regierungsmitglieder nach Funktionsbeendigung nur noch für ihr früheres amtliches Handeln Immunität genießen (vgl. die Nachweise oben in Anm. 1483), wird mit dem Ziel einer Verneinung von Immunität für völkerrechtliche Verbrechen für ehemalige Staatsoberhäupter zum Teil argumentiert, die Begehung völkerrechtlicher Verbrechen könne nicht als amtliches Handeln bewertet werden, da die Begehung solcher Taten nicht zum legitimen Aufgabenbereich von Staaten gehöre. So z.B. das Votum von Lord *Nicholls of Birkenhead* im 1. *Pinochet*-Urteil des House of Lords vom 25.11.1998, HRLJ 19 (1998), 419 (438); das Sondervotum der Richter *Higgins*, *Kooijmans* und *Buergenthal* zum Urteil des IGH im Verfahren *Democratic Republic of the Congo vs. Belgium* vom 14.2.2002, Ziff. 85 sowie *Ambos*, JZ 1999, 16 (23) und *Kreß*, GA 2003, 25 (36 f.). Doch ist diese Argumentation schon deshalb zurückzuweisen, weil eine solche „Privatisierung" der Taten eine Relativierung des Unrechts zur Folge hätte und zugleich bedeutete, dass der hinter der Tat stehende Staat nicht völkerrechtlich verantwortlich gemacht werden könnte. Vgl. *Bothe*, ZaöRV 31 (1971), 246 (255); *Wirth*, EJIL 13 (2002), 877 (890 f.) sowie die Voten von Lord *Slynn of Hadley* (vgl. HRLJ 1998, 419 [423]) und Lord *Lloyd of Berwick* (HRLJ 1998, 419 [432]) im 1. *Pinochet*-Urteil. Ablehnend auch *Dahm/Delbrück/Wolfrum*, Völkerrecht, Bd. I/3, S. 1019 Fn. 113; *Bosch*, Immunität und internationale Verbrechen, S. 89 f. Wenn man jedoch wie hier davon ausgeht, dass sich ehemalige Staatsoberhäupter und Regierungsmitglieder für ihr amtliches Handeln auf die Staatenimmunität berufen können und deshalb für dieses grundsätzlich nicht verantwortlich gemacht werden können, so lässt sich die Möglichkeit ihrer Bestrafung wegen völkerrechtlicher Verbrechen mit der gewohnheitsrechtlichen Ausnahme der Staatenimmunität bei völkerrechtlichen Verbrechen auch dann begründen, wenn man der traurigen Wahrheit folgend die Taten als Amtshandlungen klassifiziert.

1485 Vgl. Urteil des House of Lords vom 25.11.1998, ILM 37 (1998), 1302 = HRLJ 19 (1998), 419; Urteil des House of Lords vom 24.3.1999, ILM 38 (1999), 581 = HRLJ 20 (1999), 61. Die Entscheidungen des House of Lords im Fall *Pinochet* bestätigen damit auch erneut die Nichtgeltung der Staatenimmunität bei völkerrechtlichen Verbrechen. Vgl. zu den Entscheidungen *Ambos*, JZ 1999, 16 ff.; *Hailbronner*, in: Graf Vitzthum (Hrsg.), Völkerrecht, 3. Abschn. Rn. 53 ff.; *Wirth*, Jura 2000, 70 ff.

kerrechtliche Verbrechen mehr zu, selbst wenn sie diese – wie in aller Regel der Fall – in amtlicher Funktion begangen haben.[1486]

Für die hier interessierenden Kompetenzen der Staaten zu einer nationalen Strafverfolgung völkerrechtlicher Verbrechen bedeutet dies, dass amtierende Staatoberhäupter, Regierungschefs und Minister fremder Staaten vollständige Immunität von strafrechtlicher Verantwortlichkeit gegenüber der nationalen Gerichtsbarkeit anderer Staaten genießen, die auch bei völkerrechtlichen Verbrechen keine Ausnahme erfährt, also die Staaten an einer nationalen Strafverfolgung wegen völkerrechtlicher Verbrechen hindert.[1487] Nach Beendigung ihrer Funktion jedoch genießen

---

1486 Allerdings lassen sich die Ausführungen im Urteil des IGH im Verfahren *Democratic Republic of the Congo vs. Belgium* (vgl. oben Anm. 1479), para. 61 auch anders lesen. Wenn dort in einem obiter dictum betont wird, ehemalige Außenminister könnten von anderen Staaten bestraft werden, sofern die während der Amtszeit begangene Tat als *Privathandlung* zu klassifizieren ist, so ist diese Feststellung dann, sofern man sie als abschließend ansieht, mit dem heutigen Stand des Völkerrechts nicht vereinbar. So auch *Cassese*, EJIL 13 (2002), 853 (866 ff.); *ders.*, JICJ 1 (2003), 437 (445 ff.); *Gaeta*, JICJ 1 (2003), 186 (189 ff.); *Wirth*, EJIL 13 (2002), 877 (888 ff.). Die enttäuschend schwachen, in der Sache unnötigen und mit dem Völkerrecht so nicht vereinbaren Ausführungen in para. 61 des Urteils dürfen jedoch nicht überbewertet werden, sondern können nur als (wenig durchdachte und unzulässig pauschalierende) beispielhafte Aufzählung von Immunitätsausnahmen angesehen werden, die ergänzt werden müssen um die Ausnahme von der Immunität für amtliches Handeln bei völkerrechtlichen Verbrechen. Insofern sollte nicht der „Fehler" gemacht werden, mit der in Anm. 1484 skizzierten Argumentation die Ausführungen des IGH als abschließend und mit der tatsächlichen Rechtslage übereinstimmend darzustellen.

1487 Es lässt sich auch nicht unter Verweis auf den Immunitätsausschluss des Art. IV der Völkermordkonvention behaupten, die Immunität gelte für Völkermordtaten von Staatsoberhäuptern von Vertragsstaaten der Konvention aufgrund dieser Sonderregelung generell nicht. Der dort festgelegte vertragliche Immunitätsausschluss umfasst zwar auch amtierende Staatsoberhäupter und Regierungsmitglieder, doch ist Art. IV im Zusammenhang mit Art. VI der Konvention zu sehen und kann daher nur für Bestrafungen durch die Tatortstaaten gelten, womit ihm kaum praktische Relevanz zukommen dürfte. Zu ungenau daher *Wirth*, NStZ 2001, 665 (667). Wie hier dagegen die belgische Cour de cassation im Urteil vom 12.2.2003 zum Fall *Sharon*; vgl. *Cassese*, JICJ 1 (2003), 437 (439); *Rau*, HuV-I 2003, 92 (96). Der Cour de cassation zustimmend *Cassese*, a.a.O., S. 441. Soweit durch Art. 27(2) IStGH-Statut die umfassende Immunität *ratione personae* amtierender Staatsoberhäupter und Regierungsmitglieder in Bezug auf supranationale Strafverfolgungen durch den IStGH für unbeachtlich erklärt wird, lässt sich die Völkerrechtskonformität dieses Exemtionsausschlusses in Bezug auf Staatsoberhäupter und Regierungsmitglieder von Vertragsstaaten des Römischen Statuts unschwer damit begründen, dass diese Staaten sich durch ihre Ratifikation des Statuts mit dessen Art. 27(2) einverstanden erklärt und mithin gegenüber der Gerichtsbarkeit des IStGH – nicht aber auch zugleich gegenüber der Gerichtsbarkeit anderer Staaten! – auf die rechtlich ihnen zustehende Exemtion ihres Staatsoberhaupts und ihrer Regierungsmitglieder verzichtet haben. Schwierig zu beurteilen ist dagegen die Völkerrechtskonformität des Art. 27(2) IStGH-Statut insoweit, als auch die Immunität *ratione personae* amtierender Staatsoberhäupter und Regierungsmitglieder von Nicht-Vertragsstaaten des Statuts für unbeachtlich erklärt wird. Will man nicht insoweit eine partielle Völkerrechtswidrigkeit des Art. 27(2) IStGH-Statut konstatieren (so *Wirth*, CLF 12 [2001], 429 [453]), muss man einen völkergewohnheitsrechtlichen Exemtionsausschluss speziell gegenüber supranationalen Gerichten wie dem IStGH annehmen. An-

diese Personen keine besondere völkerrechtliche Exemtion von strafrechtlicher Verantwortlichkeit mehr und können daher im Rahmen nationaler Strafverfolgungen wegen völkerrechtlicher Verbrechen – auch wegen solcher, die sie während ihrer Amtszeit in amtlicher Funktion begangen haben – ohne Einschränkung durch völkerrechtliche Immunitäten zur Verantwortung gezogen werden.[1488]

dd) Diplomatische und konsularische Exemtionen

Die Reichweite der diplomatischen und konsularischen Exemtionen bestimmt sich nach dem WÜD von 1961[1489] und dem WÜK von 1963.[1490] Da deren Exemtionsregelungen heutzutage auch völkergewohnheitsrechtlich anerkannt sind,[1491] gelten die Exemtionsregelungen des WÜD und WÜK der Sache nach auch im Verhältnis zu Nicht-Signatarstaaten des WÜD und WÜK.

Der Umfang der vom WÜD und WÜK gewährten Exemtionen ist abhängig vom Status der geschützten Personen. Diplomaten genießen gemäß Art. 31(1)(1) WÜD umfassende Immunität *ratione personae*. Diese ist unabhängig davon, ob die einem Diplomaten vorgeworfene Tat als dienstliche oder private Handlung einzustufen ist bzw. vor Dienstbeginn oder während der Zeit als im Empfangsstaat akkreditierter

---

gesichts der Zahl von mittlerweile 100 Vertragsstaaten des Römischen Statuts und des insgesamt großen Zuspruchs, den der IStGH erfährt, erscheint die Annahme einer solchen (begrenzten) völkergewohnheitsrechtlichen Ausnahme – anders als eine Ausnahme auch in Bezug auf die Gerichtsbarkeit einzelner Staaten – durchaus vertretbar (vgl. diesbezüglich *Kreß*, GA 2003, 25 [39 ff.]).

1488 Zu diesem Ergebnis kommen auch MK-StGB-*Ambos*, vor § 3 Rn. 142 f.; *ders.*, JZ 1999, 16 (23); *Cassese*, EJIL 13 (2002), 853 (865 ff.); *Gornig*, in: Ipsen u.a. (Hrsg.), FS Rauschning, S. 457 (480 ff.); *Kimminich/Hobe*, Völkerrecht, S. 296 f.; *Kreß*, NStZ 2000, 617 (622); *Werle*, Völkerstrafrecht, Rn. 456 f.; *Wirth*, NStZ 2001, 665 (667); *ders.*, EJIL 13 (2002), 877 (888 ff.); *Zappalà*, EJIL 12 (2001), 595 (599 ff.); *Zehnder*, Immunität von Staatsoberhäuptern, S. 152 ff., wenngleich *Ambos* und *Gornig* dies nicht mit der allgemein anerkannten Ausnahme von der Staatenimmunität bei völkerrechtlichen Verbrechen begründen, sondern – obwohl sie die Immunität *ratione materiae* von Staatsoberhäuptern mit der Staatenimmunität gleichsetzen – mit der (problematischen) Behauptung, völkerrechtliche Verbrechen könnten nicht als Amtshandlungen eingestuft werden und unterfielen deshalb nicht der fortgeltenden Immunität *ratione materiae*. Wie hier dagegen *Wirth*, a.a.O.; *Zappalà*, a.a.O. Vgl. auch *Ruffert*, NILR 2001, 171 (185 ff.) und die Entscheidung OLG Köln NStZ 2000, 667.

1489 *Wiener Übereinkommen über diplomatische Beziehungen* vom 18.4.1961; BGBl. 1964 II, S. 959.

1490 *Wiener Übereinkommen über konsularische Beziehungen* vom 24.4.1963; BGBl. 1969 II, S. 1585.

1491 Vgl. die Entscheidungen des IGH zum „Teheraner Geiselfall“, ICJ-Reports 1979, 7 (19 f.) und ICJ-Reports 1980, 3 (24, 31); *Doehring*, Völkerrecht, Rn. 490, 674; *Fischer*, in: Ipsen, Völkerrecht, § 35 Rn. 3, 34; *Seidenberger*, Diplomatische und konsularische Immunitäten, S. 17, 21, 84 f., 374, 407.

Diplomat begangen wurde. Während ihrer Amtszeit sind Diplomaten der Strafgerichtsbarkeit des Empfangsstaates mithin vollständig entzogen.[1492]

Familienmitglieder von Diplomaten und Mitglieder des Verwaltungs- und technischen Personals einer diplomatischen Mission (Sekretärinnen, Übersetzer) genießen gemäß Art. 37 Abs. 1 und 2 WÜD grundsätzlich in gleichem Umfang Exemtionen von strafrechtlicher Verantwortlichkeit wie Diplomaten.[1493] Dagegen ist Mitgliedern des dienstlichen Hauspersonals (Fahrer, Hausmeister) gemäß Art. 37(3) WÜD lediglich Immunität *ratione materiae* zu gewähren, also keine personenbezogene, sondern eine auf dienstliche Handlungen bezogene Immunität. Diese Personen sind bloß für während der Ausübung ihres Dienstes begangene und mit der Erfüllung anerkannter diplomatischer Aufgaben in innerem Zusammenhang stehende Handlungen der Strafgerichtsbarkeit des Empfangsstaates entzogen.[1494]

Konsularbeamte (sowohl Berufs- als auch Honorarkonsuln) und Angehörige des Verwaltungs- und technischen Personals einer berufskonsularischen Vertretung steht gemäß Art. 43(1), 58(2) WÜK ebenfalls nur Immunität *ratione materiae* zu, und zwar für die in Wahrnehmung konsularischer Aufgaben vorgenommenen Handlungen.[1495]

Hinsichtlich der zeitlichen Reichweite der diplomatischen und konsularischen Exemtionen, auf die gemäß Art. 32(1) WÜD bzw. Art. 45(1) WÜK der Entsende-

---

1492 Vgl. *Dahm/Delbrück/Wolfrum*, Völkerrecht, Bd. I/1, S. 278; *Fischer*, in: Ipsen, Völkerrecht, § 35 Rn. 43; KK-StPO-*Pfeiffer*, § 18 GVG Rn. 3.

1493 Vgl. Vgl. *Dahm/Delbrück/Wolfrum*, Völkerrecht, Bd. I/1, S. 283; *Fischer*, in: Ipsen, Völkerrecht, § 35 Rn. 51, 54; KK-StPO-*Pfeiffer*, § 18 GVG Rn. 3.

1494 Vgl. *Denza*, Diplomatic Law, S. 337; *Fischer*, in: Ipsen, § 35 Rn. 54; KK-StPO-*Pfeiffer*, § 18 GVG Rn. 3. Diplomaten, die Angehörige des Empfangsstaates oder in diesem ständig ansässig sind, kommt gleichfalls allein Immunität *ratione materiae* zu, jedoch in einem gegenüber der Immunität nach Art. 37(3) WÜD eingeschränkten Umfang: Sie sind nur für solche Handlungen der Strafgerichtsbarkeit des Empfangsstaates entzogen, die als unmittelbare diplomatische *Amts*handlungen einzustufen sind (Art. 38(1) WÜD). Vgl. *Richtsteig*, Übereinkommen über diplomatische und konsularische Beziehungen, S. 91. Andere Mitglieder einer diplomatischen Mission sowie Familienangehörige von Diplomaten genießen, wenn sie Angehörige des Empfangsstaates oder in diesem ständig ansässig sind, nach dem WÜD keinerlei Exemtionen, können sich aber gegebenenfalls unabhängig vom WÜD auf die allgemeine Staatenimmunität berufen; vgl. *Denza*, Diplomatic Law, S. 342. Anderer Ansicht BVerfGE 96, 68 (91) = NJW 1998, 50 (54).

1495 Vgl. *Fischer*, in: Ipsen, Völkerrecht, § 38 Rn. 12; KK-StPO-*Pfeiffer*, § 19 GVG Rn. 3. Diese Immunität *ratione materiae* umfasst alle dienstlichen Handlungen, nicht nur die eigentlichen konsularischen *Amts*handlungen, so dass beispielsweise auch Fahrten mit Kraftfahrzeugen zu und von Dienstgeschäften der Immunität unterfallen. Sofern ein Konsularbeamter aber Angehöriger des Empfangsstaates oder in diesem ständig ansässig ist (wie dies regelmäßig bei Honorarkonsuln der Fall ist), genießt er jedoch gemäß Art. 71(1) WÜK lediglich Immunität *ratione materiae* für seine unmittelbaren *Amts*handlungen. Vgl. *Richtsteig*, Übereinkommen über diplomatische und konsularische Beziehungen, S. 216, 252, 268; *Seidenberger*, Diplomatische und konsularische Immunitäten, S. 119 f.

staat (aber auch nur dieser!) jederzeit verzichten kann,[1496] ist zu differenzieren. Die Immunitäten *ratione personae* der Diplomaten, der Mitglieder des Verwaltungs- und technischen Personals einer diplomatischen Mission und ihrer Familienangehörigen enden gemäß Art. 39(2)(1) WÜD mit der Ausreise nach Dienstbeendigung bzw. mit Ablauf einer für die Ausreise angemessenen Frist.[1497] Für ihre dienstlichen Handlungen besteht die Immunität jedoch gemäß Art. 39(2)(2) WÜD zeitlich unbegrenzt fort.[1498] Man kann daher sagen, dass diese Personen nach Dienstbeendigung weiterhin Immunität *ratione materiae* für ihre dienstlichen Handlungen genießen. Diese Immunität *ratione materiae* ist gewissermaßen während der Dienstzeit als Teilmenge in der umfassenden Immunität *ratione personae* mit enthalten.

Bei denjenigen Personen, denen ohnehin allein Immunität *ratione materiae* zukommt, stellt sich die Frage einer zeitlichen Begrenzung nicht. Diese gilt auch nach Dienstbeendigung unverändert weiter (vgl. Art. 39(2)(2) WÜD; Art. 53(4) WÜK). Die zeitlich unbeschränkte Immunität *ratione materiae* für Diensthandlungen wird mit ihrer Nähe zur allgemeinen Staatenimmunität begründet. Denn wenn eine Strafverfolgung wegen dienstlicher Handlungen durchgeführt würde, würde indirekt fremdstaatliches Handeln zum Gegenstand der Jurisdiktionsgewalt des Empfangsstaates gemacht und damit der Grundsatz der souveränen Gleichheit der Staaten tangiert. Diese Folge würde unabhängig davon eintreten, ob im Zeitpunkt des Verfahrens der Beschuldigte noch Mitglied einer diplomatischen oder konsularischen Vertretung ist oder nicht.[1499]

Im Hinblick auf die hier allein interessierende Reichweite der diplomatischen und konsularischen Exemtionen bei völkerrechtlichen Verbrechen ist die Feststellung bedeutsam, dass die Immunitäten *ratione materiae* des Diplomaten- und Konsularrechts mit der allgemeinen Staatenimmunität (die ebenfalls eine Immunität *ratione materiae* ist) *nicht* identisch sind, also keine spezielle Ausprägung der Staatenimmunität sind.[1500] Denn einerseits sind die Immunitäten *ratione materiae* des Diplomaten- und Konsularrechts nicht auf *acta iure imperii* beschränkt,[1501] andererseits umfassen sie nur solche dienstlichen Handlungen, die der Erfüllung diplo-

---

1496 Vgl. *Dahm/Delbrück/Wolfrum*, Völkerrecht, Bd. I/1, S. 280 f., 312; *Fischer*, in: Ipsen, Völkerrecht, § 35 Rn. 49 ff.

1497 Vgl. BVerfGE 96, 68 (80, 89) = NJW 1998, 50 (51, 54); *Fischer*, in: Ipsen, Völkerrecht, § 35 Rn. 42; KK-StPO-*Pfeiffer*, § 18 GVG Rn. 6.

1498 Vgl. BVerfGE 96, 68 (80, 89) = NJW 1998, 50 (51, 54); *Fischer*, in: Ipsen, Völkerrecht, § 35 Rn. 42; KK-StPO-*Pfeiffer*, § 18 GVG Rn. 6.

1499 Vgl. *Doehring*, Völkerrecht, Rn. 679 mit Fn. 34; *Fischer*, in: Ipsen, Völkerrecht, § 35 Rn. 42.

1500 Vgl. BVerfGE 96, 68 (85) = NJW 1998, 50 (53); *Dinstein*, ICLQ 15 (1966), 76 (87 f.); *ders.*, Consular Immunity, S. 49 ff.

1501 Vgl. BVerfGE 96, 68 (85) = NJW 1998, 50 (53); *Seidenberger*, Diplomatische und konsularische Immunitäten, S. 104 ff.

matischer bzw. konsularischer Aufgaben dienen.[1502] Diese Unterschiede werden allerdings in der Literatur vielfach verkannt.[1503]

Zur Frage des Verhältnisses der Staatenimmunität zu den Immunitäten des Diplomaten- und Konsularrechts hat das deutsche BVerfG in einem wichtigen Grundsatzbeschluss aus dem Jahr 1997 Stellung bezogen und dabei zutreffend festgestellt, dass die diplomatischen und konsularischen Exemtionen, und zwar sowohl die Immunitäten *ratione personae* als auch die Immunitäten *ratione materiae*, anders als die Staatenimmunität keine Ausnahmen bei besonders schweren Straftaten kennen.[1504] Die diplomatischen und konsularischen Exemtionen gelten also auch dann, wenn sich der Tatvorwurf auf die Begehung völkerrechtlicher Verbrechen bezieht.[1505]

Dies ergibt sich schon daraus, dass das WÜD und WÜK (und damit auch das parallele Völkergewohnheitsrecht) keine Ausnahmeklausel für völkerrechtliche Verbrechen enthalten.[1506] Auch kann nicht angenommen werden, dass sich mittlerweile neues, die Regelungen des WÜD und WÜK modifizierendes Völkergewohnheitsrecht dahingehend gebildet hat, dass Völkerstraftaten dem Immunitätsschutz nicht mehr unterfallen.[1507] Denn eine entsprechende Staatenpraxis ist nicht nachweisbar. Umgekehrt folgt vielmehr aus Art. 98(1) IStGH-Statut, der festlegt, dass der IStGH von Empfangsstaaten nur dann eine Überstellung von Mitgliedern diplomatischer und konsularischer Vertretungen verlangen darf, wenn der Entsendestaat zuvor auf die Immunität verzichtet hat, dass die Immunitäten nach dem Willen der Staaten für die Empfangsstaaten auch dann beachtlich sein sollen, wenn sich der Tatvorwurf auf die Begehung völkerrechtlicher Verbrechen bezieht. Da die Immunitäten *ratione materiae* des Diplomaten- und Konsularrechts nicht mit der allgemeinen Staatenimmunität deckungsgleich sind, kann auch nicht von der anerkannten Ausnahme von der Staatenimmunität bei völkerrechtlichen Verbrechen[1508]

1502 Vgl. *Richtsteig*, Übereinkommen über diplomatische und konsularische Beziehungen, S. 217; *Seidenberger*, Diplomatische und konsularische Immunitäten, S. 111, 410 f.

1503 Vgl. nur *Cassese*, International Criminal Law, S. 265 ff.; *Dahm/Delbrück/Wolfrum*, Völkerrecht, Bd. I/1, S. 277, 311; *Doehring*, Völkerrecht, Rn. 679 mit Fn. 34.

1504 Vgl. BVerfGE 96, 68 (82 ff.) = NJW 1998, 50 (52 f.).

1505 Ebenso BVerfGE 96, 68 (82 ff.) = NJW 1998, 50 (52 f.); *Fischer*, in: Ipsen, Völkerrecht, § 35 Rn. 43; *Hailbronnner*, in: Graf Vitzthum (Hrsg.), Völkerrecht, 3. Abschn. Rn. 67; *Nahlik*, RdC 1990 III, 187 (252, 254); *Rüping*, in: Gössel u.a. (Hrsg.), FS Kleinknecht, S. 397 (404 f.); *Vogler*, ZStW 92 (1980), 1021 (1031). Anderer Ansicht für die Immunitäten *ratione materiae Werle*, Völkerstrafrecht, Rn. 456 f. und wohl auch *Kreß*, NStZ 2000, 617 (622).

1506 Vgl. *Nahlik*, RdC 1990 III, 187 (254); *Rüping*, in: Gössel u.a. (Hrsg.), FS Kleinknecht, S. 397 (403 f.).

1507 So aber *Lüke*, Immunität staatlicher Funktionsträger, S. 81 ff.

1508 Siehe hierzu oben S. 273 ff.

auf eine ebensolche zumindest bei den Immunitäten *ratione materiae* des Diplomaten- und Konsularrechts geschlossen werden.[1509]

Legitimiert werden kann die ausnahmslose Geltung der diplomatischen und konsularischen Exemtionen unter Rückgriff auf die vorherrschende „Funktionstheorie“[1510] damit, dass der Austausch ständiger Vertreter auch zwischen Staaten unterschiedlicher Rechts- und Sozialordnungen nur möglich ist, wenn die Vertreter die Gewissheit haben können, unbeeinträchtigt von der Staatsgewalt des Empfangsstaates ihrer Arbeit nachkommen zu können. Der Austausch ständiger Vertreter ist aber für die Sicherung des Friedens und damit auch der Menschenrechte von größter Bedeutung, so dass die Exemtion von der Strafgewalt des Empfangsstaates „als geringeres Übel“ akzeptabel ist.

In Bezug auf völkerrechtliche Bestrafungspflichten[1511] heißt dies, dass die diplomatischen und konsularischen Immunitäten vorrangig sind, also die Bestrafungspflichten ausnahmsweise nicht gelten, sofern die beschuldigte Person diplomatische bzw. konsularische Immunität genießt.[1512]

Dennoch bedeuten diese Feststellungen nicht zwangsläufig Straflosigkeit von Mitgliedern diplomatischer und konsularischer Vertretungen bei völkerrechtlichen Verbrechen. Denn die Immunitäten *ratione materiae* sind auf diplomatische bzw. konsularische Diensthandlungen beschränkt. Es ist aber praktisch kaum ein Fall denkbar, in dem die Begehung eines völkerrechtlichen Verbrechens als der Erfüllung anerkannter diplomatischer bzw. konsularischer Funktionen (Art. 3 WÜD, Art. 5 WÜK) dienende dienstliche Tat eingestuft werden kann. Damit dürften in aller Regel die diplomatischen und konsularischen Exemtionen *ratione materiae* trotz ihrer grundsätzlichen Geltung bei völkerrechtlichen Verbrechen keine Schranke für eine Strafverfolgung darstellen.[1513]

Anders ist die Situation jedoch bezüglich der Immunitäten *ratione personae* des Diplomatenrechts. Da diese die geschützten Personen umfassend von der Strafgerichtsbarkeit des Empfangsstaates befreien, können sie im Einzelfall durchaus einer nationalen Ahndung völkerrechtlicher Verbrechen entgegenstehen, etwa der Ahndung eines Kriegsverbrechens, das die betreffende Person vor ihrer Zeit als Diplomat im Rahmen einer früheren Tätigkeit als Soldat begangen hat. Doch zum einen endet diese umfassende Immunität – wie gesagt – mit Ende der Dienstzeit, so dass

---

1509 Vgl. *Dinstein*, ICLQ 15 (1966), 76 (87 f.); *ders.*, Consular Immunity, S. 51 f. Anders aber *Doehring/Ress*, AVR 37 (1999), 68 (83 f.) und *Werle*, Völkerstrafrecht, Rn. 451 ff.

1510 Vgl. *Doehring*, Völkerrecht, Rn. 500, 657, 675; *Fischer*, in: Ipsen, Völkerrecht, § 35 Rn. 34.

1511 Vgl. diesbezüglich die Ausführungen oben auf S. 8 ff.

1512 Vgl. IGH, Urteil im Verfahren *Democratic Republic of the Congo vs. Belgium* (oben Anm. 1479), para. 59. Siehe hierzu auch schon oben S. 16.

1513 Ähnlich *Wirth*, CLF 12 (2001), 429 (439).

dann eine nationale Strafverfolgung regelmäßig möglich wird, wenngleich die betreffende Person sich durch rechtzeitige Ausreise aus dem Empfangsstaat dessen Zugriff entziehen dürfte. Zum anderen gelten die diplomatischen und konsularischen Exemtionen (auch die Immunitäten *ratione materiae*) allein im jeweiligen Empfangsstaat.[1514] Für Drittstaaten und supranationale Gerichte wie den IStGH (der seine Strafverfolgungskompetenz ja nicht nur aus der des jeweiligen Empfangsstaats, sondern stets auch aus der von Drittstaaten ableiten kann) können die Exemtionen damit von vornherein keine Schranke für eine Strafverfolgung darstellen.[1515]

Als *Fazit der Betrachtung* der diplomatischen und konsularischen Exemtionen kann festgehalten werden, dass diese nur insoweit einer nationalen Strafverfolgung wegen völkerrechtlicher Verbrechen entgegenstehen können, als es um Mitglieder einer im betreffenden strafverfolgungswilligen Staat errichteten diplomatischen bzw. konsularischen Vertretung geht. Drittstaaten sind an einer nationalen Strafverfolgung völkerrechtlicher Verbrechen nicht durch diplomatische oder konsularische Exemtionen gehindert. Überdies stehen bei Personen, die lediglich Immunität *ratione materiae* genießen, diplomatische bzw. konsularische Exemtionen nur in dem (wohl rein theoretischen) Fall einer Strafverfolgung entgegen, dass die Tat als diplomatische bzw. konsularische Diensthandlung einzustufen ist. Eine Schranke mit praktischer Relevanz stellen damit allein die Immunitäten *ratione personae* der Diplomaten, der Mitglieder des Verwaltungs- und technischen Personals einer diplomatischen Mission und ihrer Familienangehöriger dar. Diese dürfen während ihrer Dienstzeit vom betreffenden Empfangsstaat überhaupt nicht zur Verantwortung gezogen werden, mithin auch nicht wegen völkerrechtlicher Verbrechen.

ee) Exemtionen für Soldaten

Während Soldaten nach Völkergewohnheitsrecht gegenüber der Hoheitsgewalt anderer Staaten keine besonderen Exemtionen genießen, sich jedoch wie jeder staatliche Funktionsträger auf die Staatenimmunität berufen können (die aber – wie gezeigt – bei völkerrechtlichen Verbrechen eine Ausnahme erfährt),[1516] ergeben sich spezielle völkerrechtliche Exemtionen für Militärangehörige zum Teil aus besonderen völkerrechtlichen Verträgen, die den einvernehmlichen Aufenthalt von

1514 Vgl. BVerfGE 96, 68 (87 ff.) = NJW 1998, 50 (53 f.) m.w.N.; Schönke/Schröder-*Eser*, vor § 3 Rn. 39; *Fischer*, in: Ipsen, Völkerrecht, § 35 Rn. 34, 43; *Hailbronnner*, in: Graf Vitzthum (Hrsg.), Völkerrecht, 3. Abschn. Rn. 68.

1515 Art. 27(2) IStGH-Statut ist damit im Hinblick auf die diplomatischen und konsularischen Exemtionen rein deklaratorisch. Von *Wirth*, CLF 12 (2001), 429 (453), der meint, der IStGH dürfe Diplomaten von Drittstaaten nicht verfolgen, wird verkannt, dass die Immunitäten des Diplomatenrechts stets nur im Empfangsstaat gelten, nicht in Drittstaaten, der IStGH aber seine Verfolgungszuständigkeit von der aller Vertragsstaaten und damit auch von der von Drittstaaten ableiten kann.

1516 Zur Staatenimmunität siehe oben S. 272 ff.

Streitkräften eines Staates im Gebiet eines anderen Staates regeln (so genannte Status of Forces Agreements – SOFAs).[1517] Exemplarisch soll an dieser Stelle auf das NATO-Truppenstatut[1518] hingewiesen werden. Nach diesem kommen Angehörigen der Streitkräfte eines NATO-Vertragsstaates, wenn sie sich dienstlich bedingt im Hoheitsgebiet eines anderen Vertragsstaates aufhalten, dort gewisse Exemtionen von strafrechtlicher Verantwortlichkeit zu. Gemäß Art. VII(1)(b) NATO-TS darf der Aufnahmestaat von vornherein in Bezug auf die vom NATO-TS erfassten Personen nur dann Strafgerichtsbarkeit ausüben, wenn es um die Verfolgung von Taten geht, die im Hoheitsgebiet des Aufnahmestaates begangen worden sind. Sofern Angehörige der Streitkräfte eines anderen NATO-Staates, die sich im Rahmen ihrer dienstlichen Tätigkeit in einem anderen NATO-Staat befinden (und sei es nur zum Zwecke der Weiterreise), beschuldigt werden, im Ausland ein völkerrechtliches Verbrechen, etwa ein Kriegsverbrechen, begangen zu haben, kann gegen sie also durch die Justiz des Aufenthaltsstaates nicht strafrechtlich vorgegangen werden. In Bezug auf sämtliche Auslandstaten genießen die vom NATO-TS geschützten Personen im Aufnahmestaat vollständige Immunität. Dies bedeutet beispielsweise, dass ein US-amerikanischer Soldat, der sich dienstlich in Deutschland aufhält und dem vorgeworfen wird, während des Irak-Krieges im Frühjahr 2003 ein Kriegsverbrechen begangen zu haben, in Deutschland nicht verhaftet werden darf, um ihn nach dem VStGB zur Verantwortung zu ziehen, auch wenn die Tat nach § 8 ff. VStGB i.V.m. § 1 VStGB strafbar ist.[1519]

ff) Exemtionen für Funktionsträger internationaler Organisationen

Völkerrechtliche Exemtionen stehen zudem *Funktionsträgern internationaler Organisationen* zu, jedoch mangels völkergewohnheitsrechtlicher Exemtionsregelungen allein nach Maßgabe der einschlägigen völkerrechtlichen Verträge sowie nur gegenüber der Strafgerichtsbarkeit der jeweiligen Mitgliedsstaaten einer internationalen Organisation. In aller Regel genießen Funktionsträger internationaler Organisationen gegenüber der Strafgewalt der Mitgliedsstaaten lediglich Immunität in Bezug auf ihre im Rahmen ihrer Tätigkeit für die Organisation vorgenommenen dienstlichen Handlungen (Immunität *ratione materiae*).[1520] Damit dürften die

---

[1517] Zu den Sonderregelungen für Angehörige von sog. UN-Friedenstruppen siehe unten S. 287 f.

[1518] *Abkommen zwischen den Parteien des Nordatlantikvertrags über die Rechtsstellung ihrer Truppen (NATO-Truppenstatut)* vom 19.6.1951; BGBl. 1961 II, S. 1190.

[1519] So auch *Birke*, Strafverfolgung nach dem NATO-Truppenstatut, S. 84. Auf die Frage der von Art. VII(2) und (3) NATO-TS normierten Grenzen für die Ausübung von Gerichtsbarkeit bei Taten, die im Gebiet des Aufenthaltsstaates begangen werden, soll an dieser Stelle nicht eingegangen werden. Vgl. hierzu Schönke/Schröder-*Eser*, vor § 3 Rn. 41 f.; LK-StGB-*Gribbohm*, vor § 3 Rn. 360 ff.

[1520] Vgl. Art. 16 f. *Übereinkommen über die Vorrechte und Immunitäten des Internationalen Strafgerichtshofs* vom 9.9.2002, BGBl. 2004 II, S. 1139; Art. 5 Abschn. 18 *Übereın-*

Exemtionen der Bediensteten (Beamte und Angestellte) internationaler Organisationen für eine Strafverfolgung wegen völkerrechtlicher Verbrechen keine praktische Bedeutung erlangen.

Anders sieht die Situation jedoch im Hinblick auf Soldaten von UN-Friedenstruppen *(UN peace-keeping forces)* aus.[1521] UN-Blauhelmsoldaten bleiben zwar Angehörige der Streitkräfte des Staates, der den Vereinten Nationen Truppenkontingente zur Verfügung stellt, doch werden sie, um ihnen einen besonderen Schutz als im Auftrag der Vereinten Nationen tätige Personen zu gewähren, als „Sachverständige im Auftrag der Vereinten Nationen" eingestuft und sind mithin Organe der Vereinten Nationen.[1522] Damit genießen sie für ihre dienstlichen Handlungen Immunität (Immunität *ratione materiae*), und zwar gegenüber der Hoheitsgewalt aller Staaten.[1523] Diese Immunität erfährt keine Ausnahme bei völkerrechtlichen Verbrechen.[1524]

---

kommen über die Vorrechte und Immunitäten der Vereinten Nationen vom 13.2.1946, BGBl. 1980 II, S. 943; Art. 18 *Allgemeines Abkommen über die Vorrechte und Befreiungen des Europarats* vom 2.9.1949, BGBl. 1954 II, S. 494; Art. 12 *Protokoll über Vorrechte und Befreiungen der Europäischen Gemeinschaften* vom 8.4.1965, BGBl. 1965 II, S. 1482; Art. 8(1) *Europol-Immunitätenprotokoll* vom 19.6.1997, BGBl. 1998 II, S. 975 sowie allgemein *Doehring*, Völkerrecht, Rn. 208, 685 ff. und *Fischer*, in: Ipsen, Völkerrecht, § 37 Rn. 8 ff.

1521 Von den Einsätzen von UN-Friedenstruppen zu unterscheiden sind Einsätze von Truppenkontingenten einzelner Staaten, die lediglich vom UN-Sicherheitsrat nach Kap. VII der UN-Charta autorisiert worden sind, militärische Maßnahmen zu ergreifen. Die Soldaten solcher Staaten genießen keinerlei besondere Exemtionen von strafrechtlicher Verantwortlichkeit. So auch *Schotten*, HuV-I 1997, 222 (226).

1522 Vgl. *Bothe/Dörschel*, in: Fleck (Hrsg.), Handbook of the Law of Visiting Forces, S. 490; *Hermsdörfer*, NZWehrr 1997, 100 (102 ff.); *Schotten*, HuV-I 1997, 222 (224 ff.). Kritisch gegenüber der Einordnung als Sachverständige *Fischer*, in: Ipsen, Völkerrecht, § 37 Rn. 9.

1523 Art. VI Abschn. 22 lit. b) *Übereinkommen über die Vorrechte und Immunitäten der Vereinten Nationen* (Anm. 1520).

1524 Dies wird bestätigt durch section 4 *Bulletin on the Observance by United Nations Forces of Humanitarian Law* des UN-Generalsekretärs vom 6.8.1999, ILM 38 (1999), 1656 (1656). Dort wird betont, der Heimatstaat (nicht also ein Drittstaat) sei zu einer Strafverfolgung von UN-Soldaten wegen Verletzungen des humanitären Völkerrechts befugt. Da auf die Immunität gegenüber dem Heimatstaat von den Vereinten Nationen regelmäßig verzichtet wird, kann diese Feststellung nur so verstanden werden, dass die Immunität auch bei völkerrechtlichen Verbrechen gilt. Zudem kann Art. 19 des Abkommens zwischen den Vereinten Nationen und dem IStGH *(Relationship Agreement between the International Criminal Court and the United Nations)* vom 4.10.2004, <www.icc-cpi.int/library/asp/ICC-ASP-3-Res1_English.pdf> (1.1.2006) zur Unterstützung der hier vertretenen Auffassung angeführt werden. In diesem Zusammenhang ist erneut darauf hinzuweisen, dass die Ausnahme, die die Staatenimmunität bei völkerrechtlichen Verbrechen erfährt, nicht ohne weiteres auch für andere Immunitäten *ratione materiae* gilt (siehe hierzu schon oben S. 282 und 283 f.). Allein aus der Tatsache, dass verschiedene Immunitäten funktionsbezogen sind und als Immunitäten *ratione materiae* bezeichnet werden, folgt noch nicht, dass sie inhaltlich deckungsgleich sind.

Zudem werden von den Vereinten Nationen mit dem Staat, in dem die Soldaten stationiert werden, regelmäßig bilaterale Abkommen geschlossen, die eine vollständige Befreiung der UN-Soldaten von der Strafgewalt dieses Staates vorsehen.[1525] Allerdings wird zugleich mit dem jeweiligen „Entsendestaat", also dem Staat, zu dessen Streitkräften die Soldaten gehören, ein Abkommen geschlossen, in dem sich der Entsendestaat verpflichtet, Straftaten, die seine Soldaten während der UN-Mission begehen, zu verfolgen. Insofern verzichten die Vereinten Nationen auf die den Soldaten als „Sachverständige" im Interesse der Vereinten Nationen zukommenden Exemtionen.[1526] Alle Drittstaaten jedoch bleiben an die Immunität *ratione materiae* der Soldaten gebunden, und zwar zeitlich unbegrenzt, also auch noch nach Beendigung der Mission. Dies bedeutet, dass UN-Soldaten, die im Rahmen (und nicht nur bei Gelegenheit) ihrer dienstlichen Tätigkeit Straftaten begehen, etwa Kriegsverbrechen, allein von ihrem Entsendestaat hierfür strafrechtlich zur Verantwortung gezogen werden können, sofern nicht die Vereinten Nationen einen weiteren Immunitätsverzicht erklären.

Einige hochrangige Funktionsträger internationaler Organisationen genießen gegenüber der Staatsgewalt der Mitgliedsstaaten allerdings vollständige Immunität *ratione personae*, sind also deren Strafgewalt wie Diplomaten vollständig entzogen. Dies gilt typischerweise für die Leiter internationaler Organisationen[1527] und für die Richter supranationaler Gerichte.[1528] Diese Exemtionen *ratione personae* gelten auch bei völkerrechtlichen Verbrechen. Doch dürften die Personen, die eine solche Exemtion genießen, in der Praxis nicht als Täter völkerrechtlicher Verbrechen in Erscheinung treten.

[1525] Vgl. *Bothe/Dörschel*, in: Fleck (Hrsg.), Handbook of the Law of Visiting Forces, S. 492 ff. mit Fn. 26; *Dahm/Delbrück/Wolfrum*, Völkerrecht, Bd. I/1, S. 482; *Hermsdörfer*, NZWehrr 1997, 100 (107 f.); *Schotten*, HuV-I 1997, 222 (226). Vgl. auch das bei *Fleck* (Hrsg.), Handbook of the Law of Visiting Forces, S. 603 ff., abgedruckte „Musterabkommen".

[1526] Vgl. das bei *Fleck* (Hrsg.), Handbook of the Law of Visiting Forces, S. 615 ff., abgedruckte „Musterabkommen".

[1527] Vgl. nur Art. 5 Abschn. 19 des Art. 5 *Übereinkommen über die Vorrechte und Immunitäten der Vereinten Nationen* (Anm. 1520), wonach der UN-Generalsekretär diplomatische Vorrechte und Befreiungen genießt.

[1528] Vgl. beispielsweise Art. 48(2) IStGH-Statut (siehe hierzu auch BT-Drucks. 14/2682, S. 112 f.) sowie Art. 15(1) *Übereinkommen über die Vorrechte und Immunitäten des Internationalen Strafgerichtshofs* (vgl. oben Anm. 1520); ferner Art. 30(2) ICTY-Statut (vgl. oben Anm. 91); Art. 29(2) ICTR-Statut (siehe oben Anm. 92); Art. 19 *Statut des Internationalen Gerichtshofs* vom 26.6.1946, BGBl. 1973 II, 505; Art. 3(1) *Protokoll über die Satzung des Gerichtshofs der Europäischen Gemeinschaft* vom 26.2.2001, BGBl. 2001 II, S. 1687; Art. 10 Anlage IV des *Seerechtsübereinkommens der Vereinten Nationen* vom 10.12.1982, BGBl. 1994 II, S. 1799. Vgl. im Hinblick auf die Rechtsstellung internationaler Richter auch *Doehring*, Völkerrecht, Rn. 689 f., 1101 ff.

gg) Exemtionen für Sonderbotschafter

Abschließend soll noch auf die Exemtionen für so genannte Sonderbotschafter hingewiesen werden. Dies sind Personen, die nur zur Erledigung eines bestimmten (Verhandlungs-)Auftrags und mithin für einen eng begrenzten Zeitraum von einem Staat in das Gebiet eines anderen Staates entsandt werden.[1529] Da die im Rahmen der Vereinten Nationen erarbeitete *Convention on Special Missions*[1530] bislang nur von wenigen Staaten ratifiziert wurde, ist der Status der Mitglieder so genannter Spezialmissionen umstritten. Zum Teil wird die Auffassung vertreten, Sonderbotschafter genössen aufgrund der gewohnheitsrechtlichen Geltung der Konventionsbestimmungen (vgl. Art. 31 der Konvention) wie Diplomaten nach dem WÜD umfassende Immunität *ratione personae.*[1531] Dies bedeutete, dass der Empfangsstaat während ihrer Mission kein Strafverfahren wegen völkerrechtlicher Verbrechen gegen sie betreiben dürfte. Andere Stimmen in der Literatur vertreten dagegen – wohl zu Recht – die Auffassung, eine völkergewohnheitsrechtliche Immunität *ratione personae* gebe es (noch) nicht.[1532] Doch wird man anzunehmen haben, dass der Staat, der Sonderbotschafter bzw. Spezialmissionen empfängt, völkerrechtlich verpflichtet ist, diesen die Durchführung der Mission zu ermöglichen. Daraus folgt zwar keine Immunität, wohl aber eine Unverletzlichkeit analog der, die durchreisende Mitglieder diplomatischer und konsularischer Vertretungen in Drittstaaten genießen.[1533] Dies bedeutet, dass zwar Strafverfahren betrieben werden dürfen, aber strafprozessuale Zwangsmaßnahmen wie eine Verhaftung ausscheiden.[1534]

hh) Völkerrechtliche Vorgaben hinsichtlich der Beachtlichkeit nationaler verfassungsrechtlicher Immunitäten

Eine explizite völkerrechtliche Regel des Inhalts, dass es den Staaten verwehrt ist, eine nationale Strafverfolgung völkerrechtlicher Verbrechen unter Verweis auf entgegenstehende nationale verfassungsrechtliche Immunitäten – etwa eine Immunität für Parlamentsabgeordnete oder Regierungsmitglieder – zu unterlassen, gibt es

---

1529 Vgl. *Fischer*, in: Ipsen, Völkerrecht, § 36 Rn. 2.

1530 *Convention on Special Missions* vom 8.12.1969, ILM 1970, 129 = AVR 16 (1974/75), 61.

1531 Vgl. OLG Düsseldorf EuGRZ 1983, 160 (161); OLG Düsseldorf, NJW 1986, 2204 (2204); *Dahm/Delbrück/Wolfrum*, Völkerrecht, Bd. I/1, S. 298; *Doehring*, Völkerrecht, Rn. 513 f.

1532 Vgl. *Fischer*, in: Ipsen, Völkerrecht, § 36 Rn. 1, 9; *Lüke*, Immunität staatlicher Funktionsträger, S. 111 ff.; *Quarch*, Immunität der Sondermissionen, S. 78 f. Offengelassen von BGHSt 32, 275 (287) = NJW 1984, 2048 (2049).

1533 Vgl. Art. 40 WÜD, Art. 54 WÜK.

1534 So schon *Bothe*, ZaöRV 31 (1971), 246 (264 f.). Die praktische Konsequenz – keine Möglichkeit der Verurteilung in Deutschland – dürfte damit jedoch die Gleiche sein wie bei der Annahme von Immunität *ratione personae.*

nicht. Allerdings können mittelbar die völkerrechtlichen Verfolgungspflichten einer Beachtlichkeit verfassungsrechtlicher Immunitäten entgegenstehen. Soweit ein Staat von Völkerrechts wegen verpflichtet ist, eine Person wegen eines von ihr verübten völkerrechtlichen Verbrechens zu verfolgen, kann der betreffende Staat dieser Verpflichtung nicht durch Verweis auf eine der Strafverfolgung entgegenstehende Immunität nach nationalem Verfassungsrecht entgehen.[1535]

b) Rechtslage in den untersuchten Staaten

aa) Regelungen zur Relevanz völkerrechtlicher Exemtionen

Die Staaten sind völkerrechtlich verpflichtet, die völkerrechtlichen Exemtionen in dem Umfang, in dem sie – wie ausgeführt – nach Völkerrecht (auch) bei nationalen Strafverfolgungen völkerrechtlicher Verbrechen maßgeblich sind, innerstaatlich bei solchen Strafverfolgungsaktivitäten zu beachten. *Wie* die Staaten sicherstellen, dass ihre nationalen Strafverfolgungsorgane die völkerrechtlichen Exemtionen beachten (müssen), regelt das Völkerrecht jedoch nicht. In einigen Staaten wird die Verbindlichkeit völkerrechtlicher Exemtionen für die Strafverfolgungsorgane durch Vorschriften der nationalen Verfassung gewährleistet; dies gilt etwa für die Bundesrepublik Deutschland, denn gemäß Art. 25 GG sind die Regeln des Völkergewohnheitsrechts (und damit auch völkergewohnheitsrechtliche Exemtionen) innerstaatlich unmittelbar verbindlich, während völkervertragliche Verpflichtungen (und damit völkervertraglich normierte Exemtionen) durch das jeweilige nationale Zustimmungsgesetz zum betreffenden Vertrag gemäß Art. 59 Abs. 2 GG in nationales, für die deutschen Strafverfolgungsbehörden beachtliches Recht transformiert werden.[1536] In anderen Staaten ergibt sich die innerstaatliche Geltung völkergewohnheitsrechtlicher Exemtionen unmittelbar aus der Maxime "international law is part of the law of the land".[1537] Vielfach finden sich in den nationalen Rechtsordnungen auch besondere Gesetze, die entweder die völkerrechtlichen Exemtions-

---

1535 Die bedeutet aber nicht, dass eine verfassungsrechtliche Immunität wegen einer vorrangigen völkerrechtlichen Verfolgungspflicht für die Strafverfolgungsbehörden des betreffenden Staates ohne weiteres unbeachtlich ist. Vielmehr ist zwischen der innerstaatlichen Rechtslage und der nach Völkerrecht zu differenzieren. Ein Staat, der innerstaatlich verfassungsrechtlichen Immunitäten Vorrang vor völkerrechtlichen Verfolgungspflichten einräumt und auf diese Weise die nationalen Gerichte an einer völkerrechtlich gebotenen nationalen Strafverfolgung völkerrechtlicher Verbrechen hindert, handelt zwar völkerrechtswidrig, doch ist durch diese Völkerrechtswidrigkeit des nationalen Rechts dessen Bindungswirkung für die nationalen Strafverfolgungsorgane nicht aufgehoben. Vgl. in Bezug auf die (problematische!) Rechtslage in Deutschland *Kreicker*, LB Deutschland, Bd. 1, S. 21 (372 mit Fn. 1616).

1536 Siehe *Schweitzer*, Staatsrecht III, Rn. 445 ff., 470 ff.

1537 Siehe oben Anm. 99.

bestimmungen wiederholen oder aber pauschal die Bestimmungen bestimmter Verträge wie des WÜD und WÜK für innerstaatlich anwendbar erklären.[1538]

Im Ergebnis ist damit in den einzelnen Staaten – wenn auch auf verschiedene Art und Weise – sichergestellt, dass die Strafverfolgungsbehörden die völkerrechtlichen Exemtionen beachten müssen. Insofern, als diese – wie geschildert – einer nationalen Strafverfolgung völkerrechtlicher Verbrechen entgegenstehen, sind also nationale Strafverfahren in den einzelnen Staaten untersagt.[1539]

Nationale Regelungen, die – im Widerspruch zum Völkerrecht – festlegen, dass völkerrechtliche Exemtionen generell einer nationalen Strafverfolgung wegen völkerrechtlicher Verbrechen nicht entgegenstehen, gibt es in den untersuchten Staaten nicht. Genauso wenig finden sich Regelungen, die – in potentiellem Widerspruch zu völkerrechtlichen Verfolgungspflichten – festlegen, dass völkerrechtliche Exemtionen in größerem Umfang einer nationalen Strafverfolgung entgegenstehen, als dies vom Völkerrecht verlangt wird.

Damit sind die Feststellungen, die oben zur „völkerstrafrechtlichen Ausgangslage" gemacht wurden,[1540] auch bei nationalen Strafverfolgungen durch die untersuchten Staaten maßgeblich. Hinzuweisen ist an dieser Stelle jedoch zum einen noch darauf, dass in den untersuchten Staaten die Frage, welche Stelle in einem konkreten Fall darüber zu entscheiden hat, ob eine völkerrechtliche Exemtion einer nationalen Strafverfolgung entgegensteht oder nicht, welche Stelle also über die Anwendung und Auslegung der innerstaatlich maßgeblichen völkerrechtlichen Normen entscheidet, unterschiedlich geregelt ist. Während beispielsweise in Deutschland die Strafgerichte in richterlicher Unabhängigkeit über das Vorliegen einer völkerrechtlichen Exemtion entscheiden und nicht an die Rechtsauffassung der Regierung, etwa des Auswärtigen Amtes, gebunden sind,[1541] ist zum Beispiel in England und den USA für die Gerichte die – im Einzelfall zu erfragende – Auffas-

---

1538 Vgl. *Biehler/Kerll*, LB Australien, Bd. 6, S. 19 (62 f. mit Fn. 174); *Cornils*, LB Schweden, Bd. 2, S. 183 (240); *Kouassi/Paulenz*, LB Côte d'Ivoire, Bd. 4, S. 19 (67 f.); *Silverman*, LB USA, Bd. 5, S. 411 (476 f. mit Fn. 369).

1539 Vgl. *Biehler/Kerll*, LB Australien, Bd. 6, S. 19 (62 f.); *Cornils*, LB Schweden, Bd. 2, S. 183 (240); *Gut/Wolpert*, LB Kanada, Bd. 5, S. 19 (56); *Kouassi/Paulenz*, LB Côte d'Ivoire, Bd. 4, S. 19 (67); *Kreicker*, LB Deutschland, Bd. 1, S. 21 (350); *Kremnitzer/Cohen*, LB Israel, Bd. 5, S. 317 (391); *Lammich*, LB Russland/Weißrussland, Bd. 6, S. 351 (384 f.); *Lelieur-Fischer*, LB Frankreich, Bd. 4, S. 225 (293); *Silverman*, LB USA, Bd. 5, S. 411 (474 ff.); *Škulić*, LB Serbien und Montenegro, Bd. 3, S. 211 (268); *Zerbes*, LB Österreich, Bd. 3, S. 85 (151).

1540 Siehe oben S. 269 ff.

1541 Siehe MK-StGB-*Ambos*, vor § 3 Rn. 130; LR-StPO-*Böttcher*, § 18 GVG Rn. 5 f., § 19 GVG Rn. 8; *Dahm/Delbrück/Wolfrum*, Völkerrecht, Bd. I/1, S. 284; *Fischer*, in: Ipsen, Völkerrecht, § 35 Rn. 58; LK-StGB-*Gribbohm*, vor § 3 Rn. 344.

sung der Exekutive maßgeblich;[1542] dort entscheidet also die Regierung für die Gerichte verbindlich darüber, ob eine völkerrechtliche Exemtion in einem konkreten Fall einer Strafverfolgung entgegensteht oder nicht.

Zum anderen ist auf einige in den einzelnen Landesberichten erwähnte Gerichtsentscheidungen hinzuweisen, die die oben skizzierte Reichweite völkerrechtlicher Exemtionen bestätigen.[1543]

In Frankreich hat die *Cour de Cassation* in einem Verfahren, in dem es um die Verantwortlichkeit des libyschen Staatschefs *Muammar al-Gaddafi* für einen vom libyschen Geheimdienst im Jahr 1989 durchgeführten Bombenanschlag auf ein französisches Flugzeug über nigerianischem Staatsgebiet ging, am 13. März 2001 entschieden, dass *Gaddafi* als Staatsoberhaupt uneingeschränkte Immunität genieße und daher nicht verfolgt werden dürfe.[1544]

In Spanien hat die *Audiencia Nacional* in einer Entscheidung vom 22. März 1999 in einem Verfahren gegen den kubanischen Staatschef *Fidel Castro* ebenfalls bestätigt, dass amtierende Staatsoberhäupter nach Völkergewohnheitsrecht uneingeschränkte, also auch völkerrechtliche Verbrechen erfassende Immunität genießen.[1545]

Und in England hat der *Bow Street Magistrates' Court* am 14. Januar 2004 einen Antrag auf Erlass eines Haftbefehls gegen den Präsidenten von Simbabwe, *Robert Mugabe*, wegen Foltertaten abgelehnt und damit gleichfalls die Immunität amtierender Staatsoberhäupter bestätigt.[1546] Dasselbe Gericht hat zudem am 12. Februar 2004 einen Antrag auf Erlass eines Haftbefehls gegen den israelischen Verteidigungsminister *Mofaz* wegen des Verdachts der Verantwortlichkeit für Kriegsverbrechen mit dem Argument abgelehnt, auch Regierungsmitglieder genössen Immunität.[1547] Damit hat das Gericht die oben vertretene Rechtsauffassung bestätigt, dass auch anderen Regierungsmitgliedern als Außenministern nach Völkergewohnheitsrecht Freistellung von fremdstaatlicher Gerichtsbarkeit zukommt.[1548]

1542 *Brownlie*, International Law, S. 359; *Dahm/Delbrück/Wolfrum*, Völkerrecht, Bd. I/1, S. 284; *Denza*, Diplomatic Law, S. 253 ff.; *Fischer*, in: Ipsen, Völkerrecht, § 35 Rn. 58; *Silverman*, LB USA, Bd. 5, S. 411 (474 ff.).

1543 Auf die Entscheidungen israelischer Gerichte im Verfahren gegen *Adolf Eichmann* wurde bereits oben auf S. 274 hingewiesen.

1544 MK-StGB-*Ambos*, vor § 3 Rn. 141 mit Fn. 780; *Lelieur-Fischer*, LB Frankreich, Bd. 4, S. 225 (293).

1545 *Cassese*, EJIL 13 (2002), 853 (860, 866); *ders.*, International Criminal Law, S. 272 mit Fn. 20; *Gil Gil*, LB Spanien, Bd. 4, S. 99 (193).

1546 *Rabenstein/Bahrenberg*, LB England/Wales, Bd. 6, S. 261 (302 Fn. 230); *Warbrick*, ICLQ 53 (2004), 769 (769 f.).

1547 *Rabenstein/Bahrenberg*, LB England/Wales, Bd. 6, S. 261 (302 Fn. 230); *Warbrick*, ICLQ 53 (2004), 769 (771 ff.).

1548 Siehe hierzu oben S. 277.

bb) Regelungen zur Relevanz verfassungsrechtlicher Exemtionen

Ebenso wie die völkerrechtlichen Exemtionen können auch nationale – zumeist verfassungsrechtliche – Exemtionsregelungen einer Strafverfolgung wegen völkerrechtlicher Verbrechen durch einzelne Staaten entgegenstehen.[1549]

In den meisten der untersuchten Staaten genießt das jeweilige *Staatsoberhaupt* Immunität, ist also der Strafgerichtsbarkeit des eigenen Staates entzogen. Die Reichweite dieser Immunität ist allerdings unterschiedlich. So ist beispielsweise die Immunität des Staatsoberhaupts in Deutschland, Estland, Frankreich, Griechenland, Kroatien, Österreich, Polen, Schweden, Serbien und Montenegro sowie in der Türkei umfassend, also sowohl auf private als auch auf dienstliche Handlungen bezogen.[1550] Dagegen kommt den Staatsoberhäuptern von Finnland, Italien und Spanien nur eine Immunität für dienstliche Handlungen zu.[1551] In allen genannten Staaten wirkt die Immunität „lediglich" als zeitlich auf die Amtszeit begrenztes Verfolgungsverbot. Dagegen gilt in England und Wales die alte Maxime "the monarch can do no wrong", das heißt, der persönliche Anwendungsbereich der Strafgesetze von England und Wales erfasst die Königin bzw. den König nicht, so dass dieser sich überhaupt nicht strafbar machen kann.[1552]

Ausnahmen speziell für völkerrechtliche Verbrechen sind zumeist nicht normiert. In Finnland jedoch ist explizit bestimmt, dass die Immunität des Staatsoberhaupts nicht gilt bei Taten, die völkerrechtlich als Verbrechen gegen die Menschlichkeit zu klassifizieren sind.[1553] Und in Frankreich hat der *Conseil Constitutionnel* am 22. Januar 1999 geurteilt, dass ein amtierender französischer Staatspräsident vor der *Haute Cour de Justice* wegen Völkerrechtsverbrechen angeklagt werden könne.[1554]

[1549] Ein grundlegender Unterschied zwischen den völkerrechtlichen und den nationalen (verfassungsrechtlichen) Exemtionen liegt darin, dass Letztere nur für den jeweiligen Staat verbindlich sind, Erstere dagegen zum Teil – wie die Staatenimmunität und die Exemtionen für Staatsoberhäupter – Strafverfolgungen durch alle für die betreffende Person fremde Staaten in gleicher Weise untersagen, also *erga omnes* wirken.

[1550] *Cornils*, LB Schweden, Bd. 2, S. 183 (239); *Kreicker*, LB Deutschland, Bd. 1, S. 21 (371); *Lelieur-Fischer*, LB Frankreich, Bd. 4, S. 225 (290 f.); *Novoselec*, LB Kroatien, Bd. 3, S. 19 (57); *Ploom*, LB Estland, Bd. 5, S. 89 (133); *Retalis*, LB Griechenland, Bd. 5, S. 189 (270); *Škulić*, LB Serbien und Montenegro, Bd. 3, S. 211 (268) (Immunität genießen sowohl der Präsident des Staatenbundes als auch die Präsidenten der beiden Teilrepubliken); *Tellenbach*, LB Türkei, Bd. 6, S. 393 (442); *Weigend*, LB Polen, Bd. 2, S. 77 (136); *Zerbes*, LB Österreich, Bd. 3, S. 85 (151).

[1551] *Frände*, LB Finnland, Bd. 2, S. 21 (68); *Gil Gil*, LB Spanien, Bd. 4, S. 99 (193); *Grammer*, LB Italien, Bd. 4, S. 337 (405).

[1552] *Rabenstein/Bahrenberg*, LB England/Wales, Bd. 6, S. 261 (302). Dies hat die logische Konsequenz, dass eine „Immunitätsaufhebung" nicht in Betracht kommt und selbst im Falle einer Niederlegung der Krone keine strafrechtliche Verantwortlichkeit „auflebt"; vgl. *Rabenstein/Bahrenberg*, a.a.O., S. 302.

[1553] *Frände*, LB Finnland, Bd. 2, S. 21 (68).

[1554] *Lelieur-Fischer*, LB Frankreich, Bd. 4, S. 225 (292).

Es gibt allerdings auch Staaten, deren Staatsoberhäupter keine nationale Immunität genießen, dies gilt etwa für China,[1555] während in den USA umstritten ist, ob dem Präsidenten nach US-Recht eine Freistellung von der US-amerikanischen Strafgerichtsbarkeit zukommt[1556]. Der kanadische CAHWCA[1557] bestimmt explizit, "his act is binding on Her Majesty in right of Canada or a province".[1558]

Die „Gefahr", dass die Immunität des eigenen Staatsoberhaupts eine nationale Strafverfolgung wegen völkerrechtlicher Verbrechen verhindert, wird jedoch dadurch abgemildert, dass in den meisten Staaten die Immunität zum einen – wie erwähnt – nur während der Amtszeit des Staatsoberhaupts gilt und zum anderen durch einen Beschluss des jeweiligen Parlaments jederzeit aufgehoben werden kann – wobei allerdings zu konzedieren ist, dass eine Aufhebung der Immunität eines weiterhin amtierenden Staatsoberhaupts zur Ermöglichung einer Strafverfolgung wegen völkerrechtlicher Verbrechen in der Praxis wohl nicht vorkommen dürfte.[1559]

In einigen Staaten genießen neben dem Staatsoberhaupt auch *Regierungsmitglieder* eine auf nationalem Recht beruhende Immunität; dies gilt etwa für Estland, Griechenland, Polen, Schweden, Serbien und Montenegro, Spanien und die Türkei.[1560] Auch diese Immunität kann zumeist – wenn auch nicht immer wegen jeglicher Straftaten – aufgehoben werden, während speziell auf völkerrechtliche Verbrechen bezogene Ausnahmen nicht normiert sind.[1561] In anderen Staaten –

[1555] *Richter*, LB China, Bd. 6, S. 141 (231).

[1556] *Silverman*, LB USA, Bd. 5, S. 411 (482).

[1557] Siehe oben Anm. 107.

[1558] *Gut/Wolpert*, LB Kanada, Bd. 5, S. 19 (56).

[1559] Vgl. *Kreicker*, LB Deutschland, Bd. 1, S. 21 (371); *Ploom*, LB Estland, Bd. 5, S. 89 (133); *Retalis*, LB Griechenland, Bd. 5, S. 189 (270 f.) (eine Aufhebung der Immunität des griechischen Staatsoberhaupts ist allerdings nur statthaft, wenn sich der Tatvorwurf auf eine nach griechischem Strafrecht als Hochverrat zu bewertende Tat bezieht); *Škulić*, LB Serbien und Montenegro, Bd. 3, S. 211 (268); *Tellenbach*, LB Türkei, Bd. 6, S. 393 (442) (eine Aufhebung der Immunität des türkischen Staatspräsidenten ist jedoch nur wegen des Verdachts des Vaterlandsverrats möglich); *Weigend*, LB Polen, Bd. 2, S. 77 (136) (eine Aufhebung der Immunität des polnischen Staatspräsidenten ist während seiner Amtszeit jedoch nur wegen einer Verletzung der Verfassung und für eine Anklageerhebung vor dem Staatstribunal möglich); *Zerbes*, LB Österreich, Bd. 3, S. 85 (151).

[1560] *Cornils*, LB Schweden, Bd. 2, S. 183 (239); *Gil Gil*, LB Spanien, Bd. 4, S. 99 (193); *Ploom*, LB Estland, Bd. 5, S. 89 (133); *Retalis*, LB Griechenland, Bd. 5, S. 189 (271); *Škulić*, LB Serbien und Montenegro, Bd. 3, S. 211 (268); *Tellenbach*, LB Türkei, Bd. 6, S. 393 (442); *Weigend*, LB Polen, Bd. 2, S. 77 (136). In Schweden und Griechenland ist die Immunität von Regierungsmitgliedern allerdings auf Amtshandlungen beschränkt.

[1561] Vgl. *Ploom*, LB Estland, Bd. 5, S. 89 (133); *Retalis*, LB Griechenland, Bd. 5, S. 189 (271); *Škulić*, LB Serbien und Montenegro, Bd. 3, S. 211 (268); *Weigend*, LB Polen, Bd. 2, S. 77 (136) (eine Immunitätsaufhebung ist während der Amtszeit jedoch nur wegen einer Verletzung der Verfassung und für eine Anklageerhebung vor dem Staatstribunal möglich).

etwa in Deutschland und den USA – gibt es dagegen eine solche Sonderstellung von Regierungsmitgliedern nicht.[1562]

In vielen Staaten kommt *Parlamentsabgeordneten* eine Freistellung von strafrechtlicher Verantwortlichkeit zu, wobei – wie auch in Deutschland – zu differenzieren ist zwischen einer umfassenden, sämtliche Straftaten erfassenden *Immunität* einerseits und einer auf Äußerungen und Handlungen in Ausübung des Mandats bezogenen Indemnität *(substantive immunity)* auf der anderen Seite. Indemnität kommt beispielsweise den Parlamentsabgeordneten in Deutschland, Israel, Italien, Österreich, Schweden, Slowenien und Spanien zu, Immunität den Abgeordneten in Côte d'Ivoire, Deutschland, Estland, Frankreich, Griechenland, Israel, Italien, Polen, Serbien und Montenegro, Slowenien, Spanien und der Türkei.[1563] Dagegen kommt beispielsweise den Parlamentsabgeordneten in Kanada (House of Commons und House of Lords) und den USA (Repräsentantenhaus und Senat) keinerlei strafrechtliche Immunität oder Indemnität zu.[1564] Die Differenzierung zwischen Indemnität und Immunität ist nicht zuletzt auch deshalb bedeutsam, weil die Immunität von Parlamentariern mit Mandatsende erlischt und zudem (durch Parlamentsbeschluss) aufhebbar ist, während eine Indemnität zeitlich unbegrenzt gilt und nicht aufhebbar ist.[1565]

Neben dem Staatsoberhaupt, Regierungsmitgliedern und Parlamentsabgeordneten kommen in einigen Staaten noch *weiteren Funktionsträgern* Freistellungen von strafrechtlicher Verantwortlichkeit zu. So genießen in Estland, Italien und Slowenien Richter des Verfassungsgerichts, in Serbien und Montenegro sowie in Polen

---

1562 *Kreicker*, LB Deutschland, Bd. 1, S. 21 (371); *Silverman*, LB USA, Bd. 5, S. 411 (482).

1563 Vgl. *Cornils*, LB Schweden, Bd. 2, S. 183 (239); *Gil Gil*, LB Spanien, Bd. 4, S. 99 (193); *Grammer*, LB Italien, Bd. 4, S. 337 (405 f.); *Korošec*, LB Slowenien, Bd. 3, S. 329 (384 f.); *Kouassi/Paulenz*, LB Côte d'Ivoire, Bd. 4, S. 19 (68); *Kreicker*, LB Deutschland, Bd. 1, S. 21 (371); *Kremnitzer/Cohen*, LB Israel, Bd. 5, S. 317 (389 f.) (in Israel ist die Indemnität allerdings insofern eingeschränkt, als bestimmte Handlungen, darunter Aufstachelung zum Rassenhass, Unterstützung des bewaffneten Kampfes eines anderen Staates sowie terroristischer Aktivitäten gegen den Staat Israel oder gegen Juden oder Araber, von ihrem Schutzbereich ausgenommen sind); *Lelieur-Fischer*, LB Frankreich, Bd. 4, S. 225 (290 f.); *Ploom*, LB Estland, Bd. 5, S. 89 (133); *Retalis*, LB Griechenland, Bd. 5, S. 189 (271); *Škulić*, LB Serbien und Montenegro, Bd. 3, S. 211 (268); *Tellenbach*, LB Türkei, Bd. 6, S. 393 (442); *Weigend*, LB Polen, Bd. 2, S. 77 (136); *Zerbes*, LB Österreich, Bd. 3, S. 85 (151).

1564 *Gut/Wolpert*, LB Kanada, Bd. 5, S. 19 (57); *Silverman*, LB USA, Bd. 5, S. 411 (481).

1565 Siehe *Cornils*, LB Schweden, Bd. 2, S. 183 (239); *Grammer*, LB Italien, Bd. 4, S. 337 (405 f.); *Korošec*, LB Slowenien, Bd. 3, S. 329 (384 f.); *Kouassi/Paulenz*, LB Côte d'Ivoire, Bd. 4, S. 19 (68); *Kreicker*, LB Deutschland, Bd. 1, S. 21 (371); *Kremnitzer/Cohen*, LB Israel, Bd. 5, S. 317 (389 f.); *Ploom*, LB Estland, Bd. 5, S. 89 (133 f.); *Retalis*, LB Griechenland, Bd. 5, S. 189 (271); *Škulić*, LB Serbien und Montenegro, Bd. 3, S. 211 (268); *Tellenbach*, LB Türkei, Bd. 6, S. 393 (442 f.); *Weigend*, LB Polen, Bd. 2, S. 77 (136 f.); *Zerbes*, LB Österreich, Bd. 3, S. 85 (151).

darüber hinaus auch sonstige Richter und Staatsanwälte Immunität.[1566] Ein Land mit besonders umfangreichen nationalen Immunitätsbestimmungen ist Polen: Hier genießen auch der Oberbefehlshaber der Streitkräfte, der Präsident der Polnischen Nationalbank, Mitglieder des Landesrates für Radio und Fernsehen sowie noch weitere Personen Immunität.[1567]

Da es in den betrachteten Staaten – mit Ausnahme von Kroatien[1568] – keine Bestimmungen dahingehend gibt, dass die nationalen Immunitäten bei völkerrechtlichen Verbrechen nicht gelten, können sie die Strafverfolgungsbehörden der betreffenden Staaten unter Umständen auch an einer Strafverfolgung wegen völkerrechtlicher Verbrechen hindern. Hieran ändert auch Art. 27 IStGH-Statut nichts, bezieht sich dieser doch – wie bereits ausgeführt – allein auf die Gerichtsbarkeit des IStGH.[1569] Art. 27 IStGH-Statut hebt aber weder die Geltung nationaler Immunitäten auf noch ordnet er eine Nichtgeltung nationaler Immunitäten an.

Die durch nationale Exemtionen begründeten Defizite der staatlichen Kompetenzen zur Ahndung völkerrechtlicher Verbrechen sind in dreierlei Hinsicht problematisch: Erstens können sie den betreffenden Staat daran hindern, seinen völkerrechtlichen Verfolgungspflichten nachzukommen. Letzteren können sich die Staaten nicht unter Verweis auf nationale Immunitätsvorschriften entziehen; generell kann ein Staat seinen völkerrechtlichen Verpflichtungen nicht widerstreitendes nationales Recht entgegenhalten. Für die nationalen Strafverfolgungsbehörden sind die nationalen Exemtionsbestimmungen zwar in aller Regel vorrangig, so dass diese trotz völkerrechtlicher Verfolgungspflicht die Strafverfolgungsbehörden an einem Tätigwerden hindern;[1570] für den betreffenden Staat als Völkerrechtssubjekt aber stellt die Nichtverfolgung trotz völkerrechtlicher Verfolgungspflicht einen (Völker-) Rechtsverstoß dar. Zweitens – und diese Konsequenz nationaler Exemtionsregelungen dürfte für die Staaten wohl als problematischer angesehen werden – kann der IStGH dann, wenn ein Staat wegen nationaler Exemtionen an einer eigenen

---

1566 *Grammer*, LB Italien, Bd. 4, S. 337 (406); *Korošec*, LB Slowenien, Bd. 3, S. 329 (384 f.); *Ploom*, LB Estland, Bd. 5, S. 89 (133) (in Estland ist die Immunität allerdings auf den Präsidenten des Verfassungsgerichts beschränkt); *Škulić*, LB Serbien und Montenegro, Bd. 3, S. 211 (268) (während in Montenegro Richter und Staatsanwälte sämtlich Immunität genießen, beschränkt sich die Straffreistellung in Serbien auf Richter des Verfassungsgerichts und des Bundesgerichts); *Weigend*, LB Polen, Bd. 2, S. 77 (136). Auch diese nationalen Immunitäten sind (durch Parlamentsbeschluss) aufhebbar und überdies auf den Zeitraum der Ausübung des Amtes begrenzt.

1567 *Weigend*, LB Polen, Bd. 2, S. 77 (136).

1568 In Kroatien bestimmt ein Gesetz vom 17.10.2003, dass nationale Immunitäten bei Verfahren wegen völkerrechtlicher Verbrechen nicht anwendbar sind; vgl. *Novoselec*, LB Kroatien, Bd. 3, S. 19 (57).

1569 Vgl. oben S. 269 ff.

1570 In Deutschland beispielsweise folgt der Vorrang der grundgesetzlichen Immunitätsgewährleistungen vor völkerrechtlichen Verfolgungspflichten daraus, dass völkergewohnheitsrechtliche Normen ebenso wie in deutsches Recht übernommene völkervertragliche Regelungen im Rang unterhalb der Verfassung stehen.

Strafverfolgung wegen völkerrechtlicher Verbrechen gehindert ist, gemäß Art. 17 IStGH-Statut die betreffende Person selbst verfolgen, denn der primär zuständige Staat ist ja nicht in der Lage, die Verfolgung vorzunehmen. Und in einem solchen Fall kann das Eingreifen nationaler Exemtionen drittens dem betreffenden Staat nicht nur politische, sondern auch (weitere) juristische Schwierigkeiten bereiten. Denn er ist regelmäßig aufgrund der zu gewährenden Exemtionen nicht nur an einer eigenen Strafverfolgung gehindert, sondern auch daran, seiner durch Ratifikation des Römischen Statuts eingegangenen völkerrechtlichen Verpflichtung nachzukommen, die exemte Person zur Verfolgung durch den IStGH an diesen zu überstellen.

Diese Problematik ist von den Staaten durchaus erkannt und im Zusammenhang mit der jeweiligen Ratifikation des Römischen Statuts diskutiert worden.[1571] Doch zu gesetzlichen Lösungen des Normenkonflikts ist es – außer in Kroatien[1572] – nicht gekommen. Vielfach wird argumentiert, im Konfliktfall werde die einer Strafverfolgung bzw. Überstellung an den IStGH entgegenstehende Immunität vom Parlament aufgehoben (werden können).[1573] Damit könnte der Konflikt zwar im konkreten Fall gelöst werden, doch eine rechtliche Verpflichtung des nationalen Parlaments, einen entsprechenden Beschluss zu fassen, dürfte wohl nicht bestehen.[1574] Zudem ist hinsichtlich der Indemnitäten zu beachten, dass hier eine Aufhebungsmöglichkeit überhaupt nicht besteht.[1575]

15. Verjährungsregelungen bei völkerrechtlichen Verbrechen

a) Völkerstrafrechtliche Ausgangslage

Art. 29 IStGH-Statut bestimmt, dass die der Gerichtsbarkeit des IStGH unterliegenden Verbrechen nicht verjähren.[1576] Doch gilt diese generelle Festlegung einer

---

1571 Vgl. *Korošec*, LB Slowenien, Bd. 3, S. 329 (384 f.); *Kreicker*, LB Deutschland, Bd. 1, S. 21 (372); *Lelieur-Fischer*, LB Frankreich, Bd. 4, S. 225 (290 f.); *Ploom*, LB Estland, Bd. 5, S. 89 (134); *Weigend*, LB Polen, Bd. 2, S. 77 (136).

1572 Siehe oben Anm. 1568.

1573 So etwa in Deutschland, vgl. BT-Drucks. 14/8524, S. 17. Siehe auch *Kreicker*, LB Deutschland, Bd. 1, S. 21 (372 f.).

1574 Für Deutschland geht aber MK-StGB-*Kreß*, § 220a/§ 6 VStGB Rn. 116 von einer Reduzierung des Ermessens bei der Immunitätsaufhebung „auf Null" aus, nimmt also eine Pflicht zur Immunitätsaufhebung an. In Estland wird argumentiert, es bestehe aufgrund der Ratifikation des Römischen Statuts eine Verpflichtung des Parlaments, gegebenenfalls eine Immunitätsaufhebung zu beschließen; vgl. *Ploom*, LB Estland, Bd. 5, S. 89 (134).

1575 Vgl. zum hieraus resultierenden Reformbedarf in Deutschland *Kreicker*, LB Deutschland, Bd. 1, S. 21 (374).

1576 Vgl. *Schabas*, in: Triffterer (Hrsg.), Commentary on the Rome Statute, Art. 29 Rn. 1 ff.; *Werle*, Völkerstrafrecht, Rn. 529.

Unverjährbarkeit unmittelbar allein für eine Strafverfolgung durch den IStGH.[1577] Im vorliegenden Kontext ist daher die entscheidende Frage, ob das sonstige Völkerrecht, namentlich das Völkergewohnheitsrecht, Bestimmungen zur (Un-) Verjährbarkeit völkerrechtlicher Verbrechen enthält, die Auswirkungen auf die Ahndung völkerrechtlicher Verbrechen durch die nationalen Gerichte einzelner Staaten haben.

Denkbar ist zunächst, dass das Völker(gewohnheits-)recht gar keine Verjährungsregelung enthält. Dies bedeutete einerseits, dass mangels einer positiven Festlegung von Verjährungsfristen eine Verjährung von Völkerstraftaten auf völkerrechtlicher Ebene ausgeschlossen wäre, also auf völkerrechtlicher Ebene keine Verjährung, sprich kein Verfolgungshindernis wegen Zeitablaufs, eintreten könnte. Aus dem Völkerrecht würde sich mithin kein mit Ablauf bestimmter Fristen eintretendes Strafverfolgungsverbot ergeben, das eine nationale Strafverfolgung völkerrechtlicher Verbrechen untersagte. Andererseits bedeutete dies, dass die einzelnen Staaten in Ermangelung eines völkerrechtlichen Verjährungsverbots nicht gehindert wären, auf nationaler Ebene Völkerstraftaten einer Verjährung zu unterwerfen, also auf die nationalen Strafnormen, auf deren Basis die nationalen Gerichte völkerrechtliche Verbrechen ahnden können, nationale Verjährungsbestimmungen zur Anwendung zu bringen.

Denkbar ist aber auch, dass das Völker(gewohnheits-)recht – ebenso wie der an den IStGH gerichtete Art. 29 IStGH-Statut – eine generelle Unverjährbarkeit völkerrechtlicher Verbrechen positiv anordnet, mithin den einzelnen Staaten untersagt ist, die Verfolgbarkeit von völkerrechtlichen Verbrechen auf staatlicher Ebene durch Anwendung nationaler Verjährungsregelungen zeitlich zu limitieren.[1578]

Die *UN-Convention on the Non-Applicability of Statutory Limitations to War Crimes and Crimes against Humanity* vom 26. November 1968[1579] nimmt einen gewohnheitsrechtlichen Verjährungsausschluss an, geht also von der Existenz einer die einzelnen Staaten bindenden völkergewohnheitsrechtlichen Unverjährbarkeitsanordnung aus. Laut Abs. 7 der Präambel „bekräftigen" die Mitgliedstaaten, „dass es für Kriegsverbrechen und Verbrechen gegen die Menschlichkeit keine Verjährungsfrist gibt".[1580] Im Zusammenhang mit der Ahndung von NS-Unrecht haben

---

1577 Anderer Ansicht wohl *Schabas*, Introduction to the International Criminal Court, S. 115 f.

1578 Ausgeschlossen werden kann dagegen die Existenz einer völkerrechtlichen Verjährungsanordnung bzw. eines an die einzelnen Staaten gerichteten völkerrechtlichen Verjährungsgebots. Denn für eine völkerrechtliche Verbotsnorm des Inhalts, dass völkerrechtliche Verbrechen nach Ablauf einer bestimmten Frist nicht mehr verfolgt werden dürfen, finden sich keinerlei Anhaltspunkte.

1579 UNTS Vol. 754, S. 73 = ILM 8 (1969), 68; dt. Übers. DDR-GBl. 1974 II, S. 185. Hierzu eingehend *Miller*, AJIL 65 (1971), 476 ff. und *Zimmermann*, Strafrechtliche Vergangenheitsaufarbeitung und Verjährung, S. 246 ff.

1580 Zu den sehr unterschiedlichen Auffassungen der Staaten bei Schaffung der Konvention vgl. *Miller*, AJIL 65 (1971), 476 (480 ff.).

auch die französische und die italienische Rechtsprechung einen völkergewohnheitsrechtlichen Verjährungsausschluss bei Völkerstraftaten angenommen.[1581] Begründet wird diese These damit, völkerstrafrechtliche Dokumente wie das Statut des Nürnberger Militärtribunals,[1582] die Bestätigung der Nürnberger Prinzipien durch die UN-Generalversammlung,[1583] die Völkermordkonvention[1584] und die Statuten der UN-Strafgerichtshöfe[1585] enthielten keine Bestimmung über Verjährung.

Doch ist die UN-Konvention bis heute nur von 49 Staaten ratifiziert worden.[1586] Eine im Rahmen des Europarats erarbeitete Konvention über die Nichtverjährbarkeit von völkerrechtlichen Verbrechen, die *European Convention on the Non-Applicability of Statutory Limitations to Crimes against Humanity and War Crimes* vom 25. Januar 1974[1587] ist erst im Juni 2003 nach Erreichen der erforderlichen Zahl von drei (!) Ratifikationen in Kraft getreten; auch heute noch liegt die Zahl der Vertragsstaaten bei lediglich drei.[1588] Zudem geht sie in Art. 2 selbst von einer konstitutiven Wirkung aus.

Das „Schweigen" völkerrechtlicher Dokumente lässt – wie auch das ungarische Verfassungsgericht betont hat[1589] – allein den Schluss zu, dass es im Völkergewohnheitsrecht gar keine Verjährungsregelung gibt, mithin also eine Verjährung unmittelbar nach Völkerrecht nicht eintreten kann. Ein Verbot oder eine Unanwendbarkeit nationaler Verjährungsbestimmungen lässt sich hieraus jedoch nicht ableiten.[1590] Eine solche Unverjährbarkeitsanordnung setzte zudem voraus, dass eine völkergewohnheitsrechtliche Pflicht zur Bestrafung besteht. Wenn nicht einmal eine Pönalisierungspflicht besteht, wäre es abwegig anzunehmen, es sei den Staaten untersagt, eine dennoch vorgesehene Strafgewalt zeitlich zu limitieren.[1591] Auch wenn – wie erwähnt – im Einklang mit der Präambel des Römischen Statuts von einer völkergewohnheitsrechtlichen Bestrafungspflicht auszugehen ist,[1592] so

---

1581 Vgl. die Nachweise bei *Kreicker*, NJ 2002, 281 (285 Fn. 62).

1582 Vgl. oben Anm. 151.

1583 Resolution 95 (I) der UN-Generalversammlung vom 11.12.1946; United Nations Yearbook 1946/47, S. 254; dt. Übers. bei *Kaul/Noack*, NJ 1969, 97 (99).

1584 Vgl. oben Anm. 36.

1585 Vgl. oben Anm. 91 und Anm. 92.

1586 Ratifikationsstand im Internet abrufbar unter <http://untreaty.un.org> (1.1.2006).

1587 ETS 082 = ILM 13 (1974), 540. Konventionstext im Internet abrufbar unter <http://conventions.coe.int> (1.1.2006).

1588 Ratifikationsstand im Internet abrufbar unter <http://conventions.coe.int> (1.1.2006).

1589 Entsch. 53/1993, dt. Übers. in *Brunner/Sólyom*, Verfassungsgerichtsbarkeit in Ungarn, S. 520 (532 f.) und Entsch. 36/1996.

1590 Vgl. *Kreicker*, NJ 2002, 281 (285).

1591 Vgl. *Kreicker*, NJ 2002, 281 (284).

1592 Vgl. oben S. 12 ff.

ist das Völkerrecht doch diesbezüglich von einer Konsolidierung noch weit entfernt.

Daher ist davon ausgegangen, dass es keine für die nationalen Rechtsordnungen verbindliche völkergewohnheitsrechtliche Unverjährbarkeitsanordnung gibt und das Völkergewohnheitsrecht gar keine Verjährungsregelung enthält.[1593] Der Verjährungsausschluss in Art. 29 IStGH-Statut gibt also lediglich deklaratorisch die Völkerrechtslage wieder, nach der auf völkerrechtlicher Ebene mangels Verjährungsregelung keine Verjährung eintreten kann.[1594]

Im Übrigen verlangen auch die völkervertraglichen Bestrafungspflichten bei völkerrechtlichen Verbrechen keine innerstaatliche Unverjährbarkeit. Allenfalls eine Festlegung extrem kurzer Verjährungsfristen, die eine effektive Strafverfolgung völkerrechtlicher Verbrechen praktisch verhinderten, müsste als mit den Bestrafungspflichten unvereinbar angesehen werden.[1595]

b) Rechtslage in den untersuchten Staaten

In Argentinien, Australien, Costa Rica, Deutschland, El Salvador, England und Wales, Estland, Kanada, Kroatien, Mexiko, Polen, Russland, Serbien und Montenegro, Slowenien, Uruguay, Weißrussland sowie Venezuela ist die Verfolgbarkeit[1596] völkerrechtlicher Verbrechen generell unverjährbar.[1597] Doch wäre es

---

1593 Vgl. *Kreicker*, NJ 2002, 281 (285); *ders.*, ZRP 2002, 371; *Kreß*, in: Grützner/Pötz, Internationaler Rechtshilfeverkehr, vor III 26, Rn. 62 Fn. 163; *Zimmermann*, Strafrechtliche Vergangenheitsaufarbeitung und Verjährung, S. 251 f. Anderer Ansicht jedoch *Ambos*, CLF 10 (1999), 1 (24); *Cassese*, International Criminal Law, S. 119. Für die Vertragsstaaten der erwähnten UN-Verjährungskonvention (vgl. Anm. 1587) – aber auch nur für diese – folgt ein Verbot der Anwendung nationaler Verjährungsregeln allerdings aus diesem völkerrechtlichen Instrument.

1594 Vgl. *Kreicker*, NJ 2002, 281 (285). So auch *Schabas*, in: Triffterer (Hrsg.), Commentary on the Rome Statute, Art. 29 Rn. 1, 6.

1595 Aus der Tatsache, dass die Völkermordkonvention (vgl. Anm. 36), die Genfer Abkommen von 1949 (vgl. Anm. 27) und das ZP I (vgl. Anm. 28) die in ihnen festgelegte Verfolgungspflicht zeitlich nicht limitieren, darf nicht auf ein Gebot der Unverjährbarkeit geschlossen werden. Üblicherweise legen Verträge, die Verfolgungspflichten festlegen, keine zeitliche Grenze fest, auch dann nicht, wenn es um Taten leichter oder mittlerer Kriminalität geht. In der Rechtspraxis und Literatur ist hieraus – soweit ersichtlich – nie ein Gebot der Unverjährbarkeit abgeleitet worden.

1596 Im Folgenden geht es allein um die so genannte Verfolgungsverjährung, also die Frage, ob die Durchführung eines Strafverfahrens mit dem Ziel einer Verurteilung nach Ablauf einer bestimmten Frist unzulässig wird, nicht dagegen um die – in einigen Landesberichten gleichfalls erörterte – so genannte Vollstreckungsverjährung.

1597 *Ambos/Malarino*, Zusammenfassung Lateinamerika, Bd. 4, S. 469 (478); *Biehler/Kerll*, LB Australien, Bd. 6, S. 19 (63 f.); *Gut/Wolpert*, LB Kanada, Bd. 5, S. 19 (57); *Korošec*, LB Slowenien, Bd. 3, S. 329 (386); *Kreicker*, LB Deutschland, Bd. 1, S. 21 (374 f.); *Lammich*, LB Russland/Weißrussland, Bd. 6, S. 351 (385); *Novoselec*, LB Kroatien, Bd. 3, S. 19 (58); *Ploom*, LB Estland, Bd. 5, S. 89 (134); *Rabenstein/Bahrenberg*, LB England/

verfehlt, hieraus den Schluss zu ziehen, diese Staaten gingen von einer völkergewohnheitsrechtlichen Unverjährbarkeitsanordnung aus. Vielmehr liegt keiner der nationalen gesetzlichen Regelungen der genannten Staaten, aus denen sich die Unverjährbarkeit von Völkerstraftaten ergibt, eine solche Annahme zugrunde. In Deutschland wurde die in § 5 VStGB festgelegte Unverjährbarkeit der im VStGB normierten völkerrechtlichen Verbrechen damit begründet, man wolle in gleichem Ausmaß zu einer Strafverfolgung in der Lage sein wie der IStGH, in dessen Statut – wie ausgeführt – eine Unverjährbarkeit der Strafverfolgung festgeschrieben ist.[1598] Zudem gilt diese Unverjährbarkeit in Deutschland – und das Gleiche gilt für Russland und Weißrussland – nicht für alle Taten, die völkerrechtlich als Völkerstraftaten zu klassifizieren sind, sondern nur insoweit, als eine Anwendung der nationalen Spezialtatbestände für völkerrechtliche Verbrechen in Frage steht.[1599] In Argentinien, Costa Rica, Kroatien, Mexiko, Polen, Serbien und Montenegro, Slowenien sowie Uruguay wird die Unverjährbarkeitsregelung mit der Ratifikation der UN-Verjährungskonvention[1600] durch diese Staaten begründet, also auf eine völkervertragliche Verpflichtung zurückgeführt.[1601] Und in Australien, Kanada und in England und Wales folgt die Unverjährbarkeit völkerrechtlicher Verbrechen schlicht daraus, dass die Rechtsordnungen dieser Staaten – von ausdrücklich geregelten Ausnahmen bei geringfügigen Normverstößen abgesehen – generell keine Verjährbarkeit von Straftaten festlegen.[1602]

In anderen Staaten ist nur für einzelne völkerrechtliche Verbrechen – zumeist für diejenigen, die von einem nationalen Spezialtatbestand erfasst werden – eine Unverjährbarkeit festgelegt, während bei anderen Völkerstraftaten eine Verjährung und damit ein Strafverfolgungsverbot nach Ablauf bestimmter Fristen eintritt. Auch eine solche differenzierende nationale Regelung spricht gegen die Annahme

---

Wales, Bd. 6, S. 261 (304); *Škulić*, LB Serbien und Montenegro, Bd. 3, S. 211 (268 f.); *Weigend*, LB Polen, Bd. 2, S. 77 (139 f.). Überdies sieht der schwedische Entwurf für ein Gesetz über Völkerrechtsstraftaten eine Unverjährbarkeitsanordnung für Völkermord, Verbrechen gegen die Menschlichkeit und schwere (nicht aber sonstige) Kriegsverbrechen vor; vgl. *Cornils*, LB Schweden, Bd. 2, S. 183 (242).

1598 Vgl. BT-Drucks. 14/8524, S. 12, 19. Allerdings ist darauf hinzuweisen, dass man in der DDR von einem völkergewohnheitsrechtlich geltenden Gebot ausging, das die Staaten dazu verpflichtete, eine Verjährung völkerrechtlicher Verbrechen auf nationaler Ebene auszuschließen und damit eine zeitlich unbegrenzte nationale Strafverfolgungskompetenz sicherzustellen; vgl. *Kreicker*, NJ 2002, 281 (282 f.); *ders.*, LB Deutschland, Bd. 1, S. 21 (90 f., 376 f.).

1599 *Kreicker*, LB Deutschland, Bd. 1, S. 21 (375); *Lammich*, LB Russland/Weißrussland, Bd. 6, S. 351 (385).

1600 Vgl. oben Anm. 1579.

1601 *Ambos/Malarino*, Zusammenfassung Lateinamerika, Bd. 4, S. 469 (478); *Korošec*, LB Slowenien, Bd. 3, S. 329 (386); *Novoselec*, LB Kroatien, Bd. 3, S. 19 (58); *Škulić*, LB Serbien und Montenegro, Bd. 3, S. 211 (268 f.); *Weigend*, LB Polen, Bd. 2, S. 77 (139 f.).

1602 *Biehler/Kerll*, LB Australien, Bd. 6, S. 19 (63 f.); *Gut/Wolpert*, LB Kanada, Bd. 5, S. 19 (57); *Rabenstein/Bahrenberg*, LB England/Wales, Bd. 6, S. 261 (304).

einer völkergewohnheitsrechtlich geltenden allgemeinen Unverjährbarkeitsanordnung bei völkerrechtlichen Verbrechen. So verjähren in Österreich Völkermord sowie diejenigen völkerrechtlichen Verbrechen nicht, die unter Anwendung der „normalen", auch für die Alltagskriminalität geltenden Straftatbestände als Mord, Sexualdelikte mit Todesfolge, räuberische Erpressung oder Raub zu bestrafen sind, wohl aber alle anderen Völkerstraftaten.[1603] In Spanien ist die gesetzlich angeordnete Unverjährbarkeit beschränkt auf Völkermord, Verbrechen gegen die Menschlichkeit sowie Kriegsverbrechen gegen Personen.[1604] In Finnland verjähren lediglich Völkermordtaten sowie diejenigen Verbrechen gegen die Menschlichkeit und Kriegsverbrechen nicht, die den Tod eines Menschen zur Folge haben.[1605] In Frankreich verjähren Verbrechen gegen die Menschlichkeit, Völkermord sowie schwere Kriegsverbrechen, die durch Art. 211 und 212 CP pönalisiert werden, nicht, wohl aber alle anderen Kriegsverbrechen, die nur als „normale" Straftaten geahndet werden können.[1606] Nach israelischem Recht verjähren allein die durch ein Spezialgesetz pönalisierten Völkermordtaten nicht.[1607] Und in der Türkei sind die durch neue Spezialtatbestände erfassten Völkermordtaten und Verbrechen gegen die Menschlichkeit, nicht aber sonstige völkerrechtliche Verbrechen von einer Verjährung ausgenommen.[1608]

Neben diesen zuletzt genannten Staaten, in denen einige völkerrechtliche Verbrechen nach nationalem Recht verjähren, andere nicht, gibt es noch Staaten, die generell auch für Völkerstraftaten eine zeitliche Beschränkung der Verfolgbarkeit normieren. Zu nennen sind China, Côte d'Ivoire, Griechenland, Italien, Schweden und die USA.[1609]

In den Staaten, in denen sämtliche oder zumindest einige völkerrechtliche Verbrechen der Verjährung unterliegen, sind die Verjährungsfristen gestaffelt, wobei die Staffelung von der jeweiligen Höchststrafandrohung abhängig ist – je schwerer die gemäß einem Straftatbestand in Betracht kommende Sanktion, desto länger ist die Verjährungsfrist für den betreffenden Straftatbestand bemessen. An

---

1603 *Zerbes*, LB Österreich, Bd. 3, S. 85 (152).

1604 *Gil Gil*, LB Spanien, Bd. 4, S. 99 (174).

1605 *Frände*, LB Finnland, Bd. 2, S. 21 (69).

1606 *Lelieur-Fischer*, LB Frankreich, Bd. 4, S. 225 (294).

1607 *Kremnitzer/Cohen*, LB Israel, Bd. 5, S. 317 (391).

1608 *Tellenbach*, LB Türkei, Bd. 6, S. 393 (443).

1609 *Cornils*, LB Schweden, Bd. 2, S. 183 (241); *Grammer*, LB Italien, Bd. 4, S. 337 (407) (allerdings verjähren in Italien Straftaten, die mit lebenslanger Freiheitsstrafe geahndet werden können, generell nicht); *Kouassi/Paulenz*, LB Côte d'Ivoire, Bd. 4, S. 19 (68 f.); *Retalis*, LB Griechenland, Bd. 5, S. 189 (271); *Richter*, LB China, Bd. 6, S. 141 (232); *Silverman*, LB USA, Bd. 5, S. 411 (484 f.), wobei allerdings für die USA festzustellen ist, dass nach Bundesrecht generell dann gar keine Verjährung eintritt, wenn die betreffende Tat den Tod einer Person zur Folge hatte. Zudem ist eine Strafverfolgung wegen Kriegsverbrechen, die unter direktem Rückgriff auf deren völkergewohnheitsrechtliche Strafbarkeit erfolgt, zeitlich unbegrenzt möglich (*Silverman*, a.a.O.).

dieser Stelle können die Verjährungsfristen der einzelnen Staaten nicht im Detail beschrieben werden; insofern wird auf die einzelnen Landesberichte verwiesen. Hier kann es nur darum gehen, einen groben Überblick zu geben und damit Vergleiche zwischen den einzelnen Staaten zu ermöglichen.

In Finnland verjähren die nicht unverjährbaren Völkerstraftaten abgesehen von leichten Verletzungen der Kriegsführungsregeln je nach Höchststrafandrohung in zehn bzw. 20 Jahren.[1610] Nach der derzeitigen Rechtslage in Schweden verjähren völkerrechtliche Verbrechen in 15 bzw. 25 Jahren.[1611] Die nach österreichischem Strafrecht verjährbaren völkerrechtlichen Verbrechen verjähren nach Ablauf von zehn bzw. 20 Jahren.[1612] Vergleichsweise kurz sind die Verjährungsfristen in Côte d'Ivoire und Frankreich, hier verjähren Straftaten, auch völkerrechtliche Verbrechen, spätestens nach zehn Jahren,[1613] wobei allerdings diese kurzen Fristen zum Teil durch die Möglichkeit einer Strafverfolgung eines Beschuldigten *in absentia* abgefedert werden.[1614] Noch kürzer sind die Verjährungsfristen in den USA bemessen. Völkermordtaten und Kriegsverbrechen, die nach Bundesrecht auf der Grundlage des *Genocide Convention Implementation Act* bzw. des *War Crimes Act* geahndet werden konnen, verjähren bereits fünf Jahre nach der Tatbegehung, es sei denn, die Tat hat den Tod des Opfers zur Folge, dann tritt gar keine Verjährung ein. Die kurze Verjährungsfrist von fünf Jahren gilt grundsätzlich auch, soweit eine Strafverfolgung nach Militärrecht in Betracht kommt.[1615] In Israel liegt die Verjährungsfrist für die meisten der auf völkerrechtliche Verbrechen anwendbaren Straftatbestände bei zehn bzw. bei 20 Jahren. In China betragen die Verjährungsfristen für die Straftatbestände, die für eine Ahndung völkerrechtlicher Verbrechen vornehmlich in Betracht kommen, zwischen zehn und maximal 20 Jahren;[1616] für die Türkei ist ein Rahmen von acht bis 30 Jahren zu verzeichnen[1617].

Es zeigt sich also, dass die für völkerrechtliche Verbrechen geltenden nationalen Verjährungsbestimmungen sehr unterschiedlich sind, so dass sich Rückschlüsse auf die Existenz völkergewohnheitsrechtlicher Verjährungsregelungen, sei es eine völkergewohnheitsrechtliche Unverjährbarkeitsanordnung, sei es eine Bestimmung des Inhalts, dass Völkerstraftaten gemäß Völkerrecht nach Ablauf einer bestimmten Frist nicht mehr verfolgt werden dürfen, verbieten. Während etliche Staaten eine

---

1610 *Frände*, LB Finnland, Bd. 2, S. 21 (69 f.).

1611 *Cornils*, LB Schweden, Bd. 2, S. 183 (241).

1612 *Zerbes*, LB Österreich, Bd. 3, S. 85 (152).

1613 *Kouassi/Paulenz*, LB Côte d'Ivoire, Bd. 4, S. 19 (69); *Lelieur-Fischer*, LB Frankreich, Bd. 4, S. 225 (294).

1614 Hierauf weisen die Landesberichterstatter zu Côte d'Ivoire ausdrücklich hin; vgl. *Kouassi/Paulenz*, LB Côte d'Ivoire, Bd. 4, S. 19 (69).

1615 *Silverman*, LB USA, Bd. 5, S. 411 (484 f.). Vgl. aber die Ausführungen zur Unverjährbarkeit von Völkerstraftaten nach dem Recht der USA oben in Anm. 1609.

1616 *Richter*, LB China, Bd. 6, S. 141 (232 f.).

1617 *Tellenbach*, LB Türkei, Bd. 6, S. 393 (443 ff.).

generelle Unverjährbarkeit völkerrechtlicher Verbrechen nach nationalem Recht festlegen, differenzieren andere Staaten insofern, als nach ihrem nationalen Recht nur bestimmte Völkerstraftaten nicht verjähren. Das Recht einer dritten Gruppe von Staaten schließlich sieht für sämtliche völkerrechtliche Verbrechen eine zeitliche Befristung der Strafverfolgung vor, wobei die Fristen im Einzelnen sehr unterschiedlich bemessen sind – sie reichen von fünf Jahren in den USA bis zu 30 Jahren in der Türkei –, vielfach ist aber eine Frist von 20 Jahren bestimmt.

16. Relevanz von Amnestien und Begnadigungen für eine Ahndung völkerrechtlicher Verbrechen

a) Völkerstrafrechtliche Ausgangslage

Explizite Regelungen zu Amnestien und Begnadigungen finden sich weder im Römischen Statut noch im sonstigen Völkerstrafrecht.[1618]

Da das Römische Statut die Tätigkeit eines Gerichts und einer ihm beigeordneten Strafverfolgungsbehörde regelt, war für Vorgaben hinsichtlich der Zulässigkeit einer völkerrechtlichen Amnestierung oder Begnadigung – beides sind typische exekutive Befugnisse – von vornherein kein Raum. Allerdings stehen die Befugnis des Anklägers des IStGH, gemäß Art. 53(1)(c) IStGH-Statut von der Einleitung von Ermittlungen abzusehen, wenn „wesentliche Gründe für die Annahme vorliegen, dass die Durchführung von Ermittlungen nicht im Interesse der Gerechtigkeit läge", sowie die Befugnis des Gerichtshofs, gemäß Art. 17(1)(d) IStGH-Statut ein Strafverfahren für unzulässig zu erklären, wenn die Sache – aus welchen Gründen auch immer – nach Ansicht des IStGH „nicht schwerwiegend genug ist, um weitere Maßnahmen des Gerichtshofs zu rechtfertigen", in entfernter Nähe zur Amnestie, führen sie doch gegebenenfalls zu einer Straflosigkeit von Personen, die für völkerrechtliche Verbrechen verantwortlich sind, und sind doch bei diesen Abwägungsentscheidungen die gleichen Überlegungen anzustellen wie bei Amnestiebeschlüssen.

Das Römische Statut normiert aber auch keine Vorgaben oder gar Verbote für Amnestien und Begnadigungen durch einzelne Staaten. Dies ist auch nicht erforderlich, denn die supranationale Strafgerichtsbarkeit des IStGH ist grundsätzlich unabhängig von der Gerichtsbarkeit einzelner Staaten.[1619] Zwar darf der Gerichtshof nach dem in Art. 17(1)(b) IStGH-Statut festgelegten Komplementaritätsprinzip

[1618] Vgl. (in Bezug auf das Römische Statut) *Dahm/Delbrück/Wolfrum*, Völkerrecht, Bd. I/3, S. 1017; *Gropengießer*, LB Deutschland, Bd. 1, S. 21 (387); *Gropengießer/Meißner*, ICLR 5 (2005), 267 (267). Zu den Verhandlungen über die Aufnahme einer Amnestiebestimmung in das Römische Statut im Vorfeld von dessen Verabschiedung vgl. *Gavron*, ICLQ 51 (2002), 91 (106); *Hoffmeister/Knoke*, ZaöRV 59 (1999), 785 (799); *Scharf*, CornILJ 1999, 507 (521 f.).

[1619] *Gropengießer/Meißner*, ICLR 5 (2005), 267 (280 f.).

grundsätzlich kein Strafverfahren durchführen, wenn der Tatortstaat oder der Heimatstaat des Täters entschieden hat, die betreffende Person nicht strafrechtlich zu verfolgen; doch gilt diese Beschränkung nicht, wenn die Entscheidung das Ergebnis mangelnden Willens des betreffenden Staates war, eine nationale Strafverfolgung ernsthaft durchzuführen. Damit dürften nationale Amnestien und Begnadigungen von vornherein einem Tätigwerden des IStGH keine Schranken setzen.[1620]

Da auch das sonstige Völker(gewohnheits-)recht – von einigen wenigen Ausnahmen abgesehen[1621] – keine positiven Regeln über die Statthaftigkeit von Amnestien und Begnadigungen enthält, reduziert sich die Diskussion auf völkerrechtlicher Ebene auf die Frage, ob – und wenn ja, inwieweit – sich mittelbar aus völker(gewohnheits-)rechtlichen Strafverfolgungspflichten *Amnestie- und Begnadigungsverbote* ableiten lassen.[1622] Auf diese Frage wurde bereits zu Beginn dieses Beitrags im Kontext der Erörterung der Frage eingegangen, ob Strafverfolgungspflichten in bestimmten Fällen Ausnahmen erfahren.[1623] Daher sollen hier folgende Feststellungen genügen: Soweit die einzelnen Staaten nicht von Völkerrechts wegen zu einer nationalen Strafverfolgung völkerrechtlicher Verbrechen verpflichtet sind, untersagt das Völkerrecht ihnen auch nicht, bestimmte Taten zu amnestieren. Doch wurde ausgeführt, dass mittlerweile weitreichende völkerrechtliche Verfolgungspflichten anerkannt sind.[1624] Nach hier vertretener Auffassung ergibt sich zumindest aus dem Völkergewohnheitsrecht eine alle Staaten treffende Pflicht, völkerrechtliche Verbrechen strafrechtlich zu ahnden, soweit sich der Täter im eigenen Hoheitsgebiet aufhält und nicht an einen anderen, strafverfolgungswilligen Staat ausgeliefert wird.[1625] Diese Verfolgungspflicht kann nicht durch nationale Amnestien (oder Begnadigungen) überwunden werden. Diese mögen zwar innerstaatlich wirksam sein, doch verhielte sich ein Staat, der seiner völkerrechtlichen Verfolgungspflicht wegen nationaler Amnestien bzw. Begnadigungen nicht nachkäme, völkerrechtswidrig. Soweit also das Völkerrecht Strafverfolgungsgebote

---

1620 In der Literatur wird davon ausgegangen, eine nationale Amnestierung völkerrechtlicher Verbrechen sei als „Unwilligkeit" i.S.d. Art. 17(1)(b) IStGH-Statut zu klassifizieren. Vgl. *Gropengießer*, LB Deutschland, Bd. 1, S. 21 (388); *Gropengießer/Meißner*, ICLR 5 (2005), 267 (282 ff.); *Werle*, Völkerstrafrecht, Rn. 193. Allerdings kann der IStGH im Rahmen seiner Überlegungen, ob ein Strafverfahren durchgeführt werden soll (vgl. hierzu oben S. 304), durchaus die Beweggründe, die für eine nationale Amnestierung der betreffenden Tat ausschlaggebend waren, berücksichtigen (vgl. diesbezüglich *Gropengießer/Meißner*, a.a.O., S. 294 ff.).

1621 *Gropengießer/Meißner*, ICLR 5 (2005), 267 (272).

1622 *Gropengießer/Meißner*, ICLR 5 (2005), 267 (272 ff.). Zu der (nicht vollkommen fernliegenden) Überlegung hinsichtlich völkergewohnheitsrechtlicher Amnestiegebote siehe oben Anm. 89.

1623 Vgl. oben S. 17 f.

1624 Vgl. oben S. 8 ff.

1625 Vgl. oben S. 12 f.

normiert, folgt hieraus mittelbar ein völkerrechtliches Verbot von Amnestien und Begnadigungen.

Doch sind – wie schon dargelegt wurde – die völkerrechtlichen Verfolgungsgebote und damit auch die als deren Kehrseite zu begreifenden Amnestie- und Begnadigungsverbote nicht absolut, sondern lassen Raum für ein Absehen von einer Strafverfolgung in Fällen, in denen eine Strafverfolgung mit großer Wahrscheinlichkeit – etwa wegen eines dann zu erwartenden erneuten Putsches des Militärs nach erfolgter Überwindung eines alten Militärregimes, dem völkerrechtliche Verbrechen zur Last gelegt werden – die erneute Begehung schwerer Menschenrechtsverletzungen erwarten lässt.[1626] In solchen Fällen tritt die völkerrechtliche Verfolgungspflicht ausnahmsweise zurück; dann darf ein Staat von Völkerrechts wegen von einer Strafverfolgung absehen und diesen Verzicht – rechtstechnisch betrachtet – durch eine Amnestierung der betreffenden Taten umsetzen. Unter den gleichen Voraussetzungen wird man auch eine Begnadigung für völkerrechtskonform erachten dürfen.[1627]

b) Rechtslage in den untersuchten Staaten

Explizite Regeln zur Statthaftigkeit von Amnestien und Begnadigungen speziell bei völkerrechtlichen Verbrechen finden sich lediglich in Venezuela,[1628] jedoch in keinem anderen der untersuchten Staaten.[1629] Während Art. 29 der Verfassung Venezuelas die Möglichkeit einer Amnestie für Verbrechen gegen die Menschlichkeit und andere schwere Verletzungen ausschließt,[1630] gelten in sämtlichen anderen untersuchten Staaten auch bei einer Strafverfolgung wegen völkerrechtlicher

---

1626 Vgl. oben S. 17 f. mit Nachweisen in Anm. 68.

1627 Siehe zur exzeptionellen völkerrechtlichen Zulässigkeit von Amnestien und Begnadigungen bei völkerrechtlichen Verbrechen auch *Gropengießer*, LB Deutschland, Bd. 1, S. 21 (382 ff. m.w.N., insb. S. 386 f.).

1628 Vgl. *Ambos/Malarino*, Zusammenfassung Lateinamerika, Bd. 4, S. 469 (478).

1629 Zur Rechtslage in den anderen Staaten vgl. *Biehler/Kerll*, LB Australien, Bd. 6, S. 19 (64); *Cornils*, LB Schweden, Bd. 2, S. 183 (243); *Frände*, LB Finnland, Bd. 2, S. 21 (70 f.); *Gil Gil*, LB Spanien, Bd. 4, S. 99 (175); *Grammer*, LB Italien, Bd. 4, S. 337 (408); *Gropengießer*, LB Deutschland, Bd. 1, S. 21 (380 ff.); *Gut/Wolpert*, LB Kanada, Bd. 5, S. 19 (57 f.); *Korošec*, LB Slowenien, Bd. 3, S. 329 (386); *Kouassi/Paulenz*, LB Côte d'Ivoire, Bd. 4, S. 19 (69 f.); *Kremnitzer/Cohen*, LB Israel, Bd. 5, S. 317 (392); *Lammich*, LB Russland/Weißrussland, Bd. 6, S. 351 (385 f.); *Lelieur-Fischer*, LB Frankreich, Bd. 4, S. 225 (295 ff.); *Novoselec*, LB Kroatien, Bd. 3, S. 19 (58); *Ploom*, LB Estland, Bd. 5, S. 89 (134 f.); *Rabenstein/Bahrenberg*, LB England/Wales, Bd. 6, S. 261 (304); *Retalis*, LB Griechenland, Bd. 5, S. 189 (272); *Richter*, LB China, Bd. 6, S. 141 (233); *Silverman*, LB USA, Bd. 5, S. 411 (485 ff.); *Škulić*, LB Serbien und Montenegro, Bd. 3, S. 211 (269); *Tellenbach*, LB Türkei, Bd. 6, S. 393 (445); *Weigend*, LB Polen, Bd. 2, S. 77 (142); *Zerbes*, LB Österreich, Bd. 3, S. 85 (153).

1630 *Ambos/Malarino*, Zusammenfassung Lateinamerika, Bd. 4, S. 469 (478). *Modolell González*, in: Ambos/Malarino (Hrsg.), Persecución penal nacional de crímenes internationales en América Latina y España, S. 535 (560 f.).

Verbrechen jeweils die allgemeinen nationalen Bestimmungen über Amnestien und Begnadigungen. Völkerrechtliche Verbrechen sind also abgesehen von Venezuela in keinem der untersuchten Staaten von Amnestien oder Begnadigungen generell ausgeschlossen. Unter den gleichen nationalen Voraussetzungen, unter denen „normale" Straftäter in den untersuchten Staaten amnestiert und begnadigt werde können, können auch „Völkerrechtsverbrecher" in den Genuss von Amnestien oder Begnadigungen kommen.

Amnestien sind typischerweise Aufgabe des Parlaments, das diese durch Gesetz erlassen kann und in aller Regel einen sehr weiten Spielraum hat, welche Taten durch eine Amnestie einer Strafverfolgung entzogen werden sollen.[1631] Begnadigungen als exekutive Einzelfallentscheidungen fallen dagegen in aller Regel in die Kompetenz des Staatsoberhaupts, dessen Entscheidungen gleichfalls kaum nationalen Einschränkungen unterliegen.[1632] Soweit nach den nationalen Bestimmungen Amnestien und Begnadigungen grundsätzlich in Betracht kommen, sind die Staaten jedoch an die bereits erläuterten völkerrechtlichen Amnestie- und Begnadigungsverbote gebunden, die sich mittelbar aus den völker(gewohnheits-)rechtlichen Strafverfolgungspflichten ergeben. Soweit im konkreten Fall eine den betreffenden Staat bindende völkerrechtliche Strafverfolgungspflicht besteht, wäre – wie bereits ausgeführt – eine gleichwohl ausgesprochene Amnestie oder – nach bereits erfolgter Verurteilung – Begnadigung zwar unter Umständen innerstaatlich wirksam, doch verhielte sich der betreffende Staat völkerrechtswidrig.[1633]

1631 Vgl. *Frände*, LB Finnland, Bd. 2, S. 21 (71); *Gropengießer*, LB Deutschland, Bd. 1, S. 21 (380 ff.); *Kouassi/Paulenz*, LB Côte d'Ivoire, Bd. 4, S. 19 (69); *Lammich*, LB Russland/Weißrussland, Bd. 6, S. 351 (385 f.); *Novoselec*, LB Kroatien, Bd. 3, S. 19 (58); *Ploom*, LB Estland, Bd. 5, S. 89 (134); *Škulić*, LB Serbien und Montenegro, Bd. 3, S. 211 (269 f.); *Weigend*, LB Polen, Bd. 2, S. 77 (142). Dagegen steht in den USA dem Präsidenten nicht nur ein Begnadigungsrecht zu, sondern auch die Kompetenz zum Erlass von Amnestien; siehe *Silverman*, LB USA, Bd. 5, S. 411 (485 ff.).

1632 Vgl. *Frände*, LB Finnland, Bd. 2, S. 21 (70); *Grammer*, LB Italien, Bd. 4, S. 337 (408); *Gropengießer*, LB Deutschland, Bd. 1, S. 21 (389 f.); *Kouassi/Paulenz*, LB Côte d'Ivoire, Bd. 4, S. 19 (70); *Kremnitzer/Cohen*, LB Israel, Bd. 5, S. 317 (392); *Lammich*, LB Russland/Weißrussland, Bd. 6, S. 351 (386); *Lelieur-Fischer*, LB Frankreich, Bd. 4, S. 225 (298 f.); *Novoselec*, LB Kroatien, Bd. 3, S. 19 (58 f.); *Ploom*, LB Estland, Bd. 5, S. 89 (134 f.); *Škulić*, LB Serbien und Montenegro, Bd. 3, S. 211 (270); *Weigend*, LB Polen, Bd. 2, S. 77 (142). Anders die Rechtslage in China, wo ein ständiger Ausschuss des Nationalen Volkskongresses über Amnestien befindet; vgl. *Richter*, LB China, Bd. 6, S. 141 (233).

1633 Vgl. hierzu bereits oben S. 17 f. und S. 305. Ganz zu Recht hat daher Kroatien in den auf Taten im Zusammenhang mit dem Krieg 1991–1996 bezogenen drei Amnestiegesetzen solche Straftaten, zu deren Verfolgung Kroatien völkerrechtlich verpflichtet war, jeweils von der Amnestierung ausgenommen; vgl. *Novoselec*, LB Kroatien, Bd. 3, S. 19 (58).

17. Relevanz des Rückwirkungsverbots für eine Ahndung völkerrechtlicher Verbrechen

a) Völkerstrafrechtliche Ausgangslage

Art. 22(1) IStGH-Statut legt fest, dass eine Person nur dann vom IStGH strafrechtlich zur Verantwortung gezogen werden darf, wenn das ihr zur Last gelegte völkerrechtliche Verbrechen bereits zur Zeit der Tat den Tatbestand eines der von Art. 5 bis 8 IStGH-Statut erfassten Verbrechen erfüllte. Noch weiter eingeschränkt wird die Verfolgungsbefugnis des IStGH durch Art. 24(1) IStGH-Statut, nach dem eine Verfolgung durch den IStGH wegen Taten, die vor Inkrafttreten des Römischen Statuts, also vor dem 1. Juli 2002, begangen wurden, von vornherein nicht in Betracht kommt.[1634] Im Römischen Statut ist mithin ein strenges Rückwirkungsverbot normiert.[1635] Doch betrifft dieses allein die Gerichtsbarkeit des IStGH. Art. 22(1) und 24(1) IStGH-Statut sind für die nationale Strafverfolgung völkerrechtlicher Verbrechen durch Gerichte einzelner Staaten ohne Relevanz.

Völkerrechtliche Festlegungen eines Rückwirkungsverbots, die für nationale Strafverfolgungen von Bedeutung sind, finden sich jedoch in anderen völkerrechtlichen Instrumenten. Diese Bestimmungen beziehen sich zwar nicht speziell auf Völkerstraftaten, sind für solche Taten aber ebenfalls maßgeblich. Diese Festlegungen eines internationalen Rückwirkungsverbots sind inhaltlich weitgehend identisch, so dass es hier ausreicht, exemplarisch auf die Normierungen in Art. 7 EMRK[1636] und Art. 15 IPBPR[1637] näher einzugehen.[1638]

Art. 7 EMRK lautet:

> (1) Niemand darf wegen einer Handlung oder Unterlassung verurteilt werden, die zur Zeit ihrer Begehung nach innerstaatlichem oder internationalem Recht nicht strafbar war. Es darf auch keine schwerere als die zur Zeit der Begehung angedrohte Strafe verhängt werden.

1634 Diese Beschränkung der Gerichtsbarkeit *ratione temporis* ergibt sich überdies auch aus Art. 11 IStGH-Statut.

1635 *Ambos*, CLF 10 (1999), 1 (4 ff.); *Schabas*, Eur.J.CrimeCr.L.Cr.J. 6 (1998), 400 (406 f.); *Werle*, Völkerstrafrecht, Rn. 91 ff.

1636 *Konvention zum Schutze der Menschenrechte und Grundfreiheiten* („Europäische Menschenrechtskonvention") (BGBl. 1952 II, S. 685, 953 i.d.F. des 11. Protokolls, BGBl. 1995 II, S. 579).

1637 *Internationaler Pakt über bürgerliche und politische Rechte* (BGBl. 1973 II, S. 1534).

1638 Inhaltlich deckungsgleich mit dem in Art. 7 EMRK und Art. 15 IPBPR normierten Rückwirkungsverbot ist z.B. die Festlegung in Art. II-109 der – allerdings vorerst gescheiterten – Europäischen Verfassung (abgedr. im Amtsblatt der Europäischen Union Nr. C 310 vom 16.12.2004 und abrufbar unter <http://europa.eu.int/constitution/index_de.htm> [1.1.2006]) sowie in Art. 49 der EU-Grundrechtecharta vom 7.12.2000 (Amtsblatt der Europäischen Gemeinschaften Nr. C 364/1 vom 18.12.2000; Internetquelle: <www.europarl.eu.int/charter/default_de.htm> [1.1.2006]).

(2) Dieser Artikel schließt nicht aus, dass jemand wegen einer Handlung oder Unterlassung verurteilt oder bestraft wird, die zur Zeit ihrer Begehung nach den von den zivilisierten Völkern anerkannten allgemeinen Rechtsgrundsätzen strafbar war.

In Art. 15 IPBPR ist das internationale Rückwirkungsverbot wie folgt formuliert:

(1) Niemand darf wegen einer Handlung oder Unterlassung verurteilt werden, die zur Zeit ihrer Begehung nach inländischem oder nach internationalem Recht nicht strafbar war. Ebenso darf keine schwerere Strafe als die im Zeitpunkt der Begehung der strafbaren Handlung angedrohte Strafe verhängt werden. (…).

(2) Dieser Artikel schließt die Verurteilung oder Bestrafung einer Person wegen einer Handlung oder Unterlassung nicht aus, die im Zeitpunkt ihrer Begehung nach den von der Völkergemeinschaft anerkannten allgemeinen Rechtsgrundsätzen strafbar war.

Das internationale Rückwirkungsverbot erlaubt eine Bestrafung mithin in drei Fällen: *Erstens* – siehe Art. 7(1) Satz 1 Alt. 1 EMRK und Art. 15(1) Satz 1 Alt. 1 IPBPR – dann, wenn die Tat nach dem *innerstaatlichen nationalen Strafrecht* des strafverfolgenden Staates zur Tatzeit strafbar war. Insofern ist eine nationale Strafverfolgung völkerrechtlicher Verbrechen auf jeden Fall dann zulässig, wenn die betreffenden Taten bereits nach dem zur Tatzeit geltenden nationalen Recht des strafverfolgenden Staates strafbar waren.[1639]

Eine Bestrafung ist – siehe Art. 7(1) Satz 1 Alt. 2 EMRK und Art. 15(1) Satz 1 Alt. 2 IPBPR – nach dem internationalen Rückwirkungsverbot *zweitens* dann erlaubt, wenn die Tat zur Tatzeit nach *internationalem Recht* strafbar war. Damit ist das völkerrechtliche Strafrecht gemeint, also die – völkergewohnheitsrechtlich geltende[1640] – Strafbarkeit von Völkermord, Verbrechen gegen die Menschlichkeit, Kriegsverbrechen und Verbrechen des Angriffskrieges, die sich unmittelbar nach und aus dem Völkerrecht ergibt und vom staatlichen Strafrecht einzelner Staaten unabhängig ist.[1641]

[1639] Vgl. *Kreicker*, Art. 7 EMRK und die Gewalttaten an der deutsch-deutschen Grenze, S. 14.

[1640] Das internationale Rückwirkungsverbot verlangt nicht, dass es sich bei den angewandten und zur Tatzeit geltenden Strafnormen um schriftlich fixierte handelt. Ein Gebot der *lex scripta* normiert es – anders als beispielsweise Art. 103 Abs. 2 GG – nicht. Vgl. *Frowein*, in: Frowein/Peukert, Europäische Menschenrechtskonvention, Art. 7 Rn. 4; *Kreicker*, Art. 7 EMRK und die Gewalttaten an der deutsch-deutschen Grenze, S. 8; *Nowak*, UNO-Pakt über bürgerliche und politische Rechte, Art. 15 Rn. 5; *Peters*, Einführung in die Europäische Menschenrechtskonvention, S. 143.

[1641] *Kreicker*, Art. 7 EMRK und die Gewalttaten an der deutsch-deutschen Grenze, S. 81 f. Ebenso *Grabenwarter*, Europäische Menschenrechtskonvention, § 24 Rn. 134. In der deutschen Literatur wird allerdings vielfach die Auffassung vertreten, die Zulässigkeit einer Bestrafung nach Völkerstrafrecht folge aus Art. 7(2) EMRK bzw. Art. 15(2) IPBPR; so etwa *Ambos*, StV 1997, 39 (41); *ders.*, Der Allgemeine Teil des Völkerstrafrechts, S. 41 f.; *Jescheck/Weigend*, Lehrbuch, § 15 II. 4. Fn. 25; *Werle*, ZStW 109 (1997), 808 (811 f.); *ders.*, JZ 2000, 755 (756). Doch kann dem nicht gefolgt werden; diese Interpretation widerspricht der Rechtsprechung des EGMR. Vgl. *Kreicker*, a.a.O., S. 94 f.

Art. 7(2) EMRK und Art. 15(2) IPBPR normieren darüber hinaus eine *echte Ausnahme vom Rückwirkungsverbot.*[1642] Eine Bestrafung ist nämlich *drittens* auch dann erlaubt, wenn eine Tat zur Tatzeit zwar weder nach dem Recht des strafverfolgenden Staates noch nach Völkerstrafrecht strafbar war, wohl aber nach den von den Völkern anerkannten „allgemeinen Rechtsgrundsätzen". Diese Klausel, die entstehungsgeschichtlich bedingt auch als „Nürnberg-Klausel" bezeichnet wird (sie sollte der nachträglichen Legitimierung der vom Nürnberger Militärgerichtshof unter teilweise rückwirkender Rechtsanwendung[1643] ausgesprochenen Verurteilungen dienen),[1644] ist nur schwer verständlich. Ihr Gehalt erschließt sich nur, wenn man bedenkt, dass der Begriff der „allgemeinen Rechtsgrundsätze" auf die gleichnamige Rechtsquelle des Völkerrechts im Sinne des Art. 38(1)(c) IGH-Statut[1645] verweist.[1646] Als – praktisch subsidiäre – Rechtsquelle des Völkerrechts werden nach dieser Vorschrift solche allgemeinen Rechtsgrundsätze des innerstaatlichen Rechts angesehen, die in den verschiedenen Staaten weitestgehend übereinstimmend gelten. Es handelt sich also nicht um originäre Rechtssätze des Völkergewohnheitsrechts, sondern um grundlegende Regeln des nationalen Rechts einzelner Staaten, die in den meisten Rechtsordnungen, zumindest aber in allen verschiedenen Rechtskreisen, inhaltlich übereinstimmend zu finden sind und daher legitimerweise auch auf völkerrechtlicher Ebene zur Problemlösung herangezogen werden können.[1647]

Art. 7(2) EMRK und Art. 15(2) IPBPR sind mithin dahingehend zu verstehen, dass eine fehlende Strafbarkeit zur Tatzeit nach dem Recht des strafverfolgenden Staates und nach Völkerstrafrecht dann unschädlich ist, also einer rückwirkenden

---

1642 *Kreicker*, Art. 7 EMRK und die Gewalttaten an der deutsch-deutschen Grenze (2002), S. 96. Anderer Ansicht die oben in Anm. 1641 genannten Autoren, die Art. 7(2) EMRK und Art. 15(2) IPBPR als Bezugnahme auf das Völkerstrafrecht interpretieren.

1643 Siehe diesbezüglich *Cassese*, International Criminal Law, S. 147 f.; *Jescheck*, JICJ 2 (2004), 38 (39, 42); *Werle*, Völkerstrafrecht, Rn. 24 ff. m.w.N.

1644 Vgl. *van Dijk/van Hoof*, Theory and Practice of the European Convention on Human Rights, S. 486 f.; *Frowein*, in: Frowein/Peukert, Europäische Menschenrechtskonvention, Art. 7 Rn. 8; *Jacobs/White*, European Convention on Human Rights, S. 168; *Peters*, Einführung in die Europäische Menschenrechtskonvention, S. 143.

1645 BGBl. 1973 II, S. 505.

1646 Als Verweis auf die Rechtsquelle des Art. 38(1)(c) IGH-Statut wird Art. 7(2) EMRK verstanden von *van Dijk/van Hoof*, Theory and Practice of the European Convention on Human Rights, S. 487; *Guradze*, Europäische Menschenrechtskonvention, S. 115 Ziff. 10; *Jacobs/White*, European Convention on Human Rights, S. 168; *Kreicker*, Art. 7 EMRK und die Gewalttaten an der deutsch-deutschen Grenze, S. 99. Anderer Ansicht aber *Ambos*, Der Allgemeine Teil des Völkerstrafrechts, S. 41 f., der meint, der Begriff „Rechtsgrundsätze" sei im Sinne der aufgrund des Nürnberger Rechts entwickelten völkergewohnheitsrechtlichen Regeln zu verstehen. Wie *Ambos* auch *Grabenwarter*, Europäische Menschenrechtskonvention, § 24 Rn. 135.

1647 Vgl. *Doehring*, Völkerrecht, Rn. 274, 407 ff.; *Graf Vitzthum*, in: ders. (Hrsg.), Völkerrecht, 1. Abschn. Rn. 142 ff.; *Heintschel von Heinegg,* in: Ipsen, Völkerrecht, § 17 Rn. 1 ff.

Bestrafung nicht entgegensteht, wenn solche Tathandlungen wie die, um die es geht, nach dem Recht so vieler anderer unterschiedlicher Staaten strafbar sind, dass man davon sprechen kann, dass solche Taten grundsätzlich weltweit strafbar sind.[1648] Diese Ausnahmeklausel soll es ermöglichen, nach einem Systemwechsel die Staatskriminalität des überwundenen Systems ahnden und eine Autoimmunisierung diktatorischer Machthaber verhindern zu können.

Als Fazit dieser Betrachtungen kann festgehalten werden, dass das internationale Rückwirkungsverbot einer nationalen Strafverfolgung völkerrechtlicher Verbrechen keine Schranken setzt. Selbst dann, wenn ein völkerrechtliches Verbrechen zur Tatzeit nach dem nationalen Recht des strafverfolgenden Staates nicht strafbar war, steht es einer Ahndung durch den betreffenden Staat – etwa unter rückwirkender Anwendung nachträglich geschaffener völkerstrafrechtlicher Spezialtatbestände – nicht entgegen. Denn das internationale Rückwirkungsverbot lässt es genügen, wenn sich unabhängig vom nationalen Recht des strafverfolgenden Staates eine Strafbarkeit zur Tatzeit aus dem völkergewohnheitsrechtlich geltenden Völkerstrafrecht ergab; zudem gilt das internationale Rückwirkungsverbot – siehe Art. 7(2) EMRK und Art. 15(2) IPBPR – nicht ausnahmslos, sondern lässt in gewissen Grenzen, in denen von einem schutzwürdigen Vertrauen auf zukünftige Straflosigkeit nicht die Rede sein kann, Abweichungen vom Rückwirkungsverbot zu.

b) Rechtslage in den untersuchten Staaten

Auch wenn das internationale Rückwirkungsverbot nach dem Gesagten einer nationalen Strafverfolgung völkerrechtlicher Verbrechen keine Schranken setzt, so können sich Schranken für die nationalen Strafverfolgungsbehörden gleichwohl aus einem im betreffenden nationalen Recht verankerten Rückwirkungsverbot ergeben, das „strenger" ist als das völkerrechtliche Rückwirkungsverbot, namentlich keine Ausnahmen bei makrokriminellen oder sonstigen besonders schweren Straftaten zulässt bzw. allein ein Abstellen auf nationale, eventuell sogar nur auf schriftlich fixierte nationale Strafnormen gestattet.[1649] Derartige über das Völkerrecht hinausreichende Gewährleistungen eines nationalen Rückwirkungsverbots sind durch das Völkerrecht nicht untersagt. Die völkerrechtlichen Gewährleistungen stellen – wie Art. 53 EMRK und Art. 5(2) IPBPR explizit festlegen[1650] – nur Mindestgarantien auf, die es den einzelnen Staaten nicht verbieten, auf nationaler Ebene einen weiterreichenden Grundrechtsschutz zu realisieren.

1648 *Van Dijk/van Hoof*, Theory and Practice of the European Convention on Human Rights, S. 487 f.; *Harris/O'Boyle/Warbrick*, Law of the European Convention on Human Rights, S. 282; *Hummer/Mayr-Singer*, NJ 2000, 561 (565); *Kreicker*, Art. 7 EMRK und die Gewalttaten an der deutsch-deutschen Grenze, S. 96 ff.

1649 Siehe hierzu bereits die Ausführungen oben auf S. 24 ff.

1650 Vgl. die Nachweise oben in Anm. 102.

Ein solches besonders strenges, die nationalen Strafverfolgungskompetenzen bei völkerrechtlichen Verbrechen gegenüber dem völkerrechtlich Zulässigen deutlich einschränkendes Rückwirkungsverbot gilt in Australien, China, Côte d'Ivoire, Deutschland, Finnland, Griechenland, Italien, Österreich, Russland, Schweden, Serbien und Montenegro, Slowenien, Spanien, der Türkei und Weißrussland.[1651] In diesen Staaten ist eine Bestrafung auch wegen völkerrechtlicher Verbrechen[1652] nur statthaft auf der Basis von nationalen, schriftlich fixierten Strafnormen, die bereits zur Tatzeit gegolten haben. Ausnahmen vom Rückwirkungsverbot sind nicht vorgesehen. Dies bedeutet beispielsweise, dass in Deutschland Strafverfolgungen auf der Basis des am 30. Juni 2002 in Kraft getretenen VStGB nur statthaft sind, soweit die betreffende Tat zu einem nach dem Inkrafttreten des VStGB liegenden Zeitpunkt begangen wurde. Zuvor begangene Völkerstraftaten können in Deutschland „nur" auf der Basis der zur Tatzeit geltenden „allgemeinen" Strafnormen geahndet werden.[1653]

Dagegen ist das Rückwirkungsverbot beispielsweise in England/Wales und in den USA weniger weitreichend, da die nationalen Rechtsordnungen dieser Staaten nicht zwingend schriftlich fixierte Strafnormen als Bestrafungsgrundlage verlangen und somit zumindest theoretisch auch – gemäß der Maxime "international law is part of the law of the land"[1654] – in nationales Recht inkorporierte völkergewohnheitsrechtlich geltende Straftatbestände des Völkerstrafrechts als Bestrafungsgrundlage in Betracht kommen.[1655] Es wurde jedoch bereits darauf hingewiesen, dass auch in diesen Ländern in der Praxis eine Bestrafung grundsätzlich nur auf der Basis original nationaler Rechtsnormen erfolgt, selbst wenn sich diese in einem Verweis auf das Völkerrecht erschöpfen.[1656] In diesem Zusammenhang ist vor allem das US-amerikanische Strafrecht von Interesse: In den USA sind die Militärgerichte befugt, die ihnen unterworfenen Personen für Kriegsverbrechen strafrechtlich zur

---

1651 Vgl. *Biehler/Kerll*, LB Australien, Bd. 6, S. 19 (64 f.); *Cornils*, LB Schweden, Bd. 2, S. 183 (243); *Frände*, LB Finnland, Bd. 2, S. 21 (71); *Gil Gil*, LB Spanien, Bd. 4, S. 99 (176); *Grammer*, LB Italien, Bd. 4, S. 337 (408 f.) (*Grammer* geht allerdings davon aus, die Tatsache, dass Italien die EMRK und den IPBPR ratifiziert habe, führe dazu, dass trotz des in der italienischen Verfassung normierten strengen Rückwirkungsverbots Ausnahmen vom Rückwirkungsverbot bei völkerrechtlichen Verbrechen in Betracht kämen); *Korošec*, LB Slowenien, Bd. 3, S. 329 (386 f.); *Kouassi/Paulenz*, LB Côte d'Ivoire, Bd. 4, S. 19 (70); *Kreicker*, LB Deutschland, Bd. 1, S. 21 (390 ff.); *Lammich*, LB Russland/Weißrussland, Bd. 6, S. 351 (386); *Retalis*, LB Griechenland, Bd. 5, S. 189 (272 f.); *Richter*, LB China, Bd. 6, S. 141 (234); *Škulić*, LB Serbien und Montenegro, Bd. 3, S. 211 (270); *Tellenbach*, LB Türkei, Bd. 6, S. 393 (445 f.); *Zerbes*, LB Österreich, Bd. 3, S. 85 (154).

1652 In den genannten Staaten gibt es keine speziell auf völkerrechtliche Verbrechen bezogene Sonderregelung des Rückwirkungsverbots; vgl. die Nachweise in Anm. 1651.

1653 Siehe hierzu *Kreicker*, LB Deutschland, Bd. 1, S. 21 (54 ff., 86 ff., 390 ff.).

1654 Siehe oben Anm. 99.

1655 Vgl. *Rabenstein/Bahrenberg*, LB England/Wales, Bd. 6, S. 261 (271 f.).

1656 Siehe oben S. 25 f.

Verantwortung zu ziehen, sofern diese zur Tatzeit nach Völkerrecht strafbar waren. Insofern wird also kein geschriebener nationaler Straftatbestand verlangt, sondern eine Bestrafung auf der Basis von Völkerrecht für statthaft erachtet. In der Regelung des US-Rechts, die dies festschreibt, wird ausdrücklich betont, dass eine solche Bestrafung wegen Kriegsverbrechen auf der Grundlage von Völkergewohnheitsrecht auch für Taten möglich ist, die vor Inkrafttreten dieser Regelung begangen wurden.[1657]

In anderen Ländern – zu nennen sind Israel und Kanada – wird es für zulässig erachtet, neue nationale Rechtsvorschriften unter Verweis auf eine zur Tatzeit bestehende Strafbarkeit nach Völkergewohnheitsrecht auf vor dem Inkrafttreten der nationalen Rechtsvorschriften begangene Taten zur Anwendung zu bringen. So wird in Kanada von einer Anwendbarkeit des CAHWCA, der im Jahr 2000 in Kraft getreten ist,[1658] auch auf vor dem Jahr 2000 begangene Taten ausgegangen.[1659] In Israel wurde die – unbestrittene – rückwirkende Anwendung des *Nazi and Nazi Collaborators (Punishment) Law*[1660] vom Bezirksgericht Jerusalem und vom Supreme Court im *Eichmann*-Verfahren[1661] sowie in der Literatur damit legitimiert, die in dem Gesetz festgelegten Straftaten seien zur Tatzeit zwar nicht nach diesem Gesetz, wohl aber nach Völkerrecht strafbar gewesen; dies sei ausreichend, da eine Strafbarkeit zur Tatzeit gegeben gewesen und der Täter damit hinreichend „gewarnt" gewesen sei, seine Bestrafung also nicht berechtigtes Vertrauen auf Straflosigkeit enttäuschen könne.[1662]

1657 Department of Defense, Military Commission Instruction No. 2 (Crimes and Elements for Trials by Military Commission), 30 Apr. 2003, 3A: "No offense is cognizable in a trial by military commission if that offense did not exist prior to the conduct in question. These crimes and elements derive from the law of armed conflict, a body of law that is sometimes referred to as the law of war. They constitute violations of the law of armed conflict or offenses that, consistent with that body of law, are triable by military commission. Because this document is declarative of existing law, it does not preclude trial for crimes that occurred prior to its effective date." (zitiert nach *Silverman*, LB USA, Bd. 5, S. 411 [489 Fn. 438]). Diese Regelung kann, da ihr nach dem Willen ihrer Verfasser lediglich deklaratorische Bedeutung zukommen soll, im Übrigen eventuell auch als ein Fall der Bestrafung in unmittelbarer Anwendung von Völkerrecht (siehe hierzu oben S. 24) angesehen werden, also möglicherweise nicht als Beispiel für einen dynamischen Verweis auf Völkergewohnheitsrecht (siehe hierzu oben S. 27) betrachtet werden. Siehe aber auch *Silverman*, LB USA, Bd. 5, S. 411 (426), wo ausgeführt wird, dass "a person cannot be tried in federal courts for an offence that violates international law unless Congress has adopted a statute to define and punish the offence".

1658 Vgl. oben Anm. 107.

1659 *Gut/Wolpert*, LB Kanada, Bd. 5, S. 19 (58).

1660 Vgl. unten Anm. 1809.

1661 Siehe hierzu unten S. 343 f. mit Anm. 1811 und 1814.

1662 Vgl. *Kremnitzer/Cohen*, LB Israel, Bd. 5, S. 317 (393 f.). Eine unmittelbare Anwendung von Völkerstrafrecht wird dagegen in Israel nicht für statthaft erachtet. Lediglich die rückwirkende Anwendung eines nationalen Strafgesetzes, das stets erforderliche Bestrafungsgrundlage ist, wird bei zur Tatzeit bestehender Strafbarkeit des zu ahndenden

In Estland, Kroatien und Polen statuieren die nationalen Verfassungen sogar explizit eine Ausnahme vom Rückwirkungsverbot für völkerrechtliche Verbrechen, enthalten also ebenso wie das völkerrechtliche Rückwirkungsverbot eine Ausnahmeklausel. Art. 5 Abs. 4 der Verfassung von Estland legt fest, dass Verbrechen gegen die Menschlichkeit und Kriegsverbrechen unabhängig vom Zeitpunkt der Tatbegehung strafbar sind.[1663] Art. 31 Abs. 1 der Verfassung der Republik Kroatien bestimmt, dass niemand für eine Tat bestraft werden darf, „die vor ihrer Begehung nach dem Gesetz oder nach Völkerrecht nicht als Straftat festgelegt war".[1664] Gemäß Art. 42 Abs. 1 der polnischen Verfassung von 1997 steht das Rückwirkungsverbot der Ahndung einer Tat dann nicht entgegen, wenn diese zur Zeit ihrer Begehung nach Völkerrecht strafbar war.[1665]

In Frankreich gilt zwar grundsätzlich ein strenges Rückwirkungsverbot, doch hat die Rechtsprechung dieses im Zusammenhang mit der Aufarbeitung von NS-Unrecht für bei völkerrechtlichen Verbrechen nicht einschlägig erachtet. Denn die Verurteilungen wegen Verbrechen gegen die Menschlichkeit, die ausgesprochen wurden, obwohl das zur Tatzeit geltende französische Strafrecht diesen Tatbestand nicht kannte, wurden damit legitimiert, dass die Taten nach Völkergewohnheitsrecht zur Tatzeit strafbar gewesen seien.[1666] In der Sache ließ die französische Rechtsprechung damit nur das oben geschilderte, eine völkergewohnheitsrechtliche Tatzeitstrafbarkeit für ausreichend erachtende internationale Rückwirkungsverbot gelten.

Insgesamt ergibt die vergleichende Betrachtung der nationalen Regelungen zum Rückwirkungsverbot also ein heterogenes Bild. Festgehalten werden kann, dass keinesfalls durchweg ein strenges, keinen Rückgriff auf völkerrechtliche Strafbarkeit bzw. keine Ausnahmen gestattendes Rückwirkungsverbot gilt. Vielmehr ist in einigen Ländern das nationale Rückwirkungsverbot ähnlich weit gefasst wie das internationale. Dieses aber dürfte gleichzeitig dem kleinsten gemeinsamen Nenner der nationalen Regelungen entsprechen, jedenfalls aber bleibt keine der untersuchten Rechtsordnungen hinter den Gewährleistungen des internationalen Rückwirkungsverbots zurück.

Verhaltens nach Völkergewohnheitsrecht für statthaft erachtet; vgl. *Kremnitzer/Cohen*, a.a.O., S. 393 sowie unten S. 343 f.

1663 Vgl. *Ploom*, LB Estland, Bd. 5, S. 89 (135).

1664 *Novoselec*, LB Kroatien, Bd. 3, S. 19 (59). Allerdings wird in der rechtswissenschaftlichen Literatur Kroatiens die Zulässigkeit einer Bestrafung unmittelbar auf der Basis von Völkerrecht bzw. eine rückwirkende Anwendung nationalen Strafrechts bei Pönalisierung der betreffenden Tat nach Völkerstrafrecht zur Tatzeit verneint; vgl. *Novoselec*, a.a.O, S. 59 m.w.N. in Fn. 35.

1665 *Weigend*, LB Polen, Bd. 2, S. 77 (143).

1666 *Lelieur-Fischer*, LB Frankreich, Bd. 4, S. 225 (299 ff.).

18. Relevanz des Grundsatzes *ne bis in idem* für eine Ahndung völkerrechtlicher Verbrechen

a) Völkerstrafrechtliche Ausgangslage

Hinsichtlich der Relevanz des Grundsatzes *ne bis in idem* für eine Ahndung völkerrechtlicher Verbrechen, also des Grundsatzes, dass nach einer rechtskräftigen Verurteilung bzw. einem rechtskräftigen Freispruch wegen einer Tat die Durchführung eines weiteres Verfahrens wegen derselben Tat unstatthaft ist, ist zu differenzieren zwischen der Frage einer (horizontal) transnationalen Geltung dieses Grundsatzes nach Völkergewohnheitsrecht, einer (horizontal) transnationalen Geltung auf der Basis allgemeiner völkerrechtlicher Verträge sowie drittens einer (vertikalen) Geltung dieses Grundsatzes im Verhältnis zwischen supranationalen Strafgerichten (ICTY, ICTR und IStGH) einerseits und einzelnen Staaten andererseits.[1667]

aa) Völkergewohnheitsrechtliche Geltung des Grundsatzes *ne bis in idem*

Eine generelle völkergewohnheitsrechtliche Geltung des Grundsatzes *ne bis in idem* kann jedenfalls derzeit nicht festgestellt werden.[1668] Damit besteht keine alle Staaten unabhängig von der Art der Tat und dem Ort einer Verurteilung bzw. eines Freispruchs bindende Regel des universellen Völkergewohnheitsrechts, die es den Staaten allgemein untersagte, eine Person, die wegen einer Tat bereits von einem anderen Staat verurteilt oder freigesprochen wurde, erneut strafrechtlich zu verfolgen und gegebenenfalls zu verurteilen. Hiervon geht im Übrigen auch der deutsche Gesetzgeber aus, wenn er in § 51 Abs. 3 StGB anordnet, dass auf eine in Deutschland verhängte Strafe eine Strafe, zu der der Verurteilte wegen derselben Tat im Ausland verurteilt wurde, anzurechnen ist.[1669] Mithin verbietet es das Völkergewohnheitsrecht den Staaten nicht, eine nationale Strafverfolgung wegen eines völkerrechtlichen Verbrechens selbst dann durchzuführen, wenn der Beschuldigte wegen eben dieser Tat bereits von einem anderen Staat rechtskräftig verurteilt oder gar freigesprochen wurde.[1670]

1667 Auf den Aspekt der innerstaatlichen Geltung des Grundsatzes *ne bis in idem*, also der Frage, inwieweit Gerichte eines Staates an einer Strafverfolgung gehindert sind, wenn bereits ein anderes Gericht desselben Staates wegen der betreffenden Tat tätig geworden ist, soll hier nicht eingegangen werden.

1668 Vgl. BVerfGE 75, 1 (18, 24) = NJW 1987, 2155 (2157 f.); BGH NStZ 1998, 149 (150); MK-StGB-*Ambos*, vor § 3 Rn. 73; LR-StPO-*Beulke*, § 153c Rn. 15; *Kniebühler*, Transnationales ‚ne bis in idem', S. 353 ff.; *Mansdörfer*, Das Prinzip des ne bis in idem, S. 22; *Tröndle/Fischer*, § 51 Rn. 16a sowie die Feststellung der Bundesregierung in BT-Drucks. 14/8527, S. 27 (95).

1669 Vgl. *Tröndle/Fischer*, § 51 Rn. 16 f.; Schönke/Schröder-*Stree*, § 51 Rn. 28 ff.

1670 Dies ist vor dem Hintergrund der Zulässigkeit einer Strafverfolgung nach dem uneingeschränkten Weltrechtsprinzip (vgl. hierzu oben S. 18 ff.) nicht unbedenklich.

bb) Allgemeine Festlegung des Grundsatzes *ne bis in idem* in völkerrechtlichen Verträgen

Allerdings wird eine allgemeine, also auf grundsätzlich alle Arten von Straftaten bezogene transnationale Geltung des Grundsatzes *ne bis in idem* zunehmend in regionalen völkerrechtlichen Verträgen vereinbart.[1671] Hinzuweisen ist an dieser Stelle namentlich auf Art. 54 Schengener Durchführungsübereinkommen von 1990 (SDÜ).[1672] Nach dieser Norm darf eine Person, die durch eine Vertragspartei[1673] rechtskräftig abgeurteilt worden ist, durch eine andere Vertragspartei wegen derselben Tat nicht verfolgt werden, vorausgesetzt, dass im Fall einer Verurteilung die Sanktion bereits vollstreckt worden ist, gerade vollstreckt wird oder nach dem Recht des Urteilsstaates nicht mehr vollstreckt werden kann.[1674] Eine ebensolche Regelung enthält Art. 1 Übereinkommen der Mitgliedstaaten EG über das Verbot der doppelten Strafverfolgung von 1987.[1675] Das in Art. 54 SDÜ sowie dem EG-

---

1671 Vgl. *Kniebühler*, Transnationales ‚ne bis in idem', S. 161 ff., 330 ff.; *Meyer-Goßner*, Einl. Rn. 177; *Thomas*, Recht auf Einmaligkeit der Strafverfolgung, S. 79 ff.

1672 *Übereinkommen zur Durchführung des Übereinkommens von Schengen vom 14. Juni 1985 zwischen den Regierungen der Staaten der Benelux-Wirtschaftsunion, der Bundesrepublik Deutschland und der Französischen Republik betreffend den schrittweisen Abbau der Kontrollen an den gemeinsamen Grenzen* vom 19.6.1990, BGBl. 1993 II, S. 1013.

1673 Vertragsparteien sind derzeit Belgien, Dänemark, Deutschland, Estland, Finnland, Frankreich, Griechenland, Island, Italien, Lettland, Litauen, Luxemburg, Malta, Niederlande, Norwegen, Österreich, Polen, Portugal, Tschechische Republik, Slowenien, Schweden, Slowakei, Spanien, Ungarn und Zypern. Darüber hinaus gilt das Abkommen teilweise auch für Großbritannien und Irland.

1674 Vgl. LR-StPO-*Beulke*, § 153c Rn. 17 ff. (mit Nachweisen zur Rechtsprechung); *Kniebühler*, Transnationales ‚ne bis in idem', S. 169 ff.; *Mansdörfer*, Das Prinzip des ne bis in idem, S. 142 ff.; *Meyer-Goßner*, Einl. Rn. 177; *Schomburg*, in: Schomburg/Lagodny, Rechtshilfe in Strafsachen, Art. 54 SDÜ Rn. 4 ff.; *ders.*, in: Arnold u.a. (Hrsg.), FS Eser, S. 829 (832 ff.); *Stein*, Zum europäischen *ne bis in idem*, S. 39 ff.; *Thomas*, Recht auf Einmaligkeit der Strafverfolgung, S. 91 ff. Allerdings lässt Art. 55 SDÜ zu, dass sich einzelne Vertragsparteien bei der Ratifikation des SDÜ gewisse Ausnahmen von diesem Doppelbestrafungsverbot vorbehalten. Deutschland hat von dieser Möglichkeit Gebrauch gemacht und erklärt, unter anderem bei allen Taten, die ganz oder teilweise in Deutschland begangen worden sind sowie bei bestimmten Staatsschutzdelikten durch Art. 54 SDÜ nicht gebunden zu sein, vgl. BGBl. 1994 II, S. 631 und LR-StPO-*Beulke*, § 153c Rn. 20. Der EuGH hat im Jahr 2003 entschieden, dass Art. 54 SDÜ bereits dann einem neuen Verfahren entgegensteht, wenn in einem anderen Land ein Verfahren wegen der Tat von der Staatsanwaltschaft mit strafklageverbrauchender Wirkung eingestellt worden ist, etwa nach § 153a StPO; EuGH, NJW 2003, 1173 (1173 f.). Vgl. zu dieser Entscheidung *Radtke/Busch*, NStZ 2003, 281 (281 ff.); *Stein*, NJW 2003, 1162 (1162 f.). Diese über den Wortlaut der Norm hinausgehende Erstreckung des *ne bis in idem*-Grundsatzes dürfte für Völkerstraftaten aber ohne Relevanz sein.

1675 *Übereinkommen zwischen den Mitgliedstaaten der Europäischen Gemeinschaften über das Verbot der doppelten Strafverfolgung* vom 25.5.1987, BGBl. 1998 II, S. 2226. Dieses Übereinkommen ist zwar noch nicht in Kraft getreten, wird aber von einigen Staaten, unter anderem Deutschland, bereits angewandt. Vgl. MK-StGB-*Ambos*, vor § 3 Rn. 75; LR-StPO-*Beulke*, § 153c Rn. 21; *Kniebühler*, Transnationales ‚ne bis in idem',

Übereinkommen festgelegte transnationale *ne bis in idem* gilt auch für völkerrechtliche Verbrechen.

cc) Geltung des Grundsatzes *ne bis in idem* im Verhältnis zwischen supranationalen Strafgerichten und nationalen Gerichten

Sowohl die Statuten des ICTY und ICTR als auch das Römische Statut enthalten Festlegungen eines im Verhältnis zwischen diesen supranationalen Gerichten und den nationalen Gerichten einzelner Staaten geltenden *ne bis in idem*.[1676]

Nach Art. 20(2) IStGH-Statut darf niemand wegen eines Verbrechens nach Art. 5 IStGH-Statut, dessentwegen er vom IStGH bereits verurteilt oder freigesprochen wurde, vor ein anderes (nationales) Gericht (eines Vertragsstaates) gestellt werden.[1677] In umgekehrter Richtung gilt der Grundsatz *ne bis in idem* zwar prinzipiell auch, allerdings – vgl. Art. 17(1)(c) i.V.m. Art. 20(3) IStGH-Statut – ist der IStGH zu einer (erneuten) Strafverfolgung befugt, wenn ein zuvor durchgeführtes nationales Strafverfahren entweder dem Zweck diente, den Beschuldigten vor strafrechtlicher Verantwortlichkeit zu schützen oder in sonstiger Hinsicht nicht unabhängig oder unparteiisch agiert hat. Damit soll verhindert werden, dass einem Beschuldigten wohlgesonnene Staaten ihn durch Durchführung eigener, mit einem Freispruch oder einer lediglich symbolischen Verurteilung endenden „Scheinverfahren“ vor echter strafrechtlicher Verantwortlichkeit und einer gerechten Strafe bewahren.

Das ICTY-Statut[1678] und das ICTR-Statut[1679] enthalten jeweils eine dem Art. 20(2) IStGH-Statut entsprechende Bestimmung. Nach Art. 10(1) ICTY-Statut und Art. 9(1) ICTR-Statut darf niemand wegen Handlungen, die aufgrund des jeweiligen Statuts schwere Verstöße gegen das humanitäre Völkerrecht darstellen, vor ein nationales Gericht gestellt werden, wenn gegen ihn wegen derselben Handlungen bereits vor dem ICTY bzw. ICTR verhandelt wurde. Da die Statuten dieser Strafgerichtshöfe auf Resolutionen des UN-Sicherheitsrats beruhen, sind die einzelnen Staaten gemäß Art. 25 UN-Charta völkerrechtlich verpflichtet, sich an diese Regelungen zu halten.

S. 161 ff.; *Schomburg*, in: Schomburg/Lagodny, Rechtshilfe in Strafsachen, EG-ne bis in idem-Übk, vor Art. 1 Rn. 7 ff., Art. 6 Rn. 2 ff.; *Thomas*, Recht auf Einmaligkeit der Strafverfolgung, S. 81 f.

1676 Ausführlich hierzu *Kniebühler*, Transnationales ‚ne bis in idem', S. 393 ff.

1677 Vgl. *Tallgren*, in: Triffterer (Hrsg.), Commentary on the Rome Statute, Art. 20 Rn. 15 ff.; *van den Wyngaeert/Ongena*, in: Cassese u.a. (Hrsg.), Rome Statute of the International Criminal Court, Bd. I, S. 705 (723 f.).

1678 Vgl. oben Anm. 91.

1679 Vgl. oben Anm. 92.

b) Rechtslage in den untersuchten Staaten

In fast allen der untersuchten Staaten ist der Grundsatz *ne bis in idem* auf nationaler Ebene insofern festgelegt, als ein zweites Verfahren vor einem nationalen Gericht dann unzulässig ist, wenn der Beschuldigte wegen derselben Tat bereits von einem anderen Gericht des eigenen Staates verurteilt oder freigesprochen wurde.[1680] Lediglich in China ist der Grundsatz *ne bis in idem* nicht normiert.[1681] Sonderregelungen speziell für völkerrechtliche Verbrechen finden sich in keinem der untersuchten Staaten, wenngleich darauf hinzuweisen ist, dass in Frankreich die Cour de Cassation erneute Verfahren gegen *Barbie* und *Touvier* trotz bereits vorliegender rechtskräftiger Gerichtsurteile französischer Gerichte mit dem Argument für zulässig erachtete, dass der Grundsatz *ne bis in idem* wegen der Besonderheiten völkerrechtlicher Verbrechen, namentlich wegen deren Unverjährbarkeit, dann kein Hindernis für ein weiteres Strafverfahren darstelle, wenn die mit dem bereits ergangenen Urteil verhängte Strafe noch nicht vollstreckt worden sei.[1682]

Eine horizontal-transnationale *ne bis in idem*-Regelung, also ein Verbot, ein nationales Strafverfahren dann durchzuführen, wenn der Beschuldigte wegen derselben Tat bereits von einem Gericht eines anderen Staates rechtskräftig verurteilt oder freigesprochen wurde, ist dagegen nur in einigen Staaten normiert. Ein solches Verbot ist normiert in den nationalen Rechtsordnungen von England, Estland und Slowenien.[1683] Mit gewissen Einschränkungen gilt es auch in Frankreich, Israel,

---

[1680] Vgl. *Biehler/Kerll*, LB Australien, Bd. 6, S. 19 (65); *Cornils*, LB Schweden, Bd. 2, S. 183 (244); *Frände*, LB Finnland, Bd. 2, S. 21 (71); *Gil Gil*, LB Spanien, Bd. 4, S. 99 (176); *Grammer*, LB Italien, Bd. 4, S. 337 (409); *Gut/Wolpert*, LB Kanada, Bd. 5, S. 19 (59); *Korošec*, LB Slowenien, Bd. 3, S. 329 (387); *Kouassi/Paulenz*, LB Côte d'Ivoire, Bd. 4, S. 19 (71); *Kreicker*, LB Deutschland, Bd. 1, S. 21 (392 f.); *Kremnitzer/Cohen*, LB Israel, Bd. 5, S. 317 (394); *Lammich*, LB Russland/Weißrussland, Bd. 6, S. 351 (386); *Lelieur-Fischer*, LB Frankreich, Bd. 4, S. 225 (302); *Novoselec*, LB Kroatien, Bd. 3, S. 19 (59); *Ploom*, LB Estland, Bd. 5, S. 89 (135); *Rabenstein/Bahrenberg*, LB England/Wales, Bd. 6, S. 261 (305); *Retalis*, LB Griechenland, Bd. 5, S. 189 (273); *Silverman*, LB USA, Bd. 5, S. 411 (489 f.) (allerdings verbietet der Grundsatz *ne bis in idem* in den USA, sofern nicht etwas anderes gesetzlich ausdrücklich angeordnet ist, nur ein zweites Verfahren vor einem Gericht desselben Einzelstaates, der bereits das erste Verfahren durchgeführt hat, bzw. ein zweites Verfahren vor einem Bundesgericht, sofern bereits wegen derselben Tat vor einem Bundesgericht ein Verfahren durchgeführt wurde. Damit ist es z.B. nicht a priori ausgeschlossen, dass ein Einzelstaat ein Verfahren wegen einer Tat durchführt, deretwegen der Beschuldigte bereits von einem Gericht eines anderen Einzelstaates oder eines Bundesgerichts verurteilt bzw. freigesprochen wurde); *Škulić*, LB Serbien und Montenegro, Bd. 3, S. 211 (271); *Weigend*, LB Polen, Bd. 2, S. 77 (144); *Tellenbach*, LB Türkei, Bd. 6, S. 393 (446); *Zerbes*, LB Österreich, Bd. 3, S. 85 (155 f.).

[1681] *Richter*, LB China, Bd. 6, S. 141 (234).

[1682] Vgl. *Lelieur-Fischer*, LB Frankreich, Bd. 4, S. 225 (302 f.).

[1683] Vgl. *Korošec*, LB Slowenien, Bd. 3, S. 329 (387); *Rabenstein/Bahrenberg*, LB England/Wales, Bd. 6, S. 261 (305); *Ploom*, LB Estland, Bd. 5, S. 89 (135).

Russland, Österreich, Schweden, der Türkei und Weißrussland,[1684] wobei die praktisch bedeutsamste Ausnahme den Fall betrifft, dass die Tat im Gebiet des eigenen Staates begangen wurde – in einem solchen Fall untersagt der Grundsatz *ne bis in idem* in diesen Staaten eine erneute Strafverfolgung nicht. Eine Sonderregelung für völkerrechtliche Verbrechen gibt es allein in Finnland und Kanada. In Finnland ist zwar grundsätzlich ein nationales Strafverfahren untersagt, wenn wegen der betreffenden Tat bereits ein ausländisches Urteil vorliegt, doch kann der Reichsankläger bei völkerrechtlichen Verbrechen bestimmen, dass ausnahmsweise ein bereits ergangenes ausländisches Urteil einer erneuten Strafverfolgung in Finnland nicht entgegensteht.[1685] In Kanada ist zwar ebenfalls ein nationales Strafverfahren grundsätzlich untersagt, wenn wegen der betreffenden Tat bereits ein ausländisches Urteil vorliegt, doch bestimmt section 12(2) CAHWCA[1686] in enger Anlehnung an die Regelung des Art. 20 IStGH-Statut, dass das Verbot einer Doppelverfolgung bei völkerrechtlichen Verbrechen einem Verfahren nach dem CAHWCA dann nicht entgegensteht, wenn das ausländische Verfahren dem Zweck diente, den Beschuldigten vor strafrechtlicher Verantwortlichkeit zu schützen oder in sonstiger Hinsicht nicht unabhängig und unparteiisch bzw. nicht in Übereinstimmung mit rechtsstaatlichen Grundsätzen durchgeführt wurde.[1687] Dagegen gilt ein horizontaltransnationales *ne bis in idem* nicht in China, Côte d'Ivoire, Deutschland, Kroatien, Italien, Polen und den USA; in diesen Staaten sind also Strafverfahren – abgesehen von dem Fall, dass ein den betreffenden Staat bindender völkerrechtlicher Vertrag ein transnationales Doppelverfolgungsverbot festlegt – auch dann zulässig, wenn wegen der Tat bereits ein Urteil eines ausländischen Gerichts ergangen ist.[1688]

Eine vertikal-transnationale *ne bis in idem*-Regelung, also eine nationale Regelung, die ausdrücklich bestimmt, dass ein nationales Strafverfahren unzulässig ist, wenn gegen den Beschuldigten wegen der betreffenden Tat bereits vor einem internationalen Strafgericht (IStGH, ICTY, ICTR) ein Verfahren durchgeführt wurde, findet sich in Australien, Deutschland, England und Wales, Griechenland, Kroatien, Österreich und Schweden.[1689] In anderen Vertragsstaaten des Römischen Sta-

---

1684 Siehe *Cornils*, LB Schweden, Bd. 2, S. 183 (244); *Kremnitzer/Cohen*, LB Israel, Bd. 5, S. 317 (394); *Lammich*, LB Russland/Weißrussland, Bd. 6, S. 351 (386); *Lelieur-Fischer*, LB Frankreich, Bd. 4, S. 225 (304); *Tellenbach*, LB Türkei, Bd. 6, S. 393 (446); *Zerbes*, LB Österreich, Bd. 3, S. 85 (155, 157 ff.).

1685 *Frände*, LB Finnland, Bd. 2, S. 21 (71 f.).

1686 Vgl. oben Anm. 107.

1687 Vgl. *Gut/Wolpert*, LB Kanada, Bd. 5, S. 19 (59).

1688 Vgl. *Grammer*, LB Italien, Bd. 4, S. 337 (409); *Kouassi/Paulenz*, LB Côte d'Ivoire, Bd. 4, S. 19 (71); *Kreicker*, LB Deutschland, Bd. 1, S. 21 (395 f.); *Novoselec*, LB Kroatien, Bd. 3, S. 19 (59 f.); *Richter*, LB China, Bd. 6, S. 141 (234); *Silverman*, LB USA, Bd. 5, S. 411 (490 f.); *Weigend*, LB Polen, Bd. 2, S. 77 (144 f.).

1689 *Biehler/Kerll*, LB Australien, Bd. 6, S. 19 (65) (nationale Regelung bezogen auf den IStGH); *Cornils*, LB Schweden, Bd. 2, S. 183 (245) (nationale Regelung sowohl bezogen auf ICTY/ICTR als auch auf IStGH); *Kreicker*, LB Deutschland, Bd. 1, S. 21 (397 f.) (na-

tuts, namentlich in Frankreich, Italien, Polen sowie Serbien und Montenegro, ist zwar die Regelung des Art. 20 IStGH-Statut nicht in eine nationale Rechtsnorm übernommen worden,[1690] doch dürfte sich in vielen dieser Staaten das Verbot einer Doppelverfolgung aus einer direkten Anwendbarkeit des Art. 20 IStGH-Statut ergeben.[1691]

II. Sonstige speziell für völkerrechtliche Verbrechen relevante allgemeine Strafbarkeitsvoraussetzungen bzw. Straffreistellungen

Neben den oben unter D.I. erläuterten allgemeinen Strafbarkeitsvoraussetzungen bzw. Straffreistellungen, zu denen sich in allen Landesberichten Ausführungen finden, da der verbindliche Fragenkatalog den Landesberichterstattern explizit aufgab, die einschlägigen Bestimmungen des jeweiligen nationalen Rechts darzustellen,[1692] gibt es noch weitere völkerstrafrechtlich relevante allgemeine Strafbarkeitsvoraussetzungen und Straffreistellungen, die zum Teil – man denke an die Bestimmungen zur Schuldfähigkeit in Art. 31(1)(a) und (b) IStGH-Statut – im Römischen Statut ihren Niederschlag gefunden haben, zum Teil aber – erwähnt sei der umstrittene Rechtfertigungsgrund der Repressalie – in Bezug auf das Völkerstrafrecht allenfalls eine völkergewohnheitsrechtliche Normierung erfahren haben. Hinsichtlich dieser weiteren allgemeinen Regeln der strafrechtlichen Verantwortlichkeit waren die Landesberichterstatter lediglich gebeten worden, dann Ausführungen zu einschlägigen nationalen Bestimmungen zu machen, wenn diese besonders bemerkenswert sind oder es eine diesbezügliche Diskussion auf nationaler Ebene gibt. Insofern verwundert es nicht, dass die verschiedenen Landesberichte hinsichtlich der Darlegungen unter dem Gliederungspunkt D.II. deutlich differieren. An dieser Stelle sollen zum einen die in den verschiedenen Landesberichten angesprochenen sonstigen allgemeinen Strafbarkeitsvoraussetzungen bzw. Straffreistellungen kurz im Hinblick auf ihren völkerstrafrechtlichen Normgehalt skizziert werden; zum anderen soll

---

tionale Regelung sowohl bezogen auf ICTY/ICTR als auch auf IStGH); *Novoselec*, LB Kroatien, Bd. 3, S. 19 (60) (nationale Regelung bezogen auf den IStGH); *Rabenstein/Bahrenberg*, LB England/Wales, Bd. 6, S. 261 (305) (nationale Regelung bezogen auf den IStGH); *Retalis*, LB Griechenland, Bd. 5, S. 189 (273) (nationale Regelung bezogen auf ICTY und ICTR); *Zerbes*, LB Österreich, Bd. 3, S. 85 (148 f.) (nationale Regelung bezogen auf den IStGH).

1690 Vgl. *Grammer*, LB Italien, Bd. 4, S. 337 (410); *Lelieur-Fischer*, LB Frankreich, Bd. 4, S. 225 (304 f.); *Škulić*, LB Serbien und Montenegro, Bd. 3, S. 211 (271 f.); *Weigend*, LB Polen, Bd. 2, S. 77 (145).

1691 So für Serbien und Montenegro ausdrücklich *Škulić*, LB Serbien und Montenegro, Bd. 3, S. 211 (271 f.).

1692 Zur Konzeption des Projekts „Nationale Strafverfolgung völkerrechtlicher Verbrechen" und zum verbindlichen Fragenkatalog siehe die den einzelnen Bänden mit Landesberichten (vgl. oben Anm. 14 f.) jeweils vorangestellte „Einführung in das Projekt" sowie oben S. 3.

auf die korrespondierenden nationalen Bestimmungen insofern hingewiesen werden, als die Landesberichte zu diesen Feststellungen treffen.

1. Bewaffnete Konflikte und völkerrechtliche Befugnisnormen als besondere Straffreistellungsgründe

Allein die Tatsache, dass bestimmte Taten im Zusammenhang mit einem bewaffneten Konflikt und von regulären Kombattanten verübt werden, kann straffreistellend wirken. Verhaltensweisen, die in Friedenszeiten nach den nationalen Strafrechtsordnungen der einzelnen Staaten ganz selbstverständlich strafbar sind, sind, sofern sie von regulären Kombattanten im Rahmen eines bewaffneten Konflikts begangen werden, vielfach vom Völkerrecht erlaubt, mithin legal.[1693] So ist es im Krieg den Kombattanten grundsätzlich gestattet, gegnerische Soldaten zu töten oder zu verwunden. Die tatbestandlich verwirklichten Tötungs- bzw. Körperverletzungsdelikte sind – soweit die Regeln des humanitären Völkerrechts eingehalten werden – allein aufgrund der Tatsache, dass eine Tat von einem regulären Kombattanten während eines Krieges verübt wurde, gerechtfertigt. Gleiches gilt für die Beschädigung oder Zerstörung gegnerischer militärischer Anlagen oder sonstiger völkerrechtlich gestatteter Angriffsziele. Die verwirklichten Straftaten, etwa Sachbeschädigungs- oder Brandstiftungsdelikte, sind von Völkerrechts wegen gerechtfertigt.

Die Grenzen des während einer bewaffneten Auseinandersetzung Erlaubten werden durch die Normen des humanitären Völkerrechts – insbesondere der Genfer Abkommen und deren Zusatzprotokolle – gezogen. Taten, die gegen die Verbotsnormen des humanitären Völkerrechts verstoßen, sind nicht mehr allein aufgrund ihrer Begehung während eines bewaffneten Konflikts gestattet; sie können damit – sofern nicht ein sonstiger Straffreistellungsgrund vorliegt – nach dem StGB geahndet werden.[1694] Damit aber kann der Strafbefreiungsgrund „bewaffneter Konflikt“ für völkerrechtliche Verbrechen von vornherein keine Rolle spielen, denn bei völkerrechtlichen Verbrechen, namentlich bei Kriegsverbrechen, geht es gerade um Verhaltensweisen, die (auch) im Rahmen bewaffneter Auseinandersetzungen verboten sind. Dementsprechend wird der Strafbefreiungsgrund „bewaffneter Konflikt“ von den meisten Landesberichterstattern gar nicht erst angesprochen.[1695]

1693 Vgl. BT-Drucks. 14/8524, S. 13; *Schwenk*, in: Warda u.a. (Hrsg.), FS Lange, S. 97 (97 ff.); *Werle*, Völkerstrafrecht, Rn. 768; *Werle/Nerlich*, HuV-I 2002, 124 (129); *Wolfrum*, in: Fleck (Hrsg.), Handbuch des humanitären Völkerrechts, S. 413 (433). Siehe ferner *Ipsen*, in: ders., Völkerrecht, § 68 Rn. 10 ff. sowie die Nachweise oben in Anm. 647.

1694 Vgl. BT-Drucks. 14/8524, S. 13; *Werle/Nerlich*, HuV-I 2002, 124 (129); *Wolfrum*, in: Fleck (Hrsg.), Handbuch des humanitären Völkerrechts, S. 413 (422 ff., insbesondere S. 433); *Zimmermann*, ZRP 2002, 97 (100). Siehe auch *Ipsen*, in: ders., Völkerrecht, § 68 Rn. 10 ff. sowie die Ausführungen oben auf S. 114.

1695 Siehe aber *Kreicker*, LB Deutschland, Bd. 1, S. 21 (399 ff.).

Von dem Strafbefreiungsgrund „bewaffneter Konflikt" sind allerdings die speziellen Rechtfertigungsgründe des humanitären Völkerrechts zu unterscheiden. Taten, die grundsätzlich den Normen des humanitären Völkerrechts zuwiderlaufen, können dann doch gerechtfertigt sein, wenn das humanitäre Völkerrecht das Verhalten ausnahmsweise gestattet. Dabei geht es vor allem um Fälle der erlaubten Verhängung strafrechtlicher Sanktionen.[1696] Folgendes Beispiel mag dies verdeutlichen: Die Tötung von Kriegsgefangenen ist nach Art. 13(1) GA III grundsätzlich verboten und stellt ein Kriegsverbrechen dar (Art. 8(2)(a)(i) IStGH-Statut, Art. 130 GA III). Für Straftaten, die Kriegsgefangene in ihrer Gefangenschaft begehen oder vorher begangen haben – etwa Kriegsverbrechen – darf der Gewahrsamsstaat jedoch Strafen verhängen und vollstrecken (vgl. Art. 82 ff. GA III). Sofern das Recht des Gewahrsamsstaates für bestimmte Taten die Todesstrafe vorsieht (etwa für Tötungsdelikte), ist eine ordnungsgemäße Vollstreckung dieser Strafe gerechtfertigt (vgl. aber Art. 100 f. GA III) und kann nicht ihrerseits als Kriegsverbrechen oder sonstige Straftat geahndet werden.

2. Einwilligung als Straffreistellungsgrund

Der deliktische Charakter bestimmter Taten beruht darauf, dass sie gegen den Willen oder zumindest ohne Zustimmung des Betroffenen verübt werden. Die entsprechenden Straftatbestände können begriffsnotwendig nur gegen den Willen oder ohne Zustimmung des Betroffenen verwirklicht werden. Dies gilt auch für den Bereich völkerrechtlicher Verbrechen. Taten der sexuellen Nötigung oder Vergewaltigung nach Art. 7(1)(g) bzw. Art. 8(2)(b)(xxii) IStGH-Statut, Taten der Freiheitsberaubung und der Entführung nach Art. 7(1)(e) IStGH-Statut sowie Taten der Vertreibung nach Art. 7(1)(d) bzw. Art. 8(2)(a)(vii) IStGH-Statut können nur dann begangen werden, wenn das Opfer mit der Tathandlung nicht einverstanden ist. Auch ein Missbrauch der Flagge oder des Zeichens der Vereinten Nationen (Art. 8(2)(b)(vii) IStGH-Statut) scheidet von vornherein aus, wenn die konkrete Art der Verwendung von den Vereinten Nationen gestattet worden ist.

Neben solchen Konstellationen – die im deutschen Strafrecht mit dem Begriff „tatbestandsausschließendes Einverständnis" gekennzeichnet werden – sind aber auch Einwilligungen zu Straftaten vorstellbar, die unabhängig vom Willen des geschädigten Individuums verwirklicht werden können. Bei solchen Einwilligungen handelt es sich der Sache nach um einen Verzicht auf den strafrechtlichen Rechtsgüterschutz. Ein solcher Verzicht kann – insofern gilt für das Völkerstrafrecht nichts anderes als im Bereich der nationalen Strafrechtsordnungen – nur dann straffreistellende Wirkung haben, wenn ein Verzicht auf das geschützte Rechtsgut überhaupt rechtlich zulässig ist (das geschützte Interesse mithin disponibel ist) und

---

1696 Vgl. *Cassese*, in: ders. u.a. (Hrsg.), Rome Statute of the International Criminal Court, Bd. I, S. 951 (953); *ders.*, International Criminal Law, S. 221; *Schwenk*, in: Warda u.a. (Hrsg.), FS Lange, S. 97 (101, 115 ff.).

der Einwilligende verfügungsberechtigt ist, also als alleiniger Träger des Rechtsguts oder als dessen Vertreter dispositionsbefugt ist. In die Verwirklichung von Straftatbeständen, die (auch) Gemeinschaftsrechtsgüter schützen, kann ein Einzelner, etwa ein Geschädigter, nicht rechtswirksam einwilligen.

Eine solche straffreistellende Einwilligung ist trotz dieser Einschränkungen (auch) für den Bereich des Völkerstrafrechts nicht generell ausgeschlossen; soweit mit dem – bereits in anderem Zusammenhang zurückgewiesenen[1697] – Argument, Völkerstraftatbestände schützten durchweg (auch) überindividuelle Rechtsgüter, angenommen wird, mangels Disponibilitätsbefugnis des Tatopfers sei Einwilligung stets unerheblich,[1698] kann dem nicht gefolgt werden.[1699]

In Betracht kommt solche straffreistellende Einwilligung im Bereich einiger weniger Kriegsverbrechenstatbestände, die allein Individualrechtsgüter der einzelnen Tatopfer zu schützen bestimmt sind. So sind (indizierte) medizinische Eingriffe nach Art. 8(2)(b)(x) IStGH-Statut dann nicht als Kriegsverbrechen strafbar, wenn der „Patient" vor der Tatbegehung in diese freiwillig und ausdrücklich eingewilligt hat.[1700] Dies bestätigt ein Blick auf die entsprechenden Tatbestände des deutschen VStGB (§ 8 Abs. 1 Nr. 8 lit. a), lit. b) und lit. c) VStGB), die ausweislich der Gesetzesformulierung dann nicht greifen, wenn (neben anderen Voraussetzungen) eine freiwillige und ausdrückliche Einwilligung des „Tatopfers" vorliegt.[1701]

Dagegen scheidet bei Völkermordtaten und Verbrechen gegen die Menschlichkeit eine strafbefreiende Einwilligung durch Rechtsgüterschutzverzicht durch das Tatopfer von vornherein aus. Dies ergibt sich schon daraus, dass diese Verbrechenstatbestände überindividuelle Rechtsgüter schützen und mithin das einzelne Opfer nicht über den Rechtsgüterschutz disponieren kann.[1702] Ferner folgt die Irrelevanz einer Einwilligung des Opfers bei Völkermord und Verbrechen gegen die Menschlichkeit daraus, dass die diesen Strafnormen zugrunde liegenden völker-

---

[1697] Siehe oben S. 118 f.

[1698] So die amtliche Begründung zum deutschen VStGB, BT-Drucks. 14/8524, S. 13. Vgl. zum deutschen Recht *Kreicker*, LB Deutschland, Bd. 1, S. 21 (404 ff.).

[1699] Wie hier, also die Möglichkeit einer straffreistellenden Einwilligung im Völkerstrafrecht nicht pauschal ausschließend, *Cassese*, in: ders. u.a. (Hrsg.), Rome Statute of the International Criminal Court, Bd. I, S. 951 (953); *ders.*, International Criminal Law, S. 221; *Eser*, IYHR 24 (1995), 201 (215 f.); *ders.*, in: Schmoller (Hrsg.), FS Triffterer, S. 755 (768 f.); *ders.*, in: Triffterer (Hrsg.), Commentary on the Rome Statute, Art. 31 Rn. 13. Anderer Ansicht aber *Nill-Theobald*, „Defences" bei Kriegsverbrechen, S. 351 und *Werle*, Völkerstrafrecht, Rn. 392.

[1700] Vgl. in diesem Zusammenhang *Eser*, IYHR 24 (1995), 201 (216); *ders.*, in: Schmoller (Hrsg.), FS Triffterer, S. 755 (769), der aber ganz zu Recht anmerkt, dass sich bei Einwilligungen im Zusammenhang mit bewaffneten Konflikten häufig das Opfer nur gefügig zeige, um Schlimmeres zu verhüten, und dann von Freiwilligkeit, die Voraussetzung einer straffreistellenden Einwilligung ist, keine Rede sein könne.

[1701] Siehe *Kreicker*, LB Deutschland, Bd. 1, S. 21 (404 f.).

[1702] Vgl. oben S. 37 und S. 62.

rechtlichen Verbote zum gesicherten Bestand des völkerrechtlichen *ius cogens*[1703] gehören.[1704] Verstöße gegen diese zwingenden völkerrechtlichen Verbote haben *erga omnes*-Wirkung; sie verletzen alle Rechtsträger des Völkerrechts in gleicher Weise und stehen deshalb nicht zur Disposition der einzelnen Tatopfer.[1705]

Aber auch bei den Kriegsverbrechen gegen Personen scheidet eine rechtfertigende Einwilligung außerhalb der genannten Fälle medizinischer Behandlungen grundsätzlich aus. Denn auch die diesen Tatbeständen zugrunde liegenden völkerrechtlichen Verbote haben *ius cogens*-Charakter, so dass die geschützten Rechtsgüter nicht disponibel sind.[1706] Die Genfer Abkommen legen insofern ebenso wie das ZP I sogar ausdrücklich fest, dass ein Verzicht der geschützten Personen auf die ihnen durch diese Verträge des humanitären Völkerrechts verliehenen Rechte nicht möglich ist.[1707] Für die übrigen Kriegsverbrechen gilt grundsätzlich das Gleiche. Allerdings wird man in engen Grenzen bei den Kriegsverbrechen, die ausschließlich die Beschädigung, Zerstörung oder Aneignung zivilen Eigentums und ziviler Objekte betreffen, eine strafausschließende Einwilligung für möglich erachten müssen.[1708] So ist beispielsweise nach Art. 8(2)(b)(v) ein Angriff auf unverteidigte zivile Gebäude und mithin deren intendierte Zerstörung unstatthaft. Ein solcher Schutz einzelner Gebäude, deren Beschädigung oder Zerstörung keine gemeine Gefahr verursachen kann, dient aber nicht dem Schutz der Zivilbevölkerung als solcher, sondern allein dem Sacherhaltungsinteresse des jeweiligen Berechtigten. Daher wird man diesen im Einzelfall für befugt halten dürfen, auf den Schutz zu verzichten, so dass die Beschädigung oder Zerstörung des Gebäudes gerechtfertigt ist. Jedoch wird im Fall einer erteilten Einwilligung sehr genau zu prüfen sein, ob diese wirklich freiwillig erklärt worden ist.[1709] Aber im Prinzip ist daran festzuhal-

---

1703 Allgemein zum *ius cogens*, dem „zwingenden Völkerrecht", *Heintschel von Heinegg*, in: Ipsen, Völkerrecht, § 15 Rn. 36 ff.

1704 Dies ist auch das Argument gegen die Möglichkeit einer strafbefreienden Einwilligung bei Völkermord von MK-StGB-*Kreß*, § 220a/§ 6 VStGB Rn. 25, 95. Vgl. auch *Cassese*, in: ders. u.a. (Hrsg.), Rome Statute of the International Criminal Court, Bd. I, S. 951 (953); *ders.*, International Criminal Law, S. 221.

1705 So auch *Cassese*, in: ders. u.a. (Hrsg.), Rome Statute of the International Criminal Court, Bd. I, S. 951 (953); *ders.*, International Criminal Law, S. 221; MK-StGB-*Kreß*, § 220a/§ 6 VStGB Rn. 95.

1706 *Cassese*, International Criminal Law, S. 221.

1707 Vgl. Art. 7 GA I, Art. 7 GA II, Art. 7 GA III, Art. 8 GA IV sowie Art. 11(2) ZP I. Die genannten Artikel der Genfer Abkommen formulieren übereinstimmend: „Die [geschützten Personen] können in keinem Falle, weder teilweise noch vollständig, auf die Rechte verzichten, die ihnen das vorliegende Abkommen und gegebenenfalls die im vorstehenden Artikel genannten Sondervereinbarungen verleihen."

1708 Ebenso, wenngleich vorsichtig formulierend, *Cassese*, in: ders. u.a. (Hrsg.), Rome Statute of the International Criminal Court, Bd. I, S. 951 (953); *ders.*, International Criminal Law, S. 221 mit dem Fallbeispiel, dass ein Staat in die Zerstörung einer auf seinem Staatsgebiet befindlichen Kirche durch den Kriegsgegner einwilligt.

1709 Vgl. diesbezüglich oben Anm. 1700.

ten, dass eine rechtfertigende Einwilligung abgesehen von den genannten Fällen medizinischer Behandlungen grundsätzlich ausscheidet.

Abschließend sei noch erwähnt, dass das Römische Statut zwar nicht explizit die Einwilligung als Grund für den Ausschluss der strafrechtlichen Verantwortlichkeit festlegt, aber der IStGH in dem skizzierten engen Bereich, in dem selbst bei Völkerstraftaten eine Straffreistellung wegen Einwilligung in Betracht kommt, über Art. 31(3) IStGH-Statut unter Rückgriff auf Völkergewohnheitsrecht zu einer Straffreistellung gelangen kann.[1710]

3. Die völkerrechtliche Repressalie als Straffreistellungsgrund

Problematisch ist, ob die Regeln der völkerrechtlichen Repressalie bei der Begehung einer Völkerstraftat straffreistellende Wirkung haben können. Unter einer Repressalie – zunehmend findet synonym der Begriff „Gegenmaßnahme" Verwendung – wird ein völkerrechtswidriges Verhalten verstanden, das von einem Völkerrechtssubjekt als Beugemittel gegenüber dem völkerrechtswidrigen Verhalten eines anderen Völkerrechtssubjekts eingesetzt wird.[1711]

Das Römische Statut enthält keine explizite Regelung bezüglich der strafausschließenden Wirkung völkerrechtlicher Repressalien.[1712] Da aber der IStGH nach Art. 31(3) IStGH-Statut auch solche Gründe für den Ausschluss der strafrechtlichen Verantwortlichkeit akzeptieren kann, die zwar nicht im Statut normiert, wohl aber – wie die Repressalie – im Völkergewohnheitsrecht verankert sind,[1713] wird man davon ausgehen dürfen, dass insoweit, als das Völkergewohnheitsrecht Repressalien akzeptiert, auch der IStGH einem derartigen Handeln strafbefreiende Wirkung beimessen wird.[1714]

1710 So auch *Cassese*, in: ders. u.a. (Hrsg.), Rome Statute of the International Criminal Court, Bd. I, S. 951 (955).

1711 BGHSt 23, 103 (107) = NJW 1969, 2105 (2106); BT-Drucks. 14/8524, S. 15; *Dahm/Delbrück/Wolfrum*, Völkerrecht, Bd. I/1, S. 91 f.; *Fischer*, in: Ipsen, Völkerrecht, § 59 Rn. 45; *Greenwood*, in: Fischer/Kreß/Lüder (Hrsg.), International and National Prosecution of Crimes Under International Law, S. 539 (541 f.); *Hebenstreit*, Repressalien im humanitären Völkerrecht, S. 25 ff.; *Nill-Theobald*, „Defences" bei Kriegsverbrechen, S. 284 f.; *Oeter*, in: Fleck (Hrsg.), Handbuch des humanitären Völkerrechts, S. 89 (165); *Stein/von Buttlar*, Völkerrecht, Rn. 1150 ff.; *Verdross/Simma*, Völkerrecht, § 1342.

1712 Ursprünglich war vorgesehen, die Repressalie im Römischen Statut als Straffreistellungsgrund zu normieren. Angesichts erheblicher Differenzen zwischen Staaten über die Reichweite dieses Straffreistellungsgrundes nahm man hiervon aber schließlich Abstand; vgl. *Saland*, in: Lee (Hrsg), International Criminal Court, S. 189 (209).

1713 Vgl. oben S. 247.

1714 Für die Beachtlichkeit einer legalen Repressalie nach Art. 31(3) IStGH-Statut auch *Cassese*, in: ders. u.a. (Hrsg.), Rome Statute of the International Criminal Court, Bd. I, S. 951 (955); *Kleffner*, JICJ 1 (2003) 86 (102); *Neuner*, in: ders. (Hrsg.), National Legislation Incorporating International Crimes, S. 105 (113). *Kreß*, HuV-I 1999, 4 (8); *ders.*, in:

Allerdings sind die völkerrechtlichen Grenzen für die Zulässigkeit einer Repressalie im Lauf der Zeit immer enger geworden, so dass in der Literatur zum Teil die Auffassung vertreten wird, der Rechtfertigungsgrund der Kriegsrepressalie sei mittlerweile obsolet geworden; das gegenwärtige Völkerrecht verbiete Kriegsrepressalien.[1715]

Doch wird man richtigerweise zu differenzieren haben. Zunächst ist zu bedenken, dass seit jeher die Zulässigkeit völkerrechtlicher Repressalien an enge Voraussetzungen geknüpft ist. Repressalien müssen von der obersten Staats- oder Militärführung angeordnet werden, ihr Einsatz muss verhältnismäßig sein, ihre Anwendung ist nur *ultima ratio* nach vergeblichem Versuch einer gütlichen Einigung und nach vorheriger Androhung statthaft. Repressalien müssen allgemeinen Erwägungen der Menschlichkeit Rechnung tragen. Vor allem aber dürfen Repressalien nicht zur Vergeltung eines bereits beendeten Völkerrechtsverstoßes der Gegenseite eingesetzt werden, sondern nur dazu dienen, die Gegenseite zu zwingen, einen gegenwärtigen Völkerrechtsverstoß zu beenden, also nur zur Rechtsdurchsetzung und Wiederherstellung eines völkerrechtskonformen Zustands eingesetzt werden.[1716]

Da Repressalien nur unter Beachtung fundamentaler Grundsätze der Humanität eingesetzt werden dürfen, ist es wohl nicht verfehlt, wenn man feststellt, dass die Begehung von Völkermordtaten und Verbrechen gegen die Menschlichkeit niemals als völkerrechtliche Repressalie gerechtfertigt werden kann.[1717]

Grützner/Pötz, Internationaler Rechtshilfeverkehr, vor III 26, Rn. 60, bezeichnet die Repressalie als „Hauptkandidat[en]" für eine Anwendung eines nicht im Römischen Statut explizit verankerten Straffreistellungsgrundes nach Art. 31(3) IStGH-Statut. Anderer Ansicht aber *Jescheck*, JICJ 2 (2004), 38 (52): "Reprisals are not mentioned as part of the grounds for justification in Article 31. This would indicate that reprisals should not be admissible any more as a justification."

1715 *Jescheck/Weigend*, Lehrbuch, § 31 II. 4. und § 31 III. 2.; Schönke/Schröder-*Lenckner*, vor § 32 Rn. 91.

1716 Vgl. zu diesen Voraussetzungen für die Zulässigkeit einer völkerrechtlichen Repressalie BT-Drucks. 14/8524, S. 15 f.; *Doehring*, Völkerrecht, Rn. 599, 1029 ff.; *Fischer*, in: Ipsen, Völkerrecht, § 59 Rn. 45 ff.; *Greenwood*, in: Fischer/Kreß/Lüder (Hrsg.), International and National Prosecution of Crimes Under International Law, S. 539 (541 f.); *Hebenstreit*, Repressalien im humanitären Völkerrecht, S. 68 ff.; *Ipsen*, in: ders., Völkerrecht, § 70 Rn. 9 ff.; *Kimminich/Hobe*, Völkerrecht, S. 228 f.; *Oeter*, in: Fleck (Hrsg.), Handbuch des humanitären Völkerrechts, S. 89 (165 f.); *Schröder*, in: Graf Vitzthum (Hrsg.), Völkerrecht, 7. Abschn. Rn. 111; *Verdross/Simma*, Völkerrecht, § 1343. Siehe auch ICTY, *Kupreškić* et al., IT-95-16-T, 14.1.2000, para. 535.

1717 So auch *Werle*, Völkerstrafrecht, Rn. 390 und die Begründung zum Entwurf des deutschen VStGB (BT-Drucks. 14/8524, S. 16) in Bezug auf in Friedenszeiten begangene Völkermordtaten und Verbrechen gegen die Menschlichkeit. Vgl. ferner *Geiger*, Grundgesetz und Völkerrecht, S. 381; *Verdross/Simma*, Völkerrecht, § 1343, die feststellen, eine Repressalie dürfe nicht in Güter eingreifen, die durch Normen des *ius cogens* geschützt seien. Die Verbote des Völkermords und der Verbrechen gegen die Menschlichkeit gehören zum zwingenden Völkerrecht, so dass auch der *ius cogens*-Charakter dieser Verbote die Unzulässigkeit ihrer Übertretung im Wege einer Repressalie begründet.

Allenfalls in Bezug auf Kriegsverbrechen kann also eine derartige Rechtfertigung in Betracht kommen. Doch sind diesbezüglich die expliziten Repressalienverbote des humanitären Völkerrechts zu beachten. So verbieten unter anderem Art. 46 GA I, Art. 47 GA II, Art. 13(3) GA III, Art. 33, Art. 34 und Art. 147 GA IV sowie Art. 1(1), Art. 10(2), Art. 51(6), Art. 52(1), Art. 53(c), Art. 54(4) und Art. 56(4) ZP I generell Repressalien, die gegen die von den Genfer Abkommen geschützten Personen sowie gegen die Zivilbevölkerung, gegen Zivilpersonen sowie gegen zivile Objekte gerichtet sind.[1718] Während die Repressalienverbote gegen die von den Genfer Abkommen geschützten Personen (Schiffbrüchige, Verwundete und Kranke, Kriegsgefangene und unter der Kontrolle einer gegnerischen Macht befindliche Zivilpersonen) nach allgemeiner Auffassung auch völkergewohnheitsrechtlich gelten,[1719] kann dies jedoch für die Verbote im ZP I, die sich auf Angriffe gegen die (nicht unter der Kontrolle des Angreifers befindliche) Zivilbevölkerung oder einzelne Mitglieder dieser sowie gegen zivile Objekte beziehen, (noch) nicht mit letzter Sicherheit gesagt werden.[1720] Jedenfalls hat die Bundesrepublik Deutschland sich unter Bezugnahme auf die Repressalienverbote der Art. 51 und 52 ZP I vorbehalten, „auf schwerwiegende und planmäßige Verletzungen des ZP I mit allen Mitteln zu reagieren, die nach dem Völkerrecht zulässig sind".[1721] Doch hat der ICTY im Fall *Kupreškić* et al. festgestellt, dass auch die Repressalienverbote des ZP I völkergewohnheitsrechtlich gelten, ohne dabei zwi-

---

1718 Vgl. die Begründung zum deutschen VStGB, BT-Drucks. 13/8524, S. 16; *Bothe*, in: Graf Vitzthum (Hrsg.), Völkerrecht, 8. Abschn. Rn. 60, 95; *Greenwood*, in: Fischer/Kreß/Lüder (Hrsg.), International and National Prosecution of Crimes Under International Law, S. 539 (542 f.); *Hebenstreit*, Repressalien im humanitären Völkerrecht, S. 128 ff.; *Ipsen*, in: ders., Völkerrecht, § 70 Rn. 12 f.; *Nill-Theobald*, „Defences" bei Kriegsverbrechen, S. 292 ff.; *Oeter*, in: Fleck (Hrsg.), Handbuch des humanitären Völkerrechts, S. 89 (166 f.); *Wolfrum*, in: Fleck (Hrsg.), Handbuch des humanitären Völkerrechts, S. 413 (422).

1719 Vgl. *Greenwood*, in: Fischer/Kreß/Lüder (Hrsg.), International and National Prosecution of Crimes Under International Law, S. 539 (539, 542); *Hebenstreit*, Repressalien im humanitären Völkerrecht, S. 129; *Ipsen*, in: ders., Völkerrecht, § 70 Rn. 13 mit Hinweis auf die Judikatur des ICTY. Dieses auch völkergewohnheitsrechtlich geltende Repressalienverbot bezieht sich gleichermaßen auf internationale und auf nichtinternationale bewaffnete Konflikte; vgl. die Begründung zum deutschen VStGB, BT-Drucks. 14/8524, S. 16.

1720 Ablehnend etwa *Greenwood*, in: Fischer/Kreß/Lüder (Hrsg.), International and National Prosecution of Crimes Under International Law, S. 539 (543 ff.); *Hebenstreit*, Repressalien im humanitären Völkerrecht, S. 143 ff.

1721 Erklärung zum Inkrafttreten der Zusatzprotokolle I und II, Nr. 6; BGBl. 1991 II, S. 968 (969). Vgl. auch BT-Drucks. 14/8524, S. 16. Andere Staaten, etwa Großbritannien, haben entsprechende Vorbehalte angebracht; vgl. *Greenwood*, in: Fischer/Kreß/Lüder (Hrsg.), International and National Prosecution of Crimes Under International Law, S. 539 (543 ff.).

schen internationalen und nichtinternationalen bewaffneten Konflikten zu differenzieren.[1722]

Zumindest geht also der klare Trend in die Richtung, dass Repressalien generell nur dann statthaft sind, wenn sie sich gegen Militärpersonen oder militärische Einrichtungen des Gegners richten. Solche Repressalien allerdings wird man, sofern sie die skizzierten allgemeinen völkerrechtlichen Voraussetzungen beachten, als zulässig ansehen müssen.[1723]

Als ein Beispiel für eine zulässige völkerrechtliche Repressalie wird man den Fall annehmen können, dass Soldaten militärische Einheiten des Gegners mit so genannten Dum-Dum-Geschossen angreifen (Straftat nach Art. 8(2)(b)(xix) IStGH-Statut), um diese sicher zu töten und so die Ausführung eines unmittelbar bevorstehenden Angriffs auf eine Stadt mit chemischen Waffen zu verhindern, der voraussichtlich eine Vielzahl von Toten unter der Zivilbevölkerung zur Folge haben würde. Die einzelnen Soldaten, die die Dum-Dum-Geschosse verwendeten, würden dann zwar den Tatbestand eines Kriegsverbrechens nach Art. 8(2)(b)(xix) IStGH-Statut verwirklichen, gleichwohl aber nach den Grundsätzen der völkerrechtlichen Repressalie in legaler Weise handeln und mithin straflos bleiben.

4. Höhere Gewalt als Straffreistellungsgrund

In engen Grenzen kann – obgleich ein derartiger Straffreistellungsgrund im Römischen Statut nicht normiert ist – auch die in der völkerstrafrechtlichen Literatur[1724] diskutierte *defence* der „höheren Gewalt“ *(force majeure)* zu einem Ausschluss strafrechtlicher Verantwortlichkeit führen. Unter dem Stichwort „höhere Gewalt“ werden Fallkonstellationen diskutiert, bei denen unvorhergesehene äußere Umstände, die außerhalb der Kontrolle einer kriegführenden Macht liegen, es die-

1722 Vgl. ICTY, *Kupreškić* et al., IT-95-16-T, 14.1.2000, para. 527 ff. Siehe zu dieser Entscheidung auch *Greenwood*, in: Fischer/Kreß/Lüder (Hrsg.), International and National Prosecution of Crimes Under International Law, S. 539 (546 ff.). Vgl. ferner die Begründung zum deutschen VStGB, BT-Drucks. 14/8524, S. 16.

1723 Dies erkennt auch die Begründung zum deutschen VStGB an, meint allerdings, angesichts des kleinen Anwendungsbereichs der Repressalie sei eine Regelung im VStGB entbehrlich: „Für den schmalen Bereich, in dem die Repressalie derzeit noch als Rechtfertigungsgrund in Betracht kommt, kann es der Rechtsprechung überlassen bleiben, im Einzelfall unter Berücksichtigung des jeweiligen Entwicklungsstandes des humanitären Völkerrechts zu entscheiden.“ (BT-Drucks. 14/8524, S. 16) Für eine Legalität der Repressalie in den genannten Fällen auch *Cassese*, in: ders. u.a. (Hrsg.), Rome Statute of the International Criminal Court, Bd. I, S. 951 (951, 953); *ders.*, International Criminal Law, S. 219 ff.; *Kimminich/Hobe*, Völkerrecht, S. 469. Siehe auch *Neuner*, in: ders. (Hrsg.), National Legislation Incorporating International Crimes, S. 105 (113 f.) sowie *Rabenstein/ Bahrenberg*, LB England/Wales, Bd. 6, S. 261 (305 f.), die berichten, in England werde angenommen, der Straffreistellungsgrund „Repressalie“ könne bei völkerrechtlichen Verbrechen vor englischen Gerichten geltend gemacht werden.

1724 Siehe etwa *Cassese*, International Criminal Law, S. 222.

ser unmöglich machen, Vorschriften des humanitären Völkerrechts einzuhalten. Als Beispiel wird der Fall genannt, dass es einer Kriegspartei aufgrund eines Erdbebens, einer Überschwemmung, einer Dürrekatastrophe oder eines sonstigen Naturereignisses unmöglich ist, für Kriegsgefangene ausreichend zu sorgen, so dass diese körperliche Schäden erleiden oder gar versterben.[1725]

In Fällen, in denen äußere Umstände zu einem bestimmten aktiven Handeln zwingen (etwa eine Naturkatastrophe eine kriegführende Partei zwingt, Kriegsgefangene in ein unwirtliches Gebiet zu verbringen, in dem sie der Gefahr einer Unterversorgung ausgesetzt sind), kommt jedoch allein eine Straffreistellung nach den Regeln des Notstands *(necessity)* in Betracht.[1726] Bei den in der Wissenschaft diskutierten Fällen der „höheren Gewalt" *(force majeure)* geht es dagegen darum, dass ein von Völkerrechts wegen gebotenes Handeln aufgrund einer Unmöglichkeit der Vornahme des gebotenen Tuns unterbleibt. Es geht also um Fälle einer Strafbarkeit wegen Unterlassens.

Für die Gerichtsbarkeit des IStGH dürfte die Problematik der „höheren Gewalt" damit nur wenig Bedeutung erlangen, weil – wie gezeigt – das Römische Statut jedenfalls explizit keine Unterlassungsstrafbarkeit kennt.[1727] Im Übrigen ist zu bedenken, dass – wie schon erwähnt – die im Römischen Statut normierten Gründe für den Ausschluss der strafrechtlichen Verantwortlichkeit nicht abschließend sind, sondern der Gerichtshof gemäß Art. 31(3) IStGH-Statut auch sonstige in den Rechtsordnungen der Staaten oder im Völkerrecht anerkannte Straffreistellungsgründe berücksichtigen kann.[1728]

Dagegen ist in einzelnen Staaten die Begehung völkerrechtlicher Verbrechen durch pflichtwidriges Unterlassen grundsätzlich generell möglich.[1729] Doch dürfte in diesen Staaten in den Fällen „höherer Gewalt" eine Strafbarkeit schon deshalb ausscheiden, weil der objektive Tatbestand einer Strafnorm überhaupt nur dann durch pflichtwidriges Unterlassen verwirklicht werden kann, wenn die physisch-reale Möglichkeit besteht, das rechtlich Gebotene in sinnvoller Weise zu tun. Wenn dem zum Handeln Verpflichteten dagegen die Vornahme des gebotenen Tuns ob-

---

1725 Vgl. *Cassese*, in: ders. u.a. (Hrsg.), Rome Statute of the International Criminal Court, Bd. I, S. 951 (954); *ders.*, International Criminal Law, S. 222.

1726 Vgl. diesbezüglich die Darstellung oben auf S. 250 ff.

1727 Siehe hierzu oben S. 227. Hinzuweisen ist allerdings auf die gerade im vorliegenden Zusammenhang relevante Strafbarkeit des Aushungerns von Zivilpersonen gemäß Art. 8(2)(b)(xxv) IStGH-Statut; tatbestandsmäßig ist hier das Unterlassen der Versorgung mit Lebensmitteln.

1728 Vgl. diesbezüglich die Darstellung oben auf S. 247.

1729 Vgl. die Darstellung oben S. 229 sowie speziell für Deutschland § 2 VStGB i.V.m. § 13 StGB und § 4 VStGB; *Gropengießer*, LB Deutschland, Bd. 1, S. 21 (288 ff.); *Werle*, JZ 2001, 885 (890 Fn. 45); *Werle/Jeßberger*, JZ 2002, 725 (728, 731); *Werle/Nerlich*, HuV-I 2002, 124 (128).

jektiv unmöglich ist, es ihm also an der physisch-realen Handlungsmöglichkeit fehlt, wird schon der objektive Tatbestand nicht verwirklicht.[1730]

5. Bestimmungen zur Schuldfähigkeit

Unabhängig von der bereits erörterten Frage der altersbedingten Strafmündigkeit[1731] kann (auch) im Völkerstrafrecht die persönliche Schuldfähigkeit durch fehlende Unrechtseinsichtsfähigkeit bzw. fehlende Möglichkeit, das individuelle Verhalten rechtskonform zu steuern, mit der Folge einer Straffreistellung ausgeschlossen sein.[1732] Diesen Strafbefreiungsgrund erkennt auch das Römische Statut an, wobei dessen detaillierte Regelungen den Stand des Völkergewohnheitsrechts widerspiegeln.[1733] Gemäß Art. 31(1)(a) IStGH-Statut ist strafrechtlich nicht verantwortlich, wer zur Zeit des fraglichen Verhaltens wegen einer seelischen Krankheit oder Störung unfähig ist, die Rechtswidrigkeit oder Art seines Verhaltens zu erkennen oder dieses so zu steuern, dass es den gesetzlichen Anforderungen entspricht.[1734] Nur eingeschränkt als strafbefreiend anerkannt werden jedoch seelische Störungen, die auf einem Rauschzustand beruhen. Nach Art. 31(1)(b) IStGH-Statut ist zwar grundsätzlich auch derjenige strafrechtlich nicht verantwortlich, der wegen eines Rauschzustandes unfähig ist, die Rechtswidrigkeit oder Art seines Verhaltens zu erkennen oder dieses so zu steuern, dass es den gesetzlichen Anforderungen entspricht. Doch gilt dies nicht, wenn der Täter sich freiwillig – etwa durch gewollten Konsum von Alkohol oder anderen Drogen – in einen Rauschzustand versetzt hat und dabei wusste oder in Kauf nahm, dass er wahrscheinlich im Rauschzustand

---

1730 Vgl. für Deutschland *Gropengießer*, LB Deutschland, Bd. 1, S. 21 (288 ff.); *Kreicker*, LB Deutschland, Bd. 1, S. 21 (411 f.). Allerdings ist in solchen Fällen stets zu prüfen, ob nicht das Unterlassen des Treffens von Vorsorgemaßnahmen zum Anknüpfungspunkt für eine Unterlassungsstrafbarkeit gemacht werden kann. Dies wäre etwa dann der Fall, wenn trotz einer drohenden Überschwemmung die Evakuierung oder Bevorratung eines Kriegsgefangenenlagers unterbleibt und dieses später so von der Außenwelt abgeschnitten ist, dass keine Lebensmittel mehr herangeschafft werden können. Dann kann zwar nicht das Unterlassen der Nahrungsausgabe, wohl aber das vorherige Unterlassen der Evakuierung oder Bevorratung zum Anknüpfungspunkt für eine Unterlassungsstrafbarkeit gemacht werden.

1731 Vgl. oben S. 257.

1732 *Werle*, Völkerstrafrecht, Rn. 373. In der bisherigen Völkerstrafrechtspraxis ist es allerdings noch zu keiner Strafbefreiung wegen dieses Straffreistellungsgrundes gekommen; vgl. *Satzger*, Internationales und Europäisches Strafrecht, § 14 Rn. 34; *Werle*, a.a.O.

1733 *Cassese*, International Criminal Law, S. 239.

1734 *Ambos*, CLF 10 (1999), 1 (24 f.); *ders.*, in: Cassese u.a. (Hrsg.), Rome Statute of the International Criminal Court, Bd. I, S. 1003 (1029); *Cassese*, International Criminal Law, S. 224 ff.; *Eser*, in: Triffterer (Hrsg.), Commentary on the Rome Statute, Art. 31 Rn. 21 ff.; *Kreß*, HuV-I 1999, 4 (8); *Werle*, Völkerstrafrecht, Rn. 373 ff.

ein der Gerichtsbarkeit des IStGH unterfallendes völkerrechtliches Verbrechen begehen würde.[1735]

Damit entspricht das Völkerstrafrecht weitgehend dem nationalen Recht der einzelnen Staaten. So handelt beispielsweise nach § 20 des deutschen StGB, der gemäß § 2 VStGB auch auf Taten nach dem VStGB Anwendung findet, ohne Schuld, wer bei Begehung der Tat wegen einer krankhaften seelischen Störung, wegen einer tiefgreifenden Bewusstseinsstörung oder wegen Schwachsinns oder einer schweren anderen seelischen Abartigkeit unfähig ist, das Unrecht der Tat einzusehen (fehlende Einsichtsfähigkeit) oder nach dieser Einsicht zu handeln (fehlende Steuerungsfähigkeit) – nichts anderes legt auch Art. 31(1)(a) IStGH-Statut fest.[1736] Sachliche Identität zwischen dem Völkerstrafrecht (Art. 31(1)(b) IStGH-Statut) und dem deutschen Recht besteht auch, soweit die fehlende Einsichts- oder Steuerungsfähigkeit auf übermäßigem Genuss von Rauschmitteln (etwa Alkoholika) beruht; in einem solchen Fall wird es in Deutschland – jedenfalls derzeit noch – über die gewohnheitsrechtlich geltende Figur der gemäß § 2 VStGB auch auf Taten nach dem VStGB anwendbaren[1737] *actio libera in causa* überwiegend für zulässig erachtet, hinsichtlich der Schuldfähigkeit auf den Zeitpunkt des Beginns der Berauschung abzustellen, sofern schon zu diesem Zeitpunkt ein ausreichend konkretisierter Vorsatz hinsichtlich der im schuldunfähigen Zustand begangenen Straftat gegeben war.[1738]

E. Prozedurale Abweichungen vom „Normalverfahren" bei völkerrechtlichen Verbrechen

In etlichen der untersuchten Rechtsordnungen gibt es keine prozeduralen Abweichungen vom „Normalverfahren" bei nationalen Strafverfolgungen wegen völkerrechtlicher Verbrechen.[1739] Strafverfahren wegen völkerrechtlicher Verbrechen

---

1735 *Ambos*, CLF 10 (1999), 1 (25 f.); *ders.*, in: Cassese u.a. (Hrsg.), Rome Statute of the International Criminal Court, Bd. I, S. 1003 (1029 ff.); *Cassese*, International Criminal Law, S. 228 f.; *Eser*, in: Triffterer (Hrsg.), Commentary on the Rome Statute, Art. 31 Rn. 24 ff.; *Kreß*, HuV-I 1999, 4 (8); *Satzger*, Internationales und Europäisches Strafrecht, § 14 Rn. 34; *Werle*, Völkerstrafrecht, Rn. 379 ff.

1736 Vgl. BT-Drucks. 14/9524, S. 16; *Kreicker*, LB Deutschland, Bd. 1, S. 21 (413).

1737 Vgl. BT-Drucks. 14/9524, S. 16.

1738 Vgl. BT-Drucks. 14/9524, S. 16; *Kreicker*, LB Deutschland, Bd. 1, S. 21 (413 f.).

1739 Keine Abweichungen gibt es in China (vgl. *Richter*, LB China, Bd. 6, S. 141 [235 f.]); Côte d'Ivoire (vgl. *Kouassi/Paulenz*, LB Côte d'Ivoire, Bd. 4, S. 19 [71]); Estland (vgl. *Parmas*, LB Estland, Bd. 5, S. 89 [137]); Griechenland (vgl. *Retalis*, LB Griechenland, Bd. 5, S. 189 [273 f.]); Österreich (vgl. *Zerbes*, LB Österreich, Bd. 3, S. 85 [162 f.]); Polen (vgl. *Weigend*, LB Polen, Bd. 2, S. 77 [146 f.]); Russland (vgl. *Lammich*, LB Russland/Weißrussland, Bd. 6, S. 351 [387]); Slowenien (vgl. *Korošec*, LB Slowenien,

werden also, was die Zuständigkeiten und die Verfahrensbestimmungen anbelangt, häufig nicht anders behandelt als Verfahren wegen „normaler" Straftaten der Alltagskriminalität.

In einigen Staaten allerdings sind besondere polizeiliche, staatsanwaltschaftliche, gerichtliche oder auch regierungsamtliche Zuständigkeiten bzw. Kompetenzen festgelegt.

In *Deutschland* ist – anders als bei der „normalen" Kriminalität – nach § 142a Abs. 1 GVG i.V.m. § 120 Abs. 1 Nr. 8 GVG zentral die Generalbundesanwaltschaft in Karlsruhe für die Ermittlung und Anklageerhebung in Verfahren wegen Taten nach dem VStGB zuständig.[1740] Dabei wird sie unterstützt vom Bundeskriminalamt, während normalerweise die polizeilichen Ermittlungen von den Polizeien der Bundesländer vorgenommen werden.[1741] Anders als sonst bei schweren Straftaten sind zudem nicht die Landgerichte erstinstanzlich zuständig, sondern Strafverfahren wegen Taten nach dem VStGB finden gemäß § 120 Abs. 1 Nr. 8 GVG vor den Oberlandesgerichten statt.[1742]

In *Finnland, Israel, Schweden* sowie *Serbien und Montenegro* dürfen im Ausland von Ausländern begangene völkerrechtliche Verbrechen nur durch oder mit ausdrücklicher schriftlicher Zustimmung des Attorney General (Australien und Israel), des Generalstaatsanwalts (Serbien und Montenegro) bzw. Reichsanklägers (Finnland) oder der Regierung (Schweden) verfolgt werden. Die zuständigen Stellen können ihre Entscheidung von Zweckmäßigkeitsüberlegungen, mithin nicht zuletzt auch von (außen-)politischen Erwägungen abhängig machen.[1743] Noch weitergehend ist die Kompetenz des Attorney General in England und Wales sowie in

Bd. 3, S. 329 [388]); der Türkei (vgl. *Tellenbach*, LB Türkei, Bd. 6, S. 393 [448]); USA (vgl. *Silverman*, LB USA, Bd. 5, S. 411 [491 ff.]; allerdings weist die Berichterstatterin auf deutliche Abweichungen vom „Normalverfahren" bei der Ahndung terroristischer Gewaltakte hin, die nach den Anschlägen vom 11.9.2001 eingeführt wurden. Insoweit, als es um völkerrechtliche Verbrechen geht, die zugleich als terroristische Gewaltakte einzustufen sind, erstreckt sich der Geltungsbereich dieser Besonderheiten auch auf völkerrechtliche Verbrechen) sowie Weißrussland (vgl. *Lammich*, a.a.O., S. 351 [387]).

1740 *Kreicker*, LB Deutschland, Bd. 1, S. 21 (419 ff.).

1741 Vgl. § 4 Abs. 2 Nr. 3 Gesetz über das Bundeskriminalamt (BGBl. 1997 I, S. 1650) sowie *Ilgner*, in: Theissen/Nagler (Hrsg.), Der Internationale Strafgerichtshof, S. 53 (53 ff.).

1742 *Kreicker*, LB Deutschland, Bd. 1, S. 21 (417 ff.).

1743 Vgl. für Finnland oben S. 196 sowie *Frände*, LB Finnland, Bd. 2, S. 21 (51 ff.); vgl. für Israel oben S. 197 sowie *Kremnitzer/Cohen*, LB Israel, Bd. 5, S. 317 (363) (in Israel bestehen darüber hinaus einige weitere, hier jedoch nicht näher interessierende Sonderregelungen für die Verfolgung von Nazi-Verbrechern, vgl. *Kremnitzer/Cohen*, a.a.O., S. 395); vgl. für Schweden oben S. 197 sowie *Cornils*, LB Schweden, Bd. 2, S. 183 (221 f.) (es gibt allerdings Ausnahmen von dem Anordnungserfordernis in Schweden, u.a. bei Taten von schwedischen Amtsträgern im Ausland; vgl. *Cornils*, a.a.O., S. 222); vgl. für Serbien und Montenegro *Škulić*, LB Serbien und Montenegro, Bd. 3, S. 211 (247, 248 f.) (in Serbien und Montenegro ist zwar bei Auslandstaten eine Zustimmung des Generalstaatsanwalts erforderlich, doch wird dadurch die Strafverfolgungspflicht nicht berührt).

Kanada. In *England und Wales* darf ein gerichtliches Hauptverfahren wegen Taten nach dem ICC Act gemäß section 53(3) generell nur mit Zustimmung des Attorney General eingeleitet werden.[1744] Entsprechendes gilt für *Australien*.[1745] Und in *Kanada* ist für alle Verfahren auf der Grundlage des CAHWCA ein schriftliches Einverständnis des Attorney General erforderlich, wobei dieser – in Kanada gilt ohnehin das Opportunitätsprinzip – eine politische Ermessensentscheidung zu treffen hat.[1746] Schließlich ist in *Slowenien* eine Strafverfolgung von Ausländern wegen Auslandstaten nach dem Universalitätsprinzip von einer Zustimmung des slowenischen Justizministers abhängig, sofern die Tat zwar nicht nach dem Tatortrecht, wohl aber nach Völkerstrafrecht strafbar ist.[1747]

Einige Staaten sehen unter bestimmten Umständen eine Zuständigkeit von Militärgerichten für eine Ahndung völkerrechtlicher Verbrechen vor. In *England und Wales* sind für völkerrechtliche Verbrechen nach dem ICC Act, die von Angehörigen des britischen Militärs außerhalb des Vereinigten Königreichs begangen werden, Militärgerichte zuständig. Taten, die im Hoheitsgebiet des Vereinigten Königreichs verübt werden, fallen dagegen in die Zuständigkeit der Zivilgerichte.[1748] In *Frankreich* sind für dienstliche Straftaten von Militärangehörigen, soweit es um Straftatbestände des Militärstrafrechts geht, Sondergerichte zuständig. In Friedenszeiten bleibt zwar die Zuständigkeit bei den ordentlichen Gerichten, doch sind Spruchkörper in einer besonderen Besetzung mit Richtern zuständig, die im Militärstrafrecht spezialisiert sind. In Kriegszeiten dagegen sind spezielle Militärgerichte für die Ahndung dienstlicher Straftaten von Militärangehörigen zuständig.[1749] Auch in *Italien* ist unter Umständen die Militärgerichtsbarkeit für die Ahndung völkerrechtlicher Verbrechen zuständig. Während in Friedenzeiten die italienischen Militärgerichte allein für Militärstraftaten von Militärangehörigen zuständig sind, erstreckt sich ihre Zuständigkeit in Kriegszeiten auf sämtliche Straftaten von Militärangehörigen sowie auf Kriegsverbrechen feindlicher Truppen, die gegen Italien, einen italienischen Staatsangehörigen oder einen alliierten Staat begangen werden.[1750]

In *Kroatien* legt ein „Gesetz über die Anwendung des Statuts des Internationalen Strafgerichtshofs und die Verfolgung von Straftaten gegen das internationale Kriegs- und Humanitätsrecht“ als verfahrensrechtliche Besonderheit fest, dass spe-

---

1744 *Rabenstein/Bahrenberg*, LB England/Wales, Bd. 6, S. 261 (287, 308).

1745 *Biehler/Kerll*, LB Australien, Bd. 6, S. 19 (42 f., 44, 66 ff.). Siehe auch oben S. 196.

1746 *Gut/Wolpert*, LB Kanada, Bd. 5, S. 19 (42, 60).

1747 *Korošec*, LB Slowenien, Bd. 3, S. 329 (369) sowie oben S. 196.

1748 *Rabenstein/Bahrenberg*, LB England/Wales, Bd. 6, S. 261 (282 Fn. 83).

1749 *Lelieur-Fischer*, LB Frankreich, Bd. 4, S. 225 (304 f.). Darüber hinaus ist in Frankreich für Strafverfahren gegen den Staatspräsidenten und gegen Regierungsmitglieder eine besondere gerichtliche Zuständigkeit begründet; gegen sie kann allein vor der Haute Cour de justice verhandelt werden; vgl. *Lelieur-Fischer*, a.a.O., S. 303 f.

1750 *Jarvers*, LB Italien, Bd. 4, S. 337 (411).

zielle Kammern an den Landgerichten, die mit besonders erfahrenen Richtern besetzt sind, für die Strafverfolgung zuständig sind; zudem obliegt die Koordination der Ermittlungen einem Stellvertreter des Generalstaatsanwalts.[1751] Und in *Spanien* ist für die Verfolgung von Verbrechen, die außerhalb des spanischen Staatsgebiets begangen wurden, ausschließlich die Audiencia Nacional zuständig.[1752]

F. Tatsächliche Verfolgungspraxis

I. Allgemeine Feststellungen zur Verfolgungspraxis

Zwar verfügen die meisten untersuchten Staaten über ein recht umfangreiches normatives Programm zur nationalen Strafverfolgung völkerrechtlicher Verbrechen, doch hält sich die Zahl der Strafverfahren, die auf der Basis dieser Regelungen in den Staaten tatsächlich durchgeführt wurden, in engen Grenzen. Insgesamt sind nur wenige Verfahren zu verzeichnen; zudem beschränken sich die Verfahren – von Einzelfällen abgesehen – auf zwei Verbrechenskomplexe: Zum einen auf Verbrechen, die unter dem NS-Regime begangen wurden, zum anderen auf Verbrechen, die in den neunziger Jahren des letzten Jahrhunderts auf dem Balkan verübt wurden. Dieser Befund dürfte vor allem darauf zurückzuführen sein, dass die extraterritoriale Reichweite der nationalen Strafgewalt nahezu aller untersuchter Staaten eng begrenzt ist. Zwar erstrecken – wie dargelegt wurde – die meisten Staaten ihre nationale Strafgewalt über völkerrechtliche Verbrechen auch nach dem Weltrechtsprinzip auf im Ausland begangene Taten, doch zumeist mit der Einschränkung, dass Strafverfolgungen nur bei einem Aufenthalt des Beschuldigten im eigenen Hoheitsgebiet statthaft sind.[1753] Und in den Staaten, deren Strafgewalterstreckung nach dem Weltrechtsprinzip nicht derart restriktiv ausgestaltet ist, unterfallen im Ausland begangene Straftaten überwiegend dem Opportunitätsprinzip.[1754] Nicht zuletzt, um Verstimmungen in den internationalen Beziehungen zu vermeiden, aber auch, weil Strafverfolgungen wegen in fremdem Ländern begangener Völkerstraftaten jedenfalls dann, wenn sich die Beschuldigten nicht im eigenen Land aufhalten, kaum Aussicht auf Erfolg haben, sind die Staaten sehr

---

[1751] *Novoselec*, LB Kroatien, Bd. 3, S. 19 (61). Einige weitere verfahrensrechtliche Besonderheiten betreffen hier nicht näher zu erläuternde Einzelheiten der Durchführung des Verfahrens.

[1752] *Gil Gil*, LB Spanien, Bd. 4, S. 99 (193).

[1753] Vgl. ausführlich zu dieser Einschränkung der Strafgewalterstreckung nach dem Weltrechtsprinzip oben S. 191 ff.

[1754] Siehe oben S. 195 ff. und S. 202.

zurückhaltend, wenn es darum geht, Strafverfolgungen nach dem Weltrechtsprinzip in die Wege zu leiten.[1755]

Gar keine Verfolgungspraxis ist zu verzeichnen für China,[1756] Côte d'Ivoire,[1757] Finnland,[1758] Griechenland,[1759] Russland,[1760] Slowenien,[1761] Schweden,[1762] die USA[1763] sowie die Türkei[1764]. In diesen Ländern haben ausweislich der Landesberichte bislang keine Strafverfahren wegen völkerrechtlicher Verbrechen stattgefunden. In Lateinamerika gibt es zwar Rechtsprechung, die Sachverhalte mit völkerstrafrechtlichem Bezug zum Gegenstand hatte, doch wurden die einschlägigen Fälle schon mangels spezieller völkerstrafrechtlicher Normen in den nationalen Rechtsordnungen fast immer als „normale" Straftaten behandelt.[1765] Bemerkenswert ist insofern jedoch, dass Gerichte in Argentinien, Chile und Kolumbien unter Bezugnahme auf das Völkerrecht nationale Amnestien, soweit sie völkerrechtliche Verbrechen erfassten, für unwirksam erklärten und sich mithin nicht durch solche Amnestien an Strafverfolgungen gehindert sahen.[1766]

1755 Siehe zur Verfolgungsrealität auch die Ausführungen im Gutachten des Max-Planck-Instituts für ausländisches und internationales Strafrecht zur Strafzumessung bei völkerrechtlichen Verbrechen, das im Jahr 2003 für den ICTY erstellt wurde (*Sieber*, Punishment of Serious Crimes, Bd. 1, S. 125 f.).

1756 Vgl. *Richter*, LB China, Bd. 6, S. 141 (236).

1757 Vgl. *Kouassi/Paulenz*, LB Côte d'Ivoire, Bd. 4, S. 19 (72 ff.). Die Autoren berichten von in Côte d'Ivoire durch Regierungsvertreter begangene Straftaten, die völkerstrafrechtliche Relevanz aufweisen, jedoch nicht geahndet wurden.

1758 Vgl. *Frände*, LB Finnland, Bd. 2, S. 21 (72).

1759 Vgl. *Retalis*, LB Griechenland, Bd. 5, S. 189 (275).

1760 Vgl. *Lammich*, LB Russland/Weißrussland, Bd. 6, S. 351 (387).

1761 Vgl. *Korošec*, LB Slowenien, Bd. 3, S. 329 (388).

1762 Vgl. *Cornils*, LB Schweden, Bd. 2, S. 183 (246). Allerdings wird im Landesbericht darauf hingewiesen, es habe ein Ermittlungsverfahren gegen einen schwedischen Staatsbürger wegen Kriegsverbrechen gegeben, der sich als Söldner im Jugoslawien-Konflikt in einer kroatischen Militäreinheit verdingt habe. Zu einer Anklage kam es jedoch nicht, unter anderem deshalb nicht, weil der Beschuldigte bereits in Jugoslawien wegen der ihm vorgeworfenen Verbrechen eine Freiheitsstrafe verbüßt hatte.

1763 Vgl. *Silverman*, LB USA, Bd. 5, S. 411 (498 ff.). Allerdings weist die Autorin auf Strafverfahren hin, die terroristische Gewaltakte betrafen, die nach hier entwickelter Auffassung (siehe oben S. 178 ff.) durchaus als völkerrechtliche Verbrechen zu qualifizieren sind.

1764 Vgl. *Tellenbach*, LB Türkei, Bd. 6, S. 393 (448).

1765 Vgl. *Ambos/Malarino*, Zusammenfassung Lateinamerika, Bd. 4, S. 469 (480).

1766 *Ambos/Malarino*, Zusammenfassung Lateinamerika, Bd. 4, S. 469 (480). Siehe zur Frage völkerrechtlicher Amnestieverbote oben S. 17 f.

II. Strafverfahren in einzelnen Ländern

1. Strafverfahren in Australien

Zwar fand auch in Australien bislang kein Strafverfahren nach dem ICC (Consequential Amendments) Act aus dem Jahr 2002 statt, doch sind Verfahren aus jüngerer Zeit erwähnenswert, die NS-Verbrechen betreffen. Nachdem die Verfolgung von NS-Verbrechern 1961 eingestellt worden war, erwachte 1987 der politische Wille wieder, gegen die Verantwortlichen vorzugehen, denn man wurde gewahr, dass etliche verdächtige Personen nach Kriegsende ihren Wohnsitz in Australien genommen hatten. Daraufhin wurde 1988 der *War Crimes Act Amendment Act* erlassen, der die australische Strafgewalt auch auf Personen erstreckte, die erst nach Tatbegehung die australische Staatsbürgerschaft erlangt hatten oder in Australien ihren Wohnsitz begründet hatten. Drei Gerichtsverfahren wurden schließlich begonnen.[1767] Zunächst wurde 1991 ein Verfahren gegen einen Mann eröffnet, dem zur Last gelegt wurde, während des Krieges in der Ukraine 24 Menschen eigenhändig ermordet zu haben und zudem an der Ermordung von 850 Menschen jüdischen Glaubens beteiligt gewesen zu sein. Das Verfahren musste jedoch alsbald aus Mangel an Beweisen eingestellt werden, da wichtige Belastungszeugen mittlerweile verstorben waren und andere aus Altersgründen nicht nach Australien reisen konnten.[1768] Ein weiteres Verfahren, das gegen einen Mann angestrengt worden war, dem vorgeworfen wurde, an der Ermordung von über 100 Juden in der Ukraine beteiligt gewesen zu sein, musste ebenfalls aus diesen Gründen eingestellt werden. Das Gericht entschied, eine Vernehmung von zwei Zeugen in der Ukraine komme nicht in Betracht, da der Angeklagte nicht in der Lage sei, zur Zeugenvernehmung in die Ukraine zu reisen.[1769] Auch das dritte Verfahren endete ohne ein Urteil. Da der Angeklagte, dem gleichfalls die Mitwirkung an der Ermordung von Juden in der Ukraine zur Last gelegt worden war, während des Verfahrens einen Herzinfarkt erlitt, beschloss die Staatsanwaltschaft, den Prozess wegen Verhandlungsunfähigkeit des Angeklagten nicht weiterzuführen.[1770] Diese Verfahren machen deutlich, wie schwierig es über ein halbes Jahrhundert nach dem Ende des Zweiten Weltkrieges ist, den noch lebenden NS-Verbrechern einen rechtsstaatlichen Anforderungen genügenden Prozess zu machen. Selbst dann, wenn der politische Wille und das notwendige rechtliche Instrumentarium vorhanden sind, ist heute eine Ahndung der durch das NS-Regime begangenen völkerrechtlichen Verbrechen – wie die hier stellvertretend für Verfahren in anderen Ländern skizzierten australischen Fälle zeigen – vielfach zum Scheitern verurteilt, will man nicht – was aber keine Option sein darf – wichtige rechtsstaatliche Grundsätze über Bord werfen.

[1767] Vgl. *Biehler/Kerll*, LB Australien, Bd. 6, S. 19 (68 ff.).

[1768] *Biehler/Kerll*, LB Australien, Bd. 6, S. 19 (69).

[1769] *Biehler/Kerll*, LB Australien, Bd. 6, S. 19 (69).

[1770] *Biehler/Kerll*, LB Australien, Bd. 6, S. 19 (69 f.).

2. Strafverfahren in Deutschland

In Deutschland ist bis heute kein Strafverfahren auf der Grundlage des im Jahr 2002 in Kraft getretenen VStGB durchgeführt worden.[1771] Zwar gab es knapp 30 Strafanzeigen, doch sah die zuständige Bundesanwaltschaft bislang keinen Anlass, Ermittlungsverfahren einzuleiten.[1772] Größere öffentliche Aufmerksamkeit erlangte in Deutschland eine im November 2004 erhobene Strafanzeige einer US-amerikanischen Menschenrechtsorganisation, mit der eine Strafverfolgung des US-Verteidigungsministers *Rumsfeld*, des früheren CIA-Chefs *Tenet* und hochrangiger US-Militärs wegen der Folterungen irakischer Gefangener im Gefängnis *Abu Ghraib* in der Nähe von Bagdad durch US-Soldaten im Herbst/Winter 2003/2004 initiiert werden sollte.[1773] Der Generalbundesanwalt beschloss allerdings im Februar 2005, auch insoweit keine Ermittlungen einzuleiten.[1774] Er begründete seine Entscheidung damit, die nach Maßgabe des § 153f StPO vorzunehmende Abwägung habe ergeben, dass für ein Tätigwerden deutscher Ermittlungsbehörden in Ansehung des Grundsatzes der Subsidiarität kein Raum sei. Insofern komme es nicht darauf an, ob ein hinreichender Anfangsverdacht für die Einleitung eines Ermittlungsverfahrens vorliege. Auch könne offen bleiben, inwieweit die angezeigten Personen Immunität genössen. Die Generalbundesanwaltschaft nutzte also die ihr durch § 153f StPO eingeräumte Möglichkeit, von der Durchführung eines Strafver-

---

1771 Wegen des Rückwirkungsverbots (Art. 103 Abs. 2 GG) kann das VStGB nur auf Taten Anwendung finden, die nach seinem Inkrafttreten am 30.6.2002 begangen wurden bzw. werden. Auch zur Ahndung von NS-Verbrechen musste und muss in Deutschland auf das (zur Tatzeit geltende) StGB zurückgegriffen werden. Auf die – zumindest in der BRD überaus zögerliche und halbherzige – Ahndung von NS-Verbrechen in Deutschland soll, da nicht auf Völkerstrafrecht rekurriert wurde, hier nicht eingegangen werden. Vgl. insoweit *Kreicker*, LB Deutschland, Bd. 1, S. 21 (85 ff., 426 f. m.w.N.). Hinzuweisen ist jedoch darauf, dass nach wie vor in Deutschland Strafverfahren wegen NS-Verbrechen durchgeführt werden. So wurde beispielsweise im Jahr 2005 vor dem Landgericht München gegen einen 88 Jahre alten ehemaligen Wehrmachtsangehörigen wegen der Tötung von 164 Zivilisten im Januar 1945 in der Slowakei verhandelt – er wurde allerdings freigesprochen, da ein Tatnachweis nach so langer Zeit nicht zu führen war; vgl. SZ vom 19.12.2005, 40; SZ vom 20.12.2005, 1, 4. Die Taten des DDR-Systemunrechts bleiben hier gleichfalls unberücksichtigt, denn bei diesen handelte es sich nicht um völkerrechtliche Verbrechen; vgl. *Kreicker*, Art. 7 EMRK und die Gewalttaten an der deutsch-deutschen Grenze, S. 86 ff. m.w.N. in Fn. 325. Siehe ausführlich zum Umgang mit dem DDR-Systemunrecht *Eser/Arnold* (Hrsg.), Strafrecht in Reaktion auf Systemunrecht, Bd. 2: Kreicker u.a., Deutschland, passim.

1772 *Kreicker*, LB Deutschland, Bd. 1, S. 21 (424 f.); SZ vom 1.12.2004, 1.

1773 Vgl. *Fischer-Lescano*, KritJ 2005, 72 (72 ff.); *ders.*, GLJ 6 (2005), 689 (689 ff.); FAZ vom 1.12.2004, 1 f.; FR vom 30.11.2004, 1, 7; SZ vom 1.12.2004, 1, 10. Die Strafanzeige ist im Wortlaut abrufbar unter <www.rav.de/ag_voelkerrecht.htm> (1.1.2006).

1774 Vgl. die Pressemitteilung 6/2005 vom 10.2.2005 des Generalbundesanwalts, abrufbar unter <www.generalbundesanwalt.de/presse.php> (1.1.2006), abgedruckt in JZ 2005, 311 (311 f.); FAZ vom 11.2.2005, 4; FR vom 11.2.2005, 1, 4; SZ vom 11.2.2005, 8; SZ vom 19.8.2005, 11.

fahrens nach dem VStGB bei Auslandstaten abzusehen.[1775] Maßgebend für die Entscheidung des Generalbundesanwalts war, dass in den USA Ermittlungen wegen der Geschehnisse in *Abu Ghraib* durchgeführt würden und kein Grund zu der Annahme bestehe, dass die aufgrund der Nationalität der Beschuldigten vorrangig zur Strafverfolgung berufenen Strafverfolgungsbehörden der USA nicht willens oder nicht in der Lage seien, von einem ernsthaften Verfolgungswillen getragene Ermittlungen und Strafverfolgungen durchzuführen.[1776]

Hinzuweisen ist ferner darauf, dass in Deutschland in der Zeit zwischen 1993 und Ende 2004 insgesamt 128 Ermittlungsverfahren wegen im Gebiet des früheren Jugoslawien begangener Straftaten, vor allem wegen Völkermords, auf der Basis des alten Völkermordtatbestands – § 220a StGB a.F.[1777] – bzw. anderer Tatbestände des Strafgesetzbuchs durchgeführt wurden.[1778] In einigen Fällen kam es auch zu Verurteilungen. Im Mai 1997 sprach das BayObLG den bosnischen Serben *Novislav Djajić* zwar vom Vorwurf des Völkermords frei, veruteilte ihn jedoch wegen Beihilfe zu 14 Fällen von Mord und einem versuchten Mord zu einer Gesamtfreiheitsstrafe von fünf Jahren.[1779] Ihm wurde vorgeworfen, im Juni 1992 an der Erschießung von 14 muslimischen Einwohnern des Ortes Trnovaca an der Drina mitgewirkt zu haben. Im September 1997 verurteilte das OLG Düsseldorf *Nicola Jorgić*, ebenfalls ein bosnischer Serbe, wegen Völkermords in elf Fällen zu lebens-

---

[1775] Siehe zum Regelungsgehalt des § 153f StPO oben S. 337 f.

[1776] Vgl. die oben in Anm. 1774 erwähnte Presseerklärung des Generalbundesanwalts. Zwar erhoben die Anzeigeerstatter Einstellungsbeschwerde und betrieben ein Klageerzwingungsverfahren (zu dessen grundsätzlicher [Un-]Zulässigkeit vgl. *Kreicker*, LB Deutschland, Bd. 1, S. 21 [269]) vor dem zuständigen OLG Stuttgart (vgl. SZ vom 19.8.2005, S. 11; der Wortlaut des Klageerzwingungsantrages ist abrufbar unter <www.rav.de/ag_voelkerrecht.htm> [1.1.2006]). Doch verwarf das OLG Stuttgart mit Beschluss vom 13.9.2005 (5 Ws 109/05) den Antrag als unzulässig und verwies darauf, dass der Generalbundesanwalt bei richtiger Rechtsanwendung und richtiger Ausübung des ihm möglichen Ermessens gesetzesgemäß entschieden habe; siehe die Pressemitteilung des OLG Stuttgart vom 15.9.2005, abrufbar unter <www.olg-stuttgart.de/servlet/PB/menu/1188912/index.html> (1.1.2006). Der Beschluss des OLG Stuttgart ist im Wortlaut abrufbar unter <http://www.iuscrim.mpg.de/forsch/straf/docs/Beschluss_OLG_Stuttgart_5_Ws_109_05.pdf> (1.1.2006).

[1777] § 220a StGB a.F. wurde mit Inkrafttreten des VStGB aufgehoben. Der neue deutsche Völkermordtatbestand – § 6 VStGB – stimmt aber mit § 220a StGB a.F. inhaltlich überein. Vgl. *Gropengießer*, Landesbericht Deutschland, Bd. 1, S. 21 (94 f.).

[1778] Vgl. *Ambos/Wirth*, in: Fischer/Kreß/Lüder (Hrsg.), International and National Prosecution of Crimes Under International Law, S. 769 ff. (mit einer Auflistung von Gerichtsentscheidungen in Fn. 1); *Eser*, in: Roxin/Widmaier (Hrsg.), FS BGH IV, S. 3 (26); *Kreicker*, LB Deutschland, Bd. 1, S. 21 (427 ff.); *Rissing-van Saan*, JICJ 3 (2005), 381 (382 ff.); *Werle/Jeßberger*, JZ 2002, 725 (726) sowie die Kurzinformation auf der Internetseite des Generalbundesanwalts, abrufbar unter <www.generalbundesanwalt.de/strafe/vmord.php> (1.1.2006) . Über 100 dieser Verfahren sind bereits abgeschlossen; in den meisten Fällen kam es zu Verfahrenseinstellungen aus Mangel an Beweisen.

[1779] BayObLG 3 St 20/06 vom 23.5.1997, BayObLGSt 1997, 83 = NJW 1998, 392. Zu einer Revisionsentscheidung des BGH ist es nicht gekommen, da die eingelegten Rechtsmittel zurückgenommen wurden. Vgl. *Kreicker*, LB Deutschland, Bd. 1, S. 21 (428).

langer Freiheitsstrafe.[1780] Ihm wurde zur Last gelegt, im Mai/Juni 1992 an „Säuberungsaktionen“ im Gebiet der bosnischen Stadt Doboj teilgenommen und dabei eigenhändig muslimische Bewohner getötet zu haben. Die Verurteilung wurde im Jahr 1999 vom BGH bestätigt,[1781] eine Verfassungsbeschwerde vom BVerfG im Jahr 2000 mangels Aussicht auf Erfolg erst gar nicht zur Entscheidung angenommen.[1782] Im Jahr 1999 kam es zu zwei weiteren erstinstanzlichen Urteilen gegen bosnische Serben.[1783] Das OLG Düsseldorf verurteilte *Maksim Sokolović* unter anderem wegen Beihilfe zum Völkermord zu einer Freiheitsstrafe von neun Jahren, weil er sich im Mai 1992 in Bosnien an militärischen Aktion gegen die muslimische Bevölkerung beteiligt hatte.[1784] Das BayObLG verurteilte *Djuradi Kusljić* wegen Völkermords in Tateinheit mit Mord in sechs Fällen zu lebenslanger Freiheitsstrafe, weil er als Leiter eine Polizeistation in Bosnien im Sommer 1992 an „Säuberungsaktionen“ gegen Muslime mitgewirkt hatte.[1785] Ferner werden in Deutschland – allerdings ohne größere Aussicht auf Erfolg – seit einigen Jahren Ermittlungen wegen des Verschwindenlassens deutscher Staatsbürger durch Militärdiktaturen in Südamerika in den siebziger Jahren des letzten Jahrhunderts vorgenommen.[1786]

3. Strafverfahren in Estland

In Estland kam es nach der Wiedererlangung der politischen Unabhängigkeit 1991 zu einigen Strafverfahren wegen Völkermords und Verbrechen gegen die Menschlichkeit, die auch mit Verurteilungen der Angeklagten endeten. Bis auf einen Fall betrafen alle Verfahren die Deportation estnischer Bürger nach Sibirien im Jahr 1949.[1787] Neben diesen „Deportationsfällen“ wird im Landesbericht der „*Paulov*-Fall“ erwähnt: Der Angeklagte *Paulov* wurde im Jahr 2000 rechtskräftig wegen Verbrechen gegen die Menschlichkeit zu einer Freiheitsstrafe von acht Jahren verurteilt. Das Gericht sah es als erwiesen an, dass *Paulov* als Angehöriger des von der Sowjetunion gesteuerten estnischen Geheimdienstes drei Menschen getötet hatte, die zu einer Gruppe von Personen gehörten, die sich aus Angst vor stalinistischen

---

1780 OLG Düsseldorf IV- 26/96 2 StE 8/96 vom 26.9.1997; nicht veröffentlicht. Siehe auch *Kreicker*, LB Deutschland, Bd. 1, S. 21 (428 f.).

1781 BGH 3 StR 215/98 vom 30.4.1999, BGHSt 45, 65 = NStZ 1999, 396.

1782 BVerfG 2 BvR 1290/99 vom 12.12.2000, NJW 2001, 1848.

1783 Vgl. *Kreicker*, LB Deutschland, Bd. 1, S. 21 (429).

1784 OLG Düsseldorf IV 9/97 – 2 StE 6/97 vom 29.11.1999; nicht veröffentlicht.

1785 BayObLG 6 St 1/99 – 2 BJs 25/95 – 5 – 2 StE 5/99 vom 15.12.1999; nicht veröffentlicht.

1786 Vgl. *Ambos/Ruegenberg/Woischnik*, EuGRZ 1998, 468 (468 ff.); *Eser*, in: Roxin/Widmaier (Hrsg.), FS BGH IV, S. 3 (25); *Kreicker*, LB Deutschland, Bd. 1, S. 21 (429 f.) sowie SZ vom 28.1.2004, 3 zum Fall der deutschen Studentin *Elisabeth Käsemann*, die (aller Wahrscheinlichkeit nach) 1977 in Argentinien ermordet wurde.

1787 Vgl. *Parmas*, LB Estland, Bd. 5, S. 89 (137 f.).

Repressionen in die estnischen Wälder zurückgezogen und zum Teil von dort aus Partisanenaktivitäten entfaltet hatten.[1788]

4. Strafverfahren in Frankreich

In den achtziger Jahren des letzten Jahrhunderts erlangte das in Frankreich durchgeführte Verfahren gegen den „Schlächter von Lyon“ *Klaus Barbie* besondere Aufmerksamkeit. Der deutsche SS-Offizier *Barbie* war in Lyon verantwortlich gewesen für die Deportation jüdischer Bürger in Konzentrationslager und hatte Folterungen und Tötungen von Mitgliedern der französischen Résistance angeordnet. Nach dem Krieg konnte er mit US-amerikanischer Hilfe nach Bolivien entkommen; dort wurde er unter dem Namen *Klaus Altmann* unter anderem für die bolivianische Militärregierung tätig. 1983 wurde er aber an Frankreich ausgeliefert, wo er schon in den 1950er Jahren zum Tode verurteilt worden war. 1987 wurde er wegen Verbrechen gegen die Menschlichkeit erneut verurteilt, dieses Mal zu lebenslanger Freiheitsstrafe;[1789] er starb schließlich 1991 in französischer Haft.[1790]

Zwei weitere Verfahren betrafen *Paul Touvier* und *Maurice Papon*, beide Franzosen, die für das Vichy-Regime tätig gewesen waren.[1791] *Touvier* wurde 1994 wegen Beihilfe zu Verbrechen gegen die Menschlichkeit zu lebenslanger Freiheitsstrafe verurteilt; ihm war zur Last gelegt worden, als Chef der faschistischen Milizen in Lyon im Jahr 1944 den Befehl zur Tötung von sieben Juden gegeben zu haben.[1792] Er starb 1996 in einem Gefängniskrankenhaus bei Paris. *Papon* war als Generalsekretär der Präfektur der Gironde Organisator der Verschleppung von etwa 1.600 Juden aus Bordeaux und Umgebung nach Auschwitz. Er konnte zwar nach dem Krieg zunächst im öffentlichen Leben Frankreichs wieder Fuß fassen und wurde unter *de Gaulle* sogar Polizeipräfekt, doch wurde er schließlich 1998 wegen Beihilfe zu Verbrechen gegen die Menschlichkeit zu einer zehnjährigen Freiheitsstrafe verurteilt. Nachdem er knapp drei Jahre der Strafhaft verbüßt hatte, wurde er jedoch im Jahr 2002 mit dem Argument, der schlechte Gesundheitszustand des damals 92-Jährigen lasse eine weitere Strafvollstreckung nicht zu, aus der Haft entlassen.

1788 *Parmas*, LB Estland, Bd. 5, S. 89 (139 ff.).

1789 Vgl. die Urteile der Cour de Cassation vom 6.10.1983, 26.1.1984 und 20.12.1985, ILR 78, 124 sowie das Urteil der Cour de Cassation vom 3.6.1988, ILR 100, 331.

1790 Vgl. zu diesem Verfahren *Lelieur-Fischer*, LB Frankreich, Bd. 4, S. 225 (232 Fn. 1, 236, 308) sowie *Meseke*, Verbrechen gegen die Menschlichkeit, S. 57 f.; *Zehnder*, Immunität von Staatsoberhäuptern, S. 90 f. und die Darstellung bei *Wexler*, in: Bassiouni (Hrsg.), International Criminal Law, Vol. III, S. 273 (273 ff.).

1791 Vgl. *Lelieur-Fischer*, LB Frankreich, Bd. 4, S. 225 (232 Fn. 1, 236, 308).

1792 *Touvier* war wegen dieser Taten bereits 1946 in Abwesenheit verurteilt worden. Diese Verurteilung war jedoch 1971 durch eine Begnadigung (!) hinfällig geworden.

Bemerkenswert sind diese Verfahren vor allem deshalb, weil zum Zeitpunkt der Verurteilung von *Barbie*, *Touvier* und *Papon* im französischen Strafrecht Verbrechen gegen die Menschlichkeit nicht durch einen Straftatbestand des Code Pénal unter Strafe gestellt waren – der Tatbestand der Verbrechen gegen die Menschlichkeit (Art. 212-1 CP) wurde erst 1994 geschaffen.[1793] Die französischen Gerichte sahen sich dennoch nicht an einer Verurteilung gehindert, sondern beriefen sich auf Art. 6(c) IMT-Statut und argumentierten, Verbrechen gegen die Menschlichkeit seien nach Völkergewohnheitsrecht strafbar. Sie stützten ihre Verurteilungen also – dies ist ein auch im internationalen Vergleich bislang einmaliger Vorgang – unmittelbar auf Völkergewohnheitsrecht.[1794]

5. Strafverfahren in Großbritannien

a) Das Verfahren gegen Augusto Pinochet

Große Aufmerksamkeit in der Wissenschaft und der allgemeinen Öffentlichkeit fand das 1998/99 in Großbritannien gegen den früheren chilenischen Militärdiktator *Augusto Pinochet* durchgeführte Verfahren.[1795] *Pinochet* wurde im Oktober 1998 in London verhaftet, wo er sich privat aufhielt. Grund war ein spanisches Auslieferungsersuchen; die spanische Justiz wollte ihn in Spanien wegen Tötung, Folterung und Verschwindenlassens von spanischen Staatsbürgern während seiner von 1973 bis 1990 dauernden Herrschaft zur Verantwortung ziehen. In Chile waren seit dem blutigen Putsch *Pinochets* gegen den sozialistischen Staatspräsidenten *Salvatore Allende* im Jahr 1973 von den staatlichen Machthabern über 3.000 Oppositionelle umgebracht und etwa 100.000 Regimegegner gefoltert worden.[1796] Es folgte eine langwierige gerichtliche Auseinandersetzung über die Frage, ob – wie Chile behauptete – *Pinochet* wegen völkerrechtlicher Immunität von der britischen Hoheitsgewalt befreit sei und daher von Großbritannien nicht an Spanien ausgeliefert werden dürfe.[1797] Am 28. Oktober 1998 entschied zunächst der Londoner High Court, *Pinochet* genieße als ehemaliges Staatsoberhaupt Immunität und hob den

---

1793 *Lelieur-Fischer*, LB Frankreich, Bd. 4, S. 225 (235 f., 300 f.). Siehe auch oben S. 80.

1794 *Lelieur-Fischer*, LB Frankreich, Bd. 4, S. 225 (237, 308). Siehe hierzu schon oben S. 26. Zur jüngsten Verfolgungspraxis Frankreichs vgl. *Bourdon*, JICJ 3 (2005), 434 (434 ff.).

1795 Vgl. *Rabenstein/Bahrenberg*, LB England/Wales, Bd. 6, S. 261 (309) sowie ausführlich zum „Fall *Pinochet*" *Ahlbrecht/Ambos* (Hrsg.), Der Fall Pinochet(s); *Ambos*, JZ 1999, 16; *ders.*, JZ 1999, 564; *Bank*, ZaöRV 59 (1999), 677; *Gornig*, in: Ipsen/Schmidt-Jortzig (Hrsg.), FS Rauschning, S. 457 (476 ff.); *Tangermann*, Immunität von Staatsoberhäuptern, S. 69 ff.; *Wirth*, Jura 2000, 70; *ders.*, CLF 12 (2001), 429 (434 ff.).

1796 Zu den *Pinochet* vorgeworfenen Verbrechen vgl. *Zehnder*, Immunität von Staatsoberhäuptern, S. 118 ff.

1797 Eine ausführliche tabellarische Chronologie des *Pinochet*-Falls findet sich bei *Tangermann*, Immunität von Staatsoberhäuptern, S. 240 ff.

Haftbefehl auf.[1798] Das House of Lords als Berufungsgericht[1799] urteilte am 25. November 1998 in einer mit drei gegen zwei Stimmen ergangenen Entscheidung („erstes *Pinochet*-Urteil") dann jedoch, dass *Pinochet* keine Immunität zukomme.[1800] Nachdem sich herausgestellt hatte, dass der an der Entscheidung beteiligte Lordrichter *Hoffmann* bei einer mit *Amnesty International* verbundenen Menschenrechtsorganisation engagiert war und daher Zweifel an seiner Unparteilichkeit aufgekommen waren, wurde vom House of Lords am 17. Dezember 1998 angeordnet, dass das Verfahren wiederholt werden müsse („zweites *Pinochet*-Urteil"), ein bislang einmaliger Vorgang in der Justizgeschichte Großbritanniens.[1801] In der erneuten Entscheidung des House of Lords vom 24. März 1999 („drittes *Pinochet*-Urteil"), die mit sechs zu einer Stimme erging, wurde aber wiederum mehrheitlich entschieden, dass *Pinochet* sich – jedenfalls im Hinblick auf die ihm zur Last gelegten Folterungen – nicht auf Immunität berufen könne und Großbritannien zu seiner Auslieferung an Spanien völkerrechtlich befugt sei.[1802] Dennoch kam es nicht zu einer Auslieferung; der britische Innenminister lehnte sie im März 2000 mit der Begründung ab, *Pinochet* sei verhandlungsunfähig, woraufhin der Ex-Diktator nach Chile zurückreisen konnte.[1803] Die Bedeutung dieses Verfahrens darf dennoch nicht gering geschätzt werden, wurde doch erstmals höchstrichterlich entschieden, dass eine Strafverfolgung ehemaliger Staatsoberhäupter im Ausland wegen von ihnen zu verantwortender makrokrimineller Taten völkerrechtlich statthaft sein kann. Damit wurde ein vor allem politisch wichtiges Signal gesetzt.

b) Weitere Verfahren in Großbritannien

Die Landesberichterstatter zu England und Wales erwähnen ferner Ermittlungen, die wegen des Verdachts der Begehung von Kriegsverbrechen durch britische Soldaten 1982 während des Falkland-Krieges durchgeführt worden waren, aber nicht

---

1798 High Court of Justice, Queen's Bench Devision, Urteil vom 28.10.1998, ILM 38 (1999), 68. Deutsche Übers. (gekürzt) in *Ahlbrecht/Ambos* (Hrsg.), Der Fall Pinochet(s), S. 31 ff.

1799 Vgl. zur Stellung und Funktion des House of Lords als oberstes britisches Gericht *Heimrich*, FAZ vom 19.1.1999, 3.

1800 Erstes *Pinochet*-Urteil des House of Lords vom 25.11.1998, HRLJ 1998, 419 = ILM 37 (1998), 1302. Stark gekürzte deutsche Übers. in *Ahlbrecht/Ambos* (Hrsg.), Der Fall Pinochet(s), S. 103 ff.

1801 Zweites *Pinochet*-Urteil des House of Lords vom 17.12.1998, HRLJ 20 (1999), 443 = ILM 38 (1999), 430. Stark gekürzte deutsche Übers. in *Ahlbrecht/Ambos* (Hrsg.), Der Fall Pinochet(s), S. 139 ff.

1802 Drittes *Pinochet*-Urteil des House of Lords vom 24.3.1999, HRLJ 1999, 61 = ILM 38 (1999), 581. Stark gekürzte (leider auch unter Weglassung wichtiger Passagen) deutsche Übers. in *Ahlbrecht/Ambos* (Hrsg.), Der Fall Pinochet(s), S. 148 ff.

1803 Vgl. FAZ vom 3.3.2000, 1 ff.; SZ vom 3.3.2000, 1, 3.

zu Anklagen führten.[1804] Sie weisen zudem auf Ermittlungen und Strafverfahren hin, die gegenwärtig von britischen Strafverfolgungsbehörden wegen des Vorwurfs der Misshandlung irakischer Gefangener durch britische Soldaten im Irak 2003/ 2004 betrieben werden.[1805] Drei Soldaten wurden im Juli 2005 wegen unmenschlicher Behandlung von Gefangenen angeklagt.[1806]

6. Strafverfahren in Israel

a) Das Verfahren gegen Adolf Eichmann

Aus den Verfahren zur strafrechtlichen Ahndung der während des Zweiten Weltkrieges begangenen Verbrechen ragt der von Israel gegen *Adolf Eichmann* durchgeführte Prozess hervor: Im Mai 1960 wurde der ehemalige SS-Obersturmbannführer *Adolf Eichmann* vom israelischen Geheimdienst in Argentinien aufgespürt, festgenommen und nach Israel verbracht.[1807] *Eichmann* war als Leiter des „Judenreferats“ IV.B.4 im Reichssicherheitshauptamt verantwortlich gewesen für die Organisation der Transporte von Juden aus Deutschland und den vom NS-Regime besetzten Gebieten in die Konzentrationslager, in denen sie umgebracht wurden. Er war damit – wenngleich als subalterner Bürokrat – an maßgeblicher Stelle an der Organisation des Genozids an den europäischen Juden beteiligt gewesen.[1808]

In Jerusalem wurde *Eichmann* im Dezember 1961 auf der Basis eines israelischen Gesetzes zur Verfolgung von NS-Straftaten vom 1. August 1950[1809] wegen Verbrechen gegen das jüdische Volk (so die Bezeichnung des Gesetzes für den Völkermord an den Juden), Verbrechen gegen die Menschlichkeit und Kriegsverbrechen zum Tode verurteilt.[1810] Das Bezirksgericht von Jerusalem hat aus-

---

1804 *Rabenstein/Bahrenberg*, LB England/Wales, Bd. 6, S. 261 (309).

1805 *Rabenstein/Bahrenberg*, LB England/Wales, Bd. 6, S. 261 (309 f.). Außerdem berichten die Autoren von einer 1999 erfolgten Verurteilung eines NS-Verbrechers nach dem War Crimes Act zu lebenslanger Freiheitsstrafe wegen der Tötung zweier Zivilisten; vgl. *Rabenstein/Bahrenberg*, a.a.O., S. 308.

1806 SZ vom 21.7.2005, 6.

1807 Vgl. *Arendt*, Eichmann in Jerusalem, S. 93, 351 ff.; *Baumann*, JZ 1963, 110 (111).

1808 Zur Person und zum Werdegang *Eichmanns* vgl. das Psychogramm von *Arendt*, Eichmann in Jerusalem, S. 100 ff., sowie *Große*, Eichmann-Prozeß, S. 14 ff.

1809 Die entscheidenden Normen des *Nazi and Nazi Collaborators (Punishment) Law* 5710/1950 sind wiedergegeben in ILR 36, 7 sowie bei *Baumann*, JZ 1963, 110 (111 Fn. 13) und bei *Nellessen*, Prozess von Jerusalem, S. 313 ff. Als Sanktion für Verbrechen gegen das jüdische Volk und Verbrechen gegen die Menschlichkeit war zwingend die Todesstrafe vorgesehen.

1810 Urteil des Bezirksgerichts von Jerusalem vom 12.12.1961, ILR 36, 18. Deutsche Übers. in *Less* (Hrsg.), Schuldig, S. 1 ff. Vgl. auch *Arendt*, Eichmann in Jerusalem, S. 360 ff., 365; *Baumann*, JZ 1963, 110 (111); *Große*, Eichmann-Prozeß, S. 33 ff.; *Nellessen*, Prozess von Jerusalem, S. 15 ff. (deutschsprachige Wiedergabe des Eröffnungsplä-

drücklich die Rückwirkung des Gesetzes anerkannt, sie aber im Hinblick auf die Schwere der unter Strafe gestellten Taten für rechtmäßig erachtet.[1811] Im Hinblick auf die extraterritoriale Reichweite der Strafgewalt Israels hat das Bezirksgericht argumentiert, völkerrechtliche Verbrechen könnten nach dem Universalitätsprinzip von jedem Staat geahndet werden.[1812] Zudem wurde *Eichmann* eine Berufung auf die Staatenimmunität mit dem Hinweis darauf versagt, diese gelte bei völkerrechtlichen Verbrechen nicht.[1813] Nachdem das Urteil des Bezirksgerichts von Jerusalem von der zweiten Instanz bestätigt worden war,[1814] wurde *Eichmann* am 31. Mai 1962 gehängt.[1815]

b) Weitere Verfahren

Die Autoren des Landesberichts zu Israel erwähnen noch weitere Verfahren zur Ahndung von NS-Verbrechen; an dieser Stelle soll lediglich auf das *Demjanjuk*-Verfahren hingewiesen werden: Im Jahr 1988 wurde der von den USA an Israel ausgelieferte *John Demjanjuk* nach dem *Nazi and Nazi Collaborators (Punishment) Law*[1816] verurteilt, als Aufseher im Konzentrationslager Treblinka Völkermord, Verbrechen gegen die Menschlichkeit und Kriegsverbrechen, nicht zuletzt durch die Tötung jüdischer Häftlinge, begangen zu haben. Das Urteil, mit dem *Demjanjuk* zum Tode verurteilt worden war, wurde jedoch vom Obersten Gericht aufgehoben, da erhebliche Zweifel bestanden, ob er wirklich der berüchtigte „Ivan der Schreckliche“ war, als der er angeklagt und in erster Instanz verurteilt worden war.[1817]

---

doyers des Generalstaatsanwalts), S. 181 ff. (deutschsprachige auszugsweise Wiedergabe des Urteils) und S. 317 ff. (deutschsprachige Wiedergabe der Anklageschrift).

1811 Vgl. Urteil (siehe oben Anm. 1810), para. 5 ff., 27 ff. Siehe ferner oben S. 313 sowie *Baumann*, JZ 1963, 110 (112); *Kremnitzer/Cohen*, LB Israel, Bd. 5, S. 317 (393 f.). Diese Rechtsauffassung hat auf internationaler Ebene Zustimmung gefunden; siehe nur Art. 7 Abs. 2 EMRK. Vgl. zu dieser in der EMRK festgelegten Ausnahme vom Rückwirkungsverbot *Kreicker*, Art. 7 EMRK und die Gewalttaten an der deutsch-deutschen Grenze, S. 94 ff. sowie oben Anm. 101 und S. 308 ff.

1812 Vgl. Urteil (siehe oben Anm. 1810), para. 8 ff. Siehe ferner *Baumann*, JZ 1963, 110 (112).

1813 Urteil (siehe oben Anm. 1810), para. 28. Siehe auch *Baumann*, JZ 1963, 110 (113, 115).

1814 Urteil des Obersten Gerichtshofs des Staates Israel vom 29.5.1962, ILR 36, 277.

1815 Vgl. *Arendt*, Eichmann in Jerusalem, S. 366 f.; *Baumann*, JZ 1963, 110 (112).

1816 Vgl. oben Anm. 1809.

1817 Vgl. *Kremnitzer/Cohen*, LB Israel, Bd. 5, S. 317 (396).

7. Strafverfahren in Italien

Die Strafverfolgungspraxis Italiens in Bezug auf völkerrechtliche Verbrechen beschränkt sich im Wesentlichen auf einige wenige der während des Zweiten Weltkrieges in Italien verübten völkerrechtlichen Verbrechen. Insgesamt war jedoch selbst der politische Wille, die während der Besetzung Italiens durch Deutschland von den Nationalsozialisten und der deutschen Wehrmacht begangenen Taten zu ahnden, nur gering ausgebildet.[1818] Dies wurde nicht zuletzt 1994 offenbar, als man im Archiv der Staatsanwaltschaft beim Obersten Militärgerichtshof Italiens mehr oder weniger zufällig auf brisante Akten stieß, die zu einer Verurteilung etlicher deutscher Kriegsverbrecher hätten führen können, aber auf politischen Druck hin im Jahr 1960 „vorläufig archiviert" worden waren. Nach dem Fund der Akten war es für Strafverfahren in den meisten Fällen zu spät: Zumeist waren entweder die Taten mittlerweile verjährt oder aber die Beschuldigten waren verstorben oder unauffindbar.[1819]

Besondere Aufmerksamkeit erlangte – über die Grenzen Italiens hinaus – der Fall „Priebke". *Erich Priebke* war als SS-Hauptsturmführer verantwortlich gewesen für die 1944 als Vergeltung für einen Angriff italienischer Partisanen auf ein deutsches SS-Polizeiregiment erfolgte Erschießung von über 300 Zivilisten in den Ardeatinischen Höhlen bei Rom. Nach dem Krieg konnte er zwar nach Argentinien flüchten; von dort wurde er aber 1995 nach Italien ausgeliefert. In einem ersten Verfahren im Jahr 1996 wurde er nicht verurteilt, da das Gericht seine Taten für verjährt hielt. Dieses und ein weiteres Urteil wurden jedoch später aufgehoben. *Priebke* wurde schließlich 1998 zu lebenslanger Freiheitsstrafe verurteilt, 1999 jedoch aus gesundheitlichen Gründen aus der Haft entlassen. Er befindet sich seither in Italien unter Hausarrest; seine Begnadigung hat der italienische Staatspräsident erst jüngst abgelehnt.[1820]

1818 Vgl. *Grammer*, LB Italien, Bd. 4, S. 337 (412 ff.). Siehe zur nationalen Verfolgung von NS-Verbrechen in Italien auch *Rivello*, JICJ 3 (2005), 422 (422 ff.).

1819 *Grammer*, LB Italien, Bd. 4, S. 337 (412). Im Sommer 2005 wurde allerdings auf der Basis der wieder aufgetauchten Akten ein Verfahren gegen zehn ehemalige deutsche SS-Soldaten – in deren Abwesenheit – vor einem Militärgericht in La Spezia geführt, denen zur Last gelegt wurde, im August 1944 als Angehörige der Panzergrenadierdivision „Reichsführer SS" im norditalienischen Dorf Sant'Anna di Stazzema 560 Bewohner ermordet zu haben; vgl. SZ vom 11.6.2005, 7. Die in Deutschland lebenden Angeklagten wurden am 22.6.2005 jeweils zu lebenslanger Freiheitsstrafe verurteilt, müssen aber nicht mit einer Auslieferung nach Italien rechnen. Allerdings hat die Staatsanwaltschaft Stuttgart ein Ermittlungsverfahren eingeleitet.

1820 Vgl. *Grammer*, LB Italien, Bd. 4, S. 337 (413 ff.); *Gaeta*, in: Fischer/Kreß/Lüder (Hrsg.), International and National Prosecution of Crimes Under International Law, S. 751 (754 ff.), die Aufstellung und Urteilswiedergabe unter <www.difesa.it/GiustiziaMilitare/RassegnaGM/Processi> (1.1.2006) sowie SZ vom 8.3.2004, 7.

8. Strafverfahren in Kanada

In Kanada wurde 1992 der frühere ungarische Gendarm *Imre Finta* wegen Kriegsverbrechen und Verbrechen gegen die Menschlichkeit aufgrund seiner Mitwirkung an der Deportation ungarischer Juden in Konzentrationslager im Jahr 1944 angeklagt. Der Ontario Superior Court of Justice sprach ihn jedoch frei;[1821] der kanadische Supreme Court bestätigte dieses Urteil im Jahr 1994.[1822] Daraufhin beschloss die kanadische Regierung, Personen, denen während des Zweiten Weltkrieges begangene Völkerstraftaten zur Last gelegt wurden und die mittlerweile die kanadische Staatsbürgerschaft erlangt bzw. in Kanada wohnhaft geworden waren, die kanadische Staatsbürgerschaft abzuerkennen oder sie auszuweisen, jedoch keine Anstrengungen im Hinblick auf eine Strafverfolgung mehr zu unternehmen.[1823] Strafverfolgungen unter dem neuen CAHWCA aus dem Jahr 2000 sind bislang noch nicht zu verzeichnen.

9. Strafverfahren in Kroatien sowie Serbien und Montenegro

Die Landesberichterstatter zu Kroatien sowie Serbien und Montenegro weisen auf Strafverfahren hin, die in diesen Ländern wegen Kriegsverbrechen durchgeführt wurden, die im Jugoslawien-Konflikt begangen worden waren. In Kroatien wurden deswegen knapp über 1.600 Personen angeklagt, davon wurden bislang knapp über 700 verurteilt, überwiegend allerdings in Abwesenheit, da sich die Angeklagten – zumeist handelte es sich um ethnische Serben – nicht mehr in Kroatien aufhielten.[1824] Dagegen kam es in Serbien und Montenegro nur ganz vereinzelt zu Strafverfahren wegen völkerrechtlicher Verbrechen im Jugoslawien-Konflikt; der Berichterstatter begründet dies zum einen damit, dass die meisten Verbrechen außerhalb Serbiens begangen worden seien, zum anderen damit, dass es in den 1990er Jahren zwischen den Konfliktparteien zu einem Austausch von Gefangenen gekommen sei.[1825] Allerdings wird im Landesbericht zu Serbien und Montenegro die Verurteilung eins Reserveoffiziers der jugoslawischen Armee wegen Kriegsverbre-

---

1821 Urteil des Ontario Superior Court of Justice vom 10.7.1989, ILR 82, 424; Urteil des Ontario Court of Appeal vom 29.4.1992, ILR 98, 520. Vgl. zum Verfahren gegen *Finta* auch *Amerasinghe*, in: Bassiouni (Hrsg.), International Criminal Law, Vol. III, S. 243 (260 ff.); *Burchards*, Verfolgung von Völkerrechtsverbrechen durch Drittstaaten, S. 179 ff. und *Meseke*, Verbrechen gegen die Menschlichkeit, S. 61 ff.

1822 Urteil des kanadischen Supreme Court vom 24.3.1994, ILR 104, 284.

1823 *Gut/Wolpert*, LB Kanada, Bd. 5, S. 19 (61).

1824 Vgl. *Novoselec*, LB Kroatien, Bd. 3, S. 19 (61). Die Angaben beziehen sich auf das Jahr 2002.

1825 Vgl. *Škulić*, LB Serbien und Montenegro, Bd. 3, S. 211 (277).

chen an der Zivilbevölkerung im Kosovo im Frühsommer 1999 zu einer Freiheitsstrafe von neun Jahren erwähnt.[1826]

10. Strafverfahren in Polen

Die Strafverfolgungsaktivitäten wegen völkerrechtlicher Verbrechen in Polen beziehen sich einmal auf NS-Verbrechen, zum anderen auf das so genannte „kommunistische Unrecht“, das in Polen zwischen 1939 und 1989 verübt wurde. Die zuständige „Hauptkommission zur Verfolgung der Verbrechen am Polnischen Volk“ hat knapp über 1.000 Strafverfahren eingeleitet, in knapp 20 Fällen wurde Anklage erhoben, wobei die meisten Verfahren mit einer Verurteilung abgeschlossen wurden.[1827] Hervorzuheben ist die Verurteilung von *Henryk Mania* durch das Landgericht Konin im Juli 2001 wegen Teilnahme am Völkermord zu einer Freiheitsstrafe von acht Jahren. Ihm wurde zur Last gelegt, zwischen 1941 und 1943 als polnischer KZ-Häftling bei der Ermordung anderer Inhaftierter durch die Nazis mitgewirkt zu haben.[1828]

11. Strafverfahren in Österreich

In Österreich fand 1994 ein Strafverfahren gegen *Dusko Cvjetković* statt, dem im Gebiet des früheren Jugoslawien begangene Völkermordtaten und Kriegsverbrechen vorgeworfen wurden. Er wurde jedoch aus Mangel an Beweisen freigesprochen.[1829]

12. Strafverfahren in Spanien

Im Dezember 1999 wurde in Spanien ein Strafverfahren gegen ehemalige hochrangige Funktionsträger von Guatemala, unter ihnen frühere guatemaltekische

---

[1826] *Škulić*, LB Serbien und Montenegro, Bd. 3, S. 211 (277 f.) Ferner berichtet der Autor über zwei Verfahren wegen während des Zweiten Weltkrieges auf dem Balkan begangener völkerrechtlicher Verbrechen. Im Jahr 1986 wurde der frühere Innenminister *Andrija Artuković* wegen Kriegsverbrechen, die er als Funktionär des mit den Nationalsozialisten verbündeten „Unabhängigen Staates Kroatien“ begangen hatte, zum Tode verurteilt. Er starb jedoch aufgrund seines schlechten Gesundheitszustands vor der Urteilsvollstreckung (*Škulić*, a.a.O., S. 276 f.).

[1827] Vgl. *Weigend*, LB Polen, Bd. 2, S. 77 (147 f.). Die Angaben beziehen sich auf das Jahr 2002.

[1828] Vgl. zu diesem und zu weiteren – noch nicht abgeschlossenen – Verfahren *Weigend*, LB Polen, Bd. 2, S. 77 (148 ff.).

[1829] *Sieber*, Punishment of Serious Crimes, Bd. 1, S. 126. Die – hier nicht weiter zu erörternde – Ahndung von NS-Verbrechen in Österreich geschah auf der Grundlage eines Sondergesetzes von 1945 durch „Volksgerichte“, die bis 1955 tätig waren und über 13.000 Personen verurteilten, darunter 43 zum Tode; siehe hierzu ausführlich *Zerbes*, LB Österreich, Bd. 3, S. 85 (163 ff.).

Staatsoberhäupter, initiiert. Ihnen wurde vorgeworfen, zwischen 1962 und 1996 – also während der Zeit des guatemaltekischen Bürgerkrieges – völkerrechtliche Verbrechen, unter anderem Völkermord, begangen zu haben. Doch erklärten sowohl die Audiencia Nacional mit einer Entscheidung vom 13. Dezember 2000 als auch das Tribunal Supremo mit einer Entscheidung vom 25. Februar 2003[1830] die Durchführung eines Strafverfahrens für unzulässig.[1831] Die Audiencia Nacional begründete die Unzulässigkeit des Verfahrens damit, die Kläger hätten nicht hinreichend dargetan, dass die guatemaltekische Justiz keine Strafverfolgungsaktivitäten entfaltet habe; dies aber sei angesichts der Subsidiarität einer spanischen Strafverfolgung nach dem Weltrechtsprinzip – keiner der Beschuldigten hielt sich in Spanien auf – erforderlich. Das Tribunal Supremo betonte, eine Strafverfolgung nach dem Weltrechtsprinzip komme nur in Betracht, wenn die in Frage stehenden Taten einen speziellen Bezug zu Spanien aufwiesen. Einen solchen legitimierenden Anknüpfungspunkt für eine spanische Strafverfolgung gebe es aber im zu entscheidenden Fall nicht.[1832]

G. Reformen und rechtspolitische Diskussionen in den einzelnen Staaten

I. Reformen

1. Staaten ohne gegenwärtige völkerstrafrechtliche Reformvorhaben

In den meisten im Projekt „Nationale Strafverfolgung völkerrechtlicher Verbrechen“ untersuchten Staaten sind gegenwärtig keine Reformvorhaben zu verzeichnen, das heißt, es gibt keine Bestrebungen, das derzeitige normative Programm zur Ahndung von Völkerstraftaten zu reformieren. Dies gilt namentlich für Australien,[1833] China,[1834] Côte d'Ivoire,[1835] Deutschland,[1836] England und Wales,[1837] Estland,[1838] Finnland,[1839] Israel,[1840] Kanada,[1841] Kroatien,[1842] die Teilrepublik Monte-

1830 Das Urteil Nr. 327/2003 des Tribunal Supremo vom 25.2.2003 ist, auch in englischer Übers., wiedergegeben in ILM 42 (2003), 686 ff.

1831 Vgl. ILM 42 (2003), 683 f.

1832 Vgl. ILM 42 (2003), 683 f.

1833 Vgl. *Biehler/Kerll*, LB Australien, Bd. 6, S. 19 (71).

1834 Vgl. *Richter*, LB China, Bd. 6, S. 141 (236).

1835 Vgl. *Kouassi/Paulenz*, LB Côte d'Ivoire, Bd. 4, S. 19 (25, 76 f.).

1836 Vgl. *Kreicker*, LB Deutschland, Bd. 1, S. 21 (430).

1837 Vgl. *Rabenstein/Bahrenberg*, LB England/Wales, Bd. 6, S. 261 (310).

1838 Vgl. *Parmas*, LB Estland, Bd. 5, S. 89 (142).

1839 Vgl. *Frände*, LB Finnland, Bd. 2, S. 21 (25, 72).

negro von Serbien und Montenegro,[1843] Österreich,[1844] Russland,[1845] Spanien,[1846] die Türkei,[1847] die USA[1848] und für Weißrussland[1849].

a) Keine Reformvorhaben wegen bereits erfolgter Implementierung völkerstrafrechtlicher Normen

Betrachtet man diese Länder genauer, so ist festzustellen, dass in Australien, in Deutschland, in England und Wales, in Estland, in Kanada, in Kroatien, in der Teilrepublik Montenegro von Serbien und Montenegro, in Spanien sowie in der Türkei erst kürzlich – und zwar nach der Verabschiedung des Römischen Statuts für den Internationalen Strafgerichtshof im Jahr 1998 – die nationalen Regelungen zur Ahndung völkerrechtlicher Verbrechen erweitert bzw. erstmalig völkerstrafrechtliche Tatbestände im nationalen Recht geschaffen wurden.

So hat *Australien* im Jahr 2002 mit dem *International Criminal Code Act (Consequential Amendments)* No. 42 (2002) in den Federal Criminal Code den neuen Abschnitt 268 eingefügt, der in insgesamt 124 sections Völkermord, Verbrechen gegen die Menschlichkeit, Kriegsverbrechen und Straftaten gegen die Rechtspflege durch den IStGH pönalisiert.[1850]

In *Deutschland* ist am 30. Juni 2002 das Völkerstrafgesetzbuch in Kraft getreten, das Völkermord, Verbrechen gegen die Menschlichkeit und Kriegsverbrechen umfassend durch neue, das geltende völkerrechtliche Strafrecht widerspiegelnde Straftatbestände zum Teil deutlich über das Römische Statut hinausreichend unter Strafe stellt.[1851] Eine weitere Gesetzesänderung hat eine besondere Verfolgungszustän-

---

1840 Vgl. *Kremnitzer/Cohen*, LB Israel, Bd. 5, S. 317 (324).

1841 Vgl. *Gut/Wolpert*, LB Kanada, Bd. 5, S. 19 (24, 62).

1842 Vgl. *Novoselec*, LB Kroatien, Bd. 3, S. 19 (62).

1843 Vgl. *Škulić*, LB Serbien und Montenegro, Bd. 3, S. 211 (280 f.).

1844 Vgl. *Zerbes*, LB Österreich, Bd. 3, S. 85 (94 f., 167)

1845 In dem Landesbericht zu Russland und Weißrussland wird die Frage gegenwärtiger Reformvorhaben gar nicht erst aufgegriffen. Vgl. *Lammich*, LB Russland/Weißrussland, Bd. 6, S. 351 (351 ff.).

1846 In dem Landesbericht zu Spanien wird die Frage gegenwärtiger Reformvorhaben gar nicht erst aufgegriffen. Vgl. *Gil Gil*, LB Spanien, Bd. 4, S. 99 ff.

1847 Vgl. *Tellenbach*, LB Türkei, Bd. 6, S. 393 (448).

1848 Vgl. *Silverman*, LB USA, Bd. 5, S. 411 (418 ff., 500 ff.).

1849 Vgl. oben Anm. 1845.

1850 Vgl. *Biehler/Kerll*, LB Australien, Bd. 6, S. 19 (25 f.). Das australische Gesetz ist abrufbar unter <http://scaletext.law.gov.au/html/pasteact/3/3501/top.htm> (1.1.2006). Zur Rechtslage im „Nachbarstaat" Neuseeland siehe den neuseeländischen *International Crimes and International Criminal Court Act 2000* abrufbar unter <http://rangi.knowledge-basket.co.nz/gpacts/public/text/2000/an/026.html> (1.1.2006).

1851 Während Völkermord schon zuvor in Deutschland durch einen speziellen Tatbestand (§ 220a StGB a.F.) pönalisiert war und diese Norm – von geringfügigen Formulie-

digkeit des Generalbundesanwalts sowie eine erstinstanzliche gerichtliche Zuständigkeit der Oberlandesgerichte für Taten nach dem VStGB begründet.[1852]

In *England und Wales* trat zum 1. September 2001 der *International Criminal Court Act 2001* in Kraft, der – wie schon mehrfach erwähnt wurde – durch eine pauschale Inbezugnahme der Art. 6 bis 8 IStGH-Statut die vom Römischen Statut erfassten völkerrechtlichen Verbrechen auch nach englischem Recht unter Strafe stellt und somit die englische Strafgewalt über völkerrechtliche Verbrechen in exakt dem sachlichen Umfang begründet, in dem auch der IStGH für solche Taten sachlich zuständig ist.[1853]

In *Estland* hat zum 1. September 2002 ein neues Strafgesetzbuch Gesetzeskraft erlangt, in dem nunmehr Völkermord, Verbrechen gegen die Menschlichkeit und

---

rungsänderungen abgesehen – lediglich in das VStGB (§ 6) überführt wurde, wurden mit dem VStGB erstmals Spezialtatbestände zur Erfassung von Verbrechen gegen die Menschlichkeit (§ 7) und Kriegsverbrechen (§ 8 ff.) geschaffen. Da der deutsche Gesetzgeber das Ziel hatte, das geltende völkerrechtliche Strafrecht umfassend zu implementieren, hat er sich in Bezug auf die Kriegsverbrechen nicht darauf beschränkt, die vom Römischen Statut erfassten Kriegsverbrechen unter Strafe zu stellen, sondern auch die darüber hinaus nach Völkergewohnheitsrecht pönalisierten Verstöße gegen das humanitäre Völkerrecht für strafbar erklärt. Dies hat vor allem Bedeutung im Bereich der Strafbarkeit von Bürgerkriegsverbrechen, hat doch die Entwicklung des Völkergewohnheitsrechts zu einer weitgehenden Assimilierung von Kriegsverbrechen in internationalen bewaffneten Konflikten und Kriegsverbrechen in nichtinternationalen bewaffneten Konflikten geführt, die das insofern sehr zurückhaltende Römische Statut nicht rezipiert hat. Für die vom VStGB erfassten völkerrechtlichen Verbrechen (§§ 6–12 VStGB) gilt gemäß § 1 VStGB das uneingeschränkte Weltrechtsprinzip, so dass alle weltweit begangenen Taten ohne jede Einschränkung der deutschen materiellen Strafgewalt unterworfen sind. Doch wird diese umfassende materielle Strafgewalt durch eine zusammen mit dem VStGB geschaffene prozessuale Regelung (§ 153f StPO) flankiert, die eine Strafverfolgung bei Auslandstaten weitgehend in das Ermessen des für die Ermittlungen zuständigen Generalbundesanwalts stellt (hierzu näher oben S. 337 f). Vgl. *Kreicker*, LB Deutschland, Bd. 1, S. 21 (53, 58 ff.) sowie allgemein zum VStGB *Satzger*, NStZ 2002, 125 ff.; *ders.*, ICLR 2002, 261 ff.; *Werle/Jeßberger*, JZ 2002, 725 ff.; *dies.*, CLF 13 (2002), 191 ff.; *Zimmermann*, ZRP 2002, 97 ff.; *ders.*, NJW 2002, 3068 ff. Das VStGB ist im Internet abrufbar unter <http://217.160.60.235/BGBL/bgbl1f/BGBl102042s2254.pdf> (1.1.2006).

1852 Vgl. *Kreicker*, LB Deutschland, Bd. 1, S. 21 (54, 417 ff.) sowie oben S. 332. Auf die umfassende gesonderte Gesetzgebung in Deutschland zur Schaffung normativer Grundlagen für die vom Römischen Statut geforderte Zusammenarbeit Deutschlands mit dem IStGH soll an dieser Stelle nicht eingegangen werden, da sie nicht Gegenstand des Forschungsprojekts ist. Vgl. diesbezüglich *Kreicker*, a.a.O., S. 52 f. sowie *Meißner*, HuV-I 2002, 35 ff.; *ders.*, NJ 2002, 347 ff.; *Wilkitzki*, ICLR 2002, 195 ff. Allgemein zum Regime der Zusammenarbeit der Staaten mit dem IStGH *Meißner*, Die Zusammenarbeit mit dem Internationalen Strafgerichtshof.

1853 Vgl. *Rabenstein/Bahrenberg*, LB England/Wales, Bd. 6, S. 261 (267 f.) sowie oben S. 28. Der englische ICC Act 2001, der für England, Wales und Nordirland gilt, ist abrufbar unter <www.hmso.gov.uk/acts/acts2001/20010017.htm> (1.1.2006). Der weitgehend parallele *International Criminal Court (Scotland) Act 2001*, der für den schottischen Teil Großbritanniens gilt, ist abrufbar unter <http://www.opsi.gov.uk/legislation/scotland/acts2001/20010013.htm> (1.1.2006).

Kriegsverbrechen sowie das Verbrechen des Angriffskrieges durch spezielle Straftatbestände erfasst werden.[1854]

Kanada verabschiedete bereits im Juni 2000 ein eigenständiges Völkerstrafgesetz, den *Crimes Against Humanity and War Crimes Act 2000* (CAHWCA).[1855] Damit war Kanada der erste Staat, der nach der Verabschiedung des Römischen Statuts des Internationalen Strafgerichtshofs völkerstrafrechtliche Normen implementierte. Zudem gehört der CAHWCA, der im Oktober 2000 in Kraft trat, zu den nationalen Implementationsgesetzgebungen, die das geltende völkerrechtliche Strafrecht am umfassendsten in nationales Recht überführen. Denn wie schon dargelegt wurde, verweist der CAHWCA, der Völkermord, Verbrechen gegen die Menschlichkeit und Kriegsverbrechen unter Strafe stellt, für die Tatbestandsdefinitionen pauschal und dynamisch auf das gesamte Völkerrecht. Nach kanadischem Recht sind die genannten Verbrechen damit in exakt dem Umfang strafbar, in dem sie nach Völkergewohnheitsrecht, Völkervertragsrecht oder allgemeinen Rechtsgrundsätzen des Völkerrechts strafbar sind.[1856]

Kroatien hat im Juli 2004 ein Gesetz zur Einfügung neuer völkerstrafrechtlicher Normen in das Strafgesetzbuch verabschiedet.[1857] In *Montenegro* wurde das nationale Strafgesetzbuch im Dezember 2003 um einige völkerstrafrechtliche Regelungen ergänzt.[1858] *Spanien* hat mit Wirkung zum 1. Oktober 2004 den Código Penal um einen Spezialtatbestand zur Erfassung von Verbrechen gegen die Menschlichkeit ergänzt.[1859] Und in der *Türkei* schließlich ist zum 1. Juni 2005 eine große Strafrechtsreform in Kraft getreten, in deren Rahmen Spezialtatbestände zur Erfassung von Völkermord und Verbrechen gegen die Menschlichkeit in das türkische Strafgesetzbuch eingefügt wurden.[1860]

Das Fehlen von Reformvorhaben in diesen Staaten ist mithin darauf zurückzuführen, dass wegen der erst kürzlich erfolgten Novellierungen des nationalen Strafrechts kein Reformbedarf gesehen wird.[1861] In diesen Ländern hat der durch das

---

1854 Vgl. *Parmas/Ploom*, LB Estland, Bd. 5, S. 89 (95 ff.).

1855 Abrufbar unter <http://laws.justice.gc.ca/en/c-45.9/> (1.1.2006).

1856 Vgl. oben S. 27 f. sowie im Einzelnen *Gut/Wolpert*, LB Kanada, Bd. 5, S. 19 (25 ff.). Siehe ferner *Burchards*, Verfolgung von Völkerrechtsverbrechen durch Drittstaaten, S. 338 ff.

1857 *Novoselec*, LB Kroatien, Bd. 3, S. 19 (26 f.).

1858 Vgl. *Škulić*, LB Serbien und Montenegro, Bd. 3, S. 211 (218 f., 280 f.).

1859 Vgl. *Gil Gil*, LB Spanien, Bd. 4, S. 99 (105 f., 191).

1860 Vgl. *Tellenbach*, LB Türkei, Bd. 6, S. 393 (399 ff.).

1861 Dies heißt aber nicht, dass die nationalen Neuregelungen in jeder Hinsicht überzeugen können. Zum Teil merken die Landesberichterstatter aus ihrer persönlichen Sicht Reformbedarf an. Siehe für Deutschland *Kreicker*, LB Deutschland, Bd. 1, S. 21 (431 ff.), wo ein Überdenken der Regelungen zur Zulässigkeit besonderer Ermittlungsmaßnahmen wie der Überwachung von Telekommunikationseinrichtungen (die derzeit bei Verbrechen gegen die Menschlichkeit und Kriegsverbrechen systemwidrig nicht möglich ist) sowie eine

Römische Statut begründete „rechtspolitische Zwang“ zur „Schaffung nationalen Völkerstrafrechts“[1862] also bereits Wirkung gezeigt.

b) *Keine Reformvorhaben aus anderen Gründen*

Dagegen haben China, Côte d'Ivoire, Finnland, Israel, Österreich, Russland, die USA und Weißrussland – von diesen Staaten haben bislang allein Finnland und Österreich das Römische Statut ratifiziert[1863] – ihr nationales Strafrecht (noch) nicht im Sinne einer Anpassung an das Römische Statut und das sonstige Völkerstrafrecht reformiert und beabsichtigen auch keine Reformen, obwohl die jeweiligen nationalen Strafrechtsordnungen, wie die Landesberichte und auch der vorliegende Beitrag aufzeigen, zum Teil erhebliche Defizite gegenüber dem völkerrechtlichen Strafrecht aufweisen. In den Ländern, die das Römische Statut bisher nicht ratifiziert haben, dürfte dies vor allem auf die Ablehnung des Internationalen Strafgerichtshofs und die Tatsache zurückzuführen sein, dass das Komplementaritätsprinzip des Statuts für diese Staaten nicht dieselbe politische Bedeutung hat wie für die Vertragsstaaten.[1864] In Österreich – ein Vertragsstaat des Römischen Statuts – wird die Tatsache, dass es noch nicht zu einer Reform des nationalen Strafrechts gekommen ist und eine solche auch nicht beabsichtigt ist, damit begründet, dass dann, wenn das nationale Strafrecht keine hinreichende Bestrafungsgrundlage biete, eine Überstellung von Beschuldigten an den IStGH in Betracht komme.[1865] Generell wird in Österreich – jedenfalls im Hinblick auf Auslandstaten von Ausländern – einer Zusammenarbeit mit dem IStGH und gegebenenfalls einer Überstellung von Beschuldigten an den IStGH Vorrang vor einer eigenen nationalen Strafverfolgung eingeräumt.[1866]

2. Staaten mit gegenwärtigen völkerstrafrechtlichen Reformvorhaben

Reformvorhaben gibt es gegenwärtig in Frankreich,[1867] Griechenland,[1868] Italien,[1869] Polen,[1870] in Schweden,[1871] in der Teilrepublik Serbien der Staatengemein-

---

Erweiterung des Opportunitätsprinzips über die Regelung des § 153f StPO hinaus (vgl. hierzu schon oben Anm. 1121) vorgeschlagen wird.

1862 Siehe zu diesem „rechtspolitischen Zwang“ oben S. 8 f.

1863 Israel und die USA, die beide das Römische Statut im Jahr 2000 gezeichnet hatten, haben jeweils im Jahr 2002 ihre Unterschrift „zurückgezogen“ und die Absicht kundgetan, das Statut nicht ratifizieren zu wollen, womit sie an die „Vorwirkung“ der Signatur (vgl. Art. 18(b) WVRK) nicht mehr gebunden sind. Vgl. *Kremnitzer/Cohen*, LB Israel, Bd. 5, S. 317 (397 Fn. 226); *Silverman*, LB USA, Bd. 5, S. 411 (418 f.).

1864 Vgl. zur Haltung Israels *Kremnitzer/Cohen*, LB Israel, Bd. 5, S. 317 (397 ff.).

1865 Vgl. *Zerbes*, LB Österreich, Bd. 3, S. 85 (94 Fn. 5).

1866 Vgl. *Zerbes*, LB Österreich, Bd. 3, S. 85 (124 ff., 162 f., 169 f., 173).

1867 Vgl. *Lelieur-Fischer*, LB Frankreich, Bd. 4, S. 225 (310 f.).

1868 Vgl. *Retalis*, LB Griechenland, Bd. 5, S. 189 (196, 275).

schaft Serbien und Montenegro,[1872] in Slowenien[1873] sowie in einigen der hier nicht im Einzelnen betrachteten lateinamerikanischen Staaten[1874].

In *Frankreich* stehen Änderungen des materiellen Strafrechts zur besseren Erfassung völkerrechtlicher Verbrechen, vor allem in Bezug auf die bislang vom französischen Recht nicht als solche erfassten Kriegsverbrechen, zwar auf der politischen Agenda – anlässlich der Vereidigung der Richterinnen und Richter des IStGH kündigte der französische Justizminister ein Gesetzesvorhaben zur Anpassung des französischen Rechts an das Römische Statut an –, doch wurde bislang noch kein Gesetzentwurf vorgelegt.[1875]

Das Strafrecht von *Griechenland* enthält bislang überhaupt keine völkerstrafrechtlichen Spezialtatbestände; nicht einmal Völkermord ist als solcher unter Strafe gestellt. Nach der Ratifikation des Römischen Statuts hat sich allerdings auch Griechenland für eine Normierung völkerstrafrechtlicher Tatbestände im nationalen Strafrecht entschieden. Nach Auskunft des Landesberichterstatters ist ein entsprechender Gesetzentwurf derzeit in Vorbereitung; Einzelheiten darüber, in welche Richtung die Reform gehen wird, sind aber noch nicht bekannt.[1876]

Italien hat zwar als einer der ersten Staaten das Römische Statut ratifiziert und gehört – wie nicht zuletzt die Tatsache zeigt, dass die Staatenkonferenz zur Ausarbeitung des Statuts in Italien stattfand – zu den engagierten Förderern des Gerichtshofs, doch was die Anpassung des eigenen nationalen Strafrechts an das moderne Völkerstrafrecht anbelangt, ist Italien abwartend. Bei der Ratifikation des Römischen Statuts wurde argumentiert, man wolle zunächst die Verabschiedung der *Elements of Crimes* zum Statut[1877] abwarten, bevor man eine Anpassung des eigenen Strafrechts in Angriff nehme. Nachdem die *Elements of Crimes* im September 2002 von der ersten Vertragsstaatenversammlung angenommen worden waren, wurde von der italienischen Regierung eine Kommission eingesetzt, die im Oktober 2003 einen Reformvorschlag unterbreitet hat. Ferner hat die Opposition im Mai 2002 einen Gesetzgebungsvorschlag in das italienische Parlament eingebracht. Weiter allerdings sind die Reformbemühungen bislang nicht gediehen.[1878]

1869 Vgl. *Jarvers*, LB Italien, Bd. 4, S. 337 (347 mit Fn. 5, 417 ff.).

1870 Vgl. *Weigend*, LB Polen, Bd. 2, S. 77 (84, 152).

1871 Vgl. *Cornils*, LB Schweden, Bd. 2, S. 183 (190, 247).

1872 Vgl. *Škulić*, LB Serbien und Montenegro, Bd. 3, S. 211 (217 ff., 280 f.).

1873 Vgl. *Korošec*, LB Slowenien, Bd. 3, S. 329 (388 f.).

1874 Vgl. zu den in das Projekt einbezogenen lateinamerikanischen Staaten *Ambos/ Malarino*, Zusammenfassung Lateinamerika, Bd. 4, S. 469 (481 ff.).

1875 *Lelieur-Fischer*, LB Frankreich, Bd. 4, S. 225 (310 f.).

1876 Vgl. *Retalis*, LB Griechenland, Bd. 5, S. 189 (196, 275).

1877 Vgl. oben Anm. 178.

1878 *Jarvers*, LB Italien, Bd. 4, S. 337 (347 mit Fn. 5, 417 f.).

In *Polen* soll demnächst eine Ministerialkommission einberufen werden, die zu prüfen haben wird, inwieweit Änderungen des polnischen Strafrechts mit dem Ziel seiner Anpassung an das Römische Statut und der Sicherung der vorrangigen polnischen Verfolgungskompetenz erforderlich sind. Im Zusammenhang mit der Ratifikation des Römischen Statuts wurde von der polnischen Regierung die Auffassung geäußert, es sollte – so wie in Deutschland mit dem VStGB – ein umfassendes neues völkerstrafrechtliches Gesetz geschaffen werden.[1879]

In *Schweden* wurde im Oktober 2000, im unmittelbaren Anschluss an die Ratifikation des Römischen Statuts, eine Expertenkommission eingesetzt, deren Auftrag es war, einen Gesetzgebungsvorschlag zur Schaffung nationaler völkerstrafrechtlicher Regelungen zu erarbeiten. Die Kommission hat ihre Arbeit im November 2002 mit der Vorlage eines Entwurfs eines selbständigen Gesetzes über Völkerrechtsstraftaten – der über weite Strecken große Ähnlichkeit mit dem deutschen VStGB aufweist – abgeschlossen.[1880] Die Kommission betonte, es bestehe zwar nach dem Römischen Statut keine Pflicht zur Kriminalisierung völkerrechtlicher Verbrechen im nationalen Recht der Vertragsstaaten, doch sollte Schweden im Hinblick auf das Komplementaritätsprinzip des Römischen Statuts sein nationales Strafrecht an das Statut anpassen, um nicht Gefahr zu laufen, der Unwilligkeit oder Unfähigkeit zu einer nationalen Strafverfolgung völkerrechtlicher Verbrechen geziehen zu werden.[1881] Es steht nach Auskunft der Landesberichterstatterin zu erwarten, dass dieser Entwurf mehr oder weniger ohne Änderungen in das Gesetzgebungsverfahren eingebracht werden wird und schließlich Gesetzeskraft erlangen wird.[1882] Bislang ist dies aber noch nicht der Fall. Auf Einzelheiten des Entwurfs für ein Gesetz über Völkerrechtsstraftaten wurde bereits im konkreten Sachzusammenhang eingegangen. An dieser Stelle genügen daher folgende zusammenfassende Feststellungen: Der Entwurf sieht – insoweit dem deutschen VStGB entsprechend – die Schaffung von Spezialtatbeständen zur Erfassung von Völkermord, Verbrechen gegen die Menschlichkeit und Kriegsverbrechen – nicht jedoch des Verbrechens der Aggression – vor. Die vorgesehenen Kriegsverbrechenstatbestände orientieren sich nicht an dem unübersichtlichen Art. 8 IStGH-Statut, sondern ihre Systematik entspricht derjenigen der Kriegsverbrechenstatbestände des deutschen VStGB. Unterschieden wird zwischen Kriegsverbrechen gegen Personen, Kriegsverbrechen gegen Eigentum und zivile Rechte, Kriegsverbrechen gegen besonders geschützte Operationen und Embleme, Kriegsverbrechen durch Anwendung verbotener Methoden der Kriegsführung sowie Kriegsverbrechen durch Anwendung verbotener Mittel der Kriegsführung. Die schwedische Strafgewalt für diese Taten soll nach dem uneingeschränkten Weltrechtsprinzip auch im Ausland

---

1879 *Weigend*, LB Polen, Bd. 2, S. 77 (152, 160).

1880 *Cornils*, LB Schweden, Bd. 2, S. 183 (190, 247). Der Entwurf der Expertenkommission für ein Gesetz über Völkerrechtsstraftaten ist in dt. Übers. abgedr. bei *Cornils*, a.a.O., S. 262 ff.

1881 *Cornils*, LB Schweden, Bd. 2, S. 183 (190).

1882 *Cornils*, LB Schweden, Bd. 2, S. 183 (191, 247 f.).

von Ausländern begangene Taten erfassen, wenngleich durch eine „salvatorische Klausel" klargestellt werden soll, dass die schwedische Strafgewalt sich nur insofern auf völkerrechtliche Verbrechen beziehe, als dies von Völkerrechts wegen zulässig sei.[1883]

Während in *Serbien* bekanntlich die Arbeit des ICTY weitgehend abgelehnt wird, steht man dem neuen ständigen Internationalen Strafgerichtshof und generell dem Völkerstrafrecht nach Auskunft des Landesberichterstatters positiv gegenüber. Es werde allgemein als eine wichtige Aufgabe angesehen, das nationale Recht an das Römische Statut anzupassen. Ein entsprechender Gesetzentwurf, der aus dem Jahr 2001 stammt (also noch vor der 2003 erfolgten Umwandlung der Bundesrepublik Jugoslawien in die Staatengemeinschaft Serbien und Montenegro ausgearbeitet wurde) und in der Teilrepublik Montenegro bereits in die 2003 verabschiedete Neufassung des montenegrischen StGB eingeflossen ist, befindet sich in Serbien zur Zeit in der Diskussion.[1884]

In *Slowenien* wird seit Anfang 2003 vom Justizministerium an einem Gesetzentwurf zur Anpassung des slowenischen Strafrechts an das moderne völkerrechtliche Strafrecht, namentlich an das Römische Statut, gearbeitet. Vor allem geht es darum, die Kriegsverbrechenstatbestände zu erweitern. Bislang ist der Öffentlichkeit jedoch noch kein Gesetzentwurf präsentiert worden.[1885]

II. Rechtspolitische Diskussion

Wenig verwunderlich ist zunächst, dass in den Ländern, die erst kürzlich vor dem Hintergrund des Römischen Statuts ihr nationales Strafrecht um völkerstrafrechtliche Normen ergänzt bzw. erstmals völkerstrafrechtliche Tatbestände geschaffen haben und in denen deshalb gegenwärtig keine Reformvorhaben zu verzeichnen sind,[1886] momentan auch keine nennenswerte völkerstrafrechtspolitische Diskussion stattfindet. Dies gilt namentlich für Australien,[1887] Deutschland,[1888] Estland,[1889] Kanada[1890] und Kroatien,[1891] aber auch für die übrigen dieser Staaten-

---

[1883] Vgl. im Einzelnen zu dem Entwurf *Cornils*, LB Schweden, Bd. 2, S. 183 (190 f., 193 ff., 198 ff., 203 ff., 211, 220, 250).

[1884] Vgl. *Škulić*, LB Serbien und Montenegro, Bd. 3, S. 211 (217 ff., 280 f.). Auf die einzelnen Bestimmungen dieses Entwurfs wird in diesem Beitrag im jeweiligen Sachzusammenhang eingegangen.

[1885] *Korošec*, LB Slowenien, Bd. 3, S. 329 (388 f.).

[1886] Siehe hierzu oben S. 349 ff.

[1887] Vgl. *Biehler/Kerll*, LB Australien, Bd. 6, S. 19 (71 ff.).

[1888] Vgl. *Kreicker*, LB Deutschland, Bd. 1, S. 21 (444 ff.).

[1889] Vgl. *Parmas*, LB Estland, Bd. 5, S. 89 (143).

[1890] Vgl. *Gut/Wolpert*, LB Kanada, Bd. 5, S. 19 (64 f.).

[1891] Vgl. *Novoselec*, LB Kroatien, Bd. 3, S. 19 (62 f.).

gruppe zuzuordnenden Länder. In diesen Staaten muss sich zunächst einmal zeigen, inwieweit sich die neuen Rechtsvorschriften in der Justizpraxis bewähren. Erst im Zusammenhang mit den ersten Verfahren, die auf der Grundlage des neuen normativen Programms durchgeführt werden, dürfte sich in diesen Staaten eine rechtspolitische Diskussion über Möglichkeiten und Grenzen, aber auch über die Vor- und Nachteile einer nationalen Strafverfolgung völkerrechtlicher Verbrechen entwickeln.

Bemerkenswert ist allerdings, dass auch im Vorfeld der Reformen und während der Gesetzgebungsverfahren vielfach keine nennenswerte rechtspolitische Diskussion stattfand. So berichten die Autorinnen und Autoren der Landesberichte zu Australien, Deutschland, Estland, Kanada, Kroatien und der Türkei, dass die nationalen Reformgesetzgebungen nur wenig Beachtung in der nationalen Wissenschaft und Öffentlichkeit fanden.[1892] Dies dürfte nicht zuletzt darauf zurückzuführen sein, dass das Völkerstrafrecht trotz der Aufmerksamkeit, die der Tätigkeit der UN-Strafgerichtshöfe und des IStGH zuteil wird, ein sehr spezielles Rechtsgebiet ist, dem in den einzelnen Staaten aller Wahrscheinlichkeit nach kaum praktische Relevanz zukommen wird. Hinzu kommt, dass die Errichtung des Internationalen Strafgerichtshofs und die Bestrebungen der Staaten, völkerstrafrechtliche Normen umfassend in das nationale Recht zu implementieren, auf breite Zustimmung bei Menschenrechtsorganisationen und in der Wissenschaft stieß und stößt, so dass es keinen Grund für (kontroverse) öffentliche Debatten gab.[1893]

Dies dürfte auch der Grund sein, warum in den Ländern, in denen gegenwärtig Expertenkommissionen bzw. Ministerien Reformvorschläge erarbeiten oder sogar schon Gesetzentwürfe vorliegen, aber auch in den Staaten, in denen trotz bislang unterbliebener Implementierung des materiellen Strafrechts des Römischen Statuts bislang keine Reformvorhaben zu verzeichnen sind, nach Auskunft der Landesberichterstatter keine größere, über einen sehr engen Kreis von Experten hinausgehende rechtspolitische Diskussion stattfindet.[1894]

1892 Vgl. *Biehler/Kerll*, LB Australien, Bd. 6, S. 19 (71 ff.); *Gut/Wolpert*, LB Kanada, Bd. 5, S. 19 (64 f.); *Kreicker*, LB Deutschland, Bd. 1, S. 21 (444 ff.); *Novoselec*, LB Kroatien, Bd. 3, S. 19 (62 f.); *Parmas*, LB Estland, Bd. 5, S. 89 (143); *Tellenbach*, LB Türkei, Bd. 6, S. 393 (448 f.).

1893 Siehe für Australien *Biehler/Kerll*, LB Australien, Bd. 6, S. 19 (74 f.); für Deutschland *Kreicker*, LB Deutschland, Bd. 1, S. 21 (444 ff.); für England und Wales *Rabenstein/Bahrenberg*, LB England/Wales, Bd. 6, S. 261 (311).

1894 Vgl. *Ambos/Malarino*, Zusammenfassung Lateinamerika, Bd. 4, S. 469 (481 ff.); *Cornils*, LB Schweden, Bd. 2, S. 183 (248); *Frände*, LB Finnland, Bd. 2, S. 21 (72 f.); *Jarvers*, LB Italien, Bd. 4, S. 337 (418 ff.); *Korošec*, LB Slowenien, Bd. 3, S. 329 (388 f., 393 f.); *Kouassi/Paulenz*, LB Côte d'Ivoire, Bd. 4, S. 19 (77); *Retalis*, LB Griechenland, Bd. 5, S. 189 (276 f.); *Richter*, LB China, Bd. 6, S. 142 (237); *Weigend*, LB Polen, Bd. 2, S. 77 (158 f.); *Zerbes*, LB Österreich, Bd. 3, S. 85 (169). In Frankreich dagegen wird gegenwärtig in der Wissenschaft und im Kreis von Nichtregierungsorganisationen über die Anpassung des französischen Strafrechts diskutiert (wenngleich auch hier die Zahl der Diskutanten nicht sonderlich groß ist); überwiegend wird die Aufnahme von speziellen Kriegsverbrechenstatbeständen in den Code Pénal befürwortet; vgl. *Lelieur-Fischer*, LB

H. Sonstige Aspekte spezifisch völkerstrafrechtlicher Art

Die Autorinnen und Autoren der Landesberichte waren gebeten worden, sich an den vorgegebenen Fragenkatalog zu halten, der zugleich als verbindliches Gliederungsschema für die einzelnen Beiträge diente.[1895] Der Gliederungspunkt „Sonstige Aspekte spezifisch völkerstrafrechtlicher Art" sollte ihnen die Gelegenheit geben, Rechtsfragen anzusprechen, die im jeweiligen Land Bedeutung für eine nationale Strafverfolgung völkerrechtlicher Verbrechen haben, die sich aber keinem der vorherigen Gliederungspunkte zuordnen lassen.

Zumeist haben die Autorinnen und Autoren an dieser Stelle keine Feststellungen getroffen; andere Verfasser haben sehr spezielle, allein das jeweilige Land betreffende Punkte angesprochen, die keiner Erörterung im vorliegenden Ländervergleich bedürfen.[1896]

Lediglich ein Aspekt soll an dieser Stelle angesprochen werden: In einigen Landesberichten wird auf die nationalen Gesetzgebungen zur Zusammenarbeit mit dem IStGH und den UN-Strafgerichtshöfen aufmerksam gemacht.[1897] Es zeigt sich, dass einige Staaten – zu diesen zählen z.B. Kanada und Österreich – ganz offensichtlich eine Strafverfolgung völkerrechtlicher Verbrechen auf nationaler Ebene für weniger sinnvoll erachten als ein Tätigwerden internationaler Instanzen, also der im Römischen Statut verwirklichten Idee einer nur subsidiären und hilfsweisen Zuständigkeit des Internationalen Strafgerichtshofs nicht unbedingt zuzustimmen vermögen. So haben neben vielen anderen Staaten auch Kanada und Österreich sehr weitreichende gesetzliche Regelungen zur Zusammenarbeit mit dem IStGH geschaffen, um sicherzustellen, dass sie stets Verfahren vor dem IStGH unterstützen und vor allem Beschuldigte, die sich im eigenen Staatsgebiet aufhalten, jederzeit an den IStGH überstellen können.[1898]

Frankreich, Bd. 4, S. 225 (311 f.). Auch in den USA wird heftig über das Verhältnis der USA zum Völkerstrafrecht debattiert, doch geht es in dieser Debatte nicht um die Frage einer Reform des nationalen US-amerikanischen Strafrechts zur besseren Erfassung von Völkerstraftaten, sondern um das Verhältnis der USA zum IStGH und die nationalen Gesetzesvorhaben, mit denen die USA versuchen, andere Staaten von einer Zusammenarbeit mit dem IStGH abzuhalten und die Verurteilung von US-Bürgern durch den IStGH oder durch Drittstaaten nach dem Weltrechtsprinzip zu verhindern. Vgl. hierzu *Silverman*, LB USA, Bd. 5, S. 411 (419 ff., 500 ff.).

[1895] Der Fragenkatalog und das Gliederungsschema sind jeweils zu Beginn der einzelnen Bände, mit denen die Landesberichte veröffentlicht wurden (vgl. oben Anm. 14 f.), abgedruckt.

[1896] Insofern wird auf die einzelnen Landesberichte verwiesen und an dieser Stelle die bereits oben auf S. 7 getroffene Feststellung wiederholt, dass der vorliegende Ländervergleich die einzelnen Landesberichte nur ergänzen kann und soll, ihre Lektüre aber nicht entbehrlich macht, wenn man sich über die Rechtslage in den einzelnen Ländern informieren will.

[1897] Siehe *Gut/Wolpert*, LB Kanada, Bd. 5, S. 19 (67); *Zerbes*, LB Österreich, Bd. 3, S. 85 (170 f.).

[1898] Vgl. *Gut/Wolpert*, LB Kanada, Bd. 5, S. 19 (62 ff.); *Zerbes*, LB Österreich, Bd. 3, S. 85 (94, 170 f., 173).

J. Zusammenfassende Schlussbemerkungen

1. Die strafrechtliche Ahndung völkerrechtlicher Verbrechen obliegt nur nachrangig internationalen Gerichten; das Römische Statut des Internationalen Strafgerichtshofs legt ausdrücklich fest, dass der Gerichtshof nur subsidiär zur Gerichtsbarkeit einzelner Staaten tätig wird (Prinzip der Komplementarität). In erster Linie sind also die einzelnen Staaten zur Strafverfolgung berufen. In relativ weitem Umfang sind sie sogar von Völkerrechts wegen zu einer nationalen Strafverfolgung völkerrechtlicher Verbrechen verpflichtet. Zwar begründet das Römische Statut keine nationale Strafverfolgungspflicht, doch ergibt sich eine solche für Völkermordtaten aus der UN-Völkermordkonvention und für Kriegsverbrechen in internationalen bewaffneten Konflikten aus den Genfer Abkommen sowie dem ersten Zusatzprotokoll zu den Genfer Abkommen. Überdies sind die Staaten auch nach Völkergewohnheitsrecht zu einer nationalen Strafverfolgung völkerrechtlicher Verbrechen verpflichtet, was insofern von großer Bedeutung ist, als sich die völkergewohnheitsrechtliche Verpflichtung auch auf Verbrechen gegen die Menschlichkeit und auf Bürgerkriegsverbrechen erstreckt sowie auch für Nichtvertragsstaaten der genannten Verträge verbindlich ist. Sämtliche völkerrechtliche Verfolgungspflichten gebieten allerdings „nur“, dass es überhaupt zu einer Strafverfolgung kommt. Sie verlangen jedoch keine Ahndung völkerrechtlicher Verbrechen als Völkerstraftaten, also als Völkermord, Verbrechen gegen die Menschlichkeit oder Kriegsverbrechen.

2. Daher überrascht es nicht, dass sich die Regelungen der einzelnen im Rahmen des Projekts „Nationale Strafverfolgung völkerrechtlicher Verbrechen“ untersuchten Staaten zur Ahndung von Völkerstraftaten deutlich voneinander unterscheiden. Betrachtet man die Strafrechtsordnungen, so wird eine Vielfalt nationaler Regelungsmodelle offenbar: Denkbar und völkerrechtlich zulässig ist zwar zunächst eine direkte Anwendung der völkergewohnheitsrechtlichen Straftatbestände durch nationale Gerichte ohne Rückgriff auf nationales Strafrecht, doch wird dieser Weg in keinem der untersuchten Staaten beschritten. Stets ist es in der einen oder anderen Weise das nationale Strafrecht, das für eine Ahndung völkerrechtlicher Verbrechen maßgeblich ist. Insofern aber werden sehr unterschiedliche Wege beschritten. Einige Staaten legen durch nationale Blankettstraftatbestände pauschal fest, dass diejenigen Taten nach nationalem Recht strafbar sind und von den nationalen Gerichten geahndet werden dürfen, die nach Völker(gewohnheits-)recht strafbar sind. Andere Staaten, die ihr Strafrecht im Anschluss an die Ratifikation des Römischen Statuts vor dem Hintergrund des Komplementaritätsprinzips an das Statut angepasst haben, verweisen zur Bestimmung der strafbaren Verhaltensweisen auf die Art. 6–8 des IStGH-Statut, inkorporieren also durch einen Verweis auf das Römische Statut die „Straftatbestände“ des Römischen Statuts in ihr nationales Strafrecht. Die Mehrzahl der untersuchten Staaten enthält sich jedoch zur Definition der nach nationalem Recht strafbaren Verbrechen eines Verweises auf das Völkerrecht. Doch auch insofern gibt es große Unterschiede. Etliche Staaten können zur Ahndung aller oder zumindest einiger völkerrechtlicher Verbrechensarten nur auf die Tatbestände des „normalen" Strafrechts zurückgreifen, also Völkerstraftaten nicht als solche durch Anwendung spezieller Straftatbestände ahnden, sondern nur durch Rückgriff auf die auch für die Alltagskriminalität geltenden Strafnormen. Überwiegend aber haben die Staaten zur Erfassung von Völkerstraftaten nationale Spezialtatbestände geschaffen, wenn auch die wenigsten Staaten alle Arten von Völkerstraftaten durch Spezialtatbestände erfassen. Allerdings sind zwischen den Staaten, die dem Modell nationaler Spezialtatbestände folgen, deutliche Unterschiede hinsichtlich der Regelungstechnik feststellbar: Die meisten dieser Staaten haben die Spezialtatbestände in das „normale" Strafgesetzbuch integriert, einige Staaten – darunter Deutschland – dagegen spezielle „Völkerstrafgesetzbücher" geschaffen.

3. Betrachtet man die verschiedenen nationalen Spezialtatbestände genauer, so fällt zunächst auf, dass nahezu alle der untersuchten Strafrechtsordnungen über einen Spezialtatbestand zur Erfassung von *Völkermord* verfügen und damit das völkerrechtliche Verbrechen des Völkermords von weitaus mehr Staaten durch nationale Spezialtatbestände erfasst wird, als dies bei den anderen Völkerstraftaten der Fall ist. Überdies entsprechen die nationalen Spezialtatbestände zumeist in ihrer Struktur der Völkermorddefinition der UN-Völkermordkonvention. Von wenigen Ausnahmen abgesehen, stellen auch die nationalen Völkermordtatbestände bestimmte Einzeltaten unter Strafe, die in der Absicht begangen werden, eine bestimmte Gruppe von Menschen ganz oder teilweise zu zerstören. Was die einzelnen Tathandlungen und die geschützten Gruppen anbelangt, so weisen die nationalen Spezialtatbestände jedoch überwiegend Abweichungen von der völkerrechtlichen Verbrechensdefinition, wie sie in der UN-Völkermordkonvention festgelegt ist, auf. Zum Teil sind die Tathandlungen anders beschrieben, zum Teil weitere Tathandlungen pönalisiert; auch werden vielfach die geschützten Gruppen anders definiert und teilweise sogar weitere Gruppen, etwa durch eine gemeinsame politische Überzeugung konstituierte Gruppen, in den Schutzbereich des jeweiligen nationalen Spezialtatbestands einbezogen.

Während also die meisten untersuchten nationalen Rechtsordnungen einen speziellen Straftatbestand zur Erfassung von Völkermord aufweisen, ergibt sich hinsichtlich der *Verbrechen gegen die Menschlichkeit* ein deutlich anderes Bild. Nicht einmal die Hälfte der analysierten Rechtsordnungen hat einen Spezialtatbestand zur Ahndung von Verbrechen gegen die Menschlichkeit. Wirft man einen näheren Blick auf die Staaten, die einen solchen Spezialtatbestand haben, so zeigt sich zudem, dass diese Spezialtatbestände erst in der letzten Zeit, bis auf einen Fall sogar erst nach Verabschiedung des Römischen Statuts des Internationalen Strafgerichtshofs geschaffen wurden. Die Staaten, die über einen Spezialtatbestand Verbrechen gegen die Menschlichkeit verfügen, haben diesen in aller Regel in sehr enger Anlehnung an den völkerrechtlichen Tatbestand formuliert, so wie er im Römischen Statut seinen Niederschlag gefunden hat.

Der Befund bezüglich der *Kriegsverbrechen* entspricht dagegen weitgehend dem zum Verbrechen des Völkermords. Anders als hinsichtlich der Verbrechen gegen die Menschlichkeit haben relativ viele der untersuchten Staaten spezielle Straftatbestände zur Erfassung von Kriegsverbrechen durch die eigene nationale Strafgewalt geschaffen. Ein näherer Blick darauf zeigt jedoch, dass sich diese vor allem auf die *grave crimes* der Genfer Abkommen und des ZP I beziehen, dagegen sonstige Kriegsverbrechen, namentlich Kriegsverbrechen in nichtinternationalen bewaffneten Konflikten, in weitaus geringerem Maße durch nationale Spezialtatbestände pönalisiert werden.

Die nationale Rechtslage hinsichtlich des *Aggressionsverbrechens* wiederum weist Ähnlichkeit mit der zu den Verbrechen gegen die Menschlichkeit auf: Nur etwa ein Drittel der untersuchten Staaten – und zwar sämtlich solche des ehemaligen sowjetischen Einflussbereichs – verfügt über einen Tatbestand, der Aggressionsverbrechen im völkerstrafrechtlichen Sinne explizit erfasst. In allen anderen Staaten können Aggressionsverbrechen entweder gar nicht oder aber nur durch Anwendung von Tatbeständen des Staatsschutzstrafrechts geahndet werden, die ausschließlich dem Schutz des eigenen Staates, nicht aber – wie der völkerstrafrechtliche Tatbestand – altruistisch dem Schutz des „Weltfriedens" zu dienen bestimmt sind.

Die rechtsvergleichende Untersuchung zur nationalen Strafverfolgung völkerrechtlicher Verbrechen hat gezeigt, dass es weitere völkerrechtliche Verbrechen als Völkermord, Verbrechen gegen die Menschlichkeit, Kriegsverbrechen sowie Aggressionsverbrechen zumindest derzeit nicht gibt. Zwar verfügen die meisten nationalen Rechtsordnungen über weitere Straftatbestände, die völkerrechtlich motiviert sind. Vor allem haben vergleichsweise viele Strafrechtsordnungen Spezialtatbestände zur Ahndung terroristischer Gewalttaten. Doch machen die Landesberichte deutlich, dass die Staaten bezüglich dieser völkerrechtlich motivierten Tatbestände nicht von einer völkerrechtlichen Strafbarkeit ausgehen, sondern diese Straftatbestände „nur" im Hinblick auf (sonstige) völkerrechtliche Verpflichtungen zur Pönalisierung und Ahndung bestimmter Verhaltensweisen geschaffen haben.

Aus den hier zusammenfassend vorgetragenen Erkenntnissen des Projekts zum Vorhandensein nationaler völkerstrafrechtlicher Spezialtatbestände lassen sich gleich mehrere Schlussfolgerungen ableiten:

- Die Tatsache, dass mit der UN-Völkermordkonvention und den Genfer Abkommen völkervertragliche Verfolgungspflichten bezüglich Völkermordtaten und den *grave crimes*, also den in den Genfer Abkommen bezeichneten schweren Verletzungen des Kriegsrechts, für die einzelnen Vertragsstaaten bestehen, hat dazu geführt, dass viele Staaten sich veranlasst sahen, entsprechende nationale völkerstrafrechtliche Spezialtatbestände zu schaffen. Da Verbrechen gegen die Menschlichkeit und völkerrechtswidrige Aggressionshandlungen keiner völkervertraglichen Verfolgungspflicht unterliegen und die Diskussion über eine völkergewohnheitsrechtliche Verfolgungspflicht bei diesen Verbrechen noch recht jung ist, haben die Staaten es dagegen überwiegend nicht bzw. lange Zeit nicht für geboten erachtet, (auch) nationale Spezialtatbestände zur Erfassung von Verbrechen gegen die Menschlichkeit und Aggressionsverbrechen zu schaffen.

- Offenbar sind die Staaten vor allem dann bereit, nationale Spezialtatbestände zur Implementation völkerstrafrechtlicher Normen zu schaffen, wenn eine klare völkerrechtliche Verfolgungspflicht besteht.

- Die Tatsache, dass viele Staaten im Anschluss an die Verabschiedung bzw. jeweilige Ratifikation des Römischen Statuts ihre bestehenden nationalen Völkerstraftatbestände auf den Prüfstand gestellt und Reformen durchgeführt oder in die Wege geleitet haben mit dem Ziel, das nationale Strafrecht an das Römische Statut anzupassen, namentlich nationale Tatbestände zur Erfassung von Verbrechen gegen die Menschlichkeit zu schaffen, obgleich es keine diesbezügliche völkervertragliche Verfolgungspflicht gibt, zeigt jedoch, dass nicht nur klare völkervertragliche Verfolgungspflichten die Staaten zu einer Implementationsgesetzgebung motivieren können. Vielmehr können auch andere völkerrechtliche Mechanismen wie das Komplementaritätsprinzip des Römischen Statuts eine sehr wirksame Motivationsgrundlage für nationale Implementationsgesetzgebungen sein. Allein die Tatsache, dass der IStGH dann – und auch nur dann – tätig werden darf, wenn der zur primären Strafverfolgung berufene Tatortstaat bzw. Heimatstaat eines Beschuldigten keine sachgerechten Strafverfolgungsaktivitäten entfaltet, hat dazu geführt, dass die Staaten bestrebt sind, in zumindest gleichem Umfang wie der IStGH zu einer Strafverfolgung wegen völkerrechtlicher Verbrechen in der Lage zu sein.

- Wie bereits dargelegt wurde, machen die vielfältigen nationalen Aktivitäten zur Anpassung des jeweiligen eigenen Strafrechts an das Römische Statut ferner deutlich, dass der durch das Komplementaritätsprinzip des Römischen Statuts ausgehende „rechtspolitische Zwang" zu nationaler Implementationsgesetzgebung sogar wirkungsvoller sein dürfte als direkte völkervertragliche Verfolgungspflichten. Denn während ein Verstoß gegen Letztere mangels völkerrechtlicher Sanktionierungsmöglichkeit zumeist folgenlos bleibt, hat das Komplementaritätsprinzip des Römischen Statuts im Fall eines Untätigbleibens der einzelnen Staaten die unmittelbare Konsequenz des Tätigwerdens des IStGH, was nicht nur vielfach auf politisches Missfallen der betroffenen Staaten stoßen, sondern auch Souveränitätsansprüche tangieren dürfte.

- Aus der Feststellung, dass die Staaten in weitaus größerem Maße als sonstige Völkerstraftaten Völkermord und die *grave crimes* der Genfer Abkommen durch nationale Spezialtatbestände erfasst haben und zudem die Verabschiedung des Römischen Statuts dazu geführt hat, dass nunmehr vielfach Bestrebungen zu konstatieren sind, auch weitere Kriegsverbrechen und vor allem Verbrechen gegen die Menschlichkeit durch nationale Spezialtatbestände zu erfassen, dagegen trotz der grundsätzlichen Erfassung des Aggressionsverbrechens durch das Römische Statut nur wenige Staaten auch diese Völkerstraftat als solche pönalisieren und auch neuere Gesetzgebungen wie die Schaffung des deutschen VStGB das Aggressionsverbrechen nicht erfassen, lässt weiter den Schluss zu, dass die Staaten umso eher bereit sind, nationale Spezialtatbestände zu schaffen, je klarer und konkreter ein völkerrechtliches Verbrechen auf völkerrechtlicher Ebene definiert ist. Doch hat insbesondere die Analyse der nationalen Spezialtatbestände zur Erfassung von Völkermord gezeigt, dass die Staaten überwiegend nicht gewillt sind, völkerrechtliche Tatbestandsdefinitionen unverändert in nationales Recht zu überführen. Denn obgleich die UN-Völkermordkonvention den Verbrechenstatbestand klar und präzise definiert, haben die meisten Staaten, die nationale Spezialtatbestände zur Erfassung von Völkermordtaten geschaffen haben, die Tathandlungen anders bezeichnet und die geschützten Gruppen anders definiert.

- Zusammenfassend lässt sich gleichwohl als ein Ergebnis der Untersuchungen festhalten: Die Staaten sind vor allem dann bereit, nationale strafrechtliche Implementationsgesetze zur Umsetzung völkerrechtlicher Normen zu erlassen, wenn eine völkervertragliche Verfolgungspflicht besteht oder aber – wie durch die Regelung des Komplementaritätsprinzips des Römischen Statuts – einem Staat, der keine Implementationsgesetze vorweisen kann, Nachteile drohen, selbst wenn diese „nur" politischer Natur sind. Und je konkreter die völkerrechtlichen Vorgaben sind, desto eher sind die Staaten zu einer nationalen Implementationsgesetzgebung bereit. Die Verabschiedung des Römischen Statuts des Internationalen Strafgerichtshofs hat deutlich gemacht, dass eine völkerrechtlich gewünschte nationale Implementationsgesetzgebung nicht nur durch explizite völkerrechtliche Verfolgungspflichten, sondern auch und wohl sogar noch besser durch indirekte, „subtile" Mechanismen wie das Komplementaritätsprinzip, also durch Festlegung von „Nachteilen" für Staaten, die keine Maßnamen ergreifen, bewirkt werden kann.

4. Hinsichtlich der von den einzelnen Staaten in Anspruch genommenen *räumlichen Reichweite der Strafgewalt bei völkerrechtlichen Verbrechen* hat sich gezeigt, dass fast alle der in das Projekt einbezogenen Staaten völkerrechtliche Verbrechen ihrer nationalen Strafgewalt nach dem *Weltrechtsprinzip* unterstellen. Dessen Zulässigkeit bei völkerrechtlichen Verbrechen steht auch deshalb außer Zweifel. Doch ist diese Strafgewalterstreckung unabhängig vom Tatort und ohne Rücksicht auf die Nationalität des Beschuldigten und des Opfers bzw. der Opfer nahezu immer in der einen oder anderen Weise begrenzt.

In vielen Ländern werden völkerrechtliche Verbrechen (nur) insoweit vom Weltrechtsprinzip erfasst, als ein für den betreffenden Staat verbindlicher völkerrechtlicher Vertrag den Staaten die Pflicht auferlegt, (unter bestimmten Umständen) Taten nach dem Weltrechtsprinzip durch eigene Gerichte zu ahnden. Damit ist die Strafgewalterstreckung nach dem Weltrechtsprinzip in diesen Staaten beschränkt auf Fälle, in denen sich Personen, denen in einem internationalen bewaffneten Konflikt begangene schwere Kriegsverbrechen im Sinne der Genfer Abkommen und des ZP I zur Last gelegt werden, im jeweiligen Land aufhalten. Denn nur insofern besteht eine völkervertragliche Verfolgungspflicht nach dem Weltrechtsprinzip. In anderen Ländern ist die Strafgewalterstreckung nach dem Weltrechtsprinzip dadurch beschränkt, dass eine Strafverfolgung nur statthaft ist, wenn sich der Beschuldigte im Hoheitsgebiet des betreffenden Staates aufhält.

Damit ist folgende Feststellung statthaft: In den meisten der im Projekt „Nationale Strafverfolgung völkerrechtlicher Verbrechen" untersuchten Staaten ist die nationale Strafgewalt nach dem Weltrechtsprinzip dahingehend begrenzt, dass sie nur Fälle erfasst, in denen sich der Beschuldigte im Hoheitsgebiet des betreffenden Staates aufhält. Nur in vergleichsweise wenigen Staaten ist dagegen nationale Strafgewalt über völkerrechtliche Verbrechen nach einem nicht durch ein solches Anwesenheitserfordernis beschränkten Weltrechtsprinzip begründet, wobei die im internationalen Vergleich am weitesten reichende nationale Strafgewalt über völkerrechtliche Verbrechen Deutschland für sich in Anspruch nimmt.

5. In Bezug auf die *allgemeinen Regeln der strafrechtlichen Verantwortlichkeit* haben die untersuchten Staaten zumeist keine Spezialbestimmungen für völkerrechtliche Verbrechen. Vielmehr wenden sie nahezu ausnahmslos die auch für sonstige Straftaten geltenden allgemeinen Bestimmungen ihres Strafrechts an. Die nationalen Spezialtatbestände zur Erfassung völkerrechtlicher Verbrechen gehen also von wenigen Ausnahmen abgesehen nicht einher mit besonderen Regeln betreffend allgemeine Strafbarkeitsvoraussetzungen und Straffreistellungen. Hierin manifestiert sich nicht nur die Tatsache, dass sich im gewohnheitsrechtlichen Völkerstrafrecht, also auf völkerrechtlicher Ebene, bislang allgemeine Regeln der strafrechtlichen Verantwortlichkeit – Normen eines „Allgemeinen Teils des Völkerstrafrechts" – nur rudimentär herausgebildet haben. Vielmehr zeigt diese Tatsache auch deutlich, dass die Staaten offenbar nicht gewillt sind, für eine nationale Strafverfolgung wegen völkerrechtlicher Verbrechen besondere allgemeine Regeln des Strafrechts zu schaffen. Denn auch die Staaten, die – wie etwa Deutschland – ihr nationales Strafrecht nach der Ratifikation des Römischen Statuts insofern an dieses angepasst haben, als sie spezielle Straftatbestände zur Erfassung völkerrechtlicher Verbrechen in ihr Strafgesetzbuch eingefügt oder im Rahmen eines besonderen Völkerstrafgesetzbuchs geschaffen haben, haben weitgehend davon Abstand genommen, die allgemeinen Regeln zur strafrechtlichen Verantwortlichkeit des Römischen Statuts (Art. 22–33 IStGH-Statut) zu übernehmen.

Lediglich in dreierlei Hinsicht sind in mehr als nur einigen wenigen Staaten völkerstrafrechtliche Sonderregelungen zu verzeichnen: Erstens haben etliche Staaten (darunter Deutschland mit § 3 VStGB) eine speziell auf völkerrechtliche Verbrechen bezogene Bestimmung zur Relevanz eines Handelns auf Befehl; zweitens findet sich in vielen Rechtsordnungen eine Bestimmung zur Verantwortlichkeit von Vorgesetzten für eine Begehung völkerrechtlicher Verbrechen durch Untergebene (so genannte *command responsibility*; vgl. für Deutschland §§ 4, 13 und 14 VStGB), und drittens ist in einer Vielzahl von Staaten (in Deutschland durch § 5

VStGB) festgelegt, dass die Verfolgbarkeit völkerrechtlicher Verbrechen keiner Verjährung unterliegt.

6. In der überwiegenden Zahl der untersuchten Rechtsordnungen gibt es keine prozeduralen Abweichungen vom „Normalverfahren" bei nationalen Strafverfolgungen wegen völkerrechtlicher Verbrechen. Strafverfahren wegen völkerrechtlicher Verbrechen werden also, was die *Zuständigkeiten* und die *Verfahrensbestimmungen* anbelangt, in der Regel nicht anders behandelt als Verfahren wegen „normaler" Straftaten der Alltagskriminalität.

7. Auch wenn die überwiegende Zahl der Staaten in der einen oder anderen Weise spezielle Straftatbestände zur Erfassung völkerrechtlicher Verbrechen normiert hat, also zumindest in Teilen über das für eine nationale Strafverfolgung völkerrechtlicher Verbrechen erforderliche normative Programm verfügt, so sind diese Normen doch bislang nur in wenigen Staaten zur Anwendung gekommen. Eine signifikante Verfolgungspraxis lässt sich nämlich nicht feststellen; zudem ging es in den Ländern, in denen es zu nationalen Strafverfolgungen völkerrechtlicher Verbrechen gekommen ist, zumeist entweder um NS-Verbrechen oder aber im Gebiet des früheren Jugoslawien begangene Taten.

8. Eine durchaus beachtliche Zahl von Staaten – zu nennen sind Australien, Deutschland, England und Wales, Estland, Kanada, Kroatien, die Teilrepublik Montenegro von Serbien und Montenegro, Spanien sowie die Türkei – hat im Anschluss an die Verabschiedung des Römischen Statuts und der damit einhergehenden Renaissance des Völkerstrafrechts ihr nationales Strafrecht an die Entwicklung des Völkerstrafrechts, namentlich an das Römische Statut, angepasst, indem vorhandene Spezialtatbestände ergänzt oder neue Vorschriften zur Ahndung völkerrechtlicher Verbrechen – zumeist in enger Anlehnung an die Verbrechensdefinitionen des Römischen Statuts – geschaffen wurden. Weiter gibt es eine Vielzahl von Staaten, die zwar noch keine (neuen) Implementationsgesetze verabschiedet haben, jedoch gegenwärtig Reformen zur Anpassung ihres nationalen Strafrechts an das Völkerstrafrecht beabsichtigen bzw. planen. Dies gilt namentlich für Frankreich, Griechenland, Italien, Polen, Schweden, die Teilrepublik Serbien der Staatengemeinschaft Serbien und Montenegro sowie für Slowenien.

Möglicherweise können die Erkenntnisse des mit diesem Beitrag abgeschlossenen Projekts „Nationale Strafverfolgung völkerrechtlicher Verbrechen" Anstöße und Impulse für die Reformüberlegungen in diesen und anderen Staaten geben. Denn das Max-Planck-Institut für ausländisches und internationales Strafrecht will mit diesem Projekt nicht nur – der Aufgabe der Max-Planck-Gesellschaft gemäß – einen Beitrag zur (völkerstrafrechtlichen) Grundlagenforschung leisten, sondern auch Reformen des nationalen Strafrechts in den einzelnen Staaten unterstützen, darüber hinaus aber auch durch das Aufzeigen der Rechtslage in einzelnen Staaten Rückschlüsse auf den Stand des gewohnheitsrechtlichen Völkerstrafrechts ermöglichen sowie vor dem Hintergrund des Komplementaritätsprinzips des Römischen

Statuts für den IStGH relevante Informationen zur Strafgewalt einzelner Staaten geben.

Wenn die Forschungen des Max-Planck-Instituts in diesem Sinne einen kleinen Beitrag zur Förderung und Stärkung des Völkerstrafrechts leisten können, so ist das Ziel des Projekts „Nationale Strafverfolgung völkerrechtlicher Verbrechen“ erreicht.

Anhang

Römisches Statut des Internationalen Strafgerichtshofs vom 17. Juli 1998* – Auszug

Präambel

Die Vertragsstaaten dieses Statuts

im Bewusstsein, dass alle Völker durch gemeinsame Bande verbunden sind und ihre Kulturen ein gemeinsames Erbe bilden, und besorgt darüber, dass dieses zerbrechliche Mosaik jederzeit zerstört werden kann,

eingedenk dessen, dass in diesem Jahrhundert Millionen von Kindern, Frauen und Männern Opfer unvorstellbarer Gräueltaten geworden sind, die das Gewissen der Menschheit zutiefst erschüttern,

in der Erkenntnis, dass solche schweren Verbrechen den Frieden, die Sicherheit und das Wohl der Welt bedrohen,

bekräftigend, dass die schwersten Verbrechen, welche die internationale Gemeinschaft als Ganzes berühren, nicht unbestraft bleiben dürfen und dass ihre wirksame Verfolgung durch Maßnahmen auf einzelstaatlicher Ebene und durch verstärkte internationale Zusammenarbeit gewährleistet werden muss,

entschlossen, der Straflosigkeit der Täter ein Ende zu setzen und so zur Verhütung solcher Verbrechen beizutragen,

daran erinnernd, dass es die Pflicht eines jeden Staates ist, seine Strafgerichtsbarkeit über die für internationale Verbrechen Verantwortlichen auszuüben,

in Bekräftigung der Ziele und Grundsätze der Charta der Vereinten Nationen und insbesondere des Grundsatzes, dass alle Staaten jede gegen die territoriale Unversehrtheit oder die politische Unabhängigkeit eines Staates gerichtete oder sonst mit den Zielen der Vereinten Nationen unvereinbare Androhung oder Anwendung von Gewalt zu unterlassen haben,

in diesem Zusammenhang nachdrücklich darauf hinweisend, dass dieses Statut nicht so auszulegen ist, als ermächtige es einen Vertragsstaat, in einen bewaffneten Konflikt oder in die inneren Angelegenheiten eines Staates einzugreifen,

im festen Willen, zu diesem Zweck und um der heutigen und der künftigen Generationen willen einen mit dem System der Vereinten Nationen in Beziehung stehenden unabhängigen ständigen Internationalen Strafgerichtshof zu errichten, der Gerichtsbarkeit über die schwersten Verbrechen hat, welche die internationale Gemeinschaft als Ganzes berühren,

---

* Übersetzung nach BGBl. 2000 II, S. 1394.

nachdrücklich darauf hinweisend, dass der aufgrund dieses Statuts errichtete Internationale Strafgerichtshof die innerstaatliche Strafgerichtsbarkeit ergänzt,

entschlossen, die Achtung und die Durchsetzung der internationalen Rechtspflege dauerhaft zu gewährleisten

sind wie folgt übereingekommen:

Teil 1: Errichtung des Gerichtshofs

Artikel 1
Der Gerichtshof

Hiermit wird der Internationale Strafgerichtshof („Gerichtshof") errichtet. Der Gerichtshof ist eine ständige Einrichtung und ist befugt, seine Gerichtsbarkeit über Personen wegen der in diesem Statut genannten schwersten Verbrechen von internationalem Belang auszuüben; er ergänzt die innerstaatliche Strafgerichtsbarkeit. Die Zuständigkeit und die Arbeitsweise des Gerichtshofs werden durch dieses Statut geregelt.

Artikel 2
Verhältnis des Gerichtshofs zu den Vereinten Nationen

Der Gerichtshof wird durch ein Abkommen, das von der Versammlung der Vertragsstaaten dieses Statuts zu genehmigen und danach vom Präsidenten des Gerichtshofs in dessen Namen zu schließen ist, mit den Vereinten Nationen in Beziehung gebracht.

Artikel 3
Sitz des Gerichtshofs

(1) Sitz des Gerichtshofs ist Den Haag in den Niederlanden („Gaststaat").

(2) Der Gerichtshof schließt mit dem Gaststaat ein Sitzabkommen, das von der Versammlung der Vertragsstaaten zu genehmigen und danach vom Präsidenten des Gerichtshofs in dessen Namen zu schließen ist.

(3) Der Gerichtshof kann, wie in diesem Statut vorgesehen, an einem anderen Ort tagen, wenn er dies für wünschenswert hält.

Artikel 4
Rechtsstellung und Befugnisse des Gerichtshofs

(1) Der Gerichtshof besitzt Völkerrechtspersönlichkeit. Er besitzt außerdem die Rechts- und Geschäftsfähigkeit, die zur Wahrnehmung seiner Aufgaben und zur Verwirklichung seiner Ziele erforderlich ist.

(2) Der Gerichtshof kann seine Aufgaben und Befugnisse, wie in diesem Statut vorgesehen, im Hoheitsgebiet eines jeden Vertragsstaats und nach Maßgabe einer besonderen Übereinkunft im Hoheitsgebiet eines jeden anderen Staates wahrnehmen.

Teil 2: Gerichtsbarkeit, Zulässigkeit und anwendbares Recht

Artikel 5

Der Gerichtsbarkeit des Gerichtshofs unterliegende Verbrechen

(1) Die Gerichtsbarkeit des Gerichtshofs ist auf die schwersten Verbrechen beschränkt, welche die internationale Gemeinschaft als Ganzes berühren. Die Gerichtsbarkeit des Gerichtshofs erstreckt sich in Übereinstimmung mit diesem Statut auf folgende Verbrechen:

a) das Verbrechen des Völkermords;

b) Verbrechen gegen die Menschlichkeit;

c) Kriegsverbrechen;

d) das Verbrechen der Aggression.

(2) Der Gerichtshof übt die Gerichtsbarkeit über das Verbrechen der Aggression aus, sobald in Übereinstimmung mit den Artikeln 121 und 123 eine Bestimmung angenommen worden ist, die das Verbrechen definiert und die Bedingungen für die Ausübung der Gerichtsbarkeit im Hinblick auf dieses Verbrechen festlegt. Diese Bestimmung muss mit den einschlägigen Bestimmungen der Charta der Vereinten Nationen vereinbar sein.

Artikel 6

Völkermord

Im Sinne dieses Statuts bedeutet „Völkermord" jede der folgenden Handlungen, die in der Absicht begangen wird, eine nationale, ethnische, rassische oder religiöse Gruppe als solche ganz oder teilweise zu zerstören:

a) Tötung von Mitgliedern der Gruppe;

b) Verursachung von schwerem körperlichem oder seelischem Schaden an Mitgliedern der Gruppe;

c) vorsätzliche Auferlegung von Lebensbedingungen für die Gruppe, die geeignet sind, ihre körperliche Zerstörung ganz oder teilweise herbeizuführen;

d) Verhängung von Maßnahmen, die auf die Geburtenverhinderung innerhalb der Gruppe gerichtet sind;

e) gewaltsame Überführung von Kindern der Gruppe in eine andere Gruppe.

Artikel 7

Verbrechen gegen die Menschlichkeit

(1) Im Sinne dieses Statuts bedeutet „Verbrechen gegen die Menschlichkeit" jede der folgenden Handlungen, die im Rahmen eines ausgedehnten oder systematischen Angriffs gegen die Zivilbevölkerung und in Kenntnis des Angriffs begangen wird:

a) vorsätzliche Tötung;

b) Ausrottung;

c) Versklavung;

d) Vertreibung oder zwangsweise Überführung der Bevölkerung;

e) Freiheitsentzug oder sonstige schwer wiegende Beraubung der körperlichen Freiheit unter Verstoß gegen die Grundregeln des Völkerrechts;

f) Folter;

g) Vergewaltigung, sexuelle Sklaverei, Nötigung zur Prostitution, erzwungene Schwangerschaft, Zwangssterilisation oder jede andere Form sexueller Gewalt von vergleichbarer Schwere;

h) Verfolgung einer identifizierbaren Gruppe oder Gemeinschaft aus politischen, rassischen, nationalen, ethnischen, kulturellen oder religiösen Gründen, Gründen des Geschlechts im Sinne des Absatzes 3 oder aus anderen nach dem Völkerrecht universell als unzulässig anerkannten Gründen im Zusammenhang mit einer in diesem Absatz genannten Handlung oder einem der Gerichtsbarkeit des Gerichtshofs unterliegenden Verbrechen;

i) zwangsweises Verschwindenlassen von Personen;

j) das Verbrechen der Apartheid;

k) andere unmenschliche Handlungen ähnlicher Art, mit denen vorsätzlich große Leiden oder eine schwere Beeinträchtigung der körperlichen Unversehrtheit oder der geistigen oder körperlichen Gesundheit verursacht werden.

(2) Im Sinne des Absatzes 1

a) bedeutet „Angriff gegen die Zivilbevölkerung" eine Verhaltensweise, die mit der mehrfachen Begehung der in Absatz 1 genannten Handlungen gegen eine Zivilbevölkerung verbunden ist, in Ausführung oder zur Unterstützung der Politik eines Staates oder einer Organisation, die einen solchen Angriff zum Ziel hat;

b) umfasst „Ausrottung" die vorsätzliche Auferlegung von Lebensbedingungen - unter anderem das Vorenthalten des Zugangs zu Nahrungsmitteln und Medikamenten - , die geeignet sind, die Vernichtung eines Teiles der Bevölkerung herbeizuführen;

c) bedeutet „Versklavung" die Ausübung aller oder einzelner mit einem Eigentumsrecht an einer Person verbundenen Befugnisse und umfasst die Ausübung dieser Befugnisse im Rahmen des Handels mit Menschen, insbesondere mit Frauen und Kindern;

d) bedeutet „Vertreibung oder zwangsweise Überführung der Bevölkerung" die erzwungene, völkerrechtlich unzulässige Verbringung der betroffenen Personen durch Ausweisung oder andere Zwangsmaßnahmen aus dem Gebiet, in dem sie sich rechtmäßig aufhalten;

e) bedeutet „Folter", dass einer im Gewahrsam oder unter der Kontrolle des Beschuldigten befindlichen Person vorsätzlich große körperliche oder seelische Schmerzen oder Leiden zugefügt werden; Folter umfasst jedoch nicht Schmerzen oder Leiden, die sich lediglich aus gesetzlich zulässigen Sanktionen ergeben, dazu gehören oder damit verbunden sind;

f) bedeutet „erzwungene Schwangerschaft" die rechtswidrige Gefangenhaltung einer zwangsweise geschwängerten Frau in der Absicht, die ethnische Zusammensetzung einer Bevölkerung zu beeinflussen oder andere schwere Verstöße gegen das Völkerrecht zu begehen. Diese Begriffsbestimmung ist nicht so auszulegen, als berühre sie innerstaatliche Gesetze in Bezug auf Schwangerschaft;

g) bedeutet „Verfolgung" den völkerrechtswidrigen, vorsätzlichen und schwer wiegenden Entzug von Grundrechten wegen der Identität einer Gruppe oder Gemeinschaft;

h) bedeutet „Verbrechen der Apartheid" unmenschliche Handlungen ähnlicher Art wie die in Absatz 1 genannten, die von einer rassischen Gruppe im Zusammenhang mit einem institutionalisierten Regime der systematischen Unterdrückung und Beherrschung einer oder mehrerer anderer rassischer Gruppen in der Absicht begangen werden, dieses Regime aufrechtzuerhalten;

i) bedeutet „zwangsweises Verschwindenlassen von Personen" die Festnahme, den Entzug der Freiheit oder die Entführung von Personen durch einen Staat oder eine politische Organisation oder mit Ermächtigung, Unterstützung oder Duldung des Staates oder der Organisation, gefolgt von der Weigerung, diese Freiheitsberaubung anzuerkennen oder Auskunft über das Schicksal oder den Verbleib dieser Personen zu erteilen, in der Absicht, sie für längere Zeit dem Schutz des Gesetzes zu entziehen.

(3) Im Sinne dieses Statuts bezieht sich der Ausdruck „Geschlecht" auf beide Geschlechter, das männliche und das weibliche, im gesellschaftlichen Zusammenhang. Er hat keine andere als die vorgenannte Bedeutung.

Artikel 8
Kriegsverbrechen

(1) Der Gerichtshof hat Gerichtsbarkeit in Bezug auf Kriegsverbrechen, insbesondere wenn diese als Teil eines Planes oder einer Politik oder als Teil der Begehung solcher Verbrechen in großem Umfang verübt werden.

(2) Im Sinne dieses Statuts bedeutet „Kriegsverbrechen"

a) schwere Verletzungen der Genfer Abkommen vom 12. August 1949, nämlich jede der folgenden Handlungen gegen die nach dem jeweiligen Genfer Abkommen geschützten Personen oder Güter:
   i) vorsätzliche Tötung;
   ii) Folter oder unmenschliche Behandlung einschließlich biologischer Versuche;
   iii) vorsätzliche Verursachung großer Leiden oder schwere Beeinträchtigung der körperlichen Unversehrtheit oder der Gesundheit;
   iv) Zerstörung und Aneignung von Eigentum in großem Ausmaß, die durch militärische Erfordernisse nicht gerechtfertigt sind und rechtswidrig und willkürlich vorgenommen werden;
   v) Nötigung eines Kriegsgefangenen oder einer anderen geschützten Person zur Dienstleistung in den Streitkräften einer feindlichen Macht;
   vi) vorsätzlicher Entzug des Rechts eines Kriegsgefangenen oder einer anderen geschützten Person auf ein unparteiisches ordentliches Gerichtsverfahren;
   vii) rechtswidrige Vertreibung oder Überführung oder rechtswidrige Gefangenhaltung;
   viii) Geiselnahme;

b) andere schwere Verstöße gegen die innerhalb des feststehenden Rahmens des Völkerrechts im internationalen bewaffneten Konflikt anwendbaren Gesetze und Gebräuche, nämlich jede der folgenden Handlungen:
   i) vorsätzliche Angriffe auf die Zivilbevölkerung als solche oder auf einzelne Zivilpersonen, die an den Feindseligkeiten nicht unmittelbar teilnehmen;
   ii) vorsätzliche Angriffe auf zivile Objekte, das heißt auf Objekte, die nicht militärische Ziele sind;

iii) vorsätzliche Angriffe auf Personal, Einrichtungen, Material, Einheiten oder Fahrzeuge, die an einer humanitären Hilfsmission oder friedenserhaltenden Mission in Übereinstimmung mit der Charta der Vereinten Nationen beteiligt sind, solange sie Anspruch auf den Schutz haben, der Zivilpersonen oder zivilen Objekten nach dem internationalen Recht des bewaffneten Konflikts gewährt wird;

iv) vorsätzliches Führen eines Angriffs in der Kenntnis, dass dieser auch Verluste an Menschenleben, die Verwundung von Zivilpersonen, die Beschädigung ziviler Objekte oder weit reichende, langfristige und schwere Schäden an der natürlichen Umwelt verursachen wird, die eindeutig in keinem Verhältnis zu dem insgesamt erwarteten konkreten und unmittelbaren militärischen Vorteil stehen;

v) der Angriff auf unverteidigte Städte, Dörfer, Wohnstätten oder Gebäude, die nicht militärische Ziele sind, oder deren Beschießung, gleichviel mit welchen Mitteln;

vi) die Tötung oder Verwundung eines die Waffen streckenden oder wehrlosen Kombattanten, der sich auf Gnade oder Ungnade ergeben hat;

vii) der Missbrauch der Parlamentärflagge, der Flagge oder der militärischen Abzeichen oder der Uniform des Feindes oder der Vereinten Nationen sowie der Schutzzeichen der Genfer Abkommen, wodurch Tod oder schwere Verletzungen verursacht werden;

viii) die unmittelbare oder mittelbare Überführung durch die Besatzungsmacht eines Teiles ihrer eigenen Zivilbevölkerung in das von ihr besetzte Gebiet oder die Vertreibung oder Überführung der Gesamtheit oder eines Teiles der Bevölkerung des besetzten Gebiets innerhalb desselben oder aus diesem Gebiet;

ix) vorsätzliche Angriffe auf Gebäude, die dem Gottesdienst, der Erziehung, der Kunst, der Wissenschaft oder der Wohltätigkeit gewidmet sind, auf geschichtliche Denkmäler, Krankenhäuser und Sammelplätze für Kranke und Verwundete, sofern es nicht militärische Ziele sind;

x) die körperliche Verstümmelung von Personen, die sich in der Gewalt einer gegnerischen Partei befinden, oder die Vornahme medizinischer oder wissenschaftlicher Versuche jeder Art an diesen Personen, die nicht durch deren ärztliche, zahnärztliche oder Krankenhausbehandlung gerechtfertigt sind oder in ihrem Interesse durchgeführt werden und die zu ihrem Tod führen oder ihre Gesundheit ernsthaft gefährden;

xi) die meuchlerische Tötung oder Verwundung von Angehörigen des feindlichen Volkes oder Heeres;

xii) die Erklärung, dass kein Pardon gegeben wird;

xiii) die Zerstörung oder Beschlagnahme feindlichen Eigentums, sofern diese nicht durch die Erfordernisse des Krieges zwingend geboten ist;

xiv) die Erklärung, dass Rechte und Forderungen von Angehörigen der Gegenpartei aufgehoben, zeitweilig ausgesetzt oder vor Gericht nicht einklagbar sind;

xv) der Zwang gegen Angehörige der Gegenpartei, an den Kriegshandlungen gegen ihr eigenes Land teilzunehmen, selbst wenn sie bereits vor Ausbruch des Krieges im Dienst des Kriegführenden standen;

xvi) die Plünderung einer Stadt oder Ansiedlung, selbst wenn sie im Sturm genommen wurde;

xvii) die Verwendung von Gift oder vergifteten Waffen;

xviii) die Verwendung erstickender, giftiger oder gleichartiger Gase sowie aller ähnlichen Flüssigkeiten, Stoffe oder Vorrichtungen;

xix) die Verwendung von Geschossen, die sich im Körper des Menschen leicht ausdehnen oder flachdrücken, beispielsweise Geschosse mit einem harten Mantel, der den Kern nicht ganz umschließt oder mit Einschnitten versehen ist;

xx) die Verwendung von Waffen, Geschossen, Stoffen und Methoden der Kriegführung, die geeignet sind, überflüssige Verletzungen oder unnötige Leiden zu verursachen, oder die unter Verstoß gegen das internationale Recht des bewaffneten Konflikts ihrer Natur nach unterschiedslos wirken, vorausgesetzt, dass diese Waffen, Geschosse, Stoffe und Methoden der Kriegführung Gegenstand eines umfassenden Verbots und aufgrund einer Änderung entsprechend den einschlägigen Bestimmungen in den Artikeln 121 und 123 in einer Anlage dieses Statuts enthalten sind;

xxi) die Beeinträchtigung der persönlichen Würde, insbesondere eine entwürdigende und erniedrigende Behandlung;

xxii) Vergewaltigung, sexuelle Sklaverei, Nötigung zur Prostitution, erzwungene Schwangerschaft im Sinne des Artikels 7 Absatz 2 Buchstabe f, Zwangssterilisation oder jede andere Form sexueller Gewalt, die ebenfalls eine schwere Verletzung der Genfer Abkommen darstellt;

xxiii) die Benutzung der Anwesenheit einer Zivilperson oder einer anderen geschützten Person, um Kampfhandlungen von gewissen Punkten, Gebieten oder Streitkräften fernzuhalten;

xxiv) vorsätzliche Angriffe auf Gebäude, Material, Sanitätseinheiten, Sanitätstransportmittel und Personal, die in Übereinstimmung mit dem Völkerrecht mit den Schutzzeichen der Genfer Abkommen versehen sind;

xxv) das vorsätzliche Aushungern von Zivilpersonen als Methode der Kriegführung durch das Vorenthalten der für sie lebensnotwendigen Gegenstände, einschließlich der vorsätzlichen Behinderung von Hilfslieferungen, wie sie nach den Genfer Abkommen vorgesehen sind;

xxvi) die Zwangsverpflichtung oder Eingliederung von Kindern unter fünfzehn Jahren in die nationalen Streitkräfte oder ihre Verwendung zur aktiven Teilnahme an Feindseligkeiten;

c) im Fall eines bewaffneten Konflikts, der keinen internationalen Charakter hat, schwere Verstöße gegen den gemeinsamen Artikel 3 der vier Genfer Abkommen vom 12. August 1949, nämlich die Verübung jeder der folgenden Handlungen gegen Personen, die nicht unmittelbar an den Feindseligkeiten teilnehmen, einschließlich der Angehörigen der Streitkräfte, welche die Waffen gestreckt haben, und der Personen, die durch Krankheit, Verwundung, Gefangennahme oder eine andere Ursache außer Gefecht befindlich sind:

i) Angriffe auf Leib und Leben, insbesondere vorsätzliche Tötung jeder Art, Verstümmelung, grausame Behandlung und Folter;

ii) die Beeinträchtigung der persönlichen Würde, insbesondere entwürdigende und erniedrigende Behandlung;

iii) Geiselnahme;

iv) Verurteilungen und Hinrichtungen ohne vorhergehendes Urteil eines ordentlich bestellten Gerichts, das die allgemein als unerlässlich anerkannten Rechtsgarantien bietet;

d) Absatz 2 Buchstabe c findet Anwendung auf bewaffnete Konflikte, die keinen internationalen Charakter haben, und somit nicht auf Fälle innerer Unruhen und Spannungen wie Tumulte, vereinzelt auftretende Gewalttaten oder andere ähnliche Handlungen;

e) andere schwere Verstöße gegen die innerhalb des feststehenden Rahmens des Völkerrechts anwendbaren Gesetze und Gebräuche im bewaffneten Konflikt, der keinen internationalen Charakter hat, nämlich jede der folgenden Handlungen:

i) vorsätzliche Angriffe auf die Zivilbevölkerung als solche oder auf einzelne Zivilpersonen, die an den Feindseligkeiten nicht unmittelbar teilnehmen;

ii) vorsätzliche Angriffe auf Gebäude, Material, Sanitätseinheiten, Sanitätstransportmittel und Personal, die in Übereinstimmung mit dem Völkerrecht mit den Schutzzeichen der Genfer Abkommen versehen sind;

iii) vorsätzliche Angriffe auf Personal, Einrichtungen, Material, Einheiten oder Fahrzeuge, die an einer humanitären Hilfsmission oder friedenserhaltenden Mission in Übereinstimmung mit der Charta der Vereinten Nationen beteiligt sind, solange sie Anspruch auf den Schutz haben, der Zivilpersonen oder zivilen Objekten nach dem internationalen Recht des bewaffneten Konflikts gewährt wird;

iv) vorsätzliche Angriffe auf Gebäude, die dem Gottesdienst, der Erziehung, der Kunst, der Wissenschaft oder der Wohltätigkeit gewidmet sind, auf geschichtliche Denkmäler, Krankenhäuser und Sammelplätze für Kranke und Verwundete, sofern es nicht militärische Ziele sind;

v) die Plünderung einer Stadt oder Ansiedlung, selbst wenn sie im Sturm genommen wurde;

vi) Vergewaltigung, sexuelle Sklaverei, Nötigung zur Prostitution, erzwungene Schwangerschaft im Sinne des Artikels 7 Absatz 2 Buchstabe f, Zwangssterilisation und jede andere Form sexueller Gewalt, die ebenfalls einen schweren Verstoß gegen den gemeinsamen Artikel 3 der vier Genfer Abkommen darstellt;

vii) die Zwangsverpflichtung oder Eingliederung von Kindern unter fünfzehn Jahren in Streitkräfte oder bewaffnete Gruppen oder ihre Verwendung zur aktiven Teilnahme an Feindseligkeiten;

viii) die Anordnung der Verlegung der Zivilbevölkerung aus Gründen im Zusammenhang mit dem Konflikt, sofern dies nicht im Hinblick auf die Sicherheit der betreffenden Zivilpersonen oder aus zwingenden militärischen Gründen geboten ist;

ix) die meuchlerische Tötung oder Verwundung eines gegnerischen Kombattanten;

x) die Erklärung, dass kein Pardon gegeben wird;

xi) die körperliche Verstümmelung von Personen, die sich in der Gewalt einer anderen Konfliktpartei befinden, oder die Vornahme medizinischer oder wissenschaftlicher Versuche jeder Art an diesen Personen, die nicht durch deren ärztliche, zahnärztliche oder Krankenhausbehandlung gerechtfertigt sind oder in ihrem Interesse durchgeführt werden und die zu ihrem Tod führen oder ihre Gesundheit ernsthaft gefährden;

xii) die Zerstörung oder Beschlagnahme gegnerischen Eigentums, sofern diese nicht durch die Erfordernisse des Konflikts zwingend geboten ist;

f) Absatz 2 Buchstabe e findet Anwendung auf bewaffnete Konflikte, die keinen internationalen Charakter haben, und somit nicht auf Fälle innerer Unruhen und Spannungen wie Tumulte, vereinzelt auftretende Gewalttaten oder andere ähnliche Handlungen. Er findet Anwendung auf bewaffnete Konflikte, die im Hoheitsgebiet eines Staates stattfinden, wenn zwischen den staatlichen Behörden und organisierten bewaffneten Gruppen oder zwischen solchen Gruppen ein lang anhaltender bewaffneter Konflikt besteht.

(3) Absatz 2 Buchstaben c und e berührt nicht die Verantwortung einer Regierung, die öffentliche Ordnung im Staat aufrechtzuerhalten oder wiederherzustellen oder die Einheit und territoriale Unversehrtheit des Staates mit allen rechtmäßigen Mitteln zu verteidigen.

Artikel 9
„Verbrechenselemente"

(1) Die „Verbrechenselemente" helfen dem Gerichtshof bei der Auslegung und Anwendung der Artikel 6, 7 und 8. Sie werden von den Mitgliedern der Versammlung der Vertragsstaaten mit Zweidrittelmehrheit angenommen.

(2) Änderungen der „Verbrechenselemente" können vorgeschlagen werden von

a) jedem Vertragsstaat;

b) den Richtern mit absoluter Mehrheit;

c) dem Ankläger.

Diese Änderungen werden von den Mitgliedern der Versammlung der Vertragsstaaten mit Zweidrittelmehrheit angenommen.

(3) Die „Verbrechenselemente" und ihre Änderungen müssen mit dem Statut vereinbar sein.

Artikel 10

Dieser Teil ist nicht so auszulegen, als beschränke oder berühre er bestehende oder sich entwickelnde Regeln des Völkerrechts für andere Zwecke als diejenigen dieses Statuts.

Artikel 11
Gerichtsbarkeit ratione temporis

(1) Die Gerichtsbarkeit des Gerichtshofs erstreckt sich nur auf Verbrechen, die nach Inkrafttreten dieses Statuts begangen werden.

(2) Wird ein Staat nach Inkrafttreten dieses Statuts dessen Vertragspartei, so kann der Gerichtshof seine Gerichtsbarkeit nur in Bezug auf Verbrechen ausüben, die nach Inkrafttreten des Statuts für diesen Staat begangen wurden, es sei denn, der Staat hat eine Erklärung nach Artikel 12 Absatz 3 abgegeben.

Artikel 12
Voraussetzungen für die Ausübung der Gerichtsbarkeit

(1) Ein Staat, der Vertragspartei dieses Statuts wird, erkennt damit die Gerichtsbarkeit des Gerichtshofs für die in Artikel 5 bezeichneten Verbrechen an.

(2) Im Fall des Artikels 13 Buchstabe a oder c kann der Gerichtshof seine Gerichtsbarkeit ausüben, wenn einer oder mehrere der folgenden Staaten Vertragspartei dieses Statuts sind oder in Übereinstimmung mit Absatz 3 die Gerichtsbarkeit des Gerichtshofs anerkannt haben:

a) der Staat, in dessen Hoheitsgebiet das fragliche Verhalten stattgefunden hat, oder, sofern das Verbrechen an Bord eines Schiffes oder Luftfahrzeugs begangen wurde, der Staat, in dem dieses registriert ist;

b) der Staat, dessen Staatsangehörigkeit die des Verbrechens beschuldigte Person besitzt.

(3) Ist nach Absatz 2 die Anerkennung der Gerichtsbarkeit durch einen Staat erforderlich, der nicht Vertragspartei dieses Statuts ist, so kann dieser Staat durch Hinterlegung einer Erklärung beim Kanzler die Ausübung der Gerichtsbarkeit durch den Gerichtshof in bezug auf das fragliche Verbrechen anerkennen. Der anerkennende Staat arbeitet mit dem Gerichtshof ohne Verzögerung oder Ausnahme in Übereinstimmung mit Teil 9 zusammen.

Artikel 13
Ausübung der Gerichtsbarkeit

Der Gerichtshof kann in Übereinstimmung mit diesem Statut seine Gerichtsbarkeit über ein in Artikel 5 bezeichnetes Verbrechen ausüben, wenn

a) eine Situation, in der es den Anschein hat, dass eines oder mehrere dieser Verbrechen begangen wurden, von einem Vertragsstaat nach Artikel 14 dem Ankläger unterbreitet wird,

b) eine Situation, in der es den Anschein hat, dass eines oder mehrere dieser Verbrechen begangen wurden, vom Sicherheitsrat, der nach Kapitel VII der Charta der Vereinten Nationen tätig wird, dem Ankläger unterbreitet wird, oder

c) der Ankläger nach Artikel 15 Ermittlungen in Bezug auf eines dieser Verbrechen eingeleitet hat.

Artikel 14
Unterbreitung einer Situation durch einen Vertragsstaat

(1) Ein Vertragsstaat kann eine Situation, in der es den Anschein hat, dass ein oder mehrere der Gerichtsbarkeit des Gerichtshofs unterliegende Verbrechen begangen wurden, dem Ankläger unterbreiten und diesen ersuchen, die Situation zu untersuchen, um festzustellen, ob eine oder mehrere bestimmte Personen angeklagt werden sollen, diese Verbrechen begangen zu haben.

(2) Soweit möglich, sind in der Unterbreitung die maßgeblichen Umstände anzugeben und diejenigen Unterlagen zur Begründung beizufügen, über die der unterbreitende Staat verfügt.

Artikel 15
Ankläger

(1) Der Ankläger kann auf der Grundlage von Informationen über der Gerichtsbarkeit des Gerichtshofs unterliegende Verbrechen aus eigener Initiative Ermittlungen einleiten.

(2) Der Ankläger prüft die Stichhaltigkeit der erhaltenen Informationen. Zu diesem Zweck kann er von Staaten, Organen der Vereinten Nationen, zwischenstaatlichen oder nichtstaatlichen Organisationen oder anderen von ihm als geeignet erachteten zuverlässigen Stellen zusätzliche Auskünfte einholen und am Sitz des Gerichtshofs schriftliche oder mündliche Zeugenaussagen entgegennehmen.

(3) Gelangt der Ankläger zu dem Schluss, dass eine hinreichende Grundlage für die Aufnahme von Ermittlungen besteht, so legt er der Vorverfahrenskammer einen Antrag auf Genehmigung von Ermittlungen zusammen mit den gesammelten Unterlagen zu seiner Begründung vor. Opfer können in Übereinstimmung mit der Verfahrens- und Beweisordnung Eingaben an die Vorverfahrenskammer machen.

(4) Ist die Vorverfahrenskammer nach Prüfung des Antrags und der Unterlagen zu seiner Begründung der Auffassung, dass eine hinreichende Grundlage für die Aufnahme von Ermittlungen besteht und dass die Sache unter die Gerichtsbarkeit des Gerichtshofs zu fallen scheint, so erteilt sie die Genehmigung zur Einleitung der Ermittlungen, unbeschadet späterer Entscheidungen des Gerichtshofs betreffend die Gerichtsbarkeit für eine Sache und ihre Zulässigkeit.

(5) Verweigert die Vorverfahrenskammer die Genehmigung zur Aufnahme von Ermittlungen, so schließt dies einen auf neue Tatsachen oder Beweismittel gestützten späteren Antrag des Anklägers in Bezug auf dieselbe Situation nicht aus.

(6) Gelangt der Ankläger nach der in den Absätzen 1 und 2 genannten Vorprüfung zu dem Schluss, dass die zur Verfügung gestellten Informationen keine hinreichende Grundlage für Ermittlungen darstellen, so teilt er dies den Informanten mit. Dies schließt nicht aus, dass der Ankläger im Licht neuer Tatsachen oder Beweismittel weitere Informationen prüft, die ihm in Bezug auf dieselbe Situation zur Verfügung gestellt werden.

Artikel 16
Aufschub der Ermittlungen oder der Strafverfolgung

Richtet der Sicherheitsrat in einer nach Kapitel VII der Charta der Vereinten Nationen angenommenen Resolution ein entsprechendes Ersuchen an den Gerichtshof, so dürfen für einen Zeitraum von 12 Monaten keine Ermittlungen und keine Strafverfolgung aufgrund dieses Statuts eingeleitet oder fortgeführt werden; das Ersuchen kann vom Sicherheitsrat unter denselben Bedingungen erneuert werden.

Artikel 17
Fragen der Zulässigkeit

(1) Im Hinblick auf Absatz 10 der Präambel und Artikel 1 entscheidet der Gerichtshof, dass eine Sache nicht zulässig ist, wenn

a) in der Sache von einem Staat, der Gerichtsbarkeit darüber hat, Ermittlungen oder eine Strafverfolgung durchgeführt werden, es sei denn, der Staat ist nicht willens oder nicht in der Lage, die Ermittlungen oder die Strafverfolgung ernsthaft durchzuführen;

b) in der Sache von einem Staat, der Gerichtsbarkeit darüber hat, Ermittlungen durchgeführt worden sind, und der Staat entschieden hat, die betreffende Person nicht strafrechtlich zu verfolgen, es sei denn, die Entscheidung war das Ergebnis des mangelnden Willens oder des Unvermögens des Staates, eine Strafverfolgung ernsthaft durchzuführen;

c) die betreffende Person wegen des Verhaltens, das Gegenstand des Tatvorwurfs ist, bereits gerichtlich belangt worden ist und die Sache nach Artikel 20 Absatz 3 nicht beim Gerichtshof anhängig gemacht werden kann;

d) die Sache nicht schwerwiegend genug ist, um weitere Maßnahmen des Gerichtshofs zu rechtfertigen.

(2) Zur Feststellung des mangelnden Willens in einem bestimmten Fall prüft der Gerichtshof unter Berücksichtigung der völkerrechtlich anerkannten Grundsätze eines ordnungsgemäßen Verfahrens, ob gegebenenfalls eine oder mehrere der folgenden Voraussetzungen vorliegen:

a) Das Verfahren wurde oder wird geführt oder die staatliche Entscheidung wurde getroffen, um die betreffende Person vor strafrechtlicher Verantwortlichkeit für die in Artikel 5 bezeichneten, der Gerichtsbarkeit des Gerichtshofs unterliegenden Verbrechen zu schützen;

b) in dem Verfahren gab es eine nicht gerechtfertigte Verzögerung, die unter den gegebenen Umständen mit der Absicht unvereinbar ist, die betreffende Person vor Gericht zu stellen;

c) das Verfahren war oder ist nicht unabhängig oder unparteiisch und wurde oder wird in einer Weise geführt, die unter den gegebenen Umständen mit der Absicht unvereinbar ist, die betreffende Person vor Gericht zu stellen.

(3) Zur Feststellung des Unvermögens in einem bestimmten Fall prüft der Gerichtshof, ob der Staat wegen des völligen oder weitgehenden Zusammenbruchs oder der mangelnden Verfügbarkeit seines innerstaatlichen Justizsystems nicht in der Lage ist, des Beschuldigten habhaft zu werden oder die erforderlichen Beweismittel und Zeugenaussagen zu erlangen, oder aus anderen Gründen nicht in der Lage ist, ein Verfahren durchzuführen.

Artikel 18
Vorläufige Entscheidungen betreffend die Zulässigkeit

(1) Wurde eine Situation nach Artikel 13 Buchstabe a dem Gerichtshof unterbreitet und hat der Ankläger festgestellt, dass eine hinreichende Grundlage für die Einleitung von Ermittlungen bestünde, oder leitet der Ankläger Ermittlungen nach Artikel 13 Buchstabe c und Artikel 15 ein, so benachrichtigt der Ankläger förmlich alle Vertragsstaaten und diejenigen Staaten, die unter Berücksichtigung der zur Verfügung stehenden Informationen im Regelfall die Gerichtsbarkeit über die betreffenden Verbrechen ausüben würden. Der Ankläger kann diese Staaten vertraulich benachrichtigen und, sofern er dies für notwendig hält, um Personen zu schützen, die Vernichtung von Beweismitteln oder die Flucht von Personen zu verhindern, den Umfang der den Staaten zur Verfügung gestellten Informationen begrenzen.

(2) Binnen eines Monats nach Eingang dieser förmlichen Benachrichtigung kann ein Staat den Gerichtshof davon in Kenntnis setzen, dass er gegen seine Staatsangehörigen oder andere Personen unter seiner Hoheitsgewalt in Bezug auf Straftaten ermittelt oder ermittelt hat, die möglicherweise den Tatbestand der in Artikel 5 bezeichneten Verbrechen erfüllen und die mit den Informationen in Zusammenhang stehen, welche in der an die Staaten gerichteten Benachrichtigung enthalten sind. Auf Ersuchen des betreffenden Staates stellt der Ankläger die Ermittlungen gegen diese Personen zugunsten der Ermittlungen des Staates zurück, es sei denn, die Vorverfahrenskammer beschließt auf Antrag des Anklägers, diesen zu den Ermittlungen zu ermächtigen.

(3) Die Zurückstellung der Ermittlungen durch den Ankläger zugunsten der Ermittlungen eines Staates kann vom Ankläger sechs Monate nach dem Zeitpunkt der Zurückstellung oder jederzeit überprüft werden, wenn sich aufgrund des mangelnden Willens oder des Unvermögens des betreffenden Staates zur ernsthaften Durchführung von Ermittlungen die Sachlage wesentlich geändert hat.

(4) Der betreffende Staat oder der Ankläger kann nach Artikel 82 gegen eine Entscheidung der Vorverfahrenskammer bei der Berufungskammer Beschwerde einlegen. Die Beschwerde kann beschleunigt behandelt werden.

(5) Hat der Ankläger nach Absatz 2 Ermittlungen zurückgestellt, so kann er den betreffenden Staat ersuchen, ihn regelmäßig über den Fortgang seiner Ermittlungen und jede anschließende Strafverfolgung zu unterrichten. Die Vertragsstaaten kommen einem solchen Ersuchen ohne unangemessene Verzögerung nach.

(6) Bis zu einer Entscheidung der Vorverfahrenskammer oder jederzeit, nachdem der Ankläger nach diesem Artikel Ermittlungen zurückgestellt hat, kann er ausnahmsweise die Vorverfahrenskammer um die Ermächtigung zu notwendigen Ermittlungsmaßnahmen zum Zweck der Sicherung von Beweismitteln ersuchen, wenn eine einmalige Gelegenheit zur Beschaffung wichtiger Beweismittel oder eine erhebliche Gefahr besteht, dass diese Beweismittel später nicht verfügbar sein werden.

(7) Ein Staat, der eine Entscheidung der Vorverfahrenskammer nach diesem Artikel angefochten hat, kann die Zulässigkeit einer Sache nach Artikel 19 aufgrund zusätzlicher wesentlicher Tatsachen oder einer wesentlichen Änderung der Sachlage anfechten.

Artikel 19
Anfechtung der Gerichtsbarkeit des Gerichtshofs oder der Zulässigkeit einer Sache

(1) Der Gerichtshof vergewissert sich, dass er in jeder bei ihm anhängig gemachten Sache Gerichtsbarkeit hat. Der Gerichtshof kann aus eigener Initiative über die Zulässigkeit einer Sache nach Artikel 17 entscheiden.

(2) Sowohl die Zulässigkeit einer Sache aus den in Artikel 17 genannten Gründen als auch die Gerichtsbarkeit des Gerichtshofs können angefochten werden von

a) einem Angeklagten oder einer Person, gegen die ein Haftbefehl oder eine Ladung nach Artikel 58 ergangen ist,

b) einem Staat, der Gerichtsbarkeit über eine Sache hat, weil er in der Sache Ermittlungen oder eine Strafverfolgung durchführt oder durchgeführt hat, oder

c) einem Staat, der nach Artikel 12 die Gerichtsbarkeit anerkannt haben muss.

(3) Der Ankläger kann über eine Frage der Gerichtsbarkeit oder der Zulässigkeit eine Entscheidung des Gerichtshofs erwirken. In Verfahren über die Gerichtsbarkeit oder die Zulässigkeit können beim Gerichtshof auch diejenigen, welche ihm die Situation nach Artikel 13 unterbreitet haben, sowie die Opfer Stellungnahmen abgeben.

(4) Die Zulässigkeit einer Sache oder die Gerichtsbarkeit des Gerichtshofs kann von jeder in Absatz 2 bezeichneten Person oder jedem dort bezeichneten Staat nur einmal angefochten werden. Die Anfechtung erfolgt vor oder bei Eröffnung des Hauptverfahrens. Unter außergewöhnlichen Umständen kann der Gerichtshof gestatten, eine Anfechtung mehr als einmal oder erst nach Eröffnung des Hauptverfahrens vorzubringen. Anfechtungen der Zulässigkeit einer Sache, die bei oder, sofern der Gerichtshof dies gestattet, nach Eröffnung des Hauptverfahrens vorgebracht werden, können nur auf Artikel 17 Absatz 1 Buchstabe c gestützt werden.

(5) Ein in Absatz 2 Buchstaben b und c bezeichneter Staat bringt eine Anfechtung bei frühestmöglicher Gelegenheit vor.

(6) Vor Bestätigung der Anklage werden Anfechtungen der Zulässigkeit einer Sache oder Anfechtungen der Gerichtsbarkeit des Gerichtshofs an die Vorverfahrenskammer verwiesen. Nach Bestätigung der Anklage werden sie an die Hauptverfahrenskammer verwiesen. Gegen Entscheidungen über die Gerichtsbarkeit oder die Zulässigkeit kann nach Artikel 82 bei der Berufungskammer Beschwerde eingelegt werden.

(7) Bringt ein in Absatz 2 Buchstabe b oder c bezeichneter Staat eine Anfechtung vor, so setzt der Ankläger die Ermittlungen so lange aus, bis der Gerichtshof eine Entscheidung nach Artikel 17 getroffen hat.

(8) Bis zu einer Entscheidung des Gerichtshofs kann der Ankläger diesen um die Ermächtigung ersuchen,

a) notwendige Ermittlungsmaßnahmen der in Artikel 18 Absatz 6 bezeichneten Art zu ergreifen,

b) schriftliche oder mündliche Zeugenaussagen einzuholen oder die Erhebung und Prüfung von Beweismitteln abzuschließen, mit der vor Erklärung der Anfechtung begonnen worden war, und

c) in Zusammenarbeit mit den in Betracht kommenden Staaten die Flucht von Personen zu verhindern, für die er bereits einen Haftbefehl nach Artikel 58 beantragt hat.

(9) Das Vorbringen einer Anfechtung beeinträchtigt nicht die Gültigkeit einer zuvor vom Ankläger vorgenommenen Handlung oder einer Anordnung oder eines Befehls des Gerichtshofs.

(10) Hat der Gerichtshof entschieden, dass eine Sache nach Artikel 17 unzulässig ist, so kann der Ankläger eine Überprüfung der Entscheidung beantragen, wenn seiner vollen Überzeugung nach infolge neuer Tatsachen die Grundlage entfällt, derentwegen die Sache zuvor nach Artikel 17 für unzulässig befunden worden war.

(11) Stellt der Ankläger unter Berücksichtigung der in Artikel 17 genannten Angelegenheiten Ermittlungen zurück, so kann er den betreffenden Staat ersuchen, ihm Informationen über das Verfahren zur Verfügung zu stellen. Auf Ersuchen des betreffenden Staates sind diese Informationen vertraulich. Beschließt der Ankläger danach die Fortführung der Ermittlungen, so benachrichtigt er den Staat, zu dessen Gunsten das Verfahren zurückgestellt wurde.

Artikel 20
Ne bis in idem

(1) Sofern in diesem Statut nichts anderes bestimmt ist, darf niemand wegen eines Verhaltens vor den Gerichtshof gestellt werden, das den Tatbestand der Verbrechen erfüllt, derentwegen er bereits vom Gerichtshof verurteilt oder freigesprochen wurde.

(2) Niemand darf wegen eines in Artikel 5 bezeichneten Verbrechens, dessentwegen er vom Gerichtshof bereits verurteilt oder freigesprochen wurde, vor ein anderes Gericht gestellt werden.

(3) Niemand, der wegen eines auch nach Artikel 6, 7 oder 8 verbotenen Verhaltens vor ein anderes Gericht gestellt wurde, darf vom Gerichtshof für dasselbe Verhalten belangt werden, es sei denn, das Verfahren vor dem anderen Gericht

a) diente dem Zweck, ihn vor strafrechtlicher Verantwortlichkeit für der Gerichtsbarkeit des Gerichtshofs unterliegende Verbrechen zu schützen oder

b) war in sonstiger Hinsicht nicht unabhängig oder unparteiisch entsprechend den völkerrechtlich anerkannten Grundsätzen eines ordnungsgemäßen Verfahrens und wurde in einer Weise geführt, die unter den gegebenen Umständen mit der Absicht, die betreffende Person vor Gericht zu stellen, unvereinbar war.

Artikel 21
Anwendbares Recht

(1) Der Gerichtshof wendet Folgendes an:

a) an erster Stelle dieses Statut, die „Verbrechenselemente" sowie seine Verfahrens- und Beweisordnung;

b) an zweiter Stelle, soweit angebracht, anwendbare Verträge sowie die Grundsätze und Regeln des Völkerrechts, einschließlich der anerkannten Grundsätze des internationalen Rechts des bewaffneten Konflikts;

c) soweit solche fehlen, allgemeine Rechtsgrundsätze, die der Gerichtshof aus einzelstaatlichen Rechtsvorschriften der Rechtssysteme der Welt, einschließlich, soweit angebracht, der innerstaatlichen Rechtsvorschriften der Staaten, die im Regelfall Gerichtsbarkeit über das Verbrechen ausüben würden, abgeleitet hat, sofern diese Grundsätze nicht mit diesem Statut, dem Völkerrecht und den international anerkannten Regeln und Normen unvereinbar sind.

(2) Der Gerichtshof kann Rechtsgrundsätze und Rechtsnormen entsprechend seiner Auslegung in früheren Entscheidungen anwenden.

(3) Die Anwendung und Auslegung des Rechts nach diesem Artikel muss mit den international anerkannten Menschenrechten vereinbar sein und darf keine benachteiligende Unterscheidung etwa aufgrund des Geschlechts im Sinne des Artikels 7 Absatz 3, des Alters, der Rasse, der Hautfarbe, der Sprache, der Religion oder Weltanschauung, der politischen oder sonstigen Anschauung, der nationalen, ethnischen oder sozialen Herkunft, des Vermögens, der Geburt oder des sonstigen Status machen.

Teil 3: Allgemeine Grundsätze des Strafrechts

Artikel 22

Nullum crimen sine lege

(1) Eine Person ist nur dann nach diesem Statut strafrechtlich verantwortlich, wenn das fragliche Verhalten zur Zeit der Tat den Tatbestand eines der Gerichtsbarkeit des Gerichtshofs unterliegenden Verbrechens erfüllt.

(2) Die Begriffsbestimmung eines Verbrechens ist eng auszulegen und darf nicht durch Analogie erweitert werden. Im Zweifelsfall ist die Begriffsbestimmung zugunsten der Person auszulegen, gegen die sich die Ermittlungen, die Strafverfolgung oder das Urteil richten.

(3) Dieser Artikel bedeutet nicht, dass ein Verhalten nicht unabhängig von diesem Statut als nach dem Völkerrecht strafbar beurteilt werden kann.

Artikel 23

Nulla poena sine lege

Eine vom Gerichtshof für schuldig erklärte Person darf nur nach Maßgabe dieses Statuts bestraft werden.

Artikel 24

Rückwirkungsverbot ratione personae

(1) Niemand ist nach diesem Statut für ein Verhalten strafrechtlich verantwortlich, das vor Inkrafttreten des Statuts stattgefunden hat.

(2) Ändert sich das auf einen bestimmten Fall anwendbare Recht vor dem Ergehen des rechtskräftigen Urteils, so ist das für die Person, gegen die sich die Ermittlungen, die Strafverfolgung oder das Urteil richten, mildere Recht anzuwenden.

Artikel 25

Individuelle strafrechtliche Verantwortlichkeit

(1) Der Gerichtshof hat aufgrund dieses Statuts Gerichtsbarkeit über natürliche Personen.

(2) Wer ein der Gerichtsbarkeit des Gerichtshofs unterliegendes Verbrechen begeht, ist dafür in Übereinstimmung mit diesem Statut individuell verantwortlich und strafbar.

(3) In Übereinstimmung mit diesem Statut ist für ein der Gerichtsbarkeit des Gerichtshofs unterliegendes Verbrechen strafrechtlich verantwortlich und strafbar, wer

a) ein solches Verbrechen selbst, gemeinschaftlich mit einem anderen oder durch einen anderen begeht, gleichviel ob der andere strafrechtlich verantwortlich ist;

b) die Begehung eines solchen Verbrechens, das tatsächlich vollendet oder versucht wird, anordnet, dazu auffordert oder dazu anstiftet;

c) zur Erleichterung eines solchen Verbrechens Beihilfe oder sonstige Unterstützung bei seiner Begehung oder versuchten Begehung leistet, einschließlich der Bereitstellung der Mittel für die Begehung;

d) auf sonstige Weise zur Begehung oder versuchten Begehung eines solchen Verbrechens durch eine mit einem gemeinsamen Ziel handelnde Gruppe von Personen beiträgt. Ein derartiger Beitrag muss vorsätzlich sein und entweder
   i) mit dem Ziel geleistet werden, die kriminelle Tätigkeit oder die strafbare Absicht der Gruppe zu fördern, soweit sich diese auf die Begehung eines der Gerichtsbarkeit des Gerichtshofs unterliegenden Verbrechens beziehen, oder
   ii) in Kenntnis des Vorsatzes der Gruppe, das Verbrechen zu begehen, geleistet werden;
e) in Bezug auf das Verbrechen des Völkermords andere unmittelbar und öffentlich zur Begehung von Völkermord aufstachelt;
f) versucht, ein solches Verbrechen zu begehen, indem er eine Handlung vornimmt, die einen wesentlichen Schritt zum Beginn seiner Ausführung darstellt, wobei es jedoch aufgrund von Umständen, die vom Willen des Täters unabhängig sind, nicht zur Tatausführung kommt. Wer jedoch die weitere Ausführung des Verbrechens aufgibt oder dessen Vollendung auf andere Weise verhindert, ist aufgrund dieses Statuts für den Versuch des Verbrechens nicht strafbar, wenn er das strafbare Ziel vollständig und freiwillig aufgegeben hat.

(4) Die Bestimmungen dieses Statuts betreffend die individuelle strafrechtliche Verantwortlichkeit berühren nicht die Verantwortung der Staaten nach dem Völkerrecht.

Artikel 26
Ausschluss der Gerichtsbarkeit über Personen unter achtzehn Jahren

Der Gerichtshof hat keine Gerichtsbarkeit über eine Person, die zum Zeitpunkt der angeblichen Begehung eines Verbrechens noch nicht achtzehn Jahre alt war.

Artikel 27
Unerheblichkeit der amtlichen Eigenschaft

(1) Dieses Statut gilt gleichermaßen für alle Personen, ohne jeden Unterschied nach amtlicher Eigenschaft. Insbesondere enthebt die amtliche Eigenschaft als Staats- oder Regierungschef, als Mitglied einer Regierung oder eines Parlaments, als gewählter Vertreter oder als Amtsträger einer Regierung eine Person nicht der strafrechtlichen Verantwortlichkeit nach diesem Statut und stellt für sich genommen keinen Strafmilderungsgrund dar.

(2) Immunitäten oder besondere Verfahrensregeln, die nach innerstaatlichem Recht oder nach dem Völkerrecht mit der amtlichen Eigenschaft einer Person verbunden sind, hindern den Gerichtshof nicht an der Ausübung seiner Gerichtsbarkeit über eine solche Person.

Artikel 28
Verantwortlichkeit militärischer Befehlshaber und anderer Vorgesetzter

Neben anderen Gründen für die strafrechtliche Verantwortlichkeit aufgrund dieses Statuts für der Gerichtsbarkeit des Gerichtshofs unterliegende Verbrechen gilt folgendes:

a) Ein militärischer Befehlshaber oder eine tatsächlich als militärischer Befehlshaber handelnde Person ist strafrechtlich verantwortlich für der Gerichtsbarkeit des Gerichtshofs unterliegende Verbrechen, die von Truppen unter seiner oder ihrer tatsächlichen Befehls- beziehungsweise Führungsgewalt und Kontrolle als Folge seines oder ihres Versäumnisses begangen wurden, eine ordnungsgemäße Kontrolle über diese Truppen auszuüben, wenn

i) der betreffende militärische Befehlshaber oder die betreffende Person wusste oder aufgrund der zu der Zeit gegebenen Umstände hätte wissen müssen, dass die Truppen diese Verbrechen begingen oder zu begehen im Begriff waren, und

ii) der betreffende militärische Befehlshaber oder die betreffende Person nicht alle in seiner oder ihrer Macht stehenden erforderlichen und angemessenen Maßnahmen ergriff, um ihre Begehung zu verhindern oder zu unterbinden oder die Angelegenheit den zuständigen Behörden zur Untersuchung und Strafverfolgung vorzulegen.

b) In Bezug auf unter Buchstabe a nicht beschriebene Vorgesetzten- und Untergebenenverhältnisse ist ein Vorgesetzter strafrechtlich verantwortlich für der Gerichtsbarkeit des Gerichtshofs unterliegende Verbrechen, die von Untergebenen unter seiner tatsächlichen Führungsgewalt und Kontrolle als Folge seines Versäumnisses begangen wurden, eine ordnungsgemäße Kontrolle über diese Untergebenen auszuüben, wenn

i) der Vorgesetzte entweder wusste, dass die Untergebenen solche Verbrechen begingen oder zu begehen im Begriff waren, oder eindeutig darauf hinweisende Informationen bewusst außer acht ließ;

ii) die Verbrechen Tätigkeiten betrafen, die unter die tatsächliche Verantwortung und Kontrolle des Vorgesetzten fielen, und

iii) der Vorgesetzte nicht alle in seiner Macht stehenden erforderlichen und angemessenen Maßnahmen ergriff, um ihre Begehung zu verhindern oder zu unterbinden oder die Angelegenheit den zuständigen Behörden zur Untersuchung und Strafverfolgung vorzulegen.

Artikel 29
Nichtanwendbarkeit von Verjährungsvorschriften

Die der Gerichtsbarkeit des Gerichtshofs unterliegenden Verbrechen verjähren nicht.

Artikel 30
Subjektive Tatbestandsmerkmale

(1) Sofern nichts anderes bestimmt ist, ist eine Person für ein der Gerichtsbarkeit des Gerichtshofs unterliegendes Verbrechen nur dann strafrechtlich verantwortlich und strafbar, wenn die objektiven Tatbestandsmerkmale vorsätzlich und wissentlich verwirklicht werden.

(2) „Vorsatz“ im Sinne dieses Artikels liegt vor, wenn die betreffende Person

a) im Hinblick auf ein Verhalten dieses Verhalten setzen will;

b) im Hinblick auf die Folgen diese Folgen herbeiführen will oder ihr bewusst ist, dass diese im gewöhnlichen Verlauf der Ereignisse eintreten werden.

(3) „Wissen“ im Sinne dieses Artikels bedeutet das Bewusstsein, dass ein Umstand vorliegt oder dass im gewöhnlichen Verlauf der Ereignisse eine Folge eintreten wird. „Wissentlich“ und „wissen“ sind entsprechend auszulegen.

Artikel 31
Gründe für den Ausschluss der strafrechtlichen Verantwortlichkeit

(1) Neben anderen in diesem Statut vorgesehenen Gründen für den Ausschluss der strafrechtlichen Verantwortlichkeit ist strafrechtlich nicht verantwortlich, wer zur Zeit des fraglichen Verhaltens

a) wegen einer seelischen Krankheit oder Störung unfähig ist, die Rechtswidrigkeit oder Art seines Verhaltens zu erkennen oder dieses so zu steuern, dass es den gesetzlichen Anforderungen entspricht;

b) wegen eines Rauschzustands unfähig ist, die Rechtswidrigkeit oder Art seines Verhaltens zu erkennen oder dieses so zu steuern, dass es den gesetzlichen Anforderungen entspricht, sofern er sich nicht freiwillig und unter solchen Umständen berauscht hat, unter denen er wusste oder in Kauf nahm, dass er sich infolge des Rausches wahrscheinlich so verhält, dass der Tatbestand eines der Gerichtsbarkeit des Gerichtshofs unterliegenden Verbrechens erfüllt wird;

c) in angemessener Weise handelt, um sich oder einen anderen oder, im Fall von Kriegsverbrechen, für sich oder einen anderen lebensnotwendiges oder für die Ausführung eines militärischen Einsatzes unverzichtbares Eigentum, vor einer unmittelbar drohenden und rechtswidrigen Anwendung von Gewalt in einer Weise zu verteidigen, die in einem angemessenen Verhältnis zum Umfang der ihm, dem anderen oder dem geschützten Eigentum drohenden Gefahr steht. Die Teilnahme an einem von Truppen durchgeführten Verteidigungseinsatz stellt für sich genommen keinen Grund für den Ausschluss der strafrechtlichen Verantwortlichkeit nach diesem Buchstaben dar;

d) wegen einer ihm selbst oder einem anderen unmittelbar drohenden Gefahr für das Leben oder einer dauernden oder unmittelbar drohenden Gefahr schweren körperlichen Schadens zu einem Verhalten genötigt ist, das angeblich den Tatbestand eines der Gerichtsbarkeit des Gerichtshofs unterliegenden Verbrechens erfüllt, und in notwendiger und angemessener Weise handelt, um diese Gefahr abzuwenden, sofern er nicht größeren Schaden zuzufügen beabsichtigt als den, den er abzuwenden trachtet. Eine solche Gefahr kann entweder

   i) von anderen Personen ausgehen oder

   ii) durch andere Umstände bedingt sein, die von ihm nicht zu vertreten sind.

(2) Der Gerichtshof entscheidet über die Anwendbarkeit der in diesem Statut vorgesehenen Gründe für den Ausschluss der strafrechtlichen Verantwortlichkeit auf die anhängige Sache.

(3) Bei der Verhandlung kann der Gerichtshof einen anderen als die in Absatz 1 genannten Gründe für den Ausschluss der strafrechtlichen Verantwortlichkeit in Betracht ziehen, sofern dieser aus dem anwendbaren Recht nach Artikel 21 abgeleitet ist. Das entsprechende Verfahren ist in der Verfahrens- und Beweisordnung festzulegen.

Artikel 32
Tat- oder Rechtsirrtum

(1) Ein Tatirrtum ist nur dann ein Grund für den Ausschluss der strafrechtlichen Verantwortlichkeit, wenn er die für den Verbrechenstatbestand erforderlichen subjektiven Tatbestandsmerkmale aufhebt.

(2) Ein Rechtsirrtum im Hinblick auf die Frage, ob ein bestimmtes Verhalten den Tatbestand eines der Gerichtsbarkeit des Gerichtshofs unterliegenden Verbrechens erfüllt, ist kein Grund für den Ausschluss der strafrechtlichen Verantwortlichkeit. Ein Rechtsirrtum kann jedoch ein Grund für den Ausschluss der strafrechtlichen Verantwortlichkeit sein, wenn er die für den Verbrechenstatbestand erforderlichen subjektiven Tatbestandsmerkmale aufhebt oder wenn die in Artikel 33 genannten Umstände vorliegen.

Artikel 33
Anordnungen Vorgesetzter und gesetzliche Vorschriften

(1) Die Tatsache, dass ein der Gerichtsbarkeit des Gerichtshofs unterliegendes Verbrechen auf Anordnung einer Regierung oder eines militärischen oder zivilen Vorgesetzten begangen wurde, enthebt den Täter nicht der strafrechtlichen Verantwortlichkeit, es sei denn

a) der Täter war gesetzlich verpflichtet, den Anordnungen der betreffenden Regierung oder des betreffenden Vorgesetzten Folge zu leisten,

b) der Täter wusste nicht, dass die Anordnung rechtswidrig ist, und

c) die Anordnung war nicht offensichtlich rechtswidrig.

(2) Anordnungen zur Begehung von Völkermord oder von Verbrechen gegen die Menschlichkeit sind im Sinne dieses Artikels offensichtlich rechtswidrig.

Literaturverzeichnis

I. Projektveröffentlichungen

Ambos, Kai/Malarino, Ezequiel (Hrsg.), Persecución penal nacional de crímenes internationales en América Latina y España. Montevideo (Uruguay) 2003.

– Persecução Penal Internacional na América Latina e Espanha. São Paulo 2003.

Eser, Albin/Kreicker, Helmut (Hrsg.), Nationale Strafverfolgung völkerrechtlicher Verbrechen. National Prosecution of International Crimes. Teilband 1: Deutschland. Freiburg 2003.

– Nationale Strafverfolgung völkerrechtlicher Verbrechen. National Prosecution of International Crimes. Teilband 2: Finnland, Polen, Schweden. Freiburg 2003.

Eser, Albin/Sieber, Ulrich/Kreicker, Helmut (Hrsg.), Nationale Strafverfolgung völkerrechtlicher Verbrechen. National Prosecution of International Crimes. Teilband 3: Kroatien, Österreich, Serbien und Montenegro, Slowenien. Berlin 2004.

– Nationale Strafverfolgung völkerrechtlicher Verbrechen. National Prosecution of International Crimes. Teilband 4: Côte d'Ivoire, España, Frankreich, Italien, Lateinamerika. Berlin 2005.

– National Prosecution of International Crimes. Nationale Strafverfolgung völkerrechtlicher Verbrechen. Volume 5: Canada, Estonia, Greece, Israel, USA. Berlin 2005.

– Nationale Strafverfolgung völkerrechtlicher Verbrechen. National Prosecution of International Crimes. Teilband 6: Australien, China, England/Wales, Russland/Weißrussland, Türkei. Berlin 2005.

II. Sonstige Literatur

Ahlbrecht, Heiko, Geschichte der völkerrechtlichen Strafgerichtsbarkeit im 20. Jahrhundert. Baden-Baden 1999.

Ahlbrecht, Heiko/Ambos, Kai, Der Fall Pinochet(s). Auslieferung wegen staatsverstärkter Kriminalität? Baden-Baden 1999.

Aldoney Ramírez, Rodrigo, Tagungsbericht: Die innerstaatliche Umsetzung des Römischen Statuts für einen Internationalen Strafgerichtshof und andere Grundsatzfragen des Völkerstrafrechts. São Paulo, 19. und 20. März, Rio de Janeiro, 22. März 2004. ZStW 116 (2004), S. 819–826.

Ambos, Kai, „Impunidad", Makrokriminalität und Völkerstrafrecht. Zu Ausmaß, Ursachen und Grenzen der weltweiten Straflosigkeit von Menschenrechtsverletzungen. KritV 1996, S. 355–370.

Ambos, Kai, Impunity and International Criminal Law. A Case Study on Colombia, Peru, Bolivia, Chile and Argentina. HRLJ 18 (1997), S. 1–15.

– Nuremberg revisited – Das Bundesverfassungsgericht, das Völkerstrafrecht und das Rückwirkungsverbot –. StV 1997, S. 39–43.

– Straflosigkeit von Menschenrechtsverletzungen. Zur „impunidad" in südamerikanischen Ländern aus völkerstrafrechtlicher Sicht. Freiburg 1997.

– Zur strafbefreienden Wirkung des „Handelns auf Befehl" aus deutscher und völkerstrafrechtlicher Sicht. JR 1998, S. 221–226.

– Der neue Internationale Strafgerichtshof – ein Überblick. NJW 1998, S. 3743–3746.

– Zur Rechtsgrundlage des Internationalen Strafgerichtshofs. Eine Analyse des Rom-Statuts. ZStW 111 (1999), S. 175–211.

– General Principles of Criminal Law in the Rome Statute. CLF 10 (1999), S. 1–32.

– Völkerrechtliche Bestrafungspflichten bei schweren Menschenrechtsverletzungen. AVR 37 (1999), S. 318–356.

– Aktuelle Probleme der deutschen Verfolgung von „Kriegsverbrechen" in Bosnien-Herzegowina. NStZ 1999, S. 226–230.

– Anmerkung zu BGH 3 StR 215/98 vom 30.4.1999. NStZ 1999, S. 404–406.

– Der Fall Pinochet und das anwendbare Recht. JZ 1999, S. 16–24.

– Pinochet – 2. Akt. JZ 1999, S. 564–566.

– Immer mehr Fragen zum Internationalen Strafrecht. NStZ 2001, S. 628–633.

– Zur Bestrafung von Verbrechen im internationalen, nicht-internationalen und internen Konflikt. In: Jana Hasse/Erwin Müller/Patricia Schneider (Hrsg.), Humanitäres Völkerrecht. Politische, rechtliche und strafgerichtliche Dimensionen. Baden-Baden 2001, S. 325–353.

– Der Allgemeine Teil des Völkerstrafrechts. Ansätze einer Dogmatisierung. 2. Aufl. Berlin 2004.

Ambos, Kai/Arnold, Jörg, Der Irak-Krieg und das Völkerrecht. Berlin 2004.

Ambos, Kai/Ruegenberg, Guido/Woischnik, Jan, Straflosigkeit in Argentinien für während der Militärdiktatur (1976–1983) begangene Taten des „Verschwindenlassens"? Rechtslage für Opfer mit deutscher oder anderer Staatsangehörigkeit. EuGRZ 1998, S. 468–479.

Ambos, Kai/Steiner, Christian, Vom Sinn des Strafens auf innerstaatlicher und supranationaler Ebene. JuS 2001, S. 9–13.

Ambos, Kai/Wirth, Steffen, Genocide and War Crimes in the Former Yugoslavia Before German Criminal Courts. In: Horst Fischer/Claus Kreß/Sascha Rolf Lüder (Hrsg.), International and National Prosecution of Crimes Under International Law. Berlin 2001, S. 769–797.

– The Current Law of Crimes Against Humanity. CLF 13 (2002), S. 1–90.

Arendt, Hannah, Eichmann in Jerusalem. Ein Bericht von der Banalität des Bösen. 9. Aufl. München 1999.

Arndt, Adolf, Zur Frage der Bestrafung Kriegsgefangener und über sogenanntes Kriegsstrafrecht. GA 66 (1919), S. 522–530.

Bank, Roland, Der Fall *Pinochet*: Aufbruch zu neuen Ufern bei der Verfolgung von Menschenrechtsverletzungen? ZaöRV 59 (1999), S. 677–708.

Bantekas, Ilias/Nash, Susan/Mackarel, Mark, International Criminal Law. 2. Aufl. London u.a. 2003.

Bassiouni, M. Cherif (Hrsg.), International Criminal Law. Vol. III: Enforcement. 2. Aufl. Ardsley, New York 1999.

Baumann, Jürgen, Gedanken zum Eichmann-Urteil. JZ 1963, S. 110–121.

Becker, Astrid, Der Tatbestand des Verbrechens gegen die Menschlichkeit. Überlegungen zur Problematik eines völkerrechtlichen Strafrechts. Berlin 1996.

Bernhardt, Rudolf (Hrsg.), Encyclopedia of Public International Law. Vol. III. Amsterdam u.a. 1997.

– Encyclopedia of Public International Law. Vol. IV. Amsterdam u.a. 2000.

Bianchi, Andrea, Immunity versus Human Rights: The *Pinochet* Case. EJIL 10 (1999), S. 237–277.

Birke, Rainer, Strafverfolgung nach dem NATO-Truppenstatut. Grundlagen und Praxis eines „international-arbeitsteiligen“ Strafverfahrens. Baden-Baden 2004.

Blanke, Hermann-Josef/Molitor, Claus, Der Internationale Strafgerichtshof. AVR 39 (2001), S. 142–169.

Boot, Machteld, Genocide, Crimes Against Humanity, War Crimes: Nullum Crimen Sine Lege and the Subject Matter Jurisdiction of the International Criminal Court. Antwerpen u.a. 2002.

Bosch, Julia, Immunität und internationale Verbrechen. Baden-Baden 2004.

Bothe, Michael, Die strafrechtliche Immunität fremder Staatsorgane. ZaöRV 31 (1971), S. 246–270.

Boulesbaa, Ahcene, The U.N. Convention on Torture and the Prospects for Enforcement. Den Haag 1999.

Bourdon, William, Prosecution of the Perpetrators of International Crimes. What Role May Defence Counsel Play? JICJ 3 (2005), S. 434–446.

Bremer, Kathrin, Nationale Strafverfolgung internationaler Verbrechen gegen das humanitäre Völkerrecht. Am Beispiel einer Rechtsvergleichung Deutschlands, der Schweiz, Belgiens und Großbritanniens. Frankfurt a.M. u.a. 1999.

Bröhmer, Jürgen, Diplomatic Immunity, Head of State Immunity, State Immunity: Misconceptions of a Notorious Human Rights Violator. LJIL 12 (1999), S. 361–371.

Brownlie, Ian, Principles, of Public International Law. 5. Aufl. Oxford u.a. 1998.

Bruha, Thomas, Gewaltverbot und humanitäres Völkerrecht nach dem 11. September 2001. AVR 40 (2002), S. 383–421.

Bruha, Thomas/Bortfeld, Matthias, Terrorismus und Selbstverteidigung. Voraussetzungen und Umfang erlaubter Selbstverteidigungsmaßnahmen nach den Anschlägen vom 11. September 2001. VN 2001, S. 161–167.

Brunner, Georg/Sólyom, László, Verfassungsgerichtsbarkeit in Ungarn. Analysen und Entscheidungssammlung 1990–1993. Baden-Baden 1995.

Bungenberg, Marc, Extraterritoriale Strafrechtsanwendung bei Verbrechen gegen die Menschlichkeit und Völkermord. Zugleich Anmerkungen zum Völkermord-Urteil des BGH vom 30. April 1999. AVR 39 (2001), S. 170–201.

Burchards, Wulf, Die Verfolgung von Völkerrechtsverbrechen durch Drittstaaten. Das kanadische Beispiel. Berlin 2005.

Cassese, Antonio, The Statute of the International Criminal Court: Some Preliminary Reflections. EJIL 10 (1999), S. 144–171.

– When May Senior State Officials be Tried for International Crimes? Some Comments on the Congo v. Belgium Case. EJIL 13 (2002), S. 853–875.

– International Criminal Law. Oxford 2003.

– The Belgian Court of Cassation v. the International Court of Justice: the *Sharon and others* Case. JICJ 1 (2003), S. 437–452.

– International Law. 2. Aufl. Oxford 2005.

Cassese, Antonio/Gaeta, Paola/Jones, John R.W.D., The Rome Statute of the International Criminal Court: A Commentary. Bd. I. Oxford 2002.

Clark, Roger S., Subjektive Merkmale im Völkerstrafrecht. ZStW 114 (2002), S. 372–402.

Dahm, Georg, Zur Problematik des Völkerstrafrechts. Göttingen 1956.

Dahm, Georg/Delbrück, Jost/Wolfrum, Rüdiger, Völkerrecht. Bd. I/1: Die Grundlagen. Die Völkerrechtssubjekte. 2. Aufl. Berlin u.a. 1989.

– Völkerrecht. Bd. I/2: Der Staat und andere Völkerrechtssubjekte. Räume unter internationaler Verwaltung. 2. Aufl. Berlin 2002.

– Völkerrecht. Bd. I/3: Die Formen völkerrechtlichen Handelns. Die inhaltliche Ordnung der internationalen Gemeinschaft. 2. Aufl. Berlin 2002.

Denza, Eileen, Diplomatic Law. A Commentary on the Vienna Convention on Diplomatic Relations. 2. Aufl. Oxford 1998.

Dietmeier, Frank, Völkerstrafrecht und deutscher Gesetzgeber – Kritische Anmerkungen zum Projekt eines „Deutschen Völkerstrafgesetzbuchs“. In: Eva Graul/Gerhard Wolf (Hrsg.), Gedächtnisschrift für Dieter Meurer. Berlin u.a. 2002, S. 334–343.

Dijk, Pieter van/Hoof, Godefridus J. van, Theory and Practice of the European Convention on Human Rights. 3. Aufl. Den Haag 1998.

Dinstein, Yoram, Diplomatic Immunity from Jurisdiction Ratione Materiae. ICLQ 15 (1966), S. 76–89.

– Consular Immunity from Judicial Process. With particular reference to Israel. Jerusalem 1966.

– Terrorism as an International Crime. IYHR 19 (1989), S. 55–73.

Doehring, Karl, Völkerrecht. Ein Lehrbuch. 2. Aufl. Heidelberg 2004.

Doehring, Karl/Ress, Georg, Diplomatische Immunität und Drittstaaten. Überlegungen zur erga omnes-Wirkung der diplomatischen Immunität und deren Beachtung im Falle der Staatensukzession. AVR 37 (1999), S. 68–98.

Dörr, Oliver, Staatliche Immunität auf dem Rückzug? AVR 41 (2003), S. 201–219.

Dreier, Horst (Hrsg.), Grundgesetz. Kommentar, Bd. II. Tübingen 1998.

Eser, Albin, "Defences" in War Crime Trials. IYHR 24 (1995), S. 201–222. Zweitveröffentlichung in Yoram Dinstein/Mala Tabory (eds.), War Crimes in International Law. Den Haag u.a. 1996, S. 251–273.

– „Defences" in Strafverfahren wegen Kriegsverbrechen. In: Kurt Schmoller (Hrsg.), Festschrift für Otto Triffterer zum 65. Geburtstag. Wien u.a. 1996, S. 755–775.

– Das „Internationale Strafrecht" in der Rechtsprechung des Bundesgerichtshofs. In: Claus Roxin/Gunter Widmaier (Hrsg.), 50 Jahre Bundesgerichtshof. Festgabe aus der Wissenschaft. Bd. IV: Strafrecht, Strafprozeßrecht. München 2000, S. 3–28.

– Völkermord und deutsche Strafgewalt. In: Albin Eser u.a. (Hrsg.), Strafverfahrensrecht in Theorie und Praxis. Festschrift für Lutz Meyer-Goßner zum 65. Geburtstag. München 2001, S. 3–31.

– Auf dem Weg zu einem internationalen Strafgerichtshof: Entstehung und Grundzüge des Rom-Statuts. In: Nestor Courakis (Hrsg.), Die Strafrechtswissenschaften im 21. Jahrhundert. Festschrift für Professor Dr. Dionysios Spinellis. Athen 2001, S. 339–369.

– Harmonisierte Universalität nationaler Strafgewalt: ein Desiderat internationaler Komplementarität bei der Verfolgung von Völkerrechtsverbrechen. In: Andreas Donatsch u.a. (Hrsg.), Strafrecht, Strafprozessrecht und Menschenrechte. Festschrift für Stefan Trechsel zum 65. Geburtstag. Zürich u.a. 2002, S. 219–236.

– National Jurisdiction Over Extraterritorial Crimes Within the Framework of International Complementarity: A Comparative Survey on Transnational Prosecution of Genocide According to the Principle of Universality. In: Lal Chand Vohrah u.a. (Hrsg.), Man's Inhumanity to Man. Essays on International Law in Honour of Antonio Cassese. Den Haag u.a. 2003, S. 279–296.

– Auf dem Weg zu einem internationalen Strafgerichtshof: Entstehung und Grundzüge des Rom-Statuts. ZBJV 139 (2003), S. 2–42.

– Das Rom-Statut des Internationalen Strafgerichtshofs als Herausforderung für die nationale Strafrechtspflege. In: Christian Grafl/Ursula Medigovic (Hrsg.), Festschrift für Manfred Burgstaller zum 65. Geburtstag. Wien/Graz 2004, S. 355–373.

– For Universal Jurisdiction: Against Fletcher's Antagonism. Tulsa Law Review 39 (2004), S. 955–978.

Eser, Albin/Arnold, Jörg (Hrsg.), Strafrecht in Reaktion auf Systemunrecht. Vergleichende Einblicke in Transitionsprozesse, Bd. 2: Helmut Kreicker u.a., Deutschland. Freiburg 2000.

Eser, Albin/Sieber, Ulrich/Arnold, Jörg (Hrsg.), Strafrecht in Reaktion auf Systemunrecht. Vergleichende Einblicke in Transitionsprozesse, Bd. 8: Clivia von Dewitz, Südafrika. Berlin 2005.

Etzel, Jochen, Notstand und Pflichtenkollision im amerikanischen Strafrecht. Freiburg 1993.

Evans, Malcolm D. (Hrsg.), International Law. Oxford 2003.

Finke, Jasper/Wandscher, Christiane, Terrorismusbekämpfung jenseits militärischer Gewalt. Ansätze der Vereinten Nationen zur Verhütung und Beseitigung des internationalen Terrorismus. VN 2001, S. 168–173.

Fischer-Lescano, Andreas, Weltrecht als Prinzip. Die Strafanzeige in Deutschland gegen Donald Rumsfeld wegen der Folterungen in Abu Ghraib. KritJ 2005, S. 72–93.

– Torture in Abu Ghraib: The Complaint against Donald Rumsfeld under the German Code of Crimes against International Law. GLJ 6 (2005), S. 689–724.

Fleck, Dieter (Hrsg.), Handbuch des humanitären Völkerrechts in bewaffneten Konflikten. München 1994.

– The Handbook of the Law of Visiting Forces. Oxford 2001.

Folz, Hans-Ernst/Soppe, Martin, Zur Frage der Völkerrechtsmäßigkeit von Haftbefehlen gegen Regierungsmitglieder anderer Staaten. NStZ 1996, S. 576–583.

Frowein, Jochen Abr., Der Terrorismus als Herausforderung für das Völkerrecht. ZaöRV 62 (2002), S. 879–905.

Frowein, Jochen Abr./Peukert, Wolfgang, Europäische Menschenrechtskonvention. EMRK-Kommentar. 2. Aufl. Kehl u.a. 1996.

Gaeta, Paola, The Defence of Superior Orders: The Statute of the International Criminal Court versus Customary International Law. EJIL 10 (1999), S. 172–191.

– War Crimes Trials Before Italian Criminal Courts: New Trends. In: Horst Fischer/Claus Kreß, Sascha Rolf Lüder (eds.), International and National Prosecution of Crimes Under International Law. Current Developments. Berlin 2001, S. 751–768.

– *Ratione Materiae* Immunities of Former Heads of State and International Crimes: The *Hissène Habré* Case. JICJ 1 (2003), S. 186–196.

Gavron, Jessica, Amnesties in the Light of Developments in International Law and the Establishment of the International Criminal Court. ICLQ 51 (2002), S. 91–117.

Geiger, Rudolf, Grundgesetz und Völkerrecht. Die Bezuge des Staatsrechts zum Völkerrecht und Europarecht. 3. Aufl. München 2002.

Gil Gil, Alicia, El Genocidio y Otros Crímenes Internacionales. Valencia 1999.

– Die Tatbestände der Verbrechen gegen die Menschlichkeit und des Völkermordes im Römischen Statut des Internationalen Strafgerichtshofs. ZStW 112 (2000), S. 381–397.

Gornig, Gilbert, Immunität von Staatsoberhäuptern. In: Jörn Ipsen/Edzard Schmidt-Jortzig (Hrsg.), Recht – Staat – Gemeinwohl. Festschrift für Dietrich Rauschning. Köln u.a. 2001, S. 457–485.

Grabenwarter, Christoph, Europäische Menschenrechtskonvention. Ein Studienbuch. 2. Aufl. München/Wien 2005.

Grammer, Christoph, Der Tatbestand des Verschwindenlassens einer Person. Transposition einer völkerrechtlichen Figur ins Strafrecht. Berlin 2005.

Greenwood, Christopher J., Belligerent Reprisals in the Jurisprudence of the International Criminal Tribunal for the Former Yugoslavia. In: Horst Fischer/Claus Kreß/Sascha Rolf Lüder (Hrsg.) International and National Prosecution of Crimes under International Law. Berlin 2001, S. 539–557.

Grewe, Wilhelm/Küster, Otto, Nürnberg als Rechtsfrage. Eine Diskussion. Stuttgart 1947.

Gries, Tobias, Der aktuelle Fall: Der lange Arm des nationalen Richters: Demokratische Republik Kongo v. Königreich Belgien. HuV-I 2001, S. 19–27.

Griesbaum, Rainer, Die Zuständigkeit des Generalbundesanwalts zur Verfolgung von Völkermord und die Zusammenarbeit mit dem Jugoslawien-Gerichtshof. In: Karlmann Geiß u.a. (Hrsg.), 50 Jahre Bundesgerichtshof. Festschrift aus Anlaß des fünfzigjährigen Bestehens von Bundesgerichtshof, Bundesanwaltschaft und Rechtsanwaltschaft beim Bundesgerichtshof. Köln u.a. 2000, S. 663–678.

Gropengießer, Helmut, The Criminal Law of Genocide. The German Perspective. ICLR 5 (2005), S. 329–342.

Gropengießer, Helmut/Meißner, Jörg, Amnesties and the Rome Statute of the International Criminal Court. ICLR 5 (2005), S. 267–300.

Gross, Ivo, Die Vereinbarkeit von nationalen Amnestieregelungen mit dem Völkerstrafrecht am Beispiel von Südafrika. HuV-I 2001, S. 162–172.

Große, Christina, Der Eichmann-Prozeß zwischen Recht und Politik. Frankfurt a.M. 1995.

Grützner, Heinrich/Pötz, Paul-Günter, Internationaler Rechtshilfeverkehr in Strafsachen. Die für die Rechtsbeziehungen der Bundesrepublik Deutschland mit dem Ausland in Strafsachen maßgeblichen Bestimmungen. 2. Aufl. Heidelberg, Stand 69. Lieferung 2005.

Guradze, Heinz, Europäische Menschenrechtskonvention. Konvention zum Schutze der Menschenrechte und Grundfreiheiten nebst Zusatzprotokollen. Kommentar. Berlin u.a. 1968.

Harris, David J./O'Boyle, Michael/Warbrick, Colin, Law of the European Convention on Human Rights. London 1995.

Hebenstreit, Johannes, Repressalien im humanitären Völkerrecht. Baden-Baden 2004.

Herbst, Jochen, Immunität von Angehörigen der US-Streitkräfte vor der Strafverfolgung durch den IStGH? Zu Resolution 1422 (2002) des UN-Sicherheitsrates vom 12. Juli 2002. EuGRZ 2002, S. 581–588.

Herdegen, Matthias, Völkerrecht. 4. Aufl. München 2005.

Hermsdörfer, Willibald, Zur Immunität der Angehörigen einer Friedenstruppe der Vereinten Nationen. NZWehrr 1997, S. 100–110.

– Zum Anpassungsbedarf des deutschen Strafrechts an das Statut des Internationalen Strafgerichtshofs. HuV-I 1999, S. 22–27.

Hinz, Joachim, Das Kriegsgefangenenrecht. Unter besonderer Berücksichtigung seiner Entwicklung durch das Genfer Abkommen vom 12. August 1949. Berlin u.a. 1955.

Hobe, Stephan/Kimminich, Otto, Einführung in das Völkerrecht. 8. Aufl. Tübingen u.a. 2004.

Hoffmeister, Frank/Knoke, Sebastian, Das Vorermittlungsverfahren vor dem Internationalen Strafgerichtshof – Prüfstein für die Effektivität der neuen Gerichtsbarkeit im Völkerstrafrecht. ZaöRV 59 (1999), S. 785–808.

Hokema, Grit, Immunität von Staatsoberhäuptern. Frankfurt a.M. 2002.

Hoß, Christina/Miller, Russell A., German Federal Constitutional Court and Bosnian War Crimes: Liberalizing Germany's Genocide Jurisprudence. GYIL 44 (2001), S. 576–611.

Hummer, Waldemar/Mayr-Singer, Jelka, Der „deutsche Sonderweg" bei der Aufarbeitung von SED-Unrecht: Vergangenheitsbewältigung durch Strafjustiz. NJ 2000, S. 561–566.

Hummrich, Martin, Der völkerrechtliche Straftatbestand der Aggression. Historische Entwicklung, Geltung und Definition im Hinblick auf das Statut des Internationalen Strafgerichtshofes. Baden-Baden 2001.

Ilgner, Claudia, Besonderheiten und Problemstellungen bei Strafverfolgungsmaßnahmen und kriminalpolizeilichen Ermittlungen wegen Völkermordes, Verbrechen gegen die Menschlichkeit und Kriegsverbrechen. In: Gunnar Theissen/Martin Nagler (Hrsg.), Der Internationale Strafgerichtshof. Fünf Jahre nach Rom. Berlin 2004, S. 53–56.

Ipsen, Knut, Das „Tokyo Trial" im Lichte des seinerzeit geltenden Völkerrechts. In: Rolf Dietrich Herzberg (Hrsg.), Festschrift für Dietrich Oehler zum 70. Geburtstag. Köln 1985, S. 505–515.

– Völkerrecht. 5. Aufl. München 2004.

Jacobs, Francis G./White, Robin C.A., The European Convention on Human Rights. 2. Aufl. Oxford 1996.

Jäger, Herbert, Menschheitsverbrechen und die Grenzen des Kriminalitätskonzeptes. Theoretische Aspekte der Einsetzung eines UN-Kriegsverbrechertribunals. KritV 1993, S. 259–275.

– Makroverbrechen als Gegenstand des Völkerstrafrechts. Kriminalpolitisch-kriminologische Aspekte. In: Gerd Hankel/Gerhard Stuby (Hrsg.), Strafgerichte gegen Menschheitsverbrechen. Zum Völkerstrafrecht 50 Jahre nach den Nürnberger Prozessen. Hamburg 1995, S. 325–354.

Jarasch, Frank/Kreß, Claus, The Rome Statute and the German Legal Order. In: Claus Kreß/Flavia Lattanzi (Hrsg.), The Rome Statute and Domestic Legal Orders. Vol. I: General Aspects and Constitutional Issues. Baden-Baden/Ripa di Fagnano Alto 2000, S. 91–112.

Jescheck, Hans-Heinrich, Die Verantwortlichkeit der Staatsorgane nach Völkerstrafrecht. Eine Studie zu den Nürnberger Prozessen. Bonn 1952.

– Der strafrechtliche Schutz der internationalen humanitären Abkommen. ZStW 65 (1953), S. 458–478.

– Die Entwicklung des Völkerstrafrechts nach Nürnberg. ZStrR 72 (1957), S. 217–248.

– Gegenstand und neueste Entwicklung des internationalen Strafrechts. In: Friedrich-Christian Schroeder, Heinz Zipf (Hrsg.), Festschrift für Reinhart Maurach zum 70. Geburtstag. Karlsruhe 1972, S. 579–594.

– Entwicklung, gegenwärtiger Stand und Zukunftsaussichten des internationalen Strafrechts. GA 1981, S. 49–70.

Jescheck, Hans-Heinrich, Der Internationale Strafgerichtshof. Vorgeschichte, Entwurfsarbeiten, Statut. In: G. Bemmann/D. Spinellis (Hrsg.), Strafrecht – Freiheit – Rechtsstaat. Festschrift für G.-A. Mangakis. Athen 1999, S. 483–499.

– The General Principles of International Criminal Law Set Out in Nuremberg, as Mirrored in the ICC Statute. JICJ 2 (2004), S. 38–55.

Jescheck, Hans-Heinrich/Weigend, Thomas, Lehrbuch des Strafrechts. Allgemeiner Teil. 5. Aufl. Berlin 1996.

Jung, Susanne, Die Rechtsprobleme der Nürnberger Prozesse. Dargestellt am Verfahren gegen Friedrich Flick. Tübingen 1992.

Karl, Georg, Völkerrechtliche Immunität im Bereich der Strafverfolgung schwerster Menschenrechtsverletzungen. Baden-Baden 2003.

Karlsruher Kommentar zur Strafprozeßordnung und zum Gerichtsverfassungsgesetz mit Einführungsgesetz. Hrsg. von Gerd Pfeiffer. 5. Aufl. München 2003.

Kastner, Klaus, Der Nürnberger Prozeß. Das Internationale Militärtribunal 1945–1946. JA 1995, S. 802–811.

Kaul, Friedrich Karl/Noak, Joachim, Anwendung des Völkerstrafrechts gegen Nazi-System-Verbrechen. NJ 1969, S. 97–102.

Kaul, Hans-Peter, Baustelle für mehr Gerechtigkeit. Der Internationale Strafgerichtshof in seinem zweiten Jahr. Vereinte Nationen 2004, S. 141–149.

Khan, Daniel Erasmus, Die individuelle (völker-)strafrechtliche Verantwortlichkeit für eine völkerrechtswidrige militärische Aggression gegen den Irak. In: Kai Ambos/Jörg Arnold (Hrsg.), Der Irak-Krieg und das Völkerrecht. Berlin 2004, S. 449–470.

Kimminich, Otto/Hobe, Stephan, Einführung in das Völkerrecht. 7. Aufl. Tübingen u.a. 2000.

King, Faiza P./La Rosa, Anne-Marie, Penalties under the ICC Statute. In: Flavia Lattanzi/William A. Schabas, Essays on the Rome Statute of the International Criminal Court. Vol. I. Ripa Fagnano Alto 1999, S. 311–338.

Kissel, Otto Rudolf/Mayer, Herbert, Gerichtsverfassungsgesetz. Kommentar. 4. Aufl. München 2005.

Kittichaisaree, Kriangsak, International Criminal Law. Oxford 2001.

Kleffner, Jann K., The Impact of Complementarity on National Implementation of Substantive International Criminal Law. JICJ 1 (2003), S. 86–113.

Kniebühler, Roland Michael, Transnationales ‚ne bis in idem'. Zum Verbot der Mehrfachverfolgung in horizontaler und vertikaler Dimension. Berlin 2005.

Knoops, Geert-Jan, Defenses in Contemporary International Criminal Law. Ardsley, New York 2001.

– An Introduction to the Law of the International Criminal Tribunals. A Comparative Study. Ardsley, New York 2003.

Kohler, Josef, Strafrecht und Völkerrecht. GA 62 (1916), S. 354–372.

Kokott, Juliane, No Impunity for Human Rights Violations in the Americas. HRLJ 14 (1993), S. 153–159.

Korte, Marcus, Das Handeln auf Befehl als Strafausschließungsgrund. Die Wirkung des Befehls im Deutschen Recht und im Römischen Statut für den Internationalen Strafgerichtshof. Baden-Baden 2004.

Kotzur, Markus, „Krieg gegen den Terrorismus" – politische Rhetorik oder neue Konturen des „Kriegsbegriffs" im Völkerrecht? AVR 40 (2002), S. 454–479.

Krajewski, Markus, Selbstverteidigung gegen bewaffnete Angriffe nicht-staatlicher Organisationen – Der 11. September 2001 und seine Folgen. AVR 40 (2002), S. 183–214.

Kreicker, Helmut, Art. 7 EMRK und die Gewalttaten an der deutsch-deutschen Grenze. Zu den Urteilen des Europäischen Gerichtshofs für Menschenrechte. Baden-Baden 2002.

– Die völkerstrafrechtliche Unverjährbarkeit und die Regelung im Völkerstrafgesetzbuch. NJ 2002, S. 281–286.

– Auf dem Weg zu einem neuen Völkerstrafgesetzbuch (zu Andreas Zimmermann, ZRP 2002, 97). ZRP 2002, S. 371.

– National Prosecution of Genocide from a Comparative Perspective. ICLR 5 (2005), S. 313–328.

Kreß, Claus, Friedenssicherungs- und Konfliktvölkerrecht auf der Schwelle zur Postmoderne. Das Urteil des Internationalen Straftribunals für das ehemalige Jugoslawien (Appeals Chamber) im Fall Tadic vom 2. Oktober 1995. EuGRZ 1996, S. 638–648.

– Strafen, Strafvollstreckung und internationale Zusammenarbeit im Statut des Internationalen Strafgerichtshofes. HuV-I 11 (1998), S. 151–161.

– Die Kristallisation eines Allgemeinen Teils des Völkerstrafrechts: Die Allgemeinen Prinzipien des Strafrechts im Statut des Internationalen Strafgerichtshofs. HuV-I 1999, S. 4–10.

– Zur Methode der Rechtsfindung im Allgemeinen Teil des Völkerstrafrechts. Die Bewertung von Tötungen im Nötigungsnotstand durch die Rechtsmittelkammer des Internationalen Straftribunals für das ehemalige Jugoslawien im Fall Erdemovic. ZStW 111 (1999), S. 597–623.

– Vom Nutzen eines deutschen Völkerstrafgesetzbuchs. Baden-Baden 2000.

– Völkerstrafrecht in Deutschland. NStZ 2000, S. 617–626.

– War Crimes Committed in Non-International Armed Conflict and the Emerging System of International Criminal Justice. IYHR 30 (2001), S. 103–177.

– Völkerstrafrecht und Weltrechtspflegeprinzip im Blickfeld des Internationalen Gerichtshofs. Zum Votenstreit der Richter des IGH im Haftbefehlsfall (Demokratische Republik Kongo gegen Belgien). ZStW 114 (2002), S. 818–849.

– Der Internationale Gerichtshof im Spannungsfeld von Völkerstrafrecht und Immunitätsschutz. Besprechung von IGH, Urteil vom 14.2.2002 (Demokratische Republik Kongo gegen Belgien). GA 2003, S. 25–43.

– Strafrecht und Angriffskrieg im Licht des „Falles Irak". ZStW 115 (2003), S. 294–351.

Kurth, Michael E., Der Angriffskrieg und seine völkerstrafrechtliche Bewertung. NZWehrr 2005, S. 59–68.

Lackner, Karl/Kühl, Kristian, Strafgesetzbuch. Mit Erläuterungen. 25. Aufl. München 2004.

Lagodny, Otto, Legitimation und Bedeutung des Ständigen Internationalen Strafgerichtshofes. ZStW 113 (2001), S. 800–826.

Lagodny, Otto/Nill-Theobald, Christiane, Anmerkung zu BGH 3 StR 215/98 vom 30.4.1999. JR 2000, S. 205–207.

Lavalle, Roberto, A Vicious Storm in a Teacup: The Action by the United Nations Security Council to Narrow the Jurisdiction of the International Criminal Court. CLF 14 (2003), S. 195–220.

Leipziger Kommentar zum Strafgesetzbuch. Großkommentar. Hrsg. Burkhard Jähnke, Heinrich-Wilhelm Laufhütte, Walter Odersky. 11. Aufl. Berlin u.a., Stand 48. Lieferung 2005.

Lemkin, Raphael, Axis Rule in Occupied Europe. Washington 1944.

Less, Avner W. (Hrsg.), Schuldig. Das Urteil gegen Adolf Eichmann. Frankfurt a.M. 1987.

Löwe-Rosenberg. Die Strafprozeßordnung und das Gerichtsverfassungsgesetz. Großkommentar. Hrsg. Peter Rieß. 25. Aufl. Berlin u.a., Stand 31. Lieferung 2005.

Lüder, Sascha Rolf, Eröffnung der deutschen Gerichtsbarkeit für den Völkermord im Kosovo? NJW 2000, S. 269–270.

Lüders, Barbara, Die Strafbarkeit von Völkermord nach dem Römischen Statut für den Internationalen Strafgerichtshof. Berlin 2004.

Lüke, Monika, Die Immunität staatlicher Funktionsträger. Berlin 2000.

Maierhöfer, Christian, Weltrechtsprinzip und Immunität: das Völkerstrafrecht vor den Haager Richtern. Besprechung des Urteils des IGH vom 14.2.2002 (Demokratische Republik Kongo gegen Belgien). EuGRZ 2003, S. 545–554.

Mangoldt, Hermann von/Klein, Friedrich/Starck, Christian (Hrsg.), Das Bonner Grundgesetz. Kommentar, Bd. 2. 4. Aufl. München 2000.

Mansdörfer, Marco, Das Prinzip des ne bis in idem im europäischen Strafrecht. Berlin 2004.

Manske, Gisela, Verbrechen gegen die Menschlichkeit als Verbrechen an der Menschheit. Zu einem zentralen Begriff der internationalen Strafgerichtsbarkeit. Berlin 2003.

McAuliffe de Guzman, Margaret, The Road from Rome: The Developing Law of Crimes against Humanity. HRQ 22 (2000), S. 335–403.

Meißner, Jörg, Die Zusammenarbeit Deutschlands mit dem Internationalen Strafgerichtshof. Anmerkungen zum Regierungsentwurf eines IStGH-Gesetzes. HuV-I 2002, S. 36–42.

– Das Gesetz zur Ausführung des Römischen Statuts des Internationalen Strafgerichtshofs. NJ 2002, S. 347–350.

– Die Zusammenarbeit mit dem Internationalen Strafgerichtshof nach dem Römischen Statut. München 2003.

Merkel, Reinhard, Das Recht des Nürnberger Prozesses. Gültiges, Fragwürdiges, Überholtes. In: Nürnberger Menschenrechtszentrum (Hrsg.), Von Nürnberg nach Den Haag. Menschenrechtsverbrechen vor Gericht. Zur Aktualität des Nürnberger Prozesses. Hamburg 1996, S. 68–92.

– Gründe für den Ausschluss der Strafbarkeit im Völkerstrafrecht. ZStW 114 (2002), S. 437–454.

Meseke, Stephan, Der Tatbestand der Verbrechen gegen die Menschlichkeit nach dem Römischen Statut des Internationalen Strafgerichtshofes. Eine völkerstrafrechtliche Analyse. Berlin 2004.

Meyer-Goßner, Lutz, Strafprozessordnung. Gerichtsverfassungsgesetz, Nebengesetze und ergänzende Bestimmungen. 48. Aufl. München 2005.

Miller, Robert H., The Convention on the Non-Applicability of Statutory Limitations to War Crimes and Crimes against Humanity. AJIL 65 (1971), S. 476–501.

Minear, Richard H., Victor's Justice. The Tokyo War Crimes Trial. Princeton, New Jersey 1971.

Münchener Kommentar zum Strafgesetzbuch. Hrsg. von Wolfgang Joecks, Klaus Miebach. Bd. 1 und Bd. 3. München 2003.

Murswiek, Dietrich, Die amerikanische Präventivkriegsstrategie und das Völkerrecht. NJW 2003, S. 1014–1020.

Nahlik, Stanisław Edward, Development of Diplomatic Law. Selected Problems. RdC 1990 III, S. 187–363.

Nellessen, Bernd, Der Prozeß von Jerusalem. Ein Dokument. Düsseldorf u.a. 1964.

Nemitz, Jan Christoph, Strafzumessung im Völkerstrafrecht. Ein Beitrag zur Strafzwecklehre und zur Strafzumessungsmethode unter besonderer Berücksichtigung des Römischen Statuts. Freiburg 2002.

– Sentencing in the Jurisprudence of the International Criminal Tribunals for the Former Yugoslavia and Rwanda. In: Horst Fischer/Claus Kreß/Sascha Rolf Lüder (Hrsg.), International and National Prosecution of Crimes Under International Law. Current Developments. 2. Aufl. Berlin 2004, S. 605–626.

Nemitz, Jan Christoph/Wirth, Steffen, Der aktuelle Fall. Legal Aspects of the Appeals Decision in the Erdemovic-case: the Plea of Guilty and Duress in International Humanitarian Law. HuV-I 11 (1998), S. 43–53.

Nerlich, Volker, Apartheidkriminalität vor Gericht. Der Beitrag der südafrikanischen Strafjustiz zur Aufarbeitung von Apartheidunrecht. Berlin 2002.

Neuner, Matthias, General Principles of International Criminal Law in Germany. In: Matthias Neuner (Hrsg.), National Legislation Incorporating International Crimes. Approaches of Civil and Common Law Countries. Berlin 2003, S. 105–136.

Nill-Theobald, Christiane, „Defences" bei Kriegsverbrechen am Beispiel Deutschlands und der USA. Zugleich ein Beitrag zu einem Allgemeinen Teil des Völkerstrafrechts. Freiburg 1998.

Nowak, Manfred, UNO-Pakt über bürgerliche und politische Rechte und Fakultativprotokoll. CCPR-Kommentar. Kehl u.a. 1989.

Nowak, Manfred, U.N. Covenant on Civil and Political Rights. CCPR-Kommentar. Kehl u.a. 1993.

Oehler, Dietrich, Internationales Strafrecht. 2. Aufl. Köln u.a. 1983.

– Anmerkung zu BGH 1 BGs 100/94 vom 13.2.1994. NStZ 1994, S. 485.

Oellers-Frahm, Karin, Grenzen des Weltrechtsprinzips. VN 2002, S. 121–122.

Oellers-Frahm, Karin/Specht, Britta, Die Erdemovic-Rechtsprechung des Jugoslawientribunals: Probleme bei der Entwicklung eines internationalen Strafrechts, dargestellt am Beispiel des Notstands. ZaöRV 58 (1998), S. 389–414.

Oeter, Stefan, Terrorism and "Wars of National Liberation" from a Law of War Perspective. Traditional Patterns and Recent Trends. ZaöRV 49 (1989), S. 445–486.

Orakhelasvili, Alexander, Arrest Warrant of 11 April 2000 (Democratic Republic of Congo v. Belgium). AJIL 96 (2002), S. 677–684.

– State Immunity and International Public Order. GYIL 45 (2002), S. 227–267.

Peglau, Jens, Die Vorschriften zu Strafen und Strafzumessung für den Internationalen Strafgerichtshof und ihre Bedeutung für das nationale Strafrecht. HuV-I 2001, S. 247–250.

Peters, Anne, Einführung in die Europäische Menschenrechtskonvention. Mit rechtvergleichenden Bezügen zum deutschen Grundgesetz. München 2003.

Quarch, Matthias, Die völkerrechtliche Immunität der Sondermissionen. Diss. Köln 1991.

Radbruch, Gustav, Anmerkung zum Urteil des LG Konstanz vom 28. Februar 1947, SJZ 1947, Sp. 343–345.

Radtke, Henning/Busch, Dirk, Transnationaler Strafklageverbrauch in der Europäischen Union – EuGH, Urteil vom 11.2.2003 –. NStZ 2003, S. 281–288.

Rau, Markus, Der aktuelle Fall: Die belgische Justiz als Wächter über die Menschenrechte? Das Urteil der „Cour de cassation de Belgique" im Fall Sharon vom 12. Februar 2003. HuV-I 2003, S. 92–100.

Richtsteig, Michael, Wiener Übereinkommen über diplomatische und konsularische Beziehungen. Entstehungsgeschichte, Kommentierung, Praxis. Baden-Baden 1994.

Rissing-van Saan, Ruth, The German Federal Supreme Court and the Prosecution of International Crimes Committed in the Former Yugoslavia. JICJ 3 (2005), S. 381–399.

Rivello, Pier Paolo, The Prosecution of War Crimes Committed by Nazi Forces in Italy. JICJ 3 (2005), S. 422–433.

Robinson, Nehemiah, The Genocide Convention. A Commentary. New York 1960.

Roggemann, Herwig, Der Ständige Internationale Strafgerichtshof und das Statut von Rom 1998, NJ 1998, S. 505–509.

– Die Internationalen Strafgerichtshöfe. Einführung – Rechtsgrundlagen – Dokumente. 2. Aufl. Berlin 1998.

Rückerl, Adalbert, NS-Verbrechen vor Gericht. 2. Aufl. Heidelberg 1984.

Rüping, Hinrich, Die völkerrechtliche Immunität im Strafverfahren. In: Karl-Heinz Gössel u.a. (Hrsg.), Strafverfahren im Rechtsstaat. Festschrift für Theodor Kleinknecht. München 1985, S. 397–409.

Ruffert, Matthias, Pinochet Follow Up: The End of Sovereign Immunity? NILR 2001, S. 171–195.

– Terrorismusbekämpfung zwischen Selbstverteidigung und kollektiver Sicherheit. Die Anschläge vom 11. September 2001 und die Intervention in Afghanistan. ZRP 2002, S. 247–252.

Sachs, Michael (Hrsg.), Grundgesetz. Kommentar, 3. Aufl. München 2003.

Safferling, Christoph J.M., Zum aktuellen Stand des Völkerstrafrechts. Eine kurze Darstellung der Entwicklung vor und nach der Römischen Konferenz. JA 2000, S. 164–169.

Saland, Per, International Criminal Law Principles. In: Roy S. Lee (Hrsg.), The International Criminal Court. The Making of the Rome Statute. Issues, Negotiations, Results. Den Haag 1999, S. 189–216.

Satow, Ernest Mason, Satow's guide to diplomatic practice. Hrsg. von Lord Gore-Booth. 5. Aufl. London 1979.

Satzger, Helmut, Das neue Völkerstrafgesetzbuch. Eine kritische Würdigung. NStZ 2002, S. 125–132.

– German Criminal Law and the Rome Statute – A Critical Analysis of the New German Code of Crimes Against International Law. ICLR 2002, S. 261–282.

– Internationales und Europäisches Strafrecht. Baden-Baden 2005.

Schabas, William A., General Principles of Criminal Law in the International Criminal Court Statute (Part III). Eur.J.CrimeCr.L.Cr.J. 6 (1998), S. 400–428.

– Genocide in International Law. Cambridge 2000.

– National Courts Finally Begin to Prosecute Genocide, the 'Crime of Crimes'. JICJ 1 (2003), S. 39 (63).

– An Introduction to the International Criminal Court. 2. Aufl. Cambridge 2004.

Scharf, Michael, The letter of law: The scope of the international legal obligation to prosecute Human Rights Crimes. Law and Contemporary Problems 59 (1996), S. 41–61

– The Amnesty Exception to the Jurisdiction of the International Criminal Court. CornILJ 1999, S. 507–527.

Schilling, Theodor, Ungeschriebene Strafpflichten. Eine wertende Bestandsaufnahme des Völker-, Gemeinschafts- und (deutschen) Verfassungsrechts. ZÖR 54 (1999), S. 357–407.

Schlösser, Jan, Mittelbare individuelle Verantwortlichkeit im Völkerstrafrecht. Zur strafrechtlichen Verantwortlichkeit des sogenannten Schreibtischtäters im Völkerstrafrecht. Berlin 2004.

Schmidt, Martin, Externe Strafpflichten. Völkerstrafrecht und seine Wirkungen im deutschen Strafrecht. Frankfurt a.M. 2002.

Schneider, Michaela, Der 11. September und die militärischen Reaktionen: Anwendbarkeit des humanitären Völkerrechts? HuV-I 2001, S. 222–226.

Schönke, Adolf/Schröder, Horst, Strafgesetzbuch. Kommentar. 26. Aufl. München 2001.

Schomburg, Wolfgang, Konkurrierende nationale und internationale Strafgerichtsbarkeit und der Grundsatz „Ne bis in idem". In: Jörg Arnold u.a. (Hrsg.), Menschengerechtes Strafrecht. Festschrift für Albin Eser zum 70. Geburtstag. München 2005, S. 829–846.

Schomburg, Wolfgang/Lagodny, Otto, Internationale Rechtshilfe in Strafsachen. International Cooperation in Criminal Matters. 3. Aufl. München 1998.

Schotten, Gregor, Der aktuelle Fall: Verbrechen italienischer UNO-Soldaten in Somalia – who guards the guards? HuV-I 10 (1999), S. 222–227.

Schultz, Nikolaus, Ist *Lotus* verblüht? Anmerkungen zum Urteil des IGH vom 14. Februar 2002 im Fall betreffend den Haftbefehl vom 11. April 2000 (Demokratische Republik Kongo gegen Belgien). ZaöRV 62 (2002), S. 703–758.

Schweitzer, Michael, Staatsrecht, Völkerrecht, Europarecht. 8. Aufl. Heidelberg 2004.

Schweitzer, Michael/Weber, Albrecht, Handbuch der Völkerrechtspraxis der Bundesrepublik Deutschland. Baden-Baden 2004.

Schwengler, Walter, Völkerrecht, Versailler Vertrag und Auslieferungsfrage. Die Strafverfolgung wegen Kriegsverbrechen als Problem des Friedensschlusses 1919/20. Stuttgart 1982.

Schwenk, Hans-Günter, Wehrstrafrecht im System des Wehrrechts und in der gerichtlichen Praxis. Frankfurt a.M. 1973.

– Die kriegerische Handlung und die Grenzen ihrer strafrechtlichen Rechtfertigung. In: Günter Warda u.a. (Hrsg.), Festschrift für Richard Lange zum 70. Geburtstag. Berlin 1976, S. 97–118.

– Gesetzgeberische Konsequenzen aus den Verboten der Zusatzprotokolle. NZWehrr 20 (1978), S. 199–212.

Seidel, Gerd/Stahn, Carsten, Das Statut des Weltstrafgerichtshofs. Ein Überblick über Entstehung, Inhalt und Bedeutung. Jura 1999, S. 14–21.

Seidenberger, Ulrich, Die diplomatischen und konsularischen Immunitäten und Privilegien. Ein Beitrag zur Diskussion über die Reformbedürftigkeit des Diplomaten- und Konsularrechts aus staats- und völkerrechtlicher Sicht. Frankfurt a.M. 1994.

Seidl-Hohenveldern, Ignaz/Stein, Torsten, Völkerrecht. 10. Aufl. Köln u.a. 2000.

Selbmann, Frank, Der Tatbestand des Genozids im Völkerstrafrecht. Leipzig 2002.

Selle, Dirk von, Prolog zu Nürnberg – Die Leipziger Kriegsverbrecherprozesse vor dem Reichsgericht. ZNR 19 (1997), S. 193–209.

Sieber, Ulrich, The Punishment of Serious Crimes. A comparative analysis of sentencing law and practice. Vol. 1: Expert Report. Freiburg 2004.

Sieber, Ulrich (Hrsg.), The Punishment of Serious Crimes. A comparative analysis of sentencing law and practice. Vol. 2: Country Reports. Freiburg 2004.

Simbeye, Yitiha, Immunity and International Criminal Law. Aldershot 2004.

Stahn, Carsten, Zwischen Weltfrieden und materieller Gerechtigkeit: Die Gerichtsbarkeit des Ständigen Internationalen Strafgerichtshofs (IntStGH). EuGRZ 1998, S. 577–591.

Stahn, Carsten, Internationaler Menschenrechtsschutz und Völkerstrafrecht. KritJ 1999, S. 343–354.

– International Law at a Crossroads? The Impact of September 11. ZaöRV 62 (2002), S. 183–255.

Stahn, Carsten/Eiffler, Sven R., Über das Verhältnis von Internationalem Menschenrechtsschutz und Völkerstrafrecht anhand des Statuts von Rom. KritV 1999, S. 253–277.

Staudinger, Ilka, Eröffnung der deutschen Gerichtsbarkeit für den Völkermord im Kosovo? NJW 1999, S. 3099–3100.

Stein, Sibyl, Ein Meilenstein für das europäische „ne bis in idem". NJW 2003, S. 1162–1164.

– Zum europäischen ne bis in idem nach Artikel 54 des Schengener Durchführungsübereinkommens. Zugleich ein Beitrag zur rechtsvergleichenden Auslegung zwischenstaatlich geltender Vorschriften. Frankfurt a.M. 2004.

Stein, Torsten/Buttlar, Christian von, Völkerrecht. 11. Aufl. Köln u.a. 2005.

Sunga, Lyal S., The Emerging System of International Criminal Law. Developments in Codification and Implementation. Den Haag u.a. 1997.

Tangermann, Christoph, Die völkerrechtliche Immunität von Staatsoberhäuptern. Grundlagen und Grenzen. Berlin 2002.

Thomas, Herbert, Das Recht auf Einmaligkeit der Strafverfolgung. Baden-Baden 2002.

Tietje, Christian/Nowrot, Karsten, Völkerrechtliche Aspekte militärischer Maßnahmen gegen den Internationalen Terrorismus. NZWehrr 2002, S. 1–18.

Tomuschat, Christian, Die Arbeit der ILC im Bereich des materiellen Völkerstrafrechts. In: Gerd Hankel/Gerhard Stuby (Hrsg.), Strafgerichte gegen Menschheitsverbrechen: zum Völkerstrafrecht 50 Jahre nach den Nürnberger Prozessen. Hamburg 1995, S. 270–294.

– Das Strafgesetzbuch der Verbrechen gegen den Frieden und die Sicherheit der Menschheit. Code of Crimes against the Peace and Security of Mankind. Entwurf der International Law Commission. EuGRZ 1998, S. 1–7.

– Der 11. September 2001 und seine rechtlichen Konsequenzen. EuGRZ 2001, S. 535–545.

– The Duty to Prosecute International Crimes Committed by Individuals. In: Hans-Joachim Cremer u.a. (Hrsg.), Tradition und Weltoffenheit des Rechts. Festschrift für Helmut Steinberger. Berlin u.a. 2002, S. 315–349.

Triffterer, Otto, Völkerstrafrecht im Wandel? In: Theo Vogler u.a. (Hrsg.), Festschrift für Hans-Heinrich Jescheck zum 70. Geburtstag. Berlin 1985, S. 1477–1503.

– Der ständige Internationale Strafgerichtshof – Anspruch und Wirklichkeit. Anmerkungen zum „Rome Statute of the International Criminal Court" vom 17. Juli 1998. In: Karl Heinz Gössel/Otto Triffterer (Hrsg.), Gedächtnisschrift für Heinz Zipf. Heidelberg 1999, S. 493–558.

Triffterer, Otto, Legal and Political Implications of Domestic Ratification and Implementation Processes. In: Claus Kreß/Flavia Lattanzi (Hrsg.), The Rome Statute and Domestic Legal Orders. Vol. I: General Aspects and Constitutional Issues. Baden-Baden/Ripa di Fagnano Alto 2000, S. 1–28.

– Kriminalpolitische und dogmatische Überlegungen zum Entwurf gleichlautender „Elements of Crimes“ für alle Tatbestände des Völkermordes. In: Bernd Schünemann u.a. (Hrsg.), Festschrift für Claus Roxin. Berlin/New York 2001, S. 1415–1445.

– „Command Responsibility“. Grundstrukturen und Anwendungsbereiche von Art. 28 des Rom Statutes. Eignung, auch zur Bekämpfung des internationalen Terrorismus? In: Cornelius Prittwitz u.a. (Hrsg.). Festschrift für Klaus Lüderssen. Baden-Baden 2002, S. 437–462.

– Der lange Weg zu einer internationalen Strafgerichtsbarkeit. ZStW 114 (2002), S. 321–371.

– Hans-Heinrich Jeschecks Einfluss auf die Entwicklung des Völkerstrafrechts und auf dessen Durchsetzung. ZStW 116 (2004), S. 959–998.

– „Command Responsibility“ – crimen sui generis or participation as „otherwise provided“ in Article 28 Rome Statute? In: Jörg Arnold u.a. (Hrsg.), Menschengerechtes Strafrecht. Festschrift für Albin Eser zum 70. Geburtstag. München 2005, S. 901–924.

– (Hrsg.), Commentary on the Rome Statute of the International Criminal Court. Observers' Notes, Article by Article. Baden-Baden 1999.

Tröndle, Herbert/Fischer, Thomas, Strafgesetzbuch und Nebengesetze. 53. Aufl. München 2006.

Verdross, Alfred, Die völkerrechtswidrige Kriegshandlung und der Strafanspruch der Staaten. Berlin 1920.

Verdross, Alfred/Simma, Bruno, Universelles Völkerrecht. Theorie und Praxis. 3. Aufl. Berlin 1984.

Vest, Hans, Humanitätsverbrechen – Herausforderung für das Individualstrafrecht? ZStW 113 (2001), S. 457–498.

– Genozid durch organisatorische Machtapparate. An der Grenze von individueller und kollektiver Verantwortlichkeit. Baden-Baden 2002.

Vitzthum, Wolfgang Graf (Hrsg.), Völkerrecht. 3. Aufl. Berlin 2004.

Vogel, Joachim, Individuelle Verantwortlichkeit im Völkerstrafrecht. ZStW 114 (2002), S. 403–436.

Vogler, Theo, Immunität, Exterritorialität und Asylrecht im internationalen Strafrecht. ZStW 92 (1980), S. 1021–1046.

Walter, Christian, Defining Terrorism in National and International Law. In: Christian Walter u.a. (Hrsg.), Terrorism as a Challenge for National and International Law: Security versus Liberty? Berlin u.a. 2004, S. 23–43.

Walther, Susanne, Terra Incognita: Wird staatliche internationale Strafgewalt den Menschen gerecht? – Exemplarisch am Beispiel des Territorial- und des Weltrechtsprinzips –. In: Jörg Arnold u.a. (Hrsg.), Menschengerechtes Strafrecht. Festschrift für Albin Eser zum 70. Geburtstag. München 2005, S. 925–954.

Warbrick, Colin, Immunity and International Crimes in English Law. ICLQ 53 (2004), S. 769–774.

Watts, Arthur, The Legal Position in International Law of Heads of States, Heads of Governments and Foreign Ministers. RdC 247 (1994 III), S. 9–130.

Watzek, Jens, Rechtfertigung und Entschuldigung im englischen Strafrecht. Eine Strukturanalyse der allgemeinen Strafbarkeitsvoraussetzungen aus deutscher Perspektive. Freiburg 1997.

Wegner, Arthur, Kriminelles Unrecht, Staatsunrecht und Völkerrecht. Hamburg 1925.

Weigend, Thomas, Zur Frage eines „internationalen" Allgemeinen Teils. In: Bernd Schünemann u.a. (Hrsg.), Festschrift für Claus Roxin zum 70. Geburtstag. Berlin u.a. 2002, S. 1375–1399.

– Das Völkerstrafgesetzbuch – nationale Kodifikation internationalen Rechts. In: Otto Triffterer (Hrsg.), Gedächtnisschrift für Theo Vogler. Heidelberg 2004, S. 197–212.

– Bemerkungen zur Vorgesetztenverantwortlichkeit im Völkerstrafrecht. ZStW 116 (2004), S. 999–1027.

– Grund und Grenzen universaler Gerichtsbarkeit. In: Jörg Arnold u.a. (Hrsg.), Menschengerechtes Strafrecht. Festschrift für Albin Eser zum 70. Geburtstag. München 2005, S. 955–976.

Weiß, Wolfgang, Völkerstrafrecht zwischen Weltprinzip und Immunität. JZ 2002, S. 696–704.

Weltz, Kerstin, Die Unterlassungshaftung im Völkerstrafrecht. Eine rechtsvergleichende Untersuchung des französischen, US-amerikanischen und deutschen Rechts. Freiburg 2004.

Werle, Gerhard, Menschenrechtsschutz durch Völkerstrafrecht. ZStW 109 (1997), S. 808–829.

– Anmerkung zu BGH 3 StR 215/98 vom 30.4.1999. JZ 1999, S. 1181–1184.

– Völkerstrafrecht und geltendes deutsches Strafrecht. JZ 2000, S. 755–760.

– Konturen eines deutschen Völkerstrafrechts. Zum Arbeitsentwurf eines Völkerstrafgesetzbuches. JZ 2001, S. 885–895.

– Völkerstrafrecht. Tübingen 2003.

– Principles of International Criminal Law. Den Haag 2005.

Werle, Gerhard/Jeßberger, Florian, Das Völkerstrafgesetzbuch. JZ 2002, S. 725–734.

– International Criminal Justice Coming Home: The New German Code of Crimes against International Law. CLF 13 (2002), S. 191–223.

– 'Unless Otherwise Provided': Article 30 of the ICC Statute and the Mental Element of Crimes under International Criminal Law. JICJ 3 (2005), S. 35–55.

Werle, Gerhard/Nerlich, Volker, Die Strafbarkeit von Kriegsverbrechen nach deutschem Recht. HuV-I 2002, S. 124–134.

Wessels, Johannes/Beulke, Werner, Strafrecht. Allgemeiner Teil. Die Straftat und ihr Aufbau. 35. Aufl. Heidelberg 2005.

Westdickenberg, Gerd/Fixon, Oliver, Das Verbrechen der Aggression im Römischen Statut des Internationalen Strafgerichtshofes. In: Jochen Abr. Frowein u.a. (Hrsg.), Verhandeln für den Frieden. Negotiating for Peace. Liber Amicorum Tono Eitel. Berlin u.a. 2003, S. 483–525.

Wilkitzki, Peter, Die völkerrechtlichen Verbrechen und das staatliche Strafrecht (Bundesrepublik Deutschland). ZStW 99 (1987), S. 455–478.

– The German law on co-operation with the ICC. ICLR 2002, S. 195–212.

Wirth, Steffen, Staatenimmunität für internationale Verbrechen – das zweite Pinochet-Urteil des *House of Lords*. Jura 2000, S. 70–76.

– Anmerkung zu OLG Köln 2 Zs 1330/99 vom 16.5.2000. NStZ 2001, S. 665–667.

– Immunities, Related Problems, and Article 98 of the Rome Statute. CLF 12 (2001), S. 429–458.

– Immunity for Core Crimes? The ICJ's Judgment in the Congo v. Belgium Case. EJIL 13 (2002), S. 877–893.

Wirth, Steffen/Harder, Jan C., Die Anpassung des deutschen Rechts an das Römische Statut des Internationalen Strafgerichtshofs aus der Sicht deutscher Nichtregierungsorganisationen. ZRP 2000, S. 144–147.

Wolny, Kerstin, Ist das Aggressionsverbrechen nach heutigem Völkerrecht strafbar? Eine Bestandsaufnahme im Lichte aktueller Kriegsdrohungen gegen den Irak. KritJ 2003, S. 48–63.

Wouters, Jan, The Judgement of the International Court of Justice in the *Arrest Warrant* Case: Some Critical Remarks. LJIL 16 (2003), S. 253–267.

Wouters, Jan/Naert, Frederik, Shockwaves through International Law after 11 September: Finding the Right Responses to the Challenges of International Terrorism. In: Cyrille Fijnaut/Frederik Naert/Jan Wouters (Hrsg.), Legal Instruments in the Fight against International Terrorism. A Transatlantic Dialogue. Leiden u.a. 2004, S. 411–545.

Zappalà, Salvatore, Do Heads of State in Office Enjoy Immunity from Jurisdiction for International Crimes? The *Ghaddafi Case* Before the French *Cour de Cassation*. EJIL 12 (2001), S. 595–612.

Zehnder, Bruno, Immunität von Staatsoberhäuptern und der Schutz elementarer Menschenrechte – der Fall Pinochet. Baden-Baden 2003.

Zeichen, Sigrid/Hebenstreit, Johannes, Kongo v. Belgien. Sind Außenminister vor Strafverfolgung wegen völkerstrafrechtlicher Verbrechen immun? Zur Entscheidung des IGH im Fall „Arrest Warrant of 11 April 2000 (Democratic Republic of the Congo v. Belgium)". AVR 41 (2003), S. 182–200.

Zimmermann, Andreas, Auf dem Weg zu einem deutschen Völkerstrafgesetzbuch. Entstehung, völkerrechtlicher Rahmen und wesentliche Inhalte. ZRP 2002, S. 97–102.

– Bestrafung völkerrechtlicher Verbrechen durch deutsche Gerichte nach In-Kraft-Treten des Völkerstrafgesetzbuchs. NJW 2002, S. 3068–3070.

Zimmermann, Andreas, Main Features of the New German Code of Crimes against International Law (Völkerstrafgesetzbuch). In: Matthias Neuner (Hrsg.), National Legislation Incorporating International Crimes. Approaches of Civil and Common Law Countries. Berlin 2003, S. 137–155.

Zimmermann, Stefan, Strafrechtliche Vergangenheitsaufarbeitung und Verjährung. Rechtsdogmatische und -politische Analyse mit vergleichenden Ausblicken nach Tschechien, Ungarn und Frankreich. Freiburg 1997.

Stichwortverzeichnis

Die Angaben beziehen sich auf die Seitenzahlen des Buches. Aufgeführt ist stets nur die erste Seite (der Beginn) des Textabschnitts, auf den sich das Stichwort bezieht.

P

R

S

T

Nachwort des Projektinitiators

Als dem Initiator dieses Projekts mag mir ein abschließendes Wort gestattet sein. In aller Klarheit sei vorausgeschickt: Diesen Band gebe ich mit gemischten Gefühlen aus der Hand.

Natürlich geschieht dies einerseits mit Befriedigung und Erleichterung: Nicht nur, dass es immer erfreulich ist, wenn man ein Forschungsvorhaben zum Abschluss bringen konnte; vielmehr kommt hier hinzu, dass ich dieses Projekt zwar noch während meiner Amtszeit als MPI-Direktor hatte initiieren, mitkonzipieren und auf den Weg bringen können, die volle Ausführung aber über die mir verbleibende Zeit hinausging und daher der wohlwollenden Fortführung durch meinen Amtsnachfolger bedurfte. Umso mehr bin ich Prof. Dr. *Ulrich Sieber* dafür dankbar, dass er diesem gleichsam „ererbten" Projekt unter Hintanstellung eigener Vorhaben seine vorbehaltlose Unterstützung angedeihen ließ.

Es sind freilich nicht nur solche zeitlichen Hürden, die für die Vollendung dieses Projekts zu überwinden waren. Vielmehr war schon die Idee dazu – jedenfalls aus damaliger Sicht – keine Selbstverständlichkeit. Denn wie schon in meinem Vorwort zum ersten Projektband angedeutet, war man sich nach der Rom-Konferenz vom Juli 1998 in der ersten Euphorie über den epochalen Durchbruch zur Errichtung eines ständigen Internationalen Strafgerichtshofs noch alles andere als klar darüber, welche Auswirkungen die internationale Strafgerichtsbarkeit für die nationale Strafgewalt haben könnte. Erst als man sich allmählich bewusst wurde, dass die in nationalem Souveränitätsinteresse auf der Rom-Konferenz erkämpfte bloße „Komplementarität" des Internationalen Strafgerichtshofs zwar der nationalen Strafjustiz zunächst einmal Priorität einräumte, bei deren Nichtwahrnehmung – mangels nationalen Könnens oder Wollens – aber dann die internationale Strafgewalt zum Zuge kommt, trat die Zweischneidigkeit der gerne als „Zauberformel" gefeierten Komplementarität zutage: Wenn nämlich die nationale Strafgerichtsbarkeit in ihrem Souveränitätsinteresse ihre Priorität gegenüber dem Internationalen Strafgerichtshof wahren will, muss sie ihr materielles und formelles Strafrecht so gestalten, dass sie bei Verdacht von Völkerrechtsverbrechen die Verfolgung aufnehmen kann, um nicht die Zuständigkeit an den Internationalen Strafgerichtshof zu verlieren. Insofern kann sich die nationale Strafgewalt, wenn sie dem Eingreifen der internationalen Strafgerichtsbarkeit zuvorkommen will, schon im Eigeninteresse zu einer einsatzfähigen Gestaltung ihres strafrechtlichen Instrumentariums genötigt sehen. Weniger eigennützig kann freilich ein Land die bloße Komplementarität des Internationalen Strafgerichtshofs auch als internationale Verpflichtung sehen, nämlich in der Weise, dass durch Einsatz des nationalen Strafrechts die internationale Strafjustiz vor Überlastung bewahrt wird. In diesem Sinne erweist sich das nationale Zuständigkeitsprivileg zugleich als internationale Verpflichtung.

Wie nun diese Herausforderung des Komplementaritätsprinzips auf nationaler Ebene einzusetzen sei, war um die Jahrtausendwende eine mancherorts noch gar nicht recht wahrgenommene oder andernorts bereits kontrovers diskutierte Frage. Umso mehr erschien es uns als einem dem Internationalen Strafrecht verpflichteten Institut sowohl aus wissenschaftlichem als auch rechtspolitischem Interesse geboten, einen rechtsvergleichenden Überblick darüber zu gewinnen, in welchem Umfang und auf welche Weise die nationalen Gesetzgeber durch entsprechende Gestaltung ihres Strafrechts die nationale Verfolgung von völkerrechtlichen Verbrechen ermöglichen und, falls darauf noch nicht vorbereitet, ihr jeweiliges Strafrecht entsprechend reformieren können.

Ohne damals bereits ahnen zu können, welches Ausmaß dieses Forschungsvorhaben schließlich annehmen würde, konnte ich dankenswerterweise Herrn *Helmut Kreicker*, den damaligen wissenschaftlichen Referenten für internationales Strafrecht am Max-Planck-Institut, für das Mitentwerfen des Konzepts und die Gesamtkoordination des Projekts gewinnen. Umso mehr habe ich ihm dafür zu danken, dass er sich unter selbstloser Hintanstellung seines Promotionsvorhabens mit unermüdlicher Tatkraft dieser Aufgabe gestellt und schließlich auch noch neben seiner beruflichen Inanspruchnahme im niedersächsischen Justizdienst den rechtsvergleichenden Querschnitt fertiggestellt hat. All dies wäre natürlich nicht möglich gewesen, wenn nicht zuvor die jeweiligen Landesberichte erstellt und in eine veröffentlichungsreife Fassung gebracht worden wären. Deshalb gilt auch an dieser Stelle einmal mehr mein herzlicher Dank allen, die in irgendeiner Weise an diesem Projekt mitgewirkt und zu seinem Gelingen beigetragen haben.

So sehr ich daher allen Grund zu Dankbarkeit und Freude über ein zu Ende geführtes Projekt habe, ist meine Befriedigung nicht ganz ungetrübt. Den Grund dafür habe ich vornehmlich bei mir selbst zu suchen, und zwar darin, dass ich ursprünglich beabsichtigt hatte, unter Gesamtwürdigung des Projekts und der daraus zu ziehenden Erkenntnisse noch eine rechtspolitische Schlussbewertung anzufügen. Diese Planung ließ sich jedoch nicht mehr einhalten, nachdem ich im Jahr 2004 zum Richter am Internationalen Strafgerichtshof für das ehemalige Jugoslawien in Den Haag berufen worden war. Von da an vermochte ich dadurch weder die erforderliche Zeit zur systematischen Durcharbeitung des bis fast schon ins Unübersehbare angewachsenen Materials noch die notwendige Muße für ein von Zeitdruck und anderweitiger Ablenkung freies Entwickeln und Überdenken möglicher Schlussfolgerungen und Empfehlungen zu finden.

Umso mehr trage ich mich mit der Hoffnung, in absehbarer Zeit doch noch Freiraum für eine rechtspolitische Nachbetrachtung der Ergebnisse dieses Projekts zu gewinnen und auf anderem Wege publik zu machen. Dabei denke ich, auch richterliche Erfahrungen aus der internationalen Strafjustiz einbringen zu können, wie ich sie während meiner Tätigkeit in Den Haag sammeln konnte.

Auf diese Weise hoffe ich auch einen Beitrag zur Weiterentwicklung des Völkerstrafrechts leisten zu können, wie es in der von Prof. *Sieber* in seinem Geleitwort beschriebenen Zielsetzung des Instituts liegt.

Gleiches gilt auch für die von Prof. *Sieber* unterstrichene Bedeutung der Strafrechtsvergleichung. Auch zu deren methodischer Fortentwicklung erwarte ich, demnächst den Abschlussbericht eines von Prof. Dr. *Walter Perron* maßgeblich mitbetreuten Projekts eines „Allgemeinen strafrechtlichen Strukturvergleichs" vorlegen zu können.

Freiburg, im November 2006 *Albin Eser*

Herausgeber und Autor

Eser, Albin (1935)

Prof. Dr. iur. (Würzburg); Dr. h.c. mult. (Krakau/Polen, Huancayo/Peru, Waseda Universität Tokio/Japan), M.C.J. (New York University). Nach Professuren in Bielefeld (1970) und Tübingen (1974) seit 1982 bis zu seiner Emeritierung Inhaber des Lehrstuhls für Strafrecht, Strafprozessrecht und Rechtsvergleichung an der Universität Freiburg und Direktor des dortigen Max-Planck-Instituts. Von 1971 bis 1988 im Nebenamt Richter an den Oberlandesgerichten Hamm und Stuttgart. Von 2004 bis 2006 Richter am Internationalen Strafgerichtshof für das ehemalige Jugoslawien in Den Haag. Gastprofessor an der New York University (1973), der University of California at Los Angeles (1977, 1981), der Columbia University in New York (1986, 2003), der University of Texas/Medical Branch in Galveston (2002). Vizepräsident der Deutschen Forschungsgemeinschaft (1989–1992). Vorsitzender der Geisteswissenschaftlichen Sektion der Max-Planck-Gesellschaft (1994–1997). Verfasser (und Mitherausgeber) zahlreicher Aufsätze und Monographien zum deutschen, ausländischen und internationalen Straf- und Strafverfahrensrecht, Umweltrecht, Medizinrecht. Aus dem vorliegenden Themenbereich u.a. Internationales Strafrecht im StGB-Kommentar von Schönke/Schröder (seit 1975, zuletzt 2006), *„Defences" im Strafverfahren wegen Kriegsverbrechen* (1996), *Funktionen und Methoden der Strafrechtsvergleichung* (1998), *Grounds for Excluding Criminal Responsibility* (1999), *Individual Criminal Responsibility* (2002), *Auf dem Weg zu einem internationalen Strafgerichtshof* (2003), *Internationale und Universale Nationale Strafgerichtsbarkeit* (deutsch-griechische Ausgabe, 2003), *National Jurisdiction over International Crimes* (2003). Mitherausgeber der Schriftenreihe „Rechtsvergleichende Untersuchungen zur gesamten Strafrechtswissenschaft".

Kreicker, Helmut (1970)

Dr. iur.; Richter im Justizdienst des Landes Niedersachsen, derzeit Mitglied einer Strafkammer (Schwurgericht) des Landgerichts Hildesheim. Zuvor bis März 2005 Leiter des Referats „Internationales Strafrecht und Völkerstrafrecht" am Max-Planck-Institut für ausländisches und internationales Strafrecht in Freiburg i.Br. Leiter des Projekts „Nationale Strafverfolgung völkerrechtlicher Verbrechen National Prosecution of International Crimes". Studium der Rechts- und Politikwissenschaften an der Albert-Ludwigs-Universität Freiburg i.Br. Erste juristische Staatsprüfung 1996. Juristischer Vorbereitungsdienst beim Land Baden-Württemberg von 1996 bis 1998. Zweite juristische Staatsprüfung 1998. Promotion mit der von Prof. Dr. Dr. h.c. mult. *Albin Eser*, M.C.J., Direktor em. des Max-Planck-Instituts und Richter am ICTY, betreuten und durch ein Graduiertenstipendium der Friedrich-Ebert-Stiftung geförderten Dissertation *Völkerrechtliche Exemtionen von strafrechtlicher Verantwortlichkeit – Grundlagen und Grenzen völkerrechtlicher Immunitäten und ihre Wirkungen im Strafrecht* im Sommersemester 2005. Veröffentlichungen vornehmlich zu Fragen des strafjuristischen Umgangs mit Systemunrecht und zum Völkerstrafrecht, unter anderem *Landesbericht Deutschland* zum Projekt „Strafrecht in Reaktion auf Systemunrecht" (2000, als Mitautor), *Die Verjährung von DDR-Systemunrecht* (2001, zusammen mit J. Arnold), *Menschenrechtsschutz durch Art. 7 Abs. 1 EMRK* (2001, zusammen mit J. Arnold und N. Karsten), *Die völkerstrafrechtliche Unverjährbarkeit und die Regelung im Völkerstrafgesetzbuch* (2002), Art. 7 *EMRK und die Gewalttaten an der deutsch-deutschen Grenze* (2002), *Landesbericht Deutschland* zum Projekt „Nationale Strafverfolgung völkerrechtlicher Verbrechen" (2003, zusammen mit H. Gropengießer),

Die strafrechtliche Indemnität und Immunität der Mitglieder des Europäischen Parlaments (2004) sowie *National Prosecution of Genocide from a Comparative Perspective* (2005).

Sieber, Ulrich (1950)

Prof. Dr. iur., Dr. h.c. (Neofit Rilski Universität Bulgarien); Direktor am Max-Planck-Institut für ausländisches und internationales Strafrecht in Freiburg; Honorarprofessor, Fakultätsmitglied und wissenschaftlicher Direktor des Rechtsinformatikzentrums der Ludwig-Maximilians-Universität München; Honorarprofessor und Fakultätsmitglied an der Albert-Ludwigs-Universität Freiburg; Advisor Professor an der Renmin-Universität Peking; Gastprofessor an der Universität Wuhan; Präsident der Deutschen Vereinigung für Europäisches Strafrecht; Mitglied im Conseil de Direction der Association Internationale de Droit Pénal. 1987 Habilitation an der Universität Freiburg; 1987–1991 Inhaber des Lehrstuhls für Strafrecht und Informationsrecht an der Universität Bayreuth; 1991–2000 Inhaber des Lehrstuhls für Strafrecht, Strafprozessrecht, Informationsrecht und Rechtsinformatik an der Universität Würzburg; 2000–2003 Inhaber des Lehrstuhls für Strafrecht, Informationsrecht und Rechtsinformatik an der Ludwig-Maximilians-Universität München; seit 2003 Direktor am Max-Planck-Institut für ausländisches und internationales Strafrecht. Daneben Gastprofessor an der Universität Tokio (1994); persönlicher Sonderberater von zwei EG-Kommissaren (1993–1994, 1997–1999) sowie Gutachter und Berater für verschiedene Unternehmen, deutsche und ausländische Regierungsstellen sowie internationale Organisationen. Herausgeber bzw. Mitherausgeber u.a. der „Schriftenreihe des Max-Planck-Instituts für ausländisches und internationales Strafrecht", der Schriftenreihen „ius informationis", „ius criminale" und „ius europaeum", der Zeitschriften „Multimedia und Recht" und des „Handbuchs Multimedia-Recht". Veröffentlichungen zahlreicher Beiträge, insbesondere zu Fragen der Rechtsvergleichung, des Europäischen Strafrechts, des Informationsrechts und der organisierten Kriminalität.

Schriftenreihe des Max-Planck-Instituts für ausländisches und internationales Strafrecht

Die zentralen Veröffentlichungen des Max-Planck-Instituts für ausländisches und internationales Strafrecht werden in Zusammenarbeit mit dem Verlag Duncker & Humblot in den folgenden vier Unterreihen der „Schriftenreihe des Max-Planck-Instituts für ausländisches und internationales Strafrecht“ vertrieben:

- „Strafrechtliche Forschungsberichte“,
- „Kriminologische Forschungsberichte“,
- „Interdisziplinäre Forschungen aus Strafrecht und Kriminologie“ sowie
- „Sammlung ausländischer Strafgesetzbücher in deutscher Übersetzung“.

Diese Publikationen können direkt über das Max-Planck-Institut unter <www.mpicc.de> oder über den Verlag Duncker & Humblot unter <www.duncker-humblot.de> erworben werden.

Darüber hinaus erscheinen im Hausverlag des Max-Planck-Instituts in der Unterreihe „research in brief“ zusammenfassende Kurzbeschreibungen von Forschungsergebnissen und in der Unterreihe „Arbeitsberichte“ Veröffentlichungen vorläufiger Forschungsergebnisse. Diese Veröffentlichungen können über das Max-Planck-Institut bezogen werden.

Detaillierte Informationen zu den einzelnen Publikationen des Max-Planck-Instituts für ausländisches und internationales Strafrecht sind unter <www.mpicc.de> abrufbar.

The main research activities of the Max Planck Institute for Foreign and International Criminal Law are published in the following four subseries of the “Schriftenreihe des Max-Planck-Instituts für ausländisches und internationales Strafrecht” (Research Series of the Max Planck Institute for Foreign and International Criminal Law), which are distributed in cooperation with the publisher Duncker & Humblot:

- “Strafrechtliche Forschungsberichte” (Reports on Research in Criminal Law),
- “Kriminologische Forschungsberichte” (Reports on Research in Criminology),
- “Interdisziplinäre Forschungen aus Strafrecht und Kriminologie” (Reports on Interdisciplinary Research in Criminal Law and Criminology), and
- “Sammlung ausländischer Strafgesetzbücher in deutscher Übersetzung” (Collection of Foreign Criminal Laws in German Translation).

These publications can be ordered from the Max Planck Institute at <www.mpicc.de> or from Duncker & Humblot at <www.duncker-humblot.de>.

Two additional subseries are published directly by the Max Planck Institute for Foreign and International Criminal Law: “research in brief” contains short reports on results of research activities, and “Arbeitsberichte” (working materials) present preliminary results of research projects. These publications are available at the Max Planck Institute.

Detailed information on all publications of the Max Planck Institute for Foreign and International Criminal Law can be found at <www.mpicc.de>.

Max-Planck-Institut für ausländisches
und internationales Strafrecht

Auswahl aus dem strafrechtlichen und dem interdisziplinären Veröffentlichungsprogramm sowie aus den Arbeitsberichten:

S 95.1 *Albin Eser/Helmut Kreicker (Hrsg.)*
Nationale Strafverfolgung völkerrechtlicher Verbrechen
National Prosecution of International Crimes
Band 1: Deutschland
2003 • 551 Seiten • ISBN 978-3-86113-888-4 € 34,00

S 95.2 Band 2: Finnland, Polen, Schweden
2003 • 304 Seiten • ISBN 978-3-86113-895-2 € 30,00

S 95.3 *Albin Eser/Ulrich Sieber/Helmut Kreicker (Hrsg.)*
Band 3: Kroatien, Österreich, Serbien und Montenegro, Slowenien
2004 • 437 Seiten • ISBN 978-3-86113-886-0 € 34,00

S 95.4 Band 4: Côte d'Ivoire, Frankreich, Italien, Spanien, Lateinamerika
2005 • 510 Seiten • ISBN 978-3-86113-883-9 € 39,00

S 95.5 Band 5: Canada, Estonia, Greece, Israel, USA
2005 • 541 Seiten • ISBN 978-3-86113-882-2 € 39,00

S 95.6 Band 6: Australien, China, England/Wales, Russland/Weißrussland, Türkei
2005 • 501 Seiten • ISBN 978-3-86113-879-2 € 39,00

I 12 *Hans-Jörg Albrecht/Ulrich Sieber (Hrsg.)*
Perspektiven der strafrechtlichen Forschung
Amtswechsel am Freiburger Max-Planck-Institut für ausländisches und internationales Strafrecht 2004
2006, 79 Seiten • ISBN 978-3-86113-078-9 € 22,00

I 14 *Ulrich Sieber/Hans-Jörg Albrecht (Hrsg.)*
Strafrecht und Kriminologie unter einem Dach
Kolloquium zum 90. Geburtstag von Professor Dr. Dr. h.c. mult. Hans-Heinrich Jescheck
2006, 214 Seiten • ISBN 978-3-86113-874-7 € 22,00

A 5.1 + 2 *Ulrich Sieber (Hrsg.)*
The Punishment of Serious Crimes
A 5.1: 276 Seiten (Expert Report)
A 5.2: 579 Seiten (Country Reports)
2004 • ISBN 978-3-86113-885-9 € 44,00

Max-Planck-Institut für ausländisches
und internationales Strafrecht

Auswahl aus dem kriminologischen Veröffentlichungsprogramm:

K 124 *Maria Markantonatou*
Der Modernisierungsprozess staatlicher Sozialkontrolle
Aspekte einer politischen Kriminologie
Transformationen des Staates und der sozialen Kontrolle
im Zeichen des Neoliberalismus
2005, 322 Seiten • ISBN 978-3-86113-070-3 € 31,00

K 126 *Claudia Dorsch*
Die Effizienz der Überwachung der Telekommunikation
nach den §§ 100a, 100b StPO
2005, 330 Seiten • ISBN 978-3-86113-072-7 € 31,00

K 127 *Christiane Krüpe-Gescher*
Die Überwachung der Telekommunikation
nach den §§ 100a, 100b StPO in der Rechtspraxis
2005, 256 Seiten • ISBN 978-3-86113-073-4 € 31,00

K 128 *Hannes Meyer-Wieck*
Der Große Lauschangriff
Eine empirische Untersuchung zu Anwendung und Folgen
des § 100c Abs. 1 Nr. 3 StPO
2005, 346 Seiten • ISBN 978-3-86113-071-0 € 31,00

K 129 *Annette Louise Herz*
Menschenhandel
Eine empirische Untersuchung zur Strafverfolgungspraxis
2005, 312 Seiten • ISBN 978-3-86113-074-1 € 35,00

K 130 *Carsten Schäfer/Letizia Paoli*
Drogenkonsum und Strafverfolgungspraxis
Eine Untersuchung zur Rechtswirklichkeit der Anwendung
des § 31 a BtMG und anderer Opportunitätsvorschriften
auf Drogenkonsumentendelikte
Im Auftrag des Bundesministeriums für Gesundheit
und Soziale Sicherung
2006, 460 Seiten • ISBN 978-3-86113-075-8 € 35,00

K 131 *Stefan Schulz*
Beyond Self-Control
Analysis and Critique of Gottfredson & Hirschi's
General Theory of Crime (1990)
2006, 287 Seiten • ISBN 978-3-86113-076-5 € 31,00